완역
삼명통회
三命通會

총 4-3권

원문 (卷七~卷九)

楚江易水 育吾山人 萬民英 撰

安姬省 번역

BOOKK

완역
삼명통회
三命通會

총 4-3권

원문 (卷七~卷九)

楚江易水 育吾山人 萬民英 撰

安姬省 번역

BOOKK

완역삼명통회(4-3권)

발 행 | 2023년 9월 26일
저 자 | 만민영
역 자 | 안희성
펴낸이 | 한건희
펴낸곳 | 주식회사 부크크
출판사등록 | 2014.07.15.(제2014-16호)
주 소 | 서울특별시 금천구 가산디지털1로 119 SK트윈타워 A동 305호
전 화 | 1670-8316
이메일 | info@bookk.co.kr

ISBN | 979-11-410-4595-1

www.bookk.co.kr

지은이 | 만민영

중국 명나라 때 사람으로 자는 여호汝豪 호는 육오育吾이다. 지금의 하북성(河北省)에서 태어났다. 우리나라에서는 명리학자로 알려졌다. 또한 저서인 삼명통회는 명리학의 백과사전이라고 불릴 만큼, 당대의 명리서를 총망라하여 청나라 견륭제 때 『欽定四庫全書』수록될 정도로 그 가치를 인정받은 책이다.

편저 | 안희성

저자 안희성은
· 충남 청양 출생
· 국립공주대학교 대학원 동양학과 석사졸업
· 동대학원 박사졸업
· 前) 춘천 영산문화원 역학 강의
· 前) 대전대학교 평생교육원 역학 강의
· 現) 동방대학원 대학교 평생교육원 성명사주학 강의 중
· 現) 원광디지털대학교 성명사주학 및 육효학 강의 중
· 現) 상명대학교 경영대학원 부동산학과 풍수 강의 중
· 現) 계룡산 밑 비결원에서 후학 양성 중(문의 010-8451-6442)

譯者의 말

『삼명통회』, 『자평진전』, 『연해자평』, 『궁통보감』, 『명리정종』은 命理學의 5대 고전이라 불리운다. 그 중에서도 『삼명통회』는 방대한 내용과 깊이에서 '명리학 백과사전'이라 일컬어진다. 명리학에 입문한 지 수십 년에 여러 학설도 보고 많은 가르침도 많았다. 학설은 방대하고 해석은 다양하여 가닥을 잡기 힘들었지만, 명리의 전반은 『三命通會』를 벗어나지 않는다는 느낌을 지울 수 없었다. 그동안 배운 공부를 정리하여 玄正 申修勳 선생의 <眞如秘訣>로 학위 논문을 준비하면서 명리학 전반에 대한 틀을 다시 잡을 수 있었다. 이러한 과정에서 『삼명통회』의 방대한 학설과 풍부한 명조는 하나의 큰 '저수지' 같다는 느낌을 받았다. 여러 학설의 물줄기가 모여 다시 갈래로 나누어지는 양상을 보았으며, 무궁한 사색의 원천이 되고 있음을 확인하였다. 역자에게 삼명통회는 이처럼 늘 가까이 있으며 도움을 받았으나 하나로 집적되지 못했다. 여러 봉우리를 올라보았으나 전체는 보여주지 않는 거대한 '산맥'처럼 느껴지기도 하였다.

그동안 삼명통회에 대하여 여러 동학들과 스터디하면서 틈틈이 옮겨 두었던 것을 다시 정리해서 역서로 출간하게 되었다. 워낙 방대한 내용이라 전문을 번역함에 있어 여러분들의 많은 도움을 받았다. 따라서 이 책은 비록 역자의 이름으로 출간하지만, 초벌 번역을 해주신 수기유행 카페지기 김균 선생님을 비롯한 많은 분들의 共譯이라 불러야 마땅할 것이다. 의문나는 구절에 자문을 구하고, 도움을 받으신 분들을 일일이 다 언급할 수는 없는 실정이다. 번역과 편집과 출판에 도움을 주신 여러분께 감사한 마음을 표한다.

최근 들어 命理에 대한 관점과 고조는 동양적 문화(판소리, 탈춤), 철학(동양철학), 의학(한의학)에 이어 생활문화로까지 확대되고 있다. 생활문화로서의 주요 영역은 무엇보다도 命理, 風水, 觀相을 들 수 있겠다. 이러한 영역들은 이미 우리 생활 깊숙이 자리 잡았으며, 정식 학제에 편입되어 많은 연구 성과들이 양산되고 있다. 가히 동양 생활철학의 르네상스 시대라고 불리어도 좋을 변화로 보여진다. 한편, 이러한 양적 확대에 상응하는 내적 성숙을 고민하는 것은 당면한 과제라 하겠다. 이런 의미에서 본 譯書가 命理에 대한 원론적 고찰의 심화라는 차원에서 명리학이 '術數'를 넘어 '學問'으로 발전해 나가는 데 일조가 되었으면 하는 바람 간절하다.

『삼명통회』의 저자 育吾山人 萬民英은 '命을 들음을 경건히 하라(敬聞命矣)'고 하였다. 이 말은 오늘날의 명리인들이 가슴 깊이 새겨야 할 잠언이 아닐 수 없으니, 나 역시 이 교훈으로 역자의 말을 마무리하고자 한다.

2023년 8월에
安姬省

추천사 (신수훈)

역이란 미래를 읽는 기술이요 천명을 아는 심오한 학문으로 그 이론이 정밀하고 광범하다. 식이 맑고 밝은 소박한 고대인들의 지혜와 노자를 비롯한 귀곡자, 낙록자, 이허중, 서거이, 공자, 장자, 정자, 주자 등의 도가나 유가를 망라한 여러 현인과 학자들이 탐구한 논리를 육오 산인 만민영 선생이 다양하게 수집하고 융합하여 일목요연하게 엮은 것이 삼명통회다.

태극에서 비롯한 음양오행과 천간 지지의 생성원리와 작용, 생극제화의 통변조화 논리전개를 상세하게 다루고 있는 삼명통회는 역리가 재관 녹마 신살 등의 명리로 변천 발전하는 과정을 누구나 쉽게 이해하고 숙지하여 응용할 수 있도록 종합편찬한 학술적인 고전이요 보물이다.

간지 오행, 육친 신살, 격국 용신의 기초 명리 법으로 유인되는 선연 악연 업연 등 인연을 가상 전제로 유추하면 명주의 성격, 직업, 애정 형성은 물론 인간사의 과거 현재 미래의 행불행을 예측하고 분석할 수 있다. 이 같은 진여 명리학을 전거로 천시, 지리, 인사까지 관통하여 피흉취길 하고 개운할 수 있는 <진여비결의 오주론적 특성과 그 사회적 의의에 관한 연구> 논문으로 박사학위를 받으시고 후학들을 위하여 그 어려운 삼명통회까지 일념으로 번역하신 안희성 교수의 박학다식과 열정에 감사와 찬사를 보낸다.

역을 배우고 추명을 하는 학인은 그 뜻을 성실히 하고, 그 마음을 바르게 한 다음에 삼명통회를 학습하여 격물하고, 거경궁리 하여 명리의 궁통 변화를 통달한다면 세상의 스승으로 존경받으며 홍익인간의 길을 갈 것이 분명하다.

옛 성인들이 명을 아는 자는 근심이 없다고 하였고, 천시를 알고 출사하면 허물이 없으며 터를 알고 머무르면 발복 한다고 하였다. 명리를 경건한 마음으로 배우고 익혀 생활에 활용할 수 있는 사람은 조상 음덕과 복이 많은 것이다.

명리에 입문한 사람은 자신의 앎에 한계 짓지 말고 명리의 기초에서부터 고등 실전이론을 겸비한 삼명통회를 학습 집중하여 터득하면 심오한 명리의 문리를 깨치고 달인의 경지에 이를 것이다. 50년 역술인의 길을 살아온 현정은 역우 여러분에게 진심으로 삼명통회 일독을 권하며 자신 있게 추천한다.

2021년 7월 　진여 정사에서 현정 신수훈 서

추천사 (유방현)

동양사상을 하나의 큰 강물로 비유하면 역학은 그 강물을 흐르게 하는 용천이라 할 수 있다. 맹자에 "原泉混混 不舍晝夜"라는 말이 있다. '원천이 용솟음 쳐서 밤낮을 쉬지 않는다'라는 의미이다 역학역시 넓고 깊은 샘이어서 끊임없이 無邊廣大한 無限疾走 하는 시간을 두고 온갖 대지를 적셔주고 있다.

우리나라에서 그동안 수많은 역학서 들이 번역되고 출간되어 온 것에 대하여 이견이 없다. 먼저 역학의 성립근거는 기존의 역학의 제학습의 연구를 토대로 하여 사람들이 원하는 사상성을 도출해 내는 새로운 연구 분야이기도 하다. 그러므로 지난날의 내 삶을 거울에 비추듯 지금 반조해 본다면 미래의 길은 더욱 더 환히 열리게 된다. 연구해서 얻어낸 결과이며, 철학적 사고와 종교적 사상 또한 몰입으로부터 나왔다 해도 지나친 말이 아니다. 탐내는 것과 원하는 것은 다르다. 탐내는 것은 노력을 하지 않고 얻으려고 할 때 생기는 마음이다. 원하는 것은 노력해서 얻고자 할 때 생기는 보이지 않는 미래는 오늘에 만들어 지고, 오늘의 참되 삶은 지난날에 의해 정해진다고 할 수 있다. 안희성 선생은 명리, 주역, 육효, 풍수와 더불어 성명학에 정점을 찍고 이제 쉬어가는 인생의 종착역에 또다시 새로운 영역인 방대한 분량의 『삼명통회』의 번역 출간에 방점을 찍었다는 것에 놀라움과 경의를 표할 뿐이다.

내가 아는 안희성 선생은 근 반평생을 역학에 몸 바쳐 전국에 수많은 제자가 있는 것으로 알고 있다. 이를 단적으로 나타내는 것은 역학에서는 無不通知의 경지에 이르렀음은 많은 學人諸賢들께서 이미 알고 있고 더 나아가 음지의 학문을 양지로 끌어올린 장본이기도하다. 그 증표가 되는 것은 4년제 정규 대학에서의 직접 동양학 강의를 마다않고 몸 바쳐 제자 양성에 수고와 노력을 아끼지 않는 몇 안 되는 뛰어난 역학의 고수 중 한 사람일 것이다.

맷돌을 돌리면 깎이는 것이 보이지는 않지만, 어느 땐가 다 하고, 나무를 심고 기르면 자라는 것이 눈에 띄지는 않아도 어느새 크게 자란다. 강의와 더불어 후학을 양성하는 것은 아무나 할 수 있는 것이 아니다. 몸에 밴 겸손함과 열정을 가진 뜨거운 마음을 가진 사람만이 후학을 양성하고 그가 가진 진가를 넘겨주는 그야말로 진기를 탈진하는 하나의 여정일 것이다. 또한 기존의 『三命通會』라 명칭 되어온 수많은 도서류 중 학인들이 마땅히 받아들여 공부할 수 있는 서적이 그다지 많지 않은 중 전4권으로 600여 페이지가 넘는 방대하고 세세한 학술서로서의 출현이 더없이 반갑기 그지없다. 이번에 출간하는 『三命通會』는 뼈와 살을 깎고 인고의 시간을 투자한 역작이다. 쉽지 않은 건강에 극심한 통증의 대상포진을 격고 眼光의 빛을 발하다 얻은 백내장 등 수 없는 역경과 고통을 산고의 고통과 버금가리라 생각이 들며, 일면 안쓰럽고 일면 자랑스럽기도 한 나의 역학제자이자 동지이다. 번역 일에 치중하는가 하면 자신의 내면에 더욱 혹독하게 담금질하여 공주대학교에서 동양학 박사학위도 취득한 지성과 포용을 갖춘 보기 드문 고수이기도 하다. 이는 역학계의 또 다른 자랑이며 자긍심을 심는 기회이기도 하다. 다만 안희성 선생께서 이제는 건강도 돌보고 지켜서 오랫동안 우뚝 선 모습으로 그 자리를 지켜주기를 바랄 뿐이다.

2021년 7월.　　한국전통 과학 아카데미 유방현

『삼명통회三命通會』 서문序文

옛적에 복희황제는 하도낙서河圖洛書를 본받아 괘卦를 그리고 역易을 만들어 수數로써 이理를 강구하니 천지의 신비함이 처음으로 드러났다. 주렴계는 태극도太極圖를 만들고, 『통서通書』[1]에서는 음양오행을 천명하니 이理로서 수數가 밝혀져 성명性命의 이치는 더욱 드러나게 되었다. 이理와 수數가 합일되어 천지의 조화가 이수理數를 넘지 않았다는 말이 이것이다. 지금 성가星家들은 조화造化 중에서 인간이 처음 태어난 때의 年·月·日·時를 취하여 사주四柱라 이름하고 이를 명命이라고 불렀다. 그 학설은 낙록자珞珠子에게서 시작하여 이허중李虛中에서 넓혀지고 서거이徐居易에서 번성해졌다. 그 학설을 자세히 고찰해보면 이치가 없다고 할 수는 없다. 다만, 음양오행은 천지간에 유행하는 것이고 생극제화生剋制化일 뿐이다. 지금 생극제화에 허다한 명목을 교묘히 붙여 사람의 운명에 모두 연결지으니 애초부터 천착穿鑿하는 실수를 면하기 어려웠다. 하물며 세상의 용렬한 술수는 도리를 밝히지 못하고 조화에 통달하지 못하면서 겨우 『연원淵源』과 『연해淵海』 등의 책으로 명命을 안다고 쉽게 말해 버린다. 고인古人이 논명論命한 까닭을 물으면 망망하여 대답을 하지 못한다. 그 중에 아는 자가 있어도 역시 조잡하고 천박하고 막혀서 관통하여 궁구하지 못하니 변화를 통달함에 부족함이 없겠는가. 그저 성명星命의 담론은 맞추느냐 못 맞추느냐에 있을 뿐이었다.

나는 이를 병폐로 여겨 널리 고금의 책을 구하여 음양오행과 생극제화를 언급하여 성명星命에 관련되는 것은 반드시 그 근원과 그렇게 되는 이치를 깊이 탐구하였다. 오랜 시간이 흘러 활연히 관통하여 고인古人의 추명론推命論, 납음론納音論, 간지론干支論, 격국론格局論, 재관론財官論, 녹마론祿馬論, 그리고 신살神煞이 변화를 취하는 요체에 모두 지극한 이치가 담겨 있음을 알게 되었다. 하물며 유학儒學에서의 격물치지格物致知[2]의 학문 또한 마땅히 마음을 먼저 궁구하는데 명리命理가 작은 도리라고 어찌 버리겠는가. 어떤 이는 명命의 이치는 미묘하여 성인도 말한 바가 드물었으니[3] 어찌 쉽고 자세하게 담론하는 것이 가능하겠느냐고 한다.

그러나 명命의 이치는 쉽게 말할 수 없다는 그대의 말로써 문제가 다 해결될 수 있겠는가. 명의 이치는 미묘하여 성인이 드물게 말씀하신 것이지만 그러나 일찍이 말씀하지 않은 것은 아니다. 나는 세상에서 사람들이 천명天命을 알지 못하여 망령되이 행동하고, 또 인사人事를 다하지 못하여 죄에 얽혀지는 것을 슬퍼한다. 천명을 알지 못하는 사람은 진실로 말할 것도 없으며 죄에 얽혀지는 자도 명을 알지 못한 것이다. 어째서인가. 대개 인사人事와 천명天命은 서로 유통하므로 인사를 다할 수 있어야 천명을 다할 수 있는 것이다.

명命에는 궁통窮通이 있으므로 하지 않아도 하게 되며, 이루려 하지 않아도 이르게 된다. 반드시 이르게 되어 어찌할 수 없게 된 연후에는 이런 것을 명命이라 말할 수 있다. 그래서 공자는 "군자는 편안하게 살면서 천명을 기다린다."[4]하였다.

사생死生이 명命에 있다는 성인의 뜻은 결단코 알 수 있는 것이다. 나는 이것을 깊이 생각해

---

1) 주렴계의 저술. 본래 《역통易通》이라 칭하여 《태극도설太極圖說》과 표리表裏관계이나 태극도설이 우주론宇宙論을 설명한 데 반해 이 책은 오로지 윤리설倫理說을 가리키고 있다.
2) 『大學』1, "格物 致知 誠意 正心 修身 齊家 治國 平天下"
3) 『論語』9, "子 罕言利與命與仁"
4) 『中庸』14, "君子 居易以俟命, 小人 行險以徼幸"

보았다. 성인이 가르침을 내리신 뜻은 후세에 밝혀지지 못하였고, 명리의 학설이 은미했던 까닭에 그 설명은 자세하지 않았다. 자세히 말하려면 설명할 자료가 많아야 한다. 어찌 감히 명을 쉽게 말하겠는가. 그래서 자료를 널리 모으고 먼 곳에서 인용하고 근원을 거슬러 올라가 뿌리를 찾아보았다.

그리하여 음양의 요점을 찾았고, 다시 간지干支의 시초를 궁구하고, 신살神煞의 길흉을 해석하였다. 어떤 이치에 의거하여 명해名解와 격국格局의 명의名義를 얻고, 어떤 법에 의거하여 실례를 세웠는지 연구하였다. 녹마祿馬는 어떻게 다르며, 재관財官과 납음納音은 어떻게 달라지는가를 연구하였다. 오행에서 남녀의 위상이 다르고 강유剛柔와 행동이 완전히 다르다. 노유老幼는 기운이 달라서 늙어지기도 젊어지기도 하니 그 취함이 한결같지 않다. 질병은 부여받은 기운의 치우침에 의해 정해진다. 사주가 흉하면 단명한 것은 살이 중한 까닭이다.

사주는 먼저 뿌리와 기반을 살피고, 다음으로 세운歲運의 지위와 배성配星의 어둡고 밝음을 살핀다. 그런 연후에 고금古今의 인명人命은 일시日時가 중요함을 입증한다. 이것은 일日을 얻은 전일적인 이유와 시時를 얻은 단독적인 이유를 자세히 살피는 이유이다. 그러나 사람이 일시日時는 같아도 귀천은 아주 다를 수 있다. 그러므로 월령月令과 절기節氣의 심천淺深을 봐야 한다. 팔자八字에 있어서도 장수하고 요절하는 것은 같지 않은 것은 내외內外의 업연業緣이 감응하는 것이 같지 않기 때문이다. 하물며 시간의 차이와 시각에 따라 기운이 나뉘는데 유세幼世에서는 치란治亂이 나누어지고 운運은 이에 따른다. 고금의 풍수風水는 신공神工을 빼앗을 수 있고, 음즐陰騭[5]은 천명을 바꿀 수 있으니 인생에서 때를 만나는 것을 어찌 하나의 실례에서만 논의할 수 있겠는가. 참으로 깨달으면 정신이 통하고, 밝히면 조화造化와 소식消息의 이치는 나에게 있다. 수요壽夭, 궁통窮通, 빈부貧富는 스스로 도피할 수 없다. 성인도 드물게 말씀하신 것을 감히 말하려니 나의 말로 다할 수 있겠는가.

아! 공자는 대성인이다. 스스로 나이 오십에 비로소 지천명知天命하였다고 하셨다.[6] 그래서 나에게 몇 년을 더 살게 해준다면 역易을 배우겠다고 하셨다.[7] 역易이란 것은 천명天命을 아는 학문이다. 성문聖門 제현諸賢 중에서 자공子貢보다 영오穎悟한 자는 없는데 훌륭하다는 감탄을 들은 적이 없다. 그렇다면 나의 이 저술은 하나의 역易에 대한 이론이요, 천명天命을 알고자 하는 학문이다. 역을 받아들임에 있어 어찌 쉽게 말하겠는가. 옛적에 엄평은嚴平隱군이 성도시成都市에서 점을 치면서 사람들이 얻은 괘를 가지고 점술이 아닌 권선징악勸善懲惡의 교훈을 베풀었는데 군자들은 지금까지 이를 칭송한다. 나의 마음이 또한 이와 같다. 그리고 어찌 내가 역을 안다고 자세하게 말하겠는가. 혹자가 "명을 들음을 공경히 하라."고 말하였는데, 나는 이 말을 펼쳐서 『삼명통회三命通會』의 서문으로 삼는다.

만력萬曆[8] 6년 戊寅年 늦가을 길일에 前進士 楚江易水 育吾山人 萬民英 쓰다.

---

5) 조상의 음덕
6) 『論語』2, "五十而知天命"
7) 『論語』7, "子曰 加我數年 五十以學易 可以無大過矣"
8) 중국 명대明代 神宗 재위의 연호, 萬曆 6년은 1578년이다.

三命通會 序

昔者 羲皇則河圖洛書劃卦作易 乃因數窮理 而天地之秘始洩 周茂叔作太極圖 通書闡陰陽五行 乃

因理明數 而性命之蘊益著 理數合一而造化不越是矣. 今聖家者流 乃就造化中於人有生之初 推年月

日時 立名四柱 而謂之命 其說肇於珞琭子 衍於李虛中 盛於徐居易 細考其說 不可謂無理也. 但陰

陽五行 流行天地間生剋制化而已. 今乃於生剋制化 中巧立許多名目 以盡人之命 未免已失之鑿 矧

世庸術 不明道理 達造化 僅能誦淵源 淵海等書 便謂知命 及詢古人論命之所以然 茫然 無以應之

間有知者 又粗淺執滯 弗能洞究 達變無怪乎 星命之談 有准與不准也. 余爲此病 乃博求古今之書

凡語及陰陽五行生剋制化 有關星命者 必深探其源頭所以然之理 久則豁然通貫 乃知古人推命 論納

音 論干支 論格局 論財官 論祿馬 論神煞 取用變化 要皆有至理寓焉 矧吾儒格致之學 茲亦所當究

心者 惡可槩以小道棄之哉. 或曰 命之理微 聖人罕言 何談之易 而言之詳 豈命之理 盡於子之言乎.

余曰 命之理微 此聖人所以罕言然 未嘗不言也. 余悲不世人不知天命 而妄圖冥行 又悲夫人事未修

而諉罪 天命不知者 固無足言 而諉罪者 則未爲得也. 何也 盡人事與天命 相爲流通 能盡人事 卽所

以盡天命 而命有窮通 莫之爲而爲 莫之致而至必至 無可奈何然後 斯可以言命也. 故 孔子曰 君子

居易以俟命 又曰 死生有命 聖人之意 斷可識矣. 余深念 聖人垂教之意 後世不明 而命之理微 故其

說不得不詳說之 旣詳故 其術不得不多 而何敢談之易也. 是故博搜遠引遡源求根 旣探陰陽之精 復

窮干支之始 釋神煞之吉凶 據何理而得名解 格局之名義 憑何法而立例 祿馬何異乎 財官納音何殊

乎. 五行男女位分 剛柔行藏頓異 老幼氣別衰嫩 取用不同 疾病由稟受之偏 凶短本受煞之重 先察根

基 次詳歲運地 配星野時 看晦晴然後 証以古今人命 重以日時 參詳以日得之傳 時得之獨故也. 然

人有日時同 而貴賤迥然 乃月令節氣淺深之辯 有八字等 而壽夭不齊 寔內外業緣所感之隨 矧時差

刻漏 氣判正 幼世分治亂運隨 古今風水可奪神工 陰騭可改天命 人生遭際 修爲安得一例論乎 誠能

會而通之神而明之 則造化消息之理在我 而壽夭窮通貴賤貧富 自莫能逃 敢謂聖人罕言 而殫於余之

言乎. 嗚呼 孔子大聖人也. 自敍五十始知天命 故曰 加我數年 五十以學易 易也者 知天命之學也.

聖門諸賢 領悟莫如子貢 嘆不可得而聞 然則 予所著述 一易之理 知天命之學也. 豈容以易易言哉

昔嚴君平隱 成都市 假以賣卜 因人所得之卦 而勸善懲惡 君子至今稱之 余之心 亦猶是也. 又惡知

談之易 而言之詳乎. 或曰 敬聞命矣. 遂次其言 以爲三命通會敍云.

萬曆 六年 戊寅 季秋 吉日 前進士 楚江易水 育吾山人 萬民英 書.

역자의 말 ·· 745

추천사 (신수훈) ·· 746

추천사 (유방현) ·· 747

삼명통회 서문 ·· 748

三命通會 7卷

1. 자평설변子平説辯 ·· 759

2. 논성정상모論性情相貌-(1~7) ·· 761

3. 논질병오장육부소속간지論疾病五臟六腑所屬干支-(1~9) ············ 766

4. 논빈천흉악論貧賤凶惡 ·· 777

5. 논수요論壽夭-(1~5) ·· 779

6. 논여명論女命-(1~31) ··· 786

7. 논소아論小兒-(1~6) ·· 836

8. 논육친論六親-(1~12) ··· 845

삼명통회 8권

1. 六甲日甲子時斷(以下所忌月分與時同斷) ······························· 866

2. 六甲日乙丑時斷(以下六甲所忌月同上,時忌並論) ······················ 870

3. 六甲日丙寅時斷(以下所忌月分,與時同斷) ····························· 873

4. 六甲日丁卯時斷(以下所忌月分,與時同斷) ····························· 879

5. 六甲日戊辰時斷(以下六甲日所忌,月分同上,時犯併論) ················ 882

6. 六甲日己巳時斷 ·· 886

7. 六甲日庚午時斷(以下六甲日所忌月分同上,時犯併論) ················· 889

8. 六甲日辛未時斷 ·· 892

9. 六甲日壬申時斷 ·· 894

10. 六甲日癸酉時斷 ··· 897

11. 六甲日甲戌時斷 ··· 900

12. 六甲日乙亥時斷 ··· 903

13. 六乙日丙子時斷 ··· 907

14. 六乙日戊寅時斷 ··· 914

15. 六乙日己卯時斷 ··· 917

16. 六乙日庚辰時斷 ··· 920

17. 六乙日辛巳時斷 ··· 923

18. 六乙日壬午時斷 ··· 926

19. 六乙日癸未時斷 ··· 930

20. 六乙日甲申時斷 ··· 932

21. 六乙日乙酉時斷 ··· 935

22. 六乙日丙戌時斷 ··· 939

23. 六乙日丁亥時斷 ··· 942

24. 六丙日戊子時斷 ··· 946

25. 六丙日己丑時斷(以下六丙日所忌月分與上同.時亦併論) ········· 950

26. 六丙日庚寅時斷 ··· 953

27. 六丙日辛卯時斷 ··· 957

28. 六丙日壬辰時斷 ··· 960

29. 六丙日癸巳時斷 ··· 964

30. 六丙日甲午時斷 ··· 967

31. 六丙日乙未時斷 ··· 970

32. 六丙日丙申時斷 ··· 973

33. 六丙日丁酉時斷 ··· 976

34. 六丙日戊戌時斷 ··· 979

35. 六丙日己亥時斷 ··· 982

36. 六丁日庚子時斷 ··· 945

37. 六丁日辛丑時斷(以下六丁日所忌月分同上,時忌併論) ··········· 948

38. 六丁日壬寅時斷 ··· 993

39. 六丁日癸卯時斷 ··· 997

40. 六丁日甲辰時斷 ··· 1000

41. 六丁日乙巳時斷 ··· 1004

42. 六丁日丙午時斷 ··· 1007

43. 六丁日丁未時斷 ··· 1010

44. 六丁日戊申時斷 ··· 1013

45. 六丁日己酉時斷 ··· 1016

46. 六丁日庚戌時斷 ··· 1019

47. 六丁日辛亥時斷 ··· 1022

48. 六戊日壬子時斷 ··· 1026

49. 六戊日癸丑時斷（以下六戊日所忌月分俱同上斷,時犯亦同） ······ 1030

50. 六戊日甲寅時斷 ··· 1033

51. 六戊日乙卯時斷 ··· 1037

52. 六戊日丙辰時斷 ··· 1041

53. 六戊日丁巳時斷 ··· 1044

54. 六戊日戊午時斷 ··· 1048

55. 六戊日己未時斷 ··· 1051

56. 六戊日庚申時斷 ··· 1054

57. 六戊日辛酉時斷 ··· 1058

58. 六戊日壬戌時斷 ··· 1061

59. 六戊日癸亥時斷 ··· 1065

삼명통회 9권

1. 六己日甲子時斷 ··· 1069

2. 六己日乙丑時斷,(以下六己日所忌月分與上同時犯併論) ··········· 1072

3. 六己日丙寅時斷 (以下六己日所忌月分與上同時犯併論) ··········· 1075

4. 六己日丁卯時斷 ··· 1079

5. 六己日戊辰時斷 ··· 1082

6. 六己日己巳時斷 ··· 1086

7. 六己日庚午時斷 ··· 1089

8. 六己日辛未時斷 ··· 1092

9. 六己日壬申時斷 ··· 1095

10. 六己日癸酉時斷 ··· 1098

11. 六己日乙亥時斷 ··· 1104

12. 六庚日丙子時斷 ··· 1107

13. 六庚日丁丑時斷 ··· 1112

14. 六庚日戊寅時斷 ··· 1116

15. 六庚日己卯時斷 ··· 1120

16. 六庚日庚辰時斷 ··· 1123

17. 六庚日辛巳時斷 ··· 1127

18. 六庚日壬午時斷 ··· 1131

19. 六庚日癸未時斷 ··· 1135

20. 六庚日甲申時斷 ··· 1138

21. 六庚日乙酉時斷 ··· 1141

22. 六庚日丙戌時斷 ··· 1144

23. 六庚日丁亥時斷 ··· 1148

24. 六辛日戊子時斷 ……………………………………………………………… 1152

25. 六辛日己丑時斷 ……………………………………………………………… 1157

26. 六辛日庚寅時斷 ……………………………………………………………… 1160

27. 六辛日辛卯時斷 ……………………………………………………………… 1164

28. 六辛日壬辰時斷 ……………………………………………………………… 1167

29. 六辛日癸巳時斷 ……………………………………………………………… 1171

30. 六辛日甲午時斷 ……………………………………………………………… 1175

31. 六辛日乙未時斷 ……………………………………………………………… 1178

32. 六辛日丙申時斷 ……………………………………………………………… 1180

33. 六辛日丁酉時斷 ……………………………………………………………… 1184

34. 六辛日戊戌時斷 ……………………………………………………………… 1187

35. 六辛日己亥時斷 ……………………………………………………………… 1190

36. 六壬日庚子時斷 ……………………………………………………………… 1194

37. 六壬日辛丑時斷 ……………………………………………………………… 1198

38. 六壬日壬寅時斷 ……………………………………………………………… 1203

39. 六壬日癸卯時斷 ……………………………………………………………… 1207

40. 六壬日甲辰時斷 ……………………………………………………………… 1210

41. 六壬日乙巳時斷 ……………………………………………………………… 1214

42. 六壬日丙午時斷 ……………………………………………………………… 1218

43. 六壬日丁未時斷 ……………………………………………………………… 1221

44. 六壬日戊申時斷 ……………………………………………………………… 1223

45. 六壬日己酉時斷 ……………………………………………………………… 1227

46. 六壬日庚戌時斷 ……………………………………………………………… 1230

47. 六壬日辛亥時斷 ……………………………………………………………… 1236

48. 六癸日壬子時斷 ……………………………………………………………… 1240

49. 六癸日癸丑時斷 ……………………………………………………………… 1241

50. 六癸日甲寅時斷 ……………………………………………………………… 1245

51. 六癸日乙卯時斷 ……………………………………………………………… 1249

52. 六癸日丙辰時斷 ……………………………………………………………… 1252

53. 六癸日丁巳時斷 ……………………………………………………………… 1256

54. 六癸日戊午時斷 ……………………………………………………………… 1259

55. 六癸日己未時斷 ……………………………………………………………… 1262

56. 六癸日庚申時斷 ……………………………………………………………… 1264

57. 六癸日辛酉時斷 ……………………………………………………………… 1265

58. 六癸日壬戌時斷 ……………………………………………………………… 1270

59. 六癸日癸亥時斷 [終] ………………………………………………………… 1273

三命通會 7卷

出處:武陵出版司　著者:萬民英

1. 자평설변子平說辯

　오늘날 명을 논하는 자들은 자평의 법으로 행해지고 있는데, 자평은 어떻게 그 뜻을 취하였는가? 天은 子에서 열리고, 子는 水의 정방위로 지지의 첫머리이다. 오행의 으뜸으로 天一에서 생하며 북방에서 합하여 평평함을 만나면 멈추고 감을 만나면 흐르게 되는데 이것이 子의 뜻인 것이다. 또 사람이 살아가는 세상에서 사용하는 저울과 같이 평평함을 기준으로 삼고 나아가서는 무겁고 가벼운 것이 있으니 고르지 않는 것인바 인생 팔자에서는 선천의 氣인 것인데, 비유하면 저울인 것이다. 년은 구가 되고, 시는 권이 되고, 월은 제강이 되고, 일은 수량이 되는 것이다. 팔자에서 일이 주인이 되는데, 그 중에 있는 재관인식이 왕상하고 일간이 또 왕상 한 지지에 자리하면 구관의 物과 같이 權이 상응하게 되니 그 명은 부귀하게 되는 것이다. 가령 재관인식이 왕상하고 일간이 휴수하게 놓이면 구관의 중물과 같이 권으로 부터 상응하지 아니하여 그 저울은 평평하지 않으니, 그 명은 천하고 가난하게 되는 것이다. 재관인식이 휴수(원문:凶)한데 일간이 왕상 하게 놓이면 역시 구관경물과 같이 권으로부터 상응하지 않아 그 저울은 평평하지 않은 것이니 명 또한 건체함이 있는 것이다. 설사 삼물이 무기하고 일주가 휴수하게 되면, 빈천하지 않으면 요절하는 것인데, 이 용법이 평평함을 뜻하는 것이다. (今之談命者,動以子平為名,子平何所取義,以天開於子,子乃水之專位,為地支之首,五行之元,生於天一,合於北方,遇平則止,遇坎則流,此用子之意也.又如人世用秤稱物,以平為準,稍有重輕,則不平焉.　人生八字,為先天之氣,譬則稱也.其年為鈎,時為權,月為提綱,日為銖兩.八字以日為主,中有財官印食旺相,日干亦坐旺相之地,如鈎絹物,與權相應,其命則富而貴.如財官印食旺相,日干乃值於休囚,如以鈎絹重物,與權自不相應,其秤則不平,其命賤而貧.如財官印食休凶(囚),日干值於旺相,亦若鈎絹輕物,與權自不相應,其秤自不平,其命亦蹇滯.設使三物無氣,日主休囚,非貧賤則夭亡,此用平之意也.)

　經에서 말하기를, 선천이 太過하면 후천이 減해야하고, 선천이 不及하면 후천은 도와야 하는데, 선후천이 太過, 不及함이 없는 후라야 평평할 수 있는 것이다. 運은 후천으로 정해지며, 또 가령 선천의 팔자에서 일간이 왕상하고 태과하면 마땅히 휴수하고 쇠한 운으로 행하고 그 氣를 발설해야 하는 것이며, 가령 일간이 휴수하고 불급하다면 마땅히 旺相한 운으로 행하여 그 氣를 生扶해야 하는 것이니 兩者라면 發福, 發財 할 수 있어 형통한 운인 것이니, 비유컨대 의사가 補瀉(원기를 돕고 병을 고침)하는 법인 것이다. 만약 일간이 심히 왕성한데 왕한 운으로 행하거나, 일간이 太衰하고 또 쇠한 운으로 행한다면, 모두가 태과 불급하여 災禍가 발생하고 건체하여 불통한 것이다. 오호! 운이란 구르는 것인데, 10년에 한번 돌아가니 궁통하면 가히 알 수 있으니 모두가 대운의 흥함과 쇠함으로 말미암아 세군의 화복을 징험하는 것이다. 그러므로 귀천 영고를 살펴보고 자평으로 관찰한다면 가히 보이게 될 것이다. 자평의 법을 관찰함은, 선후천을 살펴보고 논하면 가히 알 수 있는 것이다. (經云,先天太過,後天減之,先天不及,後天補之,先天後天,無太過不及,然後為能平焉.運限者後天也,且如先天八字,日干旺相太過者,宜行休衰之運,發泄其氣.如日干休囚不及者,宜行旺相之運,生扶其氣,二者則能發福發財,遷運亨通,譬醫家補瀉之法耳.若日干旺甚,仍行旺運,日干太衰,又行衰運,則皆太過不及,生禍生災,蹇滯不通矣.吁,運者轉也,十年一轉,窮通可知,皆由大運之興衰,以驗歲君之禍福.是故觀貴賤榮枯者,觀於子平可見矣.觀子平者,觀先後天之論可見矣.)

 이에, 자평의 두 글자를 말한다면 참된 이치가 있는 것이며, 다만 자평은 서거이의 字이고, 작금에 명을 논하는 것들은 그 법의 종주를 외면하고 자평이라 칭하는 것이다. <탁영필기>를 고찰해 보면, 자평의 성은 서 씨이고, 이름은 거이(居易), 자평은 그의 字인 것이다. 동해사람으로, 별호는 사척선생이며 ,또 봉래수라 칭하기도 하고 태화서당봉동에서 은거하였다. 자평의 법은 사람이 태어난 연월일시로 녹명을 추산하여 무유부중(無有不中;적중하지 않는 것이 없음)하였는데, 그 근원은 대개 전국시대의 "낙녹자"로부터 나온 것이며, 세상에는 원리소식부(낙녹자)라는 한편이 있는데, 그 저작된 글들을 살펴보니 후인들이 거짓으로 기록한 것이지 낙녹자의 진본이 아닌 것이다. 낙녹자와 같은 시대에 귀곡자가 있었고, 漢시대에는 동중서, 사마계주, 동방삭, 엄군평이 있었다. 三國시대에는 관로, 진(晉)의 곽박이 있었고, 북제(北齊)에는 위정이 있었고, 당나라 때에는 원 천강, (僧)일연, 이필, 이허중등이 있었는데 모두 術의 조종들이다. 이필은 일직이 떠돌아 다니다가 관로의 책인 <천 양결>을 얻고, 또 일연에게 동발요지를 얻어, 사람의 길흉을 추산해보니 극히 징험하였는데, 이필이 이허중에게 전한 것이 넓게 퍼진 것으로서 낙녹은 年으로 허중은 日로서 추리한 것인데, 그 법이 한번 변하였다. 五代時에 마의도자와 희이선생, 자평의 순서로 파급된 것이다. 자평은 허중의 術을 얻어 덜고 더하여서 오로지 오행을 위주로 하고, 納音은 위주로 하지 않았는데, 이에 이르러 그 법이 또 한 번 변한 것이다. (按,此説子平二字,誠為有理,但子平係徐居易之字,今之談命者,遠宗其法,故稱子平.考濯纓筆記,子平姓徐,名居易,子平其字也.東海人,別號沙滌先生,又稱蓬萊叟,隱於太華西棠峰洞.子平之法,以人所生年月日時,推其祿命,無有不中.其源蓋出於戰國珞琭子,世有元理消息賦一篇,謂其所作,然觀其文,殆後人偽撰,非珞琭之本眞也,珞琭同時有鬼谷子,漢有董仲舒,司馬季主,東方朔,嚴君平.三國時有管輅,晉有郭璞,北齊有魏定,唐有袁天綱,僧一行,李泌,李虛中之徒,皆祖其術.泌嘗出遊,得管輅書天陽訣,又得一行所授銅鈸要旨,占人吉凶極驗,泌以是傳之李虛中,推衍以用之,珞琭以年,虛中以日,其法至是一變.五代時有麻衣道者,希夷先生,及子平輩.子平得虛中之術而損益之,專主五行,不主納音,至是則其法又一變也.)

 자평선생이 죽은 후 송나라 효종(순희)때에 회전에 술사가 있었는데, 호는 충허자로서 이 술법에 정밀하여 당시에는 유명하였다. 그 시절에 僧 도홍이 있었는데, 비밀리에 그 법을 전수받았고 후인으로 전당에게 전하여 그 학설이 퍼졌고 세속에서는 그 유래에 대해 알지 못하고 곧바로 자평이라고 말하는 것이다. 후에 도홍이 서대승에게 전하여 지금 세상에 전하게 된 것으로, 삼명, 연원, 정진론 등은 모든 저서로서 본서가 쉽게 변한 것이다. 오행정기를 살펴보면 난대묘선, 삼거일람, 응천가 등의 서적들과 연원, 연해는 같지 않고, 대개 글월들의 변화를 살펴보면 歷을 바로잡고 밝힐 때에는 모두 그 때에 따라서 개혁하였으므로, 비록 백년간이나 술수를 말할 지라도 역시 다르지 않을 수 없는 것이다. 하물며 대승의 시기로부터 자평까지는 이미 300여년 떨어진 것인데 그 법이 몇 번이나 변화하였는지 알지 못하는 것이다. 혹시 대승이 자평의 진전을 얻었다고 말하는데 계선편등을 살펴보면 명통부를 벗어나지 않고, 단지 그 詞가 쉽고 편한 것으로 원리소식부 1부만 대승이 독단적으로 얻은 것이다. 작금의 사람들은 추명술의 으뜸인 사람으로 자평과 대승의 두 사람의 법으로 연역 한 것이다. 지금 명을 말하는 사람들은 자평이라 칭하면서도 그 근원을 알지 못하기에 내가 자평이라는 두 글자를 상세히 분별하여 풀이한 것이다. (子平没後,宋孝宗淳熙有淮甸術士,號沖虛子者,精於此術,當世重之.時有僧道洪者,密受其傳,後入錢塘,傳布其學,世俗不知其所由來也,直言子平耳.後道洪傳之徐大升,今世所傳,如三命淵源定眞論等,皆其所著,以是本書變易盡矣. 觀五行精紀,蘭臺妙選,三車一覽,應天歌,等書,與淵源,淵海不同,蓋觀文察變,治歷明時,皆隨其時而改革,故雖百年之間,數術之説,亦不能不異.矧自大升之時,上距子平已三百餘年,其法不知經幾變矣.或謂大升得子平之眞傳,觀繼善等篇,不外明通賦,但更易其詞,而元理消息一賦,則大升之獨得也. 今人推命之術,又元人復推子平,大升二家之法,而演繹為之者,顧今之談命者,動稱子平,而莫知其原,余故解子平二字而詳辯之.)

2. 논성정상모論性情相貌-1

대저 귀천(貴賤)은 팔자로 살펴야하고, 성정(性情)은 오행에 상응(相應)한다. 善惡과 仁義 禮智信[9]은 심성(心性)이 주관하고, 喜怒哀樂愛惡欲[10]은 정(情;본성, 감정)에서 주관한다. (夫貴賤觀乎八字,性情應乎五行.善惡仁義禮智信,心之所主,喜怒哀樂愛惡欲,情之所主.)

동방(東方) 진(震)위(位)의 목(木)은 청룡이라 부르고, 이름은 곡직(曲直)이라 한다. 오상(五常)은 인(仁)이며, 색은 청색이고, 맛은 산(酸;신맛)이고, 성(性)은 곧으며, 정(情;본성)은 화합(和合)이 주관한다. 木主가 왕상(旺相)하면, 박애(博愛)정신과 측은지심이 있으며, 자애롭고 개제(愷悌;용모와 기상이 화평하고 단아함)란 뜻이다. 만물로 사람을 이롭게 하는데, 어려운 사람을 구휼(救恤)하며 꾸밈이 없고 고결(高潔)하며, 강개(慷慨)한 마음을 가진다. 외모는 수려하고, 골격(骨格)은 장대(長大)하며, 수족(手足)은 섬세하고 매끄러우며, 입은 작고 머리카락이 아름다우며, 얼굴은 청백(淸白)하고, 말투는 당당하다. 木이 왕성하면 인의지심(仁義之心)이 많다. (東方震位,木號青龍,名曰曲直,五常主仁.其色青,其味酸,其性直,其情和.旺相主有博愛惻隱之心,慈祥愷悌之意,濟物利人,恤孤念寡,直朴清高,行藏慷慨,丰姿秀麗,骨格修長,手足纖膩,口尖髮美,面色青白,語句軒昂,此則木盛多仁之義.)

木主가 휴수(休囚)하면, 몸이 마르고 머리털은 적고, 성질은 편굴하여 고집스럽고, 질투하며 인자하지 못하다. 이같이, 木이 衰하면 정과지의(情寡之義)하다. 木主가 사절(死絶)하면, 눈과 눈썹

---

9) 仁義禮智는 四端, 여기에 信을 더하여 五常이라고 한다.
10) 七情이라고 한다. 惡[미워할 (오)]대신 懼[두려울 (구)]를 넣기도 한다.

이 바르지 않으며, 천박하며 인색하고, 피부는 건조하며 목은 길며 결구(結構)하고, 앉은 자세가 불온(不穩)하며, 신체가 삐뚤어짐이 많다. 火를 만나면 적(赤)색이고, 土를 보면 황(黃)색이고, 金을 만나면 백(白)색이며, 水를 보면 흑색이 된다. 그 나머지 4行은 예로서 나타낸다. (休囚,主瘦長髮少,拗性偏心,嫉妒不仁,此則木衰情寡之義也.死絕則眉眼不正,慳吝鄙嗇,肌肉乾燥,項長喉結,行坐不穩,身多攲側.遇火色帶赤,見土則色帶黃,逢金則色帶白,見水則色帶黑.其餘四行例見.)

논성정상모論性情相貌-2

火는 남방에 속하며 이름은 염상(炎上)이라 하고, 오상(五常)은 예(禮)이며, 색은 적색이고, 맛은 고(苦)이며, 성질은 급(急)하고, 정(情;본성, 감정)은 공(恭)이다. (火屬南方,名曰炎上,五常主禮.其色赤,其味苦,其性急,其情恭.)

火主가 왕상(旺相)하면, 사양(辭讓)하는 풍모(風貌)로서 공경(恭敬) 겸손(謙遜) 온화(溫和)한 뜻이다. 예법의 엄숙한 몸가짐으로 늠름하며, 본성이 순박(淳朴)하여 존경(尊敬)한다. 생김새(얼굴모양)는 상부는 작고 하부는 넓으며, 형체(形體)에서 머리는 작으며 다리는 길고, 인당(印堂)은 좁으며 눈썹은 짙고, 코는 준로(準露)하며 귀는 작고, 정신(精神)은 섬삭(閃爍;번쩍하고 빛나는 모양)하고, 언어(言語)는 빠르며 성질은 조급하나 독(毒)함이 없고, 총명(聰明)하며 재능이 있다. (旺相,主有辭讓端謹之風,恭敬謙和之義,威儀凜烈,淳朴尊崇.面貌上尖下闊,形體頭小腳長,印堂窄而眉濃,鼻準露而耳小,精神閃爍,語言急速,性燥無毒,聰明有爲.)

火主가 太過하면, 목소리는 떨리며 얼굴은 붉고, 동작이 빠르다. 불급(不及)하면, 몸은 마르며 누렇고 위엄이 없으며, 투기와 해악으로 속이고, 언어(言語)는 허망한 터무니없는 거짓으로 시작은 있으나 끝이 없다. (太過,則聲焦面赤,搖膝好動.不及則黃瘦尖楞,詭詐妒毒,言語妄誕,有始無終.)

논성정상모論性情相貌-3

土는 중앙에 속하며 이름은 가색(稼穡)이라 하고, 오상(五常)은 信이며, 색은 황색이고, 맛은 감(甘)이며, 성(性)은 重하고, 정(情)은 후(厚)하다. (土屬中央,名曰稼穡,五常主信,其色黃,其味甘,其性重,其情厚.)

土주가 왕상 하면, 언행(言行)에 조신(操身)하고, 충효에 정성을 다하며 신불(神佛)을 공경하고, 참과 거짓이 분명하고, 등은 둥글고 허리는 넓으며, 코는 크며 입은 모가 나고, 눈썹은 선명하며 눈은 빼어나고, 얼굴은 기름지며 얼굴색은 황색이고, 도량(度量)이 너그럽고 후(厚)하니, 일의 처리를 잘한다. (旺相,主言行相顧,忠孝至誠,好敬神佛,不爽欺信,背圓腰闊,鼻大口方,眉清目秀,面肥色

黃,度量寬厚,處事有方.)

土주가 太過하면, 순박하며 옛것에 집착하고, 어리석고 옹졸하며 사리에 어둡다. 不及하면, 안색(顔色)은 근심으로 답답하고, 얼굴은 쏠리며 코는 낮고, 음성(音聲)은 중탁(重濁)하고, 사리에 맞지 않고, 성질이 사나우며 독살스러워 사리에 온당하지 않고, 대중의 의견을 얻지 못하고, 전도(顚倒)되어 신임을 잃고, 인색(慳嗇)하며 헛된 행동을 한다. (太過,則執一古朴,愚拙不明.不及,則顔色憂滯,面偏鼻低,聲音重濁,事理不通,狠毒乖戾,不得衆情,顚倒失信,慳嗇妄爲.)

논성정상모論性情相貌-4

金은 서방에 속하고 이름은 종혁(從革)이라 하고, 그 색은 흰색이며, 맛은 신(辛;매움)이고, 성(性)은 강(剛)하며, 정(情;본성)은 열(烈)하다. (金屬西方,名曰從革,五常主義.其色白,其味辛,其性剛,其情烈.)

金주가 왕상 하면, 영웅호걸로 정의롭게 재물을 소통하며, 염치(廉恥)를 알고, 부끄러움과 미움을 가지고 골육(骨肉)간에 호응하고, 몸은 건강하며 정신은 맑고, 얼굴은 모가 나며 희고 깨끗하고, 눈썹이 짙으며 눈은 들어가고, 코는 곧으며 귀는 붉고, 음성(音聲)은 맑고 우렁차고, 강직하고 결단(決斷)이 있다. (旺相,則英勇豪傑,仗義疏財,知廉恥,識羞惡,骨肉相應,體健神淸,面方白淨,眉高眼深,鼻直耳紅,聲音淸亮,剛毅果決.)

태과(太過)하면, 용맹하나 지모(智謀)가 없으며 탐욕(貪慾)하여 어질지 못하다. 불급(不及)하면, 인색하며 탐욕이 지나치고, 하는 일에 좌절함이 많고, 거듭 생각하여도 결단력은 부족하고, 야박하며 독기(毒氣)를 품고, 탐음호살(貪淫好殺)하고, 몸은 여위고 재능은 작다. (太過,則好勇無謀,貪欲不仁.不及,則慳吝貪酷,事多挫忘.有三思,少決斷,剋薄內毒,貪淫好殺,身材瘦小.)

논성정상모論性情相貌-5

水는 북방에 속하며 이름은 윤하라 하고, 오상(五常)은 지(智)이며 색은 흑색이고, 맛은 함(鹹;짠맛)이고, 성(性)은 총명하며 정(情)은 선량하다. 水主가 왕상 하면, 기관(機關)이 심오하고 원대하여 지혜가 충분하며 지략이 많고, 학식이 뛰어나며 간사함이 없고, 얼굴은 검으며 광채(光彩)가 있고, 언어는 맑고 온화하다. (水屬北方,名曰潤下,五常主智,其色黑,其味鹹,其性聰明,其情良善.旺相,則機關深遠,足智多謀,學識過人,詭詐無極,面黑光彩,語言淸和.)

水主가 태과하면, 시비에 잘 동화하고, 방탕하여 음란(淫亂)함을 탐닉한다. 불급(不及)하면, 사람이 왜소(矮小)하며 행사(行事)는 반복(反復)하고, 성정(性情)은 일정하지 않으며 담력이 작고 책략이 없다. (太過,則是非好動,飄蕩貪淫.不及,則人物矮小,行事反復,情性不常,膽小無略.)

논성정상모論性情相貌-6

이것은 비록 五行에 비유하였지만 실제로 인사(人事)에 관련되니, 오행의 성정(性情)을 참작하여 命중의 吉凶 神煞을 판단한다. 무릇, 生旺하면 장대(長大)하고, 死絶하면 왜소(矮小)한데, 만약 煞이 臨해 있으면 이러한 제한을 받지 않으며 從煞로 판단한다. 만약 剋이 있으면 剋하는 五行을 따라서 판단하고, 대개 日時상의 納音으로 剋의 有無와 神煞이 臨한 곳이 有氣한지 無氣한가를 병행(竝行)하여 그 형상(形狀)과 성정(性情)을 판단하면 징험하지 않음이 없다. [첨언;맞지 않는 것이 없다는 말] (此雖五行之喩,實與人事相干.以上五行情性,參,以命中所遇吉凶神煞斷之,大抵生旺者,主長大,死絶者,主矮小.若有煞臨,不在此限,又從煞上斷.若有剋,則從所剋之五行斷,又槪取日時上納音,看有剋無剋,幷神煞所臨,有氣無氣,斷其形狀性情,無有不驗.)

또 말하기를, 인성(人性)을 유추(類推)할 때에는 단지 日時상에 있는 본래의 五行을 살피고 納音을 論하지 않는다. 命이 만약 入格하며 生旺하면 천성이 明白하여 物을 거스르지 않고, 動하면 반드시 응기(應機)하고, 언어(言語)는 고성(高聲)이고, 활달하며 도량이 크고 일을 판단하는데 있어, 공평(公平)함은 의심함이 없다. 난관(難關)에 부닥쳐도 두려워하지 않고, 평생토록 財物에는 인색하지 않고, 베풀기를 좋아하고, 자신은 사사로이 사치가 심하거나 향락을 기뻐하지 않고, 다정(多情)하고 의(義)를 숭상하는데, 막히면 좋지 않으며 결국 환난(患難)이 있다. (又曰,推人性行,只在日時上,看本五行,不論納音.命若入格而達生旺,主天性明白,遇物不逆,動必應機,言語聲高,豁達大度,臨事能斷,公平不疑,犯難不畏,平生不以財物爲吝,好施與,不私己,奢泰歡樂,多情尙義,防有不善終之患.)

만약 命이 貴格인데 死絶하면 성격이 남과 잘 어울리지 못하고, 기밀(機密=비밀)이 많으며 의심이 많아 꺼리는 것이 많고, 예절에 사로잡혀 행동거지를 조심하고, 외모를 꾸미고, 평소 스스로 검약(檢約)하여 배품이 헛되지 않고, 막히면 음모(陰謀)하여 환난(患難)이 있다. (若命入貴格而達死絶者,主爲性寡合,機深意密,多疑多忌,動拘禮節,謹顧行止,修飾儀貌,常自檢約,不妄設施,防有陰謀之患.)

만약 소인의 命은 이미 천격賤格인데 생왕生旺하게 되면, 성품이 일정하지 않고, 자신을 단속하지 않으며 일을 하지 않아 위망(危亡;위태로워 망함)하고, 투쟁(鬪爭)을 좋아하는데 강함을 믿으며 압력에는 약하고, 나쁜 무리와 친근하고, 가업家業의 일을 하지 않으니 반드시 끝이 좋지 않다. 사절死絶하게 되면, 성질이 음사(陰邪)하여 행동은 반드시 교묘한 거짓으로 집요하고 거동擧動을 가장하며 말장난을 좋아하고, 자신의 자랑을 좋아하며 일에 결단력이 없고, 작은 일에 시비가 많아 자신의 설 자리가 없다. (若小人之命,已入賤局而逢生旺者,主性無氣常,不自檢束,爲事不顧危亡,好鬪爭,恃强壓弱,親近惡黨,不事家業,必竟不得善終,死絕,則爲性淫邪,動必巧僞,畜縮執拗,擧動修飾,專弄言詞,好自矜炫,臨事無斷,少是多非,一身無立.)

논성정상모論性情相貌-7

재공요결에 이르기를, 지혜가 높고 심오(深奧)한 것은 대체로 水가 근원이 깊기 때문이고, 독신(篤信;독실하게 믿음)하며 어진 것은 단지 土가 산악(山嶽)을 이룬 것이고, 인자(仁慈)함이 두터운 것은 木이 甲乙의 方을 이룬 것이고, 성질이 급하고 분별력이 밝은 것은 火가 丙丁의 자리에 應한 것이고, 명예가 높고 의리를 중시하는 것은 金이 庚辛에 합을 따르기 때문이다. (宰公要訣云,智高量遠,蓋因水處深源,篤信守仁,祗爲土成山岳,仁慈敏厚,木成甲乙之方,性速辨明,火應丙丁之位,譽高義重,因金歸合庚辛.)

중화하면 바른 성(性)이 바뀌지 않지만, 혹 성(盛)하거나 혹 쇠(衰)하면 성정(性情)은 변덕스럽다. 水가 衰 敗하게 되면 성(性)이 혼미하여 무뢰하고, 土의 힘이 대단히 작으면 폐쇄되어 쓰임이 적으며, 木이 곤궁한 곳이 되면 크게 유(柔)하여 일처리에 꾀가 없고, 火(數)가 흥하지 않으면 총명하지 못하며 많이 손상하여 결단력이 없고, 金이 천박(淺薄)하게 되면 비록 의롭더라도 유시무종(有始無終;시작은 있으나 끝이 없다.)하다. 이것은 五行의 득지와 실지, 太過와 不及인데 모두 凶하게 되는 것이다. (處於中者,正性不移,或盛或衰,性情變易.水乘衰敗,性昏無賴,土力太微,蔽執寡用,木歸蹇地,太柔而治事無規,火數未興,小辨而太傷無決,金當淺薄,雖義而有始無終,是五行得地失地,太過不及,皆能爲凶也.)

자평부에서 이르기를, 자태가 미모(美貌)인 것은 木이 春夏절에 태어난 것이고, 지식(知識)이 없는 것은 水가 丑未일에 곤고한 것이며, 성질이 총명한 것은 대체로 水의 象이 수려한 것이고, 일을 할 때에 과감하게 결단하는 것은 모두가 金氣의 剛함 때문인데, 五行이 구족(具足)하면 체(體)가 반드시 풍비(豐肥))하고, 사주가 무정(無情)하면 성질이 완고하며 비루함이 많다. (子平賦云,美姿貌者,木生於春夏之時,無智識者,水困於丑未之日,性質聰明,蓋爲水象之秀,臨事果決,皆因金氣之剛,五行氣足,體必豐肥,四柱無情,性多頑鄙.)

지미부에서 이르기를, 문장이 명민(明敏)한 것은 마땅히 火가 盛해야 하고, 위무(威武)가 강열한 것은 金이 많은 것이고, 木이 盛하면 측은지심을 가지고, 水가 많으면 기교(機巧)의 지략을 지니고, 土의 성(性)은 가장 귀중(貴重)하다. 광신집에 이르길, 무릇 命에서 五行이 生旺하면 화려하게 꾸미는 일을 좋아하고, 심중에는 아무것도 없으며 또 호색(好色)한데 火의 命은 더욱 심하고, 死絕하거나 相剋이나 墓가 되면 다시 본래대로 뿌리로 돌아가는 禪道를 대부분 좋아하는 것이다. (指迷賦云,文章明敏兮,定須火盛,威武剛烈兮,乃是金多,木盛則懷惻隱之心,水多則抱機巧之智,至土之

性,最重爲貴.廣信集云,凡命五行生旺者,好事華飾,胸中無物,亦主好色,火命尤緊,死絶相剋墓者,多好禪道,歸根復本也.)

장백선생이 말하기를, 絶한 五位 五般의 정(情)에서, 金主는 義인데 絶하면 義가 작고, 木主는 仁인데 絶하면 어질지 못하고, 水主는 지(智)인데 絶하면 지혜를 잃고, 火는 예(禮)인데 絶하면 예의가 없고, 土는 신(信)인데 絶하면 신의가 부족하다. 무릇 五行은 먼저 生旺하고 후에 死絶하면 대부분 비루(鄙陋)하게 된다. (張白先生云,自絶五位五般情,金主義,自絶則寡義,木主仁,自絶則不仁,水主智,自絶則失智,火主禮,自絶則無禮,土主信,自絶則寡信,凡五行,如先生旺,後死絶,則爲多鄙.)

호중자가 이르기를, 말과 글이 교활(狡猾)한 것은, 태어날 때에 합치육허(合値六虛)하며 六虛가 거주하는 곳으로 만어신이라 하는데, 人命에서 이를 얻으면 헛된 말을 꾸미고 만드는 것을 좋아하고, 거듭 만나게 되면 반드시 교활하며 평생토록 존친(尊親)을 방해하며 剋하고, 타국으로 떠돌며 하는 일은 대부분 빈말이다. (壺中子云,言詞狡猾,誕時合値六虛,六虛住處.曰謾語神,凡人得之,心好撰飾虛詞,重併遇者,必狡猾,平生妨剋尊親,漂流他國,作事多虛聲.)

3. 논질병오장육부소속간지論疾病五臟六腑所屬干支-1

가결에서, 甲은 담(膽) 乙은 간(肝), 丙은 소장(小腸) 丁은 심장(心臟), 戊는 위장(胃臟) 己는 비장(脾臟;지라), 庚은 대장(大腸) 辛은 폐장(肺臟), 壬은 방광(膀胱) 癸는 신장(腎臟)으로, 삼초(三焦)도 역시 壬중에 기생하고, 포락(包絡;염통을 싸고 있는 엷은 막)도 癸에 귀속된다. (歌訣,甲膽乙肝丙小腸,丁心戊胃己脾鄕,庚是大腸辛屬肺,壬係膀胱癸腎藏,三焦亦向壬中寄,包絡同歸入癸鄕.)

또 말하길, 甲은 머리 乙은 목(項) 丙은 어깨(肩) 丁은 심포(心包) 戊는 옆구리 己는 복부(腹部) 庚은 배꼽(臍輪) 辛은 넓적다리(股) 壬은 정강이 癸는 발(足)로서 신체의 한부분이다. (又曰,甲頭乙項丙肩求,丁心戊脇己屬腹,庚是臍輪辛屬股,壬脛癸足一身由.)

또 말하길, 子는 방광으로 수로(水路)뿐이며, 丑은 포두(배, 복부) 및 비(脾)이고, 寅은 담(膽;쓸개) 발(髮;터럭) 맥(脈)과 아울러 양손이며, 卯는 열 손가락이며 간(肝)이고, 辰土는 피부 어깨 가슴의 종류이고, 巳는 얼굴의 목 치아이며 아래로는 엉덩이의 항문이고, 午火는 정신(精神)이며 안목(眼目)을 해당하고, 未土는 위(胃) 횡경막 척추이고, 申金은 대장 경락 폐이고, 酉는 정혈(精血) 소장(小腸)이고, 戌은 명문(命門;명치) 넓적다리 발이고, 亥水는 머리 신낭(腎囊;콩팥)에 해당한다. 이 법칙으로 사람의 병을 추리하는 것은 기백과 제자인 뇌공(雷公)으로 전수된 것이다. [첨언;기백과 뇌공은 황제내경에 나오는 인물이다.] (又曰,子屬膀胱水道耳,丑爲胞肚及脾鄕,寅膽髮脈幷兩手,卯本十指內肝方,辰土爲皮肩胸類,巳面咽齒下尻賓肛,午火精神司眼目,未土胃脘隔脊梁,申金大腸經絡肺,酉中精血小腸藏,戌土命門腿踝足,亥水爲頭及腎囊,若依此法推人病,歧伯雷公也播揚.)

또 말하길, 午는 머리이며 巳未는 양어깨이고, 左右의 두 팔은 辰申이고, 卯酉는 양 옆구리이며 寅戌은 퇴퇴부(넓적다리)이고, 丑亥는 다리에 속하며 子는 음낭(陰囊;불알)에 해당한다. (又曰,午頭巳未兩肩均,左右二膊是辰申,卯酉雙脇寅戌腿,丑亥屬脚子爲陰.)

또 말하길, 乾은 머리(首) 坤은 배(腹) 坎은 귀(耳), 辰은 발(足) 巽은 넓적다리 艮은 손(手)이고, 兌는 입(口) 離는 눈(目)인데 팔괘(八卦)로 분류한 것이다. 무릇 질병은 이것으로 추리하여 본다. (又曰,乾首坤腹坎耳儔,震足巽股艮手留,兌口離目分八卦,凡看疾病此推求.)

대저, 질병이 생기는 원인은 五行이 불화(不和)하기 때문인데, 사람의 몸에 오장(五臟)이 불화(不和)하는 것이다. 대개 五行은 오장육부(五臟六腑)에 통하고, 구규(九竅)[11]에 通한다. 무릇 10干은 육부(六腑)에 속하는 병(病)이 생기며 12支는 오장(五臟)에 속하는 병이 생긴다. (夫疾病皆因五行不和,卽人身五臟不和也.蓋五行通於五臟六腑,通於九竅,凡十干受病屬六腑,十二支受病屬五臟.)

丙丁 巳午는 火局으로 南의 리(離)궁인데 병(病)이 上에 있고, 壬癸 亥子는 水局으로 北의 감(坎)궁인데 병(病)은 下에 있고, 甲乙 寅卯는 震방에 속하며 病은 左에 있고, 庚辛 申酉는 兌방에 속하는데 病이 右에 있고, 戊己 辰戌 丑未는 艮坤방에 속하는데 病이 비(脾) 위(胃) 및 중완(中脘;밥통의 중앙)에 있다. (丙丁巳午火局南離,主病在上,壬癸亥子水局北坎,主病在下,甲乙寅卯屬震,主病在左,庚辛申酉屬兌,主病在右,戊己辰戌丑未屬坤艮,主病在脾胃及中脘.)

모든 바람이 어지럽게 요동치니 안광(眼光)이 흐릿하며 혈액 순환이 고르지 않아 젊은 나이에 머리카락이 빠지며 근육은 푸르고 손톱이 마르는 것은 간(肝)家에 속하는데 甲乙 寅卯의 木이 이지러져서 病이 생기기 때문이다. (諸風暈掉,眼光日昏,血不調暢,早年落髮,筋青爪枯,屬肝家,甲乙寅卯木受虧,主病故也.)

모든 피고름 종기 진드기로 아프고 혀가 굳고 벙어리는 심장에 속하는데 丙丁 巳午의 火가 이지러져서 病이 생기는 연고(緣故)이다. 다리에 부종(浮腫)이 생기며 황종과 구취(口臭)가 나고 비위(脾胃)가 차가우며 가슴이 답답한 것은 비장(脾臟)에 속하는데 戊己 辰戌 丑未가 이지러져서 病이 생기는 연고이다. (諸痛膿血瘡疥,舌苦瘖瘂者,屬心家,丙丁巳午火受虧,主病故也.浮腫脚氣,黃腫口臭,翻胃脾寒膈熱者,屬脾家,戊己辰戌丑未土受虧,主病故也.)

코가 막히고 술로 인해 비사증(鼻皶症;코가 붉고 주먹코)이며 말이 어눌하고 기침하는 것은 폐(肺)장에 속하는데 庚辛 申酉가 이지러져서 病이 생기는 연고이다. 백탁(白濁;오줌이 누렇고 뿌옇고 걸쭉한 병)과 백대(白帶)하며 설사광란하고 허리와 소장(小腸)은 신장(腎臟)에 속하는데 壬癸 亥子가 이지러져서 병이 생기는 연고인 것이다. (鼻塞酒皶,語謇氣結,咳嗽喊者,屬肺家,庚辛申酉受

---

11) 눈·코·입·귀의 일곱 구멍과 똥·오줌 구멍을 합(合)하여 모두 아홉 구멍을 말함

虧,主病故也.白濁白帶,霍亂瀉痢,疝氣小腸,屬腎家,壬癸亥子受虧,主病故也.)

논질병오장육부소속간지論疾病五臟六腑所屬干支-2

甲乙이 庚辛 申酉를 많이 보면 내적으로 간담(肝膽)이 두근거리는 피곤한 병(病)을 앓고, 수족에 마비가 오며 근골(筋骨)에 통증이 있고, 외적으로는 머리가 어지러우며 눈에는 태가 끼고, 입과 눈이 삐뚤어지며 우측으로 중풍이 와서 왼쪽이 마비되어 넘어지는 손상이 있다. [甲乙이] 丙丁火 를 많이 보고 水로서 구함이 없으면 천식의 기침으로 각혈(咯血)하며 중풍으로 말이 어눌하고, 피부(皮膚)가 건조(乾燥)하며 내적으로 열(熱)이 나서 입이 마른다. 여인은 혈기(血氣)가 고르지 못하여 아기를 가지면 낙태(落胎)하고, 소아(小兒)는 급(急) 만성(慢性)의 경풍(驚風;경기)이 있으 며 밤에 기침으로 자주 울며 얼굴색은 푸르며 시커멓게 되는 이러한 증상이 생긴다. (甲乙見庚辛 申酉多者,內主肝膽驚悸勞瘵,手足頑麻,筋骨疼痛,外主頭目眩暈,口眼歪斜,左癱右瘓,跌撲損傷.遇丙丁 火多,無水相濟,則痰喘咯血,中風不語,皮膚乾燥,內熱口乾,女人主血氣欠調,有孕者墮胎,小兒主急慢驚 風,夜啼咳嗽,面色青黯是也.)

丙丁이 壬癸 亥子를 많이 만나면 내적으로 심기(心氣)에 통증이 있으며 간질병으로 혀가 굳고, 입의 목구멍이 아파 벙어리가 되고, 급 만성으로 경풍(驚風;경련)이 있어 언어(言語)가 더듬거리 며 어눌한데, 외적으로는 수시로 열이나 발광(發狂)하고, 눈이 어두워져 실명(失明)한다. 소장(小 腸)에 산증(疝症;허리 또는 아랫배가 아픔)이 있으며 상처나 종기에 농혈(膿血;피고름)이 있으며, 소변(小便)은 임질로서 탁(濁)하다. 부녀(婦女)자는 주로 건혈(乾血)하여 아프며 경맥이 고르지 못 하다. 소아(小兒)는 주로 홍역이나 옴이 발생하여 얼굴색은 붉게 되는 것이다. (丙丁見壬癸亥子多 者,內主心氣疼痛,癲癇舌强,口痛咽啞,急慢驚風,語言蹇澀,外主潮熱發狂,眼暗失明,小腸疝氣,瘡痍膿 血,小便淋濁,婦女主乾血癆,經脈不調,小兒主痘疹疥癬,面色紅赤是也.)

戊己가 甲乙 寅卯를 많이 보면 내적으로는 비위(脾胃;비장과 위)가 불화(不和)하고, 위장이 부대 껴서 잘 먹지 못하고, 기혈이 막혀 헛배가 부르고, 설사와 고름을 동반한 부스럼이 있고, 음식을 가려서 먹으며, 심장이 두근거려 구토(嘔吐)를 한다. 외적으로는 주로 오른손이 불편하고, 습(濕) 독(毒)이 번지면 가슴과 배가 걸리고 막힌다. 부인(婦人)은 주로 음식이 달지 않은데 허약(虛弱)하 며 신맛을 느끼고, 노곤하여 하품을 한다. 소아는 주로 감질(疳疾;잘 먹지 못함)로 힘이 없고, 내 적으로 열이 많아 침을 뱉고, 얼굴색은 누렇게 되어 마비가 된다. (戊己見甲乙寅卯多者,內主脾胃 不和,翻胃膈食,氣噎蠱脹,泄瀉黃腫,擇揀飲食,嘔吐噁心,外主右手沉重,濕毒流注,胸腹痞塞.婦人主飲食 不甘,吞酸虛弱,呵欠困倦,小兒主五疳五軟,內熱好唾,面色痿黃是也.)

庚辛이 丙丁 巳午를 많이 만나게 되면 내적으로는 주로 장풍(腸風;치질의 종류인데 항문에서 피 가 나오는 병)과 치루(痔漏)로서 똥을 눈 후에 하혈(下血)하고, 담화(痰火)와 해수(咳嗽)로 인해 가

슴이 답답하여 토혈(吐血)하고, 도깨비(허깨비)를 보고 정신을 잃으며 기력이 쇠약하여 폐병으로 기침하며 식은땀을 흘린다. 외적으로는 주로 피부(皮膚)가 건조(乾燥)하여 폐풍으로 코가 붉어지고, 등창에 악성종기가 생겨 피고름으로 힘이 없다. 부녀(婦女)자는 주로 천식으로 기침하여 각혈한다. 소아(小兒)는 주로 농혈(膿血)과 이질(痢疾)이 생기며 얼굴색은 희고 누렇게 되는 이러한 증상이다.   (庚辛見丙丁巳午多者,內主腸風痔漏,糞後下血,痰火咳嗽,氣喘吐血,魍魎失魂,虛煩勞症,外主皮膚枯燥,肺風鼻赤,疽腫發背,膿血無力,婦女主痰嗽血産,小兒主膿血痢疾,面色黃白是也.)

壬癸가 戊己 辰戌 丑未를 많이 보게 되면 내적으로는 주로 유정(遺精;성행위 없이 무의식으로 정액이 나옴)과 도한(盜汗;몸이 쇠약하여 저절로 식은땀이 나는 병) 하며 밤에 꿈속에서 귀신을 만나고, 오줌이 뿌옇고 걸쭉하며 폐결핵이 되고, 오한(惡寒)으로 이를 달달 떨고, 귀머거리나 눈이 멀며[盲人] 추위로 인해 감기에 걸린다. 외적으로는 주로 이가 썩어 아프고, 성교(性交)시에 정력(精力)이 부족하며 요통(腰痛)과 관절통이 있고, 오줌줄기가 뚝뚝 방울져 떨어지고, 냉(冷)하며 찬 것을 두려워한다. 여인(女人)은 자궁에 백태가 생기며 혹이 생겨 월경이 고르지 못하다. 소아(小兒)는 주로 귀속에 종기가 생기며 소장(小腸)에 통증이 발생하고, 야간에 시끄럽게 울며 얼굴색은 검은 반점이 생기는 이러한 증상들이다. (壬癸見戊己辰戌丑未多者,內主遺精盜汗,夜夢鬼交,白濁虛損,寒戰咬牙,耳聾睛盲,傷寒感冒,外主風蟲牙痛,偏墜腎氣,腰痛膝通,淋瀝吐瀉,怕冷惡寒.女人白帶鬼胎,經水不調,小兒主耳中生瘡,小腸疼痛,夜間作吵,面色黧黑是也.)

논질병오장육부소속간지論疾病五臟六腑所屬干支-3

부(賦)에서 이르기를, 근육과 뼈에 통증은 木이 金에게 손상을 당하기 때문이며, 눈이 어두운 것은 반드시 火가 水의 剋을 만난 것이다. 土가 허(虛)한데 木旺한 곳을 만나면 비장(脾臟)이 손상함이 정론(定論)이다. 金이 약(弱)한데 화염(火焰)한 地支를 만나면 혈병(血病)이 틀림없다. (賦云, 筋骨疼痛,蓋因木被金傷,眼目暗昏,必是火遭水剋.土虛逢木旺之鄕,脾傷定論,金弱遇火炎之地.血疾無疑.)

또 이르기를, 木이 金의 剋을 받으면 허리와 옆구리의 병(病)이 생기고, 火가 水의 손상을 입으면 반드시 안목(眼目)의 질병이며, 심장과 폐가 벌떡거리는 것 또한 金火가 서로 刑하기 때문이고, 비위(脾胃;비장과 위장)가 손상함은 대개 土와 水가 전극(戰剋)함이고, 地支의 水가 천간에서 火를 만나게 되면 반드시 복부에 병이 생기며 심장이 답답하고, 地支의 火가 天干에서 水를 만나게 되면 내적으로 장애(障碍;백내장 녹내장)나 장님이 된다. (又云,木逢金剋,定主腰脇之災,火被水傷,必主眼目之疾,心肺喘滿,亦干金火相刑,脾胃損傷,蓋因土水戰剋,支水干頭有火遭,必腹病心朦.支火干頭有水遇,則內障睛盲.)

염상(炎上)하여 土를 그을리거나 증발시키면 대머리이며 눈이 어둡고, 윤하가 純濕한데 土의 制

함이 없으면 신(腎)이 허(虛)하며 귀가 안 들린다. 火가 승왕(乘旺)하여 東南方에 臨하면 風으로 실음(失音)하고, 金이 견리(堅利)하여 西南方과 합하면 전장에서 화살에 맞아 사망한다. (炎上煩焦蒸土曜,頭禿眼昏,潤下純濕無土制,腎虛耳閉.熒惑乘旺臨離巽,風中失音,太白堅利合兌坤,兵前(箭)落魄.)

또 이르기를, 심장에 병(病)이 들면 말을 할 수 없고, 간(肝)에 병(病)이 들면 눈이 보이지 않으며, 비(脾;지라)장에 병(病)이 들면 입으로 음식을 먹지 못하며, 폐(肺)에 병(病)이 들면 코가 냄새를 맡지 못하며, 신(腎;콩팥)장에 병(病)이 들면 귀가 들리지 않으니 각기 해당하는 것에 따라서 허(虛)실(實)을 증명하는데, 金귀(鬼)가 찌르는 것은 마땅하지 못하고, 火귀(鬼)가 애(艾)상(傷)하는 것을 절대로 꺼리고, 土는 둥근 것을 쓰지 못한다. (又云,心受病,口不能言,肝受病,目不能視,脾受病,口不能食,肺受病,鼻不能嗅,腎受病,耳不能聽,各從所主以證虛實,金鬼不宜針刺,火鬼切忌艾傷,土不用丸.)

木은 모름지기 흩어지는 것을 꺼려서 金이 福이 되면 서쪽에서 의원(醫員)을 구(求)하고, 木이 生해 오면 東方에서의 약(藥)을 사용하고, 水절(絶)하면 당연히 침자(針刺)해야 하고, 약(藥)은 마땅히 金石으로 회생(回生)하며, 土가 허약하면 火로 구(灸;뜸뜨다.)함을 얻어야하며, 의원을 찾을 때는 성씨를 알아야 위태함이 없고, 火鬼는 생약을 달여 먹어야 고칠 수 있고, 水鬼는 환산편의(丸散偏宜)한다. (木須忌散,金爲福,西地求醫,木來生,東方用藥,水絶須當針刺,藥宜金石回生,土弱欲得火灸,尋醫徵姓無危,火鬼煎劑能治,水鬼丸散偏宜.)

아아! 사람의 병(病)은 수백 가지인데, 이치는 두 가지가 아닐 뿐이니 묻고 듣고 하여 의가(醫家;의원의 집)에서 묘용(妙用)하고, 生剋制化는 술사(術士)의 현묘(玄妙)함이 된다. 만약 근원(根源)을 헤아려 연구하면 표본(標本)이 되어 이 법(法)을 떠나지 못한다. (噫,人病百端,理無二焉,望聞問切,乃醫家之妙用,生剋制化,爲術士之玄微.若能參究根源,標本不離斯法.)

논질병오장육부소속간지論疾病五臟六腑所屬干支-4

論하여 말하기를, 건강(健康)은 화합(和合)에서 생기며, 질병(疾病)은 형벌과 상처로부터 발생하니 五行에서 衰旺의 이치를 연구하여, 모든 질병(疾病)의 겉과 속을 자세하게 추리(推理)한다. 안으로는 오장(五臟)과 상응(相應)하며 겉으로는 사지(四肢)에 屬하는데, 만일 木氣가 休囚하면 양쪽 구레나룻가 엉성하며 머리카락이 듬성듬성하다. 火가 死絶에 臨하면 두 눈동자가 어두우며 빛이 없다.[흐리멍덩하다.] 火중에 土가 숨어 있어 水의 制함이 적으면 심신(心神)이 황홀(恍惚;몽롱함)하다. (論曰,康泰生於和合,疾病起於刑傷,究五行衰旺之理,推百病表裏之詳,內應五臟,外屬四肢,且如木氣休囚,兩鬢消疎而稀髮,火臨死絶,雙瞳昏暗而無光,火中隱土少水制,則心神恍惚.)

木의 아래에 金이 암장하여 木을 수렴하지 않으면[水가 돕지 않으면]다리와 발이 손상(損傷)한다. 甲乙이 兌방[가을에]에 生하여 壬癸를 만나면 술을 탐닉(耽溺)하여 죽는다. 丙丁이 坎궁[겨울]에 生하여 庚辛을 보면 도랑에 빠져 사망한다. 水가 盛하여 木이 뜨면 설사를 많이 하고, 土가 重하여 金이 매몰되면 항상 氣가 높아[高血壓] 모든 風病으로 어지럽다. 乙木이 旺하며 辛金이 쇠약하면 부스럼과 종기로 가렵고 아프다. 丁火는 왕성하고 癸水가 쇠약하면 뱃속이 답답하며 종기가 가득한데 己土가 太過하기 때문이고, 우울증과 마비증상은 대개 辛金이 不及한 것이고, 癸水가 旺하면 귀와 눈이 총명(聰明)하고, 춥고 오그라드는 것은 신장(腎臟)이 허(虛)한 것이다. (木下藏金無木收, 而腿足損傷, 甲乙兌生, 逢壬癸醉鄕而死, 丙丁坎育, 遇庚辛溝港而亡, 水盛木浮, 多生泄痢, 土重金埋, 常病氣高, 諸風掉眩, 乙木旺而辛金衰, 疼瘍瘡瘍, 丁火盛而癸水弱, 痞塞腫滿, 只因己土太過, 情鬱病痿, 蓋爲辛金不及. 耳目聰明癸水旺, 寒邪拘縮腎經虛.)

甲乙이 戊己를 손상하는데 救함이 없으면 언청이며, 丙丁이 庚辛을 剋하면 좋은데 制함이 적으면 벙어리가 된다. 火중에 土가 있으면 목에 연주창(連珠瘡)이 생기고, 水 중에 土가 있으면 복부에 기생충이나 종기의 病이다. 用神이 制를 받고 刑을 당하면 장형(杖刑)을 맞아 사망한다. 上下에서 鬼를 만나고 救함이 없으면 대들보에 목매어 죽고, 사주가 거듭 衝하여 凶이 많으면 타향(他鄕)에서 객사(客死)한다. 五行이 衰敗하여 不足하면 온역(溫疫;돌림병)으로 사망하고, 水가 敗하면 곱사인데 軒岐之法을 쓸 수 없고, 金이 刑하면 곱사등이인데 어떻게 盧扁之方을 하겠는가? (甲乙能傷戊己, 無救而缺唇, 丙丁善剋庚辛, 少制而瘖瘂, 火中有土, 項生瘰癧之災, 水中有土, 腹患蠱腫之病. 用神受制而被刑, 亡於棒杖. 上下逢鬼而無救, 死作懸梁, 四柱重衝多凶, 而他鄕喪體, 五行衰敗不足, 而溫疫亡身, 水敗腰駝, 莫用軒岐之法, 金刑龜背, 安施盧扁之方.)

庚辛의 氣는 西方에서 빼어나는데, 木을 만나면 병장기에 사망한다. 甲乙은 坤南에서 敗絶하니 水가 없으면 뼈와 살점이 떨어진다. 辛巳 丙申이 刑을 만나면 팔이 짧으며 6지(指)가 생긴다. 己卯 戊寅은 적(敵)을 만나면 위(胃)가 弱하여 항상 종기나 부스럼 病이 생긴다. (庚辛氣秀西方, 見木而亡於兵刃. 甲乙敗絶坤南, 無水而骨飛肉颺. 辛巳丙申遇刑, 臂短而人生六指. 己卯戊寅逢敵, 胃弱而常病瘡疽.)

乙未 甲午가 金을 만나면 자라머리인 사람이 많다. 癸卯 己丑이 相刑을 하면 허리와 무릎에 병이 생긴다. 甲申 乙酉는 유년시절에 肝의 경락에 病이 많다. 辛卯 庚寅은 만년(晩年)에 일하다 근골(筋骨)을 다친다. 丙火가 염상(炎上)하면 장부(丈夫)는 늘 심신(心身)이 피곤하다. 丁火가 아래가 濕하면 여인은 몸과 마음이 피로하여 出産할 때에 하혈(下血)한다. (乙未甲午逢金, 人多鱉頭, 癸卯己丑相刑, 病生腰膝, 甲申乙酉, 幼年多病肝經, 辛卯庚寅, 晩年勞傷筋骨, 丙火上炎, 丈夫每忌於身心, 丁火下濕, 女人虛勞而血産.)

金土가 寅卯에 臨하면 폐병(肺病)으로 숨을 헐떡이고 비장이 차갑다. 戊己는 火가 敗하게[부족하면] 되면 비장의 질환으로 잠이 편치 않아 노곤하다. 庚辛이 火의 相刑을 만나면 여인은 틀림없이 냉대하증이다. 丙丁이 모두 離方[南方]을 향하면 부인(婦人)은 혈붕(血崩;많은 출혈이 있는 병)을 조심해야한다. 羊刃이면 팔뚝에 針을 맞으며 정강이에 뜸을 뜨고, 懸針이면 얼굴에 文身을 한다. (金土臨寅卯,病肺喘脾寒,戊己值敗火,患脾困宿塊,庚辛見火相刑,女人須憂白帶,丙丁俱向離方, 婦人切忌血崩,羊刃則砭肱而灸股,懸針則刺面以文身.)

日時가 衰敗하면 큰 질병은 낫기 어렵다. 干支가 刑害하면 작은 病도 치료되지 않는다. 氣色이 좋으면 安靜하여 和合하고, 氣色이 좋지 못하면 재앙을 초래한다. 병증은 육맥(六脈)에서 벗어나지 못하고, 생사(生死)는 오행(五行)을 초월하기 어려우니 興하고 衰함을 세밀히 연구하면 萬에 하나도 실수가 없다.[조금도 틀림이 없다.] (日時衰敗,大患難瘳,干支刑害,小疾不療,氣相得而安和, 氣相逆而災沴,病症不離於六脈,死生難越乎五行,細究興衰,萬不失一.)

논질병오장육부소속간지論疾病五臟六腑所屬干支-5

古歌에서 이르길, 戊己생이 時의 氣가 불완전(不完全)하며 月과 時의 두 곳에서 傷官을 보면 반드시 머리와 얼굴에 손실(損失=상처)이 있고, 피고름의 종기로 소년시절에 고통스럽다. 또, 일주가 戊己생인데 地支가 火局이면 훈증(薰蒸;엄청 뜨거움)한 氣運인데, 刑衝破剋하면 殘疾을 당하고, 머리카락은 대머리로 눈이 밝지 않다. 또, 丙丁일간의 五行이 衰한데 七煞에 三合을 더해 오면, 의식(衣食)이 부족하여 求하며, 귀머거리, 잔질(殘疾)로 얼굴에 기미가 생긴다. (古歌云,戊己生時氣不全,月時兩處見傷官,必當頭面有虧損,膿血之瘡苦少年.又,日主加臨戊己生,支辰火局氣薰蒸, 衝刑剋破當殘疾,髮禿那堪眼不明.又,丙丁日干五行衰,七煞加臨三合來,升合日求衣食缺,耳聾殘疾面塵埃.)

또, 壬癸가 거듭하여 중첩(重疊)하고 時의 地支에 만일 天財[재성]이 있으면 설령 머리와 얼굴에 나병(癩病;문둥병)은 없을지라도 눈은 재앙이 있다. 또, 丙丁火가 旺하면 病을 막기 어렵고, 四柱가 휴수(休囚)한 辰 巳[巽方]方인데 木火가 相生하여 이곳으로 오면 벙어리와 중풍(中風)으로 암중(暗中)에 사망한다. (又,壬癸重重疊疊排,時辰設若見天財,縱然頭面無癡癩,定主其人眼目災.又,丙丁火旺疾難防,四柱休囚辰巳方,木火相生來此地,啞中風疾暗中亡.)

또 이르길, 사람이 태어나는 것은 아버지로부터 氣를 받아 어머니에게서 形(육체)을 이루는데, 오장(五臟)이 화평(和平)하면 질병이 없으나 전극(戰剋) 太過 不及하면 病치레를 한다. (又曰,人之生也,受氣於父,成形於母,五臟和平者,無疾,剋戰太過不及者,主疾.)

[황제]내경에서 이르길, 東方은 實하며 西方은 虛하고, 南方은 쏟아내며 北方은 補해야 한다. 東方이 實한 것은 木이 太過한 것이며 西方이 虛한 것은 金이 不及한 것이고, 南方은 쏟아내는 것이 火가 太過한 것이며 北方은 補하는 것이 水가 不及한 것이다. 이렇게 五行이 太過 不及함으

로써 모든 질병이 생기는 것이다. 만약 水가 승(升)하면 火는 강(降)하고, 火가 내리면 金은 淸하고, 金이 淸하면 木은 平하고, 木이 平하면 土를 剋함이 不及하니, 오장(五臟)이 각기 中和의 氣를 얻는다면 어찌 질병이 생기겠는가! 사람의 四柱에서 內外와 上下로 五行이 화합(和合)하면 질병이 없으나 혹 戰剋 太過 不及하면 모두가 病이 되는 것이다. (內經云,東方實,西方虛,瀉南方,補北方,東方實者,木太過也.西方虛者,金不及也,瀉南方者,火太過也,補北方者,水不及也,是以五行太過不及,皆主疾也,若水升而火降,火降而金淸,金淸而木平,木平而土不及剋,五臟各得中和之氣,疾病何自生焉.人之四柱,內外上下,五行和者無疾,或相戰剋,太過不及,皆爲疾也.)

陰陽 書에서는 金은 剛하며 火는 强하니 그 方을 自刑하고[巳酉丑 申酉戌, 寅午戌 巳午未], 木이 지면 근본으로 돌아가며 水가 흐르면 東方으로 달려가므로[申子辰 寅卯辰] 三刑으로 論한다. 刑은 잔인하며 해로운데, 太過한 것은 몸에 病이 생긴다는 말이다. 그리고 만일 不及하여도 病이 되니, 반드시 한쪽으로 치우치면 잃는 것이 있다. (陰陽書,金剛火强,自刑其方,木落歸本,水流趨東,所以論三刑,刑則殘害,言太過而身疾也,若只取不及爲疾,必有一偏之失.)

논질병오장육부소속간지論疾病五臟六腑所屬干支-6

무릇, 五行이 死絶하여 있으면 질병을 만든다. 水가 死絶되면, 대부분 신기(腎氣)와 허리가 공격당하여 설사를 하고 소변을 자주 보는 좋지 않는 질병이다. 火가 死絶되면, 장(腸)의 氣運이 막히고 뭉쳐서 잘 놀라고 건망증으로 정신(精神)이 불안한 질병이다. 木이 死絶되면, 風으로 虛하여 눈이 꺼칠하며, 현기증과 근육이 줄며, 손톱과 발톱이 마르고, 기쁨이 슬픔으로 바뀌고, 飮食도 가려서 먹어야 하는 질병이다. 金이 死絶되면, 氣가 虛하여 천식(喘息)과 해수(咳嗽)가 심하며, 피부와 털이 마르고 건조하고, 관절에 통증이 있어 눈물이 나고, 대장(大腸)이 나빠 설사하며 혈변(血便)을 하는 질병(疾病)이다. 土가 死絶되면, 얼굴이 노랗고 먹는 것이 줄며, 가슴이 막혀 구토하고, 몸과 팔다리가 몹시 나태하여 졸음으로 눕는 것을 좋아하고, 근심 걱정이 많고, 귀머거리이며, 정신이 혼란하여 건망증(健忘症)이 있고, 움직이는 것을 좋아하지 않는 질병이다. (凡五行有死絶而成疾者,水死絶,多腎氣腰足,攻注滑泄,便溺不利之疾.火死絶,主腸氣結塞,驚悸健忘,精神不安之疾.木死絶,虛風目瀋,眩暈筋急.爪甲枯頷,喜怒顚倒,擇飮擇食之疾.金死絶,主氣虛喘急,咳嗽,皮毛焦燥乾嗇,骨節疼痛,涕泪,大腸泄痢便血之疾.土死絶,主面黃減食,膈塞吐逆,肢體怠惰,喜臥嗜睡,多思足慮,耳聾,神濁,健忘,少喜動作之疾.)

相剋하여 병(病)이 발생하는 것은, 金火가 相剋하여 生旺하면 부스럼과 마비증상이 생기고 死絶하면 말기 결핵으로 피를 토한다. 土木이 相剋하여 生旺하면 피곤하여 현기증이 나고, 風으로 근육마비, 小腸의 병, 다리가 붓는 아픈 병이 생기고, 死絶하면 음식을 토하며 어혈 악성종기가 적체(積滯)하는 질병이 생기고, 그렇지 않으면 中風이다. 金木이 相剋하여 生旺하면 手足의 骨節로 온전치 못하며 눈의 질병이 생기고, 死絶하면 기운이 虛하여 정신을 놓으며 결핵이나 中風으로 몸이 마비되는 질병이다. 水土가 相剋하면 비장(脾臟)이 濕하여 설사(泄瀉)하는 중에 담수(痰嗽)가 가득 차는 좋지 않는 질병이다. (有相剋而成疾者,金火相剋,生旺則瘍瘡癰痺,死絶則癆瘵嘔血.土木相剋,生旺主疲悶昏眩,風麻,小腸疾,痛痺,死絶主吐食,癥塊,疽癖,積滯之疾,或主中風.金木相剋,生旺主肢足骨節不完,眼目之疾,死絶主氣虛精脫,勞瘵癰瘓之疾.水土相剋,主脾濕泄瀉,中滿痰嗽不利之疾.)

相生하여 질병이 생기는 것은, 火木이 相生하여 生旺하면 위(天干)에 쌓여 있어 눈에 충혈과 두통이 생기고, 死絶하면 寒氣로 손상하여 번민(煩悶)하며 광란(狂亂)하는 질병이다. 火土가 相生하여 生旺하면 胃腸이 實하고, 死絶하면 입술이 붉어지고 熱氣가 맺혀 대변(大便)이 고르지 못하다. 金水가 相生하여 生旺하면 氣가 고르지 못해 답답하고, 死絶하면 精神이 교활하다. 水木이 相生하여 生旺하면 위장이 虛하여 구토(嘔吐)하고, 사절(死絶)하면 氣가 손상하여 학질(瘧疾)에 걸려 精神이 敗한다. 金土가 相生하여 生旺하면 피부가 꺼칠함이 많고, 死絶하면 腸에 기생충이 울어댄다.   (有相生而生疾者,火木相生,生旺則上盛隔壅,目赤頭風,死絶則傷寒作狂悶亂疾.火土相生,生旺則胃實,死絶則唇焦紅,氣熱結,大便不利.金水相生,生旺則氣滯,死絶則精滑.水木相生,生旺則嘔吐胃虛,死絶則精敗,傷寒店瘧.金土相生,生旺則多虛無肌肉,死絶腸鳴蟲作.)

水土木이 無氣한 곳에서 서로 만나면 기생충에 의해 腸이 늘어나서 구토하는 질병이 생긴다. 金水火가 無氣한 地支에서 만나면 이질(痢疾)이며 金은 大腸인데 水火가 머물러서 陰陽이 불화(不和)한 것이다. 水는 土를 많이 만나면 구역질 하는 질병이며, 土多한데 木氣가 水를 소통시키지 않으면 귀가 먹고 장님의 병(病)이다. 대개 신장(腎臟)인 水는 흐르지 않으면 胃가 뒤집히게 되며, 氣가 불통(不通)하여 귀먹은 장님이 된다. (凡水土木相逢於無氣之處,主蠱氣腸脹吐逆之疾.凡金水火相逢於無氣之地,主痢疾,金主大腸,水火守之,陰陽不和也.凡水逢土多,主翻胃疾,土多而無木氣疏之,主聾瞶疾.蓋腎水不流,則爲翻胃,氣不通則爲瞶也.)

논질병오장육부소속간지論疾病五臟六腑所屬干支-7

또 말하길, 잔질(殘疾)의 병증(病症)을 論하면, 먼저 日干을 論하며 다음에 月令을 자세히 살핀 然後에 年時와 소통하는지 살핀다. 年이 傷官이면 殘疾이며 煞이 重해도 역시 그러하다. 乾卦에는 亥가 있고 亥는 天門이 되는데, 6辛생인이 亥日 亥時를 얻으면 맹아 농아가 많고, 亥는 신장(腎臟)에 屬하며 신장은 귀와 通하니 丙火가 水의 剋을 만난 것이다. (又曰,凡論殘疾病症,先論日干,次詳月令,然後通年時看之.年傷官主殘疾,煞重亦然,乾卦在亥,亥爲天門,六辛生人,得此日此時,多主盲聾,亥屬腎,腎通耳,丙火遭水剋也.)

子의 위치는 坎宮인데, 상관과 煞이 重하여 相刑하면 주로 하부(下部)의 질병이다. 寅宮은 艮土로서 비위(脾胃)와 얼굴빛이 누렇게 뜨는 병(病)인데, 만약 戊己생인이면 甲乙은 刑하는 旺한 煞이 된다. 二月의 乙木은 子卯가 相刑하고, 子중에 卯木은 刑을 일으키는 煞이 되고, 또한 하부

(下部;아랫부분)의 질병이다. 辰은 震宮에 屬하며, 辰월에 상관을 대동하면 소년시절에 주로 놀라는 질병이 많다. 대개 震은 動하는데, 輕하면 주로 놀라며 비위(脾胃)의 질병이고 重하면 주로 발에 생기는 질병이고, 진(震)은 長男의 자식이고, 2月의 水生木 역시 이와 같다. (子位坎宮,傷官煞重相刑,主下部疾,寅宮艮土,主脾胃面色痿黃之疾,若戊己生人,甲乙爲刑旺之煞,二月乙木,子卯相刑,刑起子中卯木爲煞者,亦主下部疾.辰屬震,此月帶傷官,少年主多驚疾,蓋震者動也,輕則主驚,脾胃疾,重則主足疾,震長男子,二月水生木者亦如此.)

巳는 巽宮인데, 상관과 煞이 重하면 婦人은 氣血이 고지 못하다. 午는 離宮으로 눈이 되는데 상관과 煞이 重하면 실명(失明)하며 두풍(頭風;머리가 항상 아프고 부스럼이 나는 병)의 증상이다. 申은 坤宮에 속하며 衆陰이 되는데, 상관과 煞이 重하면 허리 다리 근골(筋骨)의 질병이고 상관상진(傷官傷盡)하면 그렇지 않다. 酉는 兌宮으로 입에 속하여 치아(齒牙)가 온전치 못한 질병이다. 戌은 火庫로서 下血하는 치루(痔漏)의 질병이다. 축(丑)미(未) 상관도 또한 비위(脾胃)인데 상관과 煞이 旺하면 매년 전염병이고, 上下가 戰剋하며 五行의 도움이 없으면 身體가 온전치 못하고, 머리와 얼굴에 상처가 있다. (巳爲巽,傷官煞重,主婦人血氣不調,勞疾,午爲離爲目,傷官煞重,主失明,頭風之症.申屬坤,爲衆陰,傷官煞重,主腰脚筋骨之疾,傷官傷盡者,不在此論.酉爲兌,屬口齒不全之疾,戌爲火庫,主下血痔漏之疾,丑未傷官,亦主脾胃,傷官煞旺者,年年病瘟,主用上下戰剋,五行無救助,主身體不完,頭面殘傷.)

논질병오장육부소속간지論疾病五臟六腑所屬干支-8

賦에서 이르길, 申이 無氣한데 寅을 만나 戰剋하면 머리와 눈이 비뚤다. 乙丙이 刑이 있는데 辛을 만나 損傷하면 매일 아침 재앙이 일어난다. 염화(炎火)가 水가 盛하여 滅하면, 눈이 대부분 어둡다. 虛한 土가 旺한 水에게 붕괴(崩壞)되면 배속에 기생충이나 종기이다. 丙중에 土가 암장하면 대부분 결막염이다. 巳인 震方에 이르면 주로 언청이이다. 土가 木의 制剋을 받으면 비위(脾胃)의 탈이 많다. 木이 金에게 손상을 당하면 근골(筋骨)이 아픈 병이다. 水土가 相刑하는데 구원(救援)함이 없으면 잘못된 걸음걸이를 하게하다. 金火가 相刑하여 鬼煞이 되면 숨을 헐떡이는 질병이 많다. 壬癸 戊己가 서로 도우면 음악(音樂)을 듣기 어렵다. (賦云,申中無氣遇寅戰,頭目偏斜,乙丙有刑遇辛傷,每朝發禍,炎火盛水而滅,眼目多昏,虛土旺水而崩,肚腸蠱腫,丙中藏土,人多火眼,巳到震方,定主缺唇,土受木制,乃多脾胃之災,木被金傷,筋骨疼痛之患,水土相刑無救助,定有失步之虞,金火相刑爲鬼煞,多應上喘之疾,壬癸戊己相扶,難聽音樂.)

丙丁 壬癸가 서로 가까이 있으면 靑黃을 분별하고, 時가 日을 剋하면 팔다리와 몸이 온전하기 어렵다. 만약 水가 刑을 만나면 머리와 얼굴이 손상하기 쉽다. 만약 上下에서 鬼가 剋하면 모두 死墓에 臨한다. 土가 甲乙에 臨하면 구토(嘔吐)중에 사망한다. 火局의 庚辛은 심기(心氣)의 病이 絶에 있고, 水는 東方에서 虛한 腎이 身에 臨하고, 金은 北方에서 골로(骨癆;뼈가 약해짐)한 몸이

되고, 木은 南方에서 風氣의 재앙이 되는데, 다시 공망, 오묘, 원진, 칠살을 살펴보고, 만일 死絶을 만나면 목숨을 보존하기 어렵다. (丙丁壬癸相隨,乍辨靑黃,時來剋日,肢體難完,水若遇刑,頭面易損,若上下鬼剋,都臨死墓,土臨甲乙,死於嘔吐之中,火局庚辛,絶在心氣之病,水東腎虛臨身,金北骨癆加體,木南風氣爲災,更看空亡,五墓,元辰,七煞,如遇死絶,難保性命.)

또 말하길, 일체의 모든 煞도 또한 疾病이 있고, 劫煞은 小腸 그리고 귀머거리 인후(咽喉)의 질병이다. 관부(官符)는 허리와 다리의 병이고, 함지(咸池)는 주색(酒色)과 폐결핵, 농혈(膿血), 대소변에 대한 질병이다. 대모(大耗)는 암매(暗昧;어리석고 못나서 事理에 어두움)하고, 혹시 혹이 생기는 질병이다. 비렴(飛廉)은 천고(天瞽)라 지칭하며 干支가 無氣하면 시력이 없다. 무릇, 祿은 食神때문에 생기는 질병으로 모름지기 煞을 대동하여 身을 剋하면 바야흐로 그렇다. (又曰,凡一切諸煞,亦有主疾者,劫煞主小腸,又主耳聾咽喉疾,官符主腰脚疾,咸池主酒色勞瘵膿血便溺疾,大耗,主暗昧,或贅疣疾,飛廉名天瞽,支干無氣,主無目.凡祿主因食致疾,須帶煞剋身,方是.)

무릇, 命에서 眞衝을 보면 氣가 흩어지며 혹은 眞刑을 만나도 氣가 흩어진다. 대부분 불치病인 사람은 甲辰, 甲戌, 乙丑, 乙未는 土木이 교가(交加;서로 뒤 섞임)하여 중풍으로 반신불수의 병이고, 丙申, 丁酉는 金火가 교가(交加)하여 핏줄과 힘줄이 손상하고, 戊子, 己亥로 水土가 교가(交加)하여 비위(脾胃)의 질병이고, 庚寅, 辛卯는 金木이 交加하여 근골(筋骨) 노수(勞嗽;酒色이 지나쳐 몸이 虛弱해지고 기침, 오한(惡寒), 도한(盜汗),열이 나는 병)의 질병이고, 癸巳, 壬午, 丙子, 丁亥,는 水火가 交加하여 머리 얼굴 눈에 질병이다. (凡命見眞衝氣散,或眞刑氣散,多是廢疾之人,甲辰,甲戌,乙丑,乙未,土木交加,主癱瘓之疾,丙申,丁酉,金火交加,主血筋所傷,戊子己亥,水土交加,主脾胃之疾,庚寅辛卯,金木交加,主筋骨勞嗽之疾,癸巳,壬午,丙子,丁亥,水火交加,主頭面目疾.)

논질병오장육부소속간지論疾病五臟六腑所屬干支-9

촉신경에서 말하길, 日이 時에게 剋을 당하면 상대(相對)할 수 없고, 결국에는 간난신고(艱難辛苦)하며 병(病)으로 말미암아 재앙이 다가온다. 金木이 다투면 병골(病骨)이 염려되며, 水가 火氣를 능가(凌駕)하면 눈이 뿌옇게 되고, 金 水가 死하면 中風이나 나병(癩病)이 된다. 土가 많은데 水가 적으면 단전(丹田)을 敗하고, 土가 木의 剋을 만나면 비위(脾胃)가 약(弱)하고, 火가 金을 制剋하면 피를 흘리고 휴식한다. 水가 많고 金이 重하면 수액(水厄)을 만나는데, 水를 보면 심연(深淵;깊은 연못)에 떨어지는 것이 당연하다. 水가 적고 火가 많으면 물이 증발하고, 火가 많고 土가 적으면 말을 사납게 하는데 만약 水는 깊고 火가 밝다면 水는 가득하고 火가 밝아도 壽命을 연장하기 어렵다. 金이 絶하면 사지(四肢)를 손상하니 절대로 꺼리고, 土가 많은데 火를 동반하면 졸이는 근심을 받고, 木이 만약 旺盛하면 절뚝거리거나 막히는데 게다가 반드시 根源을 자세히 분별해야한다. (燭神經曰,日被時剋莫相對,終是難辛病禍躔,金木戰兮憂病骨,水凌火氣眼生煙,金水死兮爲風癲,土多水少敗丹田.土遭木剋脾胃弱,火勝金殘血裏眠,水深金重逢水厄,遇水定教落深淵.水少火

多應受渴,火多土少語狂顚,水若深兮火若明,水滿火明壽難延.金絶切忌四肢損,土多帶火受憂煎,木若盛時應蹇塞,更須仔細辨根源.)

광신집에서 이르길, 命에서 祿의 一辰을 衝할 때는, 가령 命宮이나 혹 疾厄궁에 坐하면 수족(手足)에 결함이 있으며 신체(身體)가 불완전하고, 六厄 또한 이어져 오전(五戰)이라 지칭한다. 辛卯의 日時는 백호폐목(白虎閉目)말하는데, 火年에는 반드시 눈을 다치고, 그 나머지도 辛과 卯의 글자를 역시 꺼린다. (廣信集云,凡命祿對衝一辰,如坐命宮,或疾厄宮,主人手足有缺,身體不完,六厄亦係,名曰五戰,辛卯日時名曰白虎閉目,火年必損眼,其餘辛與卯字者,亦忌之.)

壺中子가 이르길, 金이 衰하고 火가 盛하면 피를 토하며, 탈항(脫肛)뿐만 아니고, 水가 고갈하며 土가 가득하여 고질병으로 갑자기 귀머거리가 된다. (壺中子云,金衰火盛嘔血,不爾脫肛,水竭土盈病癖,忽然耳聵.)

심지가 이르길, 파쇄(破碎) 羊刃은 잔질(殘疾)을 불러오고, 疾宮 육해(六害)도 吉하지 않는데, 日時에 거듭 犯하면 鬼보다 더 사납고, 無氣한 공망은 病으로 죽는다. 또 말하길, 월음(月陰)과 음일(淫佚)이 서로 만나는 것을 꺼리는데, 陰命은 모름지기 아래를 通하여 근심을 동반하고, 月水는 좋은 일에 인연이 조화롭지 않고, 남아(男兒)는 치루(痔漏) 및 장풍(腸風;피똥을 누는 병)이다. (월음과 월살은 곧 寅午戌에 卯가 있는 例이다.) (沈芝云,破碎羊刃招殘疾,疾宮六害還非吉,日時累犯狂鬼凌,無氣空亡躔病卒.又曰,月陰淫佚忌相逢,陰命須憂帶下通,月水不調緣好事,男兒痔漏及腸風.(月陰月煞也.卽寅午戌在卯之例.)

무릇, 疾病과 災厄을 추리하려면, 먼저 祿命 身의 세 가지와 大運 小運이 어떠한가를 살펴봐야 한다. 만약 三命이 無氣하면 祿馬가 敗絶하는데, 그러나 財祿을 얻어 命에 財가 旺相하면 또한 죽음에 이르진 않는다. 만약 부친의 病을 그 자식의 命으로 추리하면, 가령 자식의 命에 고진, 과숙, 상문, 조객, 및 白衣 煞이 命에 臨하였다면 그 부친은 반드시 고치지 못하는 질병이 있고, 부처(夫妻) 역시 이와같이 추리한다. (凡欲推疾病災厄,先看祿命身三等,大小運如何,若三命無氣,祿馬敗絶,但得祿財命財旺相,亦不至死.若父病推其子命,如子命遇孤辰寡宿,喪門弔客,及白衣煞臨命,其父必有不可救之疾,夫妻亦准此推.)

4. 논빈천흉악論貧賤凶惡

무릇, 貧賤한 命은 대부분 貴氣가 없고, 혹 五行이 死絶하고 干支가 서로 무관심하여 간섭(干涉)하지 않거나, 혹 祿이 공망되며 大耗가 身을 剋하고 천중(空亡煞)이 日에 臨하거나, 혹 五行이 死絶하고 또 공망이 된 것이다. 혹은, 一位상에 모든 祿馬가 모여 生旺한데 도리어 天中(공망살)이 臨하거나, 혹은 다른 자리에서 刑害하여 氣가 흩어진 것이다. (凡貧賤之命,多無貴氣,或五行死

絶,支干閑慢,不相干涉,或祿空亡,大耗剋身,天中臨日,或五行死絶,又落空亡.或一位上聚諸祿馬生旺,卻天中臨之,或有他位來刑害,至於氣散.)

혹, 福이 모인 곳이 독립(獨立)하지 않고 衆位에서 그 福을 나누거나, 혹 역마가 身을 剋하거나, 劫이 많아 制剋을 만나거나, 辰戌 丑未가 相剋하여 五行이 無氣하며 격양(激揚)하지 않고, 자리한 곳에서 合을 만나거나, 合하지 않고 衝하지 않으며 上下의 그 氣가 서로 다르거나, 干支가 착란(錯亂)하고 陰陽이 편고(偏枯)하여 八字에 格을 부지(扶持)하지 못할 때이다. 九命에 刑이 있어 박잡(駁雜)하거나, 먼저는 生旺함을 만나나 나중에는 死絶을 만나고, 혹 化氣가 실시(失恃)하여 본명(本命)이 無氣하거나, 혹 納音이 剋을 하면 本主가 뒤집혀서 父子가 어긋나게 된다. 이상(以上)의 이러한 命은 모두 貧賤한 것이다. (或福聚處不能獨立,被衆位分擘其福,或驛馬剋身,或劫多逢剋制,或辰戌丑未相剋,五行無氣,而不激揚,位位逢合,或不合不衝,上下相異其氣,或干支錯亂,陰陽偏枯,八字無格扶持.九命有刑駁雜,或先逢生旺,繼逢死絶,或化氣失時,本命無氣,或假音殊剋,主本倒亂,父子乖違,以上此等之命,俱主貧賤.)

또 이르길, 빈천(貧賤)한 命은 建祿과 食神을 사용하여 救하는데, 命중에 建祿이나 食神이 있으면 비록 가난할지라도 곤궁하여 굶주리지는 않으며, 비록 賤할지라도 노비(奴婢)는 되지 않는다. 한번 運을 만나 發達하면 작은 念願을 이루지만 運이 지나가면 여전히 빈천(貧賤)하다. 鬼谷[귀곡자] 遺文에, 刑이 모여 敗極함은 甲申이 丁巳 己卯 己巳의 종류를 얻은 것이고, 四柱가 不收함은 甲子가 丙寅 丁巳 辛亥 壬申의 종류를 얻은 것이고, 五行이 미비(未備)함은 甲子가 庚子 己卯 癸卯의 종류를 얻은 것이고, 一方의 前後는 가령 木命인이 巳丑의 종류를 얻은 것이고, 柱가 격각(隔角)을 얻은 것은 가령 辛丑이 辛卯를 얻거나 甲子가 甲戌의 종류를 얻은 것인데, 모두가 貧賤하다고 했다. (又云,貧賤之命,常用建祿食神爲救神,命中有此二救,雖貧不至困餓,雖賤不至奴婢.一遇運發,卻小小稱意,運過,仍貧賤也.鬼谷遺文,有刑聚敗極,甲申得丁巳,己卯,己巳之類,四柱不收,甲子得丙寅,丁巳,辛亥,壬申之類,五行未備,甲子得庚子,己卯,癸卯之類,一方前後,如木命人得巳丑之類,柱得隔角,如辛丑得辛卯,甲子得甲戌之類,皆主貧賤.)

무릇, 흉악한 命은 命[祿 命 身의 命]과 五行이 無氣하며 또 相剋하거나, 혹 干支가 刑衝으로 괴려(乖戾;事理에 어그러져 穩當하지 않음)하며 상호간에 살(煞)을 동반하여 다투거나, 혹 眞 刑衝으로 氣가 흩어지거나, 혹 官符 大耗가 本命을 刑剋하며 五行이 死絶하는데 전혀 救함이 없거나, 或 官符가 身을 剋하고 兩(두)木이 刑衝하거나, 혹 辰戌 괴강의 相衝을 만나고 貴人 驛馬의 도움이 전혀 없거나, 혹 五行이 死絶하고 相剋하는 곳에서 天火, 水溺, 白虎, 自縊 등의 惡煞을 만나면 凶惡한 命이다. (凡凶惡之命,乃命與五行無氣而又相剋,或支干乖戾刑衝,互相凌戰帶煞,或眞衝刑氣散,或官符大耗,刑剋本命,五行死絶,全然無救,或官符剋身,兩木相刑衝,或見辰戌魁罡相衝,全無貴人驛馬相助,或五行死絶,相剋處見天火,水溺,白虎,自縊,等惡煞.)

혹 五行이 모두 旺한데 도리어 자리와 자리에서 相剋하여 氣가 흩어지거나, 혹 서로 번갈아 공망 고진과숙이나 세파(歲破) 백호(白虎) 양인(羊刃)등의 煞을 만나거나, 혹 천중(天中) 대모(大耗) 劫煞 亡神이 同宮하고 相剋을 중첩(重疊)하게 만나거나, 혹 일(日)시(時)에 劫煞 亡身과 아울러 煞이 年을 剋하거나, 혹 현침(懸針) 도과(倒戈) 金神 七煞 羊刃등의 煞이 重重하여 本命을 剋하거나, 혹 刑이 모여 敗가 極한데 四柱에 救함이 없거나, 혹 四柱에 相刑하고 더하여 허부(虛浮)하거나 폐(廢)한 地支에 臨한 것이다. 이상(以上)의 이러한 命들은 모두 凶惡한 命인 것이다. (或五行皆旺,卻位位相剋氣散,或交互見空亡孤寡,或歲破,白虎,羊刃,等煞,或見天中,大耗,劫煞,亡神同宮,重疊相剋,或柱多隔角帶煞,或日時劫亡,並煞剋年,或懸針,倒戈,金神,七煞,羊刃,等煞,重重剋本命,或刑聚敗極,四柱不救,或四柱相刑,更臨虛廢之地,以上此等之命,俱主凶惡.)

또 말하기를, 凶惡한 命은 보통 貴人 삼기(三奇) 화개(華蓋) 협귀(夾貴)로서 救하는데, 이것들이 있으면 비록 凶神을 보더라도 害가 가중(加重)되지는 않는다. 대기(大忌)하는 것은, 五行이 서로 무관심하며 건록과 食神이 없으며 삼재(三才)에 煞을 동반하여 刑剋하고 貴氣를 지니지 못하면 貧賤하고 凶惡한 命이 틀림없는 것이다. (又曰,凶惡之命,常以貴人三奇,華蓋,夾貴爲救神,有此,雖見凶神,不至加害.大忌五行閑慢,而無建祿食神,三才刑剋帶煞,而無貴氣相禦,則其貧賤凶惡也,無疑矣.)

5. 논수요論壽夭-1

대저, 장수(長壽)와 단명(短命)의 數는 대체로 보아 生旺하면 長壽하고 死絶하면 夭折한다. 비유하면, 뿌리가 깊은 것은 꼭지가 단단하고, 물의 근원이 깊으면 길게 흐르는 것 역시 自然의 이치이다. 무릇, 命은 月日상에서 生旺하게 되면 時상이 비록 死氣가 있을지라도 무방하지만, 만일 月상이 死絶하고 日時상에서는 비록 生旺하더라도 氣가 매우 雄大하지 않는데, 대개 生은 死絶을 계승하기 때문인 것이다. (夫脩短之數,大抵生旺則長壽,死絶則夭折.譬如根深者蒂固,源濬者流長,亦理之自然也.凡命,月日上逢生旺,時上雖有死氣不妨.如月上死絶,日時上雖生旺,氣不甚雄,蓋生承死絶故也.)

月日은 生旺하고 時상이 死絶하면 壽命은 45歲를 넘지 못하고, 月日이 死絶하고 時상이 生旺하면 30歲전에 사망하며 게다가 凶殺이 있어 五行을 지나치게 침범하면 반드시 더 일찍 사망한다. 보통 月은 1歲에서 30歲까지를 주관하고, 日은 31歲에서 45歲까지를 주관하고, 時는 45歲에서 100歲까지를 주관한다. 혹 生旺한지 혹 死絶한가를 자세히 해야 한다. (月日生旺,時上死絶,壽不過四十五歲,月日死絶,時上生旺,死在三十歲前,更有凶煞,五行凌犯,必爲殤子.常以月管一歲至三十歲,日管三十一歲至四十五歲,時管四十五歲至一百歲,或生旺,或死絶,逐限詳之.)

대저, 사람은 氣가 모이면 살고 氣가 흩어지면 죽는다. 만약 氣가 二運(대운과 소운)과 太歲가 만나서 死絶하고 衰한 곳에 모여 있고, 다시 太歲가 刑剋하여 재앙에 상응하면 죽고, 身이 月 日 時상에서 無氣하면 각기 나타난다. (夫人氣聚則生,氣散則死,若氣遇二運太歲,會集在死絶衰息之鄉,

更太歲刑剋,與災限相應者定死,各發在身無氣月日時上.)

무릇 命中에 生旺함이 많고, 또 煞을 犯하지 않으면 질병이 적어 천수(天壽)를 누린다. 한결같은 생각에 죽음은, 만약 死絶이 많고 刑煞이 重하게 있으면 초췌(憔悴)하며 고난(苦難)의 재앙이 있고, 혹은 오랜 세월 낫기 어려운 질병이 머문다. 旺한 運中에 죽고 혹은 祿상에서 죽는 것은 主가 적당한 때에 죽는다. 노인이 生旺한 年으로 行하면 죽는 것이 고통인데, 生旺하면 허약하여 핏기가 없이 오래 지속된다. 젊은 사람이 善한 病으로 죽는 것은 命中에 망신 대모가 중첩되어 반드시 시신이 파손되어 죽게 된다. (凡命中有生旺多,又不犯煞,應是少疾病,善終,死於一念之間,若死絶多,帶刑煞重,主憔悴苦楚之災,或久淹歲月難瘳之疾.凡旺運中死,或祿上死者,主稱意中卒,老人行年生旺,死於苦楚,蓋生旺則尫羸淹久,少者則死於善疾,命中是亡神大耗重疊,死須破屍.)

무릇, 天干이 生旺하고 剋하여 손상하지 않으면 長壽하고, 天干이 敗死하여도 구조(救助)함이 있으면 더욱 장수(長壽)하고, 天干이 敗死하며 서로 賊이 되면 夭折하고, 天干이 生旺한 중에 破剋함이 있으면 더 빨리 夭折한다. (凡天干生旺,不損剋者壽,天干敗死有救助者尤壽,天干敗死相賊者夭,天干生旺中有破剋者尤夭.)

논수요論壽夭-2

삼명검에 이르길, 무릇 사람수명(壽命)의 長短을 알고자 하면, 단지 본래 年의 納音으로 刑剋을 살핀다. 만약 生月이 命[祿 命 身의 命]을 剋하면 대부분 夭折하고, 命이 生月을 剋하면 主는 壽命이 연장(延長)된다. 가령 癸亥(大海水)水의 命인이 4月생이면 수명이 길지 않는데, 戊癸 年의 4月생은 丁巳이며 納音으로는 土이니 土剋水할 수 있어 生月이 命을 剋하는 것이고, 그리고 癸亥인의 4月생은 祿과 命이 絶處가 되는 것이므로 壽命이 길지 않는 것이다. (三命鈐云,凡欲知人壽命長短,但以本年納音,觀其刑剋.若生月剋命,卽多夭折,命剋生月,主壽算延長.假令,癸亥水命人,四月生,卽無壽,以戊癸之年,四月見丁巳,納音屬土,土能剋水,是生月剋命.又癸亥人,四月生,爲祿命絶處,故無壽.)

가령, 癸丑(桑柘木)木의 命이 3月생이면 壽命이 긴 것인데, 3月建은 丙辰이며 納音으로는 土이니 木剋土하여 命이 生月을 剋하는 것이고, 설령 凶煞이 아래를 生하여도 身이 煞을 制하고, 또 癸丑인의 3月생은 祿과 命이 墓庫중에서 生이 되니 대부분 壽命이 긴 것이다. 그러나 30歲이전에는 항상 患難이 있는데, 그런 이유는 前에는 絶의 運에 있으며 後에는 病死에 있으니 쇠약한 곳을 다 지나면 運이 旺한 곳에 도달하므로 늦게 福이 있는 것이다. (如癸丑木命,三月生,卽有壽,以三月建丙辰,納音土,木剋土,是命剋生月,設如,凶煞下生,亦爲身制煞,又癸丑人,三月生,爲祿命庫墓中生,多主有壽.但三十歲以前,常有患難,緣前有絶鄉運,後有死病,歷盡衰鄉,運到旺處,故主晚福.)

옥두관집에서 이르길, 壽命은 生月에서 定해지는데, 生月의 干支가 納音으로 旺한 곳에 머무르며 五音(궁상각치우)이 相生하여 어긋나지 않고, 日時와 아울러 胎가 모두 數를 얻고, 서로 刑剋하지 않으면 壽命이 아주 길다. (玉門關集云,凡壽以生月定之,生月居支干納音旺處,及五音相生不逆,日時並胎,皆得數,不相刑剋者,主上壽.)

옥소보감에서 말하길, 무릇 人命에서 으뜸으로 타고난 壽命이 있는데, 納音이 死絶地에 머물러도, 眞 五行과 納音이 나란히 化合하여 生旺한 자리에 居하는 것이다. 가령 乙酉(泉中水)人이라면 納音으로 水는 이미 敗하였지만, 만약 辛亥 丙申을 얻으면 丙申은 眞水[丙은 眞 五行으로 丙辛之合으로 水이다.]이고 다시 申에서 長生하는데, 이러한 종류는 오래토록 壽를 누린다. 가령 乙亥人이 癸亥 戊寅의 종류를 얻으면 역시 같다. 子平에서는 印綬를 거듭 만나면 長壽하며, 八字가 균정(均整)하여도 長壽하고, 六格을 犯하면 더욱 혐의하니 長壽하지 못한다고 하였는데, 내가[만육오를 지칭] 人命을 시험하니 확실히 그렇더라. (玉霄寶鑑云,人命有天壽朝元,乃納音居死絶之地,而有眞五行,與納音比合,居於生旺之位是也.假如乙酉人,納音水已敗,若得辛亥,丙申,則丙申眞水,復生於申,此類主享眉壽.如乙亥人得癸亥,戊寅之類,亦是.子平以印綬重逢者壽,八字停均者壽,六格犯增嫌者不壽,余驗人命信然.)

낙녹자가 이르길, 만약 身旺한데 鬼가 絶하면 비록 破命일지라도 오래 살고, 鬼가 旺하고 身이 衰弱하면 建命을 만나도 夭折한다. 그 중에서 나형(裸形) 협살(夾煞)은 넋이 풍도(酆都)에 흩어지고, 죄를 저질러 損傷함이 있으면 혼(魂)은 대부(岱府)로 돌아간다. (珞琭子云,若乃身旺鬼絶,雖破命而長年,鬼旺身衰,逢建命而夭壽,就中裸形夾煞,魄散酆都,所犯有傷,魂歸岱府.)

논수요論壽夭-3

호중자가 이르길, 死絶은 前에서 生旺하니 命에서 반혼(返魂)이라 한다.(死하여 다시 生하고, 絶하여 本命의 자리에서 다시 旺하다.) 丘墓(무덤)가 本命에 坐하면 그 이름을 절체(絶體)라 한다.(墓處는 丘이고, 丘處와 本命은 같은 곳이다.) 또 이르길, 壽가 손상되는 곳에는 本命이 반드시 三合을 만나야한다.(가령 本命이 金이면 巳 酉 丑을 만나는 종류이다.) (壺中子云,死絶依前生旺,命曰返魂.(乃死而復生,絶而復旺於本命之位)丘墓坐於本命,其名絶體.(墓處爲丘,丘處與本命同一方).又云,壽處傷殘,本命必逢三合.(如本命金而逢巳酉丑之類))

호중자가 이르길, 안회(顔回)[12]가 요절(夭折)한 것은 오직 4대 공망(四大空亡) 때문이다. (甲子, 甲午의 旬은 命에 水가 없고, 甲申, 甲寅의 旬에는 金이 없다.[納音으로] 단지 둘을 중복하여 보면 같고, 流年 大運에서 하나를 중복해서 완전히 만나도 마찬가지다.) (壺中子云,顔回夭折,只因四大空亡.[甲子甲午旬命無水,甲申甲寅旬命無金,若只見兩重,流年大運遇一重圓之,亦是.])

---

12) 안회(顔回;중국 춘추 시대의 유학자(B.C.521 ~ B.C.490). 자는 子淵이다. 공자의 수제자로 學德이 뛰어나 亞聖으로 일컬어진다.

심지가 이르길, 命을 세우면 마땅히 長壽하는가를 알아야 한다. 가령 丑人이 子를 보거나, 子인이 丑을 보는 종류인데, 만일 돕고 剋이 없으면 대부분 長壽한다. (沈芝云,建命須知壽延長,如丑人見子,子人見丑之類,如遇滋助無剋,多長壽.)

이허중이 말하길, 무릇 命에서 長生이 많아야 長壽한다고 규정하고, 모름지기 本家의 納音이 旺하면 長壽한다고 하고, 制剋를 만나면 夭折한다. 무릇 祿馬 貴人이 往來하여 生旺한 地支에 있어야 한다. 더불어[原本에 없는 글자이다.] 死絶한 氣는 비록 일찍 발달하더라도 일찍 사망하는데, 그러나 旺한 地支를 타고 있어야 비로소 福이 되고 나머지도 또한 그러하다. 만약 時에서 힘을 얻으면 늦게 발달하며 長壽한다. (李虛中云,凡命帶長生多者,定有壽,須本家納音旺者謂之長生,見剋制則夭.凡祿馬貴人,往來在生旺之地.兼,(原本無字),死絶之氣者,雖早發亦早死,然須在乘旺之地,方爲福,餘且徒然.若時得力,則晩發而壽長.)

고가에서 말하길, 壽命은 계산함이 깊고 玄妙하여 아는 자가 드문데, 시기를 안다는 것은 모름지기 천기(天機)를 누설하는 것이다. 6格 내에 미워하고 싫어하는 것이 있고, 歲運에서 만나면 전부가 마땅하지 않다. (古歌曰,壽算幽玄識者稀,識時須是洩天機.六格內有憎嫌者,歲運逢之總不宜.)

또 말하길, 수성(壽星)이 명랑(明朗)하면 수명(壽命)이 으뜸으로 길고, 계모(繼母)가 壽星을 만나는 것은 가당치 않고, 총애(寵愛)하는 妾이 구원하여 도와주지 않으면 命은 가을의 찬 서리를 맞은 쇠약한 풀과 같다. (又曰,壽星明朗壽元長,繼母逢之不可當,寵妾不來相救助,命如衰草値秋霜.)

또 말하길, 丙이 申에 臨하고[丙申] 陽水를 만나면 천수(天壽)를 누리지 못하는 것을 가히 알 수 있는데, 干頭에 壬癸水가 透出하면 그 사람은 반드시 죽는 것이 틀림없다.

例) 命造
癸 丙 壬 乙
巳 申 辰 酉
凶하게 夭折했다. (又曰,丙臨申位逢陽水,定是天年未可知,透出干頭壬癸水,其人必定死無疑,如乙酉壬辰丙申癸巳,果凶夭.)

논수요論壽夭-4

이우가에서 이르길, 천수(天壽)를 오래토록 누리는 것을 알려면 五行이 生旺함이 가장 고강해야 하는데, 旺한 鬼가 身을 剋하면 단명(短命)하고, 祿과 財가 無氣하여도 재앙이 된다. (理愚歌云,要知天算得遐長,五行生旺最高强,旺鬼剋身爲短命,祿財無氣亦爲殃.)

신백경에서 이르길, 火는 申酉亥를 꺼린다.(甲申[천중수],乙酉[천중수],癸亥[대해수]), 金은 亥子丑을 싫어한다.(乙亥[산두화],戊子[벽력화],己丑[벽력화]), 水와 土는 寅卯巳를 꺼린다.(水는 戊寅[성두토],己卯[성두토],丁巳[사중토]를 꺼리고, 土는 庚寅[송백목],辛卯[송백목],己巳[대림목]을 꺼린다.), 木은 巳午申을 두려워한다.(辛巳[백랍금],甲午[사중금],壬申[검봉금]), 그리고 만약 陰鬼를 만난다면 壽命이 길지 않고, 간난신고(艱難辛苦)하며 일생을 한곳에서 살고, 發하면 곧 재앙이 찾아온다. 만약 사람이 이런 地支를 만나더라도 天文을 원망해서는 안 된다. 사람이 귀문(鬼門;귀신이 드나드는 곳)을 지나는 것을 기도(氣度;동물의 몸에서 도는 기운) 소관(蕭關)[13]이라고 일컬었다.(神白經云,火忌申酉亥.(甲申乙酉癸亥)金嫌亥子丑.(乙亥戊子己丑),水土寅卯巳(水忌戊寅己卯丁巳,土忌庚寅辛卯己巳),木怕巳午申(辛巳甲午壬申),更若逢陰鬼,壽算永不停,艱辛久住世,發卽禍來尋.若人逢此地,不請怨天文,謂之人過鬼門,氣度蕭關也.)

또 말하길, 귀(鬼)가 한평생 찾아오면 근심이 있는데, 사람의 사망을 알고자 하면 이를 求해야 한다. 金哥는 出去休騎馬하고, 火弟는 歸來 莫跨牛하고, 木通 鼠蛇須遠走, 水逢 雞子也堪愁, 土人은 更切防 豬兔, 難保年光到白頭.(小兒는 煞중에 鬼關煞.) 또 이르길, 氣가 重重하면 鬼가 臨하지 않는데, 四柱가 서로 왕래하며 어찌 가까이할 수 있겠는가? 時와 더불어 本命이 서로 만나서 돌아오면 富貴하지만 많은 나이까지는 살지 못한다. (又曰,鬼限生來有所憂,欲知人死向斯求,金哥出去休騎馬,火弟歸來莫跨牛,木通鼠蛇須遠走,水逢雞子也堪愁,土人更切防豬兔,難保年光到白頭.(卽小兒煞中鬼關煞)又曰,受氣重重鬼莫臨,四柱交加豈可親,時兼本命還相遇,富貴之中壽不存.)

충요살은, 歌에서 말하길, 日과 時가[衝하면] 短命하는 사람이고, 年과 月이[衝하여도] 역시 傷害를 당한다. 이것이 人間을 短命하게 하는 法으로 사람이 충요살을 가지고 태어나면 少年에 사망한다. (가령 寅年 申月 午日 子時라면, 月과 時가 合하고, 다시 時의 剋을 당하는 이것이다.) (有衝夭煞.歌曰,生日對時人短命,生年對月亦堪傷.此是人間短命法,人生値此少年亡.(如寅年申月午日子時,月與時對,更被時剋者是也.))

또 말하길, 生日과 時에 [충요살] 對하는 사람은 壽命을 재촉하고, 日時가 相衝하면 壽命이 길지 않으며 사대공망이 보수(保守)하기 어려워 길에서 머리가 파손되어 惡死한다.(내가 [만민영 자신을 지칭] 日時가 衝하는 것을 살펴보았는데, 대부분 妻를 剋하고 자식을 損傷하며, 短命惡死하지는 않았고, 또한 壽命을 재촉하는 것은 사주와 더불어 자세히 살펴야지 衝으로만 단정하기는 어렵다. 或者는 말하기를, 衝하여도 破하지 않으면 害가 없다.) (又曰,生日對時人促壽,時日相衝壽不長,四大空亡難保守,定知惡死路頭亡.(余見時日對衝者,多剋妻傷子,不短命惡死,亦有促壽者,四柱幷詳之,難以對衝斷.或云衝而不破無害))

또 말하길, 生日과 年이 衝하면 탄식할 만하고, 生時와 日이 衝하여도 傷害를 당하는데, 어찌

---

13) 中國 甘肅省의 東部, 固原縣 남동쪽에 있는 옛 관(關). 關中 네 관의 하나로, 北西地方의 아주 험한 곳이다.

태어날 때의 時와 歲가 같으면 견딜 수 있겠는가? 二八靑春의 풍류와 壽命은 길지 않다.

예) 명조

甲 戊 丁 甲

寅 申 酉 寅

태어나서 한 해를 지나도 죽지 않은 것이 틀림없고, 月을 衝하여도 마찬가지다. (又曰,生日對年須可歎,生時對日亦堪傷,那堪生處時同歲,二八風流壽不長.(如甲寅年,丁酉月,戊申日,甲寅時,不出週歲死,信然,對月者亦然))

단명살, 歌에서 말하길, 豬(亥)와 鼠(子)는 犬(戌)이 牛(丑)와 싸우는 것을 좋아하지 않고, 닭(酉)의 울음소리는 夜行하는 彪(寅)을 재촉하고, 龍(辰) 羊(未) 蛇(巳) 兎(卯)는 서로 관여하지 않고, 巳午는 흰머리가 될 때까지 사는 사람이 없다.(이 같이 妨害[煞]에서 隔角 寡宿이 例가 같다. 삼명검에는 夭年煞이 있는데 주로 壽命이 길지 않고 상(喪)화(禍)를 많이 당하는데, 만약 身이 煞을 剋할 수 있으면 벗어난다.) (有短命煞.歌曰,豬鼠無良犬戰牛,鷄聲催促夜行彪,龍羊蛇兎不相入,巳午無人到白頭.(此與妨害中隔宿同例,三命鈐作夭年煞,主壽不長,多遇喪禍,若身能剋煞則可免.))

논수요論壽夭-5

급각煞. 歌에서 말하길, 甲乙 申酉는 염왕(閻王)을 알현하고, 丙丁 亥子는 끊어지니 반드시 방비해야하고, 庚辛 巳午는 바람 앞의 등불과 같고, 戊己 寅卯 역시 중상(重傷)이고, 壬癸 辰戌에 丑未를 더하면 죽어서 영원히 만나지 못하는 덧없는 인생으로 귀(鬼)향(鄕)에 들어간다.(광신집에는 天鬼 절로살(截路煞)이 있다. 만일 甲인이 申을 보며 乙인이 酉를 보고 生時에 있으면 나타나는데 干支에 모두 있으면 夭折한다. 가령 甲인이 庚申을 보는 종류로서 太歲와 大運에서 절로살을 만나면 대부분 主는 상복(喪服)을 입고, 다시 小運에서도 아우르면 夭折한다.) 金인은 沐浴, 火木은 胎, 土는 死, 水는 墓로 四季를 만드는데, 命에서 모여 다시 犯하게 되면 염라대왕(閻羅大王)이 急脚[煞]의 서류를 보내온다. (有急脚煞.歌曰,甲乙申酉見閭(閻)王,丙丁亥子切須防,庚辛巳午如風燭,戊己寅卯亦重傷,壬癸辰戌加丑未,永別浮生入鬼鄕.(廣信集作天鬼截路煞.若甲人見申,乙人見酉,生時帶著,支干皆有者,定夭.如甲人見庚申之類,太歲與大運逢之,多主孝服,更與小運幷,主夭.)又曰,金人沐浴火木胎,土死水墓四季裁,命有限逢爲再犯,閻王急脚送書來. [국자를 염자로 訂正]

절명煞. 歌에서 말하길, 人命에서 지나간 一支로 돌아가는 것인데, 子生은 마땅히 丑이 되고 세 번을 만나면 반드시 凶死를 당하고 두 번을 보아도 반드시 옷에 피를 적시는 근심이 된다. (만약 子生인이 丑을 보면 本命 앞의 각기 一辰이 된다.) (有截命煞.歌曰,人命歸前次一支,子生須與丑爲期,三逢必定遭凶死,兩見須憂血漬衣.(若子生人見丑,各於本命前一辰是))

추명煞. 歌에서 이르길, 命에서 後 一辰을 보는 것이 좋지 않은데, 둘을 거듭 보는 것은 시기하는 것이 의심스럽고, 세 번을 거듭 보면 밖에서 중년에 夭折하고, 오백년 前의 災殃이 반드시 돌아오게 된다. (만약 子生인이 亥를 보면 本命 뒤의 각기 一辰이 된다.) (有推命煞.歌云,命後一辰不宜見,兩重見者,涉疑猜,三重在外中年夭,五百年前禍必來.(若子生人見亥,各於本命後一辰是.))

五行滿數. 歌에서 말하길, 五行의 生處에서 陰陽을 定하고, 日月의 두 자리에서 마땅히 고르게 나눈다.(무릇 月은 1일에서 15일까지는 陽이 되고, 16일에서 30일까지는 陰이 된다.) 6일初에 生하는 것이 甲乙이라 한다.(초6일에 生하여 초10일까지가 滿이다.) 丙丁은 다음 순서인 火로서 强이 된다.(16일에 火가 生하여 20일까지가 滿이다.), 壬癸水는 흐르는 것을 바탕으로 글 뜻을 풀어 정한다.(26일에 水가 生하여 30일에 滿이다.), 이 生死를 따르면 어긋나지 않는다.(가령 己亥년 9월 30일 己酉 丁卯 時이면 그 날은 水가 滿이다. 年은 己亥이며 日은 己酉인데 그 水는 둘의 土에게 剋을 당하여 이 사람은 夭折한다.) (有五行滿數.歌曰,五行生處定陰陽,日月平分兩位當.(凡月,一日至十五日爲陽,十六日至三十日爲陰.),六日初生名甲乙.(初六日木生,至初十日滿.),丙丁依次火爲强.(十六日火生,至二十日滿.)壬癸水流相註定.(二十六日水生,三十日滿.)從茲生死不乖張.(假如己亥年,九月三十日,己酉丁卯,時,其日值水滿,年是己亥,日是己酉,其水被兩土所剋此人夭壽.))

陰陽二極. 歌에서 말하길, 陰陽二極은 君이 아는 것은 아니다. 남녀는 모두 本命의 數를 따르는데, 남자는 9位에서 만나고 여자는 3쌍을 만나서 자리마다 相逢하고 겸하여 順하게 나아가고, 大運 小運의 氣가 全無하여 이에 도달하면 身이 死地인 것을 마땅히 알게 된다. 두 運이 有氣하면 無妨하고, 서로 맞으면 1年은 災의 運으로 괴롭다.(남자는 本命에서 順한 數로 9辰에 이르면 陽極이 되고, 여자는 本命에서 數가 6辰에 이르면 陰極이 된다.) (有陰陽二極.歌曰,陰陽二極君知否,男女皆從本命數,男逢九位女三雙,位位相逢兼順去,大小兩運氣全無,到此須知身死處.兩運有氣則無妨,合致一年災運苦.(男以本命,順數,至九辰爲陽極,女以本命,數至六辰,爲陰極.))

원수가에서 이르길, 水木이 巳를 보며 金이 寅을 만나고, 火를 生하고 金을 生하여 本身을 손상하고 五行은 命속에서 모두 이것을 방어하고 만나면 백발노인이라는 것을 알지 못한다. (源髓歌云,水木遇巳金逢寅,生火生金傷本身,五行命裏皆防此,遇者知非鶴髮人.)

以上으로 모든 학설은 마땅히 자세히 하였는데, 먼저 五行의 生旺死絶 다음에 格局에서 손괴(損壞)의 유무(有無)를 살핀 然後에 모든 神煞을 고려하고, 그리고 流年 太歲를 참작한다면 적중하지 않을 수 없는 것이다. (以上諸說,須盡詳之,先以五行生旺死絶,次以格局有無損壞,然後考諸神煞,而以流年太歲參之,蔑不中矣.)

혹자가 말하길, 사람의 수요(壽夭;장수와 단명)는 父母에게 물려받고, 父에게 精을 母에게 血를 받는데 盛衰가 같지 않으므로 사람의 壽命 또한 다르다. 태어나서 처음에 받은 두 기운이 盛하면 마땅히 上中의 壽命을 얻고, 받은 기운이 한 쪽으로 치우쳐 盛하면 中下의 壽命을 얻고, 받은 기운이 둘 다 衰하면 保養하여야 겨우 下의 壽命을 얻으며 그렇지 않으면 夭折함이 많다. 비록 그렇다하더라도, 또 항상 理論에 얽매이는 것은 不可하다. 或은 풍(風) 한(寒) 서(暑) 습(濕)은 외적으로 느끼고, 기포(饑飽;굶고 배부름) 노역(勞役;힘든 노동)은 내적으로 손상하는데, 어찌 물려받은 원기(元氣)를 일일이 다 할 것이며 천수(天壽)대로 끝날 뿐이 아니겠는가? 命을 아는 군자(君子)는 수신(修身)하며 기다릴 뿐인 것이다. (或曰,人之壽夭稟父母,父精母血,盛衰不同,故人之壽亦異,其有生之初,受氣之兩盛者,當得上中之壽,受氣之偏盛者,當得中下之壽,受氣之兩衰者,能保養,僅得下壽,不然,多夭折.雖然,又不可以常理拘泥論也.或風寒暑濕之感於外,饑飽勞役之傷乎內,豈能一一盡乎所稟之元氣,而終其天年也耶.知命君子,要在修身以俟之而已.)

6. 논여명論女命-1

혹 묻기를, 부인에게 무엇이 이로운가? 이로움은 남편星에 있다. 남편이 이로우면 그 부인은 반드시 이롭고, 남편이 곤궁하면 그 부인은 반드시 곤궁하다. 부인은 남편을 따르니 먼저 남편星을 관찰하여 出身의 貴賤을 정하고, 다음에 자식星을 보고 만년(晩年)의 영욕(榮辱)을 살핀다. 官煞이나 財가 得地하면 남편이 이롭다. 食神이 得地하면 자식이 이롭다. 남편이 이로우면 出身이 富貴하여 일생동안 福을 누리고, 자식이 이로우면 晩年에 봉양을 받아 영화가 크고 봉작(封爵)을 받는다. 그리고 또한 부(夫)가 旺한 것은 食神이 財를 生하고 財가 官을 生하기 때문이다. 이와 반대면 좋지 않다. (或問婦人何利?利在夫星.夫利,其婦必利,夫困,其婦必困.婦人從夫,先觀夫星,以定出身之貴賤,再看子星,以察晩年之榮辱.官煞財得地,夫利也.食神得地,子利也.夫利則出身富貴,一生享福,子利則晩年厚養,褒寵誥封.然亦有旺夫者,以食生財,財生官故耳.反是則否.)

여자의 命에서는, 자신을 剋하는 것은 夫(남편)가 되고, 자신이 生하는 것은 子(자식)가 되는데, 모두 得時하여 生旺한 氣運을 타야한다. 만일 旺한 氣運이 時에서 모인다 해도 역시 좋다. 官을 夫로 쓸 경우에 煞을 보는 것은 좋지 않고, 煞을 夫로 쓸 경우는 官을 보는 것은 좋지 않고, 一位가 좋은 것이다. 두 곳에 官星이 있으면 煞이 혼잡하지 않아야 하고, 四柱에 순수한 煞이면 官이 혼잡하지 않아야 어진 婦(아내)가 된다. 더불어 本身이 自旺하면 더욱 아름답지만 그러나 旺이 太過한 것은 不可하다. (女命以剋我者爲夫,我生者爲子,皆要得時,乘生旺之氣.若旺氣只聚於時,亦可,用官爲夫,不要見煞,用煞爲夫,不要見官,一位爲好.有兩位官星,無煞以雜之,四柱純煞,無官以混之,俱爲良婦.更得本身自旺尤佳,但旺不可太過.)

食(식신, 상관)은 자식(子息)이 된다. 時가 生旺하며 다시 二德이 身을 도우면 夫는 貴하고 子息이 영화로운 命이다. 身의 旺함이 중첩하면 좋지 않고, 夫(神=星)를 暗藏하고 傷官 七煞 魁罡 相刑과 羊刃이 太重하고 合多하여 有情한 것은 모두가 불미(不美)하다. 歲運 역시 같고, 八法 八格을 반드시 상세하게 살펴보아야 한다. (食爲子息.引歸時逢旺,再得二德扶身,乃夫貴子榮之命.不宜身旺重疊,暗藏夫神,及傷官七煞魁罡相刑,羊刃太重,合多有情,皆主不美.歲運亦然.看有八法八格,須細

詳之.)

논여명論女命-2

純이란 것은 하나인 것이다. 가령 관성이 純一하거나 혹은 살성이 純一하고 財와 印綬가 있으며 서로 刑 衝하지 않아야 혼잡하지 않은 것이다. (純純者,一也.如純一官星,或純一煞星,有財有印,不値刑衝,不相混雜是也.)

예) 명조-1
丙 辛 戊 癸
申 酉 午 巳
본래 身이 전록(專祿)으로 旺하니 從化하지 않는다. 辛은 丙火 관성을 남편星으로 삼는데, 5월은 火旺하니 夫가 건장(健壯)하다. 丙은 癸가 官이 되며 貴人에 자리하고, 戊土 食神을 보고 丙과 함께 巳에서 祿이 된다. 辛金은 壬[癸]水를 生하니 子(자식)가 되고, 申時는 長生의 地支가 된다. 天干의 癸戊와 辛丙은 水火가 旣濟하고, 地支의 巳午 酉申는 財庫[未]를 拱夾하였다. 시집감으로써, 남편은 官이 되고 食神은 天祿이 되니 夫는 영화롭고 子(자식)은 貴한 命이 된다. (一命如癸巳,戊午,辛酉,丙申,本身專祿,旺不從化.辛用丙官爲夫星,五月火旺,夫健.丙用癸爲官,坐貴,見戊爲食,同歸祿於巳.辛金生壬水爲子,引入申時長生之地.天干癸戊辛丙,水火旣濟地支巳午酉申,拱夾財庫,所以嫁夫爲官而食天祿,夫榮子貴之命.)

예) 명조-2
甲 丙 甲 癸
午 戌 寅 亥
丙은 癸를 夫를 삼는데 임관인 亥에 [坐해]있고, 甲은 印綬가 되며 寅建祿에 坐하고, 자신은 庫에 坐하고, 己土는 자식으로 午에서 歸祿하며 子息의 자리인 時에 居하고, 甲木은 己土의 官이 되니, 四柱가 純一하며 雜되지 않았다. 따라서 主는 子의 蔭德으로 貴하다. 나머지는 이 추리를 따르면 된다. (又,癸亥,甲寅,丙戌,甲午,丙用癸爲夫,臨官在亥,甲爲印,坐寅建祿,自身坐庫,己土爲子,歸祿於午,居時子息之位,甲木爲己土之官,四柱純一不雜.故主子貴蔭.餘倣此推.)

和라는 것은, 안정(安靜)된 것이다. 가령 身은 柔弱하며 단지 한 곳에 夫星이 있고, 四柱에 공격하여 破하거나 衝擊하는 것이 없어 中和의 氣를 물려받으면 和가 되는 것이다. (和和者,恬靜也.如身柔弱,獨有一位夫星,柱無攻破衝擊之神,稟其中和之氣,則爲和也.)

예) 명조-1
己 己 辛 壬

巳 卯 亥 辰

己는 甲이 夫가 되며 亥는 甲의 長生 地로서 天時와 地利를 얻고, 甲은 辛으로 官을 삼으며 金은 巳에서 長生하는데, 己는 金이 자식으로 또한 巳에서 長生하니, 이를 일컬어 夫는 官星을 얻고 子[자식]는 장생을 얻은 것이라 한다. 그러므로 夫는 넉넉하고 子는 旺하다. 비록 자신은 卯의 地支인 煞에 坐하였지만 巳중에 庚이 制하여, 거살유관(去煞有官)으로 論하게 되니, 女命으로 貴한 것이다. (如一命壬辰,辛亥,己卯,己巳,己用甲爲夫,亥乃生長之地,得天時地利,甲以辛爲官,金生於巳,己以金爲子,亦生於巳,謂之夫得官星,子得長生.故主益夫旺子.雖自坐卯支爲煞,有巳中庚制,爲去煞留官之論,女命之貴也.)

예) 명조-2

己 丁 壬 丁

酉 酉 寅 丑

丁은 壬이 夫[남편]가 되고, 甲은 印綬가 되며 夫의 食神인 祿이며, 丁酉는 日貴[일주가 귀인으로]로 己酉의 子[자식]을 生하고, 壬水는 己土를 얻어 官이 되니, 主의 남편이 貴하다. 酉중에는 財가 旺하니, 夫가 영화로우며 子(자식)은 蔭德을 造成한다. 다른 것은 이 추리를 따르면 된다. (又,丁丑,壬寅,丁酉,己酉,丁用壬爲夫,甲爲印,乃夫之食祿,丁酉日貴生己酉之子,壬水得己土爲官,主夫貴,己土得甲爲官,主子貴.酉中財旺,榮夫蔭子之造.餘倣此推.)

논여명論女命-3

淸이라는 것은, 정결(淨潔)함을 말한다. 女命에서 하나의 官이나 하나의 煞로서 서로 혼잡(混雜)하지 않아야 淸이라 한다. 夫星이 得時하고, 四柱에 財가 官을 生하고, 印綬가 身을 도우며, 한 점의 혼탁(混濁)한 氣가 없어야만 비로소 淸貴함이 된다. (淸淸者,潔淨之稱.女命或一官一煞,不相混雜,謂之淸.要夫星得時,柱有財生官,有印助身,無一點混濁之氣,方爲淸貴.)

예) 명조-1

甲 乙 壬 己

申 未 申 未

乙은 庚이 夫이고 庚의 祿은 申이며, [乙은] 丁이 子(자식)인데 丁은 未에서 旺하고, 壬은 印綬이며 申에서 長生한다. 그리고 坐下의 地支에 있는 [未土는] 乙木의 財가 되는데 財가 旺하면 官을 生할 수 있고, 四柱에 刑衝 破敗함이 없다. 經에서는, "財, 官, 印綬의 3가지가 女命에 있으면 반드시 夫가 旺盛하다. 따라서 양국(兩國)의 봉작(封爵)을 받는 부인의 命이 된다." 하였다. (如一命己未,壬申,乙未,甲申,乙以庚爲夫,庚祿到申,以丁爲子,丁旺於未,以壬爲印,壬生於申.又坐下支神,爲乙木之財,財旺則能生官,四柱無刑衝破敗.經云,財官印綬三般物,女命達之必旺夫.故有兩國之封.夫人之命.)

예) 명조-2

戊 丙 癸 甲

子 寅 酉 寅

丙은 癸가 夫인데 酉에 坐하여 自生하고, 癸는 戊의 官을 얻고 癸의 祿인 子에 居하니, 夫가 祿을 얻어 貴하다. 丙火는 戊土가 子息인데 용지봉각(龍池鳳閣)에 오르니 자식이 貴하였다. 다른 것도 이 추리를 따르라. 용지살이 있는데, 申子辰인의 龍은 午이며 鳳은 酉이다. 寅午戌인은 龍은 子이며 鳳은 卯이다. 巳酉丑인은 龍은 卯이묘 鳳은 子이다. 亥卯未인은 龍은 酉이며 鳳은 午이다. (又,甲寅,癸酉,丙寅,戊子,丙用癸爲夫,坐酉自生,癸得戊爲官,癸祿居子,夫得祿者貴.丙火得戊土爲子,登龍池鳳閣,主子貴,餘仿此推.龍池煞,申子辰人,龍午鳳酉,寅午戌人,龍子鳳卯,巳酉丑人,龍卯鳳子,亥卯未人,龍酉鳳午.)

貴라는 것은, 존경받고 영화로운 것이다. 命중에 관성이 있는데 財氣가 官을 돕고, 삼기(三奇)의 그 종(宗)을 얻으면 四柱에 鬼病을 두지 않으니 여자의 命으로 요순(堯舜)과 같은 것이다. 經에서는, "煞이 없는 女人의 命은 一貴의 夫人이 될 수 있다." 하였다. (貴貴者,尊榮之號.命中有官星,得其財氣以相資,三奇得其宗,四柱不值鬼病,乃女命堯舜也.經云,無煞女人之命,一貴可作夫人.)

또 이르길, 女命에 煞이 없고 二德을 만나면 가히 양국(兩國)의 봉작(封爵)을 받는다. 二德은 단지 天德 月德 二德뿐만 아니라 즉 財가 一德이며 官이 一德이 되는 것인데, 印綬와 食神이 더해지면 더욱 더 貴한 것이다. (又云,女命無煞逢二德,可兩國之封.二德者,非獨天月二德,卽財爲一德,官爲一德,加之印食,愈爲貴也.)

예) 명조-1

壬 丁 丙 甲

寅 未 寅 午

丁은 壬이 官이 되고 壬의 食神인 甲은 印綬인데, 壬은 丙이 財이며 壬은 亥가 祿인데 2개의 寅이 暗合하여 [亥를]얻는다. 비록 夫星이 失時하였지만 기쁜 것이 夫가 旺한 西北의 運으로 行하므로 大貴한 것이다. (如一命甲午丙寅丁未壬寅,丁以壬爲官,壬食甲爲印,壬用丙爲財,壬以亥爲祿,得二寅暗合.雖夫星失時,喜行西北夫旺之運,故主大貴.)

예) 명조-2

癸 辛 丙 乙

巳 卯 戌 亥

辛에서 乙은 財가 되며 亥에서 旺하고, 丙은 夫星으로 庫에 坐하며 歸祿인 巳상의 癸水는 夫의 官이 되고 辛金은 癸를 生하니 子[자식]가 되는데 巳상에 坐하여 夫의 祿과 同宮한다. 그리고 [癸는 巳가 貴人이다.] 貴人이고, 또 財官雙美가 되니, 夫子가 모두 貴하며 큰 봉작(封爵)을 받았다. 나머지는 이것을 따라 추리하면 된다. (又,乙亥,丙戌,辛卯,癸巳,辛用乙爲財,旺於亥,丙爲夫星坐庫,歸祿巳上.癸水爲夫之官,辛金生癸爲子,坐巳上,與夫祿同位.又是貴神,又爲財官雙美,乃得夫子俱貴,兩遇褒封.餘倣此推.)

논여명論女命-4

濁이라는 것은, 혼합인 것이다. 五行이 실위(失位)하여 水土가 서로 손상하고, 身이 太旺한데 正夫는 나타나지 않으며 偏夫가 雜되게 모이고, 四柱에 분별(分別)함이 많고, 財官 印食이 없으면 비천하고 혼탁하여 혹 창기(娼妓) 노비(奴婢) 첩(妾)이 되어 음란한 기교를 부리는 사람이다. (濁濁者混也.乃五行失位,水土互傷,其身太旺,正夫不顯,偏夫叢雜,柱多分別,無財官印食,爲下賤村濁,或娼妓婢妾,淫巧之人.)

예) 명조-1
己 癸 乙 己
未 丑 亥 亥
癸水가 10月에 生하여 크게 범람하고, 癸는 戊로서 夫를 삼는데 [戊가] 드러나지 않으니 時의 己未는 偏夫인데, 丑未가 모두 있으니 土의 혼잡함을 꺼리고, 柱중에 財는 없고 乙木 食神이 天干에서 旺하여 己土가 剋를 당해 鬼가 敗하여 身에 臨하니 五行이 失位하였다. 主는 먼저는 淸하지만 나중에는 濁하니 福을 누릴 수 없다. (如一命己亥,乙亥,癸丑,己未,癸水生十月,太泛,癸以戊爲夫,不顯,時引己未,是偏夫,嫌丑未皆有土混雜,柱中無財,乙木爲食神,干旺,己土受剋,鬼敗臨身,五行失位,主先淸後濁,不能享福.)

예) 명조-2
乙 辛 甲 癸
未 酉 寅 未
辛酉는 팔전(八專)[14]으로 自旺하다. 丙火가 夫인데 寅에서 長生하니 夫가 旺하여 본래 좋다. 그러나 辛이 乙未 庫중의 財를 貪하여 未중의 丁火인 暗夫를 끌어들이니, 두 庫의 暗夫와 明夫를 거듭 드나드니 명암(明暗)으로 交集하였다. 비록 正夫[본남편]가 있을지라도 재물을 얻으려고 은밀하게 남자와 사통하지 않고는 못 견디는 탁란(濁亂)한 象이다. 나머지는 이 추리를 따르면 된다. (又,癸未,甲寅,辛酉,乙未,辛酉八專自旺.用丙火爲夫,長生於寅,夫旺本好.但辛貪乙未庫中財,惹起未中丁火,爲暗夫,兩庫暗夫,重過明夫,明暗交集.雖有正夫,未免暗中偸夫得財,乃濁亂之象.餘倣此推.)

濫이라는 것은, 탐욕(貪慾)이 지나친 것이다. 四柱중에 드러난 夫가 많이 있는데 暗中으로 財가 旺하거나, 干支에 또 煞이 많으면 반드시 酒色으로 인해 은밀하게 재물을 얻는다. 이런 종류의

---

14) 八專; 壬子, 癸丑, 甲寅 乙卯 丙辰 丁巳 戊午 己未 庚申 辛酉 壬戌 癸亥의 12일中 丑, 辰, 午, 戌의 나흘을 제한 나머지 8일 동안을 말함

命은 혹 노비(奴婢)가 되거나 혹 剋夫하여 재가(再嫁)한다. (濫濫者,婪也.謂柱中明有夫多,暗中財旺,干支又多帶煞,必因酒色,私暗得財.此等之命,或爲奴婢,或剋夫再嫁.)

예) 명조-1

丁 庚 丙 庚
亥 申 戌 寅

庚申은 팔전(八專)으로 自旺하고, 丙火는 夫가 되는데 寅戌이 會局하고 時의 天干에 또 丁이니 火에 대한 愛情이 重하다. 庚申金이 寅亥木의 財를 暗剋하고, 亥中의 壬水는 食神으로 財를 生하게 된다. 그 사람이 비록 미모(美貌)에는 복(福)을 타고났지만 탐욕이 많아 재물을 얻으려는 욕심이 없을 수 없다. (如一命庚寅,丙戌,庚申,丁亥,庚申八專自旺,丙火爲夫,寅戌會局,時干又丁,愛重火情.庚申金暗剋寅亥木爲財,亥中壬水爲食生財.其人雖美貌有福,不免濫而得財.)

예) 명조-2

丁 己 甲 戊
卯 未 寅 子

正月의 甲목이 旺하고 卯未가 會局하며 偏正으로 夫가 많은데, 子상에는 또 旺한 財가 있고 己는 甲官과 합하니 陰陽으로 배필(配匹)이 된다. 비록 총명(聰明)하고 수려(秀麗)할지라도 탐욕에서 벗어날 수는 없다. 더군다나 도삽도화 위에는 제매(姊妹)가 坐하였는데 이것이 관성은 아니지만 어찌 선량한 부인이 되겠는가! (又,戊子,甲寅,己未,丁卯,正月甲木旺,卯未會局,偏正夫多,子上又有旺財,己合甲官,陰陽匹配.故雖聰明秀麗,不免失之於濫.況倒揷桃花,上坐姊妹,不是官星,豈爲良婦.-

예) 명조-3

壬 癸 丁 己
戌 丑 丑 酉

四柱中에 己夫가 드러나 있고, 2개의 丑과 1개의 戌로서 三夫가 암장하였다. 丁은 財인데 庫인 戌에서 丑과 相刑하고, [丑은] 2陽이 得令하여 火 또한 進氣하여 夫가 많고 財도 旺하니 丁壬이 太過하다. (又,己酉,丁丑,癸丑,壬戌,柱中明有己夫,二丑一戌,三夫暗藏.丁爲財,歸庫於戌,與丑相刑,二陽得令,火亦進氣,是夫多財旺,丁壬太過.)

예) 명조-4

辛 丙 癸 甲
卯 子 酉 辰

丙子일은 陰陽煞이 되어 남자를 유혹하고, 丙은 癸가 夫인데 子辰이 會水하여 夫가 많다. 日時에 丙辛으로 合하고 子卯가 刑하니 天干은 合하고 地支는 刑하여 곤랑도화가 되니 酒色으로 혼미(昏迷)하게 된다. 酉中에 財가 旺한데 癸의 夫가 단독으로 坐하였다. 두 命은 모두 妓生으로 매춘(賣春)으로 재물을 얻었다. 다른 것은 이 추리를 따르면 된다. (又,甲辰,癸酉,丙子,辛卯,丙子

日,犯陰陽煞,主男子挑誘,丙以癸爲夫,辰子會水,夫多.日時丙辛合,子卯刑,支刑干合,犯荒淫滾浪,酒色昏迷.酉中財旺,癸夫專坐.二命俱妓,賣奸得財.餘倣此推.)

논여명론女命-5

娼이라는 것은, 기생인 것이다. 身이 旺하며 夫는 絶하고, 官은 衰하며 食(식신 상관)은 盛한 것인데, 혹 柱中에 官煞이 없거나, 혹 상관상진(傷官傷盡)하거나, 혹 官煞이 혼잡(混雜)하며, 食神이 旺盛한 이러한 것은 반드시 창기(娼妓) 命이 되거나 아니면 비구니, 노비, 妾이 되며 剋夫하고 음탕한 행동을 한다. (娼娼者,妓也.乃身旺夫絶,官衰食盛,或柱中不見官煞,或有而傷官傷盡,或官煞混雜,而食神盛旺,此必娼妓之命,否則爲師尼婢妾,剋夫淫奔.)

예) 명조-1
庚 戊 庚 丁
申 辰 戌 亥
戊는 甲이 夫인데 9月은 失時하여 無氣하며 또 庚에게 剋絶을 당하고, 時에서 申이 들어오니 庚은 食神으로 建祿은 申에 있다. 戊辰은 괴강(魁罡)인데 申을 生하여 太旺하며, 亥中의 壬財 역시 旺하다. 生을 만나 身旺하니 食을 탐하며 財를 탐하고, 夫가 絶하니 미모가 빼어난 창기(娼妓)가 되었다. (如一命丁亥,庚戌,戊辰,庚申,戊以甲爲夫,九月失時無氣,又被庚剋絶.時引入申,以庚爲食,建祿在申.戊辰魁罡,生申太旺.亥中壬財亦旺,謂之身旺逢生,貪食貪財,夫絶而爲秀麗娼也.)

예) 명조-2
丙 甲 丙 乙
寅 子 戌 亥
甲은 庚辛이 夫인데 9月의 金은 退氣하여 쇠약한데, 時에서 食神이 長生하고 木의 地支가 會局하고 甲木이 歸祿하니 身이 旺한데, 庚金은 寅에서 絶하여 無氣하고, 두개의 丙 食神은 太旺하니 金夫를 손상한다. 自旺하고 食神이 盛하니 의식(衣食)은 비록 넉넉할지라도 세상풍파를 겪게 되어 창기(娼妓)를 면하지 못한다. (又,乙亥,丙戌,甲子,丙寅,甲以庚辛爲夫,九月金衰氣退,時引食神長生,木地會局,甲木歸祿身旺,庚金引至寅地,絶而無氣,二丙食神太旺,傷其金夫.謂之自旺食盛,衣食雖好,不免風塵娼妓.)

예) 명조-3
庚 戊 庚 癸
申 辰 申 丑
戊는 乙이 夫인데 申에 絶되고, 戊日은 庚申이 食神이 되고 月과 時에서 거듭 보니 食神이 旺하여 夫가 絶(끊어지다)이 되므로 主는 창(娼)이 되었다. 무릇 陽干의 女命은 食神이 많으면 창

(娼;창녀)가 되고, 陰干의 女命은 食神이 많으면 기(妓;기생)이 된다. 다른 것은 이 추리를 따르면 된다. (又,癸丑,庚申,戊辰,庚申,戊用乙夫,絶在申,戊日得庚申爲食神,月時重見,謂之食旺夫絶,故主爲娼.凡陽干女命,食神多者爲娼,陰干女命,食神多者爲妓.餘倣此推.)

淫이라는 것은, 비옥하다 즉 음란하다는 것이다. 本身이 得地하고 夫星은 明暗이 交集한 것이다. 日干이 自旺하고 四柱중에 모두가 官煞인 것인데, 天干에 있는 것은 明이 되고 地支에 있는 것은 暗이 되고 四柱에 太過한 것을 말한다. 가령 1개의 丁이 3개의 壬을 보고, 壬에 辰子가 많은 例를 일컬어 交集이라 하여, 남자를 받아들이지 않을 수 없는 것이다. (淫淫者,沃也.乃本身得地,夫星明暗交集.謂日干自旺,柱中皆官煞是也.在干者爲明,在支者爲暗,四柱太過.如一丁見三壬,壬及辰子多之例,謂之交集,於人無所不納也.)

예) 명조-1
癸 壬 壬 戊
亥 戌 辰 辰
壬辰 癸亥는 본래 自得地하고 明으로 戊土 正夫가 있으며 暗으로 辰戌 偏夫가 있다. (如戊辰,壬辰,壬戌,癸亥.壬辰癸亥本自得地,明有戊土爲正夫,暗有辰戌爲偏夫.)

예) 명조-2
甲 乙 戊 庚
申 酉 子 戌
乙은 庚이 明夫이고 身이 地支 酉에 坐하며 時에 또 申은 暗夫가 되는데, 運이 西方의 金旺한 地支로 行한다. 두 命은 모두 夫星이 명암교집(明暗夫集)하니 음란(淫亂)함을 말로 다 할 수 없다. (又庚戌,戊子,乙酉,甲申,乙以庚爲明夫,而身坐酉支,時又引申爲暗夫,運行西方金旺之地.二命俱夫星明暗交集,淫不可言.)

예) 명조-3
壬 丁 壬 癸
寅 丑 子 亥
丁火는 많은 水중에 있고 明暗으로 夫가 많아 음란(淫亂)하여 수치심(羞恥心)을 모른다. 經에서, 丁이 壬을 만나는 것이 太過하면 반드시 淫亂함이 지나쳐 잘못된다고 하였다. (又,癸亥,壬子,丁丑,壬寅,丁火在於衆水之中,明暗夫多,淫亂無恥.經曰,丁遇壬而太過,必犯淫訛之亂是也.)

예) 명조-4
乙 己 甲 癸
亥 卯 子 卯
己는 甲이 夫인데 甲은 敗浴地 子에 있으며 卯는 暗夫로 地支 아래에 坐하고, 또 亥와 卯가 많아 명암교집(明暗交集)하여, 正夫는 억눌려서 주장을 펼칠 수가 없고, 暗夫가 得勢하여 들어오니 正夫가 도리어 회피(回避)하게 되는 것이다. 다른 것은 이 추리를 따르면 된다. (又,癸卯,甲子,己卯,乙亥,己用甲爲夫,甲敗在子,卯爲暗夫,坐於支下,又亥卯多,明暗交集,正夫不能主張禁制,暗夫得勢而入,正夫反迴避也.餘倣此推.)

논여명論女命-6

왕부상자旺夫傷子

대저, 女人의 [命에서] 왕부상자(旺夫傷子)라는 것은 무엇인가? 이 法은 모두가 時상에서 추리하는데, 時는 귀숙지(歸宿地)가 된다. 夫와 子息의 두 星을 時로 돌아가면 夫星은 生旺하고 子星은 衰敗한 이것이다. (夫女人有旺夫傷子者何?此法皆時上推之,時爲歸宿之地,夫子二星,引歸於時,夫星生旺,子星衰敗是也.)

예) 명조
辛 丁 丙 丙
亥 巳 申 戌

丁이 巳에 坐하니 自旺하고, 壬水는 夫가 되는데 時상에는 夫성이 臨官하는 地支이고, 月支의 申金은 夫星의 長生地이다. 辛金은 財인데 7月은 金이 旺하여 두 丙을 비교하면 모두 夫의 財와 印에 坐하였다. 따라서 夫는 뛰어나게 총명하며 富貴한 것이다. 丁은 戊가 子息이 되고, 時상에서 亥를 만나는데, 亥중의 甲木은 戊土를 剋하니 자식星이 剋을 당하여 [子息을] 얻기가 어렵다. 그러므로 왕부상자(旺夫傷子)라고 한다. 다른 것은 이 추리를 따르면 된다. (如一命,丙戌,丙申,丁巳,辛亥,丁坐巳自旺,以壬水爲夫,時上乃是夫星臨官之地,月支申金,乃夫星長生之地.以辛金爲財,七月金旺,二丙相比,皆坐夫之財印,故主夫聰秀富貴.丁以戊爲子息之垣,引至時上見亥,亥中甲木,能剋戊土,乃子星被剋而難得也,故主旺夫傷子.餘倣此推.)

왕자상부旺子傷夫

왕자상부(旺子傷夫)라는 것은 무엇인가? 이 法은 오로지 月과 時에서 추리한다. 나를 剋하는 것은 官으로 夫가 되는데 得時하여 有氣하면 夫가 發福하지만, 만약 干支에서 失位하고 月令의 氣를 얻지 못하고, 四柱중에 또 衝剋을 만나고, 時상에 또 旺氣가 없는데, 그러나 자신이 낳은 자식은 時상에서 長生 臨官 帝旺의 地支를 만나고 또 刑剋이 없으면, 이것을 왕자상부(旺子傷夫)라고 한다. (有旺子傷夫者何?此法專以月時推之,謂剋我者爲官,爲夫,有氣得時,則夫發福,若支干失位,不得月氣,柱中又逢衝剋,時上又無旺氣,而己生之子,引至時上,逢長生臨官帝旺之地,又無刑剋,是旺子傷夫也.)

예) 명조

戊 乙 甲 己

寅 卯 戌 卯

乙은 庚이 夫인데 9月은 庚金이 無氣하다. 乙은 丙이 子(자식)인데 丙火가 [時상] 寅에서 長生하고 戌과 會局하니 모두 火에 屬한다. 月令에는 이미 金氣가 없으며 時는 絶地이고 또 火에게 剋을 당하니 그 夫星은 損傷하고 자식은 旺하다. 그러므로 왕자상부(旺子傷夫)라고 말한다. 다른 것은 이 추리를 따르면 된다. (如一命,己卯,甲戌,乙卯,戊寅,乙用庚爲夫,九月庚金無氣,乙用丙爲子,丙火長生於寅,與戌會局,皆屬火.月令既無金氣,時引絶地,又被火剋,是傷其夫星,旺其子息.故曰,旺子傷夫.餘倣此推.)

상부극자傷夫剋子

상부극자라는 것은, 夫星이 干支에서 失位하며 生月에서 失時하고, 四柱에서 또 衝剋을 만나고 時支도 또한 生扶하지 않고, 게다가 印綬를 重逢하여 夫星을 盜氣하고 剋子함이 지나쳐서 夫子[모두]가 旺할 수 없으니, 오히려 時에서 絶하는 이것이다. (傷夫剋子者,乃夫星干支失位,生月失時,柱中又逢衝剋,時支亦不生扶,兼且印綬重逢,盜夫之氣,剋子之甚,夫子不能旺,反絶於時是也.)

예) 명조

丙 乙 庚 丙

子 亥 子 子

乙木은 庚金으로 夫星을 삼는데, 11月은 금한수냉(金寒水冷)하고, 또 金은 子에서 死하며 地支의 亥子水가 金氣를 盜盡하는데 四柱에 土의 生助는 없고 傷官이 太多하므로 그 夫를 손상한다. 乙木은 丙火로서 자식을 삼는데, 子時이니 水는 旺하고 火가 滅하는 地支이다. 비록 年과 時의 天干에 두 火가 있을지라도 무리의 水에게 剋을 당하여 夫子 모두 사망했다. 따라서 상부극자(傷夫剋子)라고 말한다. 다른 것은 이 추리를 따르면 된다. (如一命,丙子,庚子,乙亥,丙子,乙木以庚金爲夫星,十一月金寒水冷,又金死子,地支亥子水,盜金氣盡,柱無土生助,傷官太多,故傷其夫.乙木以丙火爲子,引至子時,乃水旺火滅之地.雖年時干二火,被群水相剋,夫子皆亡,故曰傷夫剋子.餘仿此推.)

논여명論女命-7

안정수분安靜守分

안정수분(安靜守分)이라는 것은, 夫星이 有氣하며, 日干은 自旺한데, 상정(相停;日干과 夫星이 서로 均整함)하여 剋이 없고 刑衝하지 않으며 財와 食神을 적당하게 얻은 것이다. (安靜守分者,

乃夫星有氣,日干自旺,相停無剋,不値刑衝,財食得所者是也.)

예) 명조

丁 乙 庚 癸

亥 卯 申 巳

乙이 卯에 坐하여 專祿으로 自旺하고, 또 時支의 亥와 合局하니 근본 身旺한 것이다. 庚金으로 夫를 삼는데, 7月의 申은 庚의 祿이며, 그리고 年支의 巳火는 金의 長生地가 되어 夫星이 旺한 것이다. 亥중의 壬水는 夫의 食神 천주(天廚貴人)가 되니, 따라서 主의 夫가 食神 天祿이 된다. 이는 곧 자신(自身)과 夫星 양쪽이 서로 손상하지 않고 각기 旺氣를 탄 것인데, 혼란(混亂)함이 없고 서로 침범하지 않으며 부부(夫婦)가 함께 화목하니, 안정수분(安靜守分)格이 된다. (如一命, 癸巳,庚申,乙卯,丁亥,乙坐卯,專祿自旺,又得時支亥字合局,是本身旺也.以庚金爲夫,七月庚祿到申,又得年支巳火,爲金長生之地,是夫星旺也.亥中壬水,夫之食神天廚,故主夫食天祿.此乃自己夫星,兩不相傷,各乘旺氣,無混亂相侵,夫婦偕和,安靜守分格也.)

횡요소년橫夭少年

대저, 횡요소년(橫夭少年)이라는 것은, 조화(造化)가 궁(窮)하고 절(絶)하여 格局의 괴이한 변고인 것이다. 대들보에 목을 매달거나 강물에 빠지거나, 출산(出産)중에 가끔 피를 흘려서 죽거나, 타인에게 살해당하는 이와 같은 것은 어떤 것인가? 身弱한데 煞重함을 만나서 많은 煞이 身을 剋하는데 또 刑衝 破敗의 종류가 있거나, 혹 命중에 원래 官星이 손상을 받고 있는데 行運에서 다시 官을 만나거나, 혹 官은 없고 傷官을 보는데 다시 臨官하는 종류의 運이거나, 혹 刃(양인)은 있고 制함이 없는데 刃을 合하는 地支 및 亡神 劫煞 등의 종류로 運行하는 경우에 모두 비명 횡사(非命橫死)한다. 女命뿐만 아니라 男命 역시 동일하다. (夫橫夭少年者,造化之窮絶,格局之變異也.有懸梁溺水,血産少亡,被人殺死,若此者何?乃身弱而遇煞重,煞多剋身,又帶刑衝破敗之類,或命中元有官星受傷,行運復遇官鄕,或無官見傷,運復臨官之類,或帶刃無制,運行合刃之地,及亡神劫煞等類,此皆橫夭類也.不獨女命有之,男命亦同.)

예) 명조-1

丙 庚 癸 丁

子 辰 丑 卯

庚은 丁을 官으로 삼는데, 癸水 子辰 상관을 거듭 만나서 심한 剋을 당하고, 수다금침(水多金沈)한다. 丁巳 運으로 바뀌니 상관견관(傷官見官)하고 또 丙煞이 모여 身을 剋하므로 물에 빠지는 害가 있었다. (如一命,丁卯,癸丑,庚辰,丙子,庚用丁爲官,被癸水子辰傷官疊遇,剋之太重,水多金沉,一交丁巳運,傷官見官,又會丙煞剋身,故有溺水之害.)

예) 명조-2

己 丙 戊 乙
亥 寅 子 酉

日干 丙火는 寅에서 長生하지만, 冬節에 生하여 亥子 官煞이 太重하니, 旺火가 旺盛한 水에게 내 몰리므로[制 剋당하여] 출산하다가 사망했다. (又,乙酉,戊子,丙寅,己亥,日干丙火長生於寅,冬生亥子,官煞太重,謂之旺火投於盛水,故生産而亡.)

예) 명조-3
丁 甲 癸 壬
卯 戌 卯 子

月令이 羊刃인데, 時의 丁卯는 상관과 양인이며 子[卯]는 刑이고 [卯]戌은 합하고, 四柱중에 또 夫星과 財星이 없다. 癸酉年, 乙丑月, 己卯日에 간음(姦淫)하다가 살해되었다. 무릇 女命에서 官煞이 太重한데 양인이 無情하면 음남(淫濫)하지 않으면 凶하게 죽는다.[15] (又,壬子,癸卯,甲戌,丁卯,月令羊刃,時丁卯傷官羊刃,子刑戌合,柱中又無夫星財星.癸酉年,乙丑月,己卯日,犯姦殺死.凡女命官煞太重,羊刃無情,非淫濫則凶亡.餘倣此推.)

넌여명論女命-8

복수양비福壽兩備

대저, 복수양비(福壽兩備)라는 것은, 造化가 중화(中和)되어 格局이 순수(純粹)한 것이다. 一生을 향유(享有)하며 오래토록 늙지 않는 이 같은 것은 어떤 것인가? 身이 旺한 곳에 坐하며 月氣(月令)에 通하고 干支가 서로 돕고, 더불어 財官 印綬를 동반하여 각각 그 位를 얻고, 탈재(脫財) 괴인(壞印) 傷官의 局을 허용하지 않고, 食神 天廚(천주귀인)는 한층 더 좋아한다. 만약 身旺한데 財나 食神으로 運行한다면, 이 모두는 복수양비(福壽兩備)의 命인 것이다. (夫福壽兩備者,造化之中和,格局之純粹也.有享用一生,永錫難老,若此者何?乃身坐旺鄉通於月氣,支干相輔,更帶財官印綬,各得其位,不行脫財壞印傷官之局,尤喜食神天廚.若身旺而運行財食之鄉,此皆福壽兩備之命也.)

예) 명조
癸 辛 庚 丙
巳 酉 子 午

辛이 酉支에 坐하여 專祿으로 自旺하며, 時의 癸는 子[月令]에서 歸祿하여 食神 壽星이 되니 子星이 得地하였다. 辛은 丙火가 官인데 丙은 巳에서 歸祿하니 夫星도 得地하였다. 그리고 11月 生인은 금백수청(金白水淸)한 象이고, 겸하여 干支의 上下에서 서로 도와 모두가 損傷함이 없으니 身이 從化하지 않는다. 따라서 主는 미모(美貌)가 단정(端正)하며 부자(夫子;남편과 자식)가 相

---

15) 譯者 註: 官煞이 있으면 거관유살, 거살유관, 합살유관 합관유살, 살인상정을 해야 한다.

停하여 복수양비(福壽兩備;福과 壽 두 다 갖추다.)한 것이다. 다른 것은 이 추리를 따르면 된다. (如一命,丙午,庚子,辛酉,癸巳,辛坐酉支,專祿自旺,時癸歸祿於子,爲食神壽星,子星得地.辛用丙火爲官,丙祿歸於巳,爲夫星得地.又十一月生人,乃金白水清之象,兼支干上下相輔,俱無傷損,身不從化,故主爲人美貌端正,夫子相停,福壽兩備也.餘倣此推.)

정편자처正偏自處

대저, 정편자처(正偏自處)라는 것은 무엇인가? 부부(夫婦)가 서로 合하는데 다시 比肩의 분쟁(分爭)을 만나는 것이다. 가령 하나의 夫星과 둘의 妻星이 서로 合하려 하니 소위 爭合을 일컫는다. 만약 本身이 自旺하고 상대방이 衰한데, 四柱에서 衝하지 않으면 내가 正이고 상대방은 偏이 된다. 만일 상대방이 旺하고 나는 衰한데, 四柱에서 나를 衝하면 상대방이 正이고 내가 偏이 되는 것이다. (夫正偏自處者何也?乃夫婦相合,復遇比肩分爭,如一位夫星,有兩位妻星相合,謂之爭合.若本身自旺,彼身值衰,四柱不衝,則我正而彼偏.若彼旺我衰,四柱衝我,則彼正而我爲偏矣.)

대체로 내가 身旺하고 有氣하면 夫는 나를 따르니 正이 되고, 내가 身衰하고 상대방(다른 자리)이 旺하면 夫는 상대방을 따르니 내가 반대로 偏이 된다. 소위 상대방이 旺하면 나의 夫를 쟁탈해가므로 내가 偏이 된다는 것을 말한다. 혹 自旺함이 太過하고 四柱에 夫星이 없어도 偏이 되고[譯註;紅燈自守], 혹 官煞이 混雜하거나, 혹 傷官이 太重해도 偏이 되며 더군다나 음란(淫亂)함이 지나치다. (蓋我身旺有氣,則夫從我爲正,我身衰而別位旺,則夫從別位,我反爲偏,謂之彼旺,爭去我夫,我只得爲偏.或自旺太過,柱無夫星者,亦爲偏,或官煞混雜,或傷官太重,亦爲偏,更淫濫.)

예) 명조-1
辛 辛 丙 壬
卯 酉 午 子
辛은 丙을 夫星으로 삼는데, 身이 酉支에 坐하여 專祿으로 自旺하다. 비록 時가 辛卯의 金이지만 상대방이 오히려 無力하므로 내가 正이 되고 상대방은 偏이 된다. 이는 두 여자가 夫를 쟁탈하는 것이니, 정편자처(正偏自處)라는 것이다. (如一命,壬子,丙午,辛酉,辛卯,辛用丙爲夫星,身坐酉支,專祿自旺,雖時引辛卯之金,彼卻無力,故我爲正,而彼爲偏,此爲二女爭夫,正偏自處.)

예) 명조-2
壬 癸 壬 癸
子 巳 戌 未
癸는 土를 夫로 삼는데, 癸巳[日柱]는 水가 弱하며 壬子는 水가 旺하니 弱한 것이 旺한 것을 이기지 못하니 壬水가 戌土를 쟁취하여 正夫[본남편]를 삼으니, 내가 衰弱하여 상대방이 승리하므로 나는 단지 偏이 될 뿐이다. 그러나 壬水가 重하여 크게 汎濫하고 또 桃花가 있으면 자처(自處)할 수[自處;正의 자리를 꿰어 찰 수]없다. 다른 것은 이 추리를 따르면 된다. (又,癸未,壬戌,癸

巳,壬子,癸用土爲夫,癸巳水弱,壬子水旺,弱不能勝旺,被壬水爭去戊土[爲]正夫,乃彼勝我衰,我只得爲偏.但壬水重而太泛,又帶桃花,不能自處.餘倣此推.)

논여명論女命-9

초가부정招嫁不定

대저, 초가부정(招嫁不定)이란 것은 무엇인가? 月令중의 夫星이 透干되어 있는데 자기(自己)와 합하면 자신(自身)이 복종하며 따르는데, 그 夫星은 오히려 無氣하고, 時에 있는 夫星이 혹시 煞星으로 오히려 旺地를 타고 自身을 剋하면 다시 偏夫에게 굴복하여 따르는 것이므로 초가부정(招嫁不定)이라고 한다. 만약 夫星이 旺하지 않는데 혹 制剋을 받으면, 반드시 늦게 [夫에게] 시집가거나, 혹 시집가는 것이 분명하지 않거나, 혹 夫가 변변치 못하거나, 혹 외정(外情)이 있다. (夫招嫁不定者何也?乃月令中有夫星透干,與己相合,己身從伏,其夫星卻無氣,時引夫星,或煞星,卻乘旺地,來剋己身,又從伏偏夫,故謂之招嫁不定.若夫星不旺,或受剋制,必嫁夫遲,或嫁夫不明,或夫不濟事,或有外情.)

예) 명조
乙 己 甲 癸
亥 未 子 酉

己는 甲을 夫로 삼는데, 11月에 生하니 失時하여 旺하지 않고, 時에서 亥를 만난 甲木이 長生하여 夫가 旺한 것인데, 오히려 합하지는 못하며 또 乙木에게 己未가 制를 당하며 未는 乙木의 庫가 된다. 甲이 子月 生이라 夫가 敗[欲]地에 坐하여 뛰어나지 않는데, 時에서 乙亥를 만나니 亥중에 또 長生하는 甲이 있어서 오히려 甲이 乙을 불러들이니, 초가부정(招嫁不定)이 되는 것이다. 다른 것은 이 추리를 모방하면 된다. (如一命,癸酉,甲子,己未,乙亥,己用甲爲夫,生於十一月,失時不旺,時逢亥字,乃甲木長生,是夫旺也,卻不合又被乙木制己未,未爲乙木庫地.甲生子月,夫坐敗地不顯,時逢乙亥,亥中又有長生之甲,欲甲又招乙也,此爲招嫁不定.餘倣此推.)

논여명論女命-10

論하여 말하길, 무릇 陰(여자)命을 살필 경우에 먼저 夫(남편)과 子(자식)이 興한지 衰한가를 추리하여 번영(繁榮)과 쇠락(衰落)을 궁리한 다음에 日과 時의 輕重을 분별한다. [女命에서] 官은 夫가 되고, 財는 父가 되는데, 財가 旺하면 夫가 영화롭다. 食(식신, 상관)은 자식이 되고 印綬는

母가 되는데, 印綬가 盛하면 子는 衰하고, 日干이 太旺한 것은 마땅하지 않으니 月氣에서 中和를 구해야한다. (論曰,凡觀陰命,先推夫子興衰,欲究榮枯,次辨日時輕重.官爲夫,財爲父,財旺夫榮.食爲子,印爲母,印盛子衰,日干不宜太旺,月氣務稟中和.)

日主가 旺相하면 부권(夫權)을 빼앗지만 외롭고 고달프다. 月令에서 休囚하면 본분으로 가정을 지켜서 편안하다. 官星이 得地하면 夫가 영화롭다. 傷官을 剋하는 것이 없으면 자식은 마땅히 존귀하여 명성을 드러낸다. 官이 있는데 煞을 보는 것은 不可하고, 煞이 있는데 官을 만나는 것도 不可하다. 만일 官煞이 混雜하다면 어찌 경사스러움을 얻겠는가? 官星이 剋을 받지 않고 二德이 있으면 가히 兩國에서 봉작(封爵)을 받는다. 七煞은 制하고 三奇를 만나면 一品의 貴가 된다. (日主旺相,奪夫權而孤苦.月令休囚,安本分而持家.官星得地,夫主榮華.傷官無剋,子當貴顯.有官而不可見煞,有煞而不可逢官,設使官煞混雜,爲人安得禎祥?官星無剋値二德,可兩國之封.七煞有制遇三奇,爲一品之貴.)

食神이 制煞하고 生財하면 아름답고, 傷官이 剋夫하고 盜氣하면 나쁘고, 탐재괴인(貪財壞印)한다면 어찌 어진사람이라 하겠는가? 煞을 用하는데 官을 만나면 절개와 지조가 없고, 고빈(孤貧)하며 下賤한 것은 대체로 子息이 休囚死하기 때문이다. 富貴가 매우 큰 것은 단지 夫가 興하고 子息이 旺해야 하고, 官이 太旺하면 壽命을 연장하기 어렵다. 財가 重疊하면 母의 喪을 일찍 당한다. 身이 旺地에 있으면 비록 富는 충분하더라도 夫나 子(자식)이 刑 傷하고, 日이 衰한 곳에 놓이면 설령 가난할지라도 남편 자식과 함께 모여 산다. 自旺하면 여자가 하는 일에 솜씨가 있고, 日이 衰하면 女工으로 어리석다. (嘉食神而制煞生財,惡傷官而剋夫盜氣,貪財壞印,豈是良人?用煞逢官,非爲節婦.孤貧下賤,蓋因子死休囚.富貴峥嶸,只爲夫興子旺,官太旺,公壽難延.財重疊,婆年早喪.身居旺地,雖富足,夫子刑傷,日値衰鄉,縱貧寒,夫子完聚.自旺而巧於婦業,日衰而拙於女工.)

논여명論女命-11

貴神(귀인)이 일위(一位)면 富裕하진 않아도 영화롭다. 合神의 數가 많으면 비구승이 아니면 기생이다. 貴人이 역마를 타면 세상을 어지럽힐 정도의 아름다운 기생이 된다. 官星이 도화가 있으면 깊고 큰집의 어진 여인이다.[譯註;官이 도화를 타면 夫가 바람둥이다.] 食神이 하나면 조용하고 편안하며 자식이 있으며 자식은 長壽한다. 貴(관성을 이르는 말)가 合이 많으면 교태와 애교 있으며 천박하여 情이 많다. 도삽(倒插)도화는 좋지 않고, 沐浴인 裸形(나형;나체도화)를 가장 싫어하는데 나형도화를 犯하면 대부분 시비(侍婢;몸종)가 되고 때를 만나면 비구승이 된다. (貴神一位,不富卽榮.合神數重,非尼卽妓.貴人乘驛馬,決主風塵之美妓.官星帶桃花,定爲深院之良人.食神獨者,安和而有子有壽.合貴重者,嬌媚而多賤多情.桃花不宜倒插,沐浴最忌裸形,犯之者多爲侍婢,値之者定作師尼.)

4仲(子午卯酉)이 완전하면 주색(酒色)으로 음란(淫亂)한 여인이다. 4孟(寅辛巳亥)을 갖추면 총명 (聰明)하며 머리카락을 기르는 사람이다. 丑未 刑은 꺼리지 않으나 辰戌이 衝하면 좋지 않다. 대 체로 보면 夫星은 健旺해야 하고, 자신(自身)은 모름지기 중화(中和)되어야 한다. 食神은 刑傷이 不可하고, 子息 星은 生地에 臨해야 한다. 印綬가 身을 生할 때는 一位가 좋고, 財神은 發福하는 데 많이 보아도 손상이 없다. (四仲全,乃酒色荒淫之女.四孟備,乃聰明生髮之人.未丑刑而不忌,戌辰 衝處非良.大抵夫星要値健旺,己身須稟中和.食神不可刑傷,子星要臨生地.印綬生身,一位則可,財神發 福,多見無傷.)

財强하고 身弱하면 발복(發福)을 할 수 없다. 身强하고 財가 약하면 어찌 어질게 되겠는가? 상 관을 거듭 만나면 剋夫하여 재가(再嫁)하는 사람이다. 印綬를 重逢하면 사별(死別)하지 않으면 생 이별(生離別)하는 부인(婦人)이다. 羊刃을 刑衝하면 흉악하고 무지(無知)하다. 金神을 破害하면 핏 빛으로 출산이 어렵다. (財强身弱,不能發福.身强財弱,安得爲良?傷官疊遇,剋夫星而再嫁之人.印綬 重逢,不死別卽生離之婦.刑衝羊刃,惡狠無知.破害金神,血光産難.)

四柱에 夫(官煞)가 없으면 편방(偏房)은 아니고 후처(後妻)가 되고, 八字에 [夫가] 공망되면 결코 (과곡寡鵠)과부가 되지 않으면 시집가지 못한다. 대개 [女命의] 貴賤은 그 夫의 位를 살피고, 영 고(榮枯; 번영과 쇠함)는 그 財官을 연구하고, 이에 天은 地을 의지하게 되며 地는 天을 따르므 로 貴한 사람은 夫를 따라서 貴하고, 가난한 사람은 夫를 따라 가난한 것이다. 前에 八法으로 현 기(玄機)를 설파(說破)하였고, 後에 八格으로 그 오지(奧旨)를 밝혔는데, 혹시 잘못된 것이 있더라 도 아는 것을 가려가며 나아가야 한다. (四柱無夫,不偏房定爲續室,八字空亡,非寡鵠決是孤鸞.大概 貴賤視其夫位,榮枯究其財官,此爲天依乎地,地附乎天,故貴者隨夫而貴,貧者隨夫而貧.前八法以泄其玄 機,後八格仍明其奧旨,倘有缺誤,俟知者擇焉.)

논여명論女命-12

또 이르길, 乾의 道는 남자를 이루고, 坤의 道는 여자를 이루는데, 陰陽과 강유(剛柔)로 각각 그 體가 있는 것이다. 따라서 女命은 유(柔)한 것을 근본으로 하여 강(剛)한 것은 刑이 되고, 淸한 것은 奇(뛰어남)가 되고, 濁한 것은 천(賤)하게 된다. 그러므로 삼기(三奇)가 得位하면 夫가 萬里 에 이르는 제후(諸侯)에 봉해진다. 二德이 귀원(歸垣)하면 貴한 자식이 되어 가을 달밤을 거닌다. (又云,乾道成男,坤道成女,陰陽剛柔,各有其體,故女命以柔爲本,以剛爲刑,以淸爲奇,以濁爲賤.故三奇 得位,良人萬里封侯.二德歸垣,貴子九秋步月.)

일관 일귀면 오운(烏雲) 귀밑에 금관을 쓰고, 네 개의 煞과 네 개가 공망이면 호월만회(皓月滿 懷)하여 제옥저(啼玉筯), 官이 官運으로 行하면 경파차분(鏡破釵分;가정이 깨어진다.), 財가 財鄕 에 들면 부영자상(夫榮子喪)하고, 보물을 지니고 비단옷을 입는 것은 官星이 有氣한 것이고, 퇴금적옥(堆金積玉;금과 옥을 산처럼 모음)한 것은 財庫가 손상함이 없는 것이다. (一官一貴,烏雲兩鬢擁金冠,四煞四空,皓月滿懷啼玉筯.官行官運,鏡破釵分,財入財鄉,夫榮子喪,衣錦藏珍,官星有氣,堆金積玉,財庫無傷.)

대체로, 官이 많으면 영화롭지 않으며, 財가 많으면 부유하지 못하고, 正印을 쓰는데 梟神을 만나면 난계야냉(蘭堦夜冷;계단위의 난초가 추운 밤을 만난 것과 같고), 梟神을 用하는데 印綬를 만나면 옥수춘영(玉樹春榮;아름다운 나무가 봄철의 영화로움을 만난 것), 금청수냉(金淸水冷)하면 일쇄난대(日鎖鸞臺)하고, 토조화염(土燥火炎)하면 야한원장(夜寒鴛帳)하고, 군음군양(群陰群陽)하면 청등자수(淸燈自守;독수공방), 중관중인(重官重印)하면 녹빈고안(綠鬢孤眼)하고, 전원광치(田園廣置)한 것은 食神이 得位하여 官을 만나지 않음이고, 속백영여(粟帛盈餘)한 것은 印綬가 失時하였으나 다시 煞을 만나고, 傷官이 官星을 만나지 않으면 오히려 정조(貞操)가 굳고 행실이 바르고, 食(식신, 상관)이 없는데 印綬를 많이 보면 거꾸로 刑傷을 만든다. (大抵官多不榮,財多不富,用正印而逢梟,蘭堦夜冷,用梟神,而遇印,玉樹春榮,金淸水冷,日鎖鸞臺,土燥火炎,夜寒鴛帳,群陰群陽,淸燈自守,重官重印,綠鬢孤眼,田園廣置,食神得位不逢官,粟帛盈餘,印綬失時還遇煞,傷官不見官星,猶爲貞潔,無食多逢印綬,反作刑傷.)

궁극적으로 梟神이 食神을 만나면 앉아서 아이를 낳다가 애가 죽고, 나쁜 煞이 官을 혼합하면 봄에 잎이 떨어지고, 원합구정(遠合勾情)하면 배부심주(背夫尋主)하고, 官을 衝하고 食을 破하면 子息을 버리고 다른 남자를 따라가고, 財가 衰하고 印이 絶하면 어려서 가출하고, 身旺한데 印綬가 强하면 일찍 夫를 刑한다. (窮梟見食,坐産花枯,惡煞混官,臨春葉落,遠合勾情,背夫尋主,衝官破食,棄子從人,財衰印絶,幼出娘門,身旺印强,早刑夫主.)

논여명論女命-13

五煞 잠화(簪花;경사스러운 날에 남자 머리에 꽂는 조화)는 주야(晝夜)로 손님을 맞고 배웅한다. 三刑에 鬼를 차면 시종으로 剋子 剋夫하고, 양귀비의 미모(美貌)는 녹방도화(祿傍桃花)때문이고, 여자가 양보심과 재주가 뛰어난 것은 身이 사관(詞館)을 탄 탓이고, 華蓋가 官에 있으면 情이 僧道로 通하고, 孤神이 印에 坐하면 비구니가 되고, 임신하여 항상 낙태하는 것은 식상이 旺한데 身이 衰한 탓이고, 남자와 떨어지는 것은 官이 輕한데 比劫이 重하기 때문이고, 제매강강(姉妹剛强)이면 전방지부(塡房之婦)가 된다.[16] (五煞簪花,日夜迎賓送客,三刑帶鬼,始終剋子傷夫,楊妃貌美,祿傍桃花,謝女才高,身乘詞館,華蓋臨官,情通僧道,孤神坐印,身受尼姑,胞胎常墮,食旺身衰,鸞鵠頻分,官輕比重,姉妹剛强,乃作塡房之婦.)

財官이 死絶하면 양자를 구하고, 官이 財地에 臨하면 반드시 夫가 영화로우며, 身이 財鄕에 들

---

16) [譯註] 官이 적은데 比我者가 重重하면 여러 명의 여자가 한 남자를 나누어 가진다는 뜻임, 독수공방하거나 과부로 지낸다는 말이 된다.

면 틀림없이 훤子하고, 煞梟 破祿이 地支에 연결되면 水火에 의해 피부가 얼어 터지고, 比劫 刃이 刑喪 局을 만나면 옥골(玉骨)이 진사(塵沙)에 묻으며, 교차하여 역마를 만나면 모씨(母氏)가 황량(荒凉)하고, [陰陽]差錯煞이 孤神을 대(對)하면 夫家가 영락(零落)하고, 五馬 六財는 궁패비견 지지(窮敗比肩之地)이고, 八官 七煞은 刑害하는 곳에서 분리(分離)되고, 官煞을 刑이나 空亡하면 시집가기 어렵고, 印綬 財를 衝훤하면 설령 가정을 이룰지라도 福을 얻긴 어렵다. 財가 암장되면 透出하지 않는 것보다 못하며, 透出한 煞은 손상함이 없고, 印綬가 重하면 財로 行하고, 財가 많으면 印綬를 만나고, 4敗[欲]地는 좋은 사람은 아니라도 행운은 있고, 4衝은 어찌 어진 아내가 꺼리지 않으리오. (財官死絕,當招過繼之兒,官臨財地必榮夫,身入財鄉須훤子,煞梟破祿連根,墮冰肌於水火,比刃遭刑喪局,掩玉骨於塵沙,交馳逢驛馬,母氏荒凉,差錯對孤神,夫家零落,五馬六財,窮敗比肩之地,八官七煞,分離刑害之鄉,刑空官煞,幾臨嫁而罷濃粧,衝훤印財,縱得家難成厚福.不若藏財不露,明煞無傷,重印行財,多財遇印,四敗匪佳人之有幸,四衝豈良婦而無嫌.)

수취왕향(水聚旺鄉)하면 화가지녀(花街之女;화류계 여자)이고, 금성수려(金成秀麗)하면 도동지선(桃洞之仙)이고, 4生地의 4馬는 고향을 떠나고, 三合에 三刑을 차면 傷夫하며 패업(敗業)하고, 暗煞이 刑을 만나면 부(夫)가 좋지 못하고, 명관과마(明官跨馬)하면 夫가 한층 더 영화롭고, 황금이 금고에 가득 찬 것은 하나의 一財를 얻은 것이고, 홍안(紅顔)에 짝을 잃는 것은 양(兩)貴가 집안에 없는 것이고, 먼저 비견이고 나중에 財는 가난에서 부자가 된다. (水聚旺鄉,花街之女,金成秀麗,桃洞之仙,四生馳四馬,背井離鄉,三合帶三刑,傷夫敗業,暗煞逢刑,藥砧不善,明官跨馬,夫主增榮,黃金滿籯,一財得所,紅顔失配,兩貴無家,先比後財,自貧至富.)

官을 衝하고 食傷을 合하면 자식을 의지하며 夫를 刑하고, 死絕 胎胞되면 꽃은 시들며 寂寂하고, 長生이 근본 뿌리이면 자손이 번성하고, 貴(관성)와 財를 合하면 집에 보석과 재물이 가득하고, 파재 (破財)파인(破印)하면 가난해지고, 여후(呂后)의 명성이 天下를 질주하는 것은 단지 陰陽이 모두 剛하기 때문이고, 몸에 녹주(綠珠)를 하여도 누각 앞에 떨어지는 것은[자살] 대개 梟神이 煞位를 衝하는 것이고, 추수통원(秋水通源)하면 눈을 도려내어도 절개를 지키고, 冬節의 金이 坐局하면 결단코 뛰어난 명성을 전하고, 제매((娣妹)가 동궁(同宮)하면 夫를 맞이하지 못하고 먼저 恨을 품고, 命에 財가 有氣하면 배필인 夫가 老境에 이르기까지 근심이 없다. (衝官合食,靠子刑夫,死絕胎胞,花枯寂寂,長生根本,瓜瓞綿綿,合貴合財,珠盈金屋,破財破印,衾冷蘭房,呂后名馳天下,只緣陰併陽剛,綠珠身墮樓前,蓋是梟衝煞位,秋水通源,剔眸立節,冬金坐局,斷臂流芳.娣妹同宮,未適而先抱恨,命財有氣配夫到老無憂.)

논여명論女命-14

통명부에서 이르길, 여인의 命에서 一貴(하나의 官이나 煞)라야 좋고, 食(食神 傷官)이 重하면 외로운 과부이며 貴(官 煞)많으면 음란(淫亂)하고 천(賤)하다. (貴는 官煞을 가리키는 말이고, 食

은 官煞을 손상하는 고극지성(孤剋之星)이고, 官煞이 중첩하면 음란(淫亂)한 象인 것이다.) (通明賦云,女人之命,一貴爲良,食重孤孀,貴多淫賤.(貴指官煞言,食傷官煞,孤剋之星也,官煞疊見淫亂之象也.)

[天月]二德이 정말로 貴한 것은 봉작(封爵)과 증직(贈職)을 알 수 있고, 三奇가 정말 좋은 것은 스스로 국호(國號)를 이룬다. 金木은 마음이 굳건하여 미덕(美德)이 있고, 水火는 심성이 어지러워 헛되게 化하고, 五行이 한쪽으로 치우치면 休囚한 것을 기뻐하며 四柱가 生旺한 것을 좋아하지 않는다. [女命에서] 부귀빈천(富貴貧賤)은 전적으로 夫와 子息에 의해서 정해진다. (二德은 곧 天月德인 것이다. 女命에서 天月德을 얻고 더불어 財官이 있으며 순수(純粹)하여 혼잡(混雜)되지 않으면 반드시 봉증(封贈;封爵과 贈職)을 받는다. 三奇는 甲戊庚의 종류인데, 財官 印食 역시 삼기가 된다. 女命에서 삼기가 있으면 반드시 국호(國號)를 받는다. 德은, 순일(純一)하여 혼잡(混雜)하지 않는 것을 말하는데, 金木이 성질이 순수하여 본래 여인의 절개(節槪)가 된다. 水流는 음란한 것이고, 火炎은 사나운 것인데, 水火가 많으면 성품이 어지러워 사람됨이 虛化하며 불순(不純)하며 포악(暴惡)하다. 陰은 柔하며 陽은 剛하다. 여자는 陰이니 남자와는 반대인 것이므로 休囚한 것을 좋아하고 生旺한 것을 꺼린다.) (二德眞貴,封贈可知,三奇眞良,國號自至.金木有堅心之淑德.水火生亂性之虛化,五行偏喜休囚,四柱不宜生旺,富貴貧寒,全憑夫子.(二德,卽天月德也.女命得之,更有財官,純粹不雜,必受封贈.三奇甲戊庚之類,財官印食,亦爲三奇,女命中有此,必受國號.德者,純一不雜之謂,金木性純,本爲女人之所守.水流主淫,火炎主暴,水火多則亂性,爲人虛花,不純而暴惡矣.陰主柔,陽主剛,女陰也.與男相反,故喜休囚而忌生旺.))

계선편에서 이르길, 女人은 煞이 없고 하나의 貴[官]가 어진사람이 될 수 있다. 貴의 무리[官이 많아]가 合이 많으면 반드시 비구승 창녀 첩이고, 官을 剋하여 損傷시키면 食祿이 끊겨서 외롭고 고달프다. 夫가 健旺하면 子息이 수려하고 자신은 영화롭다. 옥진부에서 이르길, 陰(여자)命에서 印이 重하면 본래 자손이 끊기는데, 官煞로 運行하면 도리어 吉하다.(夫가 旺해야 子를 生産하는 이 이치가 不變인 것이다.) 여자는 傷官이 있으면 반드시 배우자를 剋하니 運이 財旺한 곳으로 들어야 아름다운 것이다.(傷官은 財를 生하고, 財는 官을 生하니 소위 無情한 것이 有情할 수 있는 것이다.) 기명취살(棄命就煞;命을 버리고 살을 쫓는다.)은 반드시 배우자가 명문(名門)가문(家門)의 출신이고, 전록식신(專祿 食神)은 틀림없이 고명(誥命)을 받고, 고란[煞]은 七煞에 가장 이롭고, 桃花는 官星에 있는 것을 좋아한다.(이 4格은 모두 富貴한데, 夫는 이롭고 자식은 旺하게 된다.)17) (繼善篇云,女人無煞,一貴可作良人.貴衆合多,必是師尼娼婢,傷官剋則食絶孤苦.夫健旺則子秀身榮.玉振賦云,陰命印重本絶嗣,運行官煞反吉.(夫旺子生,此理之常.)女犯傷官須剋配,運入財旺亦佳.(傷生財,財生官,所謂能使無情更有情.)棄命就煞,必配名家,專祿食神,斷受誥命,孤鸞最利於七煞,桃花喜帶乎官星.(此四格,皆主富貴,益夫旺子.))

官貴가 매우 많으면 첩살이가 아니면 춤추는 기생이 된다. 會合이 많으면 중매인이 아니면 비구

---

17) 고란煞은 乙巳 丁巳 辛亥 戊申 甲寅등인데, 고란煞은 地支에 전부 食傷이 있다.

승이 된다. (女命에서 비록 官貴를 꺼리지는 않더라도 많으면 吉하지 않다. 天干 地支에서 三合 六合많이 있으면 반드시 비구니나 기생 첩 等이 된다. 대개 중매(仲媒)인은 두 姓을 연결하여 결혼을 성사시킨다. 비구니는 모든 사람을 수용(受容)하고 집안은 포기한다. 참여한 인사(人事)는 문장(文章)마다 분명한 것이다.) 甲木이 申에 坐하고 庚金이 透出하면 자도서자[18](子都西子;서시(西施)에 비유)하고, 丙火가 申에 坐하고 時가 壬水면 대교소교(大喬小喬)[19]와 같다. (이 말은 甲申 丙申의 2일은 오로지 煞을 쓰는데, 진실로 혼잡(混雜)하지 않으면 그 여자는 반드시 경국지색(傾國之色)의 미색(美色)이 있다.) (官貴太多,非偏房,卽爲舞妓.會合過盛,不媒妁,則是尼姑.[女命,雖不嫌官貴,多則不吉,天干地支,三合六合,帶得多者,必爲此等之人.蓋媒妁聯二姓以成親.尼姑受萬人之私捨,參之人事,章章明矣.]甲木坐申透庚金,子都西子,丙火坐申時壬水,大喬小喬.[言此二日專用煞,苟無混雜,其女必有傾國傾城之色矣.][20])

논여명論女命-15

賦에서 이르길, 庚寅 戊寅 (혹은 戊申)은 설령 破 敗할지라도 오히려 得이고, 己卯 癸未는 휴교(休敎) 홍염(紅艷)은 相侵한다. (이 4日은 모두 長生과 臨官地인 夫에 坐하였다. 가령 庚이 寅을 얻고, 戊가 申을 얻으면 사인(士人;벼슬하지 않은 선비)의 妻가 되고, 乙이 巳를 얻고, 癸가 巳를 얻으면 실위(失位)하여도 좋은 부인이 된다. 그러나 5陰日은 홍염[煞] 도화[煞]가 좋지 않고, 5陽日이 홍염, 도화를 만나면 설령 견디기 힘들지라도 自身을 수양(修養)함이 옳다.) (賦云,庚寅戊寅,[或云戊申.]縱遇破敗猶得,己卯癸未,休敎紅艷相侵.[此四日俱自坐長生,臨官之夫,如庚得寅,戊得申,乃士人之妻,巳得乙,癸得巳,亦不失爲佳婦,但五陰日,不宜紅艷桃花二煞,五陽遇之,縱爲不堪,亦可養身.])

官이 墓 絶地에 臨하면 궁핍하게 늙어도 아리따운 여자이고, 夫가 잡기(雜氣)중에 있으면 가장 훌륭한 부인이 된다.(가령 庚은 丁을 夫로 삼는 11月生이거나, 辛은 丙을 夫로 삼는 8月生이면, 비록 이름은 夫일지라도 실제로 때는 아니니, 설령 자태(姿態)는 있을지라도 반드시 궁핍하므로, 소위(所謂) 홍안다박명(紅顔多薄命)이 이것이다. 만일 癸日이 未月에 生하면 雜氣증에 丁乙己가 있으니 夫星 子息 재백(財帛)이 온전하니, 비록 雜氣에 있을지라도 꺼리지 않는다.) (官臨墓絶之地,老困嬌娘,夫居雜氣之中,最宜佳婦.[如庚用丁爲夫,十一月生,辛用丙爲夫,八月生,雖名爲夫,實則不時,縱有貌,必然受困,所謂紅顔多薄命是也.如癸日,生於未月,雜氣之中,有丁乙己,夫星子息財帛全,雖居雜見之不忌.])

官이 得令하였는데 傷官을 만나면 반대로 노비(奴婢)가 되고, 煞은 마땅히 권력인데 制[伏]함이

---

18) 西子=西施(서시);춘추 시대 월왕 구천(越王句踐)이 오왕 부차(吳王夫差)에게 바친 월나라 미녀, 서시는 미녀를 비유함.
19) 대교소교(大喬小喬);중국 삼국시대의 미모와 현명함을 겸비한 자매, 대교는 손책의 아내, 소교는 주유의 아내
20) 본문 괄호 안의 글자는 육오선사의 글귀로 추정된다.

있으면 언제나 정실(正室)이 된다. 일(日)刃이 煞을 만나면 妾이 아니면 비구니가 되고, 月의 傷官에 刃을 중첩하면 노비 아니면 첩(妾)이 된다.(日刃이 煞을 만날 경우는 壬子日 戊申時의 例이다. 月의 傷官에 刃이 중첩할 경우는 丁卯月 甲辰日의 例이다.) 傷官은 夫의 권력을 빼앗고, 化煞하면 夫를 돕고, 桃花는 官星이 함께함을 기뻐하고, 홍염[煞]은 煞을 동반(同伴)해서는 안 되고, 한금(寒衾;獨守)을 원망하는 것은 命에 고란[煞]을 둔 탓이고, 젊어서 과부가 된 것은 日에 寡鵠이 臨한 것이다.(四柱중에 官煞이 絶하여 없는데 고란일이 있는 것을 꺼려한다. 만일 官煞등에게 의지하면 비록 고란[煞]이나 陰陽差錯등의 日을 犯하더라도 오히려 吉하다. 과곡은 고란이다.) (官得令而逢傷,反作奴婢,煞當權而有制,常爲正室.日刃逢煞,不偏則尼,月傷疊刃,非奴則婢.[日刃逢煞,如壬子日,戊申時之例.月傷疊刃,如丁卯月,甲辰日之例],傷官奪夫之柄,化煞助夫之資,桃花喜共官星,紅艶休同煞伴,寒衾少怨,命値孤鸞,獨枕早孀,日臨寡鵠.[柱中絶無官煞,値此日爲忌,如有官煞等項倚靠,雖犯孤鸞陰陽差錯等日,反吉,寡鵠卽孤鸞.])

고란이 만약 夫星을 보면 반드시 子女가 많고, 天德이 化煞하게 되면 노비(奴婢)가 많다. 일편(一片) 比肩은 官地에서 夫를 쟁탈하는 것이 의심 없다. 혼신(渾身)으로 泄氣하면 印星이 자손을 바라는데 救應한다.[21] 旺夫傷子는 官이 得令하고 梟神이 강한 것이고, 旺子傷夫는 食傷이 得時하고 官은 絶하기 때문이다. 印綬가 많으면 부유한 夫를 만나 많은 자식을 얻는다. 食傷이 月令에 있고 淸하면 강한 비견을 얻어야 틀림없이 夫가 영화롭다.(夫가 富한 것은 官星이 財를 동반한 것으로 論한다.) (孤鸞若遇夫星,必多子女,天德如逢煞化,定盛婢奴.一片比肩,官地爭夫擬定.渾身泄氣,印星望嗣堪求,旺夫傷子,乃官令而梟强,旺子傷夫,因食時而官絶.印重盈盤,遇富夫而多得子.食淸値令,得壯妹必許夫榮.[富夫,乃官星帶財之論.])

印이 重하고 官이 輕하면 夫權을 빼앗고, 봉황이 춤추고 난새(고란)가 날면 노비의 命으로 떨어진다.(고란日은 지독한 辰이다.) 天月二德은 他에게 손상당하지 않으며 金冠과 비단옷을 입는다. 양인 칠살이 굴복하지 않으면 신진발구(身塵髮垢)한다. 陰煞을 만나면 지조(志操)를 지키지 않고 틀림없이 아이가 없다. 양투양상(兩透陽傷), 차교신이불극서(且嬌身而不剋婿). (5陰日이 5陰煞을 보면 凶하고, 陽傷官이 印重함을 얻으면 도리어 자신이 영화로우며 남편을 剋하지 않는다.) (印官重輕奪夫權,鳳舞鸞飛坑婢命.(孤鸞日,乃旺毒之辰).天月二德無他亂,衣錦冠金,羊刃七煞無善降,身塵髮垢.一逢陰煞,非守志必也無兒.兩透陽傷,且嬌身而不剋婿.[五陰日見五陰煞,爲凶,陽傷官得印重,反榮身而不剋婿.])

日刃이 刃을 동반하면 아이를 출산하는데 가장 꺼리고, 食神이 반대로 破하면 애기가 들어서기 어렵다. (일인동인은 衝을 만난 것이다.) (日刃同刃,最忌生産,食神反破,難與留胎.[日刃同刃,是逢衝也.])

예) 명조-1

---

21) 식상이 많아 설기가 태심하면 인성이 있어야 한다.

癸 壬 庚 丙
卯 子 寅 午

年의 刃과 日의 刃이 相衝하는 것이다. 食神이 破를 犯한 것은 梟神을 만난 것이다. (如丙午庚寅壬子癸卯,是年刃與日刃相衝.食神犯破,是逢梟也.)

예) 명조-2
丙 戊 庚 丙
辰 戌 子 申

(月 天干의 庚金 食神이 時의 丙에게 剋을 당한 것이다.) 官이 死絶에 臨하면 夫의 喪을 알게 하고, 梟神을 제거하면 자식을 얻는다. ([如丙申庚子戊戌丙辰,月丁(干)庚食,被時丙剋之],官臨死絶知夫喪,梟遇驅除斷子來.)

夫가 貴를 얻은 것을 어찌 알며, 子息이 官을 얻은 것은 무엇을 살펴야하는가? 食神과 官이 붙어있으면 가히 알 수 있고, 官이 곧 食인 것이 가히 드러난다. (가령 己未日 辛亥時라면 甲과 己가 合하고, 辛에는 甲官이 붙어있고, 食神이 健旺하여 子息의 貴가 破를 만나면 子息이 불초(不肖)하다.) (何知夫得貴,孰察子得官?食附官而可知,官卽食而可見.[如己未日,辛亥時,甲與己合,辛附甲官,食神健旺,子貴逢破,則子不肖.])

先後의 興衰는 夫星의 好惡을 따르고, 시수성체(始修盛替;시작은 수양하고 盛하면 쇠퇴함)는 子(자식)運의 영고(榮枯)를 살핀다. (가령 一命에서, 戊日이 봄에 태어나고 甲寅 時면 편관이 戊의 夫인데, 비록 [관성이] 건장할지라도 재성을 보지 않고 東方으로 行하며, 또 그 木을 金의 制함이 없으니 그 夫는 명리(名利)가 없다. 運이 바뀌어 午運에 이르니 夫星은 올바른 食을 얻는 곳이지만 오히려 甲木의 死地인 것이다. 따라서 夫를 剋하여 재가(再嫁)하고, 未 申의 두 運은 재백(財帛)으로 달리니 대발(大發)하고, 運이 酉아래 5년은 甲이 胎地로 壽命이 되는데, 戊土 丙火는 함께 死地가 되고, 七煞이 상관을 보니 甲이 의지할 곳이 없어 사망 한다.) (先後興衰,倚夫星之好惡.始修盛替,察子運之榮枯.[如一命,戊日生春甲寅時,偏官乃戊之夫,雖壯不見財星,行至東方,又無金制其木,其夫無名無利,交到午運,夫星正值食得所,卻是甲木死地.故剋夫再嫁,未申二運,財帛馳至,大發,運至酉下五年,甲胎爲壽,戊上丙火,至此俱死,七煞見傷官,甲無依而亡.])

논여명論女命-16

호중자가 이르길, 등명(登明;12月將神의 亥)은 대단히 아름답고, 太乙은 매우 음란(淫亂)하다. (亥는 밤이 되는 때이고, 巳는 밤을 맞이하는 때이다. 女子의 命에서 亥가 많으면 맵시[섹시함이]가 있고, 巳가 많으면 색(色)을 좋아한다.), 木이 盛하면 요염(妖艶)하고, 水가 맑으면 청결(淸潔)하고, 金이 많으면 요절(夭折)하고, 火가 치열(熾熱)하면 강열하고, 土는 부유하며 후덕(厚德)하다. 天月 二德이 있으면 예복(禮服)에 금관(金冠)을 쓰고, 祿命身 三財를 얻으면 夫는 영화롭고 子息은 貴하다. (歲 天干이 剋하는 것은 祿財이고, 歲 地支가 剋하는 것은 命財이고, [年主의] 納音이

쥖하는 것은 身財인데, 그 三財에 소속된 五行이 命中에 一財도 부족하지 않고 온전한 것을 얻으면 夫는 반드시 영화롭고 子息이 반드시 貴하다.) (壺中子云,登明足豔,太乙多淫.[亥爲入夜之時, 巳爲迎夜之候.女命而得亥多者有姿,巳多者好色],木盛則妖妍,水澄則清潔,金多夭折,火致剛强,土則富厚.負天月二德,則霞帔金冠,得祿命身三財,則夫榮子貴.[歲干所剋者祿財,歲支所剋者命財,納音所剋者身財,其三財所屬之五行,在命中一財不乏而得之全者,夫必榮,子必貴.])

절대로 싫어하는 것이 陰刃인데 존친(尊親)을 방해(妨害)하고, 가장 꺼리는 것은 순음(純陰)인데 子息에게 좋지 않다. (祿後의 一辰을 陰刃이라하여 남자가 陰刃을 얻으면 妻와 족친(族親)을 방해하고, 여자가 陰刃을 얻으면 夫와 族親을 방해한다. 그리고 命에서 年月日時의 干支가 모두 陰에 속하고 혹 5月後에서 11月前에 生하면 陰이 極하여 陽이 不生하니 이는 純陰이되므로 대부분 무자식(無子息)이다. 대개 陰혼자서는 生할 수 없으며, 陽혼자서는 生成하지 못하기 때문이다.) (切嫌者陰刃,妨害尊親,最忌者純陰,不宜子息.[祿後一辰曰陰刃,男得之妨妻族親,女得之,妨夫族親.又命年月日時,干支俱屬陰,或生五月之後,十一月之前者,乃陰極而陽不生,是爲純陰,多無子息.蓋獨陰不生,獨陽不成故也.])

骨髓破는 안과 밖으로 재앙을 당하고, 천침성(薦枕星)은 시비(是非)를 초래한다. (골수파는 곧 백의煞인데 得하면 안팎으로 두 가족을 刑하고, 천침성(薦枕星)은 冠帶의 자리인데 得하면 일생동안 시비(是非)를 많이 겪는다.) (骨髓破殃罹內外,薦枕星招涉是非,[骨髓破,卽白衣煞,得之者,刑及內外二族,薦枕星乃冠帶位,得之者,一生多涉是非.])

원앙(鴛鴦)은 水를 보는 것을 꺼리는데 경성경국(傾城傾國;뛰어난 美人을 이르는 말)이다.(무릇 三支 三干에 봉황(鳳凰) 기린(麒麟) 봉소(鳳沼) 三格이 女命에 있으면 變하여 원앙煞이 되어, 主는 음탕하고 추잡한데, 命中에 다시 水를 보면 세상살이에서 염문(艶文)이 많다.) (鴛鴦憚於見水, 傾國傾城.[凡三支三干,鳳凰麒麟鳳沼三格,在女命,則變爲鴛鴦煞,主淫穢,命中又見水多,主風塵多艷質.])

官鬼는 귀원(貴垣;貴人)에서 旺하면 봉관하피(鳳冠霞帔)[22]하고, 화채(花釵)와 도화(桃花)가 犯하면 모우조운(暮雨朝雲)[23]하고, 貴人이 天喜와 함께하여 보금자리를 다투면 천원건유(穿垣騫牖)[24]한다.(命前의 一辰은 花釵煞이 되고, 후 一辰은 桃花煞이 된다. 年에서 화채 도화를 전부 보아야지 하나만 보아선 안 되고 함께 犯하면 娼女가 되지만, 三奇를 得하면 그렇지 않다. 天乙이 머무는 곳을 貴人이라 말하고, 旺氣가 머무는 곳을 喜神이라 말한다. 年上에서 화채 도화를 대동하거나 또는 同宮하면 보금자리를 다투게 되니, 음탕한 행동을 하여 妾이 되지만 공망에 떨어지면 그렇지 않다.) (官鬼旺於貴垣,鳳冠霞帔,花釵與桃花相犯,暮雨朝雲,貴人共天喜爭窠,穿垣騫牖.[命前一辰爲花釵煞,後一辰爲桃花煞,本生上見之全而不偏,是爲同犯,主爲娼優,得三奇,不在此論.天乙住處曰

---

22) 봉관하피(鳳冠霞帔);봉황 장식을 한 관에 아름다운 수를 놓은 숄. 여인의 예장
23) 모우조운(暮雨朝雲);저녁에는 비가 오고 아침에는 구름이 낀다.
24) 천원건유(穿垣騫牖);울타리와 창문이 부서진다.

貴人,旺氣住處曰喜神,本生上帶之而又同宮,是爲爭窠,主爲淫奔之妾,落空亡,不在此論.])

논여명論女命-17

賦에서 이르길, 女人에게 煞이 없으면 一貴가 무슨 상관이 있겠는가? 天月德을 만나면 기뻐하고, 官煞 混雜을 꺼린다. 官이 많으면 치마입고 부채춤과 노래를 부르고[춤추는 기생], 合이 많으면 암약투기(暗約偸期)하고, 五行이 健旺하면 예법(禮法)을 따르지 않고, 관대(冠帶)를 서로 만나면 풍문(風聞)으로 추문(醜聞)이 된다. 迴眸倒揷(회모도삽) 泛水桃花(범수도화) 沐浴裸形(목욕라형) 螟蛉(명령)을 거듭 보면 대부분 노비 첩 창녀 비구니가 되지만 드물게 三貞九烈(삼정구열;정절(貞節)을 지킴)한다. (賦云,女人無煞,一貴何妨?喜逢天月德神,忌見煞官混雜.貴衆則舞裙歌扇,合多則暗約偸期,五行健旺,不遵禮法而行,冠帶互逢,定是風聲之醜.迴眸倒揷,泛水桃花,沐浴裸形,螟蛉重見,多爲婢妾娼尼,少有三貞九烈.)

雙魚 雙女는 음란(淫亂)한 星으로 부르는데, 대부분 범(犯)하면 좋지 않다. 官星과 七煞은 夫인데 거듭 만나는 것을 꺼리고, 寅申이 서로 만나면 성품이 황당(荒唐)하고, 巳亥가 서로 만나면 뜻을 굽히지 않고, 혹 傷官의 자리에 있으면 시집가서 오래지 않아 夫를 剋한다. 梟神 印綬가 重臨하면 생이별(生離別)하지 않으면 반드시 사별(死別)한다. 四柱에 官鬼[煞]가 入墓되면 夫星은 이미 황천길에 들었다. 歲運에서 夫가 絶宮에 臨하면 남편과 헤어지고 다른 길을 간다. (雙魚雙女號淫星,不宜多犯,官星七煞曰夫主,忌見重逢,寅申互見性荒唐,巳亥相逢心不已,或有傷官之位,不遠嫁定見剋夫.重臨梟印之神,匪生離終須死別.四柱有官鬼入墓,使夫星已入黃泉,歲運臨夫絶之宮,俾鴛配分飛異路.)

또 이르길, 女命을 살펴볼 경우에 먼저 官星을 보는데, 官이 煞을 동반하면 빈천(貧賤)하고 官이 得令하면 평안하며 영화롭다. 傷官이 太重하면 반드시 夫를 방해하고 또 사람의 성품이 强하고, 倒食을 重逢하면 모름지기 福을 減하는데, 다시 孤神을 犯한다면 어찌 감당하겠는가? 煞이 重하면 반드시 귀실(貴室;남편이 거처하는 곳)을 따르고, 合이 많으면 분명히 정조를 잃고, 坐祿하면 수레를 타고 편안하다. 衝하는데 [驛]馬를 보면 마음이 가볍고 신중하지 못하다. 곤랑도화(滾浪桃花)는 음탕(淫蕩)한 행동으로 수치스러움은 말로 할 수 없다. 日祿이 歸時하면[日의 祿이 時에 있으면] 貴가 重하여 타인이 존경하며 한층 더 부러워한다. 天月二德이 本命이 되는데 만일 印綬를 만나면 貴는 마땅히 양국(兩國)에 봉(封)해진다. (又云,欲觀女命,先看官星,官帶煞而貧賤,官得令以安榮.傷官太重必妨夫,且是爲人性重,倒食重逢須減福,那堪更犯孤神?煞重須從貴室,合多定損貞名,坐祿乘轝而穩重,逢衝遇馬以輕浮.桃花浪滾,淫奔之恥不堪言.日祿歸時,貴重人欽尤堪羨.天月二德以爲本命,如逢印綬,貴當兩國之封.)

時와 日의 양인은 본래 剛神이여서 夫宮에 불리(不利)하며 平生토록 성품으로 손괴(損壞)된다.

時에 金神의 健旺함을 犯하면 八字의 强함을 살펴야하는데, 專食은 子息이 영화롭고 偏印은 절대로 꺼린다. 규문(閨門)과 정절(貞節)을 지키는 것은 반드시 陰日이 中和를 얻었기 때문이고, 남편을 대신하여 경영(經營)하는 것은 干支가 陽으로 몹시 旺한 탓이고, 正祿을 만나면 기뻐하고, 함지(咸池)를 犯하면 두렵고, 長生의 도움을 얻으면 청수(淸秀)하고, 폭패(暴敗)地로 돌아가면 혼탁(混濁)하여 四柱에 敗함이 많다. (時日羊刃本是剛神,不利夫宮,損壞平生之性.時犯金神健旺,要觀八字之强,專食子榮,切忌偏印.守閨門而正靜,必由陰日得中和,代夫婿以經營,此乃陽干支旺甚,欣逢正祿,怕犯咸池,淸秀得長生之輔,濁雜値暴敗之歸.四柱敗多.)

　大忌하는 것은 身을 衝하고 合을 만나는 것인데, 一生이 몹시 분주하여 만약 기생이 아니면 중매쟁이가 된다. 印이 重하면 시어머니와 서로 투기(妬忌)하고, 食祿은 마땅히 子息을 얻고, 官煞을 거듭 만나면 반드시 음란(淫亂)함을 방비해야하고, 제매(姊妹;비견 겁재)가 透出하면 夫를 놓고 다투고, 魁罡은 영변(靈變)하는 기미(機微)가 있고, 日貴는 편안하며 항상 福을 얻는다. (大忌衝身而逢合,一生忙甚,若是非妓卽爲媒.印重與公姑相妬,食專得子息之宜,官煞重逢,須防淫亂,姊妹透出,便是爭夫,魁罡有靈變之機,日貴得安常之福.)

논여명論女命-18

　또 이르길, 만일 女命을 살펴보면 남자와는 다른데, 富貴한 자는 一生토록 官旺한 것이고, 순수(純粹)한 자는 四柱가 休囚한 것이고, 탁(濁)람(濫)한 자는 五行이 衝旺한 것이고, 창녀와 음란(淫亂)한 자는 관(官)살(煞)이 交差(혼잡;混雜)한 것이고, 官이 없고 合이 많으면 不良하게 된다. 柱에 煞이 많아 가득하면 制剋해선 안 되고, 印綬가 많으면 늙어도 子息이 없고, 傷官이 旺하면 일찍 傷夫한다. 四柱에 夫星이 보이지 않아도 정결(貞潔)한 것은 아니고, 五行에서 子息星을 많이 보면 황음(荒淫;함부로 음탕한 짓거리함)을 면하기 어렵고, 食神 一位가 生旺하게 되면 子息은 부름을 받으니 마땅히 임금에게 벼슬을 받고, 官煞이 混雜하지 않고 印綬의 도움을 만나면 시집간 후에 남편은 입신출세(立身出世)한다. (又云,若觀女命,則異乎男,富貴者一生官旺,純粹者四柱休囚,濁濫者五行衝旺,娼淫者官煞交差,無官多合,此爲不良.滿柱煞多,不爲剋制,印綬多而老無子,傷官旺而幼傷夫,四柱不見夫星,未爲貞潔,五行多遇子曜,難免荒淫,食神一位逢生旺,招子須當拜聖明,官煞不雜遇印扶,嫁夫定知登雲路.)

　독수공방(獨守空房)하며 청결(淸潔)한 것은 金豬와 木虎가 상봉(相逢)한 것이다.(二日(辛亥, 甲寅)은 비록 夫는 剋할지라도 정절(貞節)은 지킨다.) 휘장처진 공방(空房)에 외로운 잠자리를 對하는 것은 土猴와 火蛇가 서로 만난 것이다.(二日(戊申, 丁巳)은 剋夫하며 정절(貞節)도 지키지 않는다.) 財旺하여 官을 生하고 食(식상)을 도와 손상함이 없으면 夫는 영화롭고 子息이 貴하다. 官食이 祿으로 旺하고 하나의 印이 도움이 있으면 왕에게 사랑받는 비(妃)로 칭송된다. 傷官이 중첩하고 財와 印이 없으면 가정을 깨트리고 夫를 刑한다. 官煞을 重逢하고 三合을 하면 황음(荒

淫;음탕한 짓거리를)하여도 수치를 모른다. 合이 많으며 官이 重하면 탐음(貪淫)호색(好色)한 사람이다. 官이 혼잡(混雜)하고 氣가 衰弱하면 즐기려는 욕심으로 夫를 刑하는 妾이다. 身旺하여 官이 囚하면 비구니가 아니면 창녀나 종이 되고, 食神이 德으로 변화하면 먼저는 빈천(貧賤)하지만 나중에는 영화(榮華)가 있다. (守寒房而淸潔,金豬木虎相逢.[此二日雖剋夫而守正]對空帳而孤眠,土猴火蛇相遇.[此二日剋夫不正],財旺生官,輔食無傷,而夫榮子貴.官食祿旺,一印有助,而后寵妃褒.傷官疊見無財印,敗室刑夫.官煞重逢遇三合,荒淫無恥.合多官重,貪淫好色之人.官雜氣衰,嗜慾刑夫之妾.身旺官凶[囚],非師尼而爲娼婢,食神變德,先貧賤而後榮華.)

구결에서 이르길, 무릇 女命을 論할 경우에는 단지 月支중에 財 官 印 3가지를 쓰는데 기이(奇異)하다. 제1論 印, 印을 손상하는 財가 없을 경우에는 만일 天月二德이 日干상에 있으면 이 부인은 父母집의 재물을 얻게 된다. 福德이 넓고 盛하며 사람됨이 온후(溫厚)하여 凶을 만나도 凶하지 않고, 명망(名望)있는 남편을 만나서 어질고 貴한 子息을 낳아 봉작(封爵)을 받는 命이다. 歲運도 동일하게 論하고, 吉凶에서는 財를 꺼리고 官을 좋아한다. (口訣云,凡論女命,只用月支中財官印三件爲奇,第一論印,無財損印,如得天月二德,在日干上者,決主此婦得父母家資財,福德廣盛,爲人溫厚,逢凶不凶,招名望之夫,生賢貴之子,受封之命.歲運同論,休咎忌財喜官.)

제 2 論 官, 地支중에 소장(所藏)한 것이 무엇인가를 살펴 보고 一位라야 기이(奇異)한데, 첫째 官이 많은 것을 꺼리고, 둘째 傷官이 重한 것을 꺼리고, 셋째 合이 있는 것을 꺼리고, 넷째 煞이 섞인 것을 꺼리고, 다섯째 일주가 柔弱한 것을 꺼린다. 이 다섯의 꺼리는 것을 제외하면 대략 財가 조금 미약한 이러한 婦人은 富貴한 집안에서 태어나므로, 夫는 富하며 子息은 어질고 아울러 극박(剋剝)한 환(患)이 없고, 정신이 밝고 영리(伶俐)하여 존중(尊重)받으며 福있는 사람이 된다. (第二論官,亦看何支中所藏一位爲奇,一忌官多,二忌傷重,三忌帶合,四忌煞混,五忌日主柔弱.除此五忌外,略要些小微財,決主此婦生於富貴之家,夫富子賢,並無剋剝之患,爲人精明伶俐,尊重有福.)

제 3 論 財, 月支중에서 取해야 하는데 財가 많은 것은 좋지 않고, 단지 一位가 알맞다. 그런데 歲(年)중의 一位 관성이 있는 이 命은 父母의 도움을 받아 재물을 이루고 福을 받아 남편과 子息에게 이롭고 좋은 가정을 가진다. (第三論財,取月支中爲要,財不宜多,只宜一位.略得歲中一位官星,此命招父母力氣,得見成金寶之福.益夫益子,善於持家.)

이 3格을 제외하고 이하(以下)의 15格은 모두 부인의 命에서 좋은 것이 아니다. 대개 15格은 상관, 칠살, 양인, 건록, 衝動, 遙合이 아닐 수 없는데, 관성이 많거나 없고 財印이 傷함이 있으므로 取하지 못한다. 부인은 관성을 夫로 삼는데, 상관을 만나면 夫를 손상하게 되고, 소생(所生)하는 것이 자식이 된다. 가령 甲日생인은 木에 屬하고, 丙丁 巳午 寅戌은 子息이 되는데, 火가 時令을 얻으면 자식이 많은 命이라 말한다. 火가 墓 絶地에 臨하거나 혹 水局이 臨하거나 壬癸가 [火를] 相剋하면 바야흐로 자식이 없다고 단정한다. 만약 火가 墓絶地에 居하여도 四柱에 衝이 있으면 晩年에 후사(後嗣)를 얻어 끝내는 외롭지 않게 된다. (除此三格外,以下一十五格,皆非婦命

所宜.蓋十五格,莫非傷官,七煞,羊刃,建祿,衝動,遙合,多無官星,有傷財印,所以不取.婦人用官星爲夫,見傷官爲傷夫,用生出爲子.如甲日生人,屬木,用丙丁巳午寅戌爲子,火得時令,便作多子之命言之.火臨墓絶之地,或臨水局,壬癸相剋,方斷無子.若火居絶墓之地,四柱有衝,晚年得嗣,終不爲孤.)

또 6壬일 寅時는[三命에서 말하길, 陽干이 陽을 생산(生産)하면 아들이 되고 陰을 생산하면 딸이 된다. 陰干이 陰을 생산하면 아들이 되고 陽을 생산하면 딸이 된다.] 寅은 木의 분야(分野)이며 甲木이 臨官하는 地支로서, 마땅히 榮華 貴福과 장수(長壽)하는 아이를 생산한다. 만약 木이 午未 申酉의 時에 있으면 火土의 분야(分野)로 木은 墓死絶하는 地支가 되어 子息이 아주 적고, 설령 있다하더라도 가난하며 질병이 많고, 그렇지 않으면 승도(僧道) 양자의 류(類)가 된다. (又六壬日寅時,[三命云,陽干産陽爲子,産陰爲女.陰干産陰爲子,陽爲女.]寅乃木之分野,甲木臨官之地,當生榮貴福壽之兒.若木在午未申酉之時,火土分野,木墓死絶之地,主子息寡少,縱有亦多貧疾,不然,僧道過房螟蛉之類.)

또 乙木생인은 庚을 夫로 삼고, 庚은 丁이 官星이 되어 丁은 오히려 乙의 食神이 되니 곧 子息星이다. 丁이 得時하여 生旺하면 곧 夫의 명분(名分;지위 관직)으로 食神이 旺相함을 取하여 官이 명랑(明朗)하니, 단지 夫가 영화로울 뿐만 아니라 또한 子息도 貴하다. 나머지는 이 추리를 모방하면 된다. (又乙木生人,用庚爲夫,庚用丁爲官星,丁卻爲乙食神,卽子星也.丁生旺得時,卽夫之名分,是取食旺相,官明朗,不但夫榮,亦且子貴.餘倣此推.)

논여명論女命－19

또 이르길, 女人의 命에서 七煞을 보면 偏夫가 되는데, 正官과 같이 모이면 偏과 正이 교집(交集;섞여 모임)한 것이므로 좋지 않다. 만약 편관이 一位뿐인데 제복(制伏)되어 있으면 음란(淫亂)함이 없다고 한다. 그렇지만 夫를 업신여겨 권리를 빼앗으며 가정살림은 잘하지만 성질은 剛하다. 만약 日主가 健旺한데 혹 背祿하거나, 혹 月時에 의지할 곳이 없거나, 혹 夫星이 死絶하거나, 혹 孤神 六害가 되면 대부분 출가(出家)하여 비구니의 命이 되고, 그렇지 않으면 독수공방(獨守空房)하며 夫의 운명에 홀로 앉아 곡(哭)한다. (又云,女人之命,見七煞,卽爲偏夫,因會正官,偏正交集,所以不喜.若偏官只一位,柱有制伏,無淫亂之說.但主欺夫奪權,會持家,性剛,若日主健旺,或背祿,或月時無所倚,或夫星死絶,或孤神六害,多出家師姑之命,不然,塞房守望,獨坐哭夫命也.)

만일 夫가 墓絶하고 아울러 鬼가 손상하면 중혼(重婚)이나 재가(再嫁)하고, 夫가 만약 命이 强한 배필이 되면 오히려 一生토록 불화(不和)하여 생이별(生離別)이나 사별(死別)한다. 官星은 生旺한 地支에 나타나고 煞星은 衰弱 死絶하여 숨으면 역시 청정(淸正)한 財祿의 命이 되고, [官煞]혼잡(混雜)으로 논(論)하지 않는다. 만약 煞星이 많으면 꺼리는데, 다시 合神이 있고 官이 衰한데 食은 旺하고, 財와 黨煞하면 창기(娼妓)로 흘러가지 않으면 음란(淫亂)함이 지나친 婦人이다. (如夫

墓絶,幷鬼傷之鄕,主重婚再嫁,夫若命强可配,卻一生不和,當生離死別.官星顯於生旺之地,煞星隱於衰弱死絶,亦作淸正財祿之命,不以混雜論.若煞星多則忌,更帶合神,官衰食旺,財黨煞,非娼妓之流,則淫濫之婦.)

또 이르길, 여명에서 산액(産厄)이 많이 있는 것은 食神이 梟神를 동반하는데 梟神이 太重한 것이고, 또 生年의 天干(干頭上)에 傷官을 차고 時에 羊刃을 犯하여 刑衝 剋害하고 다시 流年 및 運에서 梟刃을 衝合하면 산액(産厄)은 의심할 여지가 없다. 만약 八字가 안온(安穩)하여 戰剋 刑衝의 患이 없고 日干이 祿으로 건강하여 煞星이 항복하고 다시 天月二德을 만나면 一生동안 産厄 및 血光의 고난은 犯하지 않는데, 凶을 만나도 救할 수 있다. (又云,女命多有産厄,乃食神帶梟,而梟神太重,又生年干頭上帶傷官,時犯羊刃,衝刑剋害,更加流年及運衝合梟刃,決主産厄無疑.若八字安穩,無剋戰刑衝之患,日干健祿,煞星受降,更逢天月二德,一生不犯産厄,及血光之阻,逢凶有救.)

또 이르길, 부인이 일주는 弱하고 比肩이 旺하면 비첩(婢妾)에게 권한을 빼앗긴다. (又云,婦人日主弱,比肩旺,主婢妾奪權.)

예) 명조

辛 己 己 甲
未 卯 巳 寅

상기 命은 日主 己가 卯상에 坐하니 柔弱하며 無力한데, 己巳 比肩은 동류(同類;같은 종류)로서 4月에 生하니 火土로서 印旺한 때이므로 比肩이 得地하였다. 年上의 甲은 夫星이 되는데 月上의 己巳가 合去하니 일주가 衰弱하고 무용(無用)하다. 이 부인은 평생토록 妾에게 권한을 빼앗겨서 장부(丈夫;남편)에게 화목한 기운을 얻지 못하였다. 나머지는 이 추리를 모방하면 된다. (如甲寅己巳己卯辛未,此命日主己坐卯上,柔弱無力,己巳比肩同類,生四月,火土,印旺天時,比肩得地.年上甲爲夫星,月上己巳合去,日主衰弱無用.此婦平生被妾奪權,不得丈夫和氣.餘倣此推.)

또 이르길, 무릇 여명을 살펴볼 때는 모름지기 五行이 청담(淸淡)해야 하고, 生旺할 필요는 없고, 暴敗함에 居하지 않으며, 臨官(祿地)에 犯하지 않고, 四柱가 화기(和氣)를 얻으면 아름답게 된다. 休囚 死絶하면 가장 좋고, 貴人 驛馬 旺祿 合神을 동반하지 않아야 아름답게 된다. 만약 生旺 臨官을 犯하고 兼하여 貴人 驛馬 旺祿 合神이 있으면 모두 불미(不美)하게 된다. 망신 겁살 삼형 육해 양인 비인을 犯하면 모두 좋지 않게 된다. (又云,凡看女命,須五行淸淡,不要生旺,不居暴敗,不犯臨官,得四柱和氣爲佳.休囚死絶爲上,不帶貴人,驛馬,旺祿,合神爲良.若犯生旺臨官,兼有貴人驛馬旺祿合神,皆爲不美.犯亡神,劫煞,三刑,六害,羊刃,飛刃,皆爲不善.)

신백경에 이르길, 역마가 貴人을 만나면 결국에는 풍진(風塵;세상에 일어나는 어지러운 일=고생을 비유)에 떨어지고, 絶을 合하며 貴를 合해서는 안된다고 하는데, 이 法은 타인이 이해하기 어렵다. 그러나 日이 年이 되는 이 口訣은 성인(聖人)이 전하였고, 祿이 있는데 生旺하면 산사조인

방(産死遭人謗)하고, 祿이 있는데 衰鄕에 들면 비록 禍(근심)는 되더라도 災殃은 되지 않는다. (神白經云,驛馬遇貴神,終竟落風塵,合絶莫合貴,此法人難會.但以日爲年,此訣聖人傳,帶祿入生旺,産死遭人謗,帶祿入衰鄕,雖禍未爲殃.)

논여명論女命-20

사마계주가 이르길, 무릇 女命을 추리할 경우에 貴人(관성을 지칭)은 하나인 것이 좋고, 만약 [관성이] 혼잡하게 모이고 合이 많으면 여승(女僧)이 아니면 기생(妓生)이 된다. 심지가 이르길, 桃花가 또 雙鴛合이 되고 貴人이 쓸데없이 섞이면 진정한 기생으로 재능이 있고, 桃花라는 것이, 臨官상에서 馬를 보면 桃花馬라 일컫고, 臨官상에서 劫煞을 보면 桃花煞이라 일컫는다. 또 일반 적인 煞이 있는데, 巳酉 丑生인이 午를 보는 例로서 咸池煞이라 말하고, 온전히 보면 편야도화살 (遍野桃花煞)이라 하여 女命에서 가장 꺼린다. (司馬季主云,凡推女命,貴人一者爲良,若叢雜合多,不尼卽妓.沈芝云,桃花又帶雙鴛合,冗雜貴人眞妓才,桃花者,臨官上見馬,謂之桃花馬,臨官上見劫煞,謂之桃花煞.又有一般煞,乃巳酉丑生人見午之例,謂之咸池煞.全見謂之遍野桃花煞,女命最忌之.)

쌍원합은, 가령 하나의 己가 두 개의 甲을 보고, 하나의 乙이 두 개의 庚을 보고, 하나의 辛이 두 개의 丙을 보고, 하나의 丁이 두 개의 壬을 보고, 하나의 癸가 두 개의 戊를 보는 종류이고, 혹 四柱에 甲己가 원래 있는데 또 乙庚, 子丑, 寅亥가 있어 雙으로 合하는 것을 雙鴛合이라 일 컬으며 女命에서 이것[쌍원합]이 있으면 모두 좋지 않게 된다. 만약 도화살을 犯하고 다시 雙鴛煞이 되면 더욱 불미(不美)하게 된다. (雙鴛合.如一己見兩甲,一乙見二庚,一辛見二丙,一丁見兩壬,一癸見兩戊之類,或是四柱元有甲己,又有乙庚子丑寅亥,兩兩對合,謂之雙鴛合,女命有之,皆不爲良.若犯桃花煞,更雙鴛煞,尤爲不美.)

이우가에서 말하길, 貴人이 혹 空亡에 해당되는 것은 祿馬가 배위(背違)하는 것이 같지 않다. 가령 타고난 성품과 식견이 매우 총명하여, 남자는 영륜(伶倫)[25]처럼, 여자는 창기(娼妓)가 된다. 또한 귀한 가문에서 태어났으나 음탕한 소리로 유랑하는 것은 서로 같다. 이 命의 소중(所重)함 을 마땅히 알아야하는데, 桃花는 三月에 봄바람을 불러일으킨다. (理愚歌云,貴人或落空亡裏,祿馬背違如不値.假令性識甚聰明,男卽伶倫女娼妓,亦有生來貴族中,淫聲浪迹頗相同.須知斯命重所使,桃花三月惹春風.)

원수가에서 이르길, 곤곤(滾滾)한 桃花는 강물에 떠돌고, 월농화발색편요(月籠華髮色偏饒), 情이 많은 것은 단지 공망된 것을 合이 傷하고, 추창가인(惆悵佳人)은 魂이 쉽게 사라진다. 이상은 모 두 桃花煞을 論한 것인데, [桃花살을]犯하면 모두 불량(不良)하게 된다. 만약 三刑, 六合, 亡神,

---

25) 영륜(伶倫);중국, 황제 때의 한 사람. 音律을 定하였다.

劫煞, 孤辰, 寡宿을 犯하면 모두가 상부(喪夫)하며 子息을 剋한다. (源髓歌云,滾滾桃花逐水飄,月籠華髮色偏饒,多情只爲空傷合,惆悵佳人魂易消.以上皆論桃花煞,犯者皆爲不良.若犯三刑,六合,亡神,劫煞,孤辰,寡宿,皆主喪夫剋子.)

무릇 女命에서 임관 제왕[地]를 꺼리는데 夫와 妻가 서로를 損傷한다. 원수가에서 이르길, 임관 제왕[地]는 좋지 않으니 재가(再嫁) 중혼(重婚)의 손상도 또한 젊어서이다. 만약 상적(相敵)하여 夫妻(夫婦)가 되면 처음남자와 처음여자는 마땅히 요절(夭折)하게 된다. 만약 양인이나 조원양인을 犯하면 모두 산액(産厄)이 있다. (凡女命,怕臨官帝旺全,主夫妻相傷.源髓歌云,臨官帝旺未爲好,再嫁重婚傷亦早.若逢相敵作夫妻,頭男頭女當見夭,若犯羊刃,及朝元羊刃,皆主産厄.)

원수가에서 말하길, 혹 時에 감추어진 刃이 胎에 들고, 日刃이 혹 時上에 오고, 더군다나 干支가 만약 相剋하면 妻의 몸이 임신과 출산의 재앙이 근심된다. 이 말은 夫命이 犯해도 妻에게 산액(産厄)있다. 婦人의 命이 만약 이와 같으면 산액으로 근심이 생긴다고 단정(斷定)하고, 다시 卯酉의 時에 태어나면 만약 낙태(落胎)는 免하더라도 子息을 剋한다. 소위 조원양인이라는 것은 가령 卯年생인이 甲日과 甲時를 보는 종류이고, 혹 辰日과 時干에서 乙을 보면 모두 조원양인이라 일컫는다. 다른 것은 이 추리를 따르면 된다. (源髓歌曰,或時藏刃入於胎,日刃或朝時上來,更若支干相剋剝,妻身當産妊憂災.此言夫命犯之,當主妻有産厄.婦人之命若如此,敢斷定憂生産厄,更加卯酉二時生,若免墮胎應剋子,所謂朝元羊刃者,喩如卯年生人,見甲日與甲時之類,或辰日而時干見乙,皆謂之朝元羊刃.餘倣此推.)

논여명論女命-21

또 말하길, 무릇 女命에서는 年은 翁父(시아버지)가 되며, 胎는 婆母(시어머니)가 되고, 月은 동서(同壻)가 되고, 日은 自身과 夫(남편)가 되고, 時는 자손(子孫)이 된다. 女命이 子午 卯酉日생은 子午 卯酉인 命(年支)의 夫를 만나서 시집가야하고, 4孟 4季日 또한 같다. 만약 日干이 합하거나 혹 地支가 三合 六合하는 者에게 시집가면 함께 해로(偕老)하지 못한다.[26] (又曰,凡女命,以年爲翁父,胎爲婆母,月爲姑娌,日爲夫己身,時爲子孫.女命是子午卯酉日生,合嫁子午卯酉命夫,四孟四季日亦同.若嫁日干合,或支神三合六合者,俱不諧老.)

四柱에서 納音으로 좋은 것은 上에서 下를 剋하면 福이 특별하고, 좋지 않은 것은 下에서 上을 剋하면 타인을 속이고 자기분수를 모른다. 만약 年의 納音이 時의 納音을 剋하면 子息이 좋지 않으며, 만일 剋戰 刑破하면 아들은 드물고 딸이 많다. 만약 絶중에 生이 있거나, 旺중에 死가 있거나, 空亡중에 破가 있어서 五行이 無情하면 吉하고, 刑衝하여 無情하면 최상(最上)이고 다만 무정(無情)하면 그 다음이다. 日에 年祿의 영화로운 神이 坐하면 郡國에 封해지고, 日에 夫의 祿

---

26) 女命에서 未婚일 경우에는 上記와 不同하다.

을 대동하고 실제로 庫가 있으면 그 다음이다. 영화로운 神은, 봄은 甲乙, 여름은 丙丁의 例이다. 만약 生중에 絶이 있거나 死중에 旺이 있거나 공망중에 合이 있고, 더불어 고신 과숙 원진을 犯하면 賤하다. (四柱宜納音上剋下,主有殊福,不宜下剋上,主欺詐僭越.若年之納音,剋時之納音,不宜子,若剋戰刑破,主少子多女.若絶中有生,旺中有死,空亡中有破,五行無情,乃吉.刑衝無情爲上,只無情次之.日坐年祿榮神者,郡國之封,日帶夫祿,仍有實庫,次之.榮神,春甲乙夏丙丁之例.若生中有絶,死中有旺,空亡有合,更犯孤寡元辰者賤.)

무릇 女命에서 印이 만약 虛하면 庫가 견실(堅實)해야 하고, 五行이 안정(安靜)하여 무정(無情)하면 서로가 건드리지 않으니 청렴한 상격(上格)이 된다. 만약 貴人과 天月德이 있고 日상에 官이 있으면 현숙(賢淑)하고, 크게 꺼리는 것이 祿은 衰한데 身旺하고, 日이 冠帶 臨官 帝旺[地]에 있으면 불길(不吉)하게 된다. 한번 이르길, 庫는 虛해야하고, 貴는 공망이 되지 않아야하고, 印이 有氣하면 부권(夫權)을 빼앗고, 庫가 有氣하면 夫가 財를 축적(蓄積)하고, 전쟁(戰爭)하지 않고 무정(無情)하면 투기(妬忌)가 없고, 노비(奴婢)宮에 부침(浮沈)煞이 있으면 奴婢를 때려죽인다. (凡女命,印若虛,庫要實,五行恬靜無情,不相帶惹,爲上等淸廉之格.若貴人天月德,日上有官,主賢淑,大忌祿衰身旺,日在冠帶臨官帝旺,爲不吉.一云,庫要虛,貴要不落空,印有氣,則奪夫權,庫有氣,則蓄夫財,不戰爭無情理,則無妬忌,奴婢宮有浮沉煞,主打死奴婢.)

무릇 女命에서, 生日에 官鬼가 死墓絶상에 있으면 夫를 剋한다. 만약 官鬼가 공망이 되거나, 혹 日이 空亡이 되거나 또 生日이 無氣하면 夫가 없으며, 설령 있어도 없는 것과 같고, 旺氣를 띠고 刑煞하면 夫를 剋하여 하천(下賤)하다. (凡女命,生日在官鬼死墓絶上,主剋夫.若官鬼落空亡,或日落空亡,又生日無氣者,主無夫,縱有如無,帶旺氣刑煞者,剋夫下賤.)

古歌에서 이르길, 五行이 失位하여 空亡이 되고, 다시 신분(身分)이 낮으면 어찌 낭군(郎君)이 있겠는가? 풍진(風塵;힘난한 인생살이)에 반드시 비첩(婢妾)은 되지 않고, 설령 賤한 남편이 있더라도 자신은 또한 창녀(娼女)이다. 척벽이 이르길, 納音으로 金인 命은 火를 夫로 삼는데, 重重하게 寡宿이 臨하고 또 고신이 臨하고, 戌亥 二宮은 夫가 死絶하니 출가(出嫁;처녀가 시집을 감)해도 쓸데없고 헛된 것이다. (古歌云,五行失位落空亡,更値身低豈有郎?不是風塵須婢妾,縱有卑夫身亦娼.尺壁云,納音金命火爲夫,重重臨寡又臨孤,戌亥二宮夫死絶,徒然出嫁是場虛.)

논여명論女命-22

무릇 女命에서 生年 生日이 一位로 같으면 夫를 剋하는데 納音이 같은 同年생에게 시집가야하고, 生年 生日에 六甲을 차면 이름이 帶甲이라 하며 夫를 剋하고, 月과 日이 같고 모두 있으면 역시 그렇다. 가령 甲午년생이 다시 甲午일을 만나면 10중에 9는 夫를 剋하는데 金神帶甲이라 일컬으며 이 例는 더욱 절박하다. (凡女命,生年生日同一位者,剋夫,嫁同音同年者庶幾,生年生日帶

六甲者,名曰帶甲,主剋夫.月共日俱帶者亦然.如甲午年生,再遇甲午日,十有九剋夫,謂之金神帶甲,此例尤緊.)

生日에서 旺氣를 띠는 것은, 예컨대 丙子 庚子 戊午 癸酉 辛卯등의 日로서 이름을 승왕부(承旺夫)라 하며 하천(下賤)하지는 않지만 대부분 夫를 剋한다. 만약 福德을 十分 띠면 내인(內人)이고, [福德을] 五 六分 띠면 貴와 官이 左右이고, [福德을] 三五分 띠면 貴와 근접한데, 상류(上游)의 娼妓이고, 다음이 비구니나 첩(妾)이고, 정도가 심하면 음탕(淫蕩)하며 夫를 剋한다. (若生日帶旺氣,如丙子庚子戊午癸酉辛卯等日,名曰承旺夫,不下賤,多剋夫.若帶十分福德,則是內人,五六分則貴官左右,三五分則近貴,上游娼,次則尼妾,甚者剋夫淫蕩.)

혹 말하길, 戊午는 貴가 많으며, 癸酉 辛卯는 그 다음이고, 丙子 庚子는 하천(下賤)人이다. 또 이르길, 戊午 癸酉 辛卯는 아름다움은 크고 허물은 적다. 만약 壬癸生인이 丙子 癸亥를 보거나, 申子辰인이 重重하게 壬癸를 보면 이름을 流水煞이라 하여 하천(下賤)하고 정결(貞潔)하지 않다. 水가 많은데 土가 없으면 음란(淫亂)하고, 火가 많은데 水가 없어도 음란(淫亂)하다. 胎 月 日 時가 팔전(八專)이면 음란(淫亂)하고 폐결핵의 病이 든다. 九醜[煞][27]이 많이 있으면 음탕(淫蕩)하며 산액으로 나쁘면 죽는다. 목욕(沐浴)함지(咸池)가 있으면 酒色의 神으로 淫亂하고, 十惡大敗[煞]이 있으면 음란(淫亂)하며 악독하여 파가(破家)한다. (或曰戊午多貴,癸酉辛卯次之,丙子,庚子下賤.又云,戊午癸酉辛卯,大美小疵.若壬癸生人,見丙子癸亥,申子辰人,重重見壬癸,名曰流水煞,主下賤,不貞潔.多水而無土,主淫,多火而無水,主淫.犯八專胎月日時,主淫亂,及虛勞之疾.犯九醜多者,主淫蕩,及産厄惡死,犯沐浴咸池,乃酒色神,主淫亂,犯十惡大敗,主淫惡破家.)

桃花劫煞이 있으면 어려서 창기(娼妓)가 되어 늙어서는 가난하여 구걸한다.
寅 午 戌生인이 冬節의 3個月에 亥時이거나
巳 酉 丑生인이 春節의 3個月에 寅時이거나
申 子 辰生인이 夏節의 3個月에 巳時이거나
亥 卯 未生인이 秋節의 3個月에 申時이면 도화겁살이다.
古詩에서 이르길, 桃花와 劫煞이 둘 다 침입하면 도적(盜賊)에게 간음(姦淫=강간)을 당하지 않으면 홀연히 나타난 여자를 만나 어려서 창기(娼妓)가 되어 늙어서는 가난하게 된다. (犯桃花劫者,主少入娼門,老爲貧丐,寅午戌生人,在冬三月亥時,巳酉丑生人,在春三月寅時,申子辰生人,在夏三月巳時,亥卯未生人,在秋三月申時.古詩云,桃花與劫兩相侵,不爲盜賊犯姦淫,忽然女子遭逢著,少入娼門老至貧.)

무릇 女命에 합이 많으며 다시 貴人을 동반하면 상류(上流)의 관기(官妓)가 되고, 그렇지 않으면 貴人이 左右한다. 만약 生日이 無氣한데 오히려 貴人이 坐하고, 四柱에 天月德이 있거나, 혹 日祿이 貴時하면 천(賤)한가운데 貴한 子息을 낳고, 혹 봉작을 받는 것은 福이 日時에 있기 때문이

---

27) 九醜煞;乙卯, 乙酉, 戊子, 戊午, 己卯, 己酉, 辛卯, 辛酉, 壬子, 壬午

다. 시종일관(始終一貫) 하천(下賤)한 것은 대부분 함지(咸池) 자패(自敗) 大耗(원진살) 天中(공망)인데 剋 刑衝으로 능멸(凌蔑)하며, 自刑으로 氣가 흩어진 것이다. 煞을 띠면 성품이 천(賤)하고 음탕(淫蕩)하여, 설령 貴格일지라도 풍성(風聲=풍문으로)만 있게 된다. (凡女命合多,更帶貴人,是上游官妓,不然,貴人左右.若生日無氣,卻坐貴人,四柱有天月德,或日祿歸時,主賤中生貴子,或有因而受封者,福在日時故也.其始終下賤,多是咸池自敗,大耗天中,凌剋刑衝,氣散自刑.帶煞爲性,塵賤淫蕩,縱有貴格,亦有風聲.)

괴강이 서로 교차하여 衝하면 사납고 포악하여 불순(不順)하고, 혹 표탕(飄蕩;정처 없이 떠돌아다닌다.)하다. 生旺이 太過한가운데 劫煞이 往來하여 相衝하면 성질이 매우 급하여 육친(六親)과는 불목(不睦)하는데, 오히려 청결하여 음란(淫亂)하지 않아 화환(禍患)을 초래한다. 만약 함지와 대모가 동궁(同宮)하면 참혹하게 남을 헐뜯고 아첨하며 淫亂하다. 天中(공망)과 暴敗가 이어지면 성정(性情)이 거짓이 많고 사통(私通)하여 辱됨을 부르는데, 게다가 刑衝이 있으면 반드시 사통(私通)한 것이 관청에 발각(發覺)된다. (魁罡交衝,多狠戾不順,或飄蕩.生旺太過中,見劫煞往來相衝,爲性多烈,不睦六親,卻淸眞不淫,動招患禍.若咸池與大耗同宮,則淫媚讒毒.天中與暴敗相承,則情性多訛,招淫私玷辱,更有刑衝,必主淫私,官事發覺.)

日時상에서 死絶하고 煞을 띠면 빈곤(貧困)하고 하천(下賤)한데, 혹 시가(市街)에서 장사하며 어려운 세상살이에 용렬(庸劣)한 부인(婦人)이 된다. 무례지형(無禮之刑)을 만나거나 혹 印綬가 天中(공망)이거나 혹 墓를 합하는중에 大耗(원진)이 되면 대부분 중매인, 무당, 약장사하는 무리인데, 이 중에 建祿 貴人이 있으면 시전(市廛)에서 물건을 판매하는 낭자(狼藉;대단히 나쁜)婦人이다. (日時上死絶帶煞,主貧困下賤,或自營於街市,風塵庸劣之婦.見無禮刑,或天中印,或合墓中大耗者,多是媒巫術藥之輩,中有建祿貴人者,市廛牙販,狼藉婦人也.)

논여명論女命-23

만약 生日이 大耗(원진) 咸池가 되면 夫妻가 다른 마음으로 흔들리고, 官符(망신)를 보면 대부분 흉폭(凶暴)하고 惡한 夫를 맞아서 능욕(凌辱)을 당하거나, 혹 夫가 방해하고 剋하여 一生을 夫로 인해 번뇌(煩惱)한다. 生時에 劫煞 대모(원진) 공망이면 자식을 낳아도 이룸은 드물어 근심으로 마음을 졸여서 어지럽거나 혹 패역(悖逆)하는 자식을 낳고, 咸池를 보면 유산(流産)을 많이 한다. (若生日帶大耗,咸池,夫妻外心相撓,見官符,多適凶暴俗惡之夫,棄逐凌辱,或卽妨剋於夫.一生因夫煩惱.生時帶劫煞,大耗,空亡者,生子少成,憂煎爲撓,或生悖逆之子,見咸池多損孕.)

日時에 勾絞를 犯하면 얽어맨다는 뜻이 있는데 난산(難産)이 많으며 혹 탯줄을 [몸에] 감은 자식을 낳는다. 歲運에서 대모(원진)를 만나면 凶하고 夫와 子息이 상서롭지 못하며 어지럽고, 다시 혹 身을 剋하면 往往 죽는다. 8數는 陰의 마지막이므로 大凶한데, 만약 日時에서 華蓋 正印을

犯하면 남편도 없으며 子息도 없고 또한 임종(臨終)하는 해까지 剋을 다한다. (日時犯勾絞有繫絆意,多難産,或子掛繯生.歲運見大耗爲凶,夫子不祥之撓,更或剋身,往往死矣.八數者,陰之終,所以大凶,若日時犯華蓋正印主無夫無子,亦有臨終年剋盡.)

刑害 공망 衝破 飛刃 陽刃 겁살 망신 파쇄 대패 等의 煞을 犯하면 夫를 剋하며子息을 害치고 다시 五行의 가감(加減)과 경중(輕重)으로 말하는데, 一生토록 여아(女兒)를 낳지 못하고, 혹 胎를 손상함이 많고 또한 시집을 가지 못하는데 설령 여아(女兒)가 있더라도 대부분 불효(不孝)한다. 空亡, 元辰, 咸池, 華蓋, 攀鞍(반안)[煞]을 犯하면 나쁜 婦人인데 夫를 剋하며 자식이 드물고, 질병(疾病)과 투기(妬忌)가 많다. (犯刑害空亡,衝破,飛刃,陽刃,劫亡,破碎,大敗,等煞,主剋夫害子,更以五行加減輕重言之,有一生不産兒女,或多損胎,亦有不嫁者,縱有兒女,多不和孝.犯空亡,元辰,咸池,華蓋,攀鞍,乃惡婦人也,主剋夫少子,多病妬忌.)

무릇 女命에서 여섯 개의 自刃[28]이 日時에 있으면 무부무자(無夫無子)하고 대단히 호명(好命)이라도 [夫와 子息을] 剋한다. 양인 및 조원양인을 犯하면 산액(産厄)이 많은데 월경과다(月經過多)의 질병이고, 나이가 든 후에는 냉병(冷病)이 생기고, 卯 酉가 많으면 낙태(落胎)하며 剋子하고, 옆구리 부위의 통증과 혈자(血刺)한다. (凡女命,帶六個自刃日時,主無夫無子,便是十分好命,也須有剋.犯羊刃,及朝元羊刃,多主産厄,月經過多之疾,重年後,主冷病,犯卯酉多,主墮胎剋子,脇痛血刺.)

四柱가 모두 陽이면 남아(男兒)를 낳지 못하며, 전부 陰이면 여아(女兒)를 낳지 못하고, 時가 陽干이면 첫째 태아(胎兒)는 대부분 남아(男兒)를 낳으며 陰干이면 첫째 태아(胎兒)는 여아(女兒)를 낳고 이에 둘째는 [차남은] 아들을 낳고 맏이와 막내는 같다. 寅申 巳亥가 많이 있으면 쌍둥이인데, 亥字가 많으면 男兒쌍둥이를 낳고 巳字가 많으면 女兒쌍둥이를 낳는다. 3년에 한번 수태(受胎), 2년에 한번 수태(受胎), 1년에 한번 수태(受胎)하는 것은 모두 時의 納音으로 取하는데, 水는 1[年], 火는 2[年], 木은 3[年], 金은 4[年], 土는 5[年]의 數가 징험(徵驗)하며 日時의 納音으로는 夫와 子息의 數를 定한다. (四柱俱陽不生男,俱陰不生女,時是陽干,頭胎多生男,是陰干,頭胎多生女,是仲,主生仲子,孟季同.帶寅申巳亥多者,主雙生,亥字多者,雙生男,巳字多者,雙生女.有三年一胎,二年一胎,一年一胎者,皆以時之納音取,水一,火二木三金四土五之數驗,仍以日時納音,定夫子之數.)

火氣가 많으면 한평생 자라지 않으며, 五行이 乾燥한 氣運인 同時에 반음(返吟) 복음(伏吟)이면 子息이 불리(不利)하고, 중년(中年)에 설령 [子息이] 있더라도 만년(晩年)에는 물러나고, 복음(伏吟)日은 夫를 剋하고, 오로지 같은 나이여야 비로소 免할수 있다. 月이 伏吟이면 동서(同壻)나 자매(姉妹)에게 좋지 않고, 胎가 伏吟이면 골육(骨肉)에게 불리(不利)하고, 返吟도 이 論理와 같다. (犯火氣多者,主一世不生長,五行燥氣,同犯返伏吟時,不利子,中年縱有,晩年必退,伏吟日,主剋夫,惟同歲者,方可免.月是伏吟,不宜妯嫂姊妹,胎是伏吟,不利骨肉,返吟同此論.)

---

28) 六個自刃;壬子 丙午 戊午 丁未 己未 癸丑

무릇 女命에서, 평온하고 中和를 얻어야 貴格인데 다시 祿馬 貴人을 띠면 自生 自旺하고, 六合은 성품이 어질며 德이 있고 재주가 있고, 자태(姿態)가 뛰어나게 아름답고, 太盛하여도 傷함이 불가(不可)하고, 부족하면 두려우나 유순(柔順)하고, 死絶함이 지나쳐도 불가(不可)하고, 음란하며 성품이 천박(淺薄)하다. 五行이 평온하고 또 필요한 福氣가 日時上에 모이면 아름답다. (凡女命, 欲得恬和中有貴格,更帶祿馬貴人,自生自旺,六合者,主性巧賢德,姿貌殊麗,不可傷於太盛,恐乏柔順,不可過於死絶,則淫媚而性卑苟,得五行恬和,又緊要福氣聚集於日時上,乃佳.)

대체로 日은 夫가 되고 時는 子息이 되어, 일체(一切) 福神이 日時上에 더해져 있으면 모름지기 夫와 子息이 貴하다. 女人의 福은 夫와 子息에게 있으니 마땅히 重하게 봉작(封爵)되어 貴하여 일찍 현부(賢夫)에게 시집간다. 만약 日時의 二位에 福力이 모이지 않으면 보통의 命이다. 만일 月 胎上에 福이 모이면, 단지 富貴한 가문에서 태어난 것뿐이며 결국 夫의 福이 되지는 않는다. (蓋日爲夫,時爲子,一切福神,加於日時上,須因夫子而貴.女人之福,在夫與子,當重封貴號,早適賢夫.若日時二位,福力不緊,乃常命也.如福聚月胎之上,只是生於富貴之家,終不爲夫之福.)

논여명論女命-24

무릇 女命에서 金轝(금여)를 가장 좋아하는데 六合하여 自旺하면 福이 厚하며 골육(骨肉)들이 이롭다. 印綬와 祿鬼를 보거나, 혹 水火旣濟(수화기제)이거나, 혹 金水相生(금수상생)이 되면 품성과 자태가 아름답다. 自生 自旺하며 官符(관부)를 띠거나, 혹 五行의 干支가 왕래(往來)하지 않아 무정(無情)하면 내정(內政;안살림)이 청백(淸白)하고, 엄숙하고 군세며 음란(淫亂)함을 좋아하지 않는다. 만약 死絶하면 검소(儉素)하여 화려(華麗)하지 않고, 印綬가 煞을 동반하면 權力을 중임(重任)할 수 있고, 六合이 相生하면 骨肉이 무성(茂盛)하며 완전하며 화목하고 아름답다. (凡女命,最喜金轝,六合自旺,則福厚而利骨肉.見印綬祿鬼,或水火旣濟,或金水相生,姿質美麗.自生自旺,帶官符,或五行支干,不相往來無情,內政淸白,嚴毅有守,不喜淫雜.若祿死絶,則儉素不華,印綬帶煞,則權能任重,六合相生,則骨肉茂盛,周全和美.)

時上에서 귀인 역마를 보면 대부분 어질고 효도하는 子息을 낳고 아이를 낳을 때 염려가 없다. 日上에서 이를[貴人驛馬를] 보면 현명(賢明)하고 총명(聰明)한 夫를 얻어 一生동안 즐거움을 누린다. 대저, 부음포양자(負陰抱陽者)는 남자에 해당되고, 부양포음자(負陽抱陰者)는 여자에 해당되므로 남자의 命을 낳으면 旺함이 이롭고 衰함이 불리(不利)하며, 여자의 命을 낳으면 衰함이 이롭고 旺한 것이 불리(不利)하다. 남자는 旺하면 福이되며 衰하면 福이 되지 않고, 여자는 衰하면 福이 되며 旺하면 福이 되지 않는다. (時上見貴人驛馬,多生賢孝之子,孕産無虞.日上見之,得賢美聰明之夫,一生快樂.夫負陰抱陽者爲男,負陽抱陰者爲女,是以男命生,則利旺不利衰,女命生,則利衰不利旺,男旺則福,衰則否,女衰則福,旺則否.)

古歌에서, 財官 印綬의 삼반물(三盤物)을 女命에서 만나면 반드시 夫가 旺하고, 煞이 많지 않으며 혼잡(混雜)함이 없으며 신(身)强하여 制伏(제하여 屈伏시킴)하여야 적당한 것이다. (古歌,財官印綬三盤物,女命逢之必旺夫,不犯煞多無混雜,身强制伏有稱呼.)

女命에서 傷官은 福이 참되지 않는데, 財가 없고 印이 없으면 고빈(孤貧)하고, 局중에 만약 상관이 透出하면 반드시 가게의 사환(使喚;심부름하는 점원)이 된다. (女命傷官福不眞,無財無印守孤貧,局中若見傷官透,必作堂前使喚人.)

夫가 合을 하고 있으면 모름지기 正이 되고, 合하는 夫가 없으면 偏으로 定해진다. 官煞을 거듭 犯하면 下格을 이루고, 傷官이 거듭 合하면 말할 필요가 없다. (有夫帶合還須正,有合無夫定是偏,官煞犯重成下格,傷官重合不須言.)

官이 桃花를 띠면 福과 壽命이 길고, 桃花가 煞을 동반하면 상서로움이 드물고, 합이 많은데 桃花를 犯하는 것을 가장 꺼리고, 비겁이 桃花면 매우 불량(不良)하다. (官帶桃花福壽長,桃花帶煞少禎祥,合多最忌桃花犯,比劫桃花大不良.)

女命에서 상관격은 꺼리는데 財와 印綬를 동반하여야 비로소 福이 굳건하고, 상관이 旺하면 夫를 손상(損傷)하며, 破了傷官(파료상관)하면 損壽元(손수원)한다. (女命傷官格內嫌,帶財帶印福方堅,傷官旺處傷夫主,破了傷官損壽元.)

飛天祿馬(비천록마) 井欄叉(정난차)格을 女命에서 만나면 가장 좋지 않는데, 어쩔 수 없이 偏(편처)과 아울러 기생(妓生)이 되고, 財가 있어야 영화(榮華)를 누린다. (飛天祿馬井欄叉,女命逢之最不佳,只好爲偏倂作妓,有財方可享榮華.)

눈썹은 푸르고 뺨은 버들로서 꽃과 같은 것은 祿馬 長生 貴氣를 얻음이고, 자목(紫木) 太陽이 四正에 臨하면 夫가 이로우며 음덕(蔭德)으로 자식(子息)이 모여 가정을 유지한다.(祿馬가 長生을 만나거나, 혹 墓 庫 및 一重한 貴를 동반하는 것은, 소위(所謂) 時가 長生 祿馬 貴人이면 子息이 貴하며 夫가 영화롭고 外貌는 반드시 뛰어나다는 것이다.) (眉拖翠柳臉如花,祿馬長生貴氣賒,紫木太陽臨四正,益夫蔭子會持家.(祿馬會於長生,或帶墓庫,及一重貴,所謂長生祿馬貴人時,子貴夫榮貌必奇,是也.))

一重한 亡神 劫煞 및 羊刃을 만나고, 天乙이 祿馬鄕에서 同生하면 얼굴빛은 絶하지만 뛰어나고 정결(貞潔)사람으로 영부익자(榮夫益子)하여 왕성하며 번성한다. (一重亡劫及逢羊,天乙同生祿馬鄕,色絶過人貞且潔,榮夫益子熾而昌.)

驛馬가 無禮之刑 臨官 帝旺을 많이 만나면 더욱 뇌인(惱人;번뇌하는 사람)인데, 柱중에 재차 咸

池를 만나면 이런 가인(佳人)은 찾을 필요가 없다. (驛馬多逢無禮刑,臨官帝旺更惱人,柱中再有咸池遇,此等佳人不要尋.)

망신 겁살 고신 삼형 과숙 격각 쌍신 평두 화개는 일반적(一般的)으로 자세한데, 보향훈피성고숙(寶香薰被成孤宿), 인내주렴월반상(忍耐珠簾月半床).(망신 겁살 고신 과숙 격각 평두 화개 쌍신 화개 육해 삼형은 소위(所謂) 五行의 神煞에서 중요하며 절대 꺼리는 것이다.) (亡劫孤刑寡隔雙,平頭華蓋一般詳,寶香薰被成孤宿,忍耐珠簾月半床.(亡神劫煞孤辰寡宿,隔角平頭,雙辰華蓋六害三刑,所謂切忌五行神煞重是也.))

양인 겁살 망신이 休한데 合하여 動하면, 合動은 고당 운우몽(高堂雲雨夢)하고, 合貴 合馬 合咸池하면 반드시 그 사람은 거짓으로 존중(尊重)받게 된다.

예) 명조-1
壬 丁 己 庚
寅 亥 丑 申
예컨대 이 命이다. (羊刃劫亡休合動,合動高堂雲雨夢,合貴合馬合咸池,必定其人假尊重.(如庚申己丑丁亥壬寅是也.))

生月이 上宮을 合하면 어찌 견딜 것이며, 다시 時가 무리를 合하면 凶이 같고, 외형(外形)으로는 존중(尊重)하지만 진실(眞實)은 아니고, 내란(內亂)을 방비하여도 결국은 좋지 않다.

예) 명조-2
乙 己 甲 乙
亥 巳 申 亥
예컨대 이 命이다 (生月那堪合上宮,更兼時合衆凶同,外容尊重非眞實,內亂尤防不善終.(如乙亥甲申己巳乙亥是也.))

命에 咸池와 洗日星을 두면 성품이 교묘(巧妙)하며 재능이 많고, 남자가 이를 얻으면 아는 사람이 많으며[所謂 발이 넓다는 말] 여자가 이를 만나면 僧의 무리가 된다. (命値咸池洗日星,爲人性巧更多能,男人得此多相識,女子達之犯衆僧.)

논여명論女命-25

上宮에 염정(廉貞)星이 있는 것을 절대 꺼리는데, 자신은 음란(淫亂)하지 않으나 妻의 마음이 음란(淫亂)하고, 설령 夫妻가 모두 정대(正大;바르고 사심이 없음)할지라도 관사(官事)는 妻와 女人

때문이다.(上宮은 日干이 앉은 곳이다.) (上宮切忌帶廉貞,己不淫兮妻心淫,設使夫妻皆正大,官事因妻及女人.(上宮日干所坐是))

女子는 咸池가 日상에 더해지면 총명(聰明)하여 義를 지키며 간사(奸邪)하지 않고, 오히려 남편이 전도(顚倒;뒤바뀌어)됨이 많아 근심이고, 도박(賭博)을 즐겨서 파가(破家)한다.

예) 명조
丁 乙 乙 甲
亥 卯 亥 戌
丁亥(屋上土)의 旺한 土가 있어 乙卯(大溪水)의 敗水를 制하니 오히려 대족(大族)을 만들고, 自身은 음란(淫亂)하지 않지만 그 남편이 방탕한 생활로 파산(破産)했다. (女子咸池日上加,聰明守義不奸邪,卻愁夫婿多顚倒,賭博呼遊也破家.(如甲戌乙亥乙卯丁亥,有丁亥之旺土,制乙卯之敗水,卻生大族,自己不淫,其夫遊蕩破産))

咸池 一煞은 가장 괴려(乖戾)한데 나를 헨하거나 나를 生하여도 모두 불리(不利)하고 比和는 천성(賤星)의 이름이고, 好色 貪財하여 貴하기 어렵다.

예) 명조
庚 丙 己 癸
寅 午 未 酉
自食神으로 [桃花]色이니, 妻 역시 음란(淫亂)하다. 그리고 甲戌 癸卯일은 夫가 學問은 뛰어나나 음탕(淫蕩)하여 이루는 것이 없다.[29] (咸池一煞最乖戾,剋我生我皆不利,比和也是賤星名,好色貪財難致貴.(如癸酉己未丙午庚寅,自食色,妻亦淫,又甲戌癸卯日者,夫多學無成淫蕩))

咸池는 道를 다하여 음란(淫亂)하며 사악(邪惡)하니 반드시 그 중에 심천(深淺)을 살펴봐야하고, 다른 방면에서 制剋함이 있으면 福이 되고, 영리하여 중인(衆人)의 情을 얻지 못한다. (咸池盡道主淫邪,須看其中有淺深,有制剋他方作福,惺惺不得衆人情.)

패(孛;혜성)와 도화(桃花)가 四正에 臨하면 어찌 역마를 감당하며 게다가 納音이 같겠는가! 교언영색(巧言令色)[30]하여 衆人을 화합(和合)하기 어렵고, 간사(奸邪)스러운 작은 지혜로 마음씀씀이가 바르지 못하다. (孛與桃花四正臨,那堪驛馬更同音,巧言令色難和衆,小智奸邪枉用心.)

亥子를 거듭 만나는 것은 마땅히 불가(不可)하며 시어머니 동서(同壻)는 서로 떨어져 있어야 한다. 男子는 장모(丈母)를 자주 찾아 뵈어야 처가(妻家)가 한 장소에서 패(敗)하는 것을 모면(謀免)

---

29) 桃花를 色으로 표현한 것 같다.
30) 巧言令色(교언영색);남의 환심을 사기 위해 巧妙히 꾸며서 하는 말과 아첨하는 얼굴빛,『論語』, 陽貨17 :"巧言令色 鮮矣仁"

한다. (亥子重逢不可當,公姑妯娌致參商,男子丈母應重拜,方免妻家敗一場.)

上官[日支]에 망신과 겁살 다시 刑衝하는 것을 男女가 만나면 일예(一例)로서 凶하고, 보월수진(寶月修眞)은 일도(一度)가 아니고 주현(朱絃)이 다시 이어져 반드시 거듭 만난다.

예) 명조
丁 己 丙 甲
卯 巳 寅 子
과부(寡婦)로 재가(再嫁)하였다. (上官亡劫更刑衝,男女逢之一例凶,寶月修眞非一度,朱絃再續必重逢.(如甲子丙寅己巳丁卯再醮))

羊刃 망신 겁살이 上宮[日支]에 있으면 妻를 剋하여 질병을 발생시키는 가장 凶한 것이고, 進神이 만약 같이 도래(到來)하면 사별(死別) 생이별(生離別)이나 病은 중풍(中風)이 의심된다. (羊刃亡劫落上宮,剋妻生病最爲凶,進神若也同來到,死別生離疾似風.)

고신 과숙 雙辰이 아울러 隔각 宿를 時日에서 만나면 골육(骨肉)을 형(刑)하고, 가자(假子;남의 아들을 양자)를 불러들이는 것을 어찌 말을 하겠는가? 꺼리는 것이 男女가 치욕(恥辱)을 당한다.

예) 명조
丙 戊 戊 丁
辰 申 申 未
그 남자는 도적이 되고, 그 여자는 음분(淫奔;음탕한 행동을 함)하다. (孤寡雙辰倂隔宿,時日逢之刑骨肉,假子招郎何足言,仍忌男女遭恥辱.(如丁未戊申戊申丙辰,其男爲盜,其女淫奔))

女人에게 羊刃은 대부분 좋지 않고, 합극나문대도과(合剋羅紋帶倒戈), 화기소장류분대(禍起蕭牆流粉黛),화용난피마외파(華容難避馬嵬坡).

예) 명조-1
壬 戊 壬 丙
子 午 辰 戌
訟事의 분출(奔出)로 말미암아 풍진(風塵;어지러운 세상을 비유)을 떠돌아 다닌다.

예) 명조-2
戊 癸 己 戊
午 未 卯 午
羊刃을 합하여 결국 凶死했다. (女人羊刃不宜多,合剋羅紋帶倒戈,禍起蕭牆流粉黛,華容難避馬嵬

坡.(如丙戌壬辰,戊午壬子,因訟奔出,流落風塵,又戊午己卯癸未戊午,是合羊刃.竟凶死))

一重한 羊刃은 권력을 잡게 되며 二重 三重으로 오면 凶함이 가장 甚하니 황음(荒淫)하며 간악한 투기가 많아 창녀(娼女)가 되고, 흉폭(凶暴)하고 나쁘게 사망하므로 단명(短命)한다. (一重羊刃爲權柄,三兩重來凶最甚,荒淫奸妬多爲娼,凶暴惡亡仍短命.)

婦人은 망신 겁살이 가장 상서롭지 아니한데 時日에서 만나면 성품이 반드시 강열하고, 死絶을 항상 많이 겸하면 主를 尅하고, 合하여 相生하여도 災殃이고, 동서나 시어머니와 모두 잘 어울리지 못하여 관사(官司)내에서 추잡한 소문을 일으킨다. (婦人亡劫最非祥,時日逢之性必剛,死絶常多兼尅主,合起相生亦禍殃,姒娌公姑皆寡合,官司內起醜聲揚.)

논여명論女命-26

年月日時가 싸워 항복하는 것으로 나누어 命宮에 완전히 있으면 풍광(風光;경치)을 좋아하고, 남자는 화류(花柳)를 찾는 최자(崔子)와 같고, 여자는 해당화(海棠花)에 졸고 있는 양귀비(楊貴妃)를 닮은 듯하다.(子午卯酉가 전부 있으면 상문(上文)에 준(准)한다.) (年月日時分戰降,命宮全帶喜風光,男如崔子尋花柳,女似楊妃睡海棠.(子午卯酉全帶准上文))

女人은 天乙[貴人]이 二重 三重이면 貴의 횟수가 많아 吉함이 凶이 되고, 현관(絃악기 管악기)의 여럿 중에서 生計手段이 되며, 死絶 休囚와는 또 같지 않다. (女人天乙兩三重,多貴番成吉作凶,絃管叢中爲活計,死絶休囚又不同.)

일좌(一座)에 貴人은 好命이 되고, 양좌(兩座)에 貴人은 마음이 부정(不定;불안정함)하고, 삼좌(三座)에 貴人은 창부(娼婦)가 되어 만년(晚年)에 혹 재산이 많고 세력이 있는 가문을 만들기도 한다.

예) 명조-1
乙 己 己 丙
亥 亥 亥 子
창부(娼婦)이다.

예) 명조-2
乙 己 辛 丁
亥 亥 亥 酉
과년(過年;혼인할 나이가 지나간 상태)하여도 시집가지 못하였고, 늙어도 자식이 없었다. (一座

貴人爲好命,兩座貴人心不定,三座貴人定作娼,晩年或作豪家正.(如丙子己亥己亥乙亥,娼也,又丁酉辛亥己亥乙亥,年過不嫁,老而無子))

色으로 인해 경국지색(傾國之色)은 등명(登明;亥)이고, 상중(桑中;뽕밭=雲雨之情)에서 나를 기다리는 것은 太乙星(巳)이고, 驛馬가 다시 兼하여 六合을 만나면 일생토록 음란한 추문(醜聞)을 피하지 못한다.

예) 명조
乙 己 甲 乙
亥 巳 申 亥

色이 있어 음란(淫亂)하였는데 세 명의 남편이 죽었으며 또 근친상간(近親相姦)을 犯했다. (色因傾國是登明,期我桑中太乙星,驛馬更兼逢六合,一生不免有淫聲.(如乙亥甲申己巳乙亥,有色而淫,死三夫,又犯服內之奸))

자목라양사정배(紫木羅陽四正排), 貴人이 印煞을 겸하고 충개(衝開)하면 夫는 영화로우며 子息은 貴人이고 단후(端厚;성실하고 예의바름)하여 양국(兩國)에서 봉작(封爵)을 고(誥)하고 천상(天上)에서 부른다. (紫木羅陽四正排,貴人兼印煞衝開,夫榮子貴人端厚,兩國誥封天上來.)

祿馬 咸池 夾貴가 오며 太陽 紫木이 三台를 아우르면 총명(聰明)하고 성품이 교묘(巧妙)한 사람으로 화순(和順)하고, 권이(卷耳:도꼬마리;국화과의 한해살이풀) 정회(情懷)한 여자로서 글재주가 있다. (祿馬咸池夾貴來,太陽紫木倂三台,聰明性巧人和順,卷耳情懷柳絮才.)

목단(牧丹)은 예로부터 꽃 중의 王으로 불리는데, 풍류(風流)의 아름다운 일방(一方)으로 점단(占斷)하고, 웃음을 참으며 꽃을 좋아하지만 자식(子息)을 두기 어렵고, 해마다 호시절(好時節)을 허송세월(虛送歲月)한다. (牡丹自古號花王,占斷風流豔一方,堪笑好花難結子,年年虛度好時光.)

貴人 祿馬는 세밀하게 분류하는데 時上에서 이(貴人 祿馬)를 만나면 봉모(鳳毛)[31]한 자식을 낳아 뛰어난 영웅호걸로 모두 무리들과 다르고, 어릴 때부터 지덕(知德)이 뛰어나며 福이 견고하다. (貴人祿馬定分毫,時上逢之産鳳毛,卓犖英豪皆異衆,惟岐惟嶷福堅牢.)

貴人 祿馬가 生時에 있으면 主의 많은 아들 중에 백미(白眉)[32]가 있고, 혹 유건생래주족(有乾生來湊足) 조종(祖宗)의 명예를 더하는 男兒를 좋아한다. (貴人祿馬在生時,定主多男有白眉,或有乾生來湊足,增光宗祖好男兒.)

---

31) 봉모鳳毛;息의 자질이 부(夫)조(祖)에 뒤지지 아니함.
32) 백미白眉;중국(中國) 蜀(촉)나라 馬良(마량)의 5형제(兄弟) 중(中) 흰 눈썹이 섞인 良(양)의 재주가 가장 뛰어나다는 데서 온 말로, 여럿 중(中)에서 가장 뛰어난 사람이나 물건(物件)을 이르는 말

五行이 평온하면 福星이 臨하고, 중후(重厚)하며 온화하고 공손하면 반드시 정성이 지극하여 천사루라(天使嘍囉)는 반점(半點)이 없고 오히려 교완(交頑)하면 千斤으로 福이 重하다. (五行恬澹福星臨,重厚溫恭必至誠,天使嘍囉無半點,卻交頑福重千斤.)

印綬가 가득한데 夫星을 얻으며 運이 夫로 行하면 子息을 낳고, 造化하여 夫星이 겁탈(劫奪)함이 없어야 夫가 興하고 子息이 旺하여 둘의 情이 적당하다. (印綬가 많으면 子息이 없지만 運이 財官으로 行하면 子息이 도리어 많고, 陰干은 梟印이 重하면 子息이 없다고 말하지 못하고, 剋洩하는 運으로 行하면 子息이 많으며 빼어나다.

예) 명조
癸 乙 癸 癸
未 酉 亥 未
이 命은 南方의 火土運으로 行하여 財와 食의 地支인데 財가 梟를 制함으로서 食神은 손상이 없으니 일곱 자식을 낳아 현달(顯達)하였고 부부(夫婦)가 해로(偕老)하였다. 一命은 壬午時인데 또한 다섯 子息을 낳았지만 夫를 刑하고 절개를 지키지 않았다.) (滿盤印綬得夫星,運向夫行子息生,造化夫星無劫奪,興夫旺子兩宜情.(印綬多,主無子,運行財官,子息反多,陰干梟印重,亦莫言無子,行洩剋之運,亦主子多而秀.如癸未癸亥乙酉癸未,此命行南方火土運,財食之地,以財制梟[梟],食神無損,生七子顯達,夫妻偕老,一命壬午時,亦生五子,刑夫失節))

雜氣格 중에는 祿이 가장 아름다운데, 干頭가 섞여도 뽐낼만 하고, 運이 財地로 行하면 劫財를 손상하지 않고, 시집가서 재능 있는 남편을 만나 福을 오랫동안 누린다.(甲乙이 丑월의 例인데, 夫星을 함께 감추고 干頭에 混雜함을 꺼리지 않는다. 이것은 月을 말하는 것이다.) (雜氣格中祿最佳,干頭便混也堪誇,運行財地無傷劫,嫁得才郞享福遐.[甲乙丑月之例,俱藏夫星,干頭不忌混雜,此以月言也])

壬辰 壬戌이 坐한 중에 夫이고, 庚戌 庚寅이 또한 자신만 다르고, 壬午 甲申 戊寅일은 婦人이 偏福을 모두 얻는다.(이것은 日下에 자리한 夫星을 헤아린 것인데, 다만 一位가 적당하여 福이 된다는 日을 말한 것이다.

예) 명조
庚 庚 己 庚
辰 寅 丑 申
五十餘年동안 大富한 八字이다.) (壬辰壬戌坐中夫,庚戌庚寅亦自殊,壬午甲申戊寅日,婦人得此福偏俱.[此數日坐下夫星,只宜一位爲福,此以日言也.一命庚申己丑庚寅庚辰,大富八字,年五十餘])

丙庚 子午는 각각 나누어서 추리하고, 己土는 卯未에 偏함이 좋고, 乙일은 巳酉丑을 감당하고, 癸는 巳未에 臨해도 역시 마땅한 때다.(이 數日 역시 坐下에 夫星이고, 地支를 破하는 것은 좋지 않으며 홀로 보는 것이 吉하다.) (丙庚子午各分推,己土偏於卯未宜,乙日更堪巳酉丑,癸臨巳未亦當時.[此數日亦坐下夫星,不宜破支,獨見乃吉])

煞星이 홀로 印格중에 있어야 淸하며 身主가 청고(淸高)하여 富貴를 이룬다. 官星이 와서 혼잡한 格이 아니어야하고, 부르길 봉공숙중(封恭淑重)이라 呼名한다.(女命에서 煞은 印이 가장 吉한데, 己卯 己未, 癸丑 乙丑, 乙酉 癸未, 辛未 甲申, 庚寅 戊寅, 壬戌 壬辰, 丙寅등의 日이고, 다시 夫星을 혼잡하지 않아야 貴하게 된다.) (煞星獨印格中淸,身主淸高富貴成.不有官星來混格,號封恭淑重呼名.[女命煞印最吉,如上己卯己未,癸丑乙丑,乙酉癸未,辛未甲申,庚寅戊寅,壬戌壬辰,丙寅等日,不宜再混夫星爲貴])

五陰인 婦女자는 身이 衰하여야 한다. 만약 강강(强剛)하면 재앙과 질병이 찾아오는데 歲運에서 다시 身旺地로 行하면 비바람 앞의 꽃처럼 원통하게 부러진다.(五陰일은 弱한 것이 마땅하고, 强하면 재앙이 많이 발생한다. 建祿으로 行하여 旺地에 모이고 四柱에 官煞이 없으면 傷夫하며 子息을 害친다.) (五陰婦女要身衰,若遇剛强災病來,歲運再行身旺地,花前風雨恨相摧.[五陰日宜弱,强多生災.行建祿會旺地,柱無官煞,傷夫害子])

고란일이 되면 본래 아이가 없는데, 한 번 관성을 보면 기묘(奇妙)한 자식(子息)을 얻고, 運이 旺한 곳을 만나면 자매(姉妹)가 많고, 바람이 녹누(綠樓)를 두르는 것을 원망한다.(고란일이 四柱에서 만약 관성을 보면 반대로 자식을 얻으며, 陰일이 훨씬 좋으며 混雜하여 아이가 없다고 단정하면 안 되고, 運이 身旺으로 行하는 것과 比肩이 쟁탈(爭奪)하면 眞孤鸞이다.) (孤鸞日犯本無兒,一見官星得子奇,運遇旺鄕多姊妹,臨風惆悵綠樓時.[孤鸞日,柱中若見官星,反得其子,陰日更好,不可混以無兒斷之,運行身旺,及比肩爭奪,眞孤鸞])

夫星이 得地하면 子息이 많으나 자매(姉妹)가 교가(交加)하면 오히려 헛된 것이고, 財旺함을 거듭 만나면 아위(兒位)가 吉하지만 傷官을 서로 만나면 다시 처음과 같다.(婦人은 夫를 主로 삼고, 夫星이 得時하면 반드시 子息이 많지만 만약 比肩이 분탈(分奪)하면 도리어 외롭고 子息이 없다. 따라서 財가 官을 生하면 좋은데 다시 傷官을 보면 처음 論한 것처럼 된다.) (夫星得地子多餘,姊妹交加反是虛,財旺更逢兒位吉,傷官相見又如初.[婦人以夫爲主,夫星得時,必多子息,若見比肩分奪,反孤無子,故又喜財生之,再見傷官,又作初論])

일위(一位)의 夫星에 자매(姉妹)가 많으면 傷官의 歲運에는 어려움을 겪게 된다. 설령 夫가 있어 만날지라도 剋傷하여 독수공방(獨守空房)은 어찌할 도리가 없다.(官星이 단지 一位면 比肩의 분탈(分奪)이 두려운데 하물며 歲運에서 또 傷官을 만나면 그 夫를 害하는 것이 틀림 없는 것이다. 만약 원래 상관格인데 柱中에 官을 보지 않으면 害가 없고, 運行에서 官을 보면 두려운데 원수와 싸움하니 夫를 剋하는 것이 틀림 없다.) (一位夫星姊妹多,傷官歲運便難過.縱遇有夫也傷剋,寒衾獨枕奈如何.[官星只一位,是怕比肩分奪,況歲運又逢傷官,其害夫也必矣.若原是傷官格,柱中不見官無害,怕行運見官,戰鬪讐仇,剋夫無疑])

格에서 傷官을 用하여도 둘은 꺼린다. 만약 食(식상)의 旺함을 만나면 夫는 財를 더해야 財星의 旺處가 生하여 官旺하고, 食이 없고 財도 없으면 印이 오는 것을 기뻐한다.(傷官이 得時하면 無害하고, 단지 旺한 印이 用을 破하는 것을 두려워하고, 食神을 用하는데 得時하면 더욱 기묘(奇妙)하다. 그러나 印을 보는 것은 좋으나 단지 印多한 것은 좋지 않고 오직 적당하여야 吉하다.

예) 명조
庚 庚 乙 癸
辰 子 卯 未
傷官用財하여 貴한 夫에게 시집가서 봉작(封爵)을 받았으며 자식(子息)은 하나를 두었다. (格用傷官亦兩猜,若逢食旺益夫財,財星旺處生官旺,無食無財印喜來.[傷官得時者無害,但怕旺印破用,食神爲用,得時尤奇,卻宜見印,但不宜印多,惟中則吉.一命,癸未乙卯庚子庚辰,傷官用財嫁貴夫,受封,一子])

論女命論女命－28

婦人은 格局이 청화(淸和)해야 하는데, 夫의 氣運이 休囚하면 곤고(困苦)함이 많고, 運에서 財官을 거듭 만나 旺相하면 비단옷을 입고 "하하" 웃음을 나타낸다.(가령 辛日생 子酉월은 干頭에 虛한 丙火를 보면 비록 官이 無用하여 교묘(巧妙)하지만 가난하고, 다시 辛壬 보면 剋夫한다. 만약 官煞 및 財運으로 行하여 木火가 생기(生起)하면 吉하다. 나머지는 이것을 따르면 된다.) (婦人格局要淸和,夫氣休囚困苦多,運逢財官重旺相,著羅衣錦笑呵呵.[假如辛日生子酉月,干頭虛見丙火,雖官無用,主巧而貧,再辛壬互見,剋夫.若得行煞官及財運,生起火木則吉,餘照此])

傷官은 성질이 권여(權輿)하여 比劫을 거듭 만나면 예절을 무시하고, 印綬일은 깨끗하고 도리에 어긋나지 않게 조신하고, 丁壬이 化合하면 시서(詩書)에 통효(通曉)한다.(이 설명은 상관의 성정(性情)은 재주가 있고 총명한 여장부(女丈夫)이다.) (傷官性重有權輿,比劫重逢禮不疏,印綬日尋淸愼獨,丁壬化合曉詩書.[此言傷官性情乖覺,女中丈夫也])

金水상함(相涵)은 수려(秀麗)하며 아름답고, 比肩인 金水를 자랑하게 되고, 丙은 壬의 制를 만나면 얼굴이 玉과 같고, 甲이 金의 剋을 만나면 모양이 꽃과 같다.(金水相涵하면 빼어나므로 얼굴이 매우 아름답다. 만약 壬이 丙을 剋하고 甲이 金을 보면 一煞이 홀로 깨끗하니 그 얼굴 역시 아름다우며 性情도 조용하다. 혼잡(混雜)하면 음천(淫賤)하며 얼굴도 또한 醜하다.) (金水相涵秀麗佳,比肩也作金水誇,丙逢壬制顔如玉,甲逢金剋貌如花.[金水涵秀,故多美貌,若壬剋丙,甲見金,一煞淸獨,其貌亦美,性情亦靜,混雜者淫賤,貌亦醜])

印綬는 身을 生하여 煞을 만나면 좋고, 상관과 財가 旺하면 고당(高堂)에 坐한다. 만일 死絶이나 陽刃 比肩이 墓로 行하면 독수공방(獨守空房)하며 子息의 죽음에 운다.(살인상생, 상관생재는 모두 上格이 된다. 만약 財煞이 死絶하고 陽刃 比肩 및 傷官이 入墓하는 地支로 흐르면 傷夫하고 剋子한다.) (印綬生身遇煞良,傷官財旺坐高堂,如行死絶陽肩墓,獨守空閨哭子喪.[煞印相生,傷官生財,皆爲上格,若行財煞死絶,陽刃,比肩,及傷官入墓之地,傷夫剋子])

陰陽이 自旺하며 日은 평상시(平常時) 身이 굳건하여 의지할 데가 없으면 좋지 못하다. [群比爭官] 夫星으로 運이 向하면 경쟁(競爭)을 일으키고, 낯빛을 바꾸어 재가(再嫁)하여도 독수공방(獨守空房)은 여전하다.33) (陰陽自旺日平常,身健無依未是良.運向夫鄕爭競起,改容再醮補塡房.)

도화 홍염[煞] 둘이 교차(交差)하면 빈번하게 화장대로 향하여 머리카락을 다듬는다. 만약 官星이 暗藏하고 透干하여 있으면 오히려 어질게 가정으로 돌아와 福이 한이 없다.(두개의 煞은 不吉하여 婦人에게 가장 꺼리는데, 만약 관성을 보면 의지할 데가 있으니 반대로 福이 있다.) (桃花紅艶兩交差,頻向粧臺理鬢斜,若有官星藏與透,卻歸良室福無涯.[二煞不吉,婦人最忌,如見官星,則有倚賴,反主有福])

桃花와 煞이 같은 길을 두려워하는데, 官이 桃花를 만나면 오히려 夫가 旺하고, 金水가 서로 만나면 비록 미모(美貌)일지라도 관(官)귀(貴)가 없으면 집은 대부분 더럽다.(관성이 도화면 어진사람에게 害가 없고, 살성이 도화면 대부분 창부(娼婦)가 된다. 도화煞이 비록 하나일지라도 관(官)을 만나는 것과 살(煞)을 만나는 것은 판이하게 다르다. 금수상관은 관살이 없으면 그 뜻이 부정(不定)하다.) (桃花與煞怕同途,官見桃花卻旺夫,金水相逢雖貌美,無官貴室亦多汚.[官星桃花,不害於良人,煞星桃花,則多爲娼婦.桃花之煞雖一,而逢官遇煞迥異.金水傷官無官煞,其志不定])

食神이 獨旺하면 모든 吉함을 능가하고, 금수상관은 火를 얻어야 편안하고, 자매(姊妹)에게 氣를 받는 것은 좋지 않고, 煞星이 一位면 어질게 된다.(하나의 食神이 生旺하고, 金水가 火를 보고, 胞胎에 比肩이 없고, 살성의 一位가 得時하는 이와 같은 格을 婦人의 命에서 만나게 되면 모두 吉하다.) (食神獨旺勝諸祥,金水傷官得火康,受氣不宜逢姊妹,煞星一位便爲良.[一食遇生旺,金水見火,胞胎無比肩,煞星一位得時,此數格,婦命遇之皆吉])

관성이 祿을 얻으면 夫의 貴함을 알고, 食(식상)이 임관(臨官)을 만나면 子息이 어질고, 복위청용격(福位靑龍格)은 煞食으로, 노비가 첩을 내쫓고 부권(夫權)을 빼앗는다.(가령 己가 甲의 夫를

---

33) 上記 설명은 群比爭官하면 偏房살이하는데 八字를 고쳐도 여전하다는 말이다.

만나서 寅月을 얻고, 甲의 食神인 丙은 子息이 巳月을 얻으면 夫와 子息이 함께 좋다. 만약 煞格과 食格이 祿神을 사용하면 청용복위(靑龍福位)를 차니 부권(夫權)을 빼앗으며 총명(聰明)함을 드러낸다.) (官星得祿知夫貴,食遇臨官子便賢,福位靑龍格煞食,驅奴使婢奪夫權.[如己遇甲夫,得寅月,甲食丙嗣,得巳月,主夫子俱好,若煞格食格,用遇祿神,帶靑龍福位者,主奪夫權,聰明標致])

논여명論女命-29

食神이 暗合하면 자신의 夫가 오고, 食(식상)이 旺하여 뒤섞이지 않아야 富貴하며 아이를 임신한다. 透出한 財星의 등급을 나누며 梟煞이 합하는 곳을 꺼려하고 의심한다.(食神은 財輕하면 좋지 않으며 太過하여도 좋지 않고, 淸한 것이 제일(第一)이며 官을 보는 것은 그 다음이고, 梟煞이 서로 만나는 것은 不吉하다.) (食神暗合己夫來,食旺無淆富貴胎.透出財星分等第,梟煞合處起疑猜.[食神不宜財輕,又不宜太過,淸者第一,見官次之,梟煞相見不吉])

乙庚이 夏月에는 정금(正金=正夫)이 피곤하고, 運이 西方을 向하면 夫가 得時하고, 子息인 丙이 오지 않아야 金水가 좋고, 東方의 乙을 만나면 貴가 나누어진다.(乙은 庚을 夫로 삼는데 夏月은 金이 失時하니 西方으로 行하여 도와서 일으켜야 吉하게 되고, 丙을 만나면 庚이 손상하고, 乙을 만나면 爭合하는데, 따라서 모두가 좋지 않다.) (乙庚夏月正金疲,運向西方夫得時,丙子不來金水好,東方遇乙貴分之.[乙以庚爲夫,夏月金失時,行西扶起爲吉,見丙傷庚,見乙爭合,故皆不喜])

辛의 官인 夫는 金水월에 輕하고, 다시 辛壬을 보면 두 차례나 새로우며 運이 木火로 흐르면 福이 뛰어나기 어렵고 자신을 손상하지 않아도 他人을 손상한다.(天干의 辛은 丙을 官으로 삼는데, 辛이 秋冬節에 生하여 丙을 만나면 輕하고, 時에서 또 辛壬을 만나 分剋하면 丙은 더욱 輕하니 運이 木火로 行하면 夫가 비록 得時할지라도 그 福을 감당하지 못하여 두려우며, 타인을 손상하고 자신도 해친다.) (辛官金水月夫輕,再過辛壬兩度新,運行木火難勝福,不傷自己也傷人.[辛干以丙爲官,辛生秋冬,遇丙則輕,時又見辛壬分剋,則丙愈輕,運行火木,夫雖得時,恐不勝其福,未免傷人害己])

己의 夫인 秋節의 甲은 地支에서 暗傷하여 乙을 干頭(天干)에서 보면 두 차례 기약하는데 이를 제(除)하려면 東方의 木旺함을 만나야 金木이 격상(擊傷)하며 또 교지(交持;서로 짝을 가진다)한다. (己가 秋月에 甲의 夫를 만나면 地支에 傷官이 있어 害를 당하는데 다시 乙未[夫]를 보면 저쪽을 버리고 이쪽을 따르는데 이에 甲과 己가 합하니 乙은 戰剋을 당하여 官을 就할 수 없어 煞을 따르니 主는 두 차례 혼인을 한다. 東方의 木旺한 地支로 行하면 火가 金을 내쫓아서 비록 좋지만 그래도 傷夫나 재가(再嫁)는 면하지 못하고, 혹 과부로 지내는 경우가 많다.

예) 명조-1

甲 己 甲 辛
戌 未 午 未
왕비(王妃)이다.

예) 명조-2
甲 己 辛 丙
子 未 丑 午
아들은 진사(進仕) 딸은 왕비(王妃)이다.) (己夫秋甲暗傷支,乙見干頭兩度期,除是東方逢木旺,擊傷金木又交持.(己秋月,遇甲夫,支有傷官爲害,再見乙未[夫],去彼從此,乃甲與己合,被乙戰剋不能就官而從煞,主兩度成婚.行東方木旺之地,有火驅金雖好,亦不免傷夫再嫁,或多寡居,辛未甲午己未甲戌,王妃,丙午辛丑己未甲子,子進士,女王妃))

　庚이 金水月에 夫인 丁을 만나고, 壬丙이 干頭(天干)에서 둘이 만나 다투면 富貴는 춘풍(春風)이며 잠자리는 냉(冷)하고, 傷官이 地支상에서 情을 나누는 것이 두렵다.(庚은 丁으로 官을 삼는데 秋多節에 壬을 만나면 金水가 得時하여 전부(前夫)가 剋을 당하며 또 丙火를 따른다. 만약 丙戌時라면 그 夫가 入墓하고 子時면 그 夫가 피상(被傷)되니 비록 富貴하게 살더라도 결국에는 과부로 살며 자식 역시 드물다.) (庚夫金水月逢丁,壬丙干頭兩見爭,富貴春風衾枕冷,傷官支上怕分情.[庚以丁爲官,秋冬遇壬,金水得時,乃前夫被剋,又從丙火,若丙戌時,其夫入墓,子時,其夫被傷,雖居富貴,終是寡居,子亦少])

　甲의 夫는 巳午 및 寅宮의 丙을 만나면 辛을 合하여 火에게 용(鎔)을 당한다. 身旺한 食神은 富가 충분한 집이지만 독수공방(獨守空房)하여 춘풍(春風)을 원망한다.(甲일은 辛이 夫가 되는데, 辛은 春夏절에 生하면 失時하고 또 丙火를 보면 吉하다고 論하기 어렵다. 婦人은 夫가 主가 되니 官이 이미 害를 받으면 비록 財와 食神이 旺盛하며 남을지라도 傷夫를 피하지는 못한다. 만약 四柱에 辛이 없고 丙丁을 보는데 運行에서 辛을 본다면 역시 吉하다.) (甲夫巳午及寅宮,遇丙合辛被火鎔,身旺食神家富足,獨眠孤枕怨春風.[甲日以辛爲夫,辛生春夏失時,又遇丙火,難以吉論.蓋婦人以夫爲主,官旣受害,雖財食贏餘,不免傷夫,若柱無辛見丙丁,運行見辛,亦吉])

　丙의 夫가 夏月의 癸이면 장상(藏傷)하는데, 만약 庚辛 西方의 地支를 만나면 상서롭지만, 木火가 透干하면 水를 洩할 수 있으니 夫와 財가 비록 旺盛하여 發할지라도 오래가기는 어렵다.(丙午는 癸로서 夫를 삼는데, 夏月의 癸水는 休囚하고 안으로 감춘 土는 官을 손상하게 된다. 만일 戊己가 透出하지 않고 辛金이 癸水를 도우며 運이 西方으로 흐르면 吉하고, 四柱에 木火가 있으면 癸의 氣를 훔쳐서 洩氣하니 결국 오래가지 않고, 癸를 보지 않으면 食神을 用하여 다시 吉하지만 傷官을 보면 아니다.) (丙夫夏癸月藏傷,若遇庚辛西地祥,木火透干能泄水,夫財雖旺發難長.[丙午以癸爲夫,夏月癸水休囚,內藏土爲傷官,如不透戊己,得辛金佐之,運行西吉,柱有木火,泄竊癸氣,終是不久,不見癸,用食神更吉,傷見則非])

癸水가 寅卯月에 生하여 戊를 合하려면 南方의 地支로 行하는 것이 마땅하고, 단지 干(天干)중에 드러난 甲을 보는 것이 두려우니 가련한 금침(衾枕;잠자리)과 누구를 의지하나? (癸일이 春節에 生하여 戊를 보면 夫가 되고, 南方 및 印의 地支로 흐르면 이롭지도 해롭지도 않다. 만약 甲의 투출과 더불어 癸가 분탈(分奪)하면 상부(傷夫)하고, 戊를 보지 않으며 단지 甲을 보고 行運에서 戊運에 이르면 또한 같다. 만약 원국에 戊가 없으면 食神 傷官을 用하여 火의 地支로 行하여야 모두 吉하다.) (癸水生於寅卯月,合戊經行南地宜,只恐干中明見甲,自憐衾枕與誰依.[癸日生春,遇戊爲夫,行南方及印地,不爲利害.若甲透,及癸分奪,便傷夫,不見戊,但見甲,行至戊運亦如之,若原無戊,用食神傷官,行火地皆吉])

壬癸가 만일 季月중에 生하면 夏節사이에 土旺한 것과 같이 論하고, 寅甲을 상련(相連)하여 보는 것은 좋지 않은데 거듭 犯하면 손상하게 되니 도리어 功이 없다.(壬癸가 辰戌丑未月에 生하고 더불어 夏節중에 잠복하면 夫星이 得時하여 가장 吉한데 다만 太過한 것은 좋지 않다. 만약 寅甲을 아울러 보면 食神이 거듭 犯하여 傷官으로 論하게 되니 하나의 甲 혹은 寅을 보면 吉하다.

예) 명조
戊 癸 癸 庚
午 酉 未 辰
富貴하며 준수하고 우아한 夫에게 시집가서 4명의 子息을 낳아 봉작(封爵)을 받았다. (壬癸如生季月中,夏間土旺亦論同,不宜寅甲連相見,重犯作傷反無功.[壬癸生辰戌丑未月,及夏中伏,夫星得時最吉,但不宜太過.若寅甲並見,食神重犯,作傷官論,單見甲或寅則吉.一命庚辰癸未癸酉戊午,嫁富貴俊雅之夫,生四子,受封])

甲乙이 秋節에 生하면 夫가 정시(正時)인데 만약 官煞이 혼잡(混雜)한 것을 자세히 나누면 서배거유(舒配去留)하여 格을 이루어야 吉하고, 丙丁이 强한지 困한지 또 나누어야한다.(甲乙은 金을 사용하여 夫星으로 삼는데, 庚辛이 秋節에 令을 얻었는데 만약 官煞을 거듭 보면 거(去)류(留)로 분배(分配)하여 혼잡(混雜)하지 않아야 총명(聰明)하며 富貴하고, 丙丁의 무리를 보고 時의 地支가 强하면 金을 손상하여 害가 된다.) (甲乙秋生夫正時,煞官若混細分之,舒配去留成格吉,丙丁引强困又離.[甲乙用金爲夫星,庚辛秋令得時,若官煞重見,分配去留,不相混雜,聰明富貴,見丁丙衆,時引强地,則又傷金爲害])

戊己가 春節에 生하여 정청(正靑)하고, 官煞이 많은 곳은 情이 되어 支干이 合하여야 비로소 吉한데, 水가 모이는데 金이 重하면 또 一評한다.(戊己가 春節에 生하면 둘로 論하는데, 己日은 비

- 833 -

록 官煞이 混雜할지라도 甲으로 合하면 貴하게 된다. 戊日은 마땅히 청(淸)해야 곧 貴한데 모든 煞이 이로워야 用하고, 모두 金水가 많은 것을 두려워하고, 水는 그 土에 스며들며 金은 木을 害함이 많으니 南方 運으로 行하는 것을 꺼리지 않는다.) (戊己春生木正靑,煞官多處便爲情,支干遇合方成吉,會水重金又一評.[戊己春生有二論,己日雖官煞混雜,有甲合爲貴.戊日宜淸乃貴,都利煞爲用,皆怕金水多,水滲其土,金多害木,行南運不忌])

庚辛이 夏월에는 丙丁을 감추고 干頭(天干)에 투출하지 않아야 어질다. 단지 官煞이 번갈아 보는 것을 두려워하고 그런데 不吉하지 아니하면 다툼이 심하다.(庚辛이 巳未월 혹은 寅卯戌월이면 財官이 함께 있어 丙丁이 많이 透出하면 좋지 않고 官煞이 混雜하고 서로 손상하고 두 개의 丙이 하나의 辛을 쟁합(爭合)하면 모두 불길(不吉)하게 된다. 대체로 金이 春夏절에 生하면 이미 [庚 辛은]실기(失氣)하여 유약(柔弱)한데 다시 [丙丁이] 투출하면 太過하기 때문이다.) (庚辛夏月丙丁藏,不透干頭便是良,只怕煞官交互見,非惟不吉也爭强.[庚辛巳未月,或寅卯戌月,俱有財官,不宜丙丁多透,煞官混雜,相傷,二丙一辛爭合俱爲不吉.蓋金生春夏,已失之柔,再透則太過故也])

丙丁은 冬월과 秋절이 같아 홀로 만나 어지럽게 되면 空하고, 煞正官이 淸하면 富貴하게 살고 混雜하면 견디기 어려우며 日에 臨하면 凶하다.(水는 겨울에 旺하며 가을에는 相하여 丙丁이 秋冬절에 生하면 夫星이 得地하여 官煞이 모두 아름다우니 官을 보면 단지 官으로 論하고 煞을 보면 단지 煞로 論할 뿐이고, 혼잡(混雜)하면 좋지 않으니 淸하면 富貴하고 어지러우면 濁하여 음란(淫亂)하다.) (丙丁冬月與秋同,獨遇爲奇亂則空,煞正官淸居富貴,不堪混雜日臨凶.[水多旺秋相,丙丁生秋冬,夫星得地,官煞皆美,見官只論官,見煞只論煞,不宜混雜,淸者富貴,亂者濁淫])

재왕생관격(財旺生官格)은 최상(最上)으로 財官이 서로 만나면 대단히 뛰어나다. 財旺하기 때문에 夫는 영화롭고 子息은 貴하고, 정결(貞潔)하며 현량(賢良)하여 오복(五福)이 좋다.

예) 명조-1
甲 己 癸 丁
子 未 丑 丑
시집가서, 夫가 貴하고, 세 자식이 봉작(封爵)을 받았으나 수명(壽命)은 길지 않았다.

예) 명조-2
甲 己 癸 丁
子 巳 丑 酉
봉작(封爵)을 받고 자식(子息)을 낳았는데, 위와 같다. (財旺生官格最稀,財官相遇十分奇,夫榮子貴因財旺,貞潔賢良五福宜.[一命丁丑癸丑己未甲子,嫁貴夫,三子受封,壽不永,一命丁酉癸丑己巳甲子,受封生子,與上同])

총가에서, 정기관성이 제일 훌륭한 格이며 財官이 양왕(兩旺)하여도 같은 학설(學說)이다. 관성이 合을 띤 동시에 祿에 坐한 女命은 참다운 福이 있다. 관성도화는 어진사람인데 合과 煞을 겸하면 동일하지 않다. 印綬가 天德이면 가장 기묘(奇妙)하고 日이 貴인 財官도 또한 서로 비슷하다. (總歌,正氣官星第一格,財官兩旺亦同說.官星帶合兼坐祿,女命逢之眞有福.官星桃花是良人,帶合兼煞便不同.印綬天德惟最妙,日貴財官亦相肖.)

오직 煞은 양인과 함께 制함이 있어야하고, 상관생재하면 또한 凶하지 않다. 歸祿이 財를 만나는 것에 준(准)하여 단정(斷定)하고, 食神이 生旺하면 더욱 부러워할 만하다. 化煞하는 印綬의 格局은 순수하고, 이덕이 부신(扶身)하면 貴하기가 견줄데 없다. 삼기(三奇)가 合局하면 참으로 조화(造化)로운데 공록(拱祿) 공귀(拱貴)도 겁내지 않는다. (獨煞有制羊刃同,傷官生財亦不凶.歸祿逢財准此斷,食神生旺尤堪羨.煞化印綬格局純,二德扶身貴無倫.三奇合局眞造化,拱祿拱貴也不怕.)

官煞이 혼잡(混雜)한데 制가 없는 이런 종류의 여인은 결혼생활을 견디지 못한다. 상관이 太重한데 官을 보는 것과 탐재괴인(貪財破印)은 모두 매우 좋지 않다. 比肩이 거듭 있으면 쟁투(爭妒)가 많고 財官이 劫을 만나면 결코 부유(富裕)하지 않고, 재다신약(財多身弱) 또한 그와 같고, 羊刃이 刑衝하면 시체가 온전치 못한다. (煞官混雜兼無制,此等女人不堪娶.傷官太重又見官,貪財破印俱不堪,比肩重犯多爭妒,財官遇劫決不富.財多身弱亦如然,羊刃衝刑尸不全.)

금신에 刃이 있으면 흉악(凶惡)하고, 桃花에 合이 있으면 음란(淫亂)하다. 官이 없는데 合을 많이 보거나, 官이 合하거나, 도삽(倒揷)도화는 침실을 어지럽힌다. 身旺한데 의지처가 없으면 夫와 子息을 손상하는데, 이런 종류의 女人은 매우 좋지 않다. 도식(倒食)이 거듭 있으면 반드시 福을 감(減)하는데 다시 과숙(寡宿)이 있으면 과부로 지낸다. 고란 홍염[煞] 음착양차 이런 종류의 神煞은 모두 아름답지 않다. 만약 官印을 合한 貴命이라면 사소한 神煞은 병(病)이 되지 않는다. (金神帶刃凶惡斷,桃花帶合淫亂看.無官見合多,官合,倒揷桃花亂閨閣.身旺無依夫子傷,此等女人大不祥.倒食重犯須減福,更犯寡宿主獨宿.孤鸞紅豔陰陽差,此等神煞俱不佳.若是貴命合官印,小小神煞不爲病.)

또 말하길, 아내를 선택할 때에 모름지기 침착하고 조용해야하는데, 자세한 설명은 부군(夫君)으로 판단한다. 夫星이 강건(强健)하고 日干은 마땅히 유순(柔順)해야 한다. 二德이 正財에 坐하면 富貴는 자연히 온다. 四柱가 休囚하면 이름을 높이며 壽命이 길다. 貴人이 一位는 正이고 두 셋이면 총빙(寵娉=첩)이 된다. 만약 金水가 相逢하면 반드시 아름다운 용모가 된다. (又曰,擇婦須沉靜,細說與君聽.夫星要强健,日干當柔順.二德坐正財,富貴自然來.四柱帶休囚,增名又增壽,貴人一位正,兩三作寵娉.金水若相逢,必招美麗容.)

넷의 貴와 一位의 煞은 권문세가(權門勢家)로 富貴하다는 說이다. 財官이 만약 庫에 暗藏하여 衝開하면 富하지 않음이 없다. 寅辛 巳亥가 완전하면 외롭고 음란(淫亂)하며 복부(腹部)가 뚱뚱하다. 子午 卯酉는 따르는 사람이 떠나간다. 辰戌 丑未는 부도(婦道)에서 반드시 大忌한다. 辰이 있는데 戌을 보는 것을 두려워하고, 戌이 있는데 辰을 보는 것을 두려워한다. 만약 辰 戌이 서로 만나면 음란(淫亂)하고 파가(破家)하는 사람이다. (四貴一位煞,權家富貴說.財官若藏庫,衝開無不富. 寅申巳亥全,孤淫腹便便.子午並卯酉,定是隨人走.辰戌兼丑未,婦道必大忌.有辰怕見戌,有戌怕見辰,辰 戌若相見,多是淫破人.)

煞이 있으면 슴을 두려워하지 않고, 煞이 없으면 오히려 슴을 두려워한다. 만약 合(神)이 많으면 창기(娼妓)는 아니지만 가수(歌手)이다. 양인에 상관이 있으면 하는 일이 복잡다단(複雜多端)하다. 인수(印綬)가 오히려 가득하면 子息을 반드시 손상한다. 天干이 일자(一字)로 이어지면 외로움과 破家 재앙이 끊임없다. 地支가 일자(一字)로 이어지면 두 차례 결혼 한다. 이것들이 婦人의 命에서 비결(秘訣)인데 천금(千金)으로 경시(輕視)해선 안 된다. (有煞不怕合,無煞卻怕合.合神若是多, 非妓亦謳歌.羊刃帶傷官,駁雜事多端.滿盤卻是印,損子必須定.天干一字連,孤破禍綿綿.地支連一字,兩 度成婚事.此是婦命訣,千金莫輕視.)

7. 논소아論小兒-1

대저, 小兒의 命을 볼 때, 종(種)화(花)목(木)의 法과 같다. 배양(培養)이 좋으면 뿌리(根)와 싹(苗)이 무성(茂盛)하며 꽃(花)과 열매(果)가 흥륭(興隆)하다. 배양(培養)이 좋지 않으면 반대인데 어떻게 설명할 것인가? 무릇, 사람에게 種 花 木은 반드시 土가 뿌리를 재배(栽培)함으로써 뿌리가 견실(堅實)하여야 싹이 왕성(旺盛)하다. 반드시 물이 그 體에 흘러들어야 體가 튼튼하며 꽃이 茂盛하다. 태양의 빛(陽火)이 그 꽃을 따뜻하게 비추어 꽃이 견실하면 열매를 이룬다. 가령 금인(金刃)으로 가지를 쳐주어야 가지가 깨끗하며 뿌리가 굳건하다. (夫觀小兒之命,如種花木之法.善培養者,則根苗茂盛,花果興隆.不善培養者,反是.何以言之?凡人種花木,必以土栽培其根,根實則苗盛.必以水澆灌其體,體壯則花茂.賴陽火溫照其花,花實則果成.假金刃修伐其枝,枝清則本固.)

가령 土가 虛하면 뿌리가 얕고, 물(水)이 적으면 싹이 마르고, 태양이 폭발하면 꽃이 그을리고, 바람이 무너뜨리면 열매(과실)가 떨어지니, 모두가 중화(中和)하고 배양(培養)하는 기운(氣運)을 잃었는데 그 꽃과 나무가 어찌 마르지 않는 法이 있겠는가? 사람의 八字에서 年은 根이 되며 月은 苗가 되고 日은 花가 되며 時는 果(열매)가 되니 그 이치가 모두 같다. 따라서 小兒의 命을 추리할 때는, 日干이 有氣하고, 月令이 生扶하고, 年上의 뿌리를 기르고, 印綬의 손상함이 없고, 財官의 制가 있고, 七煞은 化함을 얻고, 상관은 슴을 만나고, 氣運은 中和되고, 刑衝 破害하지 않아야한다. 이러하면 양육(養育)하기 쉬우며 장수(長壽)하는 命이 된다. (設若土虛根淺,水少苗枯,

日爆花焦,風摧果落,是皆失中和培養之氣.其花木安有不枯之理乎?人之八字,以年爲根,月爲苗,日爲花,時爲果,其理皆然.故推小兒之命,要日干有氣,月令生扶,年上栽根,印綬無傷,財官有制,七煞得化,傷官遇合,氣稟中和,不値刑衝破害,此則易養長壽之命.)

가령, 살중신경(煞重身輕), 재다신약(財多身弱), 상관첩우(傷官疊遇), 식신중봉(食神重逢)하거나, 일간이 혹 심히 旺하여 의지할 데가 없거나, 혹 크게 유약(柔弱)한데 印이 적어 氣가 中和를 잃거나, 四柱중에 刑衝 破害가 있는, 이러한 [命이라면] 양육(養育)하기 어렵고 수명(壽命)이 짧아진다. 두 종류는 재배(栽培)하는 法과 같을 뿐이다. (如煞重身輕,財多身弱,傷官疊遇,食神重逢,日干或旺甚無依,或太柔少印,氣失中和,柱中有刑衝破害,此則難養促壽之命.二者類如栽培之法耳.)

또 말하길, 小兒의 命은 마땅히 時辰을 正으로 論하고, 먼저 관살을 살펴보고 다음에 格局을 살펴본다. 日主가 强한데 財官이 旺하고 關이 있으며 煞이 없거나, 日主가 弱하고 財官이 적으면 늘 病치레하지만 養育하기는 쉽다. 日干이 弱하고 財官이 많은데 煞도 있고 關도 있으면 養育하기 어렵다. (又曰,小兒之命,當論時辰爲正,先看關煞,次看格局.日主强,財官旺,有關無煞,日主弱,財官少,常病易養.日干弱,財官多,有煞有關,難養.)

대저, 關이라는 것이 무엇인가? 즉 편관이 關이 되고, 편재가 煞이 되고, 오로지 일간을 主로 하여 生成하는 數를 取하여 단정한다. 關은 비유하면 지금의 관애(關隘)로 험조(險阻)[34]한 땅과 같다. 사람이 관(關)에 이르면 명문(明文)은 아니지만 감히 사사로이 건너지 못하고 어기는 것으로 반드시 재앙을 부른다. 小兒의 命에서 이 關을 犯하면 불리(不利)하게 된다. 四柱중에 日干이 강건(强健)한데 제복(制伏)함이 순수(純粹)하고 印綬가 손상되지 않으면 명문(明文)의 종류와 같아 순(順)하게 통달(通達)하고, 양육(養育)하기 쉬우며 장수(長壽)하는데, 반대가 되면 그렇지 않다. (夫關者何也?即偏官爲關,偏財爲煞.專以日干爲主,取生成之數斷之.關者譬如今之關隘,乃險阻之地.人至關,非明文不敢私渡,違者必致其禍.小兒命犯此關,則爲不利.柱中日干强健,制伏純粹,印綬無傷,如有明文之類,通達順遂,易養長壽.反之則否.)

논소아論小兒-2

또 말하길, 옛날부터 지금까지 다만 三命에 關이 있으며 가장 긴요(緊要)한데 불응(不應)하는 者가 많고, 오성(五星)家에는 種關煞이 있으나 마치 三命에 관(關)의 학설(學說)과 같다. 자평의 관(關)은 단지 煞로 論한다. 가령 갓 태어난 小兒가 甲日이면 庚이 關이 되고, 四柱에 戊土 煞의 무리가 있으면 이것이 關은 重하고 財는 없다는 것이다. 日主가 건왕(健旺)하며 印의 生함을 얻어 [關을] 풀거나 化하면 關이 輕하여 害가 없다. 甲日이 庚을 보면 9歲에 關이며, 丁이 癸를 보면 6歲에 關이 되고, 戊가 甲을 보면 3歲에 關이 되고, 丙이 壬을 보면 1歲에 關이 되고, 壬이 戊를 보면 5歲에 關이 되고, 癸가 己를 보면 半歲(半年)에 關이 된다.[35] (又曰,古往今來,只有三命有關,最緊,不應者多,五星家有種關煞,猶三命關之說也.子平之關,只以煞論.假如初生小兒,甲日者庚

---

34) 험조(險阻);지세(地勢)가 높고 가파르며 험하여 막히고 끊어져 있음
35) 후천 수에서 關의 나이가 된다.

爲關,柱有戊土黨煞,此爲關重無財.日主健旺,得印生解化者,關輕無害.甲日見庚九歲關,丁見癸爲六歲關,戊見甲爲三歲關,丙見壬爲一歲關,壬見戊爲五歲關,癸見己爲半歲關.)

四柱의 원국에 있으면 [關에] 해당하고, 運 및 太歲 流年에서 만나면 아니다. 陽의 天干이 陽의 煞을 보고, 陰의 天干이 陰의 煞을 보고, 陽은 단년(單年) 단수單數)를 꺼리고, 陰은 쌍년(雙年) 쌍수(雙數)를 꺼린다. 예컨대, 1,6은 水의 數에 屬하는데 壬은 陽에 속하여 1數가 되어 丙人이 壬을 보면 일주 반(一週 半)에 關이 되고, 癸는 陰에 속하며 6數가 되는데 丁人이 癸를 보면 6歲에 關이 된다. 특별히 干頭(天干)의 七煞이 關이 될 뿐만 아니라 가운데 숨은 것 역시 긴요(緊要)하다. 나머지 간(天干)은 이것을 모방하여 추리하면 된다. (四柱原有者爲是,運及太歲流年遇者則非.陽干見陽煞,陰干見陰煞,陽忌單年單數,陰忌雙年雙數.如一六屬水之數,壬屬陽爲一數,丙人見之,爲一週半關,癸屬陰爲六數,丁人見之爲六歲關.非特干頭七煞爲關,中隱者亦緊.餘干倣此推之.)

小兒가 關을 犯하면 河圖 洛書의 生數 成數로 단정한다. 그런데 백일관(百日關), 철사관(鐵蛇關), 계비관(雞飛關), 염왕관(閻王關), 심수관(深水關), 귀문관(鬼門關), 사계관(四季關), 사주관(四柱關), 장군전(將軍箭)의 그 학설(學說)은 백중경(百中經)에서 보면 참고할 만하나 그러나 맞지 않는 것이 많으므로 기록하지 않는다. (小兒犯關,以河洛生成數爲斷,若夫百日關,鐵蛇關,雞飛關,閻王關,深水關,鬼門關,四季關,四柱關,將軍箭,其說見百中經可考,然多不驗,故不錄.)

또 말하길, 小兒가 關을 犯할 경우, 가령 甲子 壬子 戊子의 삼순(三旬)에 태어난 사람은 전부 申上에서 일으킨 數를 따르고, 庚子 丙子의 양순(兩旬)에 태어난 사람은 전부 寅上에서 일으킨 數를 따른다. 가령 辛未의 命이라면, 甲子의 旬중에 태어난 사람으로 甲子를 사용하니 申上에 일으킨 數를 따라 順行하는 一位를 一辰하여 卯上에 도달하면 본래 辛未년의 關인 것이다. 그런데 命宮에 어떤 宮이 있는가를 살펴봐야하는데, 만약 이것이 형제(兄弟) 노복(奴僕) 천이(遷移) 상모(相貌)의 四宮이면 關을 犯한 것이 되고, 나머지 宮은 아니다. 三宮에 있으면 不過 3歲이며, 六十二宮은 순서대로 말하고, 오직 第九宮만은 30歲를 넘기지 못하고 죽는다. 만약 行年 太歲와 大運 小運이 아울러 衝하면 결코 피할 수 없으니 大關이라고 말한다. (又曰,小兒犯關,如甲子壬子戊子三旬生人,俱從申上數起,庚子,丙子,兩旬生人,俱從寅上數起.假如辛未命,是甲子旬中生人,用甲子從申上數起順行,一位一辰,至卯上本年辛未,此是關也.卻看命宮在何宮,若是兄弟,奴僕,遷移,相貌四宮,爲犯關,餘宮非.在三宮,不過三歲,六十二宮,依次言之,惟第九宮,不出三十歲死.若行年太歲,大小運衝併,決不能免,謂之大關.)

또 가령, 辰戌年 生이면 關이 辰子에 있고, 亥酉년은 亥午, 丑未年은 卯, 寅巳年은 未, 卯년은 子인데, 命宮에 어떤 宮이 있는가를 살펴보고, 만약 煞이 3, 6, 9, 12宮에 있으면 死關인 것이다. 6, 9는 불과(不過) 300日이고, 3, 5는 주기가 같고, 12宮에 다시 惡煞이 함께 오면 凶으로 定하고 小關이라고 말한다. (又如辰戌年生,關在辰子,亥酉年亥午,丑未年卯,寅年巳年未,卯年子,看命宮在何宮,若煞在三,六,九,十二宮,是死關也.六九不過三百日,三,五週同,十二宮,更兼惡煞來臨,定凶,謂

之小關.)

또 一例로 子卯, 丑未, 寅巳, 卯子, 辰辰, 巳申, 午午, 未丑, 申寅, 酉酉, 戌未, 亥亥는 三刑인데, 가령 子生인은 卯상에서 煞을 일으키고, 그 煞이 3, 6, 9, 12宮에 있으면 요절(夭折)한다. (又一 例子卯, 丑未, 寅巳, 卯子, 辰辰, 巳申, 午午, 未丑, 申寅, 酉酉, 戌未, 亥亥, 卽三刑也, 假令, 子生人, 卯上起煞, 其煞在三六九十二宮, 主夭.)

또 春節에 丑巳, 夏節에 辰申, 秋節에 未亥, 冬節에 戌寅은 고진(孤辰) 과숙(寡宿)이고, 또 正月 7月에 巳亥, 2月 8月에 辰戌, 3月 9月에 卯酉, 4月 10月에 寅申, 5月 11月에 丑未, 6月 12月에 子午인데, 正月의 巳와 7月의 亥는 六衝인데 이를 時에서 犯하면 양육(養育)하기 어렵다. (又春 丑巳, 夏辰申, 秋未亥, 冬戌寅, 卽孤辰寡宿, 又正七月巳亥, 二八月辰戌, 三九月卯酉, 四十月寅申, 五十一月 丑未, 六十二月子午, 正月巳, 七月亥, 卽六衝, 犯此時者, 主難養.)

논소아論小兒-3

또 生時의 納音이 年을 剋하는 것은 불가(不可)하다. 가령 生年의 納音이 金이면 午時를 꺼리고, 火에 屬하면 이름을 귀관(鬼關)이라 하며 犯하면 대부분 불과(不過) 서른 살이 지나지 않아 요절(夭折)한다. 金木은 巳 酉時를 犯하는 것이 불가(不可)하고, 火는 辰申時를 犯하는 것이 불가(不可)하고, 水土는 午戌時를 犯하는 것이 불가(不可)한데 이름을 삼관살(三關煞)이라 하여 요절(夭折)한다. 만약 生月에서 旺氣를 타거나 혹 鬼가 自絶하여 元氣를 손상하지 않으면 중수(中壽;80살)정도이다. 만약 四柱에 父母가 있으면 四柱에서 1~2位가 비록 關을 犯할지라도 죽지는 않는다. (又生時納音, 不可剋年. 如生年納音屬金, 忌午時, 屬火, 名曰鬼關, 犯者多不過三十夭. 金木不可 犯巳酉時, 火不可犯辰申時, 水土不可犯午戌時, 名曰三關煞, 主夭. 若生月乘旺氣, 或鬼自絶, 無傷元氣, 亦 主中壽. 若四柱帶父母, 四柱一位二位, 雖犯關不死.)

또 戌상을 따르면 正月에서 일으키고, 逆行하면 본래 生月에서 멈추고, 오히려 日상을 向하면 子에서 일으키고, 順行하면 본래 生時에서 멈추고, 辰戌 丑未상에서 關煞을 만난다. 또 寅申巳亥 月이 子午卯酉時를 보거나, 子午卯酉月이 辰戌丑未時를 보거나, 辰戌丑未月이 寅甲巳亥時를 보고 犯하면 반드시 응(應)한다. 이상의 모든 학설 또한 충분히 증험(證驗)한 것은 아니다. (又有從 戌上起正月, 逆行至本生月住, 卻向日上起子, 順行至本生時住, 遇辰戌丑未上是關煞. 又寅申巳亥月, 見子 午卯酉時, 子午卯酉月, 見辰戌丑未時, 辰戌丑未月, 見寅申巳亥時, 犯之必應. 以上諸說, 亦不盡驗.)

또 小兒 運의 例는 양남음녀는 寅은 卯에 이르는데, 寅상에서 1歲, 卯상에서 2歲, 辰상에서 3 歲이고, 음남양녀는 申은 未에 이르는데, 申상에서 1歲가 일어나고, 未상에서 2세 午상에서 3歲 로 一年에 一位씩 進行한다. 무릇 辰巳戌亥年이 되면 재앙(災殃)이 있게 되고, 이름을 해아(孩兒)

運이라 부른다. (又有小兒運例,陽男陰女,寅至卯,寅上一歲,卯上二歲,辰上三歲,陰男陽女,申至未,申上起一歲,未上二歲午上三歲,一年行一位.凡接辰巳戌亥年,定有災殃,號名孩兒運.)

또 하나의 法은, 일명(一命) 이재(二財) 삼질액(三疾厄) 사처(四妻) 오복(五福)이 順行으로 흘러 數가 本年의 15歲에 이르러 만약 凶殺을 만나면 가히 근심하게 된다. 이것이 星盤중에 小兒法을 살펴보는 것이다. 옛날에 남녀의 生時에서 日로 占치는 陰陽貴賤法이 있다. 가령 金命이 天陰生이면 官貴相이고 혼암(昏暗)하면 빈천(貧賤)하고, 대소풍기(大小風起)를 불문(不問)하고 장수(長壽)하지 못하는데, 雪雨가 있으면 심성이 착하고 효순(孝順)하다. (又一法,一命二財三疾厄,四妻五福順行流,數到本年十五歲,若遇凶煞定可憂.此星盤中看小兒法也.古有占男女生時之日,陰陽貴賤法.如金命天陰生,主官貴相.昏暗貧賤.不問大小風起,不長壽,有雪雨,主心善孝順.)

木命이 天陰生이면 大富하고, 청랑(晴朗)은 官이 있고 長壽하고, 천혼(天昏)은 의식(衣食)이 작고 단명(短命)한다. 雪雨가 있으면 身이 貴하고 孝順하다. (木命天陰生,大富.晴朗有官長壽.天昏衣食平微短命.有雪雨,身貴孝順.)

水命이 天陰生이면 심성이 악하며 별안간 의식(衣食)이 찾아오고, 명랑(明朗)은 大貴하고, 혼암(昏暗)은 短命하고, 貧賤한데 風起가 있으면 오랜 후에 貴人을 제휴(提携)한다. (水命天陰生,心惡,儻來衣食.明朗大貴,昏暗短命,貧賤,有風起,久後貴人提攜.)

火命이 天陰生이면 大富하고, 청랑(晴朗)이 비록 富할지라도 요수(夭壽)하고, 혼암(昏暗)은 官分이 있고, 대소풍기(大小風起)를 不問하고 衣食이 있고, 大雪은 短命하고, 微雪雨는 5~10歲 左右로 病이 있다. (火命,天陰生,大富,晴朗雖富,壽夭,昏暗有官分.不問大小風起,有衣食,大雪短命.微雪雨,年至五十左右有病.)

土命이 天陰[生]이면 不過 15歲를 지나지 않아 죽는다. 미우(微雨)는 불과(不過) 30세(歲)를 지나지 않아 대부(大富)한다. 혼암(昏暗)은 富貴하고, 官分이 있으면 壽命은 오히려 夭折하고, 大風은 오역(忤逆) 단명(短命)하고, 우설(雨雪)은 재물이 밖에 있고, 청랑(晴朗)은 富貴가 영원(令媛)하다. (土命,天陰,不過十五歲死.微雨,不過三十大富.昏暗富貴,有官分,壽卻夭,大風,忤逆短命.雨雪有外財,晴朗富貴久遠.)

논소아論小兒-4

또 말하길, 무릇 小兒의 日時에 甲乙을 지니고 있으면, 인당(印堂;양쪽 눈썹 사이)이 넓고 목 장신(目 藏神;눈이 움푹하게 들어감)으로, 인중(人中;코의 밑과 윗입술 사이의 우묵한 곳)이 길고, 눈썹이 길며 수려하다. 丙丁을 지니고 있으면 눈은 크고 수염이 길며 이마는 좁으며 소년시절에 부스럼病에 많이 걸린다. 戊己를 지니고 있으면, 머리는 크고 이마가 넓다. 庚字를 지니고 있으면, 얼굴은 각이 지고 이마가 넓다. 辛字를 지니고 있으면 봉황의 눈이며, 귀 모양의 형세가 입을 기준으로 에워싸인 듯한 모습이며 귀볼이 있다. 壬癸를 지니고 있으면, 눈이 크며 술 마시는 것을 좋아하고 담(膽)이 크다. 辰巳가 많거나 申酉를 많이 犯하면 左右의 눈귀와 口[보충;몇 字가 빠진 것 같다.] 寅丑 혹은 亥戌이 많이 犯하면 한쪽다리는 크고 한쪽다리는 작다. 서너 개의 卯字나 辰字를 犯하면 왼손을 사용한다. (又曰,凡小兒日時帶甲乙者,主印堂寬,目藏神,人中長,眉疎秀. 帶丙丁者,主眼大鬚長額窄,少年多患瘡.帶戊己者,主頭大額廣,帶庚字者,主面方額闊.帶辛字者,主鳳眼, 耳朝口,有垂珠.帶壬癸者,主眼大,好吃酒,膽大.犯辰巳多申酉多者,主左右眼耳口,犯寅丑或亥戌多者,主 一隻脚大,一隻脚小,犯三四卯字辰字者,主使左手.)

 심지가 이르길, 小兒가 丙丁을 많이 犯하면, 정수리가 크며 더군다나 衝破하여 剋을 받아 머리가 큰 난장이로 요절(夭折)한다. 時에 居하는 卯酉는 日月의 門戶인데, 눈이 동그랗게 크고 혹 사팔뜨기로 사악하고 또 평생을 이동하기를 좋아하고 혹 길거리에서 양친과 헤어져 길을 잃어버림이 많은데, 만약 煞刑剋이 있으면 눈이 크나 온전하기 어렵다. 生時가 辰戌丑未이고 또 四柱에 墓가 많으면 밖에서 낳아서 데리고 온 자식이고, 午未가 많으면 이름이 집요살(執拗煞)로서 성질이 집요(執拗)하다. (沈芝云,小兒犯丙丁字多者,主重頂,更加衝破受剋,主腦大侏儒,壽夭.時居卯酉,日月門戶,主眼圓大,或邪眇,又平生好徙移,或多道路親離,若帶煞刑剋,眼大難全.生時是辰戌丑未.又四柱中多墓,主過房.帶午未多者,名執拗煞,主爲性執拗.)

 戌이 많아도 역시 그렇고, 子亥가 많으면 산증(疝症)에 치우치고 이것이 子時면 應하지 않음이 없고 壬子 丙子는 더욱 긴요(緊要)하다. 생시(生時)와 胎가 함께 辰상에 있어도 역시 그렇다. 火가 많으면 소년시절에 농혈(膿血)의 재앙이다. 丁午가 많으며 未가 있으면 머리에 부스럼이나 큰 재해가 있고 혹 흉터자국 혹 독성이 있는 종기이고 大人은 머리에 악성종기이다. (戌多者亦然,帶子亥多,主疝氣偏墜,是子時者,無不應.壬子,丙子尤緊.生時與胎,同在辰上者亦然.帶火多,主少年膿血之災.帶丁午多,有未字者,主頭大害瘡癤,或疤痕,或禿瘡,大人腦疽.)

 사맹(四孟)月상에서 金火의 相剋이 있으면 부스럼과 경기(驚風;놀라는 病)가 많고, 金水火가 서로 制剋하면 피부가 벗겨지는 부스럼이 있고, 金水가 많으면 말이 늦고, 木을 보면 말이 빠르고, 一位의 五行이 3~4位를 生하면 어려서 젖을 잃는다. 戊寅 戊申 癸巳가 日時에 있으면 主와 父母는 서로 보호하며 지켜주지 않고, 四孟 혹은 四季가 많이 있으면 배반한 생부(生父)를 모함이나 剋하지 않고, 사맹(四孟)은 母가 먼저 죽고, 辰戌 丑未는 父母를 剋한다. (四孟月上帶金火相剋,多瘡癤驚疾.金水火相剋制,主剝皮瘡災.金水多,主晚語,見木,主早言.五行一位,生三四位,幼失乳.犯戊寅戊申癸巳日時,主與父母不相保守,帶四孟或四季多者,背父生,方不剋陷,四孟母先亡,辰戌丑未,剋父母.)

논소아論小兒-5

척벽에서 이르길, 辰戌은 父를 剋하고, 丑未는 母를 剋하고, 巳午가 많으면 18~19歲前에 父母를 剋하는데 巳午時는 더욱 긴요(緊要)하다. 胎年이 同位 및 胎가 元命을 生하면 먼저 母를 剋한다. 五行이 완전하면 어릴 때부터 편안하며 청순하고 영리하여 일찍부터 골격이 크고 영기가 있다. (尺壁云,辰戌剋父,丑未剋母,犯巳午多者,主十八九前剋父母,巳午時尤緊,胎年同位,及胎生元命者,主先剋母.五行全者,主少便淸俊伶俐,是凤有靈骨.)

五行은 生月에서 時상까지 차례로 구(求)하는데, 生旺하며 刑衝이 적으면 吉하고 장수(長壽)하며 인재가 된다. 이와 반대면 요절(夭折)하는데 설령 많은 福神의 구원이 있을지라도 마땅히 少年시절에 열중의 아홉은 죽고, 成人이 되어도 상수(上壽)는 아니다. 대체로 五行이 生旺함을 받으면 氣가 견실(堅實)한데 氣가 堅實하면 장수(長壽)하고, 五行이 死絶하면 氣가 박(薄)한데 氣가 薄하면 단명(短命)요절(夭折) 한다. (五行自生月至時上,以次求,生旺少刑衝者吉,主長壽,成器人也.反是則夭,縱使福神多有救,少年當十生九死,及至成人,亦非上壽.蓋稟五行生旺,則氣實,氣實則壽長,五行死絶,則氣薄,氣薄則短夭.)

무릇, 月日時의 간지(幹枝)가 착란(錯亂;뒤섞여서 어수선함)하며 태세(太歲)에서 거듭 보면 중원성(中元星)이라하여 양자로 입양된다고 한다. 초생(初生;갓 태어남)하여 혹 식신중첩(食神重疊)하거나 혹 偏印이 太旺하면 모두가 젖이 없다. 四柱에 財가 많으면 서출(庶出)이거나, 혹 양자이거나, 혹 父母를 훼방하며 剋하는데, 만약 幼年 運이 財旺한 곳으로 흘러도 역시 이와 같다. (凡月日時枝幹錯亂,而重見太歲,曰重元星,主過房寄生,蟏蛉之子.初生或食神重疊,或偏印太旺,皆主無乳.四柱財多,主偏生庶出,或過房蟏蛉,或妨剋父母,若幼年運行財旺之鄕,亦如此類.)

生旺한 氣를 띠면 적모(嫡母) 소생(所生)이고, 胎元이 命에서 有氣하고 다시 年과 時支에서 胎元을 刑剋 衝破하면 母가 부정(不正)하다. 四水를 띠면 배안에서 태어나고, 三金은 여관에서 태어나거나, 혹 북소리를 듣고 곡성(哭聲)으로 바뀌거나, 혹 효자(孝子)가 있고, 백의(白衣)의 부인(婦人)이 바라본다. 三木을 보면 떠드는 소리에 두려워하며 놀라고, 혹 정당(正堂)에 있지 않거나, 혹 산림(山林) 별장(別莊)이 정원에 가까이 있다. 三土를 보면 무덤 근처나 방죽의 흙이 쌓인 곳에서 태어나거나, 혹 토목공사(土木工事)의 작동(作動)하고 있다. 三火를 보면 이웃집에 상(喪)이나 불행한 일이 있거나, 혹 집안에 근심 두려움 이별의 일이 있을 때이다. (帶生旺氣者,是嫡母所生,胎元,命有氣,更年與時支,刑剋衝破胎元者,母不正.帶四水,生船中,三金生逆旅,或聞鐘鼓金革哭聲,或有孝子,著白衣婦人相看.見三木,聞喧呼驚恐.或不在正堂,或近山林村莊庭舍.見三土,生時近塚,堤堰積土處,或有土工動作之事,三火,鄰家有喪禍事,或家中有憂恐離別事.)

만약 胎元은 生年에 驛馬가 坐하면 임신한중에 빈번하게 뛰거나 움직임이 있고, 生時[驛馬가 있으면]는 탯줄을 머리에 두르고 있다. 時에 劫煞이 있으면 항(項)에 쌍선(雙旋)이 있거나, 혹 정선(頂旋)일지라도 亡身을 띠면 母가 놀라는 두려움이 있고, 혹 집안에 송사(訟事) 및 난산(難産)이 있다. 月煞을 띠면 父를 배반하며 자라고, 편정(偏頂)이 정인(正印)을 띠면 놀라서 우는 것이 적고, 강보(襁褓=포대기)를 함으로써 놀라는 두려움이 없어 양육하기 쉽다. (若胎元坐生年驛馬,主在胎中頻頻動躍,生時有臍帶纏頭.時帶劫煞,主項有雙旋,或縱頂旋帶亡神,主母有驚恐,或家中有訟,及難産.帶月煞,主背父而生,及偏頂帶正印者,少驚哭,自襁褓無驚恐,易養.)

오중(五重)으로 羊刃을 犯하면 이름을 만반인(滿盤刃)이라 하며 대부분 양육하여도 소용없고, 다시 時에 刑害가 있으면 죽음을 각오한다. 女兒는 발육이 더뎌서 결국 산액(産厄)을 피하지 못하고 죽는다. 生時에 관부(官符)를 보면 父가 公的인 송사(訟事)가 있고, 母는 놀라는 두려움이 있다. 함지(咸池)가 거듭 합하면 친부모에게 양육되지 못하거나, 혹 적모(嫡母)의 소생(所生)이 아니다. 중첩(重疊)하여 空亡을 보면 놀라서 넘어져 실추(失墜)하며 父母를 剋한다. 生時에 空亡이 있으며 死絶하면 7歲전에는 병치레가 많고, 7歲후에는 갑자기 살찐다. (犯五重羊刃,名曰滿盤刃.多養不成,更時帶刑害者決死.女兒差慢,終不免産厄而死.生時見官符,父有公訟,母有驚恐.咸池重合,不得親父母養育,或非嫡母所生.重疊見空亡,主驚顚失墜,剋父母.生時犯空亡,及自死絶者,七歲前羸疾,七歲後,陡肥.)

胎가 공망을 犯하면 왼쪽 눈이 작고, 앞에 상문(喪門) 뒤에 조객(弔客)을 보면 이름을 상조직장(喪弔直帳)이라 하여 끓는 물과 불의 재앙이 많다. 상문 조객을 보면 갓 태어난 때에는 백몽요초(白懜尿草)의 성질이 있고, 生時에서 상문(喪門)을 보면 모씨(母氏)가 난산(難産)하며 출산하면 母가 질병(疾病)이 많다. (胎犯空亡,主左眼圓小,見前喪後弔,名曰喪弔直帳,多湯火災.見喪門弔客,初生時有白懜尿草之性,生時見喪門,母氏難産,及生則母多疾病.)

논소아論小兒-6

무릇, 세속(世俗)에서 小兒의 옳고 그름을 추리하는데, 命에서 고진(孤辰) 과숙(寡宿)을 보면 격방(隔房)과 이택(異宅)이 많아서 세력(勢力)이 나아가지 못하며 氣는 구르지 못하여 어릴 때 父母를 떠난다. 가령 戊辰(대림木)木이 庚辰(백랍金)金을 얻으면 木은 金에게 剋이 되어 그 세력이 나아가지 못한다. 만일 庚辰[백랍金]金이 己巳(대림木)火를 보면 金의 氣運이 12支에 회전(回轉)하여 火가 절(截)이 되기 때문에 氣가 구르지 않는 것이다. 나머지는 이와 같이 추리하면 된다. (凡俗推小兒正否,命見孤辰寡宿,多隔房異宅,勢不行,氣不轉,幼離父母.如戊辰木,得庚辰金,木爲金剋,其勢不行.如庚辰金,見己巳火,金氣轉於十二支,則有火截,所以氣不轉.餘依此推.)

胎중에 염정(廉貞)[36]을 가지고 있어 양위(兩位)가 一位를 衝하면 陰陽이 부정(不正)하여 서자(庶子)가 되고, 혹 六害와 相刑이 煞을 지니면 양자이고, 胎月과 生時에 크고 작은 墓 空 刑 絶이 같은 곳이면 쌍생(雙生)이 아니고 母가 다르니 않으니 반드시 조카를 맡아 돌본다. 日時에 구교(勾絞)가 있어 身을 剋하면 대부분 경조(驚弔)하고, 生時에서 만약 祿을 만나면 少年시절에 젖이

---

36) 廉貞(염정):北斗七星 또는 九星중의 다섯째 별. 文曲星의 아래, 武曲星의 위에 있음

거칠며, 입에 각(角)이 있고 혹, 어릴 때 술을 좋아한다. (胎中帶廉貞,兩位衝一位,陰陽不正,爲庶子,或六害相刑帶煞,主過房,胎月生時,大小墓空刑絶同處.不是雙生異母,必是寄姪抱歸.日時犯勾絞剋身,多主驚弔,生時若逢祿,少年乳粗,口有角,或少時就好酒.)

古詩에 이르길, 時가 年에서 害를 만나며 華蓋에 臨하고 四季인 胎가 空亡으로 六害를 더하는데, 만약 타인의 집에서 기르지 않으면 서출(庶出)로 친척에 의지하는 무리가 많다. 가령, 戊寅 戊午가 戊戌時를 얻으면 生時와 年의 天干이 함께 華蓋가 되는 例이다. (古詩曰,時逢年害臨華蓋,四季胎空加六害,若非寄養外人家,庶出倚親多此輩.如戊寅戊午,得戊戌時,生時與年干,同爲華蓋之例.)

또 말하길, 時가 공망에 들면 子息의 성질이 고집스러우며 天元이 剋을 당하면 강경(强勁)함이 많고, 혹 辰 戌등의 宮中에 더해지면 서출(庶出)이 아니면 두개의 성(姓)이 된다. 가령 辰 戌 丑 未의 四時이며 공망중에 태어나면 대부분 서출(庶出)이고, 또 성품이 집요(執拗)하고 정시(定時)에 생산(生産)한다. (又曰,時入空亡子拗性,天元受剋多强勁,或加辰戌等宮中,庶出不然身兩性.如辰戌丑未四時,生空亡中,多是庶出,又性執拗,生産定時.)

歌에서 이르길, 子午卯酉 얼굴이 하늘을 향하고, 寅申巳亥는 몸과 눈이 기울고, 辰戌丑未는 뒤집어 정해지니, 이것은 사람들 사이에서 '時仙'이라 한다. (歌云,子午卯酉面向天,寅申巳亥側身眼,辰戌丑未定是覆.此是人間定時仙.)

혹 묻기를, 우연히 함께 태어난 같은 어머니의 소생(所生)인데, 어찌 귀천(貴賤) 영고(榮枯)가 다른 것인가? 答하여 말하길, 무릇 1時(시진)는 8刻 12分이 있으므로 천심(淺深)이 있으니 전후(前後)의 吉凶이 같지 않다. 같은 시간에 같은 어머니의 所生이라도 모름지기 천심(淺深)으로 나누며 日時의 陰陽에 미친다. 가령 陽日의 時는 兄이 낫고, 陰日의 時는 동생이 낫다. 얕으면 선시지기(先時之氣=먼저 氣運)가 차지하고, 깊으면 후시지기(後時之氣=다음 氣運)가 차지한다. (或問偶然同産,一母所生,何以別貴賤榮枯?答曰,凡一時有八刻十二分,故有淺深,前後吉凶不同.其有同時一母所生,須分淺深,及日時之陰陽.如陽日時兄勝.陰日時弟勝.淺則占先時之氣,深則占後時之氣.)

고가에서 이르길, 쌍생(雙生)의 法은 기문(奇門)에 있고, 영고(榮枯)를 증험(證驗)하려면 일진(日辰)을 본다. 陰日은 동생이 强하며 兄은 반드시 弱하고, 陽時는 兄이 貴하며 동생은 반드시 가난하다. 이구만이 이르길, 무릇 小兒가 四生[4生地]을 가지고 있으면 쌍생(雙生)이 많다. 신백경이 이르길, 陽命은 나중에 태어난 者가 죽고, 陰命은 먼저 태어난 者가 죽는데, 男女로 論한 것은 아니다. (古歌云,雙生之法有奇門,欲驗榮枯視日辰.陰日弟强兄必弱,陽時兄貴弟必貧.李九萬云,凡小兒帶四生,多主雙生.神白經云,陽命後生者死,陰命先生者死,不以男女論.)

또 일설(一說)에서는, 하나의 時[같은 時]는 方向으로 나눈다. 가령 木命이 東方을 向하면 生하는 氣運를 받으며 西方을 向하면 剋하는 氣運를 받으니, 귀천(貴賤) 수요(壽夭)가 다른 것이다.

나는 삼하왕씨(三河王氏)에게 듣기를, 쌍둥이 형제는 제(弟)가 먼저 적중하고 형(兄)이 나중에 적중하는데, 공명(功名)과 수요(壽夭)가 대체적으로 서로 비슷하지만 형이 의외로 동생보다 못하다. 영주(潁州) 이씨(李氏)의 쌍둥이 형제인데, 一時(한 시진)의 차이로 인해 동생은 급제하였으나 형은 수재(秀才)에 그쳤다. 그 팔자(八字)에서 日時를 헤아려보니 결과가 앞에서 설명한 것과 같았다.   (又一說,一時分方向,如木命向東方者受生氣,向西方者受剋氣,貴賤壽夭,以是別之.余聞三河王氏,兄弟雙生,弟先中,兄後中,功名壽夭,大率相似,而兄竟不如弟.潁州李氏兄弟雙生,因差一時,故弟登甲科,兄止秀才.考其八字日時,果如前說.)

8. 논육친論六親-1

혹 묻기를, 陰陽이 어떻게 배합(配合)하여서 부부(夫婦)가 되며 육친(六親)을 이루는 것인가? 答을 말하길, 가령 甲은 乙로써 妹(누이동생)을 삼아 庚(金)과 짝하여 妻가 된다. 丙은 丁으로 妹(누이동생)을 삼아 壬(水)와 짝하여 妻가 된다. 戊는 己로써 甲을 짝한다. 庚은 辛으로써 丙을 짝한다. 壬은 癸로써 戊를 짝한다. 일음일양(一陰一陽)이 짝하여 부부(夫婦)를 이루는데, 夫婦가 있은 연후에 부자(父子)가 있으며, 父子가 있은 연후에 兄弟가 있는 것이다. (或問陰陽何所配合,爲夫婦而成六親?答云,如甲以乙爲妹,配以庚金爲妻.丙以丁爲妹,配與壬水爲妻.戊以己配甲.庚以辛配丙,壬以癸配戊.一陰一陽,配成夫婦,有夫婦,然後有父子,有父子,然後有兄弟.)

六親은 父母 兄弟 처자(妻子)이다. 六甲이 己에게 장가드니 妻가 되고 甲己가 합하여 庚 辛을 生하니 子息이 된다. 남자는 [나를] 剋干을 取하여 사(嗣;자식을)를 삼으며 여자는 [내가] 生하는 干을 取하여 식(息;자식)을 삼는다. 그래서 己는 庚辛의 母이며 庚辛은 己의 子息인 것이다. 庚은 乙木에게 장가들어 妻가 되는데 乙庚이 합하여 丙丁을 生하니 乙庚은 丙丁의 父母이다. 庚은 父가 되며 乙은 母가 되므로 陰干은 나를 生하는 것이 母이고, 내가 剋하는 陽干이 父가 되고, 나를 剋하는 것이 官이며 子가 되고, 내가 剋하는 것은 財가 되며 妻가 되고, 비화(比和)는 형제(兄弟) 자매(姊妹)가 되고, 나의 妻를 生하는 陰干은 장모(丈母)가 되고, 妻가 剋하는 陽干이 장인(丈人)이 되고, 나의 딸을 剋하는 것은 사위가 되고, 食神은 손자(孫子)가 된다. 그 나머지 육친(六親)은 전부 十干의 變化로 취용(取用)하면 된다. (六親者,父母兄弟妻子也.六甲娶己爲妻,甲己合而生庚辛爲子.男取剋干爲嗣,女取干生爲息,則己者庚辛之母,庚辛者己之子也.庚娶乙木爲妻,乙庚合而生丙丁,則乙庚者,丙丁之父母.庚爲父,乙爲母,故謂陰干生我者爲母,我剋陽干者爲父,剋我者爲官爲子,我剋者爲財爲妻,比和者爲兄弟姊妹,生我妻陰干爲丈母,妻剋陽干爲丈人,剋我女者爲女婿,食神爲孫.其餘六親,俱於十干變化取用.)

또 六甲생인은 癸水로써 母를 삼으며 癸는 정인(正印)이 된다. 己土를 보면 正財이며 戊土는 父가 되고[戊는 癸와 합한다.], 戊는 편재인데 만일 비겁을 만나면 父가 손상한다. 六乙생인도 역시 癸로써 母를 삼으며 癸는 편인이고, 戊가 父가 되며 戊는 正財이다. 甲乙은 모두 庚辛이 자식이 되며, 庚金은 남자가 되고 甲에게는 七煞이이 되며 乙에게는 정관이 된다. 辛金은 딸이 되며 乙에게는 七煞이 되고 甲에게는 정관이 된다. (且如六甲生人,以癸水爲母,癸爲正印,如遇己土正財.戊土爲父[戊合癸也],戊是偏財,如遇比劫,則父有傷.六乙生人,亦以癸爲母,癸是偏印.以戊爲父,戊是正財.甲乙俱以庚辛爲子,庚金爲男,在甲則爲七煞,在乙則爲正官也.辛金爲女,在乙則爲七煞,在甲則爲正官也.)

己土는 妻가 되며 戊土는 妾이 되고 乙木은 己土를 剋한다고 하였다. 비록 陰이 陰을 보면 配合을 이루지 못하지만 그런데 陰木이 剋하여 陽土를 얻지 못하고, 또 婦人은 陰으로써 正이 된다. 따라서 말하기를, 甲乙 모두는 己가 妻가 되며 戊는 妾이 된다. 만일 女人이면 甲은 庚이 七煞이며 乙은 庚이 正官으로 모두 夫星이다. 庚이 陽男으로 正夫가 되며 陽에 속하고, 辛陰으로써 夫를 삼는 것은 不可한 것이다. 단지 陽이 陽을 보면 無情함이 많고, 陰이 陽을 보면 화명(和鳴)[37]하다. (己土爲妻,戊土爲妾,謂乙木剋己土也.雖云,陰見陰不成配合,然陰木剋不得陽土,且婦人以陰爲正也.故云甲乙俱以己爲妻,戊爲妾.如女人則甲遇庚七煞,乙遇庚正官,皆夫星也.謂庚是陽男爲正夫,屬陽,不可以辛陰爲夫也,但陽見陽,多無情,陰見陽,則夫婦和鳴.)

논육친론六親-2

혹 말하길, 정재를 取하여 妻로 삼으며 편재를 取하여 妾으로 삼는다. 女子의 命에서 甲이면 辛이 正夫가 되는데 陰陽의 올바른 合을 取한 것이다. 甲乙생인은 모두 甲은 형과 (손위)누이이고, 乙은 동생과 누이동생이 되고, 丁은 할머니가 되는데 나의 父를 生하는 것은 조모(祖母)가 되고, 丁이 戊를 生하는 것이다. (或云,取正財爲妻,偏財爲妾.女甲,則辛爲正夫,取陰陽之正合也.甲乙生人,俱以甲爲兄姊,乙爲弟妹,以丁爲婆,生我父者爲祖母,丁生戊也.)

壬水는 공(公=장인)이 되며 壬과 丁이 합한다. 또 丁火는 장모가 되는데 나의 妻를 生하기에 나의 外母가 되고, 丁이 己를 生하여 甲과 짝하니 正妻가 되는 것이다. 壬은 장인(丈人)이 되며 壬과 丁은 합한다. 妻의 兄弟는 妻男이고, 己土가 妻가 되니 戊土는 妻兄이나 妻男이 된다. 癸水는 妻男의 妻이니 금(姊;처남의 아내)이 된다. 그 나머지 八干은 모두 이와 같이 추리하라. (壬水爲公,壬與丁合也.又以丁火爲丈母,生我妻者爲我外母,丁生己,配與甲作正妻也.壬爲丈人,壬與丁合也.妻之兄弟爲妻舅.己土爲妻,戊土則爲妻兄,妻舅.癸水則是舅之妻,爲姊也.其餘八干,俱以類推.)

女人의 取用은 남자와 같지 않다. 내가 生하는 것은 子息이며 나를 剋하는 것은 夫이고, 나의 夫를 生하는 것은 시어머니이고, 나의 시어머니를 剋하는 것은 시아버지가 된다. 그 나머지 父母兄弟는 모두 남자와 동일하게 단정한다. 그러나 반드시 陰陽은 구분하여야 한다. 가령 甲乙의 干이면 丙은 남자이고 丁은 여자가 되고, 庚은 夫가 되고, 辛은 夫의 형제가 되고, 己는 시어머니

---

37) 화명(和鳴);새가 소리를 合하여 욺, 여러 가지 악기가 조화되어 울림

가 되고, 甲은 시아버지가 되는 것이다. 或 말하길, 食神은 자식(아들)이며 상관은 딸이라 하는데, 陰陽에서 각각 生하는 것을 取한 것이다. (女人取用,與男不同,我生者爲子,剋我者爲夫,生我夫者爲姑,剋我姑者爲公.其餘父母兄弟,皆與男同斷.但須辨其陰陽耳.如甲乙干,則以丙爲男,丁爲女,庚爲夫,辛爲夫之兄弟,己爲姑,甲爲公也.或曰食神爲子,傷官爲女,取陰陽之各生也.)

經에서 이르길, 年은 조업(祖業)[38]이 되며, 月은 父母 兄弟의 문호(門戶)가 되고, 日은 妻妾과 自身이 되며, 時는 子息이 된다. 모름지기 四柱중에서 父母 형제 妻子의 星이 어떤 地支에 居하는가를 살펴야하고, 旺相休囚를 論하고 그 吉凶을 말한다. 가령 父母의 星이 長生 旺 庫에 坐하고 祿馬 貴人의 地支면 父母는 富貴하며 福壽와 영예(榮譽)가 빛난다. (經云,以年爲祖業,月爲父母兄弟門戶,日爲妻妾己身,時爲子息.須看四柱之中,父母兄弟妻子,星居何地.論旺相休囚,而言其吉凶.如父母星坐長生旺庫,祿馬貴人之地,則主父母富貴,福壽榮耀.)

만일 공망 刑剋煞에 坐하며 死亡身 衰敗의 地支를 함께하면 父母는 빈천(貧賤)하며 刑傷 破耗하거나 요절(夭折)하고, 혹 외지(外地)에서 사망하여 선종(善終)을 못한다. 만약 刑破害가 있으면 비록 生旺庫의 地支에 居할지라도 父母의 壽는 있으나 貧賤하다. (如坐空刑剋煞,死亡衰敗交倂之地,則主父母貧薄,破傷刑夭,或死於外,及不善終.若帶刑帶破害,雖居於生旺庫之地,主父母有壽而貧賤.)

형제星이 만약 得令 得時하여 生하며 長生 旺庫에 坐하고 祿馬 貴人의 地支이면 兄弟는 富貴하며 큰 영화를 누린다. 그런데 刑剋 煞刃에 坐하며 死絕 衰敗의 地支면 兄弟의 힘을 얻지 못한다. 만일 長生 旺庫에 坐하고 刑衝 破害를 만나면 비록 兄弟는 있더라도 원수(怨讎)이며 도움을 얻지 못한다. (兄弟星,若生得時得令,坐長生庫旺,祿馬貴人之地,主兄弟富貴,榮華成羣.如坐刑剋煞刃,死絕衰敗之地,兄弟不得力.如坐長生旺庫,而遇刑衝破害者,雖有兄弟,而仇敵及不得力.)

만일 처첩(妻妾)星이 生旺庫에 坐하고 祿馬 貴人의 地支이거나 혹 生하는 物이 있으면 妻妾은 富貴榮華하고 미모(美貌)이며 재주가 많다. 만일 空亡 刑剋煞 羊刃, 死絕 衝敗의 地支에 坐하면 妻妾은 빈천(貧賤)하며 외모가 추(醜)하고 형벌이나 요절(夭折)하고, 음란(淫亂)하며 잔질(殘疾)이고, 혹시 産亡하거나 힘을 얻지 못한다. 만일 生旺 祿馬의 地支에 坐하고 刑衝 破害를 당하면 妻는 비록 壽를 누릴지라도 역시 파(破)相하여 빈천(貧賤)하다. (如妻妾星坐生旺庫,祿馬貴人之地,或有物以生之,主妻妾富貴榮華,美貌多才.如坐空刑剋煞羊刃死絕衝敗之地,則主妻妾貧薄,醜貌刑夭,淫亂殘疾,或産亡不得力.如坐生旺祿馬之地,被刑衝破害,妻雖有壽,亦主破相貧薄.)

논육친論六親-3

가령 祿馬 貴人이 財庫의 地支에 刑衝 剋煞을 가지고 있으면 妻가 비록 富貴할지라도 요절(夭

---

38) 조업(祖業);조상 때부터 대대로 내려오는 가업(家業)

折)한다. 만일 子息星이 生旺한 곳에 坐하며 祿馬 貴人 官印의 地支에 相生하는 物이 있으면 子息이 영화(榮華)로우며 총명(聰明)하고 [子息의 德을] 많이 얻고 임종(臨終)을 지켜본다. 만일 祿馬 貴人에 坐하고 死絶하는 地支에 居하면 비록 총명(聰明) 준수(俊秀)할지라도 임종(臨終)을 지켜보지 못한다. (如祿馬貴人財庫之地,帶刑衝剋煞,主妻雖富貴亦夭.如子息星坐生旺,祿馬貴人官印之地,有物以相生,主子息榮華聰明,多得送老.如坐祿馬貴人,居於死絶之地,雖有聰明俊秀,不送老也.)

가령 生旺한 地支에 居해도 刑衝 破害를 당하면 子息이 있어도 主는 어리석고 완고하고 혹 殘疾로 老年을 보낸다. 가령 死絶지에 居하고 또 刑衝 破害 劫財의 地支에 있으면 子息의 힘을 얻지 못하며 설령 자식이 있더라도 主는 殘疾 破相하고, 혹 재능이 없다. (如居生旺之地,被刑衝破害,有子主愚頑,或殘疾送老.如居死絶,又刑衝破害劫財之地,不得子之力,縱有子,主殘疾破相,或不才.)

女命에서, 가령 子息이 生旺한 地支에 居하면 子息이 많다. 祿馬 貴人에 坐하면 子息이 富貴하고 복수(福壽)를 누린다. 만일 공망 刑剋煞에 坐하고 아울러 衝羊刃 死絶의 地支이면 子息의 힘을 얻지 못한다. 만약 妾이 生旺한 위(位)에 있으면 마땅히 전처의 자식을 맡아야한다. 賦에서 이르길, 그 권속(眷屬)을 論하면 死絶이 근심된다. 三命에서 이르길, 四柱에서 구족(九族)을 살펴볼 때에 삼원(三元)에서 육친(六親)을 분별하는 것이다. (女命如子居生旺之地,主多子.如坐祿馬貴人,主子富貴福壽.如坐空刑剋煞,併衝羊刃死絶之地,主子不得力.若妾位居生旺,則宜主偏生之子.賦云,論其眷屬,憂其死絶.三命云,四柱觀其九族,三元辨其六親,是也.)

혹 묻기를, 甲乙의 日主는 戊癸가 父母가 되고, 四柱 干支에 癸水가 없으며 단지 戊壬의 두 字만 干頭에 드러나거나, 혹 地支에 암장하면 무엇을 父母라고 論할 것인가? 答을 말하길, 본래 經에서는 소위 明干이 있으면 명간(明干)을 取하고, 명간(明干)이 없으면 암중(暗中)에서 求하는 것이다. (或問,甲乙日主,以戊癸爲父母,四柱干支,並無癸水,只戊壬二字,顯於干頭,或藏於地支,則論何者爲父母?答曰,本經所謂明干有時明干取,明干無時暗中求是也.)

만일 柱중에 癸字가 없고 단지 戊字만 있으면 [戊는] 甲乙의 父인데 장차 父가 母를 求한다. 만일 母가 없으면 단지 壬이 母가 되고 또한 마땅히 戊를 父로 論한다. 그 戊壬은 혼인한 짝이 아니며 아녀자가 시집간 것이 아니니, 필시 복내(服內)에서 혼인한 것이고, 母가 父의 나이보다 많거나 혹 혼인에 실패하여 다시 짝을 구한다. (如柱無癸字,只有戊字,是甲乙之父,將父求其母.如無母,只將壬爲母,亦須論戊爲父.其戊壬不得係婚配,非兒女嫁娶,必是服內成親,或母多父歲,或失婚而再配也.)

혹 또 묻기를, 甲의 日主는 月支 년지가 乙木이며 時支가 甲木이면 乙이 먼저이고 甲이 나중인데 무엇이 형이 되고 무엇이 동생이 되는가? 答을 말하길, 선후(先後)를 논(論)하지 않고 단지 강(强)한 것으로 형을 삼고 弱한 것을 동생으로 삼는다. 대저, 인생에서 父母는 上이며 妻子는 下이고 兄弟는 中인데, 연속(連屬)하고 이합(離合)하여 命이 되는데 命에서 不及한 육친(六親) 말하는 것은 자신의 편견(偏見)인 것이다. (或又問甲日主,月支年支是乙木,時支是甲木,乙先甲後,何爲兄?何爲弟?答曰,不論先後,只以强爲兄,弱爲弟.夫人之生也,上父母,下妻子,中兄弟,其聯屬離合,命之爲也.言命不及六親,自是偏見.)

그렇지만 세인(世人)이 정리(正理)에 도달하지 못하는 것이 5陽干으로 母妻 딸이 되는 것을 取하고, 5陰干으로 父夫 아들로 取하는 것인데 甚히 잘못된 것이다. 이 法을 가르치는 사람은 甲은 己를 妻로 하고 乙도 己를 妻로하고, 戊를 取하는 것은 不當한데 戊는 陽이다. 甲은 庚으로 아들로 삼고, 戊로써 父를 삼고, 癸로써 母를 삼는데, 乙 역시 甲과 같으니 편정(偏正)에 구애받지 않고, 오직 陰陽으로 분별하니 陽男 陰女의 이치가 도리에 순응하는 것이다. (但世人不達正理,以五陽干,取爲母爲妻爲女,五陰干,取爲父爲夫爲男,謬戾甚矣.此法敎人,甲取己爲妻,乙亦取己爲妻,不當取戊,戊乃陽也.甲以庚爲嗣,以戊爲父,以癸爲母,乙亦如之,不拘偏正,惟辨陰陽,陽男陰女,理之大順也.)

논육친론六親-4

신백경에 이르길, 甲인은 丁이 父가 되며 壬이 母가 되고, 乙인은 戊가 父가 되며 癸는 母가 되는데, 나머지 八干도 例로써 본다. 이것은 陽男 陰女를 論한 것이 아니고 단지 陰生陰과 陽生陽을 取하여 나를 生하는 것이 母가 되며, 母와 合하는 干이 父가 되어 夫妻가 合한 後에 子息을 생산한다. 陽干은 상관이 父가 되며 正印이 母가 되고, 陰干은 正財가 父가 되며 편인이 母가 된다. 父를 볼 때면 父가 없어야 發하며 母를 볼 적에 母가 없어야 發한다. 年干을 剋하면 父가 불리(不利)하며 月干을 剋하면 母가 불리(不利)하다. 干이 鬼면 父가 不利하며 도식(倒食)이면 母가 不利하다. 胎가 四柱와 더불어 있으면 다른 父母가 있다. 이 학설(學說)도 또한 통한다. (神白經云,甲人丁爲父,壬爲母,乙人戊爲父,癸爲母,餘八干例見.是不論陽男陰女,只取陰生陰,陽生陽,生我者爲母,與母合干爲父,夫妻合而後生子.陽干傷官爲父,正印爲母,陰干正財爲父,偏印爲母.見父則無父而發,見母則無母而發.剋年干不利父,剋月干不利母.干鬼不利父,倒食不利母.胎與四柱交倂,卽有異父母也.其說亦通.)

또 말하길, 春秋로 二分하여 前後에 卯酉日時를 犯하면 골육(骨肉)과 조업(祖業)이 흩어져 단절된다. 辛酉의 日時는 이름이 백호임정(白虎臨庭;백호가 마당에 있다.)인데, 日에 있으면 妻를 剋하고 時에 있으면 子息을 剋하여 골육(骨肉)에게 불리(不利)하다. 戊申 戊寅은 이름이 육도소허(六道消虛)인데, 친족(親族)에게 불리(不利)하다. 壬戌의 日時는 이름이 천후실행(天后失行)인데, 처자식에게 不利하다. (又曰,春秋二分,前後犯卯酉日時者,主散絶骨肉祖業.辛酉日時,名白虎臨庭,在日剋妻,在時剋子,不利骨肉.戊申戊寅,名六道消虛,主不利親族.壬戌日時,名天后失行,主不利妻孥.)

광록에 이르길, 무릇 命에서 生時가 辰戌 丑未이면 父母를 妨害하고, 겁살 망신 원진이나 양인이 많이 있어도 역시 그렇다. 日時에 二重으로 망신이 있으면 母를 剋하고, 만약 時에 辰 戌 丑

未를 犯하여도 오히려 惡煞을 犯하지 않으면 역시 [父母를] 剋하지 않는다. (廣錄云,凡命生時辰戌丑未,主妨父母,帶劫煞,亡神,元辰,陽刃多者亦然.日時犯兩重亡神者,剋母.若時犯辰戌丑未,卻不犯惡煞,亦不剋.)

천원변화書에 이르길, 무릇 命에서 父母의 氣가 絶하여 弱한 자리에 있으면 반드시 刑剋하고, 煞이 많으면 [父母를] 등지고 떠나는데, 반드시 사계(四季=辰 戌 丑 未)의 時에만 있는 것은 아니다. 척벽(尺璧)에 이르길, 時에 겁살 양인을 犯하면 비록 辰 戌 丑 未가 아니더라도 剋하는데, 사유(四維=寅 申 巳 亥)는 母를 剋하며, 사정(四正=子 午 卯 酉)은 父를 剋한다. (天元變化書云,凡命生在父母氣絶弱之位者,必刑剋,帶煞多者,主離背,不必在四季之時.尺璧云,凡時犯劫煞羊刃,雖非辰戌丑未,亦有剋,四維母四正父也.)

직도가에 이르길, 四季생인이 太陽을 등지고 [태어나면] 父가 먼저 죽는다. 호중자가 이르길, 月이 孤虛[공망]에 坐하면 체악조췌(棣萼凋悴)하다. 척벽에 이르길, 巳酉丑 전부와 辛字가 있으면 骨肉이 他鄉에 있고, 고향에 돌아와 장사지내지 못한다. 귀곡유문에 이르길, 五墓는 暗藏한 地支이며 時가 貴人이라도 妨害하고, 四孟은 孤神과 絶地의 神인데 煞을 지니면 반드시 剋한다. 낙녹자가 이르길, 권속(眷屬)은 水火로 동일하며 沐浴지에서 서로 만나면 骨肉이 중도(中道)에서 분리(分離)하고, 고진 과숙이 隔角이 되면 더욱 꺼린다. (直道歌云,四季生人背太陽,定主父先亡.壺中子云,月坐孤虛,棣萼凋悴.尺璧云,凡巳酉丑全,帶辛字者,主骨肉在他鄉,不得歸葬.鬼谷遺文云,五墓爲蓋藏之地,時貴亦妨,四孟是孤絶之神,帶煞必剋.珞琭子云,眷屬同於水火,相逢於沐浴之鄉,骨肉中道分離,孤宿尤嫌於隔角.)

고가에서 이르길, 격각(隔角)은 분명하게 亥子에서 시작하고, 日時에 있으면 고독함을 나타낸다. 만약 부모에게 일찍 격절(隔絕)[39]하지 않으면 첩이 되어 밖에서 기거(寄居)하고, 거듭 범(犯)하면 도리어 고립(孤立)하여야 吉하고, 다시 年上에서 日을 求하면 妻家에서 喪을 당하여 사람이 없지 않는 것은 자신(自身)의 성(性)이 하나가 아니다. 時上에 [격각이 있으면] 자손(子孫)이 드물거나 대단히 늦고 그렇지 않으면 친족(親族)을 벗어나지 못한다. 月中에 [격각이 있으면] 兄弟가 반드시 드물고 日에 있으면 몇 번 妻를 바꾼다. (古歌云,隔角分明亥子初,日時犯著定應孤,若非父母隔絶早,定主偏房外寄居,累犯惟宜孤立吉,更將年上來求日,妻家不是喪無人,便是自身性非一.時上子孫少更遲,不然不出在親闈,月中兄弟應須少,日裏當防換幾妻.)

논육친論六親-5

처첩인례장妻妾引例章

---

39) 격절(隔絶);사이가 서로 동떨어져 연락(連絡)이 끊어짐

정재는 처이고 편재는 첩이다. 또 만일 甲일생이라면 己는 정재이며 정처(正妻)이고, 戊는 편재이며 편처(偏妻=첩)가 된다. 만약 일간이 건왕(健旺)하고 四柱에서 己를 보면 正妻가 되고 득시(得時) 득령(得令)하여 旺함을 만나고 관성이 있으면, 妻가 현명(賢明)하며 재모(才貌)를 겸전(兼全)하여 妻로 인해 貴하게 된다. 歲(年)와 時중에 印綬가 있으면 妻가 재물을 넉넉하게 가지고 시집간다. 만약 정재는 衰하고 편재가 旺하면 偏妻(妾)에게 연분(緣分)이 있다. (正財妻,偏財妾也, 且如甲日生,用己爲正財,卽爲正妻,戊爲偏財,卽爲偏妻.若日干健旺,四柱見己爲正妻,得時令,遇旺鄕,略帶官星,主妻賢明,才貌兼全,因妻遇貴.歲時中有印臨之,主妻有財物嫁資.若正財衰,偏財旺顯,主有偏妻分緣.)

만약 己字가 함락(陷落)하거나 혹 사절(死絶)地에 坐하거나 혹 春節에 生하여 일주가 健旺한 甲寅등의 類와 같으면 妻를 剋하는 것이 끝나지 않는다. 만약 妻가 生旺한 日을 얻고 衰局에 坐하거나, 혹 死墓의 地支에 居하면 一生을 정체(停滯)하며 妻妾에게 속거나, 혹 타인(他人)에게 재가(再嫁)한다. 만약 甲申 甲戌일이 甲寅 乙卯월에 生하면 일주가 太旺하여 비록 妻가 있을지라도 比肩이 분탈(分奪)하여, 타인(他人)에게 시집가는 두려움을 떨치지 못하는데, 혹 타인이 妻를 차지하거나 혹은 妻가 헤어질 마음이 있다. 나머지도 이 例와 같이 단정(斷定)한다. (若己字落陷,或坐死絶之鄕,或生春令,日主健旺,如甲寅等類,主不了剋妻.若妻生得旺日,坐衰局,或居死墓之地,主自淹滯一生,著妻妾欺,或再嫁他人.若甲申甲戌日,生甲寅乙卯月,日主太旺,雖有妻,以比肩分奪,恐不免嫁他人,或着他人佔之,或妻有別情.餘同此例斷.)

자식인례장子息引例章

대를 잇는 子息은 관성이다. 관성이 得令하고 八字에 상관의 衝剋이 없으며 더하여 일주가 旺地에 自坐하면 子息이 효도하여 말년을 보내고 후대(後代)가 영화롭고 창성하다. 가령 甲乙일은 金이 대를 잇는 자식인데, 金이 旺하면 4, 9가 子息의 합한 數이다. 만약 일주는 유약(柔弱)하며 煞에 坐하고, 관성은 旺한 地支에 坐하고 다시 三刑 六害 隔角이 더하여 있고, 혹 合煞局하면 子息이 많아도 불효(不孝)하고, 멀리 떠난 타향(他鄕)에서 집안이 망한다. (子嗣者,卽官星也.官星得令,八字無傷官衝剋,加之日主自坐旺鄕,便子孝送終,後代榮昌.假甲乙日用金爲嗣,金旺則四九之子合數.若日主柔弱,坐煞,官星坐旺顯之地,更帶三刑六害,隔角交加,或合煞局,定主子多不孝,遠離他鄕亡家.)

만약 일주가 太旺하고 공망인 宮에 坐하며, 命에 傷官 敗財가 있고 관성이 無氣하면 一生이 고독(孤獨)하고 무자(無子)로 말년을 보내고 편방(偏房=첩)의 서출(庶出)도 두기 어렵다. 만약 時上의 七煞이 太旺하거나 혹 칠살의 제복(制伏)이 太過하면 모두 자식을 두기 어렵다. 만약 官煞이 혼잡(混雜)하고 거류(去留)하여 淸하지 못하면 혹 두 종류의 자식을 두는데, 그런데 煞이 투출하면 반드시 딸을 먼저 두는데, 煞은 편자(偏子=庶子)이며 혹 딸이 된다. (若日主太旺,坐空亡宮,命帶傷官敗財,官星無氣,定一生孤獨,無子送終.偏房庶出,亦難招.若時上七煞太旺,或七煞制伏太過,皆主

難爲子.如官煞相混,去留不清,或招兩般子,但透煞者,必先招女,煞爲偏子,或爲女也.)

내가 사대부의 命에서 子息이 있는 것을 헤아려보니, 官은 정출(正出)이 많았으며 煞은 서출(庶出)이 많았고, 煞이 重하면 딸이 많았으며 官이 重하면 아들이 많았다. 그리고 干支로써 子女를 나누었는데, 干支에서 중첩(重疊)하여 보면 子女(아들딸)가 모두 많았다. 만약 時가 공망이고 원래 官煞이 있으면 子女가 2~3이 있다. 傷官은 없고 財와 印이 있으면 별도로 論하는데, 印은 딸이 있었으며 財면 아들이 있었다. 만약 상관格을 이루는 경우는 서귀格이나 刑合格의 例와 같이 四柱에 官煞이 있어도 子息이 있으나 공망이면 없다. 만약 상관이 煞에 坐하는 경우는 丙日이 己亥時를 보는 종류인데, 역시 子息은 있었지만 그러나 화순(和順)하지 못하였다. (余考士大夫命, 有子者,官多正出,煞多庶出,煞重女多,官重多子.又以干支分子女,干支疊見者,子女俱多.若時落空亡,原是官煞,子女亦有二三.傷官俱無,帶財印別論,印則有女,財則有子.若傷官成格,如鼠貴刑合之例,柱有官煞,亦主有子,落空則無.若傷官坐煞.如丙日見己亥時之類,亦有子,但不和順.)

만약 세(歲)運에서 子息이 태어나는 것을 論하면, 관살이 重하면 상관 식신에 있고, 관살이 輕하면 財年이나 혹 官煞年에 있고, 관살이 輕한데 식상이 重하면 반드시 편인 정인年이고, 관살이 重한데 財가 또 많으면 반드시 비겁이나 양인을 얻어야하고, 혹 天地(干支)合, 三合, 六合하는 年으로 구분한다. 이것은 활법(活法)으로써 참고해야하고, 경시(輕視)하면 적중하지 않는 것이다. (若論生子歲運,官煞重則在傷官食神,官煞輕,則在財年,或官煞年,官煞輕,食傷重,須是偏印正印年,官煞重而財又多,須得比劫羊刃,或天地合三合六合年分.以此活法參之,蔑不中矣.)

논육친論六親-6

부모인예장父母引例章

父는 편재로 母는 印綬로 論한다. 손상함이 없으면 소년시절에 방해(妨害)가 없는데, 가령 庚日은 甲이 父가 되는데, 만일 柱중에 다시 庚字를 보거나, 혹 巳酉丑金局으로 合하면 父를 손상한다. 만약 命에 七煞이 있으면 무방(無妨)하다. 만일 일(日)干은 건왕(健旺)하고, 甲字에는 亥卯未寅이 있거나 혹 冬令이면 父母가 화순(和順)고, 혹 父는 봉작(封爵)을 받는다. 전부 유추(類推)할 수 있다. (父以偏財論,母以印綬論.無傷則少年無妨害,假庚日用甲爲父.如柱中再見庚字,或合巳酉丑金局,卽傷父.若命帶七煞,則不妨.如日干健旺,甲字在亥卯未寅,或冬令,主父母和順,或父受封爵,皆可類推.)

또 戊일생은 丁火가 母이며, 柱중에 정재가 태중(太重)하여 印綬를 전극(轉剋)하는 것을 꺼린다. 탐재괴인(貪財壞印)의 학설과 같다. 원국에 天地에 財가 있으며 運이 財鄕으로 흐르면 일찍 剋한다. 그런데 地支에 財가 있고 運은 財鄕으로 흐르지 않으면 늦게 剋하는데, 四柱에 正官이 일위

(一位)가 있으면 무방(無妨)하다. 가령 戊일생의 四柱원국에 두 개의 壬이 있는데 모두 得地하면 母는 二夫(남편이 둘)가 있다. 정인은 母이고, 편인은 계모(繼母) 서모(庶母)가 된다. 만약 人命에 父母가 온전하면 일생동안 조업(祖業)에 연분(緣分)을 얻고 그리고 극박지환(剋剝之患)이 없다. (又戊日生者,取丁火爲母,忌柱中正財太重,轉剋印綬.如貪財壞印之說,元帶天地之財,運行財鄕則剋早. 只有地財,運未行財鄕則剋遲,四柱有正官一位不妨.如戊日生,四柱原有二壬,皆得地,主母有二夫.正印 爲母,偏印爲繼庶之母.若人命帶父母全,一生得祖業分緣,又無剋剝之患.)

형제인예장兄弟引例章

형제(兄弟)는 比肩 劫財인데, 甲이 乙을 보며, 乙이 甲을 보는 종류이다. 만일 庚일이 寅午戌상에 坐하거나 혹 死墓의 地支에 臨하고, 오히려 辛酉의 自旺한 동생이 있어 財가 得時하면 동생은 자연히 명현(明顯)하고 兄은 동생의 福에 미치지 못한다. 가령 兄弟가 조화로우면 强弱을 서로 나누는 그 이치는 하나이다. 가령 불화(不和)하는 경우, 四柱에 庚丁 辛丙의 종류가 있으면 兄의 관성이 동생의 本身을 剋하는데, 이와 같이 五行은 자연히 不和한다. 본경(소식부)에서 이르길, 불인불의(不仁不義)하는 것은 庚辛과 甲乙이 교차(交差)하는 이것을 일컫는 것이다. 나머지는 이 추리를 따르라. (兄弟者,卽劫財比肩,甲見乙,乙見甲之類,如庚日坐寅午戌之上,或臨死墓之鄕, 卻有辛酉自旺之弟,帶財得時,主弟自明顯,兄不及弟之福.如兄弟相和,强弱相分,其理則一.如不和者,乃 四柱帶庚丁辛丙之類.兄之官星,剋弟之本身.如此,五行自然不和.本經云,不仁不義,庚辛與甲乙交差,此 之謂也.餘倣此推.)

가(歌)에서 이르길, 官煞이 혼잡(混雜)한데 三刑은 있으나 다시 財가 없으면 구차하게 살아가고, 아명(我明)하고 타암他暗)하여 타상(他象)을 쫓아 父가 사망할 때에 부고(訃告)하지 않는다. 庚金이 化하여 火가 상지(相持)를 이루면 父가 피를 흘리며 죽은 것은 의심할 것이 없다. 比肩이 三合하면 족인(族人)을 해(害)치며 三刑은 몰락(沒落)과 妻를 이별하고, 比肩은 暗損과 房門, 兄弟가 無情하면 기망(欺罔)을 당한다. (歌云,煞官混雜帶三刑,更無財曜生偸生,我明他暗從他象,父死之 時不赴靈.庚金化成火相持,父亡見血不須疑.比肩三合族人害,三刑零落及離妻,比肩暗損及門房,兄弟無 情被罔欺.)

가령 比肩이 별상(別象)을 이루면 兄弟가 불목(不睦)하고, 妻가 三合 및 妻[宮]에 坐하여 있으면 妻를 믿고 따르며 親支를 得하고, 妻[宮]에 坐한 妻가 투출하여 別象을 이루면 妻를 이별하고 다시 장가들어 아내를 얻는다. 妻財가 투출함이 많으면 반드시 아내를 두려워하고, 부(婦=아내)가 절로(絶路)에 해당하면 아이를 낳지 못하고, 화(化)하여 別象을 이루면 정부(正夫)를 剋하여 반드시 夫를 속이며 예의(禮義)가 소홀하다. (如帶比肩成別象,兄弟不睦報君知,妻帶三合及坐妻,妻從認 得是親支,坐妻透妻成別象,定主離妻又娶妻.多透妻財須怕婦,婦歸絶路不生兒,化成別象剋正夫,必主欺 夫禮義疏.)

身旺하고 食傷이 强하여도 이와 같고, 食[傷]이 분명히 旺相하면 근심해도 죽고, 陽母가 같은 자리면 偏生이고, 母가 父상에 오면 놀라게 된다. 천시(天時) 지리(地利)는 月을 왕래하여 生하고, 칠살이 정상(頂上)으로 偏을 겸하여 行하면 아이가 煞地로 돌아오니 母가 病이 있다. (身旺食强亦如此,食明旺相惟然殂,陽母專位主偏生,母來父上受其驚.天時地利生過月,七煞兼行頂上偏,兒歸煞地母有疾.)

丙丁쌍자(丙丁雙者)는 정수리가 雙靈이고, 日祿이 時에 있으면 임신하는 꿈을 꾸고, 食神이 衝하면 小兒는 젖이 없고, 壬子 乙酉時는 偏生이고, 丙戌 丁壬은 妻가 神靈을 지키고, 甲乙卯에 生하여 父를 배반하는 이 時는 分明히 기억해야한다. (丙丁雙者頂雙靈,日祿歸時須孕夢,小兒無乳食神衝,壬子乙酉時偏生,丙戌丁壬妻護靈,背父而生甲乙卯,此時須要記分明.)

논육친論六親-7

賦에서 이르길, 양자(養子)를 받아들이는 것은 年月의 衝으로 구분한다. 母를 따르고 夫를 쫓는 것은 財가 空망이며 印이 旺한 것이고, 조년(早年)에 父의 상(喪)을 當하는 것은 편재가 死絶이나 煞宮에 臨한 것이고, 어린나이에 母와 이별하는 것은 印綬가 財를 많이 보거나 死地를 만난 것이다. 比肩이 重하면 兄弟가 무정(無情)하고, 羊刃이 많으면 妻宮에 손상이 있고, 官이 死絶하는 地支를 만나면 子息을 얻기 어렵다. 만약 상관이 태심(太甚)하면 아이도 또한 보존하기 어려운데, 제강(提綱)이 衝破를 만나면 조업(祖業)을 떠나며 다시 空망을 보면 세 번 번성하였다가 네 번 쇠퇴한다. (賦云,過房入舍,年月衝分.隨母從夫,財空印旺,早年父喪,偏財臨死絶煞宮,幼歲母離,印綬逢財多死地.比肩重而兄弟無情,羊刃多而妻宮有損,官達死絶之地,子招難得.若見傷官太甚,兒亦難留,如遇衝破提綱,定主離於祖業,再見空亡,三番四廢.)

印綬가 生함을 만나면 母는 귀현(貴顯)하고, 편재가 貴祿[時에 祿있음]하면 父는 반드시 쟁영(崢嶸)[40)하고, 官星이 祿旺한 地支에 臨하면 子息은 영화로우며 현달하고, 七煞이 長生하는 位를 만나면 딸은 貴한 남편을 구한다. 자신이 차궁(借宮)의 소생(所生)이면, 대부분 타인을 의지하여 살아가고, 妻星이 실령(失令)하면 도중에 포기하여 떠나는데 만약 차궁(借宮)의 소생(所生)이라도 역시 他人의 의 의붓딸이다. 印綬가 旺하면 子息이 드물고, 칠살이 强하면 딸이 많고 아들은 적고, 편재가 [浴]敗를 만나면 父는 풍류가(風流家)인데 자요(子曜)가 만일 臨하면 가산(家産)을 탕진하여 파가(破家)한다. 妻가 입묘(入墓)하면 妻財를 얻지 못하고, 父가 庫에 臨하면 父가 먼저 사망한다. (印綬逢生,母當顯貴,偏財歸祿,父必崢嶸,官星臨祿旺之鄕,子當榮顯,七煞遇長生之位,女招貴夫.自身借宮所生,多主依人過活,妻星失令,半路抛離,若乃借宮所生,亦是他人義女.印綬旺而子少息希,七煞强而女多男少,偏財達敗,父主風流,子曜若臨,破家蕩産,妻入墓不得妻財,父臨庫父當先死.)

---

40) 쟁영(崢嶸:산의 형세(形勢)가 가파름, 지위가 상당히 높은 모양을 비유함

比肩이 祿을 만나면 兄弟는 명성이 높고, 印綬가 剋을 당하면 모친(母親)의 喪을 일찍 당하고, 桃花가 만일 煞星에 坐하면 妻宮이 반드시 음탕(淫蕩)하고, 年이 月을 衝하면 조업(祖業)을 지키지 못하고, 日이 時를 衝하면 妻子가 어렵게 되는데, 만약 天元이 刑戰을 하면 父母가 온전치 못한데, 만일 地支에서 生하는 것을 만나면 凶한 가운데 吉하게 된다. 칠살이 正印을 生하게 되면 자당(慈堂)께서 늙어도 정신(精神)이 좋고, 상관이 편재를 기꺼이 도우면 부친(父親)이 한평생 편히 생활한다. (比肩達祿,兄弟名高,印綬被剋,母親喪早,桃花若坐煞星,妻宮必主淫蕩,年衝月者,祖業不守,日衝時者,妻子難爲,若見天元刑戰,父母不全.如遇地支所生,凶中成吉.七煞能生正印,萱堂暮景精神,傷官喜助偏財,椿老百年安逸.)

比肩은 비록 兄弟가 있을지라도, 비견이 重하면 父의 壽命이 오래가기 어렵고, 旺한 財가 官을 生하게 되면 財가 많아 母의 壽命이 견고하지 않고, 食神이 빈번하게 보이면 계승인(繼承人;相續人)을 두기 어렵고, 羊刃을 重逢하면 과부(寡婦)와 재혼하고, 관(官)귀(鬼)가 盛하면 兄弟가 흩어지는데, 칠살이 興하면 自身이 不利하다. 夫婦가 해로(偕老)하는 것은 모두 財旺하고 身強하기 때문이고, 子女가 영모(盈眸;뛰어남)함은 단지 官煞이 흥성(興盛)해야 하고, 四柱에 吉星이 相生하면 삼대(三代)가 함께 완전하고, 五行이 凶星을 만나 戰剋하면 육친(六親)이 온전치 못한다. (比肩雖有兄弟,比重而父壽難延,旺財可以生官,財多而母年不固,食神頻見,難招繼續之人,羊刃重逢,再配持家之婦,官鬼盛則昆仲消疏,七煞興則己身不利.夫妻偕老,皆因財旺身強,子女盈眸,只爲官興煞盛,四柱相生值吉曜,三代皆全,五行戰剋遇凶星,六親不備.)

만약 女命을 추리하게 되면 반대인데 이것을 자세히 참작해라. 시모(媤母)는 편재인데, 만일 상관을 고찰하면 壽命인데, 시부(媤父)는 比劫이 된다. 가령 칠살을 만나면 수명을 연장하기 어렵고, 財官이 흥성(興盛)하면 반드시 부귀(富貴)한 남편을 둔다. 식상과 비겁이 세력을 잡으면 마땅히 어질고 효도하는 자식(子息)을 낳고, 印綬는 子息(식상)을 손상할 수 있는데 財를 만나면 도리어 건강하며 편안하다. 干頭에서 동류(同類)는 제매(娣妹)가 되고, 財上에서 地支가 絶하면 夫가 흥(興)하지 못한다. 이것들이 육친(六親)의 참으로 오묘(奧妙)한 비결(秘訣)인데, 五行의 生剋으로 영고(榮枯)를 정해야 한다. (若推女命,反此參詳.婆是偏財.若是傷官當考壽,公爲比劫.如達七煞命難延,財官興盛,必招富貴之夫.食比司權,當生賢孝之子,印綬能傷子息,逢財反得安康.同類干頭爲娣妹,財上支絶不興夫.此則六親眞妙訣,五行生剋定榮枯.)

논육친論六親-8

또 말하길, 年에서 刃煞을 만나면 어린나이에 일찍 양친(兩親)의 상(喪)을 당한다. 時에서 刃傷[官]을 보면 말년(末年)에 오히려 子女를 손상한다. 衝하면 兄弟가 없으며 刑하면 육친(六親)을 손상한다. 外衝은 六親이 무력(無力)하며 內衝은 夫婦가 화합(和合)하지 않고, 歲(年)月에 官印財가 완전하면 삼대(三代)의 선조(先祖)가 富貴하다. 日時의 煞刃이 梟[神]을 만나면 중도(中途)에

妻子息에 손실(損失)이 있다. (又曰,年逢刃煞,幼年早喪爹娘.時遇刃傷,末年却損兒女.衝者無兄弟,刑者損六親.外衝六親無力,內衝夫婦不協,歲月官印財全,三代祖先富貴.日時煞刃逢梟,半路妻兒虧損.)

남자의 命에 상관이 많으면 子息을 손상하고, 여자의 命에 상관이 많으면 夫를 剋한다. 상관이 財를 보면 子息이 있고, 칠살을 制하면 아들이 많다. 財가 重하면 父母를 刑傷하고, 鬼가 旺하면 후대(後代)로 영화(榮華)가 옮겨진다. 劫財가 重重하면 父의 喪을 일찍 당하고, 파인(破印)함이 태중(太重)하면 母가 먼저 죽는다. 歲(年)月에 財官이 旺傷하면 父親의 榮華를 나타낸다. 日時에 祿馬가 相生하면 妻와 자식이 어질고 훌륭하다. (男命傷官多損子,女命傷官多剋夫.傷官見財而有子,七煞有制乃多兒.財重刑傷父母,鬼旺後代遷榮.劫財重重父早喪,破印太重母先亡.歲月財官旺相,公父顯榮.日時祿馬相生,妻兒賢俊.)

印은 暗藏하여 숨고 財가 슈을 잡으면 庶出이나 사생아(私生兒)이다. 正財는 旺하며 身이 실시(失時)하면 母가 일찍 喪을 당한다. 편관 편인 편재를 중첩하게 만나면 필시 庶出이다. 정관 정인 정재를 홀로 보면 적통(嫡統)이 틀림없고, 남자는 官이 旺하면 자식이 반드시 많고, 여자는 梟가 重하면 자식이 반드시 단절된다. 月중의 劫이 財官을 배반하여 絶하면 父가 외국(外國)에서 사망한다. 歲(年)月에서 背祿 逐馬하며 다시 衝害하면 父를 타향(他鄉)에서 장사(葬事)지낸다. (印伏藏而財秉令,庶出姦生.正財旺而身失時,母年早喪.偏官偏印偏財疊逢,必然偏庶.正官正印正財獨遇,的是正宗,男旺官,子必多,女重梟,兒必絶.月中劫背絶財官,父終外土.歲月背逐更衝害,公葬他鄉.)

日에서 刃을 만나고 時에서 梟를 만나면 妻妾이 출산하다 사망한다. 歲(年)가 煞이며 月이 상관이면 兄弟가 어려움이 있다. 月令이 상관이면 장자를 잃는 수가 많고, 時에 神煞이 흐르면 兄弟가 없다. 남자의 命에서 劫이 중첩하면 외가(外家)가 드물고, 女人은 煞이 重하면 친척(親戚)이나 골육(骨肉)이 끊어진다. 專祿이 陰錯을 兼하면 외가가 고독하고, 逐馬가 陽差를 보면 시모(媤母)와 진가(眞假)를 가리고, 印이 旺하면 子女를 방해하고, 財가 重하면 시어머니를 투기(妬忌)한다. (日逢刃,時逢梟,妻妾産亡.歲值煞,月值傷,兄弟難有.月令傷官多奪長,時行神煞兄弟無.男命劫疊外家稀,女人煞重親骨絶.專祿兼陰錯,外舍伶仃,逐馬見陽差,公姑眞假,印旺妨兒女,財重妬公姑.)

歲月에서 煞이 중첩하며 刑害가 있으면 媤母가 손상한다. 日時의 逐馬를 구조(救助)하지 않으면 妻子와 이별하며 剋하고, 정재 편재가 다시 합을 만나면 비록 妻妾이 많을지라도 음란(淫亂)함이 넘친다. 편관 정관이 다시 충해(衝害)하면 장부(丈夫=남편)는 있지만 간음(姦淫)을 탐한다. 왕부상자(旺夫傷子)는 食神의 位가 損傷을 받은 것이고, 왕자상부(旺子傷夫)[41]는 관성을 살펴보면 喪當하거나 絶한다. (歲月疊煞有刑害,公姑遭傷.日時背逐無救助,妻兒離剋.正財偏財復見合,雖多妻妾主濫淫.偏官正官更衝害,任有丈夫而偷姦.旺夫傷子,乃食位而受傷.旺子傷夫,察官星而喪絶.)

女子의 命에서 印은 旺하고 官이 輕하면 부권(夫權)을 장악(掌握)한다. 남자의 命에서 재다신약

---

41) 왕자상부(旺子傷夫)는 남편과 生死離別한다는 말이다.

(財多身弱)하면 妻의 말을 두려워한다. 日하의 상관이 刃을 지니면 夫가 반드시 나쁘게 죽는다. 月중의 印이 刑衝하면 母家가 몰락(沒落)한다. 인(刃)이 健康하고 煞이 剛하면 조상의 터전이 작고 엷다. 官이 強하고 財가 旺하면 후대(後代)는 영화가 창성하고, 日에서 배록축마를 만나면 대부분 조업(祖業)을 破하고 고향을 떠나는 客이 된다. 時에서 財旺하여 官을 生하면 집안을 일으키고 국가(國家)를 도우는 남자이다. (女命印旺官輕, 夫權在手. 男命財多身弱, 妻語愜心. 日下傷官持刃, 夫必惡亡. 月中帶印刑衝, 母家零落. 刃健煞剛, 祖基微薄. 官強財旺, 後代昌榮, 日逢背祿逐馬, 多破祖離鄕之客. 時遇財旺生官, 有興家助國之男.)

煞과 刃이 月에서 만나면 父는 있으나 母가 없다. 편관을 중첩하게 보면 딸을 많이 낳으며 아들은 적게 낳는다. 편재가 중복하면 正妻를 사랑함이 적고 妾을 사랑함이 많다. 財의 근원이 得地하면 妻로 인해 치부(致富)하고 성가(成家)하니 그 처(妻)에게 억눌려 구차스럽게 된다. 官位는 원(垣=관청)에 臨하여 자신을 드러내며 조업(祖業)을 더욱 높이는데 그래서 남자는 반드시 흥왕(興旺)해야 한다. 月은 官印이고 年이 상관이면 父는 훌륭하고 祖父는 용렬(庸劣)하다. 일(日)은 財이고 時가 劫財이면 父는 흥(興)하고 자식(子息)은 敗한다. (煞刃月逢, 有父無母. 偏官疊見, 多生女子少生男. 偏財復逢, 少愛正妻多愛妾. 財源得地, 因妻致富成家, 其妻抑且有爲. 官位臨垣, 顯己增崇祖業, 而男亦須興旺. 月官印, 年傷官, 父優祖劣. 日財位, 時劫財, 父興子敗.)

비겁이 重하면 결혼(結婚)이 반드시 늦어지고, 관성은 반드시 아이를 일찍 낳는다. 남자의 命에서 상관 양(陽)刃을 만날 경우 官煞을 만나면 대(代)를 잇지 못한다고 단정할 수 없다. 女命에서 상관 梟印이 [있을 경우] 財官으로 行하면 子息이 있다고 결정한다. 女命에서 食傷이 重하고 官이 輕하면 夫는 衰하고 子는 旺하다. 男命에서 煞旺한데 比劫을 만나면 兄은 있지만 동생은 없고, 太過나 不及하면 兄弟가 전부 없다. (比劫重婚必遲, 官星生兒必早. 男逢傷官陽刃, 逢官煞, 不可斷其無嗣. 女命傷官梟印, 行財官, 亦堪決其有子. 女人食重遇官輕, 夫衰子旺. 男命煞旺逢比劫, 兄有弟無. 太過不及, 兄弟俱無.)

庫위(位)가 중화(中和)하면 동기(同氣=형제자매)가 있고, 煞은 生旺한데 官이 敗絶하면 여자는 盛하며 남자는 衰하다. 財官이 旺한데 身主가 休하면 남편이 집안은 일으키지만 조업(祖業)은 잃는다. 女人의 命에 비겁이 太多하면 夫가 절처(絶妻)하는 뜻이 있다. 남자의 命에 財보다 劫이 重하면 妻가 사심(私心)을 품는다. (庫位中和, 同氣主有. 煞生旺, 官敗絶, 女子盛而男子衰. 財官旺, 身主休, 夫家興而祖業失. 女人比劫太多, 夫有絶妻之義. 男子財勝劫重, 妻懷私欲之心.)

年月에 印綬가 相生하면 현재 있는 기업(基業)을 받는다. 日時에서 상관상진(傷官傷盡)하면 뜻하지 않는 횡재(橫財)로 발달한다. 年上이 관성이면 父와 조부는 관직(官職)에 있었다. 月上에 관성은 兄弟가 반드시 貴하다. 남자의 命에서 비겁을 만나면 妻를 손상하고, 女子는 印梟가 들면 代이을 자식이 어렵다. 陽刃이 상관 칠살을 만나면 골육(骨肉)과 친우(親友)의 정(情)을 손상한다. 三合 六合이 서로 조화로우면 사방팔방으로 사이가 좋다. (年月印綬相生, 受現成之基業. 日時傷官

傷盡,發不義之橫財.年上官星,父祖爲官.月上官星,兄弟必貴.男逢比劫定傷妻,女入印梟難嗣子.陽刃逢傷官七煞,骨肉親友傷情.三合六合相和,友善五湖四海.)

논육친론六親-9

또 말하길, 무릇 육친(六親)을 추리할 경우, 男命에서 年은 父가 되며 胎는 母가 되고, 月은 兄弟가 되며 관원(官員)으로는 月이 동료(同僚) 친구가 되고, 日은 자신과 妻妾이 되고, 時는 자손(子孫)이 되며 관원(官員)으로는 時가 제좌(帝座)의 화복(禍福)이 된다. 무릇 子午卯酉日 生은 子午卯酉의 命인 妻에게 장가드는데, 만약 妻가 申子辰생이나 丑생이거나 甲己생이라면 전부 [결혼생활이] 길지 못하다. 가령 첫 번째의 妻를 剋하여 재가(再嫁)하면 그 속박을 벗어날 수가 있지만 역시 자주 剋함이 있고, 生日 干支가 같지 않는 者에게 장가들어야 비로소 剋하지 않는다. (寅申巳亥, 辰戌丑未생은 전부 위의 학설(學說)과 같다.又曰,凡推六親,男命以年爲父,胎爲母,月爲兄弟,官員以月爲傮友,日爲己身妻妾,時爲子婦[孫],官員以時爲帝座禍福.凡是子午卯酉日生,主娶子午卯酉命妻,若妻申子辰生,丑生,甲己生者,皆不永.如剋過頭妻再醮,不在此限,亦有屢剋,値到娶生日干支不同者,方不剋.寅申巳亥,辰戌丑未生,俱同上說.) [婦를 孫으로 訂正]

무릇, 命은 四柱내에서 내가 剋하는 것이 있으면 妻가 되고, 내가 剋하는 것이 없으면 局중에 妻가 없다고 말하는데, 그렇지만 生日에 있는 어떤 地支로 보는가? 가령 財旺한 곳에 있으면 마땅히 妻에게 힘을 얻을 수 있고, 다시 貴人 祿馬가 年에 있으면 妻는 벼슬이 있는 夫에게 시집간다. 만약 本命은 時의 財가 死墓 絶敗한 곳에 있으면 극함(剋陷)하고 혹 一生토록 홀아비로 산다. 만약 日祿을 時상에서 만날 경우, 예컨대 6丙일이 癸巳時를 얻거나 6壬일이 辛亥時의 종류를 얻는다면, 이름이 명예살(名譽煞)로써 富裕할 뿐만 아니라 妻로 인해 벼슬도 얻는다. (凡命四柱內有我剋者爲妻,無我剋者,名曰局中無妻,卻看所生日在何地?如在財旺之鄉,當有得力之妻.更帶貴人祿馬年,主妻帶官嫁夫.若在本命時財死墓絶敗處,定主剋陷,或一生鰥居.若日祿在時上遇見,如六丙日得癸巳時,六壬日得辛亥時之類,名名譽煞,不惟主富,亦主因妻有官.)

만약 日에 年의 官을 지니거나, 혹 年의 印이 있으면 妻가 부권(夫權)을 빼앗고 혹 妻德으로 福祿이 나타나거나, 혹 妻가 권력 있는 貴한 가문(家門)으로 부마(駙馬) 군마(郡馬)의 類이다. 日에 命財가 坐하고 다시 財가 生旺한 곳에 있으면 主는 妻의 재물(財物)을 얻으며, 그리고 妻가 현명(賢明)하다. 만약 死絶墓인 곳에 있으면 처가(妻家)에서 죽은 사람의 재물(財物)을 얻는다. (若日帶年之官,或年之印,主妻奪夫權,或祿出妻蔭,或妻權貴之家,駙馬郡馬之類.日坐命財,更在財生旺之鄉,主得妻財,又主妻賢明.若在死絶墓處,得妻家死人財.)

日에 貴人이 坐하면 妻는 名望있는 집안이고, 혹 현숙(賢淑)하고 미려(美麗)하다. 만약 命이 日을 刑하거나, 日이 年을 衝하거나, 年의 陽刃을 破하고, 겁살, 육액, 원진, 공망이 되면, 혹 서너

번 장가가거나, 혹 妻가 없다. 日에 自刃이 있으면 일명(一名) 日煞이라 하고, 혹 時의 陽刃이 歸日하면 모두 妻를 剋한다. (日坐貴人,主妻有望族,或賢淑美麗.若命帶日刑,日帶年衝,破年陽刃,劫煞,六厄,元辰,空亡,或三四娶,或無妻.日帶自刃,名曰日煞,或時陽刃歸日,俱主剋妻.)

日에 파쇄살(破碎煞)이 있으면 色 중독으로 혈질(血疾)이거나, 혹 재난(災難)의 종류인데, 丑日은 더욱 긴요(緊要)하고, 巳 酉일은 차만(差慢)하고, 日에 年의 墓가 있거나, 日에 正印이 있으면 主는 정실(正室)을 극(剋)한다. 五行이 순(順)하면 吉하지만, 日에 刑害 衝破가 있고 또 惡煞이 있거나, 혹 부침(浮沈)煞이 坐하면 主의 妻와 생이별(生離別)함이 많고 혹 악사(惡死)한다. 日이 命財가 死墓絶하는 곳에 있으면 妻를 剋하는데, 가령 金命인이 日이 午未申상에 있으면 納音으로 論한다. (日帶破碎煞,須主色癆血疾,或厄難之類,丑日尤緊,巳酉日差慢,日帶年墓,日帶正印,主剋正室.五行順則吉,日帶刑害衝破,又帶惡煞,或坐浮沉煞,多主妻生離,或惡死.日在命財死墓絶處,主剋妻,如金命人,日在午未申上,仍以納音論之.)

고시에서 이르길, 納音으로 金命은 木이 妻가 되고, 午未宮은 死 葬하는 기간이 되고, 다시 一辰을 나아가면 妻가 絶인데 경함(傾陷)이나 선휴(先虧)함이 없는 것과 같다. 日에 華蓋가 坐하면 빈번하게 妻를 剋하는데, 대체로 四季일은 대부분 이와 같다. (古詩云,納音金命木爲妻,午未宮爲死葬期,更進一辰妻是絶,若無傾陷也先虧.日坐華蓋,主頻頻剋妻,大抵四季日多如此.)

논육친論六親-10

고시에 이르길, 時에서 華蓋를 만나면 身主가 孤獨하고, 年에 子가 臨해 있으면 틀림없이 죽고, 日이 만약 時에 있는 妻를 여러 차례 剋하면 창녀나 노비(奴婢)에게조차 장가들지 못한다. 촌주에 이르길, 日에 화개(華蓋)가 坐하면 妻가 검소하지 않으며 불효(不孝)하고, 日에 역마가 坐하면 妻는 病이 많으며 용라(慵懶;버릇이 없고 게으름)하고, 혹 고독하고, 五行이 相剋하여도 극함(剋陷)한다. 辛酉일생은 妻를 剋하고, 癸巳일생은 부부(夫婦)가 病이 있고, 혹 주색(酒色)으로 황음(荒淫)하고, 年과 日이 一位로 같으면 이름이 주본동궁(主本同宮)이라 하여 主는 妻를 剋하는데 같은 나이의 妻에게 장가들면 免한다. 속설(俗說)에서는 봉황지(鳳凰池)라 일컫는다. (古詩云,時逢華蓋主身孤,有子臨年必定殂,日若値時妻屢剋,不娶娼尼卽婢奴.寸珠云,日坐華蓋,主妻不廉不孝,日坐驛馬,主妻多病慵懶,或孤,五行相剋,亦主剋陷.辛酉日生,剋妻,癸巳日生,主夫妻有病,或酒色荒淫,年日同一位,名主本同宮,主剋妻,娶同年妻方免,俗謂之鳳凰池.)

심지가 이르길, 兄弟가 同宮하면 鳳凰池인데 단지 사인(使人)의 품은 마음이 좋지 못하고, 日時가 相衝, 相破, 相刑, 六害하면 모두 主는 이혼(離婚)하며 자식과도 헤어지는데, 男女가 공통으로 사용한다. 申日 辰時, 未日 亥時, 寅日 戌時, 丑日 巳時는 모두 정란사충(井欄斜衝)하여 妻를 얻기 어려우며 더불어 食神이 있으면 이름이 절방살(絶房煞)이라 하여 딸은 많으나 아들이 드물다.

가령 甲辰 壬午가 도식(倒食)을 가지고 있으면 더욱 긴요(緊要)하다. (沈芝云,兄弟同宮鳳凰池,但使人心懷不佳,日時相衝,相破,相刑,六害,皆主離婚離嗣,男女通用.申日辰時,未日亥時,寅日戌時,丑日巳時,皆爲井欄斜衝,主難爲妻,更帶食神,名絶房煞,主多女少男.如甲辰壬午,帶倒食者尤緊.)

고부에 이르길, 정란사충(井欄斜衝)은 장자(莊子) 고분(鼓盆)의 가(歌)에서 바르게 말하였다. 日이 自刑하면 妻가 病이 많고, 日에 沐浴煞이 坐하면 아름다운 妻를 얻지만 대부분 검소하지 못하다. 무릇 命은 日의 納音으로써 妻의 數를 論하는데, 水는 하나, 火는 둘, 木은 셋, 金은 넷, 土는 다섯인데 甚하면 倍가 된다. 무릇 사람은 妻位를 衝하는 辰(地支)이 妻에게 장가가는 年이 되고, 드물게 日과 三合이나 六合이 있지만 妻를 만나는 것은 더구나 교졸(巧拙;교묘함과 졸렬함)한 말이다. (古賦云,井欄斜衝,莊子鼓盆而歌,正謂此也.日是自刑,主妻多病,日坐沐浴煞,主得美妻,多不廉.凡命,以日之納音,論妻之數目,水一,火二,木三,金四,土五,甚者倍之.凡人妻位衝辰,爲娶妻之年,罕有與日三合六合而見妻者,更以巧拙言之.)

부에서 이르길, 日이 [親]年을 능멸하면 노부(老婦)인이 공손하지 않다. 가령 乙丑인이 辛日을 보면 年干을 손상하고, 癸日은 乙干을 탄(吞)하고, 午日을 만나면 乙의 長生으로 대부분 夫에게 복종하지 않는다. 대개 年은 父母가 되고, 日은 妻妾이 되는데 다시 地支가 刑衝하며 煞이 있으면 공손하고 온순하지 않고, 혹 다른 干에서 生助하면 그렇지 않다. 가령 乙이 辛을 보고, 壬이 있으면 辛金이 壬水를 生하고 壬水는 乙木을 生하는 것이다. (賦云,日凌親年,老婦無恭.如乙丑人,見辛日,乃傷年干,癸日,乃吞乙干,遇午日,是乙之長生,多不服夫.蓋年爲父母,日爲妻妾,更支神刑衝帶煞,故無恭順,或助生,別干則不然.如乙見辛,有壬字,辛金生壬水,壬水生乙木也.)

또 이르길, 앞에서 害를 만나면 금슬(琴瑟)이 조화롭지 않고, 이미 生한 六害를 보고, 行年의 大小運을 또 만나면 말하길 앞에서 害를 보면 그 年은 반드시 부부(夫婦)가 불화(不和)한다. (又云,有前見害,琴瑟不調,謂當生已見六害,行年大小運又遇,謂之有前見害,其年必主夫妻不和.)

또 이르길, 일(日)支가 어쩌다 歲앞에 있으면 衆人은 웃지만 妻의 추악(醜惡)한 소리를 두려워한다. 대개 日은 妻妾이 되며 地支가 太歲앞에 있으면 主는 妻를 두려워하고, 혹 妻의 天性의 氣運을 [두려워한다.] 무릇 煞이 妻位에 臨하면 傷 剋함이 많으나 만약 처가(妻家)가 몰락(沒落)하면 免한다. (又云,日支忽在歲前,衆笑怕妻聲醜惡.蓋日爲妻妾,支神在太歲前,主怕妻,或妻性氣.凡是煞臨妻位者,主多傷剋.若妻家零落乃免.)

또 이르길, 음추양창(陰惆陽悵)은 亥가 子상으로 오면 夫를 방해하고, 협각협유(夾角夾維)는 寅이 丑주위로 向하면 妻를 剋한다. [辰戌丑未는 추창살(惆悵煞)이 되지 않고, 오직 陰陽이 같은 곳에 있는 연후(然後)에 추창살이 있다. 亥인이 子를 向하면 陰은 그 陽을 원망하는데, 가령 妻가 夫에게 울부짖으므로 亥가 子상으로 오면 夫를 방해한다는 말이다. 子인이 亥를 얻으면 陽은 그 陰을 원망하는데, 가령 夫는 妻때문에 울고, 子가 亥상으로 오면 妻를 방해하는 것은 말할 필요가 없는 견해이다. 子午卯酉에는 격각(隔角) 과숙살(寡宿煞)이 없으며 오직 모퉁이 네 곳에만 있다. 寅이 丑을 얻어 격각 과숙이 되면 妻에게 불리(不利)하다. 따라서 말하기를, 寅이 丑주위로 向하면 婦를 剋하고, 丑인이 寅을 얻어 격각 고진이 되면 夫에게 不利하다. 丑이 寅상으로 向하면 夫를 剋하므로 설명할 필요가 없는 것이다.] (又云, 陰惆陽悵, 亥來子上妨夫, 夾角夾維, 寅向丑邊剋妻.(辰戌丑未, 不爲惆悵煞, 惟陰陽並處, 然後有之. 亥人向子, 乃陰悵其陽, 如妻號其夫. 故言亥來子上妨夫. 子人得亥, 乃陽悵其陰, 如夫哭其妻, 子來亥上妨妻, 不待言而見也. 子午卯酉, 無隔角寡宿煞, 惟方隅四處, 然後有之, 寅人得丑, 乃隔寡角宿, 則不利妻. 故曰其寅向丑邊剋婦, 丑人得寅, 隔角孤辰, 則不利夫. 丑向寅上剋夫, 故不待說也.))

論六親論六親-11

또 이르길, 남자는 妻가 絶한가운데 태어나면 딸을 낳는 것이 마땅치 않는데, 딸을 낳으면 상처(喪妻)한다. 가령 甲子(해중)金의 남자는 木이 妻가 되는데, 7月에 生하면 妻는 絶이 된다. 여자는 夫가 絶한가운데 태어나면 아들을 낳는 것이 마땅치 않는데, 아들을 낳으면 상부(喪夫)한다. 가령 甲子(해중)金의 여자는 火가 夫인데, 10月에 生하면 夫는 絶이 되는 것이다. 나머지도 이 추리를 따르면 된다. (癸亥 丙寅 己巳 乙巳 庚申 等의 日은 고분살(鼓盆煞)인데, 그 日이 旺한 것을 두려워하고 고란[煞]과 대체로 같다. 또 이르길, 絶宮은 고분살이 된다.) (又曰, 凡男於妻絶中生者, 不宜生女, 生女則喪妻. 如甲子金男, 以木爲妻, 七月生, 爲妻絶. 女於夫絶中生者, 不宜生男, 生男卽喪夫. 如甲子金女, 以火爲夫, 十月生, 爲夫絶也. 餘准此推.(癸亥丙寅己巳乙巳庚申等日, 爲鼓盆煞, 畏其日之旺也, 與孤鸞大同, 又云, 絶宮爲鼓盆之煞.))

金의 申酉, 火의 巳午, 水土의 亥子, 木의 寅卯는 이름이 망향살(望鄕煞)이고 그 命에서 强하면 나쁜데 建祿과 다를 것이 없다. 또 亥未戌은 春節, 巳子辰은 夏節, 寅卯午는 冬節, 申酉丑은 秋節이면 이름이 낭자살(狼藉煞)이다. (백기력에서는, 정월은 대패이고, 2月은 낭자이고, 3月은 팔패로써, 남자는 처가(妻家)가 패(敗)하고, 여자는 부가(夫家)가 敗한다.) (金申酉, 火巳午, 水土亥子, 木寅卯, 名望鄕煞, 惡其命之强也, 與建祿無異. 又亥未戌春. 巳子辰夏, 寅卯午冬, 申酉丑秋, 名狼藉煞.(百忌歷, 以正月爲大敗, 二月狼藉, 三月八敗, 男敗妻家, 女敗夫家))

또, 寅申巳亥 七月생, 子午卯酉丑月생, 辰戌丑未卯月생은 이름이 절방살(絶房煞)이다. 백기력에서 이르길, 12支의 辰月상에서 남자는 妻, 子息 父母에게 해로우며, 여자는 夫, 媤父母를 손상한다. 子息의 位는 妻에게서 소생(所生)한 것인데, 가령 木命인은 土가 妻이고 土가 金을 生하여 子息이 된다. 陰命은 소생(所生)한 것이 자식이 되는데, 가령 木命인은 火가 子息이 된다. 만일 子位가 旺相한 곳에 있으면 총명(聰明)하고 충효(忠孝)를 가진 자식(子息)이 있어 선조(先祖)를 빛내는데, 반대면 그렇지 않다. (又寅申巳亥生七月. 子午卯酉生丑月, 辰戌丑未生卯月, 名絶房煞. 百忌歷云, 以十二支辰月上呼, 男害妻兒父母, 女傷夫主公姑. 子位者, 以妻所生者爲之, 假如木命人, 以土爲妻, 土

生金爲子.陰命以所生者爲子,如木命人,以火爲子,如子位在旺相之郷,主有聰明忠孝之子,光顯祖宗,反之則否.)

자식(子息)의 성정(性情)을 알고자하면 각각의 五行으로 추리한다. 木命인은 金이 자식이 되며, 子息의 성정은 청렴하며 정직함을 가지나 剛烈하며 독선적이다. 火는 水가 子息이 되며, 성정은 겸화(謙和)하며 평온하고, 위를 받들며 아래를 잘 거느려서 두 사이를 주선한다. 土는 木이 子息이 되며, 성정은 자애로우며 충효(忠孝)가 있고, 유순(柔順)하며 겸화(謙和)하고, 젊은 시절은 좋으나 늙으면 좋지 않다. 金은 火가 子息이 되며, 성정은 인색하며 욕심은 많고, 중심(中心)이 허망(虛妄)하고, 이익을 쫓으며 자신보다 뛰어나면 싫어하고, 시작은 있으나 끝이 없다. 水는 土가 子息이 되며, 성정은 완만(緩慢)하나 강직하며 진중(珍重)하여, 늙어서는 福이 있다. (欲知子之性情,各以五行推之.木命人,以金爲子,主其子性懷廉正,剛烈自用.火以水爲子,性謙和恬淡,扶高接下.土以木爲子.性慈忠孝,柔順謙和,宜少不宜老.金以火爲子,性多貪慳,中心虛妄,逐利勝己,有始無終.水以土爲子,性緩慢,凝重耿介,老而有福.)

五行에 각각 유기(有氣)한 곳이 있으면 마땅히 이것으로 論하고, 만약 休墓의 地支에 있으면 반대이다. 男命의 四柱내에 鬼가 없으면 이름을 국중무자(局中無子)라 말하는데, 그러나 生時를 살펴보면 어떤 地支가 있어야 하는가? 가령 木命은 金이 子息인데 만일 국중무자(局中無子)면 申酉巳時를 얻어야 반드시 子息이 있는데, 이름을 자승왕기(子承旺氣)라고 한다. 만약 金이 子에서 死하거나 寅에서 絶하면 자식이 없는 것이다. (五行各在有氣之郷,當以是論,若在休墓之地反是.男命四柱內無鬼,名曰局中無子,卻看生時在何地?如木命以金爲子,若局中無子,而得申酉巳時者,必有子,名曰子承旺氣,若金死於子,絶於寅,卽無子也.)

무릇, 時의 納音으로써 子息의 數를 추리하는데, 水는 하나, 火는 둘, 木은 셋, 金은 넷, 土는 다섯으로 乘旺하여 有氣하면 數를 倍로 말하고, 時가 배반하여 무기(無氣)하면 數를 減하여 말하고, 數를 따르지 않는 것이 있는데 5, 10後에는 禍福에 의해 定한다. 만약 男命이 국중무자(局中無子)인데 또 時에서 鬼가 生旺한 곳에 있지 않고, 오히려 干支와 年이 合하면 단지 딸을 낳으면 키울 수 있으나 아들을 낳으면 기르지 못한다. (凡以時之納音,推子之數,水一,火二,木三,金四,土五,有氣乘旺,則倍數言之,無氣背時,則減數言之,有不依數者,在五十後,禍福方定,若男命犯局中無子,又時不在鬼生旺之郷,卻支干與年合者,但只生女得成,生子不育.)

고시에 이르길, 子息이 刑死位에 가까이 있으면 곡(哭)하고, 자식이 많아도 이것은 소년(少年)에 사망한다. 돌연히 만약 干支가 아울러 德을 合하면 단지 딸 둘을 기르는 것이 적당하다. (古詩云,哭子帶刑死位傍,子多復是少年亡.忽若干支並德合,只宜養女得成雙.)

예) 명조-1
戊 丙 癸 癸

子 辰 亥 未

국중무자(局中無子)이며, 또 官鬼가 死絶하는 地支에 있고, 더구나 癸가 戊를 합하니 따라서 딸은 많이 낳았으나 아들은 전부 없었는데, 만약 甲子를 보았으면 아들이 있었다. 日干으로 論하면, 丙辰은 辛[癸]가 자식이 되며, 時상은 건록 임관의 地支에 해당되어 아들이 많아야하는데, 그런데 오히려 아들이 없었다. 이는 年상의 納音을 取하여 論하면 역시 정확하다. (如一命癸未,癸亥,丙辰,戊子,是局中無子,又在官鬼死絶地,卻癸與戊合,故生女多子皆不成,若見甲子,則主有子.以日干論,丙辰以辛[癸]爲子,引歸時上建祿臨官之地,主多子,然卻無子,是以納音取年上論,亦准.)

예) 명조-2

癸 辛 甲 癸
巳 卯 子 未

이 명조는 국중유자(局中有子)인데 死地에 있으나, 기쁜 것이 時가 官鬼의 長生地이기 때문에 아들은 여럿 낳았으나 딸은 드물었다. (又一命,癸未,甲子,辛卯,癸巳,是局中有子,在死地.喜時引官鬼長生之地,故生數子而少女.)

예) 명조-3

辛 戊 壬 庚
酉 寅 午 辰

백호임정(白虎臨庭)하여, 56세에 不祿(사망), 子息이 모두 없었다. (又一命,庚辰,壬午,戊寅,辛酉,白虎臨庭,五十六不祿,兒女俱無.)

논육친론六親-12

척벽에 이르길, 무릇 命에 亥[字]가 많으면 子息[아들을 지칭]을 얻고, 巳[字]가 많으면 딸을 얻는다. 時가 年을 刑衝 破害 刃劫 元辰하면 모두가 子息을 尅한다. 時와 年이 거듭 공망하면 子息이 끊어진다. 自刃 飛刃이 子息을 尅하고, 時에 화개가 있으면 子息을 尅하여 50歲후에는 쓸쓸할 것이 불 보듯 하다. (尺壁云,凡命犯亥字多得兒,巳字多得女.時帶年衝刑破害刃劫元辰,俱尅子.時帶年空亡重者,絶子.自刃飛刃尅子,時坐華蓋尅子,五十後如見不牢.)

時에 自刑이 있으면 子息이 질병(疾病)이 많고, 六厄은 子息에게 厄이 많고, 浮沈살은 설사와 이질로 사망하고, 時에 본음묘(本音墓)가 坐하면 主는 장수(長壽)하며 子息없이 노후(老後)를 보내지만 그러나 후손(後孫)은 있다. 日에 破 공망 刑衝 食刃이 있으면 모두가 첫 子息을 尅한다. (時帶自刑,子多疾病,六厄,子多厄,浮沉煞,死瀉痢,時坐本音墓,主有壽,無子送老,但有孫息.坐日破空亡刑衝食刃,皆主尅頭子.)

納音으로 絶氣하고, 또 時가 絶하는 곳에 있을 경우, 예컨대, 癸巳[水], 壬寅[金], 庚申[木], 乙亥[火], 丁巳[土:화토동궁으로 絶]등의 時가 이것이고, 가령 庚申이 壬寅時를 얻는다면 절손(絶孫)된다. 命에서 申日 亥時를 보거나, 巳日 寅時를 보아 호환(互換)하면 이름을 교해살(狡害煞)이라 하여 절손(絶孫)하니 모름지기 서출이나 양자를 들여야 좋다. (納音帶絶氣.又時在絶鄕.如癸巳,壬寅,庚申,乙亥,丁巳等時是也.假令庚申得壬寅時,定主絶嗣.凡命見申日亥時,巳日寅時,互換見者,名曰狡害煞,主絶嗣,須庶出過房佳.)

고시에 이르길, 五行에서 교해[煞]이 가장 불량(不良)하고, 부부(夫婦)가 고단(孤單)하며 독수공방(獨守空房)하니, 죽은 후에 봉분(封墳) 앞에서 곡(哭)할 자식이 없어 다른 성씨(姓氏)를 구하여 장사(葬事)지낸다. 귀곡유문에 이르길, 人命의 生時에서 祿馬를 보면 조정의 명령(命令)이 오고가고, 고(孤) 과(寡)를 犯하지 않으면 子孫이 있고, 時의 天干이 年의 天干을 剋하는 것과 年의 天干을 도식(倒食)하면 아들을 낳지만 불순(不順)하다. (古詩云,五行狡害最不良,夫婦孤單獨守房,死去墳前無子哭,求他異姓卻相當.鬼谷遺文云,若人生時,見祿馬往來朝命,不犯孤寡,亦有子孫,時干剋年干,及倒食年干者,主生男不順.)

오행요론에 이르길, 무릇 대운이나 소운과 歲의 命[年支]이 三合 六合하면 임신하여 아들딸을 낳는 경사가 있는데, 陽이 많으면 아들을 낳고 陰이 많으면 딸을 낳는다. 만약 순양(純陽)이면 지극(至極)하여 반대로 陰이 되니 딸을 낳고, 순음(純陰)이면 지극(至極)하여 반대로 陽이 되어 아들을 낳는다. 가령 甲子의 命은 陽에 屬하는데, 大運이나 小運이 辰位나 혹 申位에 臨하여 三合하고, 외부에서 들어온 辛巳 太歲가 陰에 屬하지만 이것은 陽이 많아 아들을 낳는다. 나머지는 이것을 따르면 된다. (五行要論云,凡大小二運,與歲命三合六合者,主有孕生男女之慶,陽多生男,陰多生女.若純陽則極而反陰,生女,純陰則極而反陽,生男.假如甲子命屬陽,大小運臨辰位,或申位,三合,外夾辛巳太歲屬陰,則是陽多生男,餘准此.終)

정부인잉생남녀定婦人孕生男女

[秘]訣에서 말하길, 父母의 나이를 數로 [卦의] 양두(兩頭)로 하고 수태(受胎)月은 중심(卦의 中爻를)을 만들어 乾 坎 艮 震은 아들이 되고, 巽 離 坤 兌는 모두 딸에 속한다. 가령 부모의 나이가 雙(짝수)이면 - -이고, 수태(受胎)月이 隻(홀수)이면─이 되니 坎卦(☵)를 이루어 남자가 된다. 父母의 나이가 隻(홀수)이면─가 되고, 수태(受胎)月이 雙(짝수)이면 - -가 되니, 離卦(☲)를 이루어 딸이 된다. 父의 나이는 上爻이며 母의 나이는 下爻이고 胎月은 中爻가 된다. 나머지는 이 추리를 따르면 된다.[42] (訣曰,父母歲數兩頭安,受胎之月中心取.乾坎艮震爲男兒,巽離坤兌總屬女.假父母年雙爲拆,受胎月隻爲單,成坎卦,定男.父母年隻爲單,受胎月雙爲拆,成離卦,定女.父年上,母年下,胎

---

42) [譯者 註] [첫째, 독자 여러분은 八卦의 괘상(卦象)을 전부 숙지(熟知)해야 한다. 예컨대, 父의 나이가 32살이고 母의 나이가 31살이며 受胎月이 3월이라면, 상효는 아버지의 나이가 32살이니 짝수로 - -이며, 하효는 어머니의 나이가 31살이니 홀수로 ─이며, 중효는 수태월이 3월로 홀수가 되니 ─이다. 이로써 상중하의 효가 정해 졌는데 상- - 중─하─가 된다. 괘를 그리면 兌卦가 된다. 巽 離 坤 兌의 卦는 딸로서 딸이 된다.] 혹시 초학자가 글을 읽을 수 있을 것이라 부연(敷衍)하여 설명하였다.

月中,餘准此推.)

 또 하나의 法은 대연數로 추리하는 것이다. 訣에서 말하길, 일곱이레인 49數를 사용하는데 어미에게 어떤 달에 있었는가를 물어보고, 母의 나이를 49로 제(除)하여 단(單)은 홀수 쌍(雙)은 짝수이다. 奇數와 偶數가 만약 일정하지 않으면[43] 수명(壽命)이 길지 않다. 가령 먼저 49수에 모(母)의 수태(受胎)월수를 더하여 얻은 총수를 계산하는데, 만약 正月에 임신했다면 49+1=50數이고, 그 모의 나이 31세일 경우 31을 除(빼면)하면 19數가 남는데, 9는 홀수이며 홀수는 남자가 된다. 만약 홀수에 여자가 태어나거나 짝수에 남자가 태어난다면 夭折한다. 또 하나를 이르길, 가제법(加除法)인데, 天1 地2 人3을 除하고 남은 數를 본다. 또 이르길, 1을 제하고 2를 제하고 3을 제하고 다 除한 다음 영수(零數;차고 남는 數)를 보는 것이다. (又一法,以大衍之數推之.訣曰,七七四十九,問娘何月有.除卻母生年,單奇雙是偶.奇偶若不常,壽命不長久. 假先下四十九數於算盤,乃加上其母受胎月數,總得若干數.若値正月胎,是五十數,其母三十一,除去,止餘一十九數,九則爲單,單則男.若單生女,雙生男,主夭折.一云,加除法以天一地二人三除之,看剩數.又云,除一除二除三,除盡看零數.)

제7권 終

---

43) 참고; 만약 짝수에 남자가 태어나고 홀수에 여자가 태어나면~

1. 六甲日甲子時斷(以下所忌月分與時同斷)

6甲日이 甲子時에 生하면 敗中의 印綬인데 官이 生하고, 月에 木氣가 通하면 예사롭지 않지만, 이와 반대면 명리(名利)는 허울뿐이다. (六甲日生甲子時,敗中印綬官生至.月通木氣不尋常,反此而言虛名利.)

甲日甲子時는 비록 甲의 敗地인 子이지만 暗中에 癸水인 印綬의 生氣가 있고, 아울러 官이 있으면 印綬를 生하는데, 만약 己土가 印綬를 破하면 月에 氣가 通하여 貴하다. 아니면 빼어나도 부실(不實)하다. (甲日,甲子時,雖甲敗在子,暗有癸水生氣印綬,兼有官生其印,若己土破印,通月氣貴.否則秀而不實.)

甲子日 甲子時는 자요사격인데, 年月에 庚辛申酉와 丑의 기반과 午의 衝이 없으면 고향을 떠나서 자립(自立)하며 貴하다. 만약 年月이 모두 寅인데 申酉運을 만나면 대부(大富)가 된 후에 財物이 衰退해진다. 子亥卯未인 年月은 運으로 흐르면 貴하고, 甲辰월 또한 貴하다. 酉월은 단지 正官격으로 論할 뿐이며 대귀(大貴)하다. 巳午戌월은 보통이고, 午월은 甲이 死하고 子를 衝하니 심히 不吉하다. 乙卯 乙巳월은 주법(主法)에 死한다. (甲子日,甲子時.子遙巳格,年月無庚辛申酉,丑絆午衝,離祖自立貴.若年月俱寅,逢申酉運,大富後退財.子亥卯未年月,行西運貴.甲辰月亦貴.酉月只以正官格論,大貴.巳午戌月,平常.午月,甲死子衝,尤不吉.乙卯乙巳月,主法死.)

庚子己卯,樊繼祖尙書,謫戌.戊子乙丑[己未],魯邦彦行人.戊午丙辰,陳太珊進士.己未乙亥,趙壽祖進士.甲戌丁卯,歐解元.己巳乙亥,錢丞相.甲寅甲戌,朱少保.丁酉壬子,魏郎中.庚寅癸未,曹郎中.己酉丁卯,陳大道丙戌進士府尹楚人.戊子辛酉,何通判.以上俱以日時爲主,而以人命年月附之,其有官銜不同者,此前代命也.下同.

명조-1(번계조상서) 명조-2 (노방언행인) 명조-3(진태산진사)

甲 甲 己 庚	甲 甲 乙 戊	甲 甲 丙 戊
子 子 卯 子	子 子 丑 子	子 子 辰 午

명조)-1은 戌에 귀양.

명조-4(조수조진사) 명조-5(구해원) 명조-6(전승상)

甲 甲 乙 己	甲 甲 丁 甲	甲 甲 乙 己
子 子 亥 未	子 子 卯 戌	子 子 亥 巳

명조-7(주소보) 명조-8(위랑중) 명조-9(조랑중)

甲甲甲甲　　甲甲壬丁　　甲甲癸庚
子子戌寅　　子子子酉　　子子未寅

명조-10(진대도)　명조-11(하통판)
甲甲丁己　　甲甲辛戊
子子卯酉　　子子酉子
명조)-10은 丙戌에 진사부윤, 초인(楚人)이다.

이상(以上)은 日時를 위주(爲主)로 갖춘 人命으로써 年 月을 덧붙인 것이다. 관직(官職)의 직함(職銜)이 같지 않은 사람들이고 전대(前代)의 命이다. 아래도 동일하다.[44)]

甲寅일 甲子시는 丑중에 辛을 공협(拱夾)하여 貴하다. 年月에 庚辛申酉丑未가 없으면 大貴하다. 다시 甲寅월이면 고극(孤剋)하니 단지 승도(僧道)일 뿐이다. 亥子의 年月이면 4품(品)으로 貴하다. 午月은 東北方의 運으로 行하면 역시 貴하다. 申酉丑巳 等의 月은 드러난 官煞이 있으면 柱에 印을 갖추고 있어야 貴하다. 卯未甲이 太旺하면 刑傷을 피하기 어렵다. 乙巳월은 刑을 당하고, 丁亥월은 旺한 중에 악사(惡死)한다. (甲寅日,甲子時.拱丑中辛貴.年月無庚辛申酉丑未大貴.再甲寅月孤剋,惟僧道可.亥子年月,四品貴.午月行東北方運亦貴.申酉丑巳等月,明有官煞,柱但有印俱貴.卯未甲太旺,未免刑傷.乙巳月受刑.丁亥月,旺中惡死.)

壬寅甲辰,尚書.乙亥丙戌,侯.辛亥丁丑,潘九齡參議.甲戌丁丑,王鶴府尹.戊子甲寅,傅行簡狀元.戊子癸亥,陳九思總兵.己巳丙子,韓御史.壬寅甲辰,臧郎中.庚寅戊子,張太尉.乙丑己卯,呂安撫.乙亥戊子,趙安撫.辛丑辛丑,范都事.

명조)-1(상서)　명조)-2(후)　　　명조)-3(반구령 참의)[명조 오류]
甲甲甲壬　　甲甲丙乙　　　甲甲丁辛
子寅辰寅　　子寅戌亥　　　子寅丑亥

명조)-4(왕학 부윤)　명조)-5(부행간 장원)　명조)-6(진구사 총병)
甲甲丁甲　　　甲甲甲戊　　　　甲甲癸戊
子寅丑戌　　　子寅寅子　　　　子寅亥子

명조)-7(한어사)　명조)-8(장낭중)　명조)-9(장태위)
甲甲丙己　　　甲甲甲壬　　　甲甲戊庚
子寅子巳　　　子寅辰寅　　　子寅子寅

---

44) [譯者 註] 명조)-2에서 月主가 己丑으로 되어 있는데 五行원리상 己丑이 나올 수 없으므로 역자가 乙丑이나 己未로 수정한 것이다.

명조)-10(여안무)   명조)-119(조안무)   명조)-12(범도사)

甲 甲 己 乙　　　甲 甲 戊 乙　　　甲 甲 辛 辛

子 寅 卯 丑　　　子 寅 子 亥　　　子 寅 丑 丑

甲辰일 甲子시는 만약 年 月에 水가 자리하면 水가 범람하여 木이 [물에] 뜨니 뿌리가 옮겨져서 잎이 변한다. 申月은 煞성이 印과 함께 會局하여 貴하다. 子月은 水木 運으로 흐르면 역시 貴하다. 酉月은 正官으로 大貴하다. 寅 午 戌 월은 모두 吉하다. 乙卯월은 刑하여 꺾인다. 癸巳월은 水火중에 死한다. 癸亥월은 凶死한다. (甲辰日,甲子時.若水位年月,水泛木浮,主移根換葉.申月煞星會印俱貴.子月行水木運亦貴.酉月正官大貴.寅午戌月俱吉.乙卯月刑折.癸巳月水火中死.癸亥月凶死.)

壬辰辛亥,秦吉士布政.辛巳年發背卒.庚辰戊子,陳典布政.庚午年病故.庚子壬午,張振先憲副.壬寅壬寅,妓.

명조)-1(진길사포정)   명조)-2(진전포정)   명조)-3(장진선헌부)   명조)-4(기생)

甲 甲 辛 壬　　　甲 甲 戊 庚　　　甲 甲 壬 庚　　　甲 甲 壬 壬

子 辰 亥 辰　　　子 辰 子 辰　　　子 辰 午 子　　　子 辰 寅 寅

명조)-1은 辛巳년에 發背하여 卒하였다. 명조)-2는 庚午년에 病 때문에,

甲午일 甲子시는 日時가 衝하여 妻子를 손상하는 근심이 있다. 月에 木氣가 소통(疏通)하면 현귀(顯貴)하다. 子午 年月로 순수(純粹)하거나 혹 亥未酉월은 모두 貴하다. 한편 높다고도 하고, 한편 身孤하며 財가 있어 淸貴하며 유명(有名)하다고도 한다. 乙巳월은 조업(祖業)을 破하고 요절(夭折)한다. 乙亥월은 自刑하여 칼에 사망한다. 癸亥월은 旺중에 惡死한다. (甲午日,甲子時.時日併衝,憂傷妻子,月通木氣者顯貴.純子午年月,或亥未酉月俱貴.一云,高,一云,身孤有財淸貴有名.乙巳月破祖夭.乙亥月,自刑刃死,癸亥月,旺中惡死.)

己未庚午,李彌綸學士.丙戌甲午,張四維閣老,木火通明,文章秀麗,子午雙包.癸巳庚申,許讚尙書入閣,中州人.戊戌壬戌,陳葉尙書,楚人.甲午丁卯,張孟男尙書,中州人.己酉壬申,明帝天啓.丁酉壬子,曹子登布政.

명조)-1(이미륜학사)   명조)-2(장사유각로)   명조)-3(허찬 상서입각)   명조)-4(진거상서)

甲 甲 庚 己　　　甲 甲 甲 丙　　　甲 甲 庚 癸　　　甲 甲 壬 戊

子 午 午 未　　　子 午 午 戌　　　子 午 申 巳　　　子 午 戌 戌

명조)-2는 목화통명하여 문장이 수려하고 子午쌍포이다. 명조)-3은 중주인이다. 명조)-4는 楚人이다.

명조)-5(장맹남상서) 명조)-6(명제 천계) 명조)-7(조자등 포정)

甲 甲 丁 甲   甲 甲 壬 己   甲 甲 壬 丁

子 午 卯 午   子 午 申 酉   子 午 子 酉

명조)-5는 중주인이다.

甲申일 甲子시는 甲의 胎는 印을 만나고 印은 煞로 化하여 貴하다. 원앙(鴛鴦)이 중첩하여 子息이 代를 잇기 어렵게 된다. 만약 東南方 運으로 흐르면 文武직을 차지한다. 亥卯未辰申丑 등의 月은 모두 貴하다. 乙卯월은 요절한다. 丁巳월은 죽어 시체가 온전치 못하다. (甲申日.甲子時.甲胎逢印.印化煞貴.鴛鴦重疊.子嗣難爲.若行東南方運.文武職居間.亥卯未辰申丑等月俱貴.乙卯月夭.丁巳月死不全尸.)

己亥丙子,金憲副.癸酉甲子,翰林.丙申庚寅,擧人.癸亥乙卯,苑郡王.癸亥己未,李剛丞相.甲子乙亥,帖木花學士.庚申丙戌,張我續總督尙書,壽八旬外北直人.庚午己卯,黃廷用侍郎,一云庚申年甲午日.

명조)-1(금헌부)   명조)-2(한림)   명조)-3(거인)   명조)-4(원군왕)

甲 甲 丙 己   甲 甲 甲 癸   甲 甲 庚 丙   甲 甲 乙 癸

子 申 子 亥   子 申 子 酉   子 申 寅 申   子 申 卯 亥

명조)-5(이강승상) 명조)-6(첩목화학사) 명조)-7(장아속 총독상서) 명조)-8(황정용 시랑)

甲 甲 己 癸   甲 甲 乙 甲   甲 甲 丙 庚   甲 甲 己 庚

子 申 未 亥   子 申 亥 子   子 申 戌 申   子 申 卯 午

 명조)-7은 수명이 팔순(八旬)이고, 외북직인이다. 명조)-8(황정용 시랑)은 또 이르길, 庚申년 甲午일 이라고도 한다.

甲戌일 甲子시는 亥 천문을 공협(拱夾)하여 회동제궐하고 甲이 長生하는 地支인데, 격각(隔角)으로 論하는 것은 불가(不可)하다. 年月에 申巳酉丑의 金氣가 소통(疏通)하면 大貴하다. 戊寅이 年月이면 농아(聾兒)이거나, 혹 늑대나 범에게 상해(傷害) 당하고, 壬을 보면 吉하다. 乙卯월은 刑死하고, 乙亥월은 도적에게 죽임을 당한다. 이상(以上)의 6日은 年月의 喜忌가 마땅히 소통하며 융화하여 활법으로 본다. 아래와 같다. (甲戌日.甲子時.拱亥天門.會同帝闕.甲長生地也.不可以隔角論.年月通申巳酉丑金氣大貴.戊寅年月主聾啞.或狼虎傷害.見壬則吉.乙卯月刑死,乙亥月,遭盜死.以上六日,年月喜忌,當通融活看.下同.)

己巳丁丑,謝遷閣老.丁丑壬寅,王讓侍郎,孫侍講命同.戊辰乙丑,吳希孟參議.戊戌甲寅,孫鋊常少浙人.癸卯癸亥,都督浙人.己酉乙亥,評事.

명조)-1(사천각로)   명조)-2(왕양시랑)   명조-3(오희맹참의)

```
甲甲丁己        甲甲壬丁        甲甲乙戊
子戌丑巳        子戌寅丑        子戌丑辰
```
명조)-2(왕양시랑)은 손시강 命과 같다.

명조)-4(손종상 소절인)   명조)-5(도독절인)   명조)-6(평사)
```
甲甲甲戊            甲甲癸癸            甲甲乙己
子戌寅戌            子戌亥卯            子戌亥酉
```

甲의 干은 祿局이 멀고, 白玉은 침잠(沈潛)한 진흙에서 나오고, 일조(一朝)의 시운(時運)에 이르면 자연히 貴人에게 이끌리게 된다. (甲干遙祿局,白玉出沈泥,一朝時運至,自有貴人提.)

甲子가 甲子를 연이어 만나면 섬궁(蟾宮)을 만들어 계수나무를 꺾는 신선을 흉내 낸다. 丑이 기반하고 아울러 官鬼를 衝하여 破하면 공명(功名)이 층등(蹭蹬)거려 주전(周全)하지 않다. (甲子相逢甲子連,擬作蟾宮折桂仙.丑絆併衝官鬼破,功名蹭蹬不周全.)

甲子時가 甲子를 만나면 특별히 그 중의 印綬가 부동(符同)하다. 庚申 辛酉가 만약 서로 만나고, 다시 丑未가 年月에 兼하면 貴를 공협(拱夾)하여 암장되어 極顯하다. 巳午가 衝破 平中하면 刑剋과 空衝이 없으니 초군(超群)에서 출중(出衆)하다. (甲子時逢甲子,就中印綬符同.庚申辛酉若相逢,丑未再兼年月,拱貴暗藏極顯.巳午衝破平中.果無刑剋與空衝,定主超群出衆.)

2. 六甲日乙丑時斷(以下六甲所忌月同上,時忌並論)

6甲日이 乙丑時에 生하면 劫財 羊刃이 있어 좋지 않다. 柱中에 火를 만나고 辛金을 지니고 있으면 制伏하여 화평(和平)하여야 貴도 역시 길다. (六甲日生時乙丑,劫財羊刃不宜有.柱中逢火帶辛金,制伏和平貴亦久.)

甲日乙丑시는 辛金이 官이고, 己土는 財인데, 丑중에 암장한 己는 투출(明)한 乙에게 劫奪 당한다. 乙丑의 金神이 만약 年日時에서 合하면 火局을 이루어 制伏하여야 덕성(德性)이 순수(純粹)하고 화합(和合)하여 貴하다. 火가 없으면 흉폭(凶暴)한데, 만일 合하여 水局이 되면 흉악(凶惡)하여 가정을 손상한다. (甲日,乙丑時,辛金爲官,己土爲財,丑中暗己,被明乙劫奪.乙丑金神,若年日時合成火局,得制伏,主德性純和而貴.無火兇狠.如合水局,兇惡損家.)

甲子日乙丑시는 연결된 合이 되어 妻는 어질고 子息은 貴하다. 春節에는 身旺하여 재백(財帛)이 파산(破散)한다. 夏節에는 甲이 衰하여 金神을 制하면 貴하다. 秋節에 生하면 근시(近侍)하여야 귀(貴)하다. 丑월은 가장 吉하지만 亥子는 凶이 많다. (甲子日,乙丑時,連珠得合,妻賢子貴.春月身

旺,財帛破散.夏月甲衰,金神有制貴.秋生,近侍之貴.丑月最吉,亥子多凶.癸亥癸亥,程勳總兵.庚辰壬午,魏尚書.丙子辛丑,楊進士.壬戌己酉,張應鳳擧人.乙丑丁亥,富而無子.己未癸酉,朱局祚狀元閣老,浙人.)

명조)-1(정훈총병)　　　명조)-2(위상서)　　　명조)-3(양진사)

乙 甲 癸 癸　　　　乙 甲 壬 庚　　　　乙 甲 辛 丙

丑 子 亥 亥　　　　丑 子 午 辰　　　　丑 子 丑 子

명조)-4(장응봉 거인)　명조)-5(부이무자)　명조)-6(주국조 장원 각로, 절인)

乙 甲 己 壬　　　　乙 甲 丁 乙　　　乙 甲 癸 己

丑 子 酉 戌　　　　丑 子 亥 丑　　　丑 子 酉 未

甲寅월乙丑시는 춘절은 貧하며, 추절은 貴하고, 冬절은 富하고, 夏절의 火는 금신을 制하여 吉하다. (甲寅日,乙丑時.春貧,秋貴,冬富,夏火制金神,吉.壬申己酉,汪集侍郎.戊子甲寅,侍郎.乙丑壬午,侍郎.)

명조)-1(왕집시랑)　　명조)-2(시랑)　　　명조)-3(시랑)

乙 甲 己 壬　　　　乙 甲 甲 戊　　　乙 甲 壬 乙

丑 寅 酉 申　　　　丑 寅 寅 子　　　丑 寅 午 丑

甲辰일 乙丑시는, 매우 부유하여 財가 많고, 年月에 火氣가 소통(小桶)되면 貴하다. 主血이라고도 한다. (甲辰日,乙丑時.主富厚有財,通火氣年月,貴.一云,主血.癸亥癸亥,胡柏泉尚書,名臣.丙辰辛丑,平章.丁巳癸丑,陳邦瞻侍郎,江西人.)

명조)-1(호백천 상서, 명신)　　명조)-2(평장)　　　명조)-3(진방첨 시랑, 강서인)

乙 甲 癸 癸　　　　乙 甲 辛 丙　　　乙 甲 癸 丁

丑 辰 亥 亥　　　　丑 辰 丑 辰　　　丑 辰 丑 巳

甲午일 乙丑시는 금신이 火局에 들면 身弱하여 가난하며 夭折한다. 寅戌이 會火하는 이것은 一木이 火位를 중첩하게 만난 것이니 불길(不吉)하다. 만약 하나의 寅과 하나의 戌이며 혹 申 酉 亥월이면 4~5품의 貴함이다. (甲午日,乙丑時.金神入火局,身弱貧夭.寅戌會火,是一木疊逢火位,不吉.若單寅單戌,或申酉亥月,四五品貴.乙亥壬午,楊受堂憲副.乙卯甲申,聶靜郎中.己酉癸酉,擧人.丁亥壬寅,擧人.戊戌壬戌,趙世卿尚書,一命同刑傷.壬戌庚戌,史學遷學院,山西人.)

명조)-1(양수당 헌부)　　　명조)-2(섭정 낭중)　　　명조)-3(거인)

乙 甲 壬 乙　　　　乙 甲 甲 乙　　　乙 甲 癸 己

丑 午 午 亥　　　　丑 午 申 卯　　　丑 午 酉 酉

명조)-4(거인)　　　　　명조)-5(조세경 상서)[45]　　　　명조)-6(사학천학원, 산서인)

乙 甲 壬 丁　　　　　乙 甲 壬 戊　　　　　乙 甲 庚 壬

丑 午 寅 亥　　　　　丑 午 戌 戌　　　　　丑 午 戌 戌

甲申일乙丑시는 평상시 질병을 달고 있다. 子月생은 南方 運이면 貴하다. 秋節생은 순수(純粹)한 煞인데 천간(天干)에 印綬가 투출하면 더욱 貴하다. (甲申日,乙丑時.帶疾平常.子月生,南方運貴.秋生純煞,天干透印綬,尤貴.甲午壬申,王一鄂都憲.乙酉戊子,劉鳳翔總兵.丙寅乙未,貴同.乙巳乙酉,進士.丙午戊戌,巨寇.乙巳丁亥,陳長祚尚書.)

명조)-1(왕일악 도헌)　　　명조)-2(류봉상 총병)　　　명조)-3(貴同)

乙 甲 壬 甲　　　　　乙 甲 戊 乙　　　　　乙 甲 乙 丙

丑 申 申 午　　　　　丑 申 子 酉　　　　　丑 申 未 寅

명조)-4(진사)　　　　명조)-5(巨寇;큰도적)　　　명조)-6(진장조 상서)

乙 甲 乙 乙　　　　　乙 甲 戊 丙　　　　　乙 甲 丁 乙

丑 申 酉 巳　　　　　丑 申 戌 午　　　　　丑 申 亥 巳

甲戌일乙丑시는 논밭의 경작지가 이어지니, 차고 넘쳐서 곡식을 베풀지만 그러나 먼저 刑을 피하기는 어렵다. 寅의 年 月이면 부자(父子)가 모두 현달(顯達)한다. 子月이면 西方 運에 존귀(尊貴)하다. (甲戌日,乙丑時.田連阡陌,貫朽粟陳,但未免先刑.寅年月,父子俱顯.子月,西方運金紫.乙亥乙酉,陳瑞尚書.丙戌壬辰,王宗沐妻夫子五進士.庚寅丙戌,王三重巡撫,江西人.甲戌甲戌,楊一清閣老無子.丁未戊申,周家謨冢宰楚人.)

명조)-1(진서 상서)　　명조)-2(왕종목 妻夫子五 진사)　　　명조)-3(왕삼중 순무, 강서인)

乙 甲 乙 乙　　　　　乙 甲 壬 丙　　　　　乙 甲 丙 庚

丑 戌 酉 亥　　　　　丑 戌 辰 戌　　　　　丑 戌 戌 寅

명조)-4(양일청 각로, 無子)　　명조)-5(주가모 총재초인)

乙 甲 甲 甲　　　　　乙 甲 戊 丁

丑 戌 戌 戌　　　　　丑 戌 申 未

丑은 金의 쇄국(鎖局)인데, 열쇠가 없으면 소통(小桶)할 수 없다. 四柱에서 寅 午 戌을 만나면 火를 制하여야 비로소 成功한다. (丑爲金鎖局,無鑰不能通.柱逢寅午戌,火制始成功.)

---

45) 一命이 같았는데, 刑傷한다고 되어 있다. "一命同刑傷"

겁재 양인이 時[垣]에 있으면 꺼리며 宮內에 財官의 문호(門戶)를 폐쇄(閉鎖)한다. 辰未가 서로 만나면 大吉하고, 가령 뜻이 신혼(晨昏)의 법도라면 따르지 않는다. (劫財羊刃忌時垣,宮內財官鎖閉門.辰未相逢爲大吉,如無隨意度晨昏.)

甲일이 乙丑시를 만나면 庫中에는 금옥(金玉)을 수장(收藏)하고 있다. 천을귀인이 겁재에게 손상함은 교월(皎月)의 광대한 달빛이 구름에 숨는다. 火局인 南方운은 貴하고, 金신은 制伏함이 마땅하다. 목고수성(木枯水盛)하여도 또 평상(平常)하고, 조상을 등지고 고향을 떠나지만 만년(晚年)에는 좋게 된다. (甲日時逢乙丑,庫中金玉收藏.貴人天乙劫財傷,皎月雲遮光蕩.火局南方運貴,金神制伏相當.木枯水盛且平常,背祖離鄕晚旺.)

3. 六甲日丙寅時斷(以下所忌月分,與時同斷)

6甲日생 丙寅시의 경우, 時에는 日祿에 앉은 食神이 居한다. 旺한 壬을 보지 않고 刑 破가 없으면 복수(福壽)가 강녕(康寧)한 富貴한 사람이다. (六甲日生時丙寅,時居日祿坐食神.旺壬不見無刑破,福壽康寧富貴人.)

甲日丙寅시는, 甲木은 寅상에서 健旺하며, 丙은 食神이 되어 壽星이 得地하여 四柱에 壬의 奪과 癸의 剋이 없고, 火木이 月의 氣에 通하면 貴하다. 관성을 보는 것과 申이 祿을 衝하는 것을 꺼린다. (甲日,丙寅時,甲木寅上健旺,丙爲食神,壽星得地,柱無壬奪癸剋,通火木月氣者貴.忌見官星,及申衝祿.)

甲子일 丙寅시는 日의 祿이 時에 머물러 청운득로(靑雲得路;벼슬길로 나아감)하며, 年月에 庚辛金이 없으면 貴하다. 木火의 氣가 소통(疏通)하면 지극히 貴하다. 午월은 東北方의 運으로 行하면 5~6品의 貴이다. 申월은 歸祿이 煞을 만나니 대권(大權)의 貴이다. 水局은 보통이다. 만약 年月과 日時가 같으면 대귀(大貴)하다. 천사(遷徙)의 命이라고 한다. (甲子日丙寅時.日祿居時,靑雲得路,年月無庚辛金,貴.通木火氣極貴.午月,行東北方運,五六品貴.申月,歸祿逢煞,主大權貴.水局平常.若年月與日時同,大貴.一云,遷徙之命.)

己未壬申,韓琦丞相.辛卯己亥,陳蔡都堂.庚申壬午,崔峨參議.丙午癸巳,錢布政.甲辰庚午,張主政.丁巳戊申,孟御史.乙未乙酉,王太守.甲寅丁卯,徐狀元.戊子乙卯,擧人.庚子己卯,姜璧御史.甲子乙亥,徐一鳴元戎,江南人.庚寅丁亥,張成內官.丁丑壬子,謝紹芳擧人御史閩人.乙亥辛巳,熊文燦總制以法死.

명조)-1(한기 승상)　명조)-2(진채 도당)
丙 甲 壬 己　　　丙 甲 己 辛
寅 子 申 未　　　寅 子 亥 卯

명조)-3(최아 참의)　　　명조)-4(전 포정)

丙 甲 壬 庚　　　　丙 甲 癸 丙

寅 子 午 申　　　　寅 子 巳 午

명조)-5(장 주정)　　　명조)-6(맹 어사)

丙 甲 庚 甲　　　　丙 甲 戊 丁

寅 子 午 辰　　　　寅 子 申 巳

명조)-7(왕 태수)　　　명조)-8(서 장원)

丙 甲 乙 乙　　　　丙 甲 丁 甲

寅 子 酉 未　　　　寅 子 卯 寅

명조)-9(거인=擧人)　　　명조)10(강벽 어사)

丙 甲 乙 戊　　　　丙 甲 己 庚

寅 子 卯 子　　　　寅 子 卯 子

명조)-11(서 일명, 원융, 강남인)　　　명조)-12(장성 내관)

丙 甲 乙 甲　　　　　　丙 甲 丁 庚

寅 子 亥 子　　　　　　寅 子 亥 寅

명조)-13(사소방거인, 어사 민인)　　　명조)-14(웅문찬총제,以法死)

丙 甲 壬 丁　　　　　　丙 甲 辛 乙

寅 子 子 丑　　　　　　寅 子 巳 亥

甲寅일 丙寅시는, 年月에 巳酉辛丑의 글자가 없으면 귀록격(歸祿格)인데, 지위(地位)가 1~2품에 이른다. 순수한 木火에 土가 있으면 富貴雙全하며, 육경(六卿)의 벼슬이다. 丙子 및 亥 卯未월은 4~5품의 貴이다. 西南방의 運으로 行하면 가장 吉하다. 그리고 酉丑월에 貴한 사람이 있으면 天干의 투출과 年이 어떠한가를 살펴봐야 한다. (甲寅日,丙寅時.年月無巳酉辛丑字,是歸祿格,位至一二品.純木火,帶土,富貴雙全,六卿之職.丙子及亥未卯月,四五品貴.行西南方運,最吉.亦有酉丑月貴者,看干透及年何如.)

己亥丁丑,王大用都憲.丁未壬寅,聶豹尚書講學無子.己未己巳,黃都督.戊寅丙辰,王參政.甲寅丙寅,鄭樞密.癸未己未,張鹵都憲.丙寅壬辰,翁愈祥吏部,江南人.甲辰癸酉,胡雪田進士.

명조)-1(왕대용 도헌)　　　명조)-2(섭표상서 강학 無子)

丙 甲 丁 己 　　　　　 丙 甲 壬 丁
寅 寅 丑 亥 　　　　　 寅 寅 寅 未

명조)-3(황 도독) 　　　 명조)-4(왕 참정)
丙 甲 己 己 　　　　　 丙 甲 丙 戊
寅 寅 巳 未 　　　　　 寅 寅 辰 寅

명조)-5(정 추밀) 　　 명조-6(장로도헌)
丙 甲 丙 甲 　　　　　 丙 甲 己 癸
寅 寅 寅 寅 　　　　　 寅 寅 未 未

명조)-7(옹유상리부, 강남인) 　 명조)-8(호설전 진사)
丙 甲 壬 丙 　　　　　 丙 甲 癸 甲
寅 寅 辰 寅 　　　　　 寅 寅 酉 辰

甲辰일 丙寅시는, 용호공문(龍虎拱門) 또는 용음호소(龍吟虎嘯)인데 貴하고, 혹 일생토록 貴와 가까우며 재원(財源)을 혹 얻거나 혹 잃어도 명리(名利)는 기제(旣濟)하여도 미제(未濟)하다.[名利가 끝이 없다는 말] 未寅의 年月은 벼슬이 육경(六卿)에 이르고, 戊月은 풍헌(風憲), 酉月은 3品, 子亥丑월은 4~5品인데 西方運으로 行하면 대귀(大貴)하다. 卯巳의 年月은 보통이다. 신백경에서 이르길, 化木하면 主는 貴하다. (甲辰日,丙寅時.龍虎拱門,又龍吟虎嘯,主貴,或一生近貴,財源或得或失,名利旣濟未濟.未寅年月,官至六卿.戊月風憲.酉月三品.子亥丑月四五品,行西方運,大貴.卯巳年月平常.神白經云,化木主貴.)

庚辰戊子,孫忠烈公,燬死寧王之難.甲申丙寅,靳貴閣老.己卯癸酉,周侍郞.壬申己酉,石參政.辛酉丁酉,擧人.癸酉癸亥,擧人.辛巳乙未,曹大章,丙午癸丑科會元榜眼江南人,一富商命同.戊子甲寅,莊奇顯,丙午癸丑,科榜眼閩人.

명조)-1(손충열공, 수사녕왕지난) 　 명조)-2(근귀 각로)
丙 甲 戊 庚 　　　　　 丙 甲 丙 甲
寅 辰 子 辰 　　　　　 寅 辰 寅 申

명조)-3(주 시랑) 　 명조)-4(석 참정)
丙 甲 癸 己 　　　　　 丙 甲 己 壬
寅 辰 酉 卯 　　　　　 寅 辰 酉 申

명조)-5(거인) 　 명조)-6(거인)

丙 甲 丁 辛　　　丙 甲 癸 癸
寅 辰 酉 酉　　　寅 辰 亥 酉

명조)-7(조 대장 丙午 癸丑 과회원방안, 강남인, 한 부상(富商)인의 命과 동일)
丙 甲 乙 辛
寅 辰 未 巳

명조)-8(장 기현 丙午 癸丑 과방 안민인)
丙 甲 甲 戊
寅 辰 寅 子

甲午일 丙寅시는, 身이 絶地에 居하여 主는 평범한데, 만약 水월에 소통하면 木이 자양(滋養)되어 吉하다. 火월은 요절(夭折)하지만 天干에서 比劫이 도우면 무방(無妨)하다. (甲午日,丙寅時.身居絶地,主平.若通水月,木得滋養,吉.火月壽夭,天干比助無妨.)

甲子庚午,趙卿總兵,名將.丙戌戊戌,崔總兵,係獄終凶.壬戌甲辰,王堯日給諫.丙午癸巳,錢參政.己亥丙寅,郭進士.壬子甲午,少卿.甲子甲戌,通判.庚戌戊寅,錢若賡進士太守係獄以子科第得免.丁未丙午,貧夭.乙酉丙戌,瞽目.

명조)-1(조경총병, 명장)　명조)-2(최총병, 계옥종흉)
丙 甲 庚 甲　　　　丙 甲 戊 丙
寅 午 午 子　　　　寅 午 戌 戌

명조)-3(왕 요일 급간)　명조)-4(전 참정)
丙 甲 甲 壬　　　　丙 甲 癸 丙
寅 午 辰 戌　　　　寅 午 巳 午

명조)-5(곽 진사)　　　명조)-6(少卿[소경]=4品)
丙 甲 丙 己　　　　丙 甲 甲 壬
寅 午 寅 亥　　　　寅 午 午 子

명조)-7(통판)　　　　명조)-8(전약갱 진사 태수 계옥이자과제득면)
丙 甲 甲 甲　　　　丙 甲 戊 庚
寅 午 戌 子　　　　寅 午 寅 戌

명조)-9(빈요)　　　명조)-10([瞽目]고목)

丙 甲 丙 丁　　　　丙 甲 丙 乙
寅 午 午 未　　　　寅 午 戌 酉

甲申일 丙寅시는, 時와 日이 나란히 衝하니 처자(妻子)가 손상될까 근심이다. 年月日이 같으면 대귀(大貴)하다. 己亥는 2~3品이며, 辰子의 年月은 水가 모임으로써 煞을 印으로 化하니 吉하다. 未월 財庫 역시 吉하다. (甲申日,丙寅時.時日倂衝,憂傷妻子.若年月日同,大貴.己亥,二三品,辰子年月會水,以煞化印,吉.未月財庫亦吉.)

丁卯辛亥,溫景葵擧人,都憲.甲申丙寅,喬宇冢宰.壬子壬子,鄭慶雲進士.戊寅癸亥,張喬進士.壬辰丁未,莊科太守.丙申庚子,薛樞密.丙子丁酉,黃承昊兩司.甲子乙亥,安遠侯.庚子庚辰,吳中行翰林,丁丑建言廷杖,癸未復官八子江南人.丁未甲申,趙太守.甲寅丁丑,陸長庚通政,浙人.己巳丙寅,錢策少卿南人.

명조)-1(온경규 거인,都憲)　명조)-2(교우 총재)　명조)-3(정 경운 진사)

丙 甲 辛 丁　　　　丙 甲 丙 甲　　　　丙 甲 壬 壬
寅 申 亥 卯　　　　寅 申 寅 申　　　　寅 申 子 子

명조)-4(장교 진사)　　명조)-5(장과 태수)　　명조)-6(설 추밀)

丙 甲 癸 戊　　　　丙 甲 丁 壬　　　　丙 甲 庚 丙
寅 申 亥 寅　　　　寅 申 未 辰　　　　寅 申 子 申

명조)-7(황 승호 양사)　명조)-8(안 원후)　　명조)-9(오중행한림)

丙 甲 丁 丙　　　　丙 甲 乙 甲　　　　丙 甲 庚 庚
寅 申 酉 子　　　　寅 申 亥 子　　　　寅 申 辰 子

명조)-10(조 태수)　명조)-11(육 장경 통정, 절인)　명조)-12(전책 소경[少卿]남인)

丙 甲 甲 丁　　　　丙 甲 丁 甲　　　　丙 甲 丙 己
寅 申 申 未　　　　寅 申 丑 寅　　　　寅 申 寅 巳

甲戌일 丙寅시는, 年月에 土가 있으면 富하고, 金이 있으면 반복(反復)한다. 가령 金이 있으면 亥子의 印월을 生하니 바야흐로 貴하고, 나머지 月(달)은 그러하지 않다. 신백경에 이르길, 火木이 化하면 福이 厚하다. (甲戌日,丙寅時.年月有土則富.有金反復.如有金,須生亥子印月方貴,餘月則否.神白經云,火木化,主厚福.)

己丑丙子,內官.壬辰戊申,倚頓財命有氣,奈辰戌相虧,寅申相衝,故先富後貧.甲戌丁丑,陳情憲副.丁酉辛亥,林聰尙書,名臣.壬申壬子,韓參政.戊午壬戌,富.癸酉乙丑,雙瞽凶死.甲子丙寅,瞽一目貧.己巳丙寅,王象恆,蘇撫,山東人.庚午壬午,袁中道南銓.癸未甲子,申爲憲兩司.甲戌辛未,崔呈秀尙書凶終.

명조)-1[內官]　　　명조)-2[의 돈재]　　명조)-3[진정 헌부]

丙 甲 丙 己　　　丙 甲 戊 壬　　　丙 甲 丁 甲

寅 戌 子 丑　　　寅 戌 申 辰　　　寅 戌 丑 戌

명조)-2[의 돈재의 命은 有氣한데, 어찌 辰 戌이 서로 이지러질 것이며 寅 申 相衝하므로 선부후빈(先富後貧)한다.]

명조)-4[임총 상서,名臣] 명조)-5[한 참정]　　명조)-6[富]

丙 甲 辛 丁　　　丙 甲 壬 壬　　　丙 甲 壬 戊

寅 戌 亥 酉　　　寅 戌 子 申　　　寅 戌 戌 午

명조)-7[쌍고 흉사]　명조)-8[瞽一目(애꾸눈) 貧]　　명조)-9[왕 상긍, 소무, 山東人]

丙 甲 乙 癸　　丙 甲 丙 甲　　　丙 甲 丙 己

寅 戌 丑 酉　　寅 戌 寅 子　　　寅 戌 寅 巳

명조)-10[원중도 남전] 명조)-11[신 위헌 양사] 명조)-12[최 정수 상서, 凶終]

丙 甲 壬 庚　　　丙 甲 甲 癸　　　丙 甲 辛 甲

寅 戌 午 午　　　寅 戌 子 未　　　寅 戌 未 戌

日祿이 歸時하는 局은 官이 없어야 비로소 기이(奇異)하고, 형(刑)충(衝)을 하든지 하지 않든지 富貴는 의심하지마라. (日祿歸時局,無官始是奇.刑衝通不通,富貴莫猜疑.)

甲丙이 서로 맞아서 虎鄕[寅]에 들면 福星에 坐祿하여 문장(文章)을 드날리고, 四柱에서 상해(傷害)하지 않는 運을 만나면 머지않아 지위가 올라 헌당(憲堂)에 이른다. (甲丙相邀入虎鄕,福星坐祿顯文章.運逢四柱無傷害,早晚升遷至憲堂.)

甲子가 丙寅시를 만나면, 學文과 福祿이 순탄하다. 만약 辰戌을 만나면 2~3명의 妻가 있으며 녹주조원(祿主朝元)하여 富貴하다. 丁午庚申은 福을 減하고, 官의 기반(羈絆)을 야기(惹起)하지 않으면 기이(奇異)하게 된다. 살아올 동안 貴하여 거느리는 사람이 있다. 이러한 命은 먼저는 어려우나 나중에는 잘 풀린다. (甲子寅時遇丙,學文福祿班齊.若逢辰戌兩三妻,祿主朝元富貴.丁午庚申減福,無官惹絆爲奇.生來貴顯有人提,此命先難後易.)

4. 六甲日丁卯時斷(以下所忌月分,與時同斷)

6甲일 丁卯시는, 상관 양인이라 참으로 괴롭다. 설령 月氣에서 돕더라도 아직 免하지 못하여 인성(人性)이 좋지 않게 된다. (六甲日生時丁卯,傷官羊刃眞當惱.縱然月氣有扶持,未免爲人性不好.)

甲일 丁卯시는 상관 양인이며, 甲은 辛이 官이 되는데 丁[字]이 辛을 손상하고, 己는 財가 되는데 卯중의 乙목이 己를 劫奪하니 사람됨이 흉악하고 잔인하다. 만약 四柱에 辛이 투출하면 상관견관(傷官見官)이 되어 刑害가 百出하고, 運氣가 흉험(凶險)하면 천수(天壽)를 다하지 못한다. 四柱에서 칠살과 양인의 合이 있으며 財 官 印綬로 運行하면 대귀(大貴)하다. (甲日丁卯時,傷官羊刃,甲用辛爲官,丁字傷之,用己爲財,卯中乙卯[木]劫之,主爲人兇狠,若柱透辛,傷官見官,刑害百端,運氣兇險,不得善終.柱有七煞合刃,行財官印綬,大貴.)

甲子일 丁卯시는, 剋하며 손상하고 인색하니, 매사(每事) 진퇴(進退)를 만들어 처자(妻子)의 刑傷을 피하지 못한다. 辰戌丑未월생은 貴하다. 卯월은 凶한데 柱에 官煞의 制가 있으면 또한 吉하다. (甲子日,丁卯時,剋剝慳吝,作事進退,不免刑傷妻子,或死他鄉.生辰戌丑未月,貴.卯月凶,柱有官煞制,亦吉.)

辛未戊戌,李遷侍郎.丁酉庚戌,楊禹參政.丙寅乙未,歐陽煥進士.壬子癸丑,趙葉進士.庚戌辛巳,貧疾夭,浙人.

명조)-1[이천 시랑] 명조)-2[양우 참정] 명조)-3[구 양환 진사]

| 丁 甲 戊 辛 | 丁 甲 庚 丁 | 丁 甲 乙 丙 |
| 卯 子 戌 未 | 卯 子 戌 酉 | 卯 子 未 寅 |

명조)-4[조엽 진사] 명조)-5[貧 疾 夭, 절인]

| 丁 甲 癸 壬 | 丁 甲 辛 庚 |
| 卯 子 丑 子 | 卯 子 巳 戌 |

甲寅일 丁卯시는, 年 月에 木火가 상정(相停)하면 목화통명(木火通明)한 象으로 貴하다. 月令에 丑未가 坐하면 貴하다. 乙亥월은 문장(文章)이 뛰어나며 벼슬은 3品에 이르고, 干支에 金水가 온전하면 官印이 쌍으로 드러내어 貴하다. 또 이르길, 水火가 서로 다투면 刑 凶하다. (甲寅日,丁卯時.年月木火相停,通明之象,貴.月令坐丑未貴.乙亥月,文章冠世,官至三品,干支金水全,官印雙顯,貴.一云,水火相戰,主凶刑.)

庚申辛巳,屠大山尙書.丙午丙申,趙侍郎.甲子甲戌,巨富.丙子癸丑,武貴.

명조)-1[도대산 상서] 명조)-2[조 시랑] 명조)-3[巨富] 명조)-4[武貴]

丁 甲 辛 庚	丁 甲 丙 丙	丁 甲 甲 甲	丁 甲 癸 丙
卯 寅 巳 申	卯 寅 申 午	卯 寅 戌 子	卯 寅 丑 子

甲辰일 丁卯시는, 재백(財帛)이 가득차고, 생계(生計)하는데 가득차고 남으며, 妻는 어질고 자식은 효도하여 뛰어난 命으로 論한다. 春節에 태어나서 太旺한데 制가 없으면 빈천(貧賤)하며 잔질(殘疾)이 있다. 丑酉월은 貴하다. 또 이르길, 身은 외롭고 凶하다. (甲辰日.丁卯時.財帛滿目,生計盈餘,妻賢子孝,高命論之.春生太旺無制,貧賤殘疾.丑酉月貴.一云,身孤凶.)

壬申癸丑,繼周解元.辛卯壬辰,進士.丙申丁酉,憲副.丁卯甲辰,知縣.戊申甲寅,貧.己卯丙寅,殘疾.

명조)-1[계주 해원] 명조)-2[진사] 명조)-3[헌부]

丁 甲 癸 壬	丁 甲 壬 辛	丁 甲 丁 丙
卯 辰 丑 申	卯 辰 辰 卯	卯 辰 酉 申

명조)-4[지현] 명조)-5[貧] 명조)-6[殘疾]

丁 甲 甲 丁	丁 甲 甲 戊	丁 甲 丙 己
卯 辰 辰 卯	卯 辰 寅 申	卯 辰 寅 卯

甲午일 丁卯시는, 身이 絶地에 坐하여 刑하여 凶하다. 만약 秋冬節에 태어나면 요절(夭折)한다. 春夏節은 富貴하다. 甲午월은 대귀(大貴)하고, 運은 東北方이 좋다. (甲午日.丁卯時.身坐絶地,凶刑.若生秋冬,壽夭.春夏富貴.甲午月大貴,運宜東北方.)

辛酉丙申,擧人.丙午癸巳,知州.癸酉乙未,胡正蒙會元探花祭酒,浙人.戊午乙卯,林春會元部郎,泰州人.庚子丙戌,林煜尙書,閩人.丙午癸巳,王知府.

명조)-1[擧人] 명조)-2[知州] 명조)-3[호정몽회원 탐화 제주,浙人]

丁 甲 丙 辛	丁 甲 癸 丙	丁 甲 乙 癸
卯 午 申 酉	卯 午 巳 午	卯 午 未 酉

명조)-4[임춘회원부랑, 泰州人] 명조)-5[임경 상서, 민인] 명조)-6[왕 지부]

丁 甲 乙 戊	丁 甲 丙 庚	丁 甲 癸 丙
卯 午 卯 午	卯 午 戌 子	卯 午 巳 午

甲申일 丁卯시는, 주로 무직(武職)인데 풍헌(風憲)으로 권귀(權貴)하다. 酉월에는 火木運에 중간 정도의 貴이다. 寅午戌월은 대귀(大貴)하다. 또 이르길, 寅卯월은 전부 凶하다. (甲申日.丁卯時.主

武職,風憲權貴.酉月火木運,中貴.寅午年月大貴.一云,寅卯月總凶.)

癸未丁巳,李世忠總兵.戊戌甲子,劉棟侍郎.乙亥庚辰,范之箴大參.庚午辛亥,李秋都憲.壬申甲辰,許宣進士.乙卯乙酉,陳九德舉人.壬寅丙午,尚書.戊午丙辰,宇文丞相.庚申己卯,凶死.甲戌丙寅,凶死.甲午辛未,王應選探花,浙人.庚午辛巳,辛稼軒安撫.

명조)-1[이 세충, 총병] 명조)-2[유동 시랑] 명조)-3[범지잠 대참] 명조)-4[이추 도헌]

丁 甲 丁 癸	丁 甲 甲 戊	丁 甲 庚 乙	丁 甲 辛 庚
卯 申 巳 未	卯 申 子 戌	卯 申 辰 亥	卯 申 行 午

명조)-5[허선 진사] 명조)-6[진구덕 거인] 명조)-7[상서] 명조)-8[우문 승상]

丁 甲 甲 壬	丁 甲 乙 乙	丁 甲 丙 壬	丁 甲 丙 戊
卯 申 辰 申	卯 申 酉 卯	卯 申 午 寅	卯 申 辰 午

명조)-9[凶死] 명조)-10[凶死] 명조)-11[왕응선 탐화, 절인] 명조)-12[신가헌 안무]

丁 甲 己 庚	丁 甲 丙 甲	丁 甲 辛 甲	丁 甲 辛 庚
卯 申 卯 申	卯 申 寅 戌	卯 申 未 午	卯 申 巳 午

甲戌일 丁卯시는, 亥월을 만나면 재주와 학식이 있어 貴함이 나타난다. 양인이 조화(造化)를 가장 무너뜨리니 모름지기 制하거나 合이 있어야 비로소 吉하다. 身弱하면 凶이 없지만 만약 年月이 순수(純粹)한 煞인데 甲목이 秋절생이면 요절(夭折)한다. (甲戌日,丁卯時.逢亥月,有才學,貴顯.羊刃最壞造化,須有制合方吉.身弱無凶,若年月純煞,甲木秋生,主夭折.)

壬午庚戌,毛鵬都憲損妻剋子壽止四十餘.甲子丙寅,吳情探花,壽不永官不大.庚午甲申,方攸芋,舉人.

명조)-1[모붕 도헌] 명조)-2[오정 탐화] 명조)-3[방유우, 거인]

丁 甲 庚 壬	丁 甲 丙 甲	丁 甲 甲 庚
卯 戌 戌 午	卯 戌 寅 子	卯 戌 申 午

명조)-1의 모붕 도헌은 妻를 손상하고 子息을 剋하며, 壽命은 40餘歲에 마쳤다.
명조)-2의 오정 탐화는 壽命이 길지 않았고, 벼슬도 크지 않았다.

월결운롱(月缺雲籠)局은 사람은 通하나 道는 通하지 않고, 四柱에 구조(救助)함이 없으면 財祿은 적고 용모를 쫓는다. (月缺雲籠局,人通道不通,柱中無救助,財祿少從容.)

甲旬의 6일이 丁卯를 만나면 [6甲일이 丁卯시를 만나면], 중첩(重疊)한 刑衝을 두려워한다. 背祿

으로 運行하며 官貴가 없으면 노경(老境)에 이르기까지 경(經)을 궁리(窮理)하여도 명성을 바라지 않는다. (甲旬六日逢丁卯,重重疊疊怕衝刑.運行背祿無官貴,到老窮經不許名.)

甲일 丁卯시이면, 상관과 양인이 붙어 있다. 甲은 丁火를 만나면 化하여 재(灰)가 되고, 부모형제(父母兄弟)를 의지하기 어렵다. 조업(祖業) 전답(田畓) 재물은 모여도 흩어지고, 妻와 子息은 모두 형벌(刑罰)과 손상함이 있다. 관살운으로 行하여야 비로소 기이(奇異)하고, 성격(性格)이 혹 노(怒)하다가 혹 기뻐한다. (甲日時臨丁卯,傷官羊刃相隨.甲逢丁火化爲灰,父母兄弟難倚.祖業田財聚散,妻兒總有刑虧.運行官煞始爲奇,性格或嗔或喜.)

5. 六甲日戊辰時斷(以下六甲日所忌,月分同上,時犯併論)

6甲일 戊辰시는, 天財가 庫에 모여 坐하니 身이 번성한다. 장사하여 거부(巨富)가 되어 논밭과 정원이 가득하고, 月에 辛金의 祿이 있으면 貴人이다. (六甲日生時戊辰,天財坐庫會滋身.富商巨賈田園盛,月帶辛金祿貴人.)

甲일 戊辰시는, 天財가 庫에 坐하며 辰中 水局이 자생(滋生)하는데, 月氣에 通하면 장사하여 재물을 벌고, 전원(田園)이 크게 성(盛)하다. 8월에 祿을 지니면 財官이 모두 있어 부귀쌍전(富貴雙全)한다. 비견 양인은 財를 겁탈(劫奪)하니 꺼린다. (甲日,戊辰時.財天坐庫,辰中水局滋生,通月氣者,商賈發財,田園廣盛.八月帶祿,財官俱有,富貴雙全.忌比肩羊刃奪財.)

甲子일 戊辰시는, 이근환엽(移根換葉)하여 姓을 바꾸고 종(宗=근원)을 바꾸어, 妻가 어질고 子息이 효도하여 훌륭한 命이라고 論한다. 未月은 北方 運으로 行하여야 貴하다. 酉월에 北方運이면 대귀(大貴)하다. (甲子日,戊辰時,主移根換葉,改姓易宗,妻賢子孝,作高命論.未月,行北方運貴.酉月北方運,大貴.)

乙卯乙酉,童承叙春坊.甲申丙寅,岳愻總兵.戊子丙辰,張皇親.庚寅乙酉,李參政.癸酉丁巳,耿中丞.乙亥乙酉,亦貴.甲午庚午,內官.

명조)-1[동승서 춘방] 명조)-2[악건 총병] 명조)-3[장 황친] 명조)-4[이 참정]

戊 甲 乙 乙	戊 甲 丙 甲	戊 甲 丙 戊	戊 甲 乙 庚
辰 子 酉 卯	辰 子 寅 申	辰 子 辰 子	辰 子 酉 寅

명조)-5[경 중승] 명조)-6[亦 貴] 명조)-7[내관]

戊 甲 丁 癸	戊 甲 乙 乙	戊 甲 庚 甲
辰 子 巳 酉	辰 子 酉 亥	辰 子 午 午

甲寅일 戊辰시는, 용음호소(龍吟虎嘯)格으로 貴하다. 순수(純粹)한 辰이면 中間정도 貴이다. 寅이 순(純)하면 수명이 평안하다. 亥卯未가 三合하면 財旺하고 身强하여 대귀(大貴)하다. 丑 申의 年 月도 또한 吉하다. (甲寅日,戊辰時,龍吟虎嘯格貴.純辰,中貴.純寅康壽.亥卯未三合,財旺身强,大貴.丑申年月亦吉.)

庚申丁亥,高簡尚書,謫戍.乙丑癸未,林元甫都憲,子貴同.丁亥癸卯,趙憲長,辛亥月同運使.乙卯戊子,李仰止進士.庚辰乙丑,聞人詮提學.丁卯庚戌,姚懌山進士.壬申己酉,通判.甲午癸酉,鄭鄲翰林極刑,江南人.庚午丙戌,進士.己丑丙子,靳光先吏部.

명조)-1[고간 상서,謫戍] 명조)-2[임 원보 도헌,子貴同] 명조)-3[조 헌장,辛亥月 同運使]

戊 甲 丁 庚　　　　戊 甲 癸 乙　　　　　　戊 甲 癸 丁
辰 寅 亥 申　　　　辰 寅 未 丑　　　　　　辰 寅 卯 亥

　명조)-1은 고간 상서, 변방에 유배.[戌字 戊字가 다름]

명조)-4[이 앙지 진사] 명조)-5[문인전 제학] 명조)-6[요역산 진사]

戊 甲 戊 乙　　　　戊 甲 乙 庚　　　　　戊 甲 庚 丁
辰 寅 子 卯　　　　辰 寅 丑 辰　　　　　辰 寅 戌 卯

명조)-7[通判] 명조)-8[정만 한림 극형,江南人] 명조)-9[진사] 명조)-10[근광선리부]

戊 甲 己 壬　　　戊 甲 癸 甲　　　戊 甲 丙 庚　　　戊 甲 丙 己
辰 寅 酉 申　　　辰 寅 酉 午　　　辰 寅 戌 午　　　辰 寅 子 丑

甲辰일 戊辰시는, 刑衝하여야 發財하고, 妻는 많으나 子息이 늦고, 부모(父母)를 剋함이 있다. 酉월은 3~4품의 貴이다. 丑월도 역시 貴하다. 地支가 순수한 辰이면 대귀(大貴)하다. (甲辰日,戊辰時,刑沖發財,妻重子晚,雙親有剋.酉月三四品貴.丑月亦貴.地支純辰,大貴.)

丙辰壬辰,潘恩尚書,三子進士,一云己巳時.辛亥戊戌,陳健知府,極富子貴.丙子庚子,太守,馬應魁例貢以侵欺問軍命同.乙丑丙寅,方一梧郎中,壽不永.甲寅戊辰,吳普泉郎中.丙戌庚寅,節度.丙戌庚[戊]戌,文貴.丙申辛丑,武貴.庚午己卯,張瑞圖探花入閣閩人.壬戌戊申,陶望齡會元探花諡德浙人.

명조)-1[반은 상서, 三子 진사, 己巳 時라고도 한다.] 명조)-2[진건 지부, 極富 子貴]

戊 甲 壬 丙　　　　　　　　　　戊 甲 戊 辛
辰 辰 辰 辰　　　　　　　　　　辰 辰 戌 亥

명조)-3[太守, 마응괴례공 이침기문 군명동] 명조)-4[방 일오 낭중, 수명 길지 않음]

戊甲庚丙　　　　　　　　戊甲丙乙
辰辰子子　　　　　　　　辰辰寅丑

명조)-5[오 보천 낭중] 명조)-6[절도(節度)]
戊甲戊甲　　　　　戊甲庚丙
辰辰辰寅　　　　　辰辰寅戌

명조)-7[文貴] 명조)-8[武貴]
戊甲戊丙　　戊甲辛丙
辰辰戌戌　　辰辰丑申

명조)-9[장서도 탐화 入閣 민인] 명조)-10[도망령회원 探花 유덕 浙人]
戊甲己庚　　　　　　戊甲戊壬
辰辰卯午　　　　　　辰辰申戌

甲午일 戊辰시는, 財의 성패(成敗)가 많아 어린나이에 낙심한다. 亥子 丑卯 午未의 년(年) 월(月)은 대귀(大貴)한다. 酉월 역시 貴하다. (甲午日,戊辰時,財多成敗,早歲灰心.亥子丑卯午未年月大貴.酉月亦貴.)

庚辰己卯,張臣武莊元.辛未甲午,黃侍郎.己卯癸酉,方逢時知府.壬子癸丑,李進士.己酉乙亥,擧人.辛丑庚子,舒應龍尙書.己酉壬申,鄒德溥翰林戊戌革職江南人.辛酉庚寅,進士.乙酉庚辰,毛惇元榜眼,庚申年卒,浙人.

명조)-1[장신무 장원] 명조)-2[황시랑]　명조)-3[방 봉시 지부]
戊甲己庚　　　　戊甲甲辛　　　　戊甲癸己
辰午卯辰　　　　辰午午未　　　　辰午酉卯

명조)-4[이 진사] 명조)-5[擧人] 명조)-6[,서 응용 상서]
戊甲癸壬　　　戊甲乙己　　　戊甲庚辛
辰午丑子　　　辰午亥酉　　　辰午子丑

명조)-7[추덕부 한림 戊戌革職, 江南人] 명조)-8[進士] 명조)-9[모 돈원 방안, 庚申年卒, 浙人]
戊甲壬己　　　　　戊甲庚辛　　　戊甲庚乙
辰午申酉　　　　　辰午寅酉　　　辰午辰酉

甲申일 戊辰시는, 主가 고독하여 청고(淸高)한 승(僧)이나 도인(道人)이다. 丑월은 富貴하다. 寅

월은 더욱 貴하다. (甲申日,戊辰時,主孤,僧道清高.丑月富貴.寅月尤貴.)

丙申辛丑,唐符進士.庚寅己卯,進士止知縣.辛丑甲午,平章.庚子壬午,擧人,知縣.

명조)-1[당부 진사] 명조)-2[進士, 知縣에 그쳤다.] 명조)-3[平章] 명조)-4[擧人, 知縣]

戊 甲 辛 丙　　　戊 甲 己 庚　　　　戊 甲 甲 辛　　　戊 甲 壬 庚

辰 申 丑 申　　　辰 申 卯 寅　　　　辰 申 午 丑　　　辰 申 午 子

甲戌일 戊辰시는, 대부(大富)하고, 年月이 合으로 도우면 역시 貴하다. 寅亥의 年月은 3~4品의
貴이다. 조년(早年)에는 신(身)이 외롭지만 중년(中年)에는 발복(發福)한다. (甲戌日,戊辰時,大富,年
月扶合亦貴.寅亥年月,三四品貴.但時日併衝剋,早年身孤,中年發福.)

乙亥丁亥,林洪擧人.丙戌甲午,劉文岳擧人.癸酉丁巳,徐縉芳兩淮.鹽院閩人.癸巳壬戌,王肇對御史,江
西人.乙亥乙酉,周汝器擧人.壬午癸丑.丁卯丙午.丙申庚子.乙卯癸未.己未甲戌.俱大富.

명조)-1[임홍 거인] 명조)-2[류문악 거인] 명조)-3[서진방량회,염원 민인]

戊 甲 丁 乙　　　　戊 甲 甲 丙　　　　戊 甲 丁 癸

辰 戌 行 亥　　　　辰 戌 午 戌　　　　辰 戌 巳 酉

명조)-4[왕조대어사,강서인] 명조)-5[주 여기 거인]

戊 甲 壬 癸　　　　　戊 甲 乙 乙

辰 戌 戌 巳　　　　　辰 戌 酉 亥

명조)-6　　　명조)-7　　　명조)-8　　　명조)-9　　　명조)-10

戊 甲 癸 壬　戊 甲 丙 丁　戊 甲 庚 丙　　戊 甲 癸 乙　戊 甲 甲 己

辰 戌 丑 午　辰 戌 午 卯　辰 戌 子 申　　辰 戌 未 卯　辰 戌 戌 未

　명조)-6,7,8,9,10는 모두 大富이다.

창고전용(倉庫錢龍)局은 재문(財門)이 날마다 열리고, 運이 官 祿의 地支로 흐르면 복록(福祿)은
자연히 돌아온다. (倉庫錢龍局,財門日日開,運行官祿地,福祿自然來.)

시상편재(時上偏財)는 대부분 사용하지 않는데 干支의 안과 밖에서 자세하게 찾아야한다. 運에
서 財旺하여 官을 生하면 소통하고, 運이 졸렬하여 身이 衰弱하면 고통을 당할까 두렵다. (時上
偏財不用多,干支內外細搜羅.運通財旺官生至,運拙身衰恐受磨.)

甲일이 戊辰시를 만나면,柱중에서 戊를 도와야한다. 財 官의 기운(氣運)은 아름답게 그려지고

전용수고(錢龍守庫)를 만나는 것을 좋아한다. 庚 辛이 透干하면 귀현(貴顯)하고, 壬 癸가 자조(滋助)하면 마르지 않는다. 단지 比劫의 兄弟가 많은 것이 두려운데, 歲運에서 비겁을 만나면 재앙이 있다. (甲日戊辰時遇,柱中要戊相扶.財官運氣展良圖,喜遇錢龍守庫.辛庚透干貴顯,壬癸滋助不枯. 只怕比劫弟兄多,歲運達之有禍.)

6. 六甲日己巳時斷

6甲일 己巳시생은, 病地에서 財物은 실제 감당하기 어렵다. 月에 火氣가 通하여야 비로소 貴한데, 만약 身이 衰弱하여도 허용된다. (六甲日生時己巳,病中財物實難任.月通火氣方為貴,若是身衰亦不禁.)

甲일 己巳시는, 食神은 旺하며 身은 衰하고, 甲木은 巳상에서 病[地]인데, 비록 戊의 財와 丙의 食神이 암장해 있더라도, 月氣에 불통(不通)하면 福을 감당하기 어렵다. 甲己는 평두살(平頭煞)로서 春월에 生하면 身은 旺하지만 財가 衰하니 主는 골육(骨肉)간에 참상(參商)하고, 평생토록 일을 만들어 지나치게 솜씨를 부리다가 도리어 망하게 한다. 己巳 金神은 火가 제복(制伏)하며 巳酉丑이 合局하여 南方運으로 나아가면 명성이 나고 祿이 높다. 四柱에서 火를 만나지 못하면 化氣를 잔해(殘害)하여 흉악(凶惡)하게 갑자기 죽는다. (甲日,己巳時,食旺身衰,甲木巳上病,雖有暗戊為財,丙為食,不通月氣,難任其福.甲己為平頭煞,生逢春月,身旺財衰,主骨肉參商,平生作事,弄巧成拙.己巳金神有火制伏,巳酉丑合局,行南方運,名重祿高.柱不見火,殘害化氣,主凶惡暴亡.)

甲子일 己巳시는, 선빈후부(先貧後富)하며, 祖業이 경미(輕微)하고, 妻는 부지런하지만 子息은 삐뚤다. 寅未 巳丑의 年月에 生하면 비록 貴할지라도 질병을 예방해야한다. 申子 辰戌은 대귀(大貴)하다. 신백경에 이르길, 化氣는 貴하다. (甲子日,己巳時,先貧後富,祖業輕微,妻勤子拗.生寅未巳丑年月,雖貴防疾.申子辰戌,大貴.神白經云,化氣主貴.)

癸未乙卯,岳武穆.戊寅己未,萬衣布政.甲子癸酉,通判.癸酉丁巳,指揮.辛未丁酉,陳熙昌長科.辛未丁酉,解經邦經略.

명조)-1[악 무목] 명조)-2[만의 포정] 명조)-3[通判]
己 甲 乙 癸　　　己 甲 己 戊　　　　己 甲 癸 甲
巳 子 卯 未　　　巳 子 未 寅　　　　巳 子 酉 子

명조)-4[指揮] 명조)-5[진희창 장과] 명조)-6[해경방 경략]
己 甲 丁 癸　　　己 甲 丁 辛　　　　己 甲 丁 辛
巳 子 巳 酉　　　巳 子 酉 未　　　　巳 子 酉 未

甲寅일 己巳시는, 日時가 相刑하니 妻子를 손상할까 염려된다. 年月에 火가 있으면 명확하게 판단하는 재주가 있어 병권(兵權)의 직책을 장악한다. 戊子의 年月은 부친(父親)의 음덕(蔭德)으로 봉작(封爵)을 이어받아 富하다. (甲寅日,己巳時,時日相刑,憂傷妻子.生火年月,有明斷之才,掌兵權之職.戊子年月,承襲父蔭,主富.)

庚午壬午,史朝賓進士.辛未甲午,縣丞富.丁卯庚戌,解經雅吏科.

명조)-1[사조빈 진사]　명조)-2[현승부]　명조)-3[해경아리과]

己 甲 壬 庚	己 甲 甲 辛	己 甲 庚 丁
巳 寅 午 午	巳 寅 午 未	巳 寅 戌 卯

甲辰일 己巳시는, 자태가 아름답고 돈후(敦厚)하며 一生이 平安하고, 재백(財帛)을 이룬다. 巳酉丑의 年月은 火金의 運으로 나아가면 貴하다. 化氣는 凶으로 論한다. (甲辰日,己巳時,丰姿敦厚,一生平安,財帛有成.巳酉丑年月,行火金運貴.化氣凶論.)

乙巳戊子,萬鎧尚書,一云壬申時.乙丑庚辰,吳應宸庶吉士,目疾.壬子丁未,擧人.壬午乙巳,方逢時尚書,趙鏗縣丞命同,方楚趙冀金神喜火嫌水此其異也.壬子丁未,姚文華,擧人.

명조)-1[만당 상서, 壬申시 라고도 한다.]　명조)-2[오응신 庶 吉士,目疾]　명조)-3[요문화, 擧人]

己 甲 戊 乙	己 甲 庚 乙	己 甲 丁 壬
巳 辰 子 巳	巳 辰 辰 丑	巳 辰 未 子

명조)-4[방봉시 상서]

己 甲 乙 壬
巳 辰 巳 午

　명조)-4는 조갱현승의 命과 같고, 방초조기 金神喜火, 嫌水此其異也

甲午일 己巳시는, 金神이 火鄕에 들어 대귀(大貴)하다. 酉월은 木 火運으로 行하면 무직(武職)의 권력이 있다. (甲午日,己巳時,金神入火鄕,大貴.酉月行火木運,武職有權.)

乙丑丙戌,雷禮尚書.庚子庚辰,徐問尚書,無子.辛巳甲午,王太守.壬辰丁未,吳經略.丙戌戊戌,史浩丞相.壬寅己酉,蹇達都憲.乙未庚辰,賀鼎進士大參.

명조)-1[뇌례 상서]　명조)-2[서문 상서,無子]　명조)-3[왕 태수]　명조)-4[오 경략]

己 甲 丙 乙	己 甲 庚 庚	己 甲 甲 辛	己 甲 丁 壬

巳 午 戌 丑　　　 巳 午 辰 子　　　 巳 午 午 巳　　　 巳 午 未 辰

명조)-5[사호 승상] 명조)-6[건달 도헌] 명조)-7[하정 진사 대참]
己 甲 戊 丙　　　　 己 甲 己 壬　　　　 己 甲 庚 乙
巳 午 戌 戌　　　　 巳 午 酉 寅　　　　 巳 午 辰 未

甲申일 己巳시는, 돈후(墩堠)하고 총명(聰明)하여 결단(決斷)을 잘하고, 身이 淸貴하나 고독하여 刑破를 피하지 못한다. (甲申日,己巳時,敦厚聰明,善於決斷,身孤淸貴,不免破刑.)

壬午癸丑,陳琳侍郎.戊寅己卯,蹇進士.乙酉壬午,貴.丙辰乙未,貴.

명조)-1[陳琳侍郎] 명조)-2[건 진사] 명조)-3[貴] 명조)-4[貴]
己 甲 癸 壬　　　 己 甲 己 戊　　　 己 甲 壬 乙　　　 己 甲 乙 丙
巳 申 丑 午　　　 巳 申 卯 寅　　　 巳 申 午 酉　　　 巳 申 未 辰

甲戌일 己巳시는 財神으로 貴格이고, 명리(名利)가 모두 완전하다. 子戌의 年月은 5品 이상의 貴이다. (甲戌日,己巳時,財神貴格,名利兩全.子戌年月,五品以上貴.)

己巳己巳,劉畿侍郎,壽不永.乙亥丙戌,陳憲副.丙子丁酉,曾熙炳,擧人,南道.

명조)-1[유기 시랑, 壽命이 길지 않았다.] 명조)-2[진 헌부] 명조)-3[증희병, 擧人, 南道.]
己 甲 己 己　　　　 己 甲 丙 乙　　　　 己 甲 丁 丙
巳 戌 巳 巳　　　　 巳 戌 戌 亥　　　　 巳 戌 酉 子

食神이 祿을 合한 局은 뜻을 가지고 문정(門庭)을 고치나 몇 번을 뒤집어 성공하고 또 실패하니, 파(破)한 後에 다시 영화로움을 만난다. (食神合祿局,有志改門庭,幾翻成又敗,破後再逢榮.)

甲己는 中央의 土神을 만들고, 辰 巳時는 진애(塵埃;세상의 俗된 것)를 벗는다. 국(局)중에서 歲運이 염화(炎火)로 달려가면, 공명(功名)을 세상에 나타내는 富貴한 사람이다. (甲己中央作土神,時逢辰巳脫埃塵.局中歲運趨炎火,顯達功名富貴人.)

甲일이 己巳시를 만나면, 火가 두터운 土에 臨하여 빛이 없다. 가뭄에 싹이 비를 만나면 지엽(枝葉)이 강하듯이, 火局과 金神이 旺相하다. 진사(進士)는 유명무실(有名無實)하고, 보통사람은 조상을 바꾸고 올바른 것을 뒤집는다. 사람은 성격(性格)이 예사롭지 않으며, 運은 晩年의 氣象에 다다른다.　　 (甲日時逢己巳,火臨土厚無光.旱苗得雨葉枝强,火局金神旺相.進士有名無實,常人改祖翻莊.爲人性格不尋常,運至晩年氣象.)

7. 六甲日庚午時斷(以下六甲日所忌月分同上,時犯併論)

6甲일생 庚午시는, 死地이며 또 鬼를 天干에서 만난다. 丙 丁을 만나지 못하고 身이 다시 弱하면 바쁘기만 할 뿐 가난하고 고생스러우니 춘추(春秋=四時)를 헤아려야한다. (六甲日生時庚午,死處又遭鬼當頭.丁丙不逢身再弱,忙忙貧苦度春秋.)

甲일 庚午시는, 死地에서 鬼를 만난다. 甲木이 午에서 死하고, 天干에서 庚의 鬼를 만나는데, 月氣에 불통(不通)하고 구조(救助)하는 것이 없으면 病을 지니고 있어 壽命을 재촉한다. 丙寅월을 만나서 身旺하며 庚이 絶하면 吉하지만 또한 主는 유시무종(有始無終;시작은 있으나 끝이 없다.)하다. 만약 木氣가 通하는 방면(方面)으로 水氣가 通하고, 東方 運으로 나아가면 낭관(郎官)에 머무른다. (甲日,庚午時,死地逢鬼,甲木死於午,干頭見庚爲鬼,不通月氣,無救助者,帶疾壽促.月逢丙寅,身旺庚絶則吉,亦主有始無終.若通木氣,主方面,通水氣,行東方運,止郎官.)

甲子일 庚午시는, 日時가 相衝하여 妻子가 손상할까 염려되는데 보통이다. 만약 子午의 年月 및 寅戌月에 生하여 西北方의 運으로 나아가면 존귀한 풍헌(風憲)이다. (甲子日,庚午時,時日相衝,憂傷妻子,平常.若子午年月及寅戌月生,行西北方運,金紫風憲.)

甲午壬申,張安參政,吳中丞命同.甲午庚午,瞽目.庚午戊寅,李萬實僉憲.戊子甲子,經歷.癸亥丁巳,女命子周延儒,會狀入閣.丁卯丙午,進士.

명조)-1[장안 참정, 吳中丞命同] 명조)-2[고목=장님] 명조)-3[이 만실 첨헌]

| 庚 甲 壬 甲 | 庚 甲 庚 甲 | 庚 甲 戊 庚 |
| 午 子 申 午 | 午 子 午 午 | 午 子 寅 午 |

명조)-4[經歷] 명조)-5[女命 자주연유, 회장입각] 명조)-6[進士]

| 庚 甲 甲 戊 | 庚 甲 丁 癸 | 庚 甲 丙 丁 |
| 午 子 子 子 | 午 子 巳 亥 | 午 子 午 卯 |

甲寅일 庚午시는 春節에 長壽한다. 夏節은 상관상진(傷官傷盡)하여 재원(財源)이 진퇴(進退)한다. 申[월]은 權이 있고, 酉[월]는 반복(反覆)한다. 冬節은 妻子를 손상한다. 子未의 年月은 煞이 印을 생조(生助)하니 4품이 된다. (甲寅日,庚午時,春月有壽.夏月傷官傷盡,財源進退.申有權,酉反覆.冬月傷妻子.子未年月,煞助印生,四品.)

癸巳壬戌,林應昴尙書.丁卯癸丑,吳執卿侍郎.庚午戊寅,李繼芳通判.戊寅戊午,汪萬里擧人.癸亥癸亥,白手巨富,上海人.甲子壬申,擧人早卒.甲申乙卯,內官.壬午庚戌,詹事丞.

명조)-1[림응앙 상서] 명조)-2[오집경 시랑] 명조)-3[이계방 통판] 명조)-4[왕만리 거인]

庚	甲	壬	癸
午	寅	戌	巳

庚	甲	癸	丁
午	寅	丑	卯

庚	甲	戊	庚
午	寅	寅	午

庚	甲	戊	戊
午	寅	午	寅

명조)-5[白手로 巨富] 명조)-6[擧人 早卒=요절] 명조)-7[내관] 명조)-8[첨사승]

庚	甲	癸	癸
午	寅	亥	亥

庚	甲	壬	甲
午	寅	申	子

庚	甲	乙	甲
午	寅	卯	申

庚	甲	庚	壬
午	寅	戌	午

甲辰이 庚午시는, 전원(田園)악상(樂賞). 寅월에 金運으로 行하면 풍헌(風憲)이다. 主는 血發이라고도 한다. (甲辰日,庚午時,田園樂賞.寅月行金運,風憲.一云,主血發.)

乙酉乙酉,石繼節長史有風疾,壽不永.癸亥庚申,鄧澄庶吉士.

명조)-1[석계절 장사, 風疾이 있어 壽命이 짧았다.]

庚	甲	乙	乙
午	辰	酉	酉

명조)-2[등징서 길사]

庚	甲	庚	癸
午	辰	申	亥

甲午일庚午시는, 조업(祖業)을 破하고, 財祿은 發하지만 財로 인해 天壽를 얻지 못한다. 寅午戌의 年月은 貴하다. (甲午日,庚午時,破祖業,發財祿,因財不得善終.寅午戌年月貴.)

辛亥辛丑,林梅進士.壬午庚戌,詹丞相.庚寅壬午,賈天官.丙寅丁酉,李侍制.辛卯戊戌,貴.

명조)-1[,임매 進士] 명조)-2[첨 승상] 명조)-3[가 천관]

庚	甲	辛	辛
午	午	丑	亥

庚	甲	庚	壬
午	午	戌	午

庚	甲	壬	庚
午	午	午	寅

명조)-4[이 시제] 명조)-5[貴]

庚	甲	丁	丙
午	午	酉	寅

庚	甲	戊	辛
午	午	戌	卯

甲申일 庚午시는, 子辰의 年月이면 印으로 모이고, 亥卯의 年月이면 身旺하여 貴하다. 寅 戌로 會局한 상관이 煞을 制하면 甲이 의탁(倚託)하여도 또한 貴하고, 運은 金水를 기뻐한다. (甲申日,

庚午時,子辰年月會印.亥卯年月身旺俱貴.寅戌會傷制煞,甲得倚託,亦貴,運喜金水.)

甲戌丁卯,趙鏗參政.庚寅庚辰,常侍郎.戊午庚申,陳治則吏科.

명조)-1[조갱 참정] 명조)-2[상 시랑] 명조)-3[진치칙리과]

```
庚 甲 丁 甲        庚 甲 庚 庚        庚 甲 庚 戊
午 申 卯 戌        午 申 辰 寅        午 申 申 午
```

甲戌일 庚午시는, 辰戌월에 生하면 돈후(敦厚)하며 貴하지 않으면 富하다. 丑月은 火土運으로 行하면 존귀한 풍헌(風憲)이고, 寅원은 청귀(淸貴)하다. (甲戌日,庚午時,生辰戌月,敦厚,不貴則富.丑月行火土運,金紫風憲,寅月淸貴.)

己丑丙寅,唐皋甲戌科狀元,江南人.戊寅丁巳,馬毅庵御史.甲戌甲戌,吳悌擧人.壬午庚戌,陳光前擧人.庚戌戊寅,參政.壬寅甲辰,進士.

명조)-1[당고 甲戌과장원, 江南人] 명조)-2[마의암 어사] 명조)-3[오제 擧人]

```
庚 甲 丙 己        庚 甲 丁 戊        庚 甲 甲 甲
午 戌 寅 丑        午 戌 巳 寅        午 戌 戌 戌
```

명조)-4[진광전 擧人] 명조)-5[參政] 명조)-6[進士]

```
庚 甲 庚 壬        庚 甲 戊 庚        庚 甲 甲 壬
午 戌 戌 午        午 戌 寅 戌        午 戌 辰 寅
```

日時의 편관격[시상편관격]은 身強하여 制伏하면 뛰어나고, 四柱중에 破害가 없으면 난혜출봉호(蘭蕙出蓬蒿=난초꽃에서 쑥이 솟아나오다.) (時日偏官格,身強制伏高,柱中無破害,蘭蕙出蓬蒿.)

[甲]午일 庚申시는 편관인데, 制伏하여야 등한(等閒)시 하지 않고 좋은 것이다. 신약(身弱)하고 煞強한데 식상을 만나지 못하면 평생토록 요행만 바라니 主는 간난신고(艱難辛苦)한다. (午時庚申是偏官,制伏相宜不等閒.身弱煞強無食見,平生謀望主艱難.)

甲일이 庚午시를 만나면, 四柱중에 寅申을 보면 기뻐한다. 身強하고 살(煞)이 엷으면 정신(精神)이 활발하고, 부모(父母)는 안행불순(雁行不順)하다. 처자(妻子)는 조년(早年)에 刑害하지만 만년(晩年)에는 무리들 중에서 출중하다. 평생에 반복(反覆)하여 뒤집히고 도약하는데, 먼저는 破하지만 나중에는 이루는 命이다. (甲日時逢庚午,柱中喜見寅申.身強煞淺轉精神,父母雁行不順.妻子早年刑害,晩年出衆超群.平生反覆好翻騰,先破後成之命.)

8. 六甲日辛未時斷

6甲일이 辛未시에 생하면, 관성이 貴人에 坐하여 가장 기이(奇異)하게 된다. 月에서 金氣를 만나면 영귀(榮貴)하게 되는데, 財祿이 상정(相停)하는 것을 과감히 단정(斷定)해야 한다. (六甲日生辛未時,官星坐貴最爲奇.月逢金氣須榮貴,財祿相停敢斷之.)

甲일 辛未시는, 時에서 貴人이 官을 만나는데, 甲은 辛이 官이고, 未에는 천을貴人이 있다. 己는 財이고, 未中에는 己土가 得氣하는데, 만약 木氣가 月에 通하여 의탁(倚託)할 것이 있으면 富하다. 土氣가 月에 通하면 부귀쌍전(富貴雙全)한다. (甲日辛未時,時貴逢官,甲見辛爲官,未有天乙貴.巳[己]爲財,未中己土得氣,若通木氣月有倚託者,富.通土氣月者,富貴雙全.)

甲子일 辛未시는, 辰戌 丑未 및 巳酉월이면 土金地의 방향에서 文으로 貴하며 현달(顯達)한다. (甲子日,辛未時,辰戌丑未及巳酉月,土金地方,文貴顯達.)

庚申丙戌,屠家宰.己巳戊辰,府判.己丑戊辰,州判.庚戌丁亥,少保.戊申辛酉,馮夢楨會元侍郞.癸亥辛酉,擧人主政.壬戌己酉,方從哲大學士.

명조)-1[도 총재] 명조)-2[부판] 명조)-3[주판] 명조)-4[소보]

辛 甲 丙 庚	辛 甲 戊 己	辛 甲 戊 己	辛 甲 丁 庚
未 子 戌 申	未 子 辰 巳	未 子 辰 丑	未 子 亥 戌

명조)-5[풍몽정회원 시랑] 명조)-6[거인 주정] 명조)-7[방종철대학사]

辛 甲 辛 戊	辛 甲 辛 癸	辛 甲 己 壬
未 子 酉 申	未 子 酉 亥	未 子 酉 戌

甲寅일 辛未시는, 寅申월은 貴하다. 순수(純粹)한 酉丑의 年月이면 대귀(大貴)하다. 신백경에 이르길, 金이 化木하면 貴하다. (甲寅日,辛未時,寅申月,貴.純酉丑年月,大貴.神白經云,金化木主貴.)

乙卯戊寅,趙汝謙正卿.乙酉丙戌,黃體行知府.戊寅丁巳,王侍郞.辛巳丙申,擧人.乙巳戊子,擧人.戊寅庚申,王樞密.

명조)-1[조여겸정경] 명조)-2[황체행 지부] 명조)-3[왕 시랑]

辛 甲 戊 乙	辛 甲 丙 乙	辛 甲 丁 戊
未 寅 寅 卯	未 寅 戌 酉	未 寅 巳 寅

명조)-4[擧人] 명조)-5[擧人] 명조)-6[왕 추밀]

```
辛 甲 丙 辛        辛 甲 戊 乙        辛 甲 庚 戊
未 寅 申 巳        未 寅 子 巳        未 寅 申 寅
```

甲辰일 辛未시는, 辰 戌 丑 未월에 富하다. 巳 酉 丑 午의 年月에 貴하다. (甲辰日,辛未時,辰戌丑未月富.巳酉丑午年月貴.)

丙子戊戌,游進士.乙未己酉,舉人.戊子戊午,女命子翁正春狀元尙書.庚午己卯,舉人.

명조)-1[유 진사] 명조)-2[舉人] 명조)-3[여명자옹 정춘장원 尙書] 명조)-4[舉人]

```
辛 甲 戊 丙        辛 甲 己 乙      辛 甲 戊 戊        辛 甲 己 庚
未 辰 戌 子        未 辰 酉 未      未 辰 午 子        未 辰 卯 午
```

甲午일 辛未시는, 春절은 吉하고, 夏절은 凶하고, 秋절은 身弱하여 官祿을 맡기 어렵고, 冬절은 貴하다. 또 뛰어나다고 한다. (甲午日,辛未時,春吉,夏凶,秋身弱,難任官祿,多貴.一云,高.)

己卯癸酉,左鑑郎中.癸巳己未,郎中.甲辰戊辰,舉人.

명조)-1[좌감 낭중] 명조)-2[낭중] 명조)-3[舉人]

```
辛 甲 癸 己        辛 甲 己 癸        辛 甲 戊 甲
未 午 酉 卯        未 午 未 巳        未 午 辰 辰
```

甲申일 辛未시는, 春절은 吉하고, 夏절은 신고(辛苦)하고, 秋절은 현달(顯達)하고, 冬절은 근기(根基)를 별도로 세워 貴하다. 신백경에 이르길, 金이 化木하면 貴하다. (甲申日,辛未時,春吉,夏辛苦,秋顯達,冬根基別立,貴.子丑月大貴.神白經云,金化木主貴.)

丙戌庚子,王世貞尙書.丙申甲午,舉人.丙申甲午,林民悅兩司.

명조)-1[왕세정 상서] 명조)-2[舉人] 명조)-3[임민열 양사]

```
辛 甲 庚 丙        辛 甲 甲 丙        辛 甲 甲 丙
未 申 子 戌        未 申 午 申      未 申 午 申
```

甲戌일 辛未시는, 먼저 刑하나 나중에는 貴하다. 寅卯 酉丑의 年月은 貴하고, 子申의 年月은 지위(地位)가 육경(六卿)에 이른다. (甲戌日,辛未時,先刑後貴.寅卯酉丑年月貴,子申年月,位至六卿.)

己巳乙亥,何良傳進士.己亥丁丑,黃鳳翔榜眼宗伯.己亥己巳,徐懋學侍郎.

명조)-1[하량전 진사] 명조)-2[황봉상 방안종백] 명조)-3[서무학 시랑]

辛 甲 乙 己　　　　辛 甲 丁 己　　　　辛 甲 己 己

未 戌 亥 巳　　　　未 戌 丑 亥　　　　未 戌 巳 亥

官이 臨하여 개고(開庫)하는 局은 어려움을 만나도 위험한 재앙(災殃)을 면한다. 귀인(貴人)의 도움을 얻게 되면 富貴는 틀림없다. (臨官開庫局,遇險免危災,因得貴人助,富貴莫疑猜.)

[甲일이] 辛未시의 財官을 만나면, 평보(平步)로서 벼슬길이 어렵지 않다. 좋게 비교하면 닭의 깃털이 봉황으로 변화(變化)하고, 時를 얻으면 채운(彩雲;여러 빛깔로 아롱진 고운 구름)의 끝으로 비상(飛上)한다. (時逢辛未是財官,平步靑雲路不難.好比退毛雞化鳳,得時飛上彩雲端.)

甲일이 辛未시를 만나면, 天干의 官이 庫를 도우며 지킨다. 貴人 財祿은 좋은 그림이고, 처음에는 고통스러우나 종말(終末)에는 부귀영화(富貴榮華)를 누린다. 군자(君子)는 관직을 옮겨서 승진하고, 보통사람은 풍후(豊厚)하여 가득차고 남는다. 柱中에 刑衝 破害가 없으면 벼슬길이 정해져 있다. (甲日時逢辛未,干官守庫相扶.貴人財祿是良圖,初苦末終榮富.君子遷官進職,常人豊厚充餘.刑衝破害柱中無,定有靑雲之路.)

9. 六甲日壬申時斷

6甲일생이 壬申시를 만나면, 天干이 暗鬼에 坐한 그 身을 손상한다. 四柱에 丙 戌가 없으며 秋冬절에 旺하면 坎下에서 표류(漂流)하는 일정(一定)하지 않는 사람이다. (六甲生時遇壬申,明傷暗鬼坐其身.柱無丙戌秋冬旺,坎下飄流無定人.)

甲일 壬申시는, 甲목은 申에서 絶하고, 申에서 壬水가 長生하며 庚金의 建祿으로 명효암귀(明梟暗鬼)인데, 甲이 旺하면 鬼가 변화하여 官이 되지만 그러나 흉폭(凶暴)함은 피하지 못한다. 만약 秋절에 生하여 庚이 旺하거나 冬절에 生하여 壬이 旺한데 四柱에 丙戌의 制伏이 없으면 표류(漂流)하는 象이다. 만약 巳午월이면 대길(大吉)하다. 强旺한 庚이 투출하면 煞로 論하고, 運이 北方으로 行하면 貴하다. (甲日,壬申時,甲木絶在申,申上壬水長生,庚金建祿,明梟暗鬼,甲旺化鬼爲官,猶不免凶暴.若生秋庚旺,生冬壬旺,柱無丙戌制伏,漂流之象.若巳午月,大吉.强旺透庚,作煞論,運行北方,貴.)

甲子일 壬申시는, 申子 辰亥월이면 水가 범람하여 木이 표류(漂流)하고, 이근환엽(移根換葉)하여 옥당금마(玉堂金馬)의 貴이다. 水土 運은 凶하다. (甲子日,壬申時,申子辰亥月,水泛木漂,移根換葉,玉堂金馬之貴.水土運凶.)

庚申戊寅,憲副,壬寅戊申,小貴.乙卯丙戌,都督.

명조)-1[憲副] 명조)-2[小貴] 명조)-3[도독]

壬	甲	戊	庚		壬	甲	戊	壬		壬	甲	丙	乙
申	子	寅	申		申	子	申	寅		申	子	戌	卯

甲寅일 壬申시는 旺한 가운데 실(失)이 있다. 辰戌 丑未월은 勾陳이 得位한다. 寅午戌월은 편관이 制하여야 모두 貴하다. 秋월은 東南運으로 行하면 역시 같다. (甲寅日,壬申時,旺中有失.辰戌丑未月,勾陳得位.寅午戌月,偏官有制,俱貴.秋月,行東南運,亦同.)

丁巳己酉,謝源明尚書.丁酉己酉,尚書.庚午辛巳,丞相.丙午己亥,進士.

명조)-1[사원명 상서] 명조)-2[상서] 명조)-3[승상] 명조)-4[진사]

壬	甲	己	丁		壬	甲	己	丁		壬	甲	辛	庚		壬	甲	己	丙
申	寅	酉	巳		申	寅	酉	酉		申	寅	巳	午		申	寅	亥	午

甲辰일 壬寅시는, 寅辰의 年月이면 문장(文章)에 뛰어나며 貴하다. 丙戌가 투출하면 더욱 좋다. (甲辰日,壬申時,寅辰年月,文章顯貴.透丙戌尤美.)

乙酉丙子,留正丞相.癸未癸亥,王廷左都.己巳壬申,李璿通判.癸亥甲寅,孫承宗探花督師閣部.甲戌戊辰,擧人.

명조)-1[유정 승상] 명조)-2[왕정 좌도] 명조)-3[이선 통판]

壬	甲	丙	乙		壬	甲	癸	癸		壬	甲	壬	己
申	辰	子	酉		申	辰	亥	未		申	辰	申	巳

명조)-4[손승종 探花 독사각부] 명조)-5[擧人]

壬	甲	甲	癸		壬	甲	戊	甲
申	辰	寅	亥		申	辰	辰	戌

甲午일 壬申시는, 申子辰월이면 개성경종(改姓更宗)하여 돈후(敦厚)한 命이다. 午월은 貴하다. 또 뛰어나다고 한다. (甲午日,壬申時,申子辰月,改姓更宗,敦厚之命.午月貴.一云,高.)

乙卯壬午,馬從謙光祿卿.戊戌甲寅,府判.甲辰戊辰,擧人.壬申丙午,丞相.

명조)-1[마종겸광록경] 명조)-2[부판] 명조)-3[擧人]   명조)-4[승상]

壬 甲 壬 乙   壬 甲 甲 戌   壬 甲 戌 甲   壬 甲 丙 壬

申 午 午 卯   申 午 寅 戌   申 午 辰 辰   申 午 午 申

甲申일 壬申시는, 寅월은 身과 煞이 양정(兩停)한다. 卯월은 양인과 煞이 합함으로써 모두 貴하다. 子辰의 年月은 煞이 印으로 化하고, 巳午火의 月(달)은 七煞이 制하여야 모두 吉하다. 煞旺하고 身弱함이 가장 두려워하여 크게 凶하다. 또 이향(離鄕)하여야 발복(發福)한다고 한다. (甲申日,壬申時,寅月身煞兩停.卯月以刃合煞,俱貴.子辰年月,以煞化印.巳午火月,七煞有制,俱吉.最怕煞旺身弱,大凶.一云,離鄕發福.)

 庚申戊子,陳位進士.己丑丁丑,劉壓庵評事.乙巳戊寅,平章,庚午辛巳,丞相.丁酉癸卯,貴.庚寅庚辰,富.庚申甲申,盜.丁亥壬子,殺.辛巳庚子,曾櫻尙書.

명조)-1[진위 진사] 명조)-2[유압암 평사] 명조)-3[평장] 명조)-4[승상]

壬 甲 戊 庚   壬 甲 丁 己   壬 甲 戊 乙   壬 甲 辛 庚

申 申 子 申   申 申 丑 丑   申 申 寅 巳   申 申 巳 午

명조)-5[貴]   명조)-6[富]   명조)-7[도둑] 명조)-8[殺]   명조)-9[증앵 상서]

壬 甲 癸 丁 壬 甲 庚 庚 壬 甲 甲 庚 壬 甲 壬 丁 壬 甲 庚 辛

申 申 卯 酉 申 申 辰 寅 申 申 申 申 申 申 子 亥 申 申 子 巳

甲戌일 壬申시는, 辰戌 丑未月이면 의금(衣錦;비단옷을 입으니, 귀한 몸이 된다는 뜻)을 이루게 된다. 亥월은 학당(學堂)이다. 寅월은 건록으로 모두 貴하다. 午 酉월은 壽命이 촉박하고(짧고), 그렇지 않으면 빈천(貧賤)하다. (甲戌日,壬申時,辰戌丑未月,衣錦有成.亥月學堂.寅月建祿俱貴.午酉月壽促,不然貧賤.)

 壬申辛亥,沈丞相.己巳戊辰,馬同知充軍.己丑甲戌,大貴.

명조)-1[심 승상] 명조)-2[마동지 충군] 명조)-3[大貴]

壬 甲 辛 壬   壬 甲 戊 己   壬 甲 甲 己

申 戌 亥 申   申 戌 辰 巳   申 戌 戌 丑

 몽중득록(夢中得祿)하는 局은, 깨달은 후에 사색(思索)에 빠지고, 다시 刑 공망 췐이 있으면 평생토록 마음만 바쁘다. (夢中得祿局,覺後沒思量,更有刑空剋,平生心事忙.)

甲일이 壬申시를 만나면 좋은데, 편관 편인의 刑衝을 두려워한다. 명리(名利)를 구하고자하여도 결국은 어렵고, 구원함이 있어도 반드시 運의 氣가 소통(疏通)하여야 한다. (甲日時逢喜遇申,偏官偏印怕刑衝.欲求名利終難定,有救須教運氣通.)

甲일이 壬申시를 만나면, 도식(倒食)과 暗鬼가 侵入한다. 生을 만나서 身旺하면 크게 영화롭고, 身弱하면 성정(性情)이 일정(一定)하지 않다. 안여(雁侶)의 육친(六親)은 적은 힘을 꾀하여 자립(自立)하고 스스로 이룬다. 運이 吉한 地支로 흐르면 명성(名聲)이 뛰어나고, 運이 弱하면 보통의 命이다. (甲日時逢壬申,倒食暗鬼相侵.生逢身旺主昌榮,身弱性情不定.雁侶六親少力,謀爲自立自成.運行吉地顯聲名,運弱平常之命.)

10. 六甲日癸酉時斷

6甲일이 癸酉시에 生하면, 官은 암장하고 印이 透干하여 기이하지 못하다. 四柱중에 火가 있는데 刑破가 없으면 元命의 태생(胎生)이 貴함을 가히 알 수 있다. (六甲日生時癸酉,暗官明印未希奇.柱中有火無刑破,元命胎生貴可知.)

甲日 癸酉시는, 胎가 元命을 生하는데, 甲木은 酉에서 수태(受胎)하여 甲의 生氣가 된다. 투간한 癸는 印이 되며 암장한 辛은 官이되고, 己土가 破印하면 貴하지 않다. 酉는 金神인데 만약 四柱에 寅戌이 있어 火氣에 通하면 덕성(德性)이 순수하고 厚하여 貴하다. 그런데 화(火)는 없고 水를 보면 흉폭(凶暴)하고 잔질(殘疾)이 있다. (甲日,癸酉時,胎生元命,甲木酉上受胎,爲甲生氣,明癸爲印,暗辛爲官,有己土破印,不貴.酉爲金神,若柱有寅戌,通火氣者,德性純厚而貴.無火見水,凶暴殘疾.)

甲子일 癸酉시는, 春節에 生하면 木이 旺하다. 酉月은 官이 순수하여 貴한데, 만약 煞이 혼잡하거나 혹 煞이 많으며 柱中에 火氣가 전혀 없으면 凶하다. 또 이르길, 먼저 祖業을 破하고 나중에 大富하다고 한다. (甲子日,癸酉時,春生木旺.酉月官純,貴.若混之以煞,或煞多,柱中全無火氣,凶.一云,先破祖,後大富.)

甲午甲子,何正庵主事,夭.辛巳丙申,貴.甲申壬申,賊刑.辛巳庚子,通政.

명조)-1[하정암 주사, 요절] 명조)-2[貴] 명조)-3[賊刑] 명조)-4[通政]

癸 甲 甲 甲	癸 甲 丙 辛	癸 甲 壬 甲	癸 甲 庚 辛
酉 子 子 午	酉 子 申 巳	酉 子 申 申	酉 子 子 巳

甲寅일 癸酉시는, 春節에 생하면 長壽하고, 夏節은 반복(反復)한다. 秋節은 성품(性品)이 부정(不定)하여 대단히 凶하다. 冬節은 보통이다. 丑未월은 貴하다. (甲寅日,癸酉時,春生壽,夏反復.秋性不

定,多凶.冬平常.丑未月貴.)

甲戌辛未,余午渠憲副.壬申癸丑,周尙書.癸亥辛酉,楊太監.庚申乙酉,凶死官煞兩旺柱無火制.戊辰壬戌,龔三益解元進士,翰林.

명조)-1[여오거 헌부] 명조)-2[주 상서] 명조)-3[양 태감]
癸 甲 辛 甲　　　癸 甲 癸 壬　　　癸 甲 辛 癸
酉 寅 未 戌　　　酉 寅 丑 申　　　酉 寅 酉 亥

명조)-4[흉사 관살양왕 주무화제] 명조)-5[공삼익해원 進士,翰林]
癸 甲 乙 庚　　　　　　癸 甲 壬 戊
酉 寅 酉 申　　　　　　酉 寅 戌 辰
[명조)-4는 凶死했는데, 官煞이 兩旺하고, 四柱중에 火의 制함이 없다.]

甲辰일 癸酉시는, 子戌의 年月은 財官이 있어 貴하다. (甲辰日,癸酉時,子戌年月,有財有官,貴.)

丙午己亥,丞相.戊申辛酉,提學.戊午辛酉,知縣.

명조)-1[승상] 명조)-2[제학] 명조)-3[지현]
癸 甲 己 丙　　　癸 甲 辛 戊　　　癸 甲 辛 戊
酉 辰 亥 丙　　　酉 辰 酉 申　　　酉 辰 酉 午

甲午일 癸酉시는, 主는 고독하다. 寅 午 戌월에 生하여 東北方으로 흐르니 낭관(郎官)이다. (甲午日,癸酉時,主孤.生寅午戌月,行東北方,郎官.)

庚午癸未,陳寵擧人.壬寅戊申,鄭子充通判.庚戌戊子,太守.辛丑辛卯,擧人部郞.

명조)-1[진룡 거인] 명조)-2[정 자충 통판] 명조)-3[태수. 辛丑 辛卯, 擧人 부랑]
癸 甲 癸 庚　　　癸 甲 戊 壬　　　癸 甲 戊 庚
酉 午 未 午　　　酉 午 申 寅　　　酉 午 子 戌

甲申일 癸酉시는, 보통이다. 火氣가 月에 通하며 南方運으로 行하면 富貴하다. 申酉의 年 月은 대부분 夭折한다. 水가 金의 毒을 化하면 단지 官印으로 論하고, 金神이 되지 않으니 역시 吉하다. 그러나 主는 일찍 물러난다. (甲申日,癸酉時,平常.通火氣月,行南運富貴.申酉年月多夭.有水化金之毒,只作官印論,不作金神,亦吉,但主退早.)

癸丑壬戌,盧布政.癸酉壬戌,周道興知府.戊申癸亥,洪鏘員外.庚午己卯,張峰僉事.己亥戊辰,給諫.乙卯丙戌,李誌冢宰 己未年致仕浙人,一命同巨富.

명조)-1[로 포정] 명조)-2[주도흥 지부] 명조)-3[홍장원외]

癸 甲 壬 癸	癸 甲 壬 癸	癸 甲 癸 戊
酉 申 戌 丑	酉 申 戌 酉	酉 申 亥 申

명조)-4[장봉 첨사] 명조)-5[급간] 명조)-6[이지총재]

癸 甲 己 庚	癸 甲 戊 己	癸 甲 丙 乙
酉 申 卯 午	酉 申 辰 亥	酉 申 戌 卯

甲戌일 癸酉시는, 子戌의 年月이면 문장(文章)이 뛰어나며 貴하다. 子午월은 貴하지 않으면 富하다. (甲戌日,癸酉時,子戌年月,文章顯貴.子午月,不貴即富.)

己未甲戌,正卿.辛卯戊戌,擧人.

명조)-1[正卿] 명조)-2[擧人]

癸 甲 甲 己	癸 甲 戊 辛
酉 戌 戌 未	酉 戌 戌 卯

계화청란(雞化靑鸞;닭이 청란으로 변화)局은 만나지 않아도 까마귀에게 기만당하고, 아침이면 날개를 펼쳐 사해(四海)로 비상(飛翔)한다. (雞化靑鸞局,未遇被鴉欺,有朝羽翼就,四海任翔飛.)

甲일 癸酉시는 통교(通交)하여 金神이나 火局 둘이 서로가 좋다. 運이 南方의 地支로 흐르고 刑破가 없으면 부귀영화(富貴榮華)하고 만사(萬事)에 뛰어나다. (甲日交通癸酉時,金神火局兩相宜.運行南地無刑破,富貴榮華事事奇.)

甲일이 癸酉시를 만나면, 부귀쌍전(富貴雙全)하게 된다. 삼기(三奇)로 발복(發福)하여 자주 승진(陞進)하고, 상하(上下)가 서로 조화하여 귀현(貴顯)한다. 君子는 한문(寒門;미천한 집안)에서도 장상(將相;장수와 재상)이 되고, 평민은 전원(田園)을 두게 된다. 무상무파(無傷無破)하면 슬기롭고 뛰어나게 된다. 이 命은 대헌(臺憲)에 머물게 된다. (甲日時逢癸酉,爲人富貴雙全.三奇發福屢陞遷,上下相和貴顯.君子寒門將相,常人置立田園.無傷無破是英賢,此命定居臺憲.)

11. 六甲日甲戌時斷

6甲일생 甲戌시는, 木이 火局을 만나서 氣가 흩어지지 않는다. 사람이 善한 것을 좋아하며 福은 보통이고, 父母가 함께 손상됨을 참으로 알게 된다. (六甲日生時甲戌,木遭火局氣不舒.爲人好善福平常,父母並傷誠可歐.)

甲일 甲戌시는, 甲은 丙이 食神이고, 辛은 官인데, 戌상의 食神이 火局에 들고, 辛의 여기(餘氣)가 있고, 身이 분화(焚火)를 당하니 사람은 선(善)한 것을 좋아하고 의록(衣祿)은 보통이다. 甲은 戊로써 父를 삼으니 癸는 母인데, 戌상의 旺한 甲이 戊를 손상하고 戌안에 암장한 戊가 癸를 손상하여 戊 癸가 尅을 당하니 양친(兩親=父母)이 어렵게 되는 것이다. (甲日,甲戌時,甲用丙爲食,辛爲官,戌上食神入火局,辛有餘氣,身被火焚,爲人好善,平常衣祿.甲以戊爲父,癸爲母,戌上旺甲傷戊,內有暗戊傷癸,戊癸受尅,難爲二親.)

甲子일 甲戌시는, 春절은 長壽하며, 夏절은 난폭하고, 秋절은 貴하고, 冬절은 이근환엽(移根換葉)하고, 柱는 순수(純粹)한 亥를 공협(拱夾) 격각(隔角)하여 비록 貴할지라도 결국은 凶하다. 辰戌丑未는 잡기재관(雜氣財官)으로 역시 吉하다. 또 말하길, 농아(聾啞)나 두창(頭瘡)이 있거나, 개 이리 범에게 손상당하기도 한다. (甲子日,甲戌時,春壽,夏暴,秋貴,冬移根換葉,柱見純亥夾角,雖貴終凶.辰戌丑未,雜氣財官亦吉.一云,主聾啞頭瘡,犬狼虎傷.)

辛亥辛丑,邵康節.丁亥辛亥,鶯尙約推官無子凶死連累十七命.庚子己卯,陳廷鶯進士.庚戌甲申,鄧廷瓚都憲,無子.辛卯辛卯,王九經擧人.乙巳乙酉,貴.乙丑乙酉,貴.辛卯庚寅,陳有年冢宰.

명조)-1[소강절] 명조)-2[란상약 추관]
甲 甲 辛 辛　　甲 甲 辛 丁
戌 子 丑 亥　　戌 子 亥 亥

명조)-1은 소강절선생이고, 명조)-2는 란상약 추관인데, 無子였고, 凶死에 연루(連累)된 17세命이다.

명조)-3[진정란 進士] 명조)-4[등정찬 도헌 無子] 명조)-5[왕구경 擧人]
甲 甲 己 庚　　　　甲 甲 甲 庚　　　　甲 甲 辛 辛
戌 子 卯 子　　　　戌 子 申 戌　　　　戌 子 卯 卯

명조)-6[貴] 명조)-7[貴] 명조)-8[진유년 총재]
甲 甲 乙 乙　　甲 甲 乙 乙　　甲 甲 庚 辛
戌 子 酉 巳　　戌 子 酉 丑　　戌 子 寅 卯

甲寅일 甲戌시는, 비견이 祿을 쟁탈하고, 木氣가 분조(焚遭)하여 40歲후에는 점차 이전(以前)보다 못하다. 甲丙申子의 年月은 대귀(大貴)하다. 순수한 戌이면 풍헌(風憲)이고, 午월에 水火 運으로 行하면 7~8品의 貴이다. (甲寅日,甲戌時,比肩爭祿,木氣遭焚,四十後漸不如前.甲丙申子年月,大貴.純戌風憲,午月,行水火運,七八品貴.)

甲戌乙亥,周給事.甲子乙亥,歐志學知縣.丙子庚子,顧大章刑部郎死錦衣獄.癸未癸亥,侯.癸巳丙辰,沈節甫,侍郎.

명조)-1[주급사] 명조)-2[구지학 知縣]
甲 甲 乙 甲　　　甲 甲 乙 甲
戌 寅 亥 戌　　　戌 寅 亥 子

명조)-3[고대장 형부랑 死 금의옥] 명조)-4[侯]　명조)-5[심절보, 시랑]
甲 甲 庚 丙　　　　　　甲 甲 癸 癸　　　甲 甲 丙 癸
戌 寅 子 子　　　　　　戌 寅 亥 未　　　戌 寅 辰 巳

甲辰일甲戌시는, 재원(財源)은 온후(穩厚)하지만 흉(凶)이 많다. 春월에 金火運은 벼슬이 6品에 이른다. (甲辰日,甲戌時,財源穩厚,多凶.春月金火運,官至六品.)

己未乙亥,楊參政.丙戌庚寅,貴.癸酉己未,小貴.

명조)-1[양참정] 명조)-2[貴] 명조)-3[小貴]
甲 甲 乙 己　　　甲 甲 庚 丙　　甲 甲 己 癸
戌 寅 亥 未　　　戌 寅 寅 戌　　戌 寅 未 酉

甲午일 甲戌시는, 春절에 生하면 貴人이 돕는다. 夏절은 배록축마(背祿逐馬)한다. 冬절은 印綬로 길(吉)하다. 순수한 寅의 年月이면 근시(近侍)[46]로써 貴하다. (甲午日,甲戌時,春生,貴人扶持.夏,背祿逐馬.冬印綬吉.純寅年月,近侍貴.)

戊午戊午,平章.壬子壬子,知縣.辛巳己亥,梁志盛聰明多能破家,遊走.

명조)-1[평장] 명조)-2[지현]　명조)-3[량지성 聰明 多能 破家,遊走]
甲 甲 戊 戊　　　甲 甲 壬 壬　　甲 甲 己 辛
戌 午 午 午　　　戌 午 子 子　　戌 午 行 巳

---

46) 임금을 가까이 모시던 신하

甲申일甲戌시는, 酉를 공협한 官貴인데, 그러나 자신은 고독하고 발달(發達)함도 길지 않다. 春절에 生하면 木土運에 貴하다. (甲申日,甲戌時,夾酉官貴,但身孤,發亦不久.春生,木土運貴.)

壬申癸亥,王侍郎.丁酉癸卯,雷雨進士.辛巳辛卯,貴.甲辰辛未,郎中.甲申甲戌,縊死.丙申壬辰,石可章進士.庚辰癸未,擧人.辛巳辛卯,陸光祖尙書.辛亥壬辰,涂宗濬尙書.丙寅辛丑,周如盤學士.

명조)-1[왕 시랑]　명조)-2[뇌우 진사]　명조)-3[貴]　명조)-4[郎中]

甲	甲	癸	壬		甲	甲	癸	丁		甲	甲	辛	辛		甲	甲	辛	甲
戌	申	亥	申		戌	申	卯	酉		戌	申	卯	巳		戌	申	未	辰

명조)-5[縊死;목매어 죽음]　명조)-6[석가장 진사]　명조)-7[거인]

甲	甲	甲	甲		甲	甲	壬	丙		甲	甲	癸	庚
戌	申	戌	申		戌	申	辰	申		戌	申	未	辰

명조)-8[육광조 상서]　명조)-9[도종준 상서]　명조)-10[주여반 학사]

甲	甲	辛	辛		甲	甲	壬	辛		甲	甲	辛	丙
戌	申	卯	巳		戌	申	辰	亥		戌	申	丑	寅

甲戌일 甲戌시는, 배록축마(背祿逐馬)하여 보통이다. 秋절에 生하면 官煞이 유기(有氣)하여 貴하다. 辰戌丑未月도 吉하다. 卯월은 凶하다. 만약 丙寅 甲午의 年月이면 3개의 甲에 2개의 食神인데, 丙이 夏절에 득시(得時)하며 寅의 長生에 居하여 甲이 食神을 쫓고 祿을 만나니 富貴하다. (甲戌日,甲戌時,背祿逐馬,平常.秋生,官煞有氣,貴.辰戌丑未月,吉.卯月凶.若丙寅甲午年月,三甲食二丙,丙夏得時,居寅長生,甲就食見祿,主富貴.)

乙酉甲申,劉文莊都憲.丁酉戊申,張欽都憲.壬申己酉,戴靜菴尙書.乙巳乙酉,詹寬進士.乙卯甲申,進士.戊辰己未,擧人.甲子甲戌,貴.戊寅丁巳,莊際昌會狀.甲戌甲戌,宗室.

명조)-1[유문장 도헌]　명조)-2[장흠 도헌]　명조)-3[대정암 상서]

甲	甲	甲	乙		甲	甲	戊	丁		甲	甲	己	壬
戌	戌	申	酉		戌	戌	申	酉		戌	戌	酉	申

명조)-4[첨관 진사]　명조)-5[진사]　명조)-6[거인]

甲	甲	乙	乙		甲	甲	甲	乙		甲	甲	己	戊
戌	戌	酉	巳		戌	戌	申	卯		戌	戌	未	辰

명조)-7[貴]　명조)-8[장제창 회장]　명조)-9[종실=宗親]

| 甲甲甲甲 | 甲甲丁戊 | 甲甲甲甲 |
| 戌戌戌子 | 戌戌巳寅 | 戌戌戌戌 |

戌時는 火墓의 局인데, 심지(心志;마음에 품은 뜻이)가 서로 같지 않으며 財官이 함께 배반하여 官祿이 運中에 通해야한다. (戌時火墓局,心志不相同,財官俱有背,官祿運中通.)

甲戌時는 比肩을 만나고, 庫에 天祿이 있어 火氣를 衝하면 계압(雞鴨;닭과 오리)이 동시에 울어 모두가 모였다가 흩어지고, 정상에 도달해도 마음에 품은 뜻이 서로 같지 않다. (時逢甲戌比肩逢,庫有天祿火氣衝,雞鴨同鳴皆聚散,到頭心志不相同.)

甲일이 甲戌時에 通하면, 比肩이 祿을 가지고 서로 만난다. 天孤의 창고(倉庫)가 그 중에 숨어 있어, 酉丑辰의 지지(地支)에서 취용(取用)한다. 열쇠가 없어 刑衝으로 破하여 열면, 입신(立身)하는데 배움은 많아도 이루는 것은 적다. 四柱에 金木火가 旺하고 水가 長生하면 선암후명(先暗後明)한 命이다. (甲日時通甲戌,比肩帶祿相逢.天孤倉庫隱其中,酉丑辰支取用.無鑰衝刑開破,立身多學少成.柱金木火旺水生,先暗後明之命.)

12. 六甲日乙亥時斷

6甲일生이 乙亥時는, 羊刃은 도리어 손상하니, 재앙이 되어 害친다. 財官인 戊辛은 상봉(相逢)하지 않아야하고, 단지 공명(功名)이 형통(亨通)하지 않는 것이 두려운 것이다. (六甲日生時乙亥,羊刃反傷爲禍害.財官辛戊不相逢,只恐功名不亨泰.)

甲일 乙亥時는, 甲木은 亥上에서 長生하고, 旺한 乙은 刃이 되어 學堂을 制剋하고, 壬은 도식(倒食)으로 亥上에서 建祿이 된다. 甲은 金이 官이며, 戊己는 財가 되고, [亥는] 辛金의 沐浴이고, 戊己는 衰絶하니 福이 되지 않는다. 巳酉丑월에 生하여 辛을 보고 四柱에 戊[字]가 있으면 貴하다. 나머지는 비록 총명(聰明)할지라도 공명(功名)을 쫓진 못하고 예술인(藝術人)이다. (甲日,乙亥時,甲木亥上長生,有旺乙爲刃,制剋學堂,壬爲倒食,亥上建祿.甲以金爲官,戊己爲財,辛金沐浴,戊己衰絶,不能作福.生巳酉丑月,及見辛,柱有戊字,貴.餘雖聰明,功名不遂,藝術人也.)

甲子일 乙亥時는, 추건격(趨乾格)을 이루어 貴하다. 만일 申월에 生하면 旺한 煞이 刃을 合하여 권귀(權貴)가 된다. 酉월은 정관(正官)으로 柱에서 土의 生助를 받으면 대귀(大貴)하다. 辰戌丑未월은 모두 吉하다. 年月이 순수(純粹)한 卯면 刃이 旺하여 凶하다. 또, 妻財를 얻거나 妻를 剋하기도 한다. 또, 눈병이 많고, 재백(財帛)은 보통이라고 한다. (甲子日,乙亥時,成趨乾格,貴.如生申月,煞旺合刃,權貴.酉月正官,柱稍得土助,大貴.辰巳丑未戌月俱吉.年月純卯,刃旺則凶.一云,得妻財剋妻.一云,多患眼疾,財帛平常.)

乙卯乙酉,吳丞相.己巳乙亥,丞相.戊辰癸亥,侯伯.庚辰辛亥,侍郎.己亥癸酉,徐縉侍郎.戊申壬戌,黃易編修.辛酉戊戌,顧世科知府.己巳丙寅,鄒知州.癸亥癸亥,胡松冢宰.戊申乙丑,劉應秋解元,探花祭酒.癸丑乙丑,白瑜少卿.辛巳庚子,舉人.

명조)-1[오 승상]　명조)-2[승상]　명조)-3[후백]　명조)-4[시랑]

乙 甲 乙 乙	乙 甲 乙 己	乙 甲 癸 戊	乙 甲 辛 庚
亥 子 酉 卯	亥 子 亥 巳	亥 子 亥 辰	亥 子 亥 辰

명조)-5[서진 시랑]　명조)-6[황역 편수]　명조)-7[고세과 지부]　명조)-8[추 지주]

乙 甲 癸 己	乙 甲 壬 戊	乙 甲 戊 辛	乙 甲 丙 己
亥 子 酉 亥	亥 子 戌 申	亥 子 戌 酉	亥 子 寅 巳

명조)-9[호송 총재]　명조)-10[유응추 解元,탐화 祭酒]　명조)-11[백유 少卿]　명조)-12[擧人]

乙 甲 癸 癸	乙 甲 乙 戊	乙 甲 乙 癸	乙 甲 庚 辛
亥 子 亥 亥	亥 子 丑 申	亥 子 丑 丑	亥 子 子 巳

甲寅일 乙亥시는, 辰戌丑未월에 富하다. 申酉월은 貴하고, 冬절은 보통이다. 만약 寅亥월이면 고귀(高貴)하다. (甲寅日,乙亥時,辰戌丑未月富.申酉月貴,冬平常.若寅亥月,高貴.)

壬辰辛亥,周樞密.庚戌乙酉,郎中.癸酉丁巳,進士.辛酉庚寅,知縣.丁巳戊申,王圖翰林,吏部侍郎.甲戌乙亥,潘桂元戎,戰死.庚申己卯,貴顯.

명조)-1[주 추밀]　명조)-2[랑중]　명조)-3[進士]　명조)-4[지현]

乙 甲 辛 壬	乙 甲 乙 庚	乙 甲 丁 癸	乙 甲 庚 辛
亥 寅 亥 辰	亥 寅 酉 戌	亥 寅 巳 酉	亥 寅 寅 酉

명조)-5[왕도 翰林, 리부 侍郎]　명조)-6[반계원융, 戰死]　명조)-7[貴顯]

乙 甲 戊 丁	乙 甲 乙 甲	乙 甲 己 庚
亥 寅 申 巳	亥 寅 亥 戌	亥 寅 卯 申

甲辰일 乙亥시는, 酉월에는 正官으로 가장 貴하다. 辰戌丑未 및 寅亥의 年月은 모두 吉하다. (甲辰日,乙亥時,酉月正官最貴.辰戌丑未,及寅亥年月俱吉.)

辛丑庚寅,賀丞相.丁酉乙巳,憲副.辛未壬辰,宋沈尙書.丁酉己酉,陸深侍郎.乙卯己卯,通政.壬寅丙午,方潤郎中.辛亥庚子,御使.庚戌丁亥,袁知縣,文名.辛亥甲午,伯.乙巳丁亥,進士.戊午丁巳,洪輔聖行人.乙未乙酉,申時行狀元入閣,江南人.一命同平常.丁酉乙巳,副使.

명조)-1[하 승상] 명조)-2[헌부] 명조)-3[송심 상서] 명조)-4[육심 시랑]

乙 甲 庚 辛　　　乙 甲 乙 丁　　乙 甲 壬 辛　　　乙 甲 己 丁

亥 辰 寅 丑　　　亥 辰 巳 酉　　亥 辰 辰 未　　　亥 辰 酉 酉

명조)-5[통정] 명조)-6[방윤 낭중] 명조)-7[어사] 명조)-8[원 지현,文名]

乙 甲 己 乙　　乙 甲 丙 壬　　　乙 甲 庚 辛　　　乙 甲 丁 庚

亥 辰 卯 卯　　亥 辰 午 寅　　　亥 辰 子 亥　　　亥 辰 亥 戌

명조)-9[伯]　　 명조)-10[진사]　 명조)-11[홍보성 行人

乙 甲 甲 辛　　乙 甲 丁 乙　　　乙 甲 丁 戊

亥 辰 午 亥　　亥 辰 亥 巳　　　亥 辰 巳 午

명조)-12[申時行狀元 入閣, 江南人] 명조)-13[부사]

乙 甲 乙 乙　　　　　乙 甲 乙 丁

亥 辰 酉 未　　　　　亥 辰 巳 酉

甲午일 乙亥시는, 卯월은 양인으로 골육(骨肉)을 형(刑)하며, 身弱하면 결국에는 좋지 못하다. 春節에 生하면 재상(宰相)으로 貴하다. 申子水午의 年月에 水火運으로 行하면 벼슬이 六卿에 이른다. [참고] 원문의[倂]字를 **빼야** 文脈이 맞을 것 같다. (甲午日,乙亥時,卯月羊刃,刑[倂]骨肉,身弱不得善終.春生,貴爲宰輔.申子戌午年月,行水火運,官至六卿.)

丙午庚子,王越尚書封威寧伯.丙寅戊戌,王華狀元尚書或云丙申年生.乙亥壬午,蕭端蒙御史.己酉己巳,林文華知府.己亥戊辰,李嘉會擧人.甲戌庚午,兪維屛擧人.丙戌甲午,賀幼殊擧人憲副.

명조)-1[왕월 尚書封 위녕백] 명조)-2[왕화장원 尚書 或云,丙申年生] 명조)-3[소단몽 어사]

乙 甲 庚 丙　　　　乙 甲 戊 丙　　　　乙 甲 壬 乙

亥 午 子 午　　　　亥 午 戌 寅　　　　亥 午 午 亥

명조)-4[림문화 知府] 명조)-5[이가회 擧人] 명조)-6[유유병 擧人] 명조)-7[하유수 擧人,憲副]

乙 甲 己 己　　乙 甲 戊 己　　　乙 甲 庚 甲　　乙 甲 甲 丙

亥 午 巳 酉　　亥 午 辰 亥　　　亥 午 午 戌　　亥 午 午 戌

甲申일 乙亥시는, 亥월은 학문(學問)을 이루고, 풍헌(風憲)으로 貴하다. 申酉월은 선빈후부(先貧後富)한다. 子월은 水火運으로 行하면 존귀(尊貴)한 사람이 된다. 辰戌丑未월은 잡기재관(雜氣財

官)이 된다. 寅월은 建祿으로 모두 吉하다. (甲申日,乙亥時,亥月學問有成,貴爲風憲.申酉月先貧後富.子月行水火運,金紫.辰戌丑未,雜氣財官.寅月建祿,俱吉.)

辛卯壬辰,李時閣老純良.癸亥庚申,馮天馭尙書,無子.甲寅乙未,莊思寬進士.癸丑甲寅,徐榮長史.壬申庚戌,陳知縣.甲戌丙寅,毛知縣.癸酉壬戌,石華獄擧人.甲辰丁卯,丞相.辛酉己亥,遠方依覓.

명조)-1[이시각로 純良] 명조)-2[마천어 상서, 無子] 명조)-3[장사관 進士]

乙 甲 壬 辛　　　　乙 甲 庚 癸　　　　乙 甲 乙 甲
亥 申 辰 卯　　　　亥 申 申 亥　　　　亥 申 未 寅

명조)-4[서영장사] 명조)-5[진 지현] 명조)-6[모 지현]

乙 甲 甲 癸　　　　乙 甲 庚 壬　　　　乙 甲 丙 甲
亥 申 寅 丑　　　　亥 申 戌 申　　　　亥 申 寅 戌

명조)-7[석화옥 擧人] 명조)-8[승상] 명조)-9[원방의멱]

乙 甲 壬 癸　　　　乙 甲 丁 甲　　　　乙 甲 己 申
亥 申 戌 酉　　　　亥 申 卯 辰　　　　亥 申 亥 酉

甲戌월 乙亥시는, 春冬절에 生하면 富하며, 土가 두터운 地支라여 비로소 현귀(顯貴)한다. 夏절은 노력(勞力)해도 재물을 모으지 못한다. 秋절은 보통이다. (甲戌日,乙亥時,春冬生富,土厚地方顯貴.夏勞力,不聚財.秋平常.)

壬午癸丑,劉玉都憲.癸丑癸亥,張達給諫.乙亥壬辰,吳非玉博士.庚子戊寅,蔡狀元.甲子丙寅,凌進士.戊戌戊午,鄒德涵僉憲.辛酉壬辰,孫陞榜眼四子,科第浙人.癸丑乙丑,擧人.

명조)-1[유옥 도헌] 명조)-2[장달 급간] 명조)-3[오비옥 박사] 명조)-4[채 장원]

乙 甲 癸 壬　　　乙 甲 癸 癸　　　乙 甲 壬 乙　　　乙 甲 戊 庚
亥 戌 丑 午　　　亥 戌 亥 丑　　　亥 戌 辰 亥　　　亥 戌 寅 子

명조)-5[능 진사] 명조)-6[추덕함 첨헌] 명조]-7[손승방안,四子,과제 浙人] 명조-8[거인]

乙 甲 丙 甲　　　乙 甲 戊 戊　　　乙 甲 壬 辛　　　乙 甲 乙 癸
亥 戌 寅 子　　　亥 戌 午 戌　　　亥 戌 辰 酉　　　亥 戌 丑 丑

역마천정(驛馬天廷)局은 財官을 먼저 살펴야하는데, 東西는 모름지기 생각을 해보아야하고, 南北은 自然히 편안하다. (驛馬天廷局,財官都占先,東西須稱意,南北自然安.)

甲일 乙亥시는 强한데, 官이 있고 印이 있으면 예사롭지 않다. 때가 오면 저절로 높은 사람으로 천거(薦擧)되고, 運이 財鄕에 이르면 크게 이름과 지위를 드높인다. (甲日時逢乙亥强,有官有印不尋常.時來自有高人薦,運至財鄕大顯揚.)

甲일이 乙亥시는 만나면, 특히 壬水가 相生한다. 時는 帝座의 자미궁(紫微宮)이 臨하여 자식은 양아들을 얻어 계승하게 된다. 父母 안항(安行;兄弟는)은 힘이 줄어들고, 화개결자(花開結子;꽃이 피고 열매를 맺음)하여 바람을 막는다. 문장(文章)으로 현달(顯達)하여 문정(門庭)을 고치고, 運은 무리 중에 뛰어나 출중(出衆)하게 된다. (甲日時逢乙亥,就中壬水相生.時臨帝座紫微宮,子嗣螟蛉得用.父母雁行少力,花開結子防風.文章顯達改門庭,運至超群出衆.)

13. 六乙日丙子時斷

6乙일생 丙子시는, 상관이 貴人에 坐하여 福이 온전하지 못하다. 柱中에 官이 刑破함을 만나지 않아야 비로소 평생토록 貴祿과 인연(因緣)이 있게 된다. (六乙日生時丙子,傷官坐貴福不全.柱中不見官刑破,方是平生貴祿緣.)

乙일 丙子시는, 육을서귀(六乙鼠貴)格이 된다. 乙은 庚을 官을 삼으며 子에서 死한다. [庚은] 丙을 보면 손상하게 되고, 丙은 암장한 辛을 맞아 化煞하여 權이 되고, 柱中에서 庚辛을 만나지 않고, 丑의 기반(羈絆)과 午의 衝이 없으면 비로소 貴格을 이룬다. 만약 위에서 꺼리는 것과 月氣에 불통(不通)하여 구조(救助)함이 없으면 포악(暴惡)하며 빈천(貧賤)하고 질병이 있어 수명(壽命)을 재촉한다. (乙日丙子時,六乙鼠貴.乙用庚爲官,死於子.見丙爲傷,丙暗邀辛,化煞爲權,柱中不見庚辛,無丑絆午衝,方成貴格.若有上忌,及不通月氣,無救助者,暴惡貧下,有疾壽促.)

乙丑일 丙子시는, 身弱하면 보통이고, 午의 穿衝이 없으면 온후(溫厚)하며 현덕(賢德)하다. 申酉의 年月은 풍헌(風憲)이 된다. 寅子[月]은 귀현(貴顯)하다. 丙寅, 己未, 甲戌, 己丑등의 月은 꺼리는데 主는 형벌(刑罰)로 凶하고 나쁘게 죽는다. (乙丑日,丙子時,身弱平常,無午穿衝,賢德溫厚.申酉年月風憲.寅子貴顯.忌丙寅,己未,甲戌,己丑等月,主凶刑惡死.)

己亥丙寅,陳俊尚書.癸卯辛酉,虞守愚侍郎.己酉丙寅,周鳳鳴進士.癸未甲子,王秩通政.乙酉戊寅,錢有威郎中.乙亥戊子,州判.庚子己丑,平章.辛丑己亥,紀大綱僉憲.丁丑丙午,張鳳翔尚書.甲子丙子,總管.

명조)-1[진준 상서]　　명조)-2[우수우 시랑]　　명조)-3[주 봉명 진사]

丙 乙 丙 己	丙 乙 辛 癸	丙 乙 丙 己
子 丑 寅 亥	子 丑 酉 卯	子 丑 寅 酉

명조)-4[왕질 통정] 명조)-5[전 유위 낭중] 명조)-6[주판]

丙 乙 甲 癸　　　丙 乙 戊 乙　　　丙 乙 戊 乙

子 丑 子 未　　　子 丑 寅 酉　　　子 丑 子 亥

명조)-7[평장] 명조)-8[기대강 첨헌] 명조)-9[장 봉상 상서] 명조)-10[總管]

丙 乙 己 庚　　丙 乙 己 辛　　　丙 乙 丙 丁　　　丙 乙 丙 甲

子 丑 丑 子　　子 丑 亥 丑　　　子 丑 午 丑　　　子 丑 子 子

乙卯일 丙子시는, 뛰어나다. 辰戌丑未亥의 年月은 관성을 보지 않아야 貴하다. 또, 凶중에 吉함을 만나는데, 丁巳월은 조업(祖業)을 破하여 凶하니 꺼려한다. 戊申월은 몸이 온전하지 못하게 죽는다. 己酉월은 악사(樂死)한다. (乙卯日,丙子時,高.辰戌丑未亥年月,不見官星貴.一云,凶中逢吉,忌丁巳月破祖凶.戊申月,身不完死.己酉月,惡死.)

己卯丙子,徐栻侍郎.丁卯癸卯,喩時侍郎.丁酉癸丑,邵錫都憲.丁巳壬寅,曹尚書.己卯己丑,侍郎.乙巳癸未,侍郎.壬寅癸卯,張皇親.丙戌戊戌,吉思丞相.癸卯甲寅,趙太師.丁巳庚戌,王司業.甲辰辛未,孔慘政.甲申丙寅,葉太守.癸巳甲寅,丁以誠郎中.庚午丙戌,方山同知.甲戌丁卯,陳元暉翰林.己丑丁卯,張喬擧人.

명조)-1[서식 시랑] 명조)-2[유시 시랑] 명조)-3[소석 도헌] 명조)-4[조 상서]

丙 乙 丙 己　　　丙 乙 癸 丁　　　丙 乙 癸 丁　　　丙 乙 壬 丁

子 卯 子 卯　　　子 卯 卯 卯　　　子 卯 丑 酉　　　子 卯 寅 巳

명조)-5[侍郎] 명조)-6[시랑] 명조)-7[장 황친] 명조)-8[길사 승상]

丙 乙 己 己　　　丙 乙 癸 乙　　　丙 乙 癸 壬　　　丙 乙 戊 丙

子 卯 丑 卯　　　子 卯 未 巳　　　子 卯 卯 寅　　　子 卯 戌 戌

명조))-9[조 태사] 명조)-10[왕 사업] 명조)11-[공 참정] 명조)-12[엽 태수]

丙 乙 甲 癸　　　丙 乙 庚 丁　　　丙 乙 辛 甲　　　丙 乙 丙 甲

子 卯 寅 卯　　　子 卯 戌 巳　　　子 卯 未 辰　　　子 卯 寅 申

명조)-13[정이성 낭중] 명조]-14[方山同知] 명조]-15[진원휘 한림] 명조]-16[장교 擧人]

丙 乙 甲 癸　　　丙 乙 丙 庚　　　丙 乙 丁 甲　　　丙 乙 丁 己

子 卯 寅 巳　　　子 卯 戌 午　　　子 卯 卯 戌　　　子 卯 卯 丑

乙巳일 丙子시는, 吉하다. 만약 巳 午의 年月이면 수명(壽命)을 재촉하고, 그렇지 않으면 身이 고독하며 쉬지 않고 노력해야한다. 순수(純粹)한 土가 財旺하여 官을 생하며 西方運으로 行하거나, 子辰이 水火의 運으로 行하면 모두 2~3品의 貴이다. 申월은 정관이고, 酉월은 편관이고, 卯월은 건록으로 모두 吉하다. 꺼리는 것이 甲寅월인데 刑하여 요절(夭折)한다. 乙酉월은 하천(下賤)하다.   (乙巳日,丙子時,吉.若巳午年月,壽促,不然身孤勞碌.純土財旺生官,行西運,子辰行水火運,俱二三品貴.申月正官,酉月偏官,卯月建祿,俱吉.忌甲寅月刑夭.乙酉月下賤.)

甲寅壬申,高躍府尹.甲戌乙亥,府尹.己巳丙寅,江東侍郎.戊申辛酉,帖木丞相.丁巳癸卯,陳尚書.戊辰癸亥,孫布政.甲子丁卯,知縣.壬申戊申,卿監.壬申己酉,擧人海道凶死.

명조)-1[고약 부윤] 명조)-2[부윤] 명조)-3[강동 시랑] 명조)-4[첩목 승상]

丙 乙 壬 甲   丙 乙 乙 甲   丙 乙 丙 己   丙 乙 辛 戊

子 巳 申 寅   子 巳 亥 戌   子 巳 寅 巳   子 巳 酉 申

명조)-5[진상서] 명조)-6[손 포정] 명조)-7[지현] 명조)-8[경감] 명조)-9[擧人 해도흉사]

丙 乙 癸 丁   丙 乙 癸 戊   丙 乙 丁 甲   丙 乙 戊 壬   丙 乙 己 壬

子 巳 卯 巳   子 巳 亥 辰   子 巳 卯 子   子 巳 申 申   子 巳 酉 申

乙未일 丙子시는, 평범하다. 만약 子亥의 年月이면 대귀(大貴)한데, 歲運도 같다. 己未월은 刑傷하여 꺼리고, 丙申월은 身이 온전하게 죽지 못한다. 己丑월은 조업(祖業)을 破하고 惡死한다. (乙未日,丙子時,平.若子亥年月,大貴,歲運同.忌己未月,刑傷,丙申月,身不完死.己丑月,破祖惡死.)

戊子甲寅,鄭岳侍郎.甲戌庚午,霽寰都憲.戊辰甲寅,林愛民僉事.己卯丙寅,黃參政.甲寅丁卯,李總兵.戊寅壬戌,劉元帥.戊子癸亥,蘇太卿.

명조)-1[정악 시랑] 명조)-2[제환 도헌] 명조)-3[림애민 僉事] 명조)-4[황 참정]

丙 乙 甲 戊   丙 乙 庚 甲   丙 乙 甲 戊   丙 乙 丙 己

子 未 寅 子   子 未 午 戌   子 未 寅 辰   子 未 寅 卯

명조)-5[이 총병] 명조)-6[유 원수] 명조)-7[소 태경]

丙 乙 丁 甲   丙 乙 壬 戊   丙 乙 癸 戊

子 未 卯 寅   子 未 戌 寅   子 未 亥 子

乙酉일 丙子시는, 貴하다. 身은 고독하며 넘어지고 일어나는 것을 반복(反覆)한다. 月에서 水氣가 通[根]하고 辛午를 보지 않으면 역시 貴하다. 꺼리는 것이 戊寅월인데 大凶하다. 丁巳월은 祖業을 破하며 빈한(貧寒)하다. 己酉월은 칼날에 죽는다. (乙酉日,丙子時,貴,身孤反覆起倒.月通水氣,不見辛午,亦貴.忌戊寅月大凶.丁巳月,破祖貧.己酉月金刀死.)

辛未庚子,翁成吾參政謫戍.甲戌丙寅,擧人.甲申丙寅,擧人.己未甲戌,大參.癸亥甲寅,周我樵子延儒大學士.

명조)-1[옹성오 參政 謫戍]　명조)-2[거인]　명조)-3[거인]

丙 乙 庚 辛　　　　丙 乙 丙 甲　　　丙 乙 丙 甲

子 酉 子 未　　　　子 酉 寅 戌　　　子 酉 寅 申

명조)-4[대참]　명조)-5[주아 樵子 연유 大學士]

丙 乙 甲 己　　　丙 乙 甲 癸

子 酉 戌 未　　　子 酉 寅 亥

乙亥일 丙子시는, 靑赤으로 化하여 福이 되고, 庚辰의 年月에 生하면 富貴하다. 순수(純粹)한 亥는 성패(成敗)한다. 丑月에 南方運으로 行하면 낭관(郎官;5~6품의 벼슬)이다. 巳午酉의 運은 지극히 가난하다. 壬辰月은 刑하여 꺼린다. 乙酉月은 조업(祖業)을 破하고 고귀(高貴)하지만 나쁘게 죽는다. (이상의 6일은 喜忌가 거의 같고, 단지 酉月은 鼠貴(格)을 이루지 못하니 별격으로 논해야 한다.) (乙亥日,丙子時,化青赤主福,生庚辰年月富貴.純亥成敗.丑月行南運,郎官.巳午,西運,極貧.忌壬辰月刑.乙酉月破祖,高貴中惡死.(以上六日,喜忌大同.但坐酉月,不成鼠貴,別格論之.))

甲申庚午,王尚書.丙午辛丑,張承恩苑馬卿.丙戌己亥,解元帥.壬戌辛亥,解御史.壬午壬子,馬知縣.乙未戊子,張孚敬大學士.甲寅甲辰,劉判院.己巳丙寅,張安撫.辛亥甲午,貧.丙午癸巳,丐.

명조)-1[왕상서]　명조)-2[장승은 원마경]　명조)-3[해 원수]　명조)-4[해 어사]　명조)-5[마 지현]

丙 乙 庚 甲　　丙 乙 辛 丙　　丙 乙 己 丙　　丙 乙 辛 壬　　丙 乙 壬 壬

子 亥 午 申　　子 亥 丑 午　　子 亥 亥 戌　　子 亥 亥 戌　　子 亥 子 午

명조)-6[장부경 대학사]　명조)-7[유 판원]　명조)-8[장 안무]　명조)-9[貧]　명조)-10[丐]

丙 乙 戊 乙　　丙 乙 甲 甲　　丙 乙 丙 己　　丙 乙 甲 辛　　丙 乙 癸 丙

子 亥 子 未　　子 亥 辰 寅　　子 亥 寅 巳　　子 亥 午 亥　　子 亥 巳 午

시봉육귀(時逢六貴)한 局은, 먼저는 위험하지만 그러나 凶하지 않다. 어린나이에 성취(成就)하기는 어려우나 말년(末年)중에는 財祿이 풍부하다. (時逢六貴局,先險卻無凶,早歲難成就,末中財祿豐.)

6乙 丙子시는 貴格인데, 가령 衝破가 없어야 비로소 뛰어나게 된다. 庚申巳酉丑을 보지 않아야 관모(官帽)를 쓰고 궁전에서 임금을 배알한다. (六乙貴格丙子時,如無衝破始爲奇.不遇庚申巳酉丑,定乘軒冕拜丹墀.)

乙일에 丙子시가 臨하면, 상관상진(傷官傷盡)하여 영화(榮華)가 창성(昌盛)하다. 亥卯未월은 예사롭지 않고, 運에서 身이 건왕한 곳에 이르고 庚辛을 만나지 않으면 발복(發福)한다. 午의 衝과 丑의 기반(羈絆)이 있으면 보통이다. 만일 刑剋 공망을 한차례 만나는 命은 혹 衰하고 혹 旺하게 된다.   (乙日時臨丙子,傷官傷盡榮昌.亥卯未月不尋常,運至身健旺相.辛庚不見發福,午衝丑絆平常.如逢刑剋空一場.此命或衰或旺.)

六乙日丁丑時斷(以下六乙日所忌月分與上同,時亦倂論)

6乙일이 丁丑시에 生하면, 食神이 도우며 財官을 만난다. 月에 金氣가 通하여 化하면 福이 되니 예사롭고 하천(下賤)한 사람으로 보지 않는 것이다. (六乙日生時丁丑,食神相助遇財官.月通金氣化爲福,不是尋常下賤看.)

乙일 丁丑시는, 食神에 財官이 모인다. 丁은 食神이며, 庚은 官이고, 己는 財인데, 丑중에 辛金이 合局하며 己土는 得位하는데, 만일 의지할 것이 있으면 貴하다. 金氣가 月에 通하여 化하면 富裕함이 厚하여 존중(尊重)된다. 月氣에 불통(不通)하면 보통사람이다. (乙日丁丑時,食會財官.丁爲食,庚爲官,己爲財,丑中有辛金合局,己土得位,如有倚托者貴.通金氣月化者,富厚尊重.不通月氣平常.)

乙丑일 丁丑시는, 秋절에 태어나면 權(권력)은 있으나 질병을 가지고 있다. 夏절은 吉하고, 冬절은 보통이고, 春절은 旺하여 貴하고 長壽한다. (乙丑日,丁丑時,秋生有權.主帶疾.夏吉,冬平,春旺貴壽.)

癸丑乙丑,蕭注兩制.庚午丙戌,李胤昌解元,翰林.戊申甲子,林通擧人.

명조)-1[소주량제] 명조)-2[이윤창 解元, 翰林] 명조)-3[임통 擧人]

丁 乙 乙 癸	丁 乙 丙 庚	丁 乙 甲 戊
丑 丑 丑 丑	丑 丑 戌 午	丑 丑 子 申

乙卯일丁丑시는, 亥월은 身旺한데 辛 편관을 보고, 柱에 丁의 制가 있으면 풍헌(風憲)으로 무직(武職)이다. [참고] 食神이 制煞하면 武職이다. (乙卯日,丁丑時,亥月身旺,見辛偏官,柱有丁制,風憲武職.)

丁巳甲辰,林東海進士.乙未癸未,吳與言憲副.

명조)-1[림동해 進士] 명조)-2[오여언 憲副]

```
丁 乙 甲 丁          丁 乙 癸 乙
丑 卯 辰 巳          丑 卯 未 未
```

乙巳일 丁丑시는, 亥卯未寅월에 태어나면 貴하다. 金氣가 月에 通[根]하여 의탁할 것이 있으면 福이 重하다. (乙巳日,丁丑時,生亥卯未寅月貴.通金氣月有倚托者,福重.)

甲申甲寅,吳鐸思布政.庚寅戊子,倪祿遊擊倭殺無子.戊辰辛酉,大貴.甲申乙亥,擧人.甲寅庚午,顧秉謙大學士.丙午辛卯,武狀元.

명조)-1[오탁사 포정] 명조)-2[예록유격 倭殺 無子] 명조)-3[大貴]
```
丁 乙 甲 甲          丁 乙 戊 庚          丁 乙 辛 戊
丑 巳 寅 辛          丑 巳 子 寅          丑 巳 酉 辰
```

명조)-4[擧人] 명조)-5[고병겸 大學士] 명조)-6[武 狀元]
```
丁 乙 乙 甲          丁 乙 庚 甲          丁 乙 辛 丙
丑 巳 亥 申          丑 巳 午 寅          丑 巳 卯 午
```

乙未월 丁丑시는, 辰戌丑未월은 富하다. 春절은 장수(長壽)하고, 秋절은 명리(名利)가 있고, 夏절은 貧下하고, 冬절은 보통이고, 申의 年 月은 武職으로 3品이다. (乙未日,丁丑時,辰戌丑未月富.春壽長,秋名利,夏貧下,冬平常,申年月,武職三品.)

丁酉戊申,盛當時僉憲.乙丑戊寅,萬希庵主事,夭.辛未己亥,姜博進士.

명조)1-[성당시 僉憲] 명조)2-[만희암 主事, 夭] 명조)3-[강박 進士]
```
丁 乙 戊 丁          丁 乙 戊 乙          丁 乙 己 辛
丑 未 申 酉          丑 未 寅 丑          丑 未 亥 未
```

乙酉일 丁丑시는, 만약 木氣가 通[根]하고 의탁할 것이 있으면 현귀(顯貴)한다. 申丑의 年 月 역시 좋고, 寅亥는 더욱 아름답다. (乙酉日,丁丑時,若通木氣有倚托者,顯貴.申丑年月,亦好,寅亥尤佳.)

丙寅庚寅,黃光昇尚書.甲申乙亥,尚書.壬子戊申,王昺侍郎.戊寅己未,李世民御使.戊辰乙卯,太守.甲寅己巳,沈自邠翰林.辛巳戊戌,會魁.丁丑乙巳,御史.丙寅庚寅,黃光升尚書.丙申甲午,都督.

명조)1-[황광승 尚書] 명조)2-[상서] 명조)3-[왕병 시랑]
```
丁 乙 庚 丙          丁 乙 乙 甲          丁 乙 戊 壬
丑 酉 寅 寅          丑 酉 亥 申          丑 酉 申 子
```

명조)4-[이세민 어사] 명조)5-[태수] 명조)6-[심자빈 翰林]

```
丁 乙 己 戊        丁 乙 乙 戊        丁 乙 己 甲
丑 酉 未 寅        丑 酉 卯 辰        丑 酉 巳 寅
```

명조)7-[회괴] 명조)8-[어사] 명조)9-[黃光升 尚書] 명조)10-[도독]

```
丁 乙 戊 辛      丁 乙 乙 丁    丁 乙 庚 丙        丁 乙 甲 丙
丑 酉 戌 巳      丑 酉 巳 丑    丑 酉 寅 寅        丑 酉 午 申
```

乙亥日 丁丑時는, 亥월은 성급(性急)함을 가지고 있다. 妻는 현숙(賢淑)하고 자식(子息)은 효도하며, 벼슬은 6~7品에 이른다. [乙목이] 午월에 長生하는데 年月에 官印이 透出하면 대귀(大貴)한다. (乙亥日,丁丑時,亥月性急有操持.妻賢子孝,官至六七品.午月長生,年月透官印,大貴.)

庚申壬午,吳鵬尚書.丙辰庚子,陳汝勵,都憲.乙巳乙亥,王方田太守.丙子辛丑,王繼祖總兵,富.

명조)1-[오붕 상서] 명조)2-[진여려, 都憲] 명조)3-[왕방전 太守] 명조)4-[계조 총병, 富]

```
丁 乙 壬 庚      丁 乙 庚 丙      丁 乙 丁 乙        丁 乙 辛 丙
丑 亥 午 申      丑 亥 子 辰      丑 亥 亥 巳        丑 亥 丑 子
```

[참고 명조)3은 월령에서 乙亥가 나올 수 없는데, 丁亥 혹은 乙酉중 하나일 것이다. 그래서 丁亥로 바꾸어 기재한다.]

時上이 財官인 局은 天干에 食神이 透出하고, 刑衝을 만약 일찍 만나면 발복(發福)은 참으로 틀림없다. (時上財官局,天干透食神,刑衝若早遇,發福定然眞.)

時의창고(倉庫)를 열고 乙이 丁을 보는데, 食神이 庫에 坐하여 祿財가 가깝다. 무시부작조중객(,無匙不作朝中客), 야시청한유복인(也是淸閒有福人) (倉庫時開乙見丁,食神坐庫祿財親.無匙不作朝中客,也是淸閒有福人.)

乙일이 丁丑時를 만나면, 수성(壽星)이 발달(發達)함은 틀림없다. 신(身)이 마갈(磨蝎)에 居하여도 싫어해선 안 되고, 庫안에 돈과 재물이 쌓여 모인다. 年 時 月이 합하면 발달(發達)하고, 처자(妻子)를 공망이나 刑하면 어렵게 되고, 양친(兩親)과 안려(雁侶)는 차고 이지러짐이 있는데, 運은 뇌옥(牢獄) 이르러 금궤(金櫃)를 감춘다. (乙日時逢丁丑,壽星發達無疑,身居磨蝎莫嫌遲,庫內錢財積聚.年時月合發達,空刑妻子難爲,雙親雁侶有盈虧,運至牢藏金櫃.)

14. 六乙日戊寅時斷

6乙일생이 戊寅시는, 패재(敗財)하고 배록(背祿)하여 실제로 身을 손상한다. 마음은 있지만 무력(無力)하여 성패(成敗)가 많고, 의(衣)록(祿)이 평상인에 머문다. (六乙日生時戊寅,敗財背祿實傷身. 有心無力多成敗,止是平常衣祿人.)

乙일 戊寅시는, 敗財하고 背祿하며, 乙은 庚을 官으로 삼으며, 寅중에는 丙이 있어 상관이 背祿한다. 戊己는 財가 되는데 寅중에 甲이 旺하여 敗財하여, 사람이 일을 하여도 실패하는 평상인이다. 土己가 通[根]하면 吉하다. (乙日,戊寅時,敗財背祿,乙用庚爲官,寅中有丙,傷官背祿.用戊己爲財, 寅中甲旺財敗,爲人作事成敗,平常.通土氣者吉.)

乙丑일 戊寅시는, 子년 戊월에 태어나면 富貴하다. 辰戌이 木火의 運으로 行하면 위권(威權)을 가진다. (乙丑日,戊寅時,高,生子年戊月者,富貴.辰戌行木火運,威權.)

丁亥癸卯,丁閣老.辛酉癸巳,曹司賢僉憲.辛丑丁酉,黃侍顯郎中.乙巳壬午,黃行可進士.庚申甲申,吳王榮御史.己未甲戌,周端進士.

명조)1-[정 각로] 명조)2-[조 사현, 첨헌] 명조)3-[황 시현, 낭중]

```
戊 乙 癸 丁      戊 乙 癸 辛      戊 乙 丁 辛
寅 丑 卯 亥      寅 丑 巳 酉      寅 丑 酉 丑
```

명조)4-[황 행가, 進士] 명조)5-[오왕영, 어사] 명조)6-[주단 進士]

```
戊 乙 壬 乙      戊 乙 甲 庚      戊 乙 甲 己
寅 丑 午 巳      寅 丑 申 申      寅 丑 戌 未
```

乙卯일 戊寅시는, 刑하는 가운데 發福한다. 秋절생은 貴하다. 酉年이 辰戌 丑未월을 만나면 富하다. 卯월은 건록인데, 午월 印이 生하고, 官印이 투출하면 모두 吉하다. (乙卯日,戊寅時,刑中發福.秋生貴.酉年遇辰戌丑未月富.卯月建祿,午月印生,透官印俱吉.)

丁未戊申,歐陽文忠公.癸未乙丑,進士.癸卯乙卯,大貴.戊寅庚申,擧人.癸卯乙卯,富.丙午辛卯,元戎.丁巳壬寅,朱國楨,詹事.庚申壬午,貴.

명조)1-[구양문충공] 명조)2-[進士] 명조)3-[大貴] 명조)4-[擧人]

```
戊 乙 戊 丁      戊 乙 乙 癸      戊 乙 乙 癸      戊 乙 庚 戊
寅 卯 申 未      寅 卯 丑 未      寅 卯 卯 卯      寅 卯 申 寅
```

명조)5-[富] 명조)6-[元戎원융] 명조)7-[주국정, 詹事] 명조)8-[貴]

戊 乙 乙 癸　　戊 乙 辛 丙　　　戊 乙 壬 丁　　　　戊 乙 壬 庚

寅 卯 卯 卯　　寅 卯 卯 午　　　寅 卯 寅 巳　　　　寅 卯 午 申

乙巳일 戊寅시는. 고독하며 剋하여 평범하다. 만약 年月이 申庚으로 정관이거나 丑辛으로 칠살이면 모두 貴하다. 辰月에 北方運은 吉하다. 또, 중년(中年)에 갑자기 發하기도 한다. (乙巳日,戊寅時,孤剋平常.若年月申庚正官,丑辛七煞,俱貴.辰月北方運吉.一云,中年橫發.)

辛丑庚子,丘濬閣老,名臣.乙丑戊寅,程秀民參政.戊子乙丑,貴.甲戌丁卯,優人.

명조)1-[구준 각로, 名臣] 명조)2-[정수민 參政] 명조)3-[貴] 명조)4-[優人]

戊 乙 庚 辛　　　戊 乙 戊 乙　　　戊 乙 乙 戊　　　　戊 乙 丁 甲

寅 巳 子 丑　　　寅 巳 寅 丑　　　寅 巳 丑 子　　　　寅 巳 卯 戌

乙未일 戊寅시는, 春절생은 長壽한다. 秋절은 귀현(貴顯)하다. 夏절은 평범하고, 冬절은 반복(反覆)한다. 辰戌 丑未는 모두 吉하다. 歲運도 같다. (乙未日,戊寅時,春生有壽.秋貴顯.夏平常,冬反覆.辰戌丑未俱吉.歲運同.)

癸未己未,李公正憲副.庚午癸未,小貴.庚午庚辰,擧人.己亥戊辰,例貢.壬戌丙午,曾可前,探花.戊寅甲寅,擧人.

명조)1-[이공정 헌부] 명조)2-[小貴] 명조)3-[擧人]

戊 乙 己 癸　　　　戊 乙 癸 庚　　　　戊 乙 庚 庚

寅 未 未 未　　　　寅 未 未 午　　　　寅 未 辰 午

명조)4-[례공] 명조)5-[증가전, 探花] 명조)6-[거인]

戊 乙 戊 己　　　　戊 乙 丙 壬　　　　戊 乙 甲 戊

寅 未 辰 亥　　　　寅 未 午 戌　　　　寅 未 寅 寅

乙酉일 戊寅시는, 春절에 生하면 富하다. 夏절은 보통이다. 秋절은 貴하지만 壽命을 재촉한다. 冬절은 吉하다. (乙酉日,戊寅時,春生富.夏平.秋貴,壽促.冬吉.)

壬辰丁未,西寧侯宋天訓凶死.丁卯辛亥,盧夢陽布政.癸巳丁巳,黃如金憲副.丁卯丁未,吉三泉都憲.戊午辛酉,萬表元戎通禪學文雅君子.戊辰乙卯,親王.丙子己亥,孔貞運榜眼入閣.

명조)1-[서녕侯 송천훈凶死] 명조)2-[로몽양 布政]] 명조)3-[황여금 헌부]

戊 乙 丁 壬　　　　戊 乙 辛 丁　　　　戊 乙 丁 癸
寅 酉 未 辰　　　　寅 酉 亥 卯　　　　寅 酉 巳 癸

명조)4-[길삼천 도헌] 명조)5-[만표元戎 通禪學文 雅君子] 명조)6-[親王,황제의 형제]
戊 乙 丁 丁　　　　戊 乙 辛 戊　　　　戊 乙 乙 戊
寅 酉 未 卯　　　　寅 酉 酉 午　　　　寅 酉 卯 辰

명조)7-[공정운방안 入閣]
戊 乙 己 丙
寅 酉 亥 子

乙亥일 戊寅시는, 春절은 吉하다. 夏절은 노력(勞力;힘들여 일함)해야 한다. 秋冬절은 貴하다. 子丑의 年월은 貴가 3品에 이르고, 유기유락(有起有落)하지만 壽命을 길다. (乙亥日,戊寅時,春吉. 夏勞力.秋冬貴.子丑年月,貴至三品,有起有落,壽永.)

丙午辛丑,張懷大參.丙午辛卯,林遷喬進士.癸酉丁巳,李表庚太宰.乙巳己卯,布政.

명조)1-[장회 대참] 명조)2-[임천교 진사] 명조)3-[이표경 태재] 명조)4-[포정]
戊 乙 辛 丙　　　　戊 乙 辛 丙　　　　戊 乙 丁 癸　　　　戊 乙 己 乙
寅 亥 丑 午　　　　寅 亥 卯 午　　　　寅 亥 巳 酉　　　　寅 亥 卯 巳

호와평원(虎臥平原;범이 평원에 엎드려있는)局은 행동을 숨겨 두렵고 위태롭다. 정당(正當)함은 명월(明月)에서 나오고, 빛이 있는 곳에 또 구름으로 흐릿하다. (虎臥平原局,行藏恐慮危,正當明月出,光處又雲迷.)

乙일 寅시는 자세히 추리하여야 하는데, 사람이 옳은 것을 부르며 또 그른 것을 부르기도 한다. 運이 衰하고 다시 공망 刑剋을 만나면 힘들게 노력하고 노심초사(勞心焦思)하여도 定해진 기약이 없다. (乙日寅時仔細推,爲人招是又招非.運衰更遇空刑剋,勞力勞心無定期.)

乙일이 戊寅시를 만나면, 특히 그중에서도 암암리에 財를 손상한다. 상관이 背祿하여 柱중에서 배적하면 富貴하나 처자(妻子)가 형(刑)해(害)를 당한다. 運에서 財官이 旺하면 발복(發福)하고, 運이 비겁이나 煞로 行하면 재앙을 일으킨다. 육친(六親)골육(骨肉)간에 화합(和合)하기 어렵고, 자립(自立)하여 스스로 성공하고 자유롭다. (乙日戊寅時遇,就中暗損傷財.傷官背祿柱中排,富貴妻兒刑害.運旺財官發福,運行比煞興災.六親骨肉少和諧,自立自成自在.)

15. 六乙日己卯時斷

6乙일생이 己卯를 만나면, 時에 日祿이 居하며 財가 아름답게 臨한다. 旺한 木氣에 通하면 貴가 틀림없고, 酉상에 辛으로 重하여도 또한 괴로울 것이다. (六乙日生逢己卯,時居日祿財臨好.旺通木氣貴無疑,酉上辛重亦可惱.)

乙일 己卯시는, 祿이 묘당(廟堂;의정부)에 들고, 乙목이 卯건록을 만나면 사람이 수려(秀麗)하고, 木火에 通[根]하면 貴하다. 庚辛을 보면 祿을 손상하여 命을 破하게 되고, 눈병에 걸린다. 만약 巳酉丑월에 生하면 의록(衣祿)은 평범하다. 辰戌 丑未월은 吉하다. 申월 또한 吉하다. (乙日,己卯時,祿入廟堂,乙木逢卯建祿,爲人秀麗,通木火者貴.見庚辛爲傷祿破命,患目疾.若生巳酉丑月,平常衣祿.辰戌丑未吉.申月亦吉.)

乙丑일 己卯시는, 뛰어나다. 중년(中年)에 큰 福을 받는다. 春절에 生하여 身이 太旺하면 고독하다. 夏절은 貧하다. 秋절은 疾病이 있다. 冬절은 온후(溫厚)하다. 四柱에서 辛金을 보지 않아야 吉하다. 만약 疾 戌 丑 未월이면 존귀(尊貴)한 사람이다. (乙丑日,己卯時,高,中年大福.春生身太旺,孤.夏貧.秋有疾.冬溫厚.柱不見辛金,吉.若辰戌丑未月,金紫貴.)

乙丑戊寅,余福太守.庚午庚辰,孫渭進士.丁亥己酉,進士太守.甲寅甲戌,進士.

명조)1-[여복 태수]　명조)2-[손위 진사]　명조)3-[진사 태수]　명조)4-[진사]

己	乙	戊	乙		己	乙	庚	庚		己	乙	己	丁		己	乙	甲	甲
卯	丑	寅	丑		卯	丑	辰	午		卯	丑	酉	亥		卯	丑	戌	寅

乙卯일 己卯시는, 뛰어나다. 春절에 生하면 旺하며 僧道가 되어도 富는 충분하다. 夏절은 평범한데 辛金을 보지 않으면 吉하다. 秋절은 질병을 지니고 있다. 冬절은 온후(溫厚)하다. 卯 丑의 年月은 현달(顯達)하며 장수(長壽)한다. (乙卯日,己卯時,高,春生旺,爲僧道富足.夏平常,不見辛金,吉.秋帶疾.冬溫厚.卯丑年月,顯達高壽.)

庚午戊子,林廷選尚書.癸未戊午,張廉憲.壬申癸丑,謝應徵進士.乙卯戊子,萬戶.戊子乙卯,運使.辛卯庚子,進士.丁丑乙巳,擧人.癸丑乙丑,大富.壬申辛亥,尚書.癸未辛酉,水死.戊午乙丑,僉憲.乙酉丁亥,進士.癸卯甲寅,丁賓南尚書.一吏命同.

명조)1-[임정선 尚書]　명조)2-[장렴헌]　명조)3-[사응징 進士]　명조)4-[萬戶]

己	乙	戊	庚		己	乙	戊	癸		己	乙	癸	壬		己	乙	戊	乙
卯	卯	子	午		卯	卯	午	未		卯	卯	丑	申		卯	卯	子	卯

명조)5-[운사] 명조)6-[진사] 명조)7-[擧人]47) 명조)8-[大富]

己 乙 乙 戊　　　己 乙 庚 辛　　　己 乙 乙 丁　　　己 乙 乙 癸
卯 卯 卯 子　　　卯 卯 子 卯　　　卯 卯 巳 丑　　　卯 卯 丑 丑

명조)9-[尚書] 명조)10-[水死] 명조)11-[첨헌] 명조)12-[진사]

己 乙 辛 壬　　　己 乙 辛 癸　　　己 乙 乙 戊　　　己 乙 丁 乙
卯 卯 亥 申　　　卯 卯 酉 未　　　卯 卯 丑 午　　　卯 卯 亥 酉

명조)13-[정빈남 尚書]한 명의 관리와 命이 같다.
己 乙 甲 癸
卯 卯 寅 卯

乙巳일己卯시는, 春절은 외롭고 가난하다. 夏절은 보통이고, 秋절은 疾病을 지니고 있고, 冬절은 貴하다. 午辰의 年月이면 地支가 하나의 길로 서로 연결하여 더욱 吉하다.48) (乙巳日,己卯時, 春孤貧,夏平,秋帶疾,多貴.午辰年月,地支一路相連,尤吉.)

丁卯甲辰,陳知府.丁亥丙午,富壽.癸亥甲子,陳龍圖.

명조)1-[진 지부] 명조)2-[富壽] 명조)3-[진용도]
己 乙 甲 丁　　　己 乙 丙 丁　　　己 乙 甲 癸
卯 巳 辰 卯　　　卯 巳 午 亥　　　卯 巳 子 亥

乙未일 己卯시는, 年月에 庚辛金을 만나지 않아야 貴하다. 秋절생은 地支의 후박(厚薄)함을 살펴봐야하는데, 만일 壬戌의 年月에 生하면 3~4品의 貴이다. (乙未日,己卯時,年月不見庚辛金,貴. 秋生,看地厚薄,如生壬戌年月,三四品貴.)

壬申辛亥,李兆龍給事.甲午丁丑,丞相.辛酉辛丑,參政.庚辰丁亥,擧人.庚申己丑,擧人.己卯壬申,擧人. 壬午辛亥,擧人.辛酉乙未,宣尉.辛亥庚寅,明帝崇禎交丙運失國.丙戌丙申,李成梁封伯始禍.甲寅庚午,二子進士.

명조)1-[이조용 급사] 명조)2-[승상] 명조)3-[참정] 명조)4-[擧人]
己 乙 辛 壬　　　己 乙 丁 甲　　　己 乙 辛 辛　　　己 乙 丁 庚
卯 未 亥 申　　　卯 未 丑 午　　　卯 未 丑 酉　　　卯 未 亥 辰

명조)5-[거인] 명조)6-[거인] 명조)7-[거인] 명조)8-[선위]

---

47) 擧人(거인); 明 淸 시대에 향시(鄕試)에 합격한 사람.
48) [譯者 註] ; 地支連茹를 말하는 것이다.

```
己 乙 己 庚    己 乙 壬 己    己 乙 辛 壬    己 乙 乙 辛
卯 未 丑 申    卯 未 申 卯    卯 未 亥 午    卯 未 未 酉
```

명조)9-[명제 숭정 交丙運 失國] 명조)10-[이 성량 封伯 始禍] 명조)11-[二子 進士]

```
己 乙 庚 辛         己 乙 丙 丙         己 乙 庚 甲
卯 未 寅 亥         卯 未 申 戌         卯 未 午 寅
```

乙酉일 己卯시는, 빼어나고, 초년(初年)에는 조업(祖業)을 破하고, 중년(中年)에는 발재(發財)하고, 말년(末年)에는 고독함과 형(刑)을 받는다. 또, 죽어도 장지(葬地)가 없으며 申丑의 年月은 존귀(尊貴)하게 되기도 한다. (乙酉日,己卯時,秀,初年破祖,中主發財,未年孤刑.一云,主死無葬地,申丑年月金紫.)

辛卯辛丑,胡驛參政.丁巳癸卯,陳雲衢進士.癸未丁巳,吳三省擧人.乙卯己丑,通判.辛未戊戌,劉之鳳刑部尚書.

명조)1-[호역 참정] 명조)2-[진운구 進士] 명조)3-[오삼성 擧人]

```
己 乙 辛 辛         己 乙 癸 丁         己 乙 丁 癸
卯 酉 丑 卯         卯 酉 卯 巳         卯 酉 巳 未
```

명조)4-[通判] 명조)5-[유 지봉 형부상서]

```
己 乙 己 乙         己 乙 戊 辛
卯 酉 丑 卯         卯 酉 戌 未
```

乙亥일 己卯시는, 寅巳월에 生하여 庚辛을 보지 않으면 일록귀시격(日祿歸時格)으로 현달(顯達)하며 淸貴하다. 순수한 卯의 年月이면 고승(高僧)이나 우사(羽士;도교(道敎)의 승려)가 된다. 戌이면 총명(聰明)하여 특별히 재주가 뛰어나고 財祿이 있다. (乙亥日,己卯時,生寅巳月,不見庚辛,日祿歸時格,顯達淸貴.純卯年月,高僧羽士.戌特達聰明,有財祿.)

日祿이 時에 있는 局은, 벼슬길에 오르는데, 만약 官이 破害가 없으면 명예(名譽)가 사방(四方)에서 널리 알게 된다. (日祿在時局,靑雲折桂枝,若無官破害,名譽四方知.)

일록거시격(日祿居時格)은 동일하지 않은데, 食神 財馬가 상봉(相逢)함이 요구된다. 상관 印의 運은 모두 吉하게 되고, 官을 만나지 않아도 祿은 저절로 풍성하다. (日祿居時格不同,食神財馬要相逢.傷官印運皆爲吉,官不逢兮祿自豐.)

乙일이 己卯시에 臨하면, 편재가 時에 祿을 맞이한다. 辛金인 酉[字]가 相刑하지 않으면 용맹스러워 성명(姓名)이 방에 나붙는다. 부모(父母) 육친(六親)은 의지하기 어렵고, 안항(雁行=兄弟宮)은 각자(各自)가 비등(飛騰)하며, 문장(文章)은 빛나는 재능이 있고, 충(衝) 파(破)가 없으면 귀명(貴命)이다.   (乙日時臨己卯,偏財時祿歸迎.辛金酉字不相刑,虎榜定標名姓.父母六親難靠,雁行各自飛騰,文章光耀有才能,無破無衝貴命.)

16. 六乙日庚辰時斷

6乙일이 庚辰時에 生하면, 수백금청(水白金淸)하여 참다운 化象이고, 壬이 辛酉를 쫓으면 官貴가 通하지만 그러나 눈병을 방비하고 精神이 흐트러짐을 막아야한다. (六乙日生時庚辰,水白金清化象眞,壬從辛酉通官貴,却防目疾減精神.)

乙일 庚辰時는, 妻는 어질고 자식은 貴하다. 乙과 庚이 合하여 化金하고, 만약 申巳 酉丑월에 通하면 사람이 수려(秀麗)하고 貴하지만, 그러나 눈병을 막아야한다. 가령 化하지 않고, 壬이 印이 되며 庚은 官이 되고, 辰土 癸水가 合局하여 乙木이 의탁(依託)함이 있고 東南運으로 行하면 귀현(貴顯)하고 평화(平和)롭다. (乙日,庚辰時,妻賢子貴.乙合庚化金,若通申巳酉丑月,爲人秀麗,主貴,却防目疾.如不見化,以壬爲印,庚爲官,辰土癸水合局,乙木有託,行東南運,貴顯平和.)

乙丑일 庚辰時는, 조업(祖業)을 破하며 剋父하고, 身弱하면 病드는 것을 꺼리는데, 月氣에 通하면 貴하다. 子申의 年月은 天干에 甲戌가 투출하면 삼기(三奇)에 부합(符合)하여 대귀(大貴)하게 된다. (乙丑日,庚辰時,破祖剋父,身弱忌疾,通月氣者貴.子申年月,天干透甲戌,合三奇,大貴.)

甲申戊辰,喬宇冢宰.戊申甲子,楊愼狀元.辛巳庚寅,李纘鴻臚卿.丁丑癸卯,呂孔梁知府.丁丑甲辰,黃士俊狀元,入閣.庚午丙戌,許獬會元編修.

명조)1-[교우 冢宰] 명조)2-[양신 장원] 명조)3-[이찬홍 려경]

庚 乙 戊 甲	庚 乙 甲 戊	庚 乙 庚 辛
辰 丑 辰 申	辰 丑 子 申	辰 丑 寅 巳

명조)4-[여공량 지부] 명조)5-[황사준 狀元, 입각] 명조)6-[허해회원 編修]

庚 乙 癸 丁	庚 乙 甲 丁	庚 乙 丙 庚
辰 丑 卯 丑	辰 丑 辰 丑	辰 丑 戌 午

乙卯일 庚辰時는, 富貴하다. 火土의 年月에 通하면 대귀(大貴)한다. 또, 刑한 후에 대발(大發)하기도 한다. 또, 악(惡)死하기도 하는데, 만약 年月에 구원함이 있으면 刑罰이다. (乙卯日,庚辰時,富貴.通火土年月大貴.一云,刑後大發.一云,惡死,若年月有救者,主刑.)

己巳庚午,楊博,尚書,甲戌年卒,子進士,山西人.己卯庚午,舉人.乙卯戊寅,董其昌,禮部尙書,以善書名.

명조)1-[양박] 명조)2-[舉人] 명조)3-[동기창]

庚 乙 庚 己　　　庚 乙 庚 己　　　庚 乙 戊 乙
辰 卯 午 巳　　　辰 卯 午 卯　　　辰 卯 寅 卯

　명조)1은 상서인데 甲戌년에 사망하였고, 자식은 進士이며 山西人이다.
　명조)2는 舉人이다.
　명조)3은 예부상서인데, 글씨가 훌륭하여 평판이 좋았다.

　乙巳일 庚辰시는, 일을 만들어 成敗가 있고, 僧이나 道로써 富貴하지만 疾病을 지니고 있다. 보통사람은 妻子를 刑剋한다. 申子辰卯巳의 年月은 貴하다. (乙巳日,庚辰時,作事成敗,僧道富貴帶疾.常人刑剋妻子.申子辰卯巳年月,貴.)

　壬戌乙巳,錢亮侯,小卿.乙巳丁丑,太守.癸酉壬戌,進士.丙戌癸巳,萬戶.辛亥庚寅,進士.己巳丁丑,劉生和滄州,戶部郎.丁丑壬寅,進士.庚辰乙酉,進士.

　명조)1-[전량후, 小卿] 명조)2-[太守] 명조)3-[進士] 명조)4-[萬戶]

庚 乙 乙 壬　　　庚 乙 丁 乙　　　庚 乙 壬 癸　　庚 乙 癸 丙
辰 巳 巳 戌　　　辰 巳 丑 巳　　　辰 巳 戌 酉　　辰 巳 巳 戌

　명조)5-[進士] 명조)6-[유생화 창주, 호부랑] 명조)7-[進士] 명조)8-[進士]

庚 乙 庚 辛　　庚 乙 丁 己　　　庚 乙 壬 丁　　　庚 乙 乙 庚
辰 巳 寅 亥　　辰 巳 丑 巳　　　辰 巳 寅 丑　　　辰 巳 酉 辰

　乙未일 庚辰시는, 亥卯월은 身旺하다. 巳申은 官旺한데, 天干에 煞印이 투출하면 모두 貴하다. 丑酉의 純粹한 煞인데 四柱에 火의 制가 있으면 또한 吉하다. 戌丑의 年月은 4庫가 金으로 대귀(大貴)하다. 또, 祖業을 파하고, 형벌과 災殃, 그리고 身이 고독하다. (乙未日,庚辰時,亥卯月身旺.巳申官旺,天官[干]透煞印皆貴.丑酉純煞,柱有火制亦吉.戌丑年月,四庫金大貴.一云,破祖,刑災身孤.)

　乙亥己卯,吳一貫,少卿.己未丁丑,史褒善都堂.丙申辛卯,李貫給事.丁卯辛亥,唐順之會元都憲,據星按乙亥日.壬申辛亥,李巨川進士.己亥乙巳,陶眞人.壬辰己酉,舉人.癸丑甲子,女命子李春芳狀元大學士.戊申乙卯,進士.壬申戊申,楊漣總憲死,錦衣獄.

　명조)1-[오일관, 少卿] 명조)2-[사포선 都堂] 명조)3-[이관 給事]

庚 乙 己 乙　　　　庚 乙 丁 己　　　　庚 乙 辛 丙

辰　未　卯　亥　　　　　辰　未　丑　未　　　　　辰　未　卯　申

명조)4-[唐順之, 회원 도헌, 거성안乙亥日] 명조)5-[이거천 進士] 명조)6-[도진인]

庚　乙　辛　丁　　　　　庚　乙　辛　壬　　　　　庚　乙　乙　己

辰　未　亥　卯　　　　　辰　未　亥　申　　　　　辰　未　巳　亥

명조)7-[擧人] 명조)8-[女命 子이춘방 狀元 大學士] 명조)9-[進士] 명조)10-[양연총헌,死錦衣獄]

庚　乙　己　壬　　　　庚　乙　甲　癸　　　　庚　乙　乙　戊　　　　庚　乙　戊　壬

辰　未　酉　辰　　　　辰　未　子　丑　　　　辰　未　卯　申　　　　辰　未　申　申

乙酉일 庚辰시는, 亥子의 年月이 天干에 戊癸가 투출하면 貴하다. 寅巳午월은 官煞의 制가 있어 吉하다. 純粹한 酉로써 化金하면 두터운 福이 된다. (乙酉日,庚辰時,亥子年月,干透戊癸,貴.寅巳午月,官煞有制,吉.純酉化金,主厚福.)

己卯甲戌,魏丞相.乙卯庚辰,鄭丞相.乙酉乙酉,李侍郎.甲子丙子,李人龍御史.庚午辛未,布政.丙申癸巳,判官.丙戌癸巳,贊皇令以失城,法死.乙酉戊子,擧人.庚辰乙酉,四柱雙合,大貴.

명조)1-[위 승상] 명조)2-[정 승상] 명조)3-[이 시랑] 명조)4-[이 인용 어사] 명조)5-[포정]

庚　乙　甲　己　　　庚　乙　庚　乙　　　庚　乙　乙　乙　　　庚　乙　丙　甲　　　庚　乙　辛　庚

辰　酉　戌　卯　　　辰　酉　辰　卯　　　辰　酉　酉　酉　　　辰　酉　子　子　　　辰　酉　未　午

명조)6-[판관] 명조)7-[贊皇令以失城,法死] 명조)8-[擧人] 명조)9-[사주쌍합, 大貴]

庚　乙　癸　丙　　　庚　乙　癸　丙　　　庚　乙　戊　乙　　　庚　乙　乙　庚

辰　酉　巳　申　　　辰　酉　巳　戌　　　辰　酉　子　酉　　　辰　酉　酉　辰

乙亥일 庚辰시는, 貴하지 않으면 富하다. 만약 年月의 戊癸가 하나로 化하여 申卯가 兩旺하고, 巳酉丑이 會金하고 木火運으로 亥하면 지위(地位)는 존귀(尊貴)하게 된다. 또, 發하는 가운데 刑害하기도 한다. [참고; 金紫는 붉은 옷에 금띠를 두른다는 뜻으로 고관(高官)을 나타낸다.] (乙亥日,庚辰時,不貴則富.若年月癸戊一化,申卯兩旺,巳丑酉會金,行木土運,位至金紫.一云,發中自刑害.)

丁卯癸丑,周禾中丞.乙亥戊寅,高文達參政.丙寅丁酉,曾布政.丙寅己亥,擧人.辛未庚子,小貴.癸亥戊午,大富.乙巳甲申,陳薦尚書.

명조)1-[주화중승] 명조)2-[고문달 參政] 명조)3-[증 포정] 명조)4-[擧人]

庚　乙　癸　丁　　　庚　乙　戊　乙　　　庚　乙　丁　丙　　　庚　乙　己　丙

辰　亥　丑　卯　　　辰　亥　寅　亥　　　辰　亥　酉　寅　　　辰　亥　亥　寅

명조)5-[小貴]　명조)6-[大富]　명조)7-[진천 尙書]

庚 乙 庚 辛　　庚 乙 戊 癸　　庚 乙 甲 乙
辰 亥 子 未　　辰 亥 午 亥　　辰 亥 申 巳

천지화기(天地化氣)하는 局은 秋節에 태어나면 大吉하여 창성(昌盛)하다. 運이 東과 北으로 나아가면 현요(顯要; 요직(要職)에 있는 사람)하여도 어찌 예사로울 것인가! (天地化氣局,秋生大吉昌.運行東與北,顯要豈尋常.)

乙庚이 會合하면 貴는 틀림없고, 陰木에 陽金은 時에서 바르게 合하다. 運에서 身强하고 衝破하지 않아야 吉한데, 승진(陞進)하는 것은 貴人이 있기 때문이다. (乙庚相會貴無疑,陰木陽金正合時.運吉身强無衝破,陞遷自有貴人提.)

乙日이 庚辰時가 正이면, 천관수고건원(天官守庫乾元)하여 청년(靑年)시절에 방(榜)에 붙어 성명(姓名)을 傳하고, 품성(稟性)이 온량(溫良)하며 공손하고 검소하다. 보통사람은 妻가 어질고 자식은 貴한데, 재주 있는 사람은 祿位에서 陞進한다. 南의 離방에 戊癸의 火가 상련(相連)하면 부귀(富貴)한 가운데 험난(險難)함을 당한다. (乙日庚辰時正,天官守庫乾元,靑年虎榜姓名傳,稟性溫良恭儉.士庶妻賢子貴.才人祿位陞遷.南離戊癸火相連.富貴之中當險.)

17. 六乙日辛巳時斷

6乙일생이 辛巳시는, 金木이 서로 다투어 어질지 못하다. 化월중에 生旺하면 貴하고, 불통무화(不通無化)하면 사람을 손상하는 것이 두렵다. (六乙日生時辛巳,金木交爭主不仁.有化月中生旺貴,不通無化恐傷人.)

乙일 辛巳시는, 암장한 金이 서로 다투어 시비(是非)가 日에 있는데, 만약 身旺한 月에 通하여 의탁할 데가 있으면 鬼를 化하여 官으로 삼으니 身旺한 運으로 行하면 貴하다. 木氣월에 通[根]하고 金旺運으로 行하면 대귀(大貴)하다. 金氣월에 通[根]하고 身旺한 運으로 行하여도 역시 貴하다. (乙日辛巳時,暗金交爭,是非日有,若通身旺月,有倚托,化鬼爲官,行身旺運,貴.通木氣月,行金旺運,大貴.通金氣月,行身旺運,亦貴.)

乙丑일 辛巳시는, 먼저는 잡(雜)하고 나중에는 순(純)한데, 寅午 丙丁의 年月에 生하면 편관을 制하여 뛰어난 命으로 본다. 巳申 酉丑월은 官煞이 중첩(重疊)하여 많은 병(病)을 지니지만 煞을 從하면 역시 吉하다. 그런데 身强하면 병권(兵權)을 잡아 명예(名譽)를 가지게 된다. (乙丑日,辛巳時,先雜後純,生寅午丙丁年月,偏官有制,作高命看.巳申酉丑月,官煞重疊,多帶疾,從煞亦吉.惟身强,主

兵權,有名譽.)

丁巳癸丑,周琉都憲,有十子.乙卯己丑,方近沙都憲.丁卯壬子,賀萬祚山東學憲以公正入名,宦陞福建大
參憲長.戊午戊午,饒伸,卿.辛巳戊戌,盗.

명조)1-[주충 都憲, 有十子]　명조)2-[방근사 都憲]　명조)3-[하만조]

辛 乙 癸 丁　　　　　辛 乙 己 乙　　　　　辛 乙 壬 丁
巳 丑 丑 巳　　　　　巳 丑 丑 卯　　　　　巳 丑 子 卯

명조)3은 하만조인데, 산동학헌으로 公正하게 명성이 났으며 벼슬이 올라 복건[성]의 대참헌장이
다.

명조)4-[요신, 卿]　명조)5-[도적]

辛 乙 戊 戊　　　　辛 乙 戊 辛
巳 丑 午 午　　　　巳 丑 戌 巳

乙卯일 辛巳시는, 春節에 生하여 신강하고 살천(煞淺)하면 대귀(大貴)하다. 夏節에 生하면 보통
사람이다. 秋절은 官煞이 旺하다. 冬절은 印綬가 旺하니 모두 吉하다. 秋절은 冬절보다 못하다.
(乙卯日,辛巳時,春生,身強煞淺,大貴.夏平常.秋官煞旺.冬印綬旺,俱吉.秋不如冬.)

甲申丙子,賈詠閣老.甲寅丙寅,史彌遠丞相.癸未乙卯,李箟侍郎.戊子己未,王篆都憲.癸卯壬戌,魏校太
卿.己卯丙寅,曾一經參議.乙亥丁亥,進士.丙申戊戌,參政.庚子己丑,參政.丙辰乙酉,郎中.

명조)1-[가영 각로]　명조)2-[사미원 승상]　명조)3-[이호 시랑]　명조)4-[왕전 도헌]

辛 乙 丙 甲　　　辛 乙 丙 甲　　　辛 乙 乙 癸　　　辛 乙 己 戊
巳 卯 子 申　　　巳 卯 寅 寅　　　巳 卯 卯 未　　　巳 卯 未 子

명조)5-[위교 태경]　명조)6-[증일경 참의]　명조7-[진사]　명조)8-[참정]

辛 乙 壬 癸　　　辛 乙 丙 己　　　辛 乙 丁 乙　　　辛 乙 戊 丙
巳 卯 戌 卯　　　巳 卯 寅 卯　　　巳 卯 亥 亥　　　巳 卯 戌 申

명조)9-[참정]　명조)10-[낭중]

辛 乙 己 庚　　　辛 乙 乙 丙
巳 卯 丑 子　　　巳 卯 酉 辰

乙巳일 辛巳시는, 妻를 剋하며 妻子가 모두 늦어진다. 만약 巳酉丑월이면 木은 柔弱하고 金이
重하여 질병(疾病)을 지니게 되고, 그렇지 않으면 수명(壽命)이 재촉된다. 甲己 子巳의 年月은 편

관격으로 西方運이면 풍헌(風憲)이 된다. 春節에 身旺하면 더욱 吉하다. (乙巳日,辛巳時,剋妻,妻子俱晚.若巳酉丑月,木柔金重,主帶疾.不然壽促.甲己子巳年月,入偏官格,西運風憲.春月身旺更吉.)

癸酉辛酉,陸泰翰林.癸亥乙卯,黃榮僉憲.甲子己巳,僉憲.乙巳辛巳,守備.甲辰丙寅,丞相.

명조)1-[육태 한림] 명조)2-[황영 첨헌] 명조)3-[첨사] 명조)4-[수비] 명조)5-[승상]

辛 乙 辛 癸	辛 乙 乙 癸	辛 乙 己 甲	辛 乙 辛 乙	辛 乙 丙 甲
巳 巳 酉 酉	巳 巳 卯 亥	巳 巳 巳 子	巳 巳 巳 巳	巳 巳 寅 辰

乙未일 辛巳시는, 午月에 天干이 强하면 무직(武職)으로 명예가 있다. 亥子 印綬는 吉하다. (乙未日,辛巳時,午月干强,武職有名譽.亥子印綬,吉.)

己亥丙子,田樂御使.乙未癸未,劉葵郎中.庚子丙戌,王楠太守,無子.己亥丙子,田樂兵部尙書.甲午丙寅,成勇南道.丙申癸巳,學憲.

명조)1-[전락 어사] 명조)2-[유규 낭중] 명조)3-[왕남 태수, 無子]

辛 乙 丙 己	辛 乙 癸 乙	辛 乙 丙 庚
巳 未 子 亥	巳 未 未 未	巳 未 戌 子

명조)4-[전락 병부상서] 명조)5-[성용 남도] 명조)6-[학헌]

辛 乙 丙 己	辛 乙 丙 甲	辛 乙 癸 丙
巳 未 子 亥	巳 未 寅 午	巳 未 巳 申

乙酉일 辛巳시는, 만약 未月生은 身에 坐한 것을 제복(制伏)하면 吉하다. 秋節은 편관으로 貴하다. 酉月은 南方運으로 行하면 가난하고, 그렇지 않으면 잔질(殘疾)이 있다. (乙酉日,辛巳時,若未月生,身坐制伏則吉.秋偏官貴.酉月,行南方運,貧,不然殘疾.)

辛亥壬辰,張文憲尙書.甲子甲戌,宋悌僉憲.丁巳乙巳,郭兵憲.甲寅丁丑,何延賢擧人.丙午甲午,王德新進士.戊申壬戌,解元同知.甲寅癸酉,武元.壬寅乙巳,張溥翰林.

명조)-1[장문헌 상서] 명조)2-[송제 첨헌] 명조)3-[곽 병헌] 명조)4-[하연현 거인]

辛 乙 壬 辛	辛 乙 甲 甲	辛 乙 乙 丁	辛 乙 丁 甲
巳 酉 辰 亥	巳 酉 戌 子	巳 酉 巳 巳	巳 酉 丑 寅

명조)5-[왕덕신 진사] 명조)6-[해원 동지] 명조)7-[무원] 명조)8-[장부 한림]

辛 乙 甲 丙	辛 乙 壬 戊	辛 乙 癸 甲	辛 乙 乙 壬

巳 酉 午 午　　　巳 酉 戌 申　　　巳 酉 酉 寅　　　巳 酉 巳 寅

乙亥일 辛巳시는, 巳午월에 生하면 편관은 制가 있다. 春節에 天干이 强하면 지위(地位)가 풍헌(風憲)이 된다. 秋節은 煞이 重하여 잔질(殘疾)이 있다. (乙亥日,辛巳時,生巳午月,偏官有制.春干强,位居風憲.秋煞重,主殘疾.)

丁酉丙午,高昌玉.丙寅辛卯,沈瑤進士,夭.乙未戊寅,劉一儒侍郎.辛卯辛丑,何起鳳尙書.甲申癸酉,黎玉田遼撫遇難.癸亥丙辰,擧人.

명조)1-[고창옥] 명조)2-[심요 진사, 요절] 명조)3-[유 일유 시랑]

辛 乙 丙 丁　　　辛 乙 辛 丙　　　　辛 乙 戊 乙

巳 亥 午 酉　　　巳 亥 卯 寅　　　　巳 亥 寅 未

명조)4-[하 기봉 상서] 명조)5-[려옥전 료무 遇難] 명조)6-[擧人]

辛 乙 辛 辛　　　　辛 乙 癸 甲　　　　辛 乙 丙 癸

巳 亥 丑 卯　　　　巳 亥 酉 申　　　　巳 亥 辰 亥

시상편관(時上偏官)局은 위험한 처지가 되어도 오히려 형통(亨通)할 수 있다. 身强한데 旺한 運을 만나면 고향을 떠나야 貴를 비로소 이룬다. (時上偏官局,臨危卻有亨,身强達旺運,離祖貴方成.)

乙巳는 金木이 만나 서로 손상하여 명리(名利)를 추구(追求)함이 항상 반복(反覆)한다. 六親 骨肉은 있어도 없는 것과 같고, 印綬 運이어야 발복(發福)할 수 있다. (乙巳相傷逢金木,求名求利常反覆.六親骨肉有如無,印綬運鄉能發福.)

乙일이 辛巳시를 만나면, 四柱중에 鬼는 旺하고 身은 衰하다. 육친(六親)은 의지하기 어려우며 화합하지 못하고, 도모(圖謀)하는 것을 바라도 성패(成敗)가 있다. 몇 번 凶함을 만난다면 吉하니, 참으로 고진감래(苦盡甘來)를 알게 된다. 運이 신왕한 印綬를 따라 行하면 부귀시인갈채(富貴時人喝采)한다. (乙日時逢辛巳,柱中鬼旺身衰.六親難靠不和諧,謀望有成有敗.幾度遇凶則吉,信知苦盡甘來.運行身旺印綬懷,富貴時人喝采.)

18. 六乙日壬午時斷

6乙日생이 壬午시는, 印綬가 身을 生하며 財食이 모인다. 月에 水木이 通[根]하면 祿이 풍영(豊盈)하고, 月의 氣運에 불통(不通)하면 평범한 수(數)이다. (六乙日生時壬午,印綬生身財食聚.月通水木祿豊盈,不通月氣平常數.)

乙일 壬午시는, 印綬와 學堂이다. 乙木의 長生은 午에 있고, 壬은 印이 되며, 丁은 食이고, 己는 財이고, 午上에 丁己는 建旺하다. 만약 水가 月氣에 通하면 문장(文章)이 수려(秀麗)하고, 월기에 불통(不通)하면 의록(衣祿)이 보통이다. 運에서 通하여도 역시 좋다. (乙日,壬午時,印綬學堂,乙木長生在午,見壬爲印,用丁爲食,巳[己]爲財,午上丁己建旺,若通水月氣者,文章秀麗.不通月氣,平常衣祿,通運亦好.)

乙丑일 壬午시는, 春夏절은 대부분 富貴하다. 秋多절은 官印인데, 혹 순수한 煞이 透干하면 더욱 吉하다. (乙丑日,壬午時,春夏多富貴.秋冬官印,或純煞透干,尤吉.)

庚戌己丑,吳參政.辛丑丁酉,文明進士.庚申庚辰,祝時太擧人.辛酉丙申,劉存省擧人.戊寅己未,趙汝江,參將.乙丑甲申,孫愼行探花尚書.

명조)1-[오 참정] 명조)2-[문명 진사] 명조)3-[축 시태 擧人]

| 壬 乙 己 庚 | 壬 乙 丁 辛 | 壬 乙 庚 庚 |
| 午 丑 丑 戌 | 午 丑 酉 丑 | 午 丑 辰 申 |

명조)4-[유 존성 擧人] 명조)5-[조 여강, 參將] 명조)6-[손 신행 탐화 尚書]

| 壬 乙 丙 辛 | 壬 乙 己 戊 | 壬 乙 甲 乙 |
| 午 丑 申 酉 | 午 丑 未 寅 | 午 丑 申 丑 |

乙卯일 壬午시는, 뛰어나며 丑월은 잡기재관(雜氣財官)에 해당된다. 申酉월은 신살양정(身煞兩停)하여 모두 귀현(貴顯)하다. 순수한 午酉의 年月이면 3~4品이다. 辰戌은 평상인이다. (乙卯日,壬午時,高,丑月入雜氣財官.申酉月身煞兩停,俱主顯貴.純午酉年月,三四品.辰戌平常.)

庚午己丑,秦檜老賊.戊子癸亥,朱天球少卿.丁酉壬子,汪都憲.甲戌丁丑,海瑞擧人,都憲直臣.丙辰壬午,擧人.庚午庚辰,擧人.

명조)1-[진회 노적] 명조)2-[주 천구 소경] 명조)3-[왕 도헌]

| 壬 乙 己 庚 | 壬 乙 癸 戊 | 壬 乙 壬 丁 |
| 午 卯 丑 午 | 午 卯 亥 子 | 午 卯 子 酉 |

명조)4-[해서 거인, 都憲直臣] 명조)5-[거인] 명조)6-[거인]

| 壬 乙 丁 甲 | 壬 乙 壬 丙 | 壬 乙 庚 庚 |
| 午 卯 丑 戌 | 午 卯 午 辰 | 午 卯 辰 午 |

乙巳일 壬午시는, 吉하다. 春夏절은 부귀(富貴)하다. 秋 冬절은 보통이다. (乙巳日,壬午時,吉,春夏富貴.秋冬平常.)

丙子壬辰,王詢都憲,己未罷官.癸巳丁巳,孫傳庭總督.丁丑壬寅,張宗衡總督,壬午年被害.甲午乙亥,舉人.戊戌辛酉,進士.

명조)1-[왕순 도헌, 己未 罷官]　명조)2-[손 부정 총독]　명조)3-[장 종형 총독, 壬午년 被害]

壬 乙 壬 丙　　　　壬 乙 丁 癸　　　　壬 乙 壬 丁
午 巳 辰 子　　　　午 巳 巳 巳　　　　午 巳 寅 丑

명조)4-[舉人]　명조)5-[진사]

壬 乙 乙 甲　　壬 乙 辛 戊
午 巳 亥 午　　午 巳 酉 戌

乙未일 壬午시는, 寅 卯는 身旺하고, 亥子는 印旺하며, 丑월은 財官印 삼기(三奇)로 모두 귀현(貴顯)하다. 신(申)월은 正官으로 더욱 吉한데, 만약 庚午 丁亥의 年월이면 食神이 同宮하여 食의 祿을 만나 富貴하다. (乙未日,壬午時,寅卯身旺,亥子印旺,丑月財官印三奇,俱主貴顯.申月正官尤吉,若庚午丁亥年月,食神同窠,就食見祿,富貴.)

丙戌丙申,黃侶郎中.己亥甲戌,何裕德御史.甲午丁丑,汪子成通判.乙丑甲申,鄭子昂舉人.癸亥乙卯,丞相.乙亥己丑,太守.庚辰壬午,貴.乙亥己丑,富.庚寅戊寅,李文纘,知州.甲午丁卯,伯.

명조)1-[황려 낭중]　명조)2-[하 유덕 어사]　명조)3-[왕 자성 통판]

壬 乙 丙 丙　　　　壬 乙 甲 己　　　　壬 乙 丁 甲
午 未 申 戌　　　　午 未 戌 亥　　　　午 未 丑 午

명조)4-[정 자앙 거인]　명조)5-[승상]　명조)6-[태수]

壬 乙 甲 乙　　　　壬 乙 乙 癸　　　　壬 乙 己 乙
午 未 申 丑　　　　午 未 卯 亥　　　　午 未 丑 亥

명조)7-[貴]　명조)8-[富]　명조)9-[이 문찬, 知州]　명조)10-[伯]

壬 乙 壬 庚　　壬 乙 己 乙　　壬 乙 戊 庚　　　　壬 乙 丁 甲
午 未 午 辰　　午 未 丑 亥　　午 未 寅 寅　　　　午 未 卯 午

乙酉일 壬午시는, 春절은 吉하다. 秋夏절은 보통이다. 四柱에 순수한 乙酉이며 庚이 투출하여 合化하고 혹 印의 生助를 만나면 대귀(大貴)하다. (乙酉日,壬午時,春吉.秋夏平常.柱純乙酉,透庚合

化,或見印助,大貴.)

庚戌乙酉,侍郎.癸丑丙辰,太守.丙辰辛丑,唐大章中允.乙亥庚辰,張緯進士.

명조)1-[侍郎] 명조)2-[太守] 명조)3-[당대장 中允] 명조)4-[장위 進士]

壬 乙 乙 庚	壬 乙 丙 癸	壬 乙 辛 丙	壬 乙 庚 乙
午 酉 酉 戌	午 酉 辰 丑	午 酉 丑 辰	午 酉 辰 亥

乙亥일 壬午시는, 春절은 生旺하고, 夏절은 福이 厚하고, 秋절은 반복(反覆)하며, 冬절은 길(吉)하며 경사스럽다. (乙亥日,壬午時,春生旺,夏福厚,秋反覆,冬吉慶.)

壬申癸卯,林俊尚書,名臣,一丁巳年貴同.戊申壬戌,崔參政.辛巳癸巳,席書尚書.庚申壬午,錢邦彦尚書.乙酉壬午,葉觀憲副.癸卯癸亥,楊時中擧人.癸未甲寅,方伯.辛酉甲午,部郎.

명조)1-[림준 상서, 名臣, 一丁巳年 貴同]

壬 乙 癸 壬
午 亥 卯 申

명조)2-[최 참정] 명조)3-[석서 상서] 명조)4-[전 방언 상서]

壬 乙 壬 戊	壬 乙 癸 辛	壬 乙 壬 庚
午 亥 戌 申	午 亥 巳 巳	午 亥 午 申

명조)5-[엽관 헌부] 명조)6-[양 시중 擧人] 명조)7-[방백;관찰사] 명조)8-[부랑]

壬 乙 壬 乙	壬 乙 癸 癸	壬 乙 甲 癸	壬 乙 甲 辛
午 亥 午 酉	午 亥 亥 卯	午 亥 寅 未	午 亥 午 酉

갑수임시(甲綬臨時)하는 局은 그 중에서 食神을 만날 경우, 身이 때가 오면 현달(顯達)하지만 運이 졸렬하면 공명(功名)을 가로막는다. (甲綬臨時局,其中遇食神,時來身顯達,運拙阻功名.)

乙일생이 壬午시를 만나면, 月에서 水木이 通[根]하면 貴人으로 공경 받는다. 運이 官旺으로 行하고 衝破가 없으면 가업(家業)이 풍성(豊盛)하고 일이 뜻대로 잘된다. (乙日生逢壬午時,月通水木貴人欽.運行官旺無衝破,家業豊隆事稱心.)

乙일이 壬午시를 만나면, 食神과 印綬가 동궁(同宮)한다. 衝破가 없고 相刑하지 않으면 진실로 명성(名聲)이 울려 퍼진다. 사관(詞館)은 청수(淸秀)하고 고결한 선비인데, 문장(文章)이 무리 중에서 출중(出衆)하고, 貴人은 좋지만 小人의 미워함을 보면 中 末년에는 매우 험난한 命이 된다.

(乙日時逢壬午,食神印綬同官[宮].無衝無破不相刑,信是聲名響應.詞館淸秀高士,文章出衆超羣,貴人喜見小人憎,中末峥嵘之命.)

19. 六乙日癸未時斷

6乙일생 癸未시는, 입묘(入墓)하는 가운데 도식의 손상함을 만난다. 馬가 용열한 財나 미약한 食이 剋을 만나면 一生토록 의록(衣祿)이 평범하다. (六乙日生時癸未,入墓之中遇倒傷.馬劣財微食見剋,一生衣祿主平常.)

乙일 癸未시는, 乙은 癸가 도식(倒食)이 되며 未중에 丁火는 食神인데, 己土 편재는 癸를 破하고, 癸는 未중의 丁火를 도식(倒食)하니 의록(衣祿)이 평범하다. 土氣가 月에 通[根]하면 吉하다. (乙日,癸未時,乙以癸爲倒食,未中丁火食神,己土偏財破癸,癸倒未中丁火之食,平常衣祿.通土氣月,則吉.)

乙丑일 癸未시는, 刑하여 凶하며 고독(孤獨)하고, 年月에 土氣가 通하면 吉하다. 또 이르길, 처음은 雜하지만 나중에는 純하다. (乙丑日,癸未時,凶刑孤獨,年月通土氣,吉.一云,始雜後純.)

甲戌丁卯,孟進士.丁未辛亥,明天啓后.

명조)1-[맹 진사] 명조)2-[명천 계후]

癸 乙 丁 甲   癸 乙 辛 丁

未 丑 卯 戌   未 丑 亥 未

乙卯일 癸未시는, 조업(祖業)을 바꾸고 육친(六親)을 떠나서 妻와 가정을 꾸린다. 午未의 年月은 貴하다. 春節은 더욱 貴하다. (乙卯日,癸未時,改祖離親,就妻爲家.午未年月貴.春尤貴.)

乙卯戊寅,許論尙書.丙申辛卯,太師.

명조)1-[허론 상서] 명조)2-[태사]

癸 乙 戊 乙   癸 乙 辛 丙

未 卯 寅 卯   未 卯 卯 申

乙巳일 癸未시는, 貴하지 않으면 富하고, 먼저는 어려우나 나중에는 쉽다. 순수한 午는 3品의 貴이다. 辰戌丑월은 모두 吉하다. (乙巳日,癸未時,不貴則富,先難後易.純午,三品貴.辰戌丑月俱吉.)

戊辰戊午,[張纓泉憲副]庚子庚辰,謝時泰進士.癸丑壬戌,進士.丁丑庚戌,高儀大學士,一百戶命同.

명조)1-[장영천 헌부] 명조)2-[사시태 진사] 명조)3-[진사] 명조)4-[고의대학사, 一百戶 命同]

癸 乙 戊 戊	癸 乙 庚 庚	癸 乙 壬 癸	癸 乙 庚 丁
未 巳 午 辰	未 巳 辰 子	未 巳 戌 丑	未 巳 戌 丑

乙未日 癸未時는, 春절은 身旺하여 刑傷한다. 秋절은 官煞이 旺하여 과명(科名;과거에 급제한 인물들의 이름)에는 나눔이 있다. 冬절은 안온(安穩)하다. 夏절은 평범하다. (乙未日,癸未時,春身旺刑傷.秋官煞旺,科名有分.冬安穩.夏平常.)

庚辰己[丁]亥,李逢時舉人.

명조)1-[이봉시 거인]

癸 乙 丁 庚
未 未 亥 辰

乙酉日 癸未時는, 身은 煞에 坐하는데 春절은 身旺하여 吉하다. 夏절은 身弱하며 煞이 衰弱하니 가난하다. 秋절은 傷旺하여 身이 從化하니 貴하다. 冬절은 평범하다. 辰戌 丑未月은 庚辛이 투출하고 金運으로 行하면 貴하다. 한번 [羊]刃의 運에 이르면 벼슬에서 파직(罷職)당하여 물러난다. (乙酉日,癸未時,身坐煞,春身旺吉.夏身弱煞衰,貧.秋煞旺,身能從化,貴.冬平.辰戌丑未月,透庚辛,行金運,貴.一到刃運,退官罷職.)

丙子庚寅,張來溪都憲.庚寅丙戌,高江廉憲.戊戌庚申,曾乾亨進士.乙卯癸未,曾乾亨進士.

명조)1-[장래계 도헌] 명조)2-[고강 렴헌] 명조)3-[증건형 진사] 명조)4-[증건형 진사]

癸 乙 庚 丙	癸 乙 丙 庚	癸 乙 庚 戌	癸 乙 癸 乙
未 酉 寅 子	未 酉 戌 寅	未 酉 申 戌	未 酉 未 卯

乙亥日 癸未時는, 春절에 木旺하여 妻子를 형(刑)상(傷)한다. 申월은 官이 旺하여 貴하다. 酉[월]은 煞이 旺하니 年月에 火가 있으면 吉하다. 午未戌의 年月은 1~2品 貴이다. 冬절생은 온후(穩厚)하다. (乙亥日,癸未時,春木旺,刑傷妻子.申月官旺貴.酉煞旺,年月有火則吉.午未戌年月,一二品貴.冬生穩厚.)

丙午戊戌,夏邦謨尚書.甲申丁卯,張津都憲.庚午癸未,程太卿.己亥甲戌,給事.

명조)1-[하방모 상서] 명조)2-[장진 도헌] 명조)3-[정 태경] 명조)4-[급사]

```
癸 乙 戊 丙      癸 乙 丁 甲      癸 乙 癸 庚      癸 乙 甲 己
未 亥 戌 午      未 亥 卯 申      未 亥 未 午      未 亥 戌 亥
```

6乙일묘(六乙日墓)하는 局은 신왕하면 財官을 사용한다. 四柱에 剋傷이 없으면 공명(功名)을 등한시(等閒視)하지 못한다. (六乙日墓局,身旺用財官,四柱無傷剋,功名不等閒.)

乙일이 癸未시를 만나면, 고향을 떠나서 가정을 이루지 못한다. 刑剋害가 있으면 성패(成敗)가 많고, 運이 吉하면 마치 금상첨화(錦上添花)와 같다. (乙日相逢時癸未,算來離祖不成家.有刑剋害多成敗,運吉如添錦上花.)

乙일이 癸未를 상봉(相逢)하면, 생(生)木이 墓를 만나 외롭게 요절(夭折)한다. 형제(兄弟)가 있어도 없는 것과 같고, 심성(心性)은 희(喜)노(怒)를 나타내지 않는다. 사업(事業)은 자수성가(自手成家)하여도 육친(六親) 골육(骨肉)은 친한 사이가 멀어지지만, 貴人이 합하며 서로 돕는 이 命은 선빈후부(先貧後富)한다. (乙日相逢癸未,生逢木墓夭孤.雁行兄弟有如無,心性不常喜怒.自立自成事業,六親骨肉親疎,貴人得合兩相扶,此命先貧後富.)

20 六乙日甲申時斷

6乙일생이 甲申시는, 관성이 印位에서 생성(生成)된다. 月中에 氣가 通하고 衝破함이 없으면 반드시 영화로운 사로(仕路)人이 된다. (六乙日生時甲申,官星得印位生成.月中通氣無衝破,必定榮華仕路人.)

乙일 甲申시는, 官印이 身을 生하고, 乙은 庚이 官이 되고, 壬은 印이 되고, 申에서 庚이 旺하며 壬이 長生하여 身이 의지(依支)할 데가 있으니 金水의 氣運이 [疏]通하면 貴하다. 불통(不通)하여 身弱하고 官만 重하면 비록 貴할지라도 길지 않다. (乙日甲申時,官印生身,乙用庚爲官,壬爲印,申上庚旺,壬生身有倚托,通金水氣運者貴.不通,身弱官重,雖貴不永.)

乙丑일 甲申시는, 뛰어나고, 순수한 子辰의 年月이며 東南運으로 行하면 대귀(大貴)하다. 巳酉丑은 貴한 가운데 凶을 방비해야한다. 午未[月]로 순수하면 吉하다. 亥卯도 역시 吉하다. 나머지 月은 보통이다. (乙丑日,甲申時,高,純子辰年月,行東南運,大貴.巳酉丑貴中防凶.午未純吉.亥卯亦吉.餘月平平.)

乙丑丁[辛]巳,柯實卿知府,凶死.甲午丁丑,貴.乙酉乙[丁]亥,富.丙申庚寅,李自華榜眼,司業.戊申辛酉,何洛書檢討.

명조)1-[가실경 지부, 凶死] 명조)2-[貴] 명조)3-[富]

甲 乙 辛 乙 甲 乙 丁 甲 甲 乙 丁 乙

申 丑 巳 丑 申 丑 丑 午 申 丑 亥 酉

명조)4-[이자화 방안, 司業] 명조)5-[하낙서 검토]

甲 乙 庚 丙   甲 乙 辛 戊

申 丑 寅 申   申 丑 酉 申

乙卯일 甲申시는, 化하여 貴하다. 月에 水氣가 通하고 傷 破하는 것이 없으면 貴하고, 그렇지 않으면 富하다. (乙卯日,甲申時,化貴.月通水氣,無傷破者貴,不然富.)

甲子辛未,張侍郎.甲午丙寅,劉奮庸學憲.丁卯戊申,鄭以偉學士.庚子己卯,史給事.

명조)1-[장 시랑] 명조)2-[유분용 학헌] 명조)3-[정이위 學士] 명조)4-[사 급사]

甲 乙 辛 甲 甲 乙 丙 甲 甲 乙 戊 丁 甲 乙 己 庚

申 卯 未 子 申 卯 寅 午 申 卯 申 卯 申 卯 卯 子

乙巳일 甲申시는, 身强하며 官旺하다. 春節에는 총명(聰明)하고 현달(顯達)하여 벼슬이 4품(品)에 이른다. 夏節은 心身이 고달프고 고생이 많아 꾸준히 노력해야한다. 秋冬節은 눈병이다. 午의 年月은 財運으로 行하면 貴하다. 또 이르길, 刑중에 化하면 貴하다. (乙巳日,甲申時,身强官旺.春聰明顯達,官至四品.夏身心勞碌.秋冬眼疾.午年月行財運,貴.一云,刑中化貴.)

乙亥癸未,路同知.癸酉戊午,上官評事.丙寅甲午,周道登禮部侍郎.

명조)1-[로 동지] 명조)2-[상관평사] 명조)3-[주도등 예부시랑]

甲 乙 癸 乙 甲 乙 戊 癸 甲 乙 甲 丙

申 巳 未 亥 申 巳 午 酉 申 巳 午 寅

乙未일 甲申시는, 未酉亥月에 태어나면, 총명(聰明)준수(俊秀)하여 특별히 재주가 뛰어나며 벼슬이 2~3품(品)에 이른다. 丙丁 寅午 卯酉의 年月은 식상제살(傷食制殺)하여 권귀(權貴)하다. 또 이르길, 旺한 중에 失이 있어도 결국은 旺하다. (乙未日,甲申時,生未酉亥月,聰俊特達,官至二三品.丙丁寅午卯酉年月,傷食制殺,權貴.一云,旺中有失,終旺.)

己巳癸未,茅瓚狀元,侍郎.一恩蔭,命同.甲子辛未,侍郎.乙未己卯,黃應鵬都憲.甲午癸未,縣尹.甲辰壬申,擧人.己酉甲戌,但貴元進士.癸丑甲寅,擧人.庚申壬午,元戎.壬申甲辰,解元.

명조)1-[모찬 장원, 侍郎. 一恩蔭, 命同] 명조)2-[侍郎] 명조)3-[황응붕 都憲]

甲	乙	癸	己		甲	乙	辛	甲		甲	乙	己	乙
申	未	未	巳		申	未	未	子		申	未	卯	未

명조)4-[현윤] 명조)5-[擧人] 명조)6-[,단귀원 進士]

甲	乙	癸	甲		甲	乙	壬	甲		甲	乙	甲	己
申	未	未	午		申	未	申	辰		申	未	戌	酉

명조)7-[擧人] 명조)8-[원융] 명조)9-[해원]

甲	乙	甲	癸		甲	乙	壬	庚		甲	乙	甲	壬
申	未	寅	丑		申	未	午	申		申	未	辰	申

乙酉일甲申시는, 관살이 혼잡(混雜)한데, 만약 柱中에 丁火가 煞을 制하고 官을 머물게 하면 吉하다. 亥卯 未酉의 年月은 무직(武職)으로 극품(極品)이지만 오래가지 않는다. 東南방 運으로 行하면 대귀(大貴)하다. (乙酉日,甲申時,官煞混雜,若柱丁火制煞留官,則吉.亥卯未酉年月,武職極品.不久.行東南方運大貴.)

乙酉乙酉,蒲尚書考命書或云趙尚書李侍郎俱同.乙巳庚辰,鄧太守.辛丑壬辰,周大桂擧人.壬申癸丑,余復狀元.庚申戊子,貴.庚子乙酉,貴.

명조)1-[포상서 考命書 或云 조상서 이시랑 俱同] 명조)2-[등 태수]

甲	乙	乙	乙		甲	乙	庚	乙
申	酉	酉	酉		申	酉	辰	巳

명조)3-[주 대계, 거인] 명조)4-[여복 장원] 명조)5-[貴]　명조)6-[貴]

甲	乙	壬	辛		甲	乙	癸	壬		甲	乙	戊	庚		甲	乙	乙	庚
申	酉	辰	丑		申	酉	丑	申		申	酉	子	申		申	酉	酉	子

이 日時[申酉]는 年月에서 순수하게 酉를 보면 從煞한다. 巳丑은 煞局. 子辰은 印으로 化한다. 모두 吉하다. (此日時遇年月純酉從煞,己[巳]丑煞局,子辰化印,俱吉.)

乙亥일 甲申시는, 時가 공망이 되어 자식이 적다(드물다). 秋절에 生하면 벼슬이 육경(六卿)에 머문다. 亥卯 午未月은 모두 길(吉)하다.신백경에 이르길, 乙庚之化(乙庚으로 合化)로 통(通)하면 福이 厚하다. (乙亥日,甲申時,時落空亡,主少子.秋生官居六卿.亥卯午未月,俱吉.神白經云,通乙庚之化,主厚福.)

戊戌庚申,王堯封尙書,無子.壬戌己酉,尙書.甲申丙子,辛賓侍郎.乙亥庚辰,洪公偕憲副.丁酉丙午,范輅參議.庚辰己丑,吳守禮巨商.癸丑癸亥,進士.

명조)1-[왕요봉 상서, 無子]   명조)2-[상서]   명조)3-[신빈 시랑]

甲	乙	庚	戊		甲	乙	己	壬		甲	乙	丙	甲
申	亥	申	戌		申	亥	酉	戌		申	亥	子	申

명조)4-[홍공해 헌부] 명조)5-[범로 참의] 명조)-6[오수례 巨商] 명조)7-[진사]

甲	乙	庚	乙		甲	乙	丙	丁		甲	乙	己	庚		甲	乙	癸	癸
申	亥	辰	亥		申	亥	午	酉		申	亥	丑	辰		申	亥	亥	丑

장생역마(長生驛馬)局은, 천복(天福)으로 문장(文章)이 대단하다. 金土運은 吉하여 공명(功名)은 가히 측량하기 어렵다. (長生驛馬局,天福主文章,金土運鄕吉,功名不可量.)

乙일이 申時를 만나면, 長生하는 역마(驛馬)안에서 상친(相親)한다. 천을貴人이 도와주니 석방되는데 그러나 갈의(褐衣)를 걸치고 궁전에 든다. (乙日相逢時遇申,長生驛馬內相親.貴人天乙來相助,釋卻褐衣入紫宸.)

乙일 申時는 貴人을 만나는데, 그 사이에 고인(高人)이 기쁘게 된다. 소인(小人)은 칭찬(稱讚)하여 뛰어나길 바라고, 刑衝 破剋하면 감력(減力)한다. 身旺한 運인 길지(吉地)를 만나면 참으로 兩旺한 財官을 알게 된다. 안장이 있으며 말이 있고 의관(衣冠)이 있으면 대문과 정원도 고치고 바꾸어야한다.   (乙日申時達貴,其間高人見喜.小人稱美有奇希,剋破衝刑減力.身旺運逢吉地,信知兩旺財官.有鞍有馬有衣冠,定主門庭改換.)

21. 六乙日乙酉時斷

6乙일생 乙酉時는, 金局을 만나면 火를 얻어야 뛰어나게 된다. 용신(用神)이 木을 重重하게 보면 鬼가 絶하여 수명(壽命)이 손상하니 도리어 의지할 데가 없다. (六乙日生時乙酉,得逢金局火爲奇.用神遇木重重見,鬼絶壽傷反無依.)

乙일 乙酉時는 身은 絶하고 鬼는 旺하다. 乙은 辛이 鬼가 되고, 酉상에서 辛이 旺한데 乙은 絶한다. 만약 巳酉丑月에 通하여 金局으로 化하면 貴하다. 가령 용신이 木에 坐하는데, 身旺하여 불화(不化)하고 또 酉를 보면, 요절(夭折)하지 않으면 반드시 가난하다. (乙日,乙酉時,身絶鬼旺,乙以辛爲鬼,酉上辛旺乙絶.若通巳酉丑月,化金局者貴.如用神坐木,身旺不化,又見於酉,不夭必貧.)

乙丑일 乙酉시는, 뛰어나다. 巳酉丑월에 生하여 金局으로 合하고, 다시 西方運으로 行하면 대귀(大貴)하다. 寅午戌월은 가난하고 하천하다. 亥卯未월은 吉하다. 순수한 子의 年月에 南方 運으로 行하면 1~2品으로 貴하다. 寅월에 火金[運]은 7品의 貴이다. 申월에 水木[運]은 높은 벼슬로 貴하다. (乙丑日,乙酉時,高,生巳酉丑月,合金局,更行西運,大貴.寅午戌月貧下.亥卯未月吉.純子年月行南運,一二品貴.寅月火金,七品貴.申月水木,金紫貴.)

庚辰乙酉,毛澄尚書.壬子壬子,尚書.乙卯丁亥,陳一貫進士.乙丑辛巳,蕭世延進士.辛丑丁酉,太守.甲午戊辰,吳汝南禮垣.

명조)1-[모징 상서] 명조)2-[상서] 명조)3-[진일관 진사]

乙	乙	乙	庚		乙	乙	壬	壬		乙	乙	丁	乙
酉	丑	酉	辰		酉	丑	子	子		酉	丑	亥	卯

명조)4-[소세연 진사] 명조)5-[태수] 명조)6-[오여남 예원]

乙	乙	辛	乙		乙	乙	丁	辛		乙	乙	戊	甲
酉	丑	巳	丑		酉	丑	酉	丑		酉	丑	辰	午

乙卯일 乙酉시는, 月에 金局이 通하면 貴하다. 未 寅의 年 月이면 벼슬이 1~2품(品)에 이른다. (乙卯日,乙酉時,月通金局者貴.未寅年月,官至一二品.)

辛酉丁酉,韓信.乙酉己[乙]酉,都統.庚午丙戌,林大章進士,夭.戊寅甲寅,李春馨擧人.辛酉己亥,趙彦兵部尚書,陝西人.

명조)1-[한신] 명조)2-도통] 명조)3-[림대장 進士, 요절]

乙	乙	丁	辛		乙	乙	乙	乙		乙	乙	丙	庚
酉	卯	酉	酉		酉	卯	酉	酉		酉	卯	戌	午

명조)4-[이춘형 거인] 명조)5-[조언 兵部尚書, 陝서인]

乙	乙	甲	戊		乙	乙	己	辛
酉	卯	寅	寅		酉	卯	亥	酉

乙巳일 乙酉시는, 春절이면 吉하다. 夏절은 상관의 制가 있으니 좋다. 秋절은 木은 弱하고 金이 重하여 요절(夭折)하지 않으면 질병이 있다. 冬절은 복(福)이 두터우나 역시 요절(夭折)한다. (乙巳日,乙酉時,春吉.夏傷官有制好.秋木弱金重,夭,不然有疾.冬福厚亦夭.)

乙未일 乙酉시는, 공귀격(拱貴格)인데 刑 破함이 없으면 貴하고, 申이 있어 전실(塡實)하면 [공귀격이] 아니다. 亥卯월에 西方運으로 行하면 貴하다. 또 이르길, 旺중에 刑이 있다. (乙未日,乙酉時,拱貴格,無刑破者貴,有申塡實則非.亥卯月,行西運,貴.一云,旺中有刑.)

癸巳丙午,林錢御史.壬申乙巳,陳時範進士.乙亥庚辰,劉康祉會魁部郎.庚子丁亥,擧人部郎.甲寅丙子,張泰徵進士.

명조)1-[임전 어사] 명조)2-[진시범 진사] 명조)3-[유강지 회괴 부랑]

乙	乙	丙	癸
酉	未	午	巳

乙	乙	乙	壬
酉	未	巳	申

乙	乙	庚	乙
酉	未	辰	亥

명조)4-[擧人 部郎] 명조)5-[장태징 進士]

乙	乙	丁	庚
酉	未	亥	子

乙	乙	丙	甲
酉	未	子	寅

乙酉일 乙酉시는, 旺處에서 自刑하고, 年月에 火土가 重하면 재앙(災殃)이다. 만약 月氣에 通하며 印綬 食神이 투출하고 火木運으로 行하면 대귀(大貴)하다. 地支가 순수한 酉는 化하여 金象을 이루는데, 단 印綬를 지니고 있으면 貴는 가히 말할 수 없다. 歲運에서 官을 만나는 것이 가장 두렵다. (乙酉日,乙酉時,旺處自刑,年月火土重,主災.若通月氣,透出印食,行火木運大貴.地支純酉,化成金象,但帶印綬,貴不可言.最怕歲運遇官.)

乙亥乙酉,元世祖.乙酉乙酉,張貴妃.一淸高俱同,一知縣.庚戌乙酉,趙葵丞相.甲寅癸酉,曲從太師.丁亥壬子,梁夢龍侍郎.壬戌庚戌,通政.己丑乙亥,知縣.戊午丁巳,林成立擧人.乙酉甲申,貴.壬子壬子,富.壬申癸丑,凶死.

명조)1-[원세조] 명조)2-[張貴妃(一淸高俱同, 一知縣)] 명조)3-[조규 승상]

乙	乙	乙	乙
酉	酉	酉	亥

乙	乙	乙	乙
酉	酉	酉	酉

乙	乙	乙	庚
酉	酉	酉	戌

명조)4-[곡종 태사] 명조)5-[량몽용 시랑] 명조)6-[통정] 명조)7-[지현]

乙	乙	癸	甲
酉	酉	酉	寅

乙	乙	壬	丁
酉	酉	子	亥

乙	乙	庚	壬
酉	酉	戌	戌

乙	乙	乙	己
酉	酉	亥	丑

명조)8-[임성립 거인] 명조)9-[貴] 명조)10-[富] 명조)11-[凶 死]

乙	乙	丁	戊
酉	酉	巳	午

乙	乙	甲	乙
酉	酉	申	酉

乙	乙	壬	壬
酉	酉	子	子

乙	乙	癸	壬
酉	酉	丑	申

乙亥일乙酉시는, 春절에 生하면 인수격(仁壽格)으로 貴하다. 寅월에 金火運으로 行하면 대귀(大貴)하다. (乙亥日,乙酉時,春生仁壽格貴.寅月行金火運,大貴.)

乙亥甲申,倫文叙,狀元,子以訓,以諒,以誂俱貴.壬申庚戌,李喬主事.丙寅丁酉,太守.戊辰甲寅,參政.甲午庚午,知縣.甲寅癸酉,通判.辛卯辛丑,何起鳴侍郎.庚寅丁亥,封尙書.丙寅辛丑,卿.庚戌乙酉,副使.

명조)1-[륜문서 장원] 명조)2-[이교 주사]　명조)3-[태수]

| 乙 | 乙 | 甲 | 乙 |　　| 乙 | 乙 | 庚 | 壬 |　　| 乙 | 乙 | 丁 | 丙 |
| 酉 | 亥 | 申 | 亥 |　　| 酉 | 亥 | 戌 | 申 |　　| 酉 | 亥 | 酉 | 寅 |

[명조)1은 윤무서 장원, 아들 훈, 량, 선으로 모두 貴하였다.]

명조)4-[참정] 명조)5-[지현] 명조)6-[통판]

| 乙 | 乙 | 甲 | 戊 |　| 乙 | 乙 | 庚 | 甲 |　| 乙 | 乙 | 癸 | 甲 |
| 酉 | 亥 | 寅 | 辰 |　| 酉 | 亥 | 午 | 午 |　| 酉 | 亥 | 酉 | 寅 |

명조)7-[하기명 시랑] 명조)8-[봉 상서] 명조)9-[卿]　명조)10-[부사]

| 乙 | 乙 | 辛 | 辛 |　　| 乙 | 乙 | 丁 | 庚 |　　| 乙 | 乙 | 辛 | 丙 |　| 乙 | 乙 | 乙 | 庚 |
| 酉 | 亥 | 丑 | 卯 |　　| 酉 | 亥 | 亥 | 寅 |　　| 酉 | 亥 | 丑 | 寅 |　| 酉 | 亥 | 酉 | 戌 |

순수행반(順水行般)局은, 장강(長江;양자강)은 날마다 유유히 흐른다. 身旺하여 煞이 항복(降伏)하면 吉하고, 財祿을 맡기면 탐구(貪求)한다. (順水行般局,長江逐日流,煞降身旺吉,財祿任貪求.)

日干乙이 酉時가 臨하면, 가살위권(假煞爲權)하니 身旺하여야 뛰어나게 된다. 身弱한데 官을 만나면 헛되이 힘을 낭비하고, 공명(功名)은 모름지기 運이 通할 時(때)를 기다려야한다. (日干是乙時臨酉,假煞爲權身旺奇.身弱遇官徒費力,功名須待運通時.)

乙일에 乙酉시가 臨하면, 乙木은 辰이 나타나야 근심이 없다. 그중에 권귀(權貴)를 맡기면 계책을 찾고, 破가 없으면 공명(功名)은 정해져 있다. 처자(妻子)는 젊은 나이에 剋害하고, 재원(財源)은 비를 흩뿌려 구름이 거치는듯하다. 조종(祖宗)을 옮기고 바꾸어야 근심을 면(免)한다. 중 말년(中 末年)에는 집안의 자산(資産)을 성취(成就)한다. (乙日時臨乙酉,誕辰乙木無憂.其中權貴任求謀,無破功名定有.妻子早年剋害,財源雨散雲收.遷宗改祖免憂愁.中末家資成就.)

22. 六乙日丙戌時斷

6乙일 丙戌시생은, 敗地의 鬼가 身에 臨하여 손상(損傷)함이 있다. 만약 身旺한 月에 氣運이 通하지 않으면 외롭고 가난하여 꾸준히 노력하여도 고통을 감당하기 어렵다. (六乙日生時丙戌,鬼敗臨身有損傷.若不氣通身旺月,孤貧勞碌苦難當.)

乙일 丙戌시는 鬼敗가 身에 臨하고, 乙은 庚이 官이 되고, 丙을 보면 배록(背祿)한다. 戌中에는 辛의 여기(餘氣)가 있으며 丙丁의 庫로써 식신제살(食神制煞)한다. 만약 柱中에 庚이 투출하면 상관견관(傷官見官)하여 위화백단(爲禍百端)하게 된다. 年月에 寅午가 있으며 丙火로 合局하면 하나의 木이 중첩한 火位를 만나게 되니 기고만장(氣高萬丈)한 인물로써 의록(衣祿)은 보통이고, 잔질(殘疾)이 있고 그렇지 않으면 수명(壽命)이 재촉된다. 身旺하고 月氣에 通하면 吉하다. (乙日丙戌時,鬼敗臨身,乙用庚爲官,見丙背祿,戌中有辛餘氣,丙丁庫,食神制煞,若柱透庚,傷官見官,爲禍百端.年月有寅午,丙火合局,即一木疊逢火位,主人傲物氣高,衣祿平常,殘疾,不然壽促.通身旺月氣者,吉.)

乙丑일 丙戌시는, 春節은 신왕하여 吉하다. 夏節은 상관이 태중(太重)하다. 秋節은 노력하여도 고생한다. 冬節의 亥子[月]은 印綬가 상관을 가진 것이니 극귀(極貴)하다. 戌月에 木火運은 7品의 貴이다. 순수한 戌의 年月이며 天干에 庚 丙이 투출하면 대귀(大貴)하다. 寅午合이 온전하면 요절(夭折)한다. (乙丑日,丙戌時,春身旺吉.夏傷官太重.秋勞力辛苦.冬亥子,印綬傷官,極貴.戌月木火運,七品貴.純戌年月,天干透庚丙者大貴.寅午合全者夭.)

壬申乙巳,李彬銓部.癸卯壬戌,林如楚侍郎.己卯甲戌,凌雲翼尙書.一吏員命同.丁酉戊申,柴經都憲.乙亥丁亥,孟重都憲.

명조)1-[이빈 전부] 명조)2-[림여초 시랑] 명조)3-[능운익 상서. 일리원 命同.]

丙 乙 乙 壬	丙 乙 壬 癸	丙 乙 甲 己
戌 丑 巳 申	戌 丑 戌 卯	戌 丑 戌 卯

명조)4-[시경 도헌] 명조)5-[맹중 도헌]

丙 乙 戊 丁	丙 乙 丁 乙
戌 丑 申 酉	戌 丑 亥 亥

명조)5 맹중과 유 대실, 진량의 命은 같다. 유氏는 戊戌년에, 진氏는 丁未년에, 맹氏는 癸丑년에 급제하였다. 유氏는 벼슬이 아경, 진氏는 포정, 맹氏는 未定이다. 유氏는 예주, 진氏는 양주, 맹氏는 옹주에서 각기 나누어져 살았기 때문에 같지 않은 연고이다. (劉大實秦梁命同,劉發科戊戌,秦丁未,孟癸丑,劉官止亞卿,秦止布政,孟則未定,劉豫州,秦揚州,孟雍州,分野不同故也.)

乙卯일 丙戌시는, 寅卯월에 西方運으로 行하면 6~7品의 貴이다. 子월은 印綬이다. 丑월은 雜氣인데 財 官을 刑出하여 모두가 貴하다. (乙卯日,丙戌時,寅卯月,行西運,六七品貴.子月印綬.丑月雜氣.刑出財官,俱貴.)

癸卯甲子,劉訒尙書.乙丑己丑,貴.癸亥丁巳,進士南道.

명조)1-[유인 상서]				명조)2-[貴]				명조)3-[진사 남도]			
丙	乙	甲	癸	丙	乙	己	乙	丙	乙	丁	癸
戌	卯	子	卯	戌	卯	丑	丑	戌	卯	巳	亥

乙巳일 丙戌시는 吉하다. 丑戌未의 年 月이면 풍헌(風憲)으로 육경(六卿)이다. 亥월에 東方 運으로 行하면 한원(翰林院)으로 淸貴하다. (乙巳日,丙戌時吉.丑戌未年月,風憲六卿.亥月行東運,翰院淸貴.)

癸亥丁巳,閔如霖侍郎.丁亥壬寅,吳希賢學士.乙卯丙戌,丘秦進士.己未乙亥,余以中進士.戊辰丙辰,貴.壬寅庚戌,巨富.乙丑戊寅,巨富.

명조)1-[민여림 시랑]				명조)2-[오희현 학사]				명조)3-[구진 진사]			
丙	乙	丁	癸	丙	乙	壬	丁	丙	乙	丙	乙
戌	巳	巳	亥	戌	巳	寅	亥	戌	巳	戌	卯

명조)4-[여이중 진사]				명조)5-[貴]				명조)6-[巨富]				명조)7-[巨富]			
丙	乙	乙	己	丙	乙	丙	戊	丙	乙	庚	壬	丙	乙	戊	乙
戌	巳	亥	未	戌	巳	辰	辰	戌	巳	戌	寅	戌	巳	寅	丑

乙未일丙戌시는, 旺處에서 凶하다. 卯 午 未 戌의 年 月은 귀현(貴顯)한다. (乙未日,丙戌時,旺處凶.卯午未戌年月,貴顯.)

己卯乙亥,王鴻儒尙書.丁卯庚戌,勤學顔學憲.甲午乙亥,吳大本知縣.甲戌庚午,擧人.

명조)1-[왕홍유 상서]				명조)2-[근학안 학헌]				명조)3-[오대본 지현]				명조)4-[擧人]			
丙	乙	乙	己	丙	乙	庚	丁	丙	乙	乙	甲	丙	乙	庚	甲
戌	未	亥	卯	戌	未	戌	卯	戌	未	亥	午	戌	未	午	戌

乙酉일 丙戌시는, 春節은 身旺하고, 冬節은 印이 도와 대귀(大貴)하다. 夏節의 巳午[月]과 秋節의 酉戌은 모두 貴하다. 또 天干은 어떠한가를 보는가? 丁未 甲辰은 생계(生計)가 고생하며 어렵

다. 일생(一生)토록 貴하다. 丑月은 刑하며 戌[月]은 吉하다. (乙酉日,丙戌時,春身旺,多印助,大貴.
夏巳午,秋酉戌,俱貴.亦看天干如何？丁未甲辰,生計辛苦.一生遇貴.丑月刑,戌吉.)

丁亥壬子,楊五華尚書.庚子丙戌,屠直齋尚書.丙子庚寅,徐紳都憲問,死得生.丙辰丁酉,徐珏總兵.乙未
戊寅,田蕙進士.乙卯辛巳,林環狀元.戊戌戊午,舉人.戊申丁巳,貴無子.乙未丙戌,平凶,死.己巳丙子,諫
垣.癸酉庚申,進士南部.庚辰丙戌,御史.

명조)1-[양오화 상서] 명조)2-[도직재 상서] 명조)3-[서신도헌문, 死得生] 명조)4-[서각 총병]

丙 乙 壬 丁   丙 乙 丙 庚   丙 乙 庚 丙   丙 乙 丁 丙
戌 酉 子 亥   戌 酉 戊 子   戌 酉 寅 子   戌 酉 酉 辰

명조)5-[전혜 진사] 명조)6-[림환 장원] 명조)7-[舉人] 명조)8-[貴, 無子]

丙 乙 戊 乙   丙 乙 辛 乙   丙 乙 戊 戊   丙 乙 丁 戊
戌 酉 寅 未   戌 酉 巳 卯   戌 酉 午 戌   戌 酉 巳 申

명조)9-[平凶, 死] 명조)10-[간원] 명조)11-[진사 남부] 명조)12-[어사]

丙 乙 丙 乙   丙 乙 丙 己   丙 乙 庚 癸   丙 乙 丙 庚
戌 酉 戊 未   戌 酉 子 巳   戌 酉 申 酉   戌 酉 戊 辰

乙亥일 丙戌시는 혈병(血病)이 생긴다. 亥子卯未寅월은 貴(귀인)을 만나니 발복(發福)한다. 天干
에 財가 투출하면 상관생재(傷官生財)하여 더욱 吉하다. (乙亥日,丙戌時,血疾.亥子卯未寅月,遇貴
發福.天干透財,傷官生財,尤吉.)

乙未戊子,張孚敬閣老,一云丙子時.癸未戊午,李膺進士.庚午己卯,李偉皇親封,武淸伯三子.

명조)1-[장부경 각로, 一云 丙子時]

丙 乙 戊 乙
戌 亥 子 未

명조)2-[이응 진사]

丙 乙 戊 癸
戌 亥 午 未

명조)3-[이위황친봉, 무청백三子]

丙 乙 己 庚
戌 亥 卯 午

고목상봉(枯木相逢)局은 春節이 되면 지엽(枝葉)이 다시 소생(蘇生)한다. 만년(晩年)에야 비로소 得地하여 꽃이 피고 두터운 영화(榮華)가 나타난다. (枯木相逢局,逢春葉更生.晩年方得地,花發再重榮.)

乙일丙戌시는 火의 庫인데, 辛을 암장하여 丑을 만나면 吉이 昌盛하다. 만약 運에서 剋害하여 凶을 만나는 이러한 命을 산출하면 한결 같다. (乙日丙戌時火庫,藏辛遇丑乃吉昌.若也運逢凶剋害,算來此命且如常.)

乙일이 丙戌시를 相逢하면, 상관의 庫에서 木의 지엽(枝葉)이 시든다. 辛丑이 臨하지 않으면 열쇠가 없는 것이다. 육친(六親)父母를 의지하기 어렵고, 안려(雁侶)는 나누어 날아서 불목(不睦)하니 사람의 마음이 슬프며 멀어지게 된다. 발복(發福)은 문려(門閭)를 고치면 알게 되는데, 이 命은 먼저는 쓰나 後에는 달콤하다. (乙日相逢丙戌,傷官庫木枝枯.不臨辛丑鑰匙無.難倚六親父母,雁侶分飛不睦,於人心悲成疏.要知發福改門閭,此命後甜苦.)

23. 六乙日丁亥時斷

6乙일생이 丁亥시면, 食神과 印綬로 뛰어나도다! 月氣가 水土인데 財貴가 없으면, 妻를 손상함과 자식의 재앙(災殃)을 절대 꺼린다. (六乙日生丁亥時,食神印綬亦奇哉.月氣水土無財貴,切忌傷妻與子災.)

乙일 丁亥시는, 사처(死處)에서 逢生하며, 乙목은 亥에서 死하지만, 오히려 壬水는 生氣인 印綬가 된다. 乙은 丁이 食神인데 亥中에 丁이 坐하여 無氣하고, 甲木의 생조(生助)를 좋아하며 丁의 食神은 福이 된다. 가령 金局을 보고 水運으로 行하면 눈병을 방비해야한다. 四柱에서 財를 보고 혹 財運으로 行하면 탐재괴인(貪財壞印)하여 파재(破財)한다. 戊는 財가 되고 妻가 되며 庚은 官이 되고 자식이 되는데, 亥상에서 庚은 絶로써 土가 病이 되어 妻는 衰하고 子息이 적다. (乙日,丁亥時,死處逢生,乙木死亥,卻壬水爲生氣印綬,乙用丁爲食,亥中丁坐無氣,喜甲木生助,丁食爲福.如遇金局行水運者,防目疾.四柱見財,或行財運,貪財壞印,主破財.戊爲財爲妻,庚爲官爲子,亥上庚絶土病,妻衰子少.)

乙丑일丁亥시는, 壬子申未卯월에 生하여 天干에 財印이 투출하면 재덕(才德)을 겸전(兼全)하여 풍헌(風憲)의 직책을 맡는다. 년(年) 월(月)의 干支가 순전(純全)히 金이면 身衰하고 煞旺하여 凶死한다. (乙丑日,丁亥時,秀,生壬子申未卯月,干透財印者,才德兼全,職任風憲.年月干支純金,身衰煞旺,主凶死.)

壬子壬子,彭華閣老.乙未己丑,侍郎.庚戌戊子,富四子俱監生.辛巳庚子,跌死.己丑丁丑,毒死.壬申戊申,進士.一知縣命同.甲寅丙子,張泮少卿,山西人.

명조)1-[팽화 각로] 명조)2-[시랑] 명조)3-[富 四子 俱監生] 명조)4-[跌死;넘어져 사망]

丁 乙 壬 壬　　　丁 乙 己 乙　　　丁 乙 戊 庚　　　丁 乙 庚 辛
亥 丑 子 子　　　亥 丑 丑 未　　　亥 丑 子 戌　　　亥 丑 子 巳

명조)5-[毒死] 명조)6-[진사, 또 한사람 지현의 命과 같다.] 명조)7-[장반 소경, 산서인]

丁 乙 丁 己　　　丁 乙 戊 壬　　　丁 乙 丙 甲
亥 丑 丑 丑　　　亥 丑 申 申　　　亥 丑 子 寅

乙卯일 丁亥시는, 巳酉丑월은 편관이고, 申월은 정관으로 모두 貴하다. 亥월에 東南運이면 풍헌(風憲)이다. 未월은 木局으로 三合하여 대귀(大貴)하다. (乙卯日,丁亥時,巳酉丑月偏官,申月正官,俱貴.亥月東南運,風憲.未月三合木局,大貴.)

己巳辛未,董丞相.戊申戊午,教諭.壬午甲辰,擧人.辛卯戊戌,劉良弼少卿.庚子丙戌,邪玠南兵部尙書,山東人.辛卯庚子,進士.

명조)1-[동 승상] 명조)2-[교유] 명조)3-[거인] 명조)4-[유량필 少卿]

丁 乙 辛 己　　　丁 乙 戊 戊　　　丁 乙 甲 壬　　　丁 乙 戊 辛
亥 卯 未 巳　　　亥 卯 午 申　　　亥 卯 辰 午　　　亥 卯 戌 卯

명조)5-[사개남 병부상서, 山東人] 명조)6-[진사]

丁 乙 丙 庚　　　丁 乙 庚 辛
亥 卯 戌 子　　　亥 卯 子 卯

乙巳일 丁亥시는, 吉하다. 卯월에 西北 運이면 5~6品의 貴이다. 月氣에 通하고 南方운이면 中貴이다. 年月의 天干에 丁壬이 투출하고 地支에 卯酉 寅辰이 坐하면 대귀(大貴)하다. (乙巳日,丁亥時,吉.卯月西北運,五品貴.通月氣,南方運,中貴.年月干透丁壬,支坐卯酉寅辰者,大貴.)

丁酉壬寅,翟鑾閣老.丁巳甲辰,平章.乙未己卯,州牧.癸酉辛酉,海瑞擧人南總憲以淸直著無子.己卯戊辰,都督.癸酉甲子,擧人.壬辰壬寅,方宜賢知府.

명조)1-[적란 각로] 명조)2-[평장] 명조)3-[주목] 명조)4-[해서 擧人 南總憲 以淸直著 無子]

丁 乙 壬 丁　　　丁 乙 甲 丁　　　丁 乙 己 乙　　　丁 乙 辛 癸
亥 巳 寅 酉　　　亥 巳 辰 巳　　　亥 巳 卯 未　　　亥 巳 酉 酉

명조)5-[도독]　명조)6-[거인]　　명조)7-[방 의현 지부]

丁	乙	戊	己		丁	乙	甲	癸		丁	乙	壬	壬
亥	巳	辰	卯		亥	巳	子	酉		亥	巳	寅	辰

乙未일 丁亥시는, 貴하다. 子亥의 年月은 공후(公侯=제후)이다. 春節에 生하여 西方運이면 낭관(郎官)이다. 酉는 고독하지만 貴하다. 年月이 木火면 과거에 우등으로 급제하여 발달한다. 水土金과 일간이 合化하면 유용(有用)한데 모두가 吉하다. (乙未日,丁亥時,貴.子亥年月,公侯.春生行西運,郎官.酉孤貴.年月木火,主發高科.水土金與日干合化有用者,俱吉.)

庚戌己丑,黃佐翰林.壬寅丙午,王文煒狀元.癸未乙丑,李玠吏部.戊午癸亥,尹相給事.庚子戊寅,張書給事.乙亥丁亥,侯伯.庚子戊寅,林萃擧人.壬申癸卯,陳詩擧人.壬申壬子,內官.

명조)1-[황좌 한림]　명조)2-[왕문위 장원]　명조)3-[이개 리부]

丁	乙	己	庚		丁	乙	丙	壬		丁	乙	乙	癸
亥	未	丑	戌		亥	未	午	寅		亥	未	丑	未

명조)4-[윤상 급사]　명조)5-[장서 급사]　명조)6-[후백]

丁	乙	癸	戊		丁	乙	戊	庚		丁	乙	丁	乙
亥	未	亥	午		亥	未	寅	子		亥	未	亥	亥

명조)7-[림췌 거인]　명조)8-[진시 거인]　명조)9-[내관]

丁	乙	戊	庚		丁	乙	癸	壬		丁	乙	壬	壬
亥	未	寅	子		亥	未	卯	申		亥	未	子	申

乙酉일丁亥시는, 月에 金局이 通하며 水運으로 行하면 대귀(大貴)하다. 木氣에 通하면 발달(發達)한다. 土氣는 뜻에 부합(符合)한다. (乙酉日,丁亥時,月通金局,行水運,大貴.通木氣發達.土氣稱意.)

丙申庚寅,姚尚書.丙辰丁酉,田頊憲副.癸未己未,翁兩川進士.甲子壬申,良璞進士.癸未乙卯,閭忠信擧人.辛丑辛卯,先貴後刑.壬申甲辰,刑垣.庚申丙戌,楊述中鄖撫.癸巳癸亥,由選貢南部太守.

명조)1-[요 상서]　명조)2-[전욱 헌부]　명조)3-[옹량천 진사]

丁	乙	庚	丙		丁	乙	丁	丙		丁	乙	己	癸
亥	酉	寅	申		亥	酉	酉	辰		亥	酉	未	未

명조)4-[량박 진사] 명조)5-[염충신 거인] 명조)6-[先貴後刑]

```
丁 乙 壬 甲        丁 乙 乙 癸        丁 乙 辛 辛
亥 酉 申 子        亥 酉 卯 未        亥 酉 卯 丑
```

명조)7-[형원] 명조)8-[양술중 운무] 명조)9-[유 선공 남부태수]

```
丁 乙 甲 壬        丁 乙 丙 庚        丁 乙 癸 癸
亥 酉 辰 申        亥 酉 戌 申        亥 酉 亥 巳
```

乙亥일 丁亥시는, 財 自刑이 있으며, 寅卯는 身旺한데, 天干에 財가 투출하면 富하다. 辰 丑[月]에 金 火運으로 行하면 貴하다. 亥子申은 官印이 쌍청(雙淸)한데 다시 財로써 도우면 대귀(大貴)하다. (乙亥日,丁亥時,有財自刑,寅卯身旺,天干透財者富.辰丑行金火運貴.亥子申官印雙淸,更輔以財.大貴.)

丙午己亥,陳尙書.戊子壬戌,王尙書.庚申丙戌,張時徹尙書.辛亥庚子,吳世騰少卿.乙丑丁亥,太守.丙寅丁酉,擧人.乙卯己卯,富.乙丑丁亥,吳玄由東昌太守陞副使直諒.庚戌戊子,富多子剋五妻.己亥丙寅,富.

명조)1-[진상서] 명조)2-[왕상서] 명조)3-[장시철 상서] 명조)4-[오세등 소경]

```
丁 乙 己 丙        丁 乙 壬 戊        丁 乙 丙 庚        丁 乙 庚 辛
亥 亥 亥 午        亥 亥 戌 子        亥 亥 戌 申        亥 亥 子 亥
```

명조)5-[태수] 명조)6-[거인] 명조)7-[富]

```
丁 乙 丁 乙        丁 乙 丁 丙        丁 乙 己 乙
亥 亥 亥 丑        亥 亥 酉 寅        亥 亥 卯 卯
```

명조)8-[오현유 동창태수 陞副使 直諒] 명조)9-[富 多子 剋五妻] 명조)10-[富]

```
丁 乙 丁 乙            丁 乙 戊 庚            丁 乙 丙 己
亥 亥 亥 丑            亥 亥 子 戌            亥 亥 寅 亥
```

시봉인식(時逢印食)局은, 공명(功名)은 헤아릴 수 없다. 貴人이 모여들어 富貴가 조정(朝廷)에 있다. (時逢印食局,功名不可量.貴人相聚會,富貴坐朝堂.)

時上에서 亥와 丁을 만나 生하는데, 乙목의 食神인 長生을 만나고, 運이 공망 衝破로 行하지 않으면 부귀(富貴)쌍전(雙全)하고 성명(姓名)을 나타낸다. (時上生逢亥與丁,食神乙木遇長生.運行不値空衝破,富貴雙全顯姓名.)

乙일이 丁亥시를 만나면, 食神 印綬가 서로 돕는다. 長生이 득의(得意)하면 문유(文儒)를 좋아하여 깨끗한 명성을 나타내어 貴를 얻는다. 丁壬이 化하는 氣運을 만나는 것을 기뻐하고, 運이 관대에 臨하면 이동함을 減한다. 현기묘법(玄機妙法)은 실로 엿보기 어렵지만 丙巳 寅申은 貴를 減한다. (乙日時逢丁亥,食神印綬相扶.長生得意好文儒,令顯淸名貴遇.喜逢丁壬化氣,運臨冠帶遷除.玄機妙法實難窺,丙巳寅申減貴.)

24. 六丙日戊子時斷

6乙일생 戊子시는, 財官이 生旺한데 食神을 만나는 것이다. 月氣에서 상부(相扶)하면 가장 貴하게 되고, 身이 衰弱하여 의지할 데가 없으면 평상인이다. (六丙日生時戊子,財官生旺遇食神.月氣相扶爲最貴,身衰無倚是常人.)

丙일 戊子시는, 官旺한데 財가 生하고, 丙은 辛이 財가 되고, 癸는 官이 되고, 丙辛이 合하고, 戊癸가 合하고, 子중의 癸가 旺한데 辛이 生하니 丙火는 무기(無氣)하다. 만약 火氣가 月에 通하여 의탁(依託)할 데가 있으면 貴하다. 불통(不通)하면 가난하고 하천(下賤)하다. 木氣에 通하여도 역시 吉하다. (丙日,戊子時,官旺財生,丙用辛爲財,癸爲官,丙合辛,戊合癸,子中癸旺辛生,丙火無氣.若通火氣月,有倚托者貴.不通貧下.通木氣亦吉.)

丙子일 戊子시는, 寅巳 卯未월은 木이 능히 火를 生하여 대귀(大貴)하다. 冬월은 丙火가 무기(無氣)하여 가난하며 夭折한다. 戌월에 火土 運으로 行하면 5~6品의 貴이다. 꺼리는 것이 丁巳월인데 요절(夭折)한다. 己酉월은 파가(破家)하는데 土를 잃으면 身이 천(賤)하다. (丙子日,戊子時,寅巳卯未月,木能生火大貴.冬月丙火無氣,貧夭.戌月行火土運,五六品貴.忌丁巳月夭.己酉月破家,失土身賤.)

癸卯辛酉,董玘會元侍郎,神童.丁未丙午,應大猷都憲.己未丙子,張洽御史.辛丑辛丑,大貴.壬申己酉,中貴.己卯癸酉,衍聖公.辛巳戊戌,王廷膽尚書.丁酉壬寅,陳于陛南戶部尚書五子.

명조)1-[동기회원 시랑, 신동] 명조)2-[응대유 도헌] 명조)3-[장흡 어사]

戊	丙	辛	癸		戊	丙	丙	丁		戊	丙	丙	己
子	子	酉	卯		子	子	午	未		子	子	子	未

명조)4-[大貴] 명조)5-[中貴] 명조)6-[연성 公]

戊	丙	辛	辛		戊	丙	己	壬		戊	丙	癸	己
子	子	丑	丑		子	子	酉	申		子	子	酉	卯

명조)7-[왕정담 상서] 명조)8-[진우폐 남호부상서 五子]

```
戊 丙 戊 辛        戊 丙 壬 丁
子 子 戌 巳        子 子 寅 酉
```

丙寅일 戊子시는, 卯丑월에 生하면 淸貴하다. 寅戌은 평상인이다. 夏월은 身旺하여 柱중에 金水가 있어야 비로소 吉하다. 子월은 정관으로 크게 貴하다. 癸巳월은 刑하여 꺼린다. 癸亥월은 惡死한다. 己酉월은 대패(大敗)한다. (丙寅日,戊子時,生卯丑月淸貴.寅戌平常.夏月身旺,柱有水金方吉.子月正官大貴.忌癸巳月刑.癸亥月惡死.己酉月大敗.)

壬辰乙巳,鄒應辰給事.壬申戊申,莫如士御史.癸卯甲子,擧人.丁酉甲辰,毛伯知狀元.丙申庚寅,進士.辛酉乙未,廉憲.己酉乙亥,曹學程御史辟赦.己卯丙子,進士.己未丙子,李璣尙書.一云丙子日.

명조)1-[추응진 급사] 명조)2-[막여사 어사] 명조)3-[擧人]
```
戊 丙 乙 壬        戊 丙 戊 壬          戊 丙 甲 癸
子 寅 巳 辰        子 寅 申 申          子 寅 子 卯
```

명조)4-[모백지 장원] 명조)5-[진사] 명조)6-[廉憲]
```
戊 丙 甲 丁        戊 丙 庚 丙        戊 丙 乙 辛
子 寅 辰 酉        子 寅 寅 申        子 寅 未 酉
```

명조)7-[조학정 어사벽사] 명조)8-[진사] 명조)9-[이기 상서. 一云 丙子日]
```
戊 丙 乙 己        戊 丙 丙 己        戊 丙 丙 己
子 寅 亥 酉        子 寅 子 卯        子 寅 子 未
```

丙辰일 戊子시는, 丙辰은 일인(日印)格이 되는데, 관성을 보는 것을 기뻐한다. 만약 戌월에 生하면 身旺하여 무직(武職)의 貴함이 가장 좋다. 寅월에 金水運으로 行하면 中貴이다. 申월은 三合으로 合煞하고 印이 있으니 貴하다. 꺼리는 것은 己巳월인데 凶死한다. 己亥월은 자형(自刑)으로 死한다. 癸丑월은 조업(祖業)을 破하고 惡死한다. (丙辰日,戊子時,丙辰爲日印格,喜見官星.若生戌月,身旺,最宜武貴.寅月行金水運,中貴.申月三合合煞,有印貴.忌己巳月凶死.己亥月自刑死.癸丑月破祖惡死.)

戊辰癸亥,李南庵參政.乙酉甲申,陳新知縣.癸酉辛酉,學憲.

명조)-[이남암 참정] 명조)2-[진신 지현] 명조)3-[학헌]
```
戊 丙 癸 戊        戊 丙 甲 乙          戊 丙 辛 癸
子 辰 亥 辰        子 辰 申 乙          子 辰 酉 酉
```

丙午일 戊子시는, 丙午는 日刃格이 되고, 官煞을 制하거나 合해야한다. 辰戌 丑未월에 生하면 대부(大富)이다. 亥卯 未寅의 年月은 대귀(大貴)하다. 申巳는 文의 직책으로 貴가 3品인데, 武의 직책으로 貴하지만 길지 않다. 순수한 子라면 자오쌍포(子午雙包)가 되어 貴格이다. 꺼리는 것이 丁巳월 인데 악사(惡死)한다. 丁亥월은 自刑으로 惡死한다. 辛丑월은 고독(孤獨)하다. (丙午日,戊子時,丙午爲日刃格,要官煞制.生辰戌丑未月大富.亥卯未寅年月大貴.申巳,文貴三品,武貴不永.純子,爲子午雙包貴格.忌丁巳月惡死.丁亥月自刑惡死.辛丑月孤獨.)

己丑辛未,顔子亞聖.辛未庚寅,成國公.戊戌己未,尚書.辛酉癸酉,白怡官生太守.癸亥乙卯,陸果進士.

명조)1-[안자아성] 명조)2-[성국 공] 명조)3-[상서]

戊 丙 辛 己　　　戊 丙 庚 辛　　　戊 丙 己 戊
子 午 未 丑　　　子 午 寅 未　　　子 午 未 戌

명조)4-[백이관생 太守] 명조)5-[육과 진사]

戊 丙 癸 辛　　　戊 丙 乙 癸
子 午 酉 酉　　　子 午 卯 亥

丙申일 戊子시는, 巳午의 年月이 東北방운으로 行하면 풍헌(風憲)이다. 子월은 木火運으로 行하면 3品이다. 丑[月]은 7品이다. 酉亥는 비록 貴人을 만나지만 그러나 賤하다. 癸巳월은 중년(中年)에 刑하여 꺼린다. 乙酉월은 파패(破敗)한다. (丙申日,戊子時,巳午年月,行東北方運風憲.子月行木火運,三品.丑七品.酉亥雖遇貴反賤.忌癸巳月中年刑.乙酉月破敗.)

戊午甲子,鄭岳侍郎.戊辰辛酉,明一化解元.辛巳己亥,魏琯擧人.辛巳丙申,曹志淸擧人.戊子癸亥,擧人.丁未庚戌,御史.丁酉壬子,一中州人方九功甲子乙丑科侍郎戊子卒.一浙人鍾化民己卯庚辰科憲副甲午卒.

명조)1-[정악 시랑] 명조)2-[명일화 해원] 명조)3-[위관 거인]

戊 丙 甲 戊　　　戊 丙 辛 戊　　　戊 丙 己 辛
子 申 子 午　　　子 申 酉 辰　　　子 申 亥 巳

명조)4-[조지청 거인] 명조)5-[擧人] 명조)6-[어사]

戊 丙 丙 辛　　　戊 丙 癸 戊　　　戊 丙 庚 丁
子 申 申 巳　　　子 申 亥 子　　　子 申 戌 未

명조)7[2명의 命]

戊 丙 壬 丁

子 申 子 酉

중주사람인, 방구공은 甲子, 乙丑년에 科에 급제 시랑. 戊子년에 卒.

절강사람인, 종화민은 己卯, 庚辰년에 科에 급제 헌부. 甲午년에 卒.

丙戌일 戊子시는, 春節에 生하면 印綬로써 가장 吉하다. 夏節은 身이 太旺하여 보통이다. 秋節은 財旺하고 身은 衰하니, 의지할 데가 있으면 貴하다. 순수한 酉의 年月이면 문직(文職)으로 나아가 貴하다. 己亥월을 꺼리는데, 죽어도 시체가 온전하지 못하다. 癸丑월은 가난하며 요절(夭折)한다. (丙戌日,戊子時,春生印綬最吉.夏身太旺,平常.秋財旺身衰,有倚托則貴.純酉年月,文進之貴.忌己亥月,死不全尸.癸丑月貧夭.)

癸未乙卯,劉白川尚書丁丑年致仕.丙辰己亥,何笋亭御史.甲申丙寅,吳國倫大參發解.己丑丙寅,徐行布政丁酉燒死壬子.

명조)1-[유백천 상서, 丁丑年 치사] 명조)2-[하순정 어사]

戊 丙 乙 癸　　　　　　　戊 丙 己 丙

子 戌 卯 未　　　　　　　子 戌 亥 辰

명조)3-[오국윤 대참, 發解] 명조)4-[서행 포정 丁酉년, 燒死 壬子]

戊 丙 丙 甲　　　　　　　戊 丙 丙 己

子 戌 寅 申　　　　　　　子 戌 寅 丑

식신영마(食神迎馬)局은 財氣가 조금도 부족하지 않고 旺하다. 공망 衝剋을 범하지 않으면 재명(才名)을 원근(遠近)에 傳한다. (食神迎馬局,財氣旺十全.不犯空衝剋,才名遠近傳.)

일생을 살아가는 방도는 사계(四季)에 융성하고, 南[方]이 戊子의 食官을 만나도 같다. 만년(晩年)에 손상함이 없고 모두 성취(成就)하여, 吉한 곳이 凶하고 험한 곳을 만나도 通한다. (活計生涯四季隆,南逢戊子食官同.無傷晩歲皆成就,吉處遭凶險處通.)

丙子가 戊子시를 만나면, 관성과 식신은 福을 동일하게 배정한다. 午丁未가 또 침매(沈埋)함을 만나도 서로 通하여 중년(中年)에는 매우 상쾌하다. 부모(父母) 처자(妻子)는 합을 좋아한다. 가슴속에 문장과 재주를 은닉(隱匿)한다. 만약 호운(好運)이 일시(一時)에 찾아오면 청한(淸閑)한 富貴가 자연히 있게 된다. (丙子時逢戊子,官星食福同排.午丁未遇且沈埋,交通中年大快.父母妻子喜合.胸中隱匿文才.若逢好運一時來,富貴淸閑自在.)

25. 六丙日己丑時斷(以下六丙日所忌月分與上同.時亦併論)

6丙일생이 己丑시면, 官鬼가 서로 손상하여 祿을 이루지 못한다. 만약 申庚을 보고 아울러 乙이 旺하면 財祿을 평생토록 求하지 않는다. (六丙日生時己丑,官鬼相傷祿不成,若見申庚併乙旺,不求財祿過平生.)

丙일 己丑시는, 상관이 배록(背祿)하여 거만하나 뜻은 높다. 丙은 癸가 官이 되며 丑중 癸의 여기(餘氣)가 있어 明暗으로 土에게 손상함을 받아, 四柱에서 癸가 투출하면 화(禍)가 된다. 만약 庚辛을 만나 상관생재(傷官生財)하면 오히려 경사스런 福이 된다. 또 이르길, 명출지상(明出地上)格은 貴하다. (丙日,己丑時,傷官背祿,傲物志高.丙用癸爲官,丑中有癸餘氣,被明暗土傷,柱透癸爲禍.若見庚辛傷官生財,卻爲福慶.一云,明出地上格.主貴.)

丙子일 己丑시는, 寅亥 申辰의 年月은 天干에 財印食이 투출하면 貴하다. (丙子日,己丑時,寅亥申辰年月,天干透財印食者貴.)

辛亥庚寅,羅倫狀元,名臣.戊寅癸亥,舒春芳憲副.戊辰乙未,太守.

명조)1-[라윤 장원, 名臣] 명조)2-[서춘방 헌부] 명조)3-[太守]

己 丙 庚 辛	己 丙 癸 戊	己 丙 乙 戊
丑 子 寅 亥	丑 子 亥 寅	丑 子 未 辰

丙寅일 己丑시는, 보통이고, 乙酉월에 生하면 정재격으로 乙庚이 健旺하여야 貴하다. 巳丑의 年月은 天干에 官印이 투출하면 貴하다. 신백경에 이르길, 火土의 象은 貴하지만 血疾이 있다. (丙寅日,己丑時,平常,生乙酉月正財格,有乙庚健旺者貴.己[巳]丑年月,干透官印者貴.神白經云,火土象主貴.有血疾.)

乙巳丙戌,徐錦都堂.壬辰己酉,江良才憲副.己亥戊辰,詹惠御史.乙酉己丑,陳謹狀元甲子卒於亂軍.丁卯癸丑,雷賀進士.丙子丁酉,郭琥總兵.丙戌癸巳,潘允端進士,父兄俱貴.戊申丙辰,駙馬.庚辰壬午,提刑.丙子己亥,林欲楫禮部尚書王加延進士命同林癸卯丁未科王甲午戊戌科林閩人王江右人.丙戌癸巳,大參.

명조)1-[서금 도당] 명조)2-[곽호 총병] 명조)3-[첨혜 어사]

己 丙 丙 乙	己 丙 己 壬	己 丙 戊 己
丑 寅 戌 巳	丑 寅 酉 辰	丑 寅 辰 亥

명조)4-[진근 장원 甲子卒於亂軍] 명조)5-[뇌하 진사] 명조)6-[곽호 총병]

己 丙 己 乙　　　　　己 丙 癸 丁　　　己 丙 丁 丙
丑 寅 丑 酉　　　　　丑 寅 丑 卯　　　丑 寅 酉 子

명조)7-[반윤단 진사, 父兄 俱貴] 명조)8-[부마]　명조)9-[제형]
己 丙 癸 丙　　　　　己 丙 丙 戊　　　己 丙 壬 庚
丑 寅 巳 戌　　　　　丑 寅 辰 申　　　丑 寅 午 辰

명조)10-[林欲楫] 명조)11-[대참]
己 丙 己 丙　　　己 丙 癸 丙
丑 寅 亥 子　　　丑 寅 巳 戌

명조)10에서, 임욕즙은 예부상서인데, 왕가연 진사와 命이 같다. 임氏는 癸卯 丁未년에 급제하였고, 왕氏는 甲午, 戊戌년에 급제 하였다. 임氏는 閩人(민인)이고, 왕氏는 江右人이다.

　丙辰일 己丑시는, 申亥의 年月은 水로 化하면 吉하고, 不化하면 수명을 재촉한다. 戌월에 庫를 衝하면 발달(發達)하지 않을 사람이 없다. 寅午는 身旺하여 염상(炎上)格을 이루어 대귀(大貴)하다. (丙辰日,己丑時,申亥年月,化水則吉.不化壽促,戌月衝庫,無人不發.寅午身旺,成炎上格,大貴.)

　乙亥丙戌,馬愉侍郎.甲戌癸酉,侍郎.庚寅壬午,董傳策侍郎,諫言幾死凶終.戊申戊午,姚淶狀元,尚書謨子.己巳甲戌,王愼中大參海內文名.丁酉丁未,方浮玉部郎,戊申.壬寅王宏誨尚書.

명조)1-[마유 시랑] 명조)2-[시랑]　명조)3-[동전책 시랑]
己 丙 丙 乙　　　己 丙 癸 甲　　　己 丙 壬 庚
丑 辰 戌 亥　　　丑 辰 酉 戌　　　丑 辰 午 寅

명조)3에서, 동전책 시랑은 간언하다가 죽을 지경으로 凶하게 죽었다.

명조)4-[요래 장원, 尙書謨子] 명조)5-[왕신중 대참, 海內文名]
己 丙 戊 戊　　　　　己 丙 甲 己
丑 辰 午 申　　　　　丑 辰 戌 巳

명조)6-[방부옥 부랑]
己 丙 丁 丁
丑 辰 未 酉

명조)6에서, 방부옥 戊申년에 부랑이 되었고, 壬寅년에 왕굉회는 尙書가 되었다.

　丙午일 己丑시는, 春월에 火金運으로 行하면 벼슬이 극품(極品)에 이른다. 夏절은 보통이고, 秋절은 富하고, 冬절은 貴하지만 妻子에게 어렵고, 午酉의 年月은 5~6품인데 이 月(달)의 祿은 生

財하여 증험하다. (丙午日,己丑時,春月行火金運,官至極品.夏平,秋富,多貴,難爲妻子,午酉年月,五六品,此月祿生財之驗.)

甲辰丙戌,徐乾布政.庚午己丑,王應鍾御史.丁丑戊申,駱維儼擧人.壬申癸卯,進士.

명조)1-[서건 포정] 명조)2-[왕응종 어사] 명조)3-[락유엄 거인] 명조)4-[진사]

己 丙 丙 甲	己 丙 己 庚	己 丙 戊 丁	己 丙 癸 壬
丑 午 戌 辰	丑 午 丑 午	丑 午 申 丑	丑 午 卯 申

丙申日 己丑時는, 혈질(血疾)이 있다. 申月은 學文하는 선비로 벼슬한다. 戊卯[月]은 貴하다. 子辰은 官을 會合하여 모두 吉하다. (丙申日,己丑時,血疾.申月文學儒官.戊卯貴.子辰會官,寅卯會印,俱吉.)

甲戌丁丑,林啓解元.庚子乙酉,御史.壬寅壬寅,趙煥太宰.戊寅丙辰,擧人.丙子庚寅,受封.

명조)1-[임계 해원] 명조)2-[어사] 명조)3-[조환 태재]

己 丙 丁 甲	己 丙 乙 庚	己 丙 壬 壬
丑 申 丑 戌	丑 申 酉 子	丑 申 寅 寅

명조)4-[거인] 명조)5-[수봉]

己 丙 丙 戊	己 丙 庚 丙
丑 申 辰 寅	丑 申 寅 子

丙戌日 己丑時는, 뛰어나며 武職에서 형벌 받은 후에 왕성하게 발달한다. 亥卯月에 生하여 火金運이면 대귀(大貴)하다. 辰未의 四庫가 온전하여 火土가 성국(成局)하면 대부(大富)한다. 신백경에 이르길, 6丙日이 己丑時를 만나면 주로 혈질(血疾)이 많다. (丙戌日,己丑時,高,武,刑後發旺.生亥卯月火金運,大貴.辰未四庫全,火土成局,大富.神白經云,六丙日見己丑時,多主血疾.)

乙卯丙戌,王進布政.丁卯癸丑,余太宰.辛未辛丑,盧知縣.戊辰己未,富.

명조)1-[왕진 포정] 명조)2-[여 태재] 명조)3-[로 지현] 명조)4-[富]

己 丙 丙 乙	己 丙 癸 丁	己 丙 辛 辛	己 丙 己 戊
丑 戌 戌 卯	丑 戌 丑 卯	丑 戌 丑 未	丑 戌 未 辰

시상상관(時上傷官)局은 영화(榮華)가 오래가지 못한다. 보통사람은 고향을 떠나야 吉하고, 君子는 겉으로만 영화(榮華)가 창성하다. (時上傷官局,榮華不久長.常人離祖吉,君子外榮昌.)

丙일은 財官이 庫속에 암장하여 戊 辰 未의 글자가 있으면 문장(文章) 드날린다. 身이 衰하면 열쇠가 없는 것과 같아 명리(名利)를 구하여도 모두가 보통이다. (丙日財官庫裏藏.戊辰未字顯文章.身衰若也無鑰匙.求名求利總平常.)

丙일이 己丑時를 만나면, 상관이 財庫를 암장하여, 運이 戊未로 바뀌면 예사롭지 않고, 財官을 破出하면 반드시 旺하다. 가까운데서 貴를 꾀해도 겁재가 탈취하니 아무리 추산(推算)하여도 조금의 害로움은 있다. 육친(六親)의 진가(眞假)로 화해(和諧)함은 적고, 올곧게 단정(斷定)하면 시(時)를 의지하여도 이상할 것이 없다. (丙日時逢己丑.傷官財庫暗藏.運交未戊不尋常.破出財官必旺.近貴謀奪劫財.算來雖有些害.六親眞假少和諧.直斷依時莫怪.)

26. 六丙日庚寅時斷

6丙일생이 庚寅시면, 학당(學堂)인 생기(生氣)로써 그 身을 돕는다. 運중에서 合하며 金局에 通[根]하면 반드시 영화롭고 富貴한 사람이다. (六丙日生時庚寅.學堂生氣助其身.運中有合通金局.必是榮華富貴人.)

丙일 庚寅시는, 生氣인 학당인데, 丙은 寅상에서 長生하여 文章의 빼어난 기운이다. 丙은 庚辛이 財가 되고, 寅상에서 庚은 絶하지만 丙은 旺하다. 만약 月氣에 金局이 通하면 財가 旺하여 부귀(富貴)쌍전(雙全)하고, 西方 運을 기뻐한다. 局에 불통(不通)하면 財가 엷다. (丙日.庚寅時.生氣學堂.丙寅上長生.文章秀氣.丙以庚辛爲財.寅上庚絶丙旺.若通月氣金局者財旺.富貴雙全.喜西方運.不通局者財薄.)

丙子일 庚寅시는, 子월에 生하면 貴에 가깝다. 癸酉월에 水木 運으로 行하면 고귀(高貴)하다. 火土 運이면 5品이상으로 貴하다. 未申 癸午의 年月은 身이 무직(武職)에 머물러 대귀(大貴)하나 壽命이 짧다. (丙子日.庚寅時.生子月近貴.癸酉月.行水木運.高貴.火木運.五品以上貴.未申癸午年月.身居武職.大貴.壽淺.)

乙卯戊子.余端禮丞相.丁巳壬寅.張參政.己酉癸酉.參政.戊寅己未.闔光潛憲副.戊子甲子.吳時來給事兩上疏言事遭杖.幾死謫戌數年詔還官至都憲.

명조)1-[여단례 승상] 명조)2-[장 참정] 명조)3-[참정]

庚 丙 戊 乙	庚 丙 壬 丁	庚 丙 癸 己
寅 子 子 卯	寅 子 寅 巳	寅 子 酉 酉

명조)4-[염광잠 헌부] 명조)5-[오시래]

庚 丙 己 戊   庚 丙 甲 戊

寅 子 未 寅   寅 子 子 子

명조)5에서, 오시래가 給事였을 당시 두 번을 상소(上疏)하였다가 장형(杖刑)을 당하여 거의 죽을 지경에, 수년(數年)간 변방에 유배되었다가, 다시 부름을 받고 돌아와 벼슬이 도헌(都憲)에 이르렀다.

丙寅일 庚寅시는, 貴가 길지 않다. 酉申의 年月에 生하면 후손의 세대는 한직(閒職)이다. 子丑寅未는 귀현(貴顯)하다. 순수한 寅이면 더욱 吉하다. (丙寅日,庚寅時,貴不久.生酉申年月,世裔冷職.子丑寅未貴顯.純寅尤吉.)

癸卯乙丑,陳尙書.癸未甲寅,呂侍郎.庚午乙酉,吳稜解元不祿.癸巳甲子,周汝勵解元進士.丁未壬子,大貴.甲戌乙亥,小貴.壬辰壬子,受蔭有財.庚辰戊子,千戶凶死.

명조)1-[진 상서] 명조)2-[려 시랑] 명조)3-[오릉 해원, 不祿] 명조)4-[주여려 해원 진사]

庚 丙 乙 癸   庚 丙 甲 癸   庚 丙 乙 庚   庚 丙 甲 癸

寅 寅 丑 卯   寅 寅 寅 未   寅 寅 酉 午   寅 寅 子 巳

명조)5-[대귀] 명조)6-[소귀] 명조)7-[음덕으로 재물 있음.] 명조)8-[천호 凶死]

庚 丙 壬 丁   庚 丙 乙 甲   庚 丙 壬 壬   庚 丙 戊 庚

寅 寅 子 未   寅 寅 亥 戌   寅 寅 子 辰   寅 寅 子 辰

丙辰일 庚寅시는, 寅午 戌未의 年月에 生하면 妻는 어질고 子息이 효도하며 부귀(富貴)쌍전(雙全)한다. 申 子가 北方 運으로 行하면 대귀(大貴)하다. 酉 丑은 富하다.또 이르길, 모두 뛰어나다. (丙辰日,庚寅時,生寅午戌未年月,妻賢子孝,富貴雙全.申子行北運,大貴.酉丑富.一云總高.)

丁未壬子,甘爲霖尙書,以土木得辛.辛卯庚子,趙太守.癸卯戊午,擧人.辛丑庚寅,簡繼芳進士.辛丑庚子,部郎.壬寅壬寅,僉院.癸酉壬戌,宋夏英公.

명조)1-[감위림 상서, 以土木得辛] 명조)2-[조 태수] 명조)3-[擧人]

庚 丙 壬 丁   庚 丙 庚 辛   庚 丙 戊 癸

寅 辰 子 未   寅 辰 子 卯   寅 辰 午 卯

명조)4-[간계방 진사] 명조)5-[부랑] 명조)6-[첨원] 명조)7-[송하영 公]

庚 丙 庚 辛   庚 丙 庚 辛   庚 丙 壬 壬   庚 丙 壬 癸

寅 辰 寅 丑   寅 辰 子 丑   寅 辰 寅 寅   寅 辰 戌 酉

丙午일庚寅시는, 年 月에 壬 癸 子 未 巳의 글자가 없으면 비천록마格으로 貴하다. 巳 酉 丑 申은 주로 文學으로 貴하지 않으면 富하다. 未월은 상관이다. 辰월은 선빈후부(先貧後富)한다. 亥월에 西方 運으로 行하면 귀현(貴顯)하다. (丙午日,庚寅時,年月無壬癸子未巳字,飛天祿馬貴.巳酉丑申,主文學,不貴卽富.未月傷官.辰月先貧後富.亥月行西運貴顯.)

癸卯丙辰,費寀尙書.己卯丙子,劉思問都憲.辛丑癸巳,廖慶郞中.丁亥戊申,尙書.甲戌丙寅,宰相.丁酉癸丑,待制.癸巳乙丑,范謙尙書.己酉丁丑,元戎.

명조)1-[비채 상서] 명조)2-[유사문 도헌] 명조)3-[료경 낭중] 명조)4-[상서]

庚 丙 丙 癸	庚 丙 丙 己	庚 丙 癸 辛	庚 丙 戊 丁
寅 午 辰 卯	寅 午 子 卯	寅 午 巳 丑	寅 午 申 亥

명조)5-[재상] 명조)6-[대제] 명조)7-[범겸 상서] 명조)8-[원융]

庚 丙 丙 甲	庚 丙 癸 丁	庚 丙 乙 癸	庚 丙 丁 己
寅 午 寅 戌	寅 午 丑 酉	寅 午 丑 巳	寅 午 丑 酉

[譯者 註] 丙午일 庚寅시는 年 月에 壬 癸 子 未 巳의 글자가 없으면 上文에서는 비천록마格이라 稱하였으나 정확히 말하면, 도충록마이다. 그렇게 부른 연유는 모르겠으나 구분하여 그렇게 古人이 그렇게 논해 놓았다. 비천록마격을 참조하라.

丙申일庚寅시는,亥卯未, 申子辰의 두 局은 官 印이 양왕(兩旺)하여 대귀(大貴)하다. 巳酉丑의 財局은 吉하다. 寅午戌의 本局은 평범하다. (丙申日,庚寅時,亥卯未申子辰二局,官印兩旺,大貴.巳酉丑財局吉.寅午戌本局平.)

乙未甲申,曾從狀元.庚申戊子,尙書.丁亥辛亥,莫侍郞.己卯丁卯,何樞密.己未壬申,曾參政.戊午己丑,謝少南參政有文名.壬戌壬寅,御史.壬辰癸卯,王鐸禮部尙書.甲寅辛未,擧人.壬辰壬子,黃瑗知府,或作壬辰時.

명조)1-[증종 장원] 명조)2-[상서] 명조)3-[막 시랑] 명조)4-[하 추밀]

庚 丙 甲 乙	庚 丙 戊 庚	庚 丙 辛 丁	庚 丙 丁 己
寅 申 申 未	寅 申 子 申	寅 申 亥 亥	寅 申 卯 卯

명조)5-[증 참정] 명조)6-[사소남 참정, 有文名] 명조)7-[어사]

庚 丙 壬 己	庚 丙 己 戊	庚 丙 壬 壬
寅 申 申 未	寅 申 丑 午	寅 申 寅 戌

명조)8-[왕탁 예부상서] 명조)9-[擧人] 명조)10-[황원 지부, 혹시 壬辰 時라고도 한다.]

```
庚 丙 癸 壬          庚 丙 辛 甲          庚 丙 壬 壬
寅 申 卯 辰          寅 申 未 寅          寅 申 子 辰
```

丙戌일 庚寅시는, 亥 子월에 生하면 귀현(貴顯)하다. 申 酉의 年 月에 北方 運으로 行하거나 寅 午 戌이 官鬼 運으로 行하면 모두 대귀(大貴)하다. 만약 運이 死絶[地]에 臨하면 황천(皇天)길이 틀림없다. (丙戌日,庚寅時,生亥子月貴顯.申酉年月,行北方運,寅午戌行官鬼運,俱大貴.若運臨死絶,卽入黃泉無疑.)

戊申戊午,魏尙書,一云癸亥年.辛亥甲午,顧遂侍郎.癸酉壬戌,程一新布政.甲寅甲戌,朱糺都堂縊死.癸亥戊午,卿寺.癸亥庚寅,卿.癸丑丁巳,甲部.

명조)1-[위상서, 癸亥년 이라고도 한다.] 명조)2-[고수 시랑] 명조)3-[정일신 포정]

```
庚 丙 戊 戊          庚 丙 甲 辛          庚 丙 壬 癸
寅 戌 午 申          寅 戌 午 亥          寅 戌 戌 酉
```

명조)4-[주환 도당, 목매달아 죽음] 명조)5-[경사] 명조)6-[卿] 명조)7-[甲部]

```
庚 丙 甲 甲      庚 丙 戊 癸      庚 丙 庚 癸      庚 丙 丁 癸
寅 戌 戌 寅      寅 戌 午 亥      寅 戌 寅 亥      寅 戌 巳 丑
```

시상재신(時上財神)局은 金이 福을 生하여 헤아릴 수 없다. 十年간 창문아래 은둔하여 성명(姓名)의 향기로운 뜻을 이룬다. (時上財神局,金生福未量.十年窓下隱,得志姓名香.)

丙庚이 상합(相合)하여 寅時를 만나면 험한 어려움이 사라지고 복(福)이 자연히 따른다. 運이 한 문(寒門)에 이르면 이름난 장상(將相)으로 때가 도래하면 평보(平步)로 높은 자리에 오른다. (丙庚相合遇寅時,險難消除福自隨.運至寒門名將相,時來平步上雲梯.)

丙일 庚寅시에 准하면 쌍친(雙親=아버지와 어머니)이 쇠(衰)왕(旺)하여 고향을 떠난다. 妻子가 조년(早年)에는 害롭지만 만년(晚年)에는 영화(榮華)가 창성하고, 백호(白虎)는 山으로 돌아가야 旺盛함이 올바르다. 木이 송백(松柏)으로 숲을 이루면 평생 동안 재물과 양식이 모인다. 금과 옥을 산처럼 쌓아 고당(高堂;높게 지은 집)에 가득차고, 하나같이 사람의 말을 부러워하는 본보기가 된다. (丙日庚寅時准,雙親衰旺離鄉.妻兒早害晚榮昌,白虎歸山正旺.木有成林松柏,生涯廣聚財糧.堆金積玉滿高堂,共羨人言上樣.)

27. 六丙日辛卯時斷

6丙일생 辛卯시는, 旺木이 雙妻로써 위인(爲人)이 교묘하다. 化水가 不旺한 死地라면 색욕(色慾)이 자신을 따르니 애호(愛好)함이 많다. (六丙日生時辛卯,旺木雙妻爲人巧.不旺化水死鄉中,色慾隨身多愛好.)

丙일辛卯시는, 敗財가 合을 만나고, 丙일이 卯상에서 목욕(沐浴)으로 辛을 보면 合한다. 만약 身이 심히 旺하여 化하지 않으면 다만 사람이 무례(無禮)하며 색욕(色慾)을 貪하고 즐긴다. 만일 身弱하여 化水하면, 卯상에서 水가 死하니 빼어남이 부실(不實)하여 사람이 헛된 거짓말로 교묘하다. 그런데, 丙午 丙寅의 春월생이 身旺하여 化하지 않으면 문장(文章)이 빼어나고 귀현(貴顯)한다. (丙日,辛卯時,敗財逢合,丙日卯上沐浴,見辛合神.若身甚旺不得化者,只是爲人無禮,而貪色慾卻好,如身弱化水,卯上水死,秀而不實,爲人慣巧虛詐.惟丙午丙寅春月生,身旺不化者,文貴顯秀.)

丙子일辛卯시는, 子 卯가 相刑하여 妻를 손상하고 子息을 害친다. 年 月이 동일하면 首長으로 임금을 측근에서 모시는 貴한 사람이다. 寅 午 丑 戌은 天干 地支가 모두 合하면 대귀(大貴)하다. (丙子日,辛卯時,子卯相刑,傷妻害子.年月同,主魁名近侍之貴.寅午丑戌,天干地支俱合者,大貴.)

癸丑壬戌,鄭紀尙書.丙子辛卯,劉行素憲副.丙申庚寅,王履端進士.辛酉丙申,卿.

명조)1-[정기 상서] 명조)2-[유행소 헌부] 명조)3-[왕리단 진사] 명조)4-[卿]

辛 丙 壬 癸	辛 丙 辛 丙	辛 丙 庚 丙	辛 丙 丙 辛
卯 子 戌 丑	卯 子 卯 子	卯 子 寅 申	卯 子 申 酉

丙寅일 辛卯시는, 조업(祖業)이 없어 자립(自立)하고, 지체(肢體)에 질병(疾病)이 있다. 寅 卯 未 子月은 貴하고, 나머지 달(月)은 보통인데 歲運도 동일하다. (丙寅日,辛卯時,無祖自立,有肢體疾.寅卯未子月貴.餘月平,歲運同.)

己未甲戌,高雲川御史.己未乙亥,大貴凶死.乙未丁亥,王太守.庚戌丙戌,朱端明擧人.己巳丙寅,陳彝擧人.丙辰壬辰,進士縣令乙未革.丙申辛丑,銓部.丙申辛卯,習孔敎翰林,凡此日生年月午戌合局作炎上格論.

명조)1-[고운천 어사] 명조)2-[大貴, 凶死] 명조)3-[왕 태수]

辛 丙 甲 己	辛 丙 乙 己	辛 丙 丁 乙
卯 寅 戌 未	卯 寅 亥 未	卯 寅 亥 未

명조)4-[주단명 거인] 명조)5-[진이 거인] 명조)6-[진사 현령 乙未革]

辛 丙 丙 庚	辛 丙 丙 己	辛 丙 壬 丙
卯 寅 戌 戌	卯 寅 寅 巳	卯 寅 辰 辰

명조)7-[전부] 명조)8-[습공교 한림]

辛 丙 辛 丙	辛 丙 辛 丙
卯 寅 丑 申	卯 寅 卯 申

명조)8에서, 습공교는 한림이다. 무릇 이 태생의 年 月이 午 戌로써 合局하면 炎上格으로 論한다.

丙辰일辛卯시는, 寅 戌月에 生하면 천월이덕(天月二德)으로 뛰어나다. 巳月에 北方 運으로 行하면 貴하다. 酉 丑도 역시 貴하다. 亥 卯 未는 대귀(大貴)하다. (丙辰日,辛卯時,生寅戌月,天月二德,高.巳月行北方運貴.酉丑亦貴.亥卯未大貴.)

癸亥癸亥,嵆世臣編修.辛巳辛丑,常道立中丞.癸酉乙丑,法司.

명조)1-[혜세신 편수] 명조)2-[상도립 중승] 명조)3-[법사]

辛 丙 癸 癸	辛 丙 辛 辛	辛 丙 乙 癸
卯 辰 亥 亥	卯 辰 丑 巳	卯 辰 丑 酉

丙午일辛卯시는, 年 月중에 癸水 관성을 얻어 刃을 제거하면 吉하다. 子月은 妻子를 剋하고 손상한다. 寅 酉는 성격(性格)이 剛强하여 공격받지 않으며 3~4품으로 貴하다. 午 戌이 東南 運으로 行하거나, 卯月에 西北 運으로 行하면 모두 貴하다. 또 이르길, 旺중에 失이 있다. (丙午日,辛卯時,年月中得癸水官星去刃則吉.子月傷剋妻子,寅酉性格剛强,不受擊觸,三四品貴.午戌行東南運,卯月行西北運,俱貴.一云,旺中有失.)

丁卯丙午,王忬侍郎羊刃無制凶死.丁酉乙巳,張狀元五行歸祿.丁未己酉,許樂善進士.戊寅甲寅,丞相.甲寅戊辰,太師.甲寅癸酉,祭酒.丁酉乙巳,陳棟會元,探花.

명조)1-[왕여 시랑 羊刃無制 凶死] 명조)2-[장장원 五行 歸祿] 명조)3-[허락선 진사]

辛 丙 丙 丁	辛 丙 乙 丁	辛 丙 己 丁
卯 午 午 卯	卯 午 巳 酉	卯 午 酉 未

명조)4-[승상] 명조)5-[태사] 명조)6-[祭酒] 명조)7-[진동 회원, 탐화]

辛 丙 甲 戊	辛 丙 戊 甲	辛 丙 癸 甲	辛 丙 乙 丁
卯 午 寅 寅	卯 午 辰 寅	卯 午 酉 寅	卯 午 巳 酉

丙申일辛卯시는, 총명(聰明)하며 주색(酒色)을 좋아하고, 身旺하여 不化하면 貴하다. 春절은 吉하다. 冬절에 北方 運으로 行하면 富貴雙全한다. 巳 丑의 年 月이 東方 運으로 行하면 2品이고, 午 未는 3品이다. (丙申日,辛卯時滯,主聰明,好酒色,身旺,不化者貴.春吉.冬行北運,富貴雙全.巳丑年月行東運,二品,午未三品.)

丁未丁未,張袞太常卿.戊戌辛酉,參議.丙午辛卯,監丞.癸酉甲子,進士.癸未癸亥,吳哲少參.庚子戊寅,徐三畏總制尙書.甲戌甲戌,擧人.

명조)1-[장곤태 상경]　명조)2-[참의]　명조)3-[감승]　명조)4-[진사]

| 辛 丙 丁 丁 | 辛 丙 辛 戊 | 辛 丙 辛 丙 | 辛 丙 甲 癸 |
| 卯 申 未 未 | 卯 申 酉 戊 | 卯 申 卯 午 | 卯 申 子 酉 |

명조)5-[오철 소참]　명조)6-[서삼외 총제 상서]　명조)7-[거인]

| 辛 丙 癸 癸 | 辛 丙 戊 庚 | 辛 丙 甲 甲 |
| 卯 申 亥 未 | 卯 申 寅 子 | 卯 申 戌 戌 |

丙戌일辛卯시는, 妻를 손상하며 子息을 害치는데, 身旺하여 不化하면 貴하다. 春절은 총명(聰明)하고 주색(酒色)을 좋아한다. 冬절에 西方 運으로 行하면 富貴하다. 夏절은 풍헌(風憲)이다. 신백경에 이르길, 火木으로 化하면 福이 두텁다. (丙戌日,辛卯時,傷妻害子,身旺不化者貴.春聰明,好酒色.冬行西運,富貴.夏風憲.神白經云,火木化,主福厚.)

乙酉丁亥,姚曄狀元.癸丑壬戌,侍郎.癸酉甲子,進士.戊辰辛酉,擧人.壬辰壬寅,富壽.癸巳乙卯,褚鈇尙書.丙寅己亥,韓爌大學士.

명조)1-[요엽 장원]　명조)2-[시랑]　명조)3-[진사]　명조)4-[거인]

| 辛 丙 丁 乙 | 辛 丙 壬 癸 | 辛 丙 甲 癸 | 辛 丙 辛 戊 |
| 卯 戌 亥 酉 | 卯 戌 戌 丑 | 卯 戌 子 酉 | 卯 戌 酉 辰 |

명조)5-[富壽]　명조)6-[저부 상서]　명조)7-[한광대 학사]

| 辛 丙 壬 壬 | 辛 丙 乙 癸 | 辛 丙 己 丙 |
| 卯 戌 寅 辰 | 卯 戌 卯 巳 | 卯 戌 亥 寅 |

병신화수(丙辛化水)局은 身弱하면 福이 되기 어렵다. 官의 訟事에 휘말리는 것을 방비해야하고, 보통사람은 반복(反覆)함이 많다. [반복(反覆);엎치락뒤치락] (丙辛化水局,身弱難爲福.官司防惹絆,常人多反覆.)

丙辛의 化水가 마땅하지 않으면, 身을 도와 강대(强大)하여야 吉함이 창성하다. 四柱에서 만약 衝 剋 破를 만나면 애써 노력하여도 때가 지나간다. (丙辛化水不相當,有助身強大吉昌.四柱若逢衝 剋破,勞心勞力過時光.)

丙日이 辛卯時를 만나면, 탐재괴인(貪財壞印)하여 이루기 어렵다. 財官運은 명성(名聲)을 드러내지만 身弱하면 성정(性情)이 부정(不定)하다. 父母 육친(六親)은 의지하기 어렵고, 적극적으로 나아가 조업(祖業)을 개혁하여야 비로소 이룬다. 안행(雁行=형제)은 각자(各自)의 전정(前程)을 바라고, 破가 있으면 평범한 命과 같다. (丙日時逢辛卯,貪財壞印難成.財官運步顯名聲,身弱性情不定.父母六親難靠,挺身改祖方成.雁行各自望前程,有破如常之命.)

28. 六丙日壬辰時斷

6丙일이 壬辰時에 生하면, 煞성이 庫에 坐하여 火와 親하기 어렵다. 身이 강하면 主에게 오히려 官貴가 되고, 만일 [身이] 弱하면 빈요(貧夭)한 사람이 된다. (六丙日生時壬辰,煞星坐庫火難親.身強反主爲官貴,如弱定爲貧夭人.)

丙日壬辰時는, 화수미제(火水未濟)이다. 丙이 壬 편관을 보고, 辰상의 壬水가 合局하면 火가 死하여 무광(無光)하다. 만약 春節에 生하여 身旺하면 鬼가 변화하여 官이 되고, 다시 신왕운으로 行하면 貴하다. 秋 冬절은 身이 衰하고 鬼가 旺한데 다시 의지할 데가 없으면 가난하며 몸에 병이나 탈이 있다. (丙日,壬辰時,水火未濟.丙見壬偏官,辰上壬水合局,火死無光.若生春夏身旺,化鬼爲官,複行身旺運貴.秋冬身衰鬼旺,更無倚託,貧下殘疾.)

丙子일壬辰時는, 辰 戌 丑 未월에 편관의 制가 있으면 吉하다. 亥 卯의 년 월은 富貴하다. 寅 午[月]에 子運으로 行하거나, 子[月]에 寅 午運으로 行하면 모두 貴하다. 그렇지 않으면 승(僧)도 (道)가 된다. 또 이르길, 재(財)가 있으면 시비(是非)를 초래한다. (丙子日,壬辰時,辰戌丑未月,偏官有制吉.亥卯年月富貴.寅午行子運,子行寅午運,俱貴.不然僧道.一云,有財招是非.)

丁丑壬寅,曾丞相.癸丑壬戌,何太守.丙申庚子,擧人.庚午丙戌,小貴.丁丑丁亥,雙瞽.辛卯丙申,阮旭靑吏垣以賄謫.庚申戊寅,御史.辛巳庚子,楊景辰大學士.

명조)1-[증 승상] 명조)2-[하 태수] 명조)3-[거인]

| 壬 丙 壬 丁 | 壬 丙 壬 癸 | 壬 丙 庚 丙 |
| 辰 子 寅 丑 | 辰 子 戌 丑 | 辰 子 子 申 |

명조)4-[소귀] 명조)5-[쌍고, 소경] 명조)6-[원욱청 吏垣으로 뇌물로 귀양]

```
壬 丙 丙 庚      壬 丙 丁 丁        壬 丙 丙 辛
辰 子 戌 午      辰 子 亥 丑        辰 子 申 卯
```

명조)7-[어사] 명조)8-[양경진 대학사]

```
壬 丙 戊 庚      壬 丙 庚 辛
辰 子 寅 申      辰 子 子 巳
```

丙寅일壬辰시는, 身과 煞이 兩旺하고, 寅 卯 辰 丑 未의 年月이면 대귀(大貴)하다. 巳 午 戌의 年 月 역시 貴하다. 또 이르길, 원수(怨讐)가 되면 크게 흉(凶)하다. (丙寅日,壬辰時,身煞兩旺,寅卯辰丑未年月,大貴.巳午戌年月亦貴.一云,讎冤大凶.)

壬寅丁未,夏言閣老凶死,無子.乙卯己丑,吳寬狀元.戊寅己卯,王渤海元.壬午己酉,侍郎.乙未戊寅,進士.庚辰丙戌,推官.己丑丁卯,舉人.乙卯癸未,巨富.丁未己酉,蔭郎.

명조)1-[하언 각로, 凶死, 無子] 명조)2-[오관 장원] 명조)3-[왕발 해원]

```
壬 丙 丁 壬        壬 丙 己 乙        壬 丙 己 戊
辰 寅 未 寅        辰 寅 丑 卯        辰 寅 卯 寅
```

명조)4-[시랑] 명조)5-[진사] 명조)6-[추관]

```
壬 丙 己 壬      壬 丙 戊 乙      壬 丙 丙 庚
辰 寅 酉 午      辰 寅 寅 未      辰 寅 戌 辰
```

명조)7-[거인] 명조)8-[거부] 명조)9-[음랑]

```
壬 丙 丁 己      壬 丙 癸 乙      壬 丙 己 丁
辰 寅 卯 丑      辰 寅 未 卯      壬 丙 酉 未
```

丙辰일壬辰시는, 身孤하여도 財가 있으며, 주로 惡死한다. 春節생이 北方 運으로, 夏節에 東方 運으로 行하면 모두 貴하다. 秋節생이 南方 운이면 벼슬이 3品에 이른다. (丙辰日,壬辰時,身孤有財,主惡死.春生行北運,夏東運,俱貴.秋南運,官至三品.)

辛巳庚寅,許天錫給事.乙未己丑,楊一魁尚書.丙辰丙申,潘潢尚書.甲寅甲戌,常少.己巳乙亥,憲副.癸未辛酉,何永慶太守.

명조)1-[허천석 급사] 명조)2-[양일괴 상서] 명조)3-[반황 상서]

```
壬 丙 庚 辛        壬 丙 己 乙        壬 丙 丙 丙
辰 辰 寅 巳        辰 辰 丑 未        辰 辰 申 辰
```

명조)4-[상소]   명조)5-[헌부]   명조)6-[하영경 태수]

壬 丙 甲 甲   壬 丙 乙 己   壬 丙 辛 癸

辰 辰 戌 寅   辰 辰 亥 巳   辰 辰 酉 未

丙午일 壬辰시는, 貴하고, 身旺하고 煞旺하다. 만약 辰 戌 丑 未월이면 편관의 制가 있어야 貴
하다. 制[伏]가 없으면 평상인이다. (丙午日,壬辰時,貴,身旺煞旺.若辰戌丑未月,偏官有制,貴.無制平
常.)

壬戌癸卯,王健光祿卿.壬午丁未,王時槐主事.丙午辛丑,葛大紀進士.壬寅壬寅,高瑯進士.甲寅癸酉,侍
郎.己巳丁卯,寺丞.甲寅丙子,許弘綱,尚書.辛卯辛丑,參將.

명조)1-[왕건광 록경] 명조)2-[왕시괴 주사] 명조)3-[왕시괴 주사] 명조)4-[고랑 진사]

壬 丙 癸 壬   壬 丙 丁 壬   壬 丙 辛 丙   壬 丙 壬 壬

辰 午 卯 戌   辰 午 未 午   辰 午 丑 午   辰 午 寅 寅

명조)5-[시랑]   명조)6-[사승] 명조)7-[허홍강, 尚書] 명조)8-참장]

壬 丙 癸 甲   壬 丙 丁 己   壬 丙 丙 甲   壬 丙 辛 辛

辰 午 酉 寅   辰 午 卯 巳   辰 午 子 寅   辰 午 丑 卯

丙申일 壬辰시는, [煞이] 旺하여 災殃이다. 春절은 평상하고, 夏절은 福이고, 秋절은 富하고, 冬
절은 壽命을 재촉한다. 만약 申 子 辰 水局이면 干에 印 比가 투출하여 도우면 대귀(大貴)하다.
식신제살(食神制煞)하여도 역시 貴하다. 煞이 투출하고 制가 없으면 싫어하고, 財가 무리를 지어
煞이 强하면 요절(夭折)하거나 비명횡사(非命橫死)한다. (丙申日,壬辰時,旺中災.春平,夏福,秋富,冬
壽促.若申子辰水局,干透印比助,大貴.食制煞亦貴.嫌煞透無制,財黨煞強,夭死非命.)

己卯壬申,石崇雖富敵國死於非命.乙酉甲申,錢鍾知縣,死倭難.癸巳己丑,倪元璐翰林尚書死崇禎之難.
戊寅甲寅,少卿.戊子丙辰,主事.丙子丙申,御史.癸亥甲子,河南周王賢.丁未壬子,漂流外死.

명조)1-[석숭] 명조)2-[전종]   명조)3-[예원로] 명조)4-[少卿]

壬 丙 壬 己   壬 丙 甲 乙   壬 丙 己 癸   壬 丙 甲 戊

辰 申 申 卯   辰 申 申 酉   辰 申 丑 巳   辰 申 寅 寅

명조)1에서, 석숭은 비록 부자일지라도 적국에서 비명횡사하였다.
명조)2에서, 전종은 지현인데, 倭難(왜란)으로 사망했다.
명조)3에서, 예 원로는 한림, 상서인데, 숭정지난에서 사망했다.
실제 석숭은, 진서권33(열전제삼) P 1004 적국에서 죽은 것이 아니라 모함(질투)로 인해 화를

명조)5-[주사]   명조)6-[어사]   명조)7-[하남주왕현] 명조)8-[漂流하다 외지에서 死亡.]

| 壬 丙 丙 戊 | 壬 丙 丙 丙 | 壬 丙 甲 癸 | 壬 丙 壬 丁 |
| 辰 申 辰 子 | 辰 申 申 子 | 辰 申 子 亥 | 辰 申 子 未 |

丙戌日壬辰시는, 凶하다. 卯 未의 년 월에 火土 運으로 行하면 벼슬이 3품에 이르고, 妻는 어질고 子息이 효도한다. 辰 戌 丑월은 평온(平穩)하다. 寅 午 子 巳의 年 月은 풍헌(風憲)이다. (丙戌日,壬辰時,凶.卯未年月,運行火土,官至三品,妻賢子孝.辰戌丑月平穩.寅午子巳年月風憲.)

丙戌戊戌,汪宏尙書.癸卯丁巳,劉都憲.庚子戊子,楊御史.己巳庚午,周懋鼎知縣.甲子壬申,楊濂苑馬卿.甲申甲戌,操守經進士.戊戌甲子,翁詠擧人.丙戌乙未,御史.己卯丁丑,御史.

명조)1-[왕굉 상서] 명조)2-[유 도헌] 명조)3-[양 어사]

| 壬 丙 戊 丙 | 壬 丙 丁 癸 | 壬 丙 戊 庚 |
| 辰 戌 戊 戌 | 辰 戌 巳 卯 | 辰 戌 子 子 |

명조)4-[주무정 지현] 명조)5-[양렴원 마경] 명조)6-[조수경 진사]

| 壬 丙 庚 己 | 壬 丙 壬 甲 | 壬 丙 甲 甲 |
| 辰 戌 午 巳 | 辰 戌 申 子 | 辰 戌 戊 申 |

명조)7-[옹영 거인] 명조)8-[어사] 명조)9-[어사]

| 壬 丙 甲 戊 | 壬 丙 乙 丙 | 壬 丙 丁 己 |
| 辰 戌 子 戊 | 辰 戌 未 戊 | 辰 戌 丑 卯 |

진위관고(辰爲官庫)局은 妻子가 온전치 못하다. 그런데 財祿은 旺할지라도 고향을 떠나야 재앙을 벗어난다. (辰爲官庫局,妻子不周全.縱然財祿旺,離祖免災纏.)

丙日壬辰[時]이 申을 보는 것을 두려워하고, 다시 陽水를 만나면 재앙이 된다. 四柱중에서 만약 寅 午 戌을 얻으면 凶이 변하여 吉이 되며 貴가 뛰어나다. (丙日壬辰怕見申,再逢陽水定災屯.柱中若得寅午戌,變凶爲吉貴絕倫.)

丙日壬辰時가 墓인데, 身은 衰하여 줄고 鬼가 당권(當權)한다. 안행(雁行=형제)은 의지하기 어려우며 서로 돕지 않는데 어찌 처자(妻子)의 인연(因緣)이 그릇될 것인가? 군자는 문장(文章)이 복(福)을 도우며 평상인은 은혜로움이 도리어 멀어진다. 運이 官祿으로 행하면 계책을 도모하는 소임을 맡고, 破가 없으면 貴하지 않아도 富하다. (丙日壬辰時墓,身衰耗鬼當塗.雁行難倚不相扶,妻

子何須緣誤.君子文章福助,常人恩反成疏.運行官祿任謀圖,無破不貴卽富.)

29. 六丙日癸巳時斷

6丙일생 癸巳시는, 日祿이 歸時하며 그리고 官을 만난다. 巳 寅 壬 癸월을 만나지 않으면 공명(功名)은 쉽게 얻을 것인데 무엇이 어렵겠는가? (六丙日生時癸巳,日祿歸時又遇官.不見巳寅壬癸月,功名唾手得何難.)

丙일癸巳시는, 일록귀시(日祿歸時;日의 祿이 時에 있다.)하고, 丙火는 巳상에서 癸를 보면 正官이 되니 貴에 坐하였다. 四柱에서 壬 己와 아울러 寅 亥가 刑 衝하는 것이 없으면 貴하고, [刑衝이] 있으면 그렇지 않다. 官이 水에 通[根]하여 旺하고, 丙[일주]이 木에 通[根]하여 旺하면 貴하지 않는 것이 없다. (丙日,癸巳時,日祿歸時,丙火巳上見癸,爲正官,坐貴.柱無壬己幷寅亥衝刑者貴,有則否.官通水旺,丙通木旺,無有不貴.)

丙子일 癸巳시는, 丙의 祿이 巳에 있으며 癸의 祿은 子에 있으니, 호환록마(互換祿馬)하는데, 歲 月에 壬 巳 寅 亥의 衝破가 없으면, 임금을 가까이서 모시는 풍헌(風憲)으로 지위가 공후(公侯)에 이른다. 신백경에 이르길, 화(化)火하면 福은 있으나 음주(飮酒)는 좋지 않다. (丙子日,癸巳時,丙祿在巳,癸祿在子,互換祿馬,歲月無壬巳寅亥衝破,近侍風憲,位至公侯.神白經曰,化火主有福,不宜飮酒.)

庚寅乙酉,梁材尚書名臣.庚子戊戌,吳章都憲.甲寅壬申,閣老.戊子癸亥,唐商御史.壬辰庚戌,進士.戊午壬戌,南通政.癸酉癸亥,進士.

명조)1-[량재 尚書 名臣] 명조)2-[오장 도헌] 명조)3-[각로]

癸 丙 乙 庚	癸 丙 戊 庚	癸 丙 壬 甲
巳 子 酉 寅	巳 子 戌 子	巳 子 申 寅

명조)4-[당상 어사] 명조)5-[진사] 명조)6-[남 통정] 명조)7-[진사]

癸 丙 癸 戊	癸 丙 庚 壬	癸 丙 壬 戊	癸 丙 癸 癸
巳 子 亥 子	巳 子 戌 辰	巳 子 戌 午	巳 子 亥 酉

丙寅일癸巳시는, 春월에 干支에 水가 없으면 문직(文職)으로 비단옷을 입으며 妻가 영화롭고 子息은 음덕(蔭德)이 있다. 卯 戌 申 酉의 년(年) 월(月)은 2~3品의 貴이다. 신백경에 이르길, 火로 화(化)하면 貴하지만 수명(壽命)이 짧으니 음주(飮酒)가 좋지 않다. (丙寅日,癸巳時,春月干支無水,文進繡衣,榮妻蔭子.卯戌申酉年月,二三品貴.神白經云,火化主貴無壽,不宜飮酒.)

丁卯庚戌,倪岳尙書,名臣.癸巳乙丑,林一龍御史.壬寅庚戌,中丞.辛卯庚寅,進士.

명조)1-[예악 상서,名臣] 명조)2-[림일룡 어사] 명조)3-[중승] 명조)4-[진사]

癸	丙	庚	丁
巳	寅	戌	卯

癸	丙	乙	癸
巳	寅	丑	巳

癸	丙	庚	壬
巳	寅	戌	寅

癸	丙	庚	辛
巳	寅	寅	卯

丙辰일癸巳시는, 조상에게 불리(不利)하다. 酉 戌 寅 丑의 年 月은 괴강격인데, 身이 통근하여 旺하면 貴하다. (丙辰日,癸巳時,不利祖宗.酉戌寅丑年月,魁罡格,通身旺貴.)

庚申乙未,朱笈都憲,謫戌復起.戊辰庚申,康朗都憲.庚子丁亥,郭日休進士.辛未甲午,施傳愛會魁.丁未戊申,擧人.壬辰丙戌,張太師.庚寅戊子,進士當年卒.

명조)1-[주급 도헌] 명조)2-[강랑 도헌] 명조)3-[곽일휴 진사]

癸	丙	乙	庚
巳	辰	未	申

癸	丙	庚	戊
巳	辰	申	辰

癸	丙	丁	庚
巳	辰	亥	子

명조)1에서, 주급 도헌은 변방에 유배되었다가 제자리로 되돌아왔다.

명조)4-[시전애 회괴] 명조)5-[거인] 명조)6-[장 태사] 명조)7-[진사, 당년 卒]

癸	丙	甲	辛
巳	辰	午	未

癸	丙	戊	丁
巳	辰	申	未

癸	丙	丙	壬
巳	辰	戌	辰

癸	丙	戊	庚
巳	辰	子	寅

丙午일癸巳시는, 丑 辰月이면 잡기재관(雜氣財官)으로 귀현(貴顯)하다. 寅월은 丙이 長生하고, 巳월은 丙의 건록인데, 天干에 財와 印이 투출하면 대귀(大貴)하지만, 술(酒)을 마땅히 경계해야 한다. 子의 官이 旺하고, 酉의 財가 旺하면 모두 吉하다. (丙午日,癸巳時,丑辰月雜氣財官貴顯.寅月丙長生,巳月丙建祿,天干透財印者,大貴,宜戒酒.子官旺,酉財旺,俱吉.)

壬戌己酉,林廷機侍郎.庚午己丑,憲副.丙午庚寅,太守.癸丑丁巳,國公.甲辰己巳,元帥.辛未癸巳,眞人.

명조)1-[림정기 시랑] 명조)2-[헌부] 명조)3-[태수]

癸	丙	己	壬
巳	午	酉	戌

癸	丙	己	庚
巳	午	丑	午

癸	丙	庚	丙
巳	午	寅	午

명조)4-[국공] 명조)5-[원수] 명조)6-[진인]

癸	丙	丁	癸
巳	午	巳	丑

癸	丙	己	甲
巳	午	巳	辰

癸	丙	癸	辛
巳	午	巳	未

丙申일癸巳시는, 身에 편관 편재가 坐하니 貴하지 않으면 富하다. 또이르길, 巳 午 未가 육침 (陸沈)하면 身旺하여야 가장 吉하고, 寅 卯 辰으로 印이 旺하거나, 亥 子 丑으로 官이 旺하면 모 두가 吉하다. (丙申日,癸巳時,身坐偏官偏財,不貴卽富.一云,陸沈巳午未,身旺最吉,寅卯辰印旺,亥子 丑官旺,俱吉.)

辛酉乙未,張鎬都憲.乙巳丁亥,沈敎都憲.丙寅庚寅,黃宗槪給事.丙子壬辰,林炳章擧人.乙丑丙戌,擧人. 丁未丙午,大貴.丙寅壬辰,小貴不祿.丁酉戊申,進士.

명조)1-[장호 도헌] 명조)2-[침교 도헌] 명조)3-[황종개 급사] 명조)4-[림병장 거인]

癸 丙 乙 辛	癸 丙 丁 乙	癸 丙 庚 丙	癸 丙 壬 丙
巳 申 未 酉	巳 申 亥 巳	巳 申 寅 寅	巳 申 辰 子

명조)5-[거인] 명조)6-[大貴] 명조)7-[小貴 不祿] 명조)8-[진사]

癸 丙 丙 乙	癸 丙 丙 丁	癸 丙 壬 丙	癸 丙 戊 丁
巳 申 戌 丑	巳 申 午 未	巳 申 辰 寅	巳 申 申 酉

丙戌일癸巳시는, 卯 戌 丑 未월은 貴하지만 길지는 않다. 寅 亥의 年月은 풍헌(風憲)으로 형(刑) 충(衝)을 싫어하고, 음주(飮酒)를 조심해야한다. (丙戌日,癸巳時,卯戌丑未月貴,不永.寅亥年月,風憲, 嫌衝刑,宜戒酒.)

己卯甲戌,王瓊尙書.丁亥辛亥,程一佳御史.乙卯癸未,王欽進士.甲午丁卯,陳光解元.辛卯庚子,張慶擧 人.甲申丙寅,陸陽擧人.

명조)1-[왕경 상서] 명조)2-[정일가 어사] 명조)3-[왕흠 진사]

癸 丙 甲 己	癸 丙 辛 丁	癸 丙 癸 乙
巳 戌 戌 卯	巳 戌 亥 亥	巳 戌 未 卯

명조)4-[진광 해원] 명조)5-[장경 거인] 명조)6-[육양 거인]

癸 丙 丁 甲	癸 丙 庚 辛	癸 丙 丙 甲
巳 戌 卯 午	巳 戌 子 卯	巳 戌 寅 申

일록귀시(日祿歸時)局은 官祿을 만나며 충분히 펼친다. 때가 와서 정체(停滯)하지 않으면 쉽게 富貴를 얻는다. (日祿歸時局,逢官祿亦敷.時來無淹滯,富貴不勞圖.)

丙일이 癸巳시를 참으로 만나면, 正官이라하여 상친(相親)함을 좋아한다. 四柱中 年 月에 衝破

가 없으면 반드시 영화롭고 富貴한 사람이다. (丙日時逢癸巳眞,號爲正貴喜相親.柱中年月無衝破, 必是榮華富貴人.)

丙일이 癸巳시를 만나면, 正官 祿馬로써 대단히 뛰어나다. 산출(算出)하면 妻子를 일찍이 위해 주기 어려우며, 官祿이 衝 剋하는 것을 가장 꺼린다. 君子는 文名이 출중(出衆)하고, 평상인은 재(財)록(祿)에 여유가 있다. 황금(黃金)과 백옥(白玉)이 진흙에서 나오고, 運이 도래(到來)하면 편취(偏聚)하게 된다. (丙日時逢癸巳,正官祿馬稀奇.算來妻子早難爲,官祿衝剋最忌.君子文名出衆,常人財祿有餘.黃金白玉出沈泥,運至時來偏聚.)

30. 六丙日甲午時斷

6丙일생 甲午시는, 복정(伏晶)한 格에 들려면 土를 보아야한다. 즐거움은 戊 己를 만나야 가장 상서롭게 되고, 화염(火炎)이 태과(太過)하면 고생함이 많다. (六丙日生時甲午,格入伏晶要見土.樂逢戊己最爲祥,火炎太過多辛苦.)

丙일甲午시는,丙火가 午上에서 太旺하여 己가 甲을 合하여 化해야하고, 土가 火氣를 복정(伏晶)하여 사방(四方)을 밝게 비추고, 만약 土를 보지 못하면 복(福)을 누리기 어렵다. 辰 戌 丑 未월 상에 生하여 火氣를 복장(伏藏)하면 조화(造化)하여 중귀(中貴)를 얻는다. 年 月의 干上에 다시 戊 己가 투출하고, 運이 金 水로 行하면 貴하다. [戊 己가] 투출하지 않아도 土의 氣運에 通[根]하면 역시 貴하다. 通[根]하면 刑 破를 꺼린다. (丙日,甲午時,丙火午上太旺,要見巳[己]合甲化,土火氣伏晶,明照四方,若不見土,難享福.生辰戌丑未月上伏火氣,造化得中貴.年月干上再透戊己,運行金水貴.不透,通土氣運亦貴.通,忌刑破.)

丙子일甲午시는, 春節에 生하면 吉하다. 夏節은 의지함이 없고, 秋節은 財가 旺하고, 冬節은 官貴하나 子息이 드물고 늦게 이루며 火土 運에 발달(發達)한다. (丙子日,甲午時,春生吉.夏無依,秋財旺,冬官貴,少子晩成,火土運發達.)

己巳壬申,莫狀元.壬子戊申,鄭進士.甲午庚午,査志立進士.戊午戊午,趙千戶.辛卯丙申,進士.戊辰己未,溫應祿探花.

명조)1-[막 장원]　명조)2-[정 진사]　명조)3-[사지립 진사]
甲 丙 壬 己　　甲 丙 戊 壬　　甲 丙 庚 甲
午 子 申 巳　　午 子 申 子　　午 子 午 午

명조)4-[조 천호]　명조)5-[진사]　명조)6-[온응록 탐화]

```
甲 丙 戊 戊        甲 丙 丙 辛        甲 丙 己 戊
午 子 午 午        午 子 申 卯        午 子 未 辰
```

丙寅일甲午시는, 辰 戊 丑 未월상에 生하여 火氣를 복장(伏藏)하면 조화(造化)하여 중귀(中貴)를 얻는다. 午월은 火가 太旺하여 凶하다. (丙寅日,甲午時,生辰戊丑未月上伏火氣,造化得中貴.午月火太旺,凶.)

癸酉甲子,馬自强閣老.甲辰庚午,擧人.

명조)1-[마자강 각로] 명조)2-[거인]
```
甲 丙 甲 癸        甲 丙 庚 甲
午 寅 子 酉        午 寅 午 辰
```

丙辰일 甲午시는, 寅 卯는 印綬가 生助하고, 申 酉는 財가 旺하고, 巳 午는 身이 旺하고, 亥 子는 官이 旺하여 모두가 吉하다. 그러나 火 土가 중첩(重疊)하거나 없으면 福이 가볍다. 未 戊 辰 丑는 모두 吉하다. (丙辰日,甲午時,寅卯印助,申酉財旺,巳午身旺,亥子官旺,俱吉.然以火土爲重,無則福薄.未戊辰丑俱吉.)

壬辰丙午,林廷昂尙書.己卯丙寅,劉吾南布政.甲戊癸酉,高廷華憲副.壬申庚戊,何琛御史.乙酉癸未,都憲.甲戊己巳,擧人.

명조)1-[임정앙 상서] 명조)2-[유오남 포정] 명조)3-[고정화 헌부]
```
甲 丙 丙 壬        甲 丙 丙 己        甲 丙 癸 甲
午 辰 午 辰        午 辰 寅 卯        午 辰 酉 戊
```

명조)4-[하침 어사] 명조)5-[도헌] 명조)6-[거인]
```
甲 丙 庚 壬        甲 丙 癸 乙        甲 丙 己 甲
午 辰 戊 申        午 辰 未 酉        午 辰 巳 戊
```

丙午일 甲午시는, 寅 午 戊월이면 도충(倒衝格)으로 論하며 2~3품의 貴이다. 子월에 南方 運이면 8~9품의 貴이다. 寅월에 南方운이면 금자(金紫;금인과 자수를 놓은 존귀한 사람을 비유)의 貴이다. 午월에 東方운이면 근시(近侍;임금을 곁에서 모시는)의 貴이다. (丙午日,甲午時,寅午戊月,作倒衝論,二三品貴.子月南運,八九品貴.寅月南運,金紫貴.午月東方運,近侍貴.)

戊戊甲寅,張宰相.甲寅庚午,大參.乙丑壬午,大參.甲戊癸酉,吳相御史.癸未辛酉,華汝勵擧人.癸未甲寅,同知.壬寅庚戊,吳邇道郞中.戊戊戊午,進士.

명조)1-[장 재상] 명조)2-[대참] 명조)3-[대참] 명조)4-[오상 어사]

甲 丙 甲 戊   甲 丙 庚 甲   甲 丙 壬 乙   甲 丙 癸 甲
午 午 寅 戌   午 午 午 寅   午 午 午 丑   午 午 酉 戌

명조)5-[화여려 거인] 명조)6-[동지]   명조)7-[오이도 낭중] 명조)8-[진사]

甲 丙 辛 癸   甲 丙 甲 癸   甲 丙 庚 壬   甲 丙 戊 戊
午 午 酉 未   午 午 寅 未   午 午 戌 寅   午 午 午 戌

丙申일甲午시는, 火 土의 氣運을 만나지 못하면 福이 엷다. 金 水運으로 行하면 貴하다. (丙申
日,甲午時,不見火土氣者福薄.行金水運,貴.)

己亥甲戌,陳伯諒進士.己酉乙亥,謝崑進士.乙亥丙戌,大參.乙亥甲申,解元.

명조)1-[진백량 진사] 명조)2-[사곤 진사]   명조)3-[대참] 명조)4-[해원]

甲 丙 甲 己   甲 丙 乙 己   甲 丙 丙 乙   甲 丙 甲 乙
午 申 戌 亥   午 申 亥 酉   午 申 戌 亥   午 申 申 亥

丙戌일 甲午시는, 春節에 生하면 吉하고, 夏節은 고독하며 剋하고, 秋節은 吉하지만 子息이 드
물다. 寅 午 戌월은 무리들 중에서 富貴가 뛰어나다. 神에 상응(相應)하는 재상(宰相)이다. (丙戌
日,甲午時,春生吉,夏孤剋,秋吉,子少.寅午戌月,富貴超群.神相宰相.)

甲午癸酉,王錫爵榜眼閣老.壬子己酉,吳黙會元通政.己丑丁丑,金麗兼銓部.甲午丁卯,甲部.甲戌丙子,
林果庠生.

명조)1-[왕석작 방안각로] 명조)2-[오묵 회원통정] 명조)3-[금려겸 전부]

甲 丙 癸 甲   甲 丙 己 壬   甲 丙 丁 己
午 戌 酉 午   午 戌 酉 子   午 戌 丑 丑

명조)4-[갑부]   명조)5-[임과 상생]

甲 丙 丁 甲   甲 丙 丙 甲
午 戌 卯 午   午 戌 子 戌

염화첨시(炎火添柴)局은, 근심하는 가운데 祿을 發한다. 전해 내려온 사업(事業)을 고수(固守)하
는 것은 좋지 않으니 고향을 떠나야 오히려 복(福)이 된다. (炎火添柴局,憂中主發祿,不宜守舊業,
離祖反成福.)

丙일 午시는 수재(水災;물로 인한 재앙)가 드물고, 뒤섞이어 염화(炎火;맹렬히 타는 불)한데 또 첨시(添柴;땔감을 더함)함과 같다. 四柱중에 火를 보고 刑 破함이 없으면 中 末年에 영화(榮華)는 의심할 필요가 없다. (丙日午時少水災,渾如炎火又添柴.柱中見火無刑破,中末榮華不必猜.)

丙일 甲午시를 만나면, [午]중에는 劫 刃 상관이 있다. 木은 衰하고 火가 旺하여 재(灰)로 化한다. 사계(四季;진술축미)의 제강(提綱=월령)이라야 비로소 貴하다. 君子는 출입(出入)이 형통(亨通)하고, 평상인은 조업(祖業)을 지키면 재앙(災殃)이 많다. 육친(六親) 골육(骨肉)간에 화해(和諧)함이 적고, 일을 만들어도 성패(成敗)가 있다. (丙日時逢甲午,相中劫刃傷官.木衰火旺化爲灰.四季提綱方貴.君子亨通出入,常人守祖多災.六親骨肉少和諧,作事有成有敗.)

31. 六丙日乙未時斷

6丙일생 乙未시면, 火月생인은 대부분 富貴하다. 乙은 正印으로 局中에서 만나니 재성을 보지 않아야 비로소 안심할 수 있다. (六丙日生時乙未,火月生人多富貴.乙爲正印局中逢,不見財星方可慰.)

丙일 乙未시는, 生氣인 印綬이며 丙이 未를 보면 印綬의 庫가 되는데, 만약 火氣가 月에 通[根]하면 貴하다. [火氣가 月에] 通[根]하지 않고 四柱에 財가 없으며 財運으로 行하지 않아도 역시 뛰어난 命으로 論하고, [財를] 보면 탐재괴인(貪財壞印)하여 평상인이다. 冬節에 生하면 官이 旺하여 印을 도우니 귀현(貴顯)한다. (丙日,乙未時,生氣印綬,丙見未爲印庫,若通火氣月,貴.不通,柱無財,不行財運,亦作高命論,見則貪財壞印,主平常.冬生官旺輔印,貴顯.)

丙子일 乙未시는, 春節은 印綬로 온후(穩厚)하다. 夏節은 평온(平穩)하고, 秋節은 반복(反復;같은 일을 되풀이함)하고, 冬節은 貴하고, 歲運도 동일하다. (丙子日,乙未時,春印綬穩厚.夏平穩,秋反復,冬貴,歲運同.)

甲戌丙寅,謝尙書.癸卯乙卯,唐瑤太守荊川父.乙丑癸未,劉狀元.丁卯乙未,擧人.辛卯庚子,傅宗龍兵部尙書,凶終.乙酉己卯,御史雙瞽.

명조)1-[사 상서] 명조)2-[당요 태수 형천부] 명조)3-[유 장원]

乙 丙 丙 甲　　　乙 丙 乙 癸　　　　乙 丙 癸 乙
未 子 寅 戌　　　未 子 卯 卯　　　　未 子 未 丑

명조)4-[거인] 명조)5-[부종용 병부상서, 凶終] 명조)6-[어사 雙瞽]

乙 丙 乙 丁　　乙 丙 庚 辛　　　　乙 丙 己 乙
未 子 未 卯　　未 子 子 卯　　　　未 子 卯 酉

丙寅일 乙未시는, 卯 未월에 生하면 인수(印綬)格으로, 지혜(智慧)는 풍후(豊厚)하지만, 妻子를 거느리기 어렵다. 寅 巳 子 辰의 年 月은 貴하다. (丙寅日,乙未時,生卯未月,印綬格,智慧豊厚,難爲妻子.寅巳子辰年月,貴.)

庚辰戊寅,紀公循憲副.辛卯丙寅,賀一桂御史.癸巳甲子,陳懿德庶吉士.丙申庚子,龔進士,中後死.壬申壬子,麻祿總兵.辛丑乙未,大參.

명조)1-[기공순 헌부] 명조)2-[하일계 어사] 명조)3-[진의덕 庶 吉士]
乙 丙 戊 庚　　　乙 丙 丙 辛　　　乙 丙 甲 癸
未 寅 寅 辰　　　未 寅 寅 卯　　　未 寅 子 巳

명조)4-[공 진사, 中後死] 명조)5-[마록 총병] 명조)6-[대참]
乙 丙 庚 丙　　　乙 丙 壬 壬　　　乙 丙 乙 辛
未 寅 子 申　　　未 寅 子 申　　　未 寅 未 丑

丙辰일 乙未시는, 春절은 吉하고, 夏절은 평온(平穩)하고, 秋절은 노력하여도 힘들고, 冬절은 귀현(貴顯)한다. 巳 午월에 西北 運으로 行하면 6~7품의 貴이다. (丙辰日,乙未時,春吉,夏平穩,秋勞碌,冬貴顯.巳午月行西北運,六七品貴.)

丁丑丁亥,游振德都憲.甲子己巳,丘偉主事.甲寅乙亥,李旦進士.庚子己丑,莊一俊參議.戊子壬戌,廖雲從擧人.甲申丁卯,楊照元戎陣亡.丙午癸巳,劉少保.辛丑戊戌,太守被奴鶴死.己酉癸酉,侯.

명조)1-[유진덕 도헌] 명조)2-[구위 주사] 명조)3-[이단 진사]
乙 丙 丁 丁　　　乙 丙 己 甲　　　乙 丙 乙 甲
未 辰 亥 丑　　　未 辰 巳 子　　　未 辰 亥 寅

명조)4-[장일준 참의] 명조)5-[료운종 거인] 명조)6-[양조 원융 陣亡]
乙 丙 己 庚　　　乙 丙 壬 戊　　　乙 丙 丁 甲
未 辰 丑 子　　　未 辰 戌 子　　　未 辰 卯 申

명조)7-[유 소보] 명조)8-[태수 피노학사] 명조)9-[侯]
乙 丙 癸 丙　　　乙 丙 戊 辛　　　乙 丙 癸 己
未 辰 巳 午　　　未 辰 戌 丑　　　未 辰 酉 酉

丙午일 乙未시는,貴하지 않으면 富하다. 午 戌의 年 月은 직위(職位)가 풍헌(風憲)에 居한다. 또 이르길, 日이 양인으로 生旺함이 태과(太過)한데, 만약 年 月이 편당(偏黨)하고 형(刑)煞이 重하면 안질(眼疾)이다. 申 子 辰의 官星이 양인을 制하거나, 亥 卯 未의 印綬가 양인을 化하면 모두가 吉하다. (丙午日,乙未時,不貴則富.午戌年月,職居風憲.一云,日刃達生旺太過,若年月偏黨,刑煞重者眼疾.申子辰官星制刃.亥印未印綬化刃,俱吉.)

甲子甲戌,張時擧大夫.乙卯戊子,瞽.丙寅庚寅,瞽.

명조)1-[장시거 대부] 명조)2-[瞽:소경] 명조)3-[瞽:소경]

乙 丙 甲 甲　　　乙 丙 戊 乙　　　乙 丙 庚 丙
未 午 戌 子　　　未 午 子 卯　　　未 午 寅 寅

丙申일 乙未시는, 火氣에 通[根]하지 않고 재성을 보지 않으면 좋은 命으로 論한다. 年 月이 子 辰으로 官이 모이거나 亥 卯로 印이 모이면 전부 貴하다. (丙申日,乙未時,不通火氣,不見財星,作好命論.年月子辰會官.亥卯會印,俱貴.)

壬午己酉,明光宗泰昌帝.壬子壬寅,吳納齋太守.甲子丙子,施千祥苑馬卿.丁卯丙午,黃應星擧人.癸巳辛酉,擧人.甲辰丙子,王一夔尚書.甲寅乙亥,禮部郎.戊午乙丑,馮琦禮部尚書.

명조)1-[명 광종 泰昌 帝] 명조)2-[오납재 태수] 명조)3-[시천상 원마경]

乙 丙 己 壬　　　乙 丙 壬 壬　　　乙 丙 丙 甲
未 申 酉 午　　　未 申 寅 子　　　未 申 子 子

명조)4-[황응성 거인] 명조)5-[거인] 명조)6-[왕일기 상서]

乙 丙 丙 丁　　　乙 丙 辛 癸　　乙 丙 丙 甲
未 申 午 卯　　　未 申 酉 巳　　未 申 子 辰

명조)7-[례부랑] 명조)8-[풍기 예부상서]

乙 丙 乙 甲　　　乙 丙 乙 戊
未 申 亥 寅　　　未 申 丑 午

丙戌일 乙未시는,申 子 辰의 年 月이면 근시(近侍;임금을 가까이 모심)로 貴하다. 寅 卯 巳의 年 月이면 대귀(大貴)하다. (丙戌日,乙未時,申子辰年月,近侍貴.寅卯巳年月,大貴.)

癸巳乙卯,顧鼎臣狀元閣老,一云丙申日戊寅時.丁酉庚戌,刑人.

명조)1-[고정신]　명조)2-[刑人]

乙 丙 乙 癸　　乙 丙 庚 丁
未 戌 卯 巳　　未 戌 戌 酉

명조)1에서, 고정신은 장원으로 각로이다. 또 丙申일 戊寅시라고도 한다.

[譯者 註] 원문에서 윗줄 丙申일 戊寅시라고 기재 되었는데, 丙일은 戊子시는 있으며, 庚寅시가 있을 수 있고, 戊寅시는 존재할 수 없다. 삼명통회는 육오선사께서 기록하신지가 500년 전인데 전해오면서 誤字가 많다.

미시정인(未時正印)局은, 만나면 貴가 틀림없다. 복성(福星)이 비추는 곳에 임(臨)하면 금띠를 두른 붉은 옷을 입는다.[고관대작(高官大爵)이 된다.]　(未時正印局,遇者貴無疑.福星臨照處,金帶紫羅衣.)

[乙]未시 丙일생은 틀림없이 안반(雁伴=형제)은 인연을 따라서 각자(各自)가 비상(飛上)한다. 氣運이 만약 東과 北으로 行하면 평상시에 의(衣)록(祿)은 부족함이 없다. (未時丙日生無疑,雁伴隨緣各自飛.運氣若行東與北,平時衣祿自無虧.)

丙일이 乙未시에 臨하여, 運이 東北방으로 行하면 영화롭다. 身)강하고 財旺하면 자차(咨嗟;애석하여 탄식)함이 없고, 현귀(顯貴)하여 높은 대청의 큰집에 살게 된다. 君子는 작위를 하사받으며 妻子는 음덕(蔭德)이 있고, 평상인은 좋은 생애(生涯)인데, 퇴금적옥(堆金積玉)하여 실로 자랑할 만하며, 부귀(富貴)하여 노새보다 나은 말을 탄다.

[참고]퇴금적옥(堆金積玉);금과 옥을 산처럼 모음 (丙日時臨乙未,運行東北榮華.身強財旺莫咨嗟,顯貴高堂大廈.君子封妻蔭子,常人定好生涯,堆金積玉實堪誇,富貴騎騾壓馬.)

32. 六丙日丙申時斷

6丙일생 丙申시면, 身은 衰하며 比肩이 財를 破하여 나눈다. 암중(暗中)에 鬼旺한 七煞地가 구조하지 않으면 어찌 가도(家道)가 번성하겠는가! (六丙日生時丙申,身衰財破比肩分.暗中鬼旺七煞地,無救何能家道殷.)

丙일 丙申시는, 財는 旺하며 身은 衰하고, 丙은 庚이 財이며 壬이 鬼인데 申 庚은 壬을 生하여 旺하니 丙火가 無氣하지만 財는 比肩을 만나면 분탈(分奪)된다. 만약 身旺한 月에 通[根]하지 않으면 빈천(貧賤)하다. 의지할 데나 구조(救助)함이 있으며 身旺한 月에 통근하고 運도 다시 동일하면 貴하다. (丙日丙申時,財旺身衰,丙見庚爲財,壬爲鬼,申庚旺壬,生,丙火無氣,財遇比肩分奪.若不通身旺月者,貧下.有倚托救助,又通身旺月,運再同,貴.)

丙子일 丙申시는, 만약 火氣가 通根하며 寅 卯월에 다시 身旺운으로 行하면 吉하다. 年 月이 순순하게 金이면 기명취재(棄命就財)하여 역시 吉하다고 論한다. (丙子日,丙申時,若通火氣,及寅卯月,再行身旺運,吉.年月純金,棄命就財,亦以吉論.)

癸酉庚申,賈似道奸臣.庚子己卯,狗子平章.己丑丁丑,富.己卯壬申,貴戚.

명조)1-[가사도 간신] 명조)2-[구자 평장] 명조)3-[富] 명조)4-[貴戚]

丙	丙	庚	癸		丙	丙	己	庚		丙	丙	丁	己		丙	丙	壬	己
申	子	申	酉		申	子	卯	子		申	子	丑	丑		申	子	申	卯

丙寅일 丙申시는, 日時가 서로 衝하여 妻子가 손상할까 근심인데 火氣월에 通根하고 身旺運으로 行하면 吉하다. 亥월은 손으로 하는 재능이 있다. 또이르길, 旺하다면 敗 死함을 벗어난다. (丙寅日,丙申時,時日對衝,憂傷妻子,通火氣月,行身旺運,吉.亥月手藝.一云,旺中脫敗死.)

辛卯甲午,吳一本僉憲,夭,一命僉憲同.癸亥辛酉,溫學舜進士.庚子辛巳,田一儁會元,侍郎.丁卯庚戌,戴士衡吏垣謫戍.乙酉癸未,武貴.

명조)1-[오 일본] 명조)2-[온학순 진사] 명조)3-[전일준 회원,시랑]

丙	丙	甲	辛		丙	丙	辛	癸		丙	丙	辛	庚
申	寅	午	卯		申	寅	酉	亥		申	寅	巳	子

명조)1에서, 오 일본은 첨사인데 요절했다. 또 한명의 命도 첨사였는데 동일하였다.

명조)4-[대사형] 명조)5-[武 貴]

丙	丙	庚	丁		丙	丙	癸	乙
申	寅	戌	卯		申	寅	未	酉

명조)4에서, 대 사형은 리원인데 변방으로 귀양 갔었다.

丙辰일 丙申시는, 寅월에 南方 運으로 行하면 貴하다. 子월은 三合하여 官局인데 天干에 印綬가 투출하면 대귀(大貴)하다. 亥월생이 壬이 투출하면 대부분 夭折한다. 戌 未는 평상(平常=보통)하다. (丙辰日,丙申時,寅月行南運貴.子三合官局,天干透印,大貴.亥生透壬多夭.戌未平常.)

壬子庚戌,張敬修張居正之子進士革退.

명조)1-[장경수 장거정]

丙 丙 庚 壬
申 辰 戌 子

명조)1에서, 장경수 장거정의 자식은 진사인데, 해고당해 물러났다.

丙午일 丙申시는, 화액(火厄)으로 피를 본 후에 대발(大發)한다. 만약 巳월에 生하여 庚 辛이 투출하면 財星格인데 무(武)로써 貴하다. (丙午日,丙申時,主血火厄後大發.若巳月生,庚辛透露,財星格, 武貴.)

乙丑庚辰,張星湖知州.乙巳丙戌,吳禮擧人.

명조)1-[장성호 지주]　명조)2-[오인 거인]

丙 丙 庚 乙　　　丙 丙 丙 乙
申 午 辰 丑　　　申 午 戌 巳

丙申일 丙申시는, 뛰어나지만 호색(好色)하다. 子 辰의 年 月에 東方 運이면 貴하다. 그렇지 않으면 잔질(殘疾)로 壽命을 재촉한다. 亥 卯 未는 吉하다. (丙申日,丙申時,高,好色.子辰年月東運貴. 不然殘疾壽促.亥卯未吉.)

庚辰乙丑,劉知縣.甲辰戊辰,富貴.辛酉戊戌,王衡榜眼.乙酉丙戌,銓部.

명조)1-[유 지현]　명조)2-[富貴]　명조)3-[왕형 방안]　명조)4-[전부]

丙 丙 乙 庚　　　丙 丙 戊 甲　　丙 丙 戊 辛　　　丙 丙 丙 乙
申 申 丑 辰　　　申 申 辰 辰　　申 申 戌 酉　　　申 申 戌 酉

丙戌일 丙申시는, 四柱에 壬 癸 亥 子 酉의 전실(塡實)이 없으면 공격(拱格=공협격)으로 論하여 貴하다. 寅 戌 巳 午는 신왕무의(身旺無依)하여 승(僧)도(道)가 된다. 또 이르길, 조업(祖業)을 破하고 발화(發火)로 피를 부르는 재앙(災殃)이다. (丙戌日,丙申時,柱無壬癸亥子酉字塡實,作拱格論, 貴.寅戌巳午,身旺無依,僧道.一云,破祖了發火血災.)

甲戌庚午,張師戴都憲.癸未甲寅,楊郎中.戊寅乙丑,方興邦擧人.戊戌庚申,貴.己丑丁丑,貧.乙亥己卯, 甲部.

명조)1-[장사대 도헌]　명조)2-[양 낭중]　명조)3-[방흥방 거인]

丙 丙 庚 甲　　　丙 丙 甲 癸　　　丙 丙 乙 戊
申 戌 午 戌　　　申 戌 寅 未　　　申 戌 丑 寅

명조)4-[貴]　명조)5-[貧]　명조)6-[甲部=經部]

丙 丙 庚 戊　丙 丙 丁 己　丙 丙 己 乙

申 戌 申 戌　申 戌 丑 丑　申 戌 卯 亥

관왕장생(官旺長生)局은, 자연히 富貴에 해당한다. 背祿 및 공망과 衝은 분주하기만 하고 財가 부족(不足)하다. (官旺長生局,天然富貴屬.背祿及空衝,奔波財不足.)

두 丙이 상봉(相逢)하여 時에서 申을 보고 刑 破가 없으면 문정(門庭)을 개선(改善)한다. 火가 金을 녹이거나 단련(鍛鍊)하면 성패(成敗)가 많으며 印綬가 있어야 비로소 세속적인 윤리에서 벗어날 수 있다. (二丙相逢時遇申,無刑無破改門庭.火金銷煉多成敗,有印方能脫俗倫.)

丙일이 [丙]申시를 만나면, 比肩인 陽火는 의심(疑心)하여 망설이게 된다. 편관이 왕성(旺盛)하면 화목(和睦)한 것이 아니지만, 내심(內心)으로 뜻한 바를 이루어 나간다. 조상의 영휴득실(盈虧得失)하여 부모(父母) 형제(兄弟)를 의지하기 어렵다. 때가 도래(到來)하여 가도(家道)는 바르게 안정되어도 자산(資産)은 허울뿐이고 이로움이 적다. (丙日時逢申位,比肩陽火遲疑.偏官榮旺是和非,就裏妻財恁遂.祖宗盈虧得失,雙親雁侶難依.時來鞍馬家道齊,資財虛名薄利.)

33. 六丙日丁酉時斷

6丙일생 丁酉시면, 刃이 身의 死[處]에서 生하여 재앙과 허물이 된다. 四柱중에 救함이 없으면 틀림없이 凶하고, 기명취재(棄命就財)하면 장수(長壽)하기 어렵다. (六丙日生時丁酉,刃生身死爲災咎.柱中無救定然凶,就財棄命難長壽.)

丙일 丁酉시는, 刃은 身의 死[處]에서 生하고, 丁은 刃이 되며 辛은 財인데, 酉상에서 辛은 旺하지만 丙은 死하고 丁火는 長生하여 기명취재(棄命就財)한다. 만약 구조(救助)함이 없고 신(身) 旺한 月에 通[根]하지 않고 刃(神)이 刑衝을 만나지 않으면 흉악한 사람으로 예의(禮義)를 잘 모르며 유시무종(有始無終)한다. 月氣에 通[根]하고 혹 구조(救助)함이 있으면 기예(技藝)방면의 솜씨를 익히는 사람이다. 癸卯월에 生하면 癸는 능히 丁을 破하여 刃의 官이 되고, 癸水는 卯상에서 長生하며 卯중에는 旺한 乙이 있어 인수(印綬)가 된다. 만일 용신(用神)이 有力하고 또 水木운으로 行하면 귀현(貴顯)한다. (丙日,丁酉時,刃生身死,丁爲刃,辛爲財,酉上辛旺丙死,丁火長生,就財棄命,若無救助,不通身旺月,刃神不見刑衝,爲人凶狠,不明禮義,有始無終.通月氣,或有救助,爲技藝便巧之流.癸卯月生者,癸能破丁,刃爲官,癸水卯上長生,卯中有旺乙爲印,如用神有力,又行水木運,貴顯.)

丙子일 丁酉시는, 春절은 평온하고, 夏절은 貴하고, 秋절은 보통이고, 冬절은 吉하다. 未 申 酉

- 976 -

亥의 年 月은 대귀(大貴)하다. 辰이 있으면 子를 會合하고, 丑이 있으면 酉를 會合하니, 모두 貴로 論한다. (丙子日,丁酉時,春穩,夏貴,秋平,冬吉.未申酉亥年月大貴.有辰會子,有丑會酉,俱以貴論.)

庚辰乙酉,邵寶侍郎,名臣.癸丑癸亥,許珆進士.庚辰丁亥,范進士.丙申庚寅,李起總兵.戊戌丙辰,裵賜郎中.壬辰癸卯,元戎.丁丑己酉,進士.

명조)1-[소보 시랑, 名臣] 명조)2-[허관 진사] 명조)3-[범 진사]

丁	丙	乙	庚		丁	丙	癸	癸		丁	丙	丁	庚
酉	子	酉	辰		酉	子	亥	丑		酉	子	亥	辰

명조)4-[이기 총병] 명조)5-[배사 낭중] 명조)6-[원융] 명조)7-[[진사]

丁	丙	庚	丙		丁	丙	丙	戊		丁	丙	癸	壬		丁	丙	己	丁
酉	子	寅	申		酉	子	辰	戌		酉	子	卯	辰		酉	子	酉	丑

丙寅일 丁酉시는, 亥 卯 未의 年 月은 天干에 官 煞이 투출하면 貴하다. 나머지 달(月)은 기예(技藝)가 있으며 보통이다. (丙寅日,丁酉時,卯亥未年月,干透官煞者貴.餘月有藝,平常.)

丙戌辛丑,李沖奎給事.癸卯庚申,平章.

명조)1-[이충규 급사] 명조)2-[평장]

丁	丙	辛	丙		丁	丙	庚	癸
酉	寅	丑	戌		酉	寅	申	卯

丙辰일 丁酉시는, 寅 午 戌 巳의 年 月은 天干에 煞 印綬가 투출하면 貴하다. 申 子는 官을 會局하고 天干에 印綬 比劫이 투출하면 貴하다. 만일 年 月이 火 土면 마땅히 財를 보아야 吉하다. (丙辰日,丁酉時,寅午戌巳年月,干透煞印者貴.申子會官,干透印比者貴.如年月火土,宜見財則吉.)

壬寅乙巳,閣老.庚辰丙戌,編修.丁巳戊申,御史.庚午己卯,趙秉忠狀元.

명조)1-[각로] 명조)2-[편수] 명조)3-[어사] 명조)4-[조병충 장원]

丁	丙	乙	壬		丁	丙	丙	庚		丁	丙	戊	丁		丁	丙	己	庚
酉	辰	巳	寅		酉	辰	戌	辰		酉	辰	申	巳		酉	辰	卯	午

丙午일 丁酉시는, 巳 午 戌월에 生하면 승(僧)도(道)로 좋은 命이다. 酉월은 貴하고, 亥 子 丑 寅 卯 辰으로 年 月이 官印이면 대귀(大貴)하다. (丙午日,丁酉時,生巳午戌月,僧道命好.酉月貴,亥子丑寅卯辰官印年月,大貴.)

甲寅戊辰,師丞相.丁卯癸丑,錢太卿.丙子丙午,吳羽文銓部.壬戌辛亥,李狀元.

명조)1-[사 승상] 명조)2-[전 태경]　명조)3-[오우문 銓部]　명조)4-[이 장원]

　丁 丙 戊 甲　　丁 丙 癸 丁　　丁 丙 丙 丙　　　丁 丙 辛 壬

　酉 午 辰 寅　　酉 午 丑 卯　　酉 午 午 午　　　酉 午 亥 戌

丙申일 丁酉시는, 水木의 기운이 月에 通根하고 水木운으로 行하면 貴하다. 巳午월는 身旺하고, 亥 子월은 官旺하다. 年 月에 양전(兩全)하면 대귀(大貴)하다. (丙申日,丁酉時,通水木氣月,行水木運貴.已[巳]午身旺.亥子官旺.年月兩全者大貴.[己字誤記])

乙巳戊子,王一癸狀元.庚戌己卯,何其仁進士.丁丑丁未,元戌.己巳乙亥,畢自嚴尙書.

명조)1-[왕일규 장원] 명조)2-[하기인 진사]　 명조)3-[원융] 명조)4-[필자엄 상서]

　丁 丙 戊 乙　　丁 丙 己 庚　　丁 丙 丁 丁　　丁 丙 乙 己

　酉 申 子 巳　　酉 申 卯 戌　　酉 申 未 丑　　酉 申 亥 巳

丙戌일 丁酉시는, 月에 木氣가 通根하고 水運으로 行하면 貴하다. 金氣가 通根하고 火運으로 行하면 금마옥당(金馬玉堂)으로 재주와 명성이 걸출하게 뛰어나다. 庚은 노출(투출)되고 戌를 암장하면 가난하거나 요절(夭折)한다. (丙戌日,丁酉時,月通木氣,行水運貴.通金氣,行火運,金馬玉堂,才名冠世.露庚藏戌,貧夭.)

丙寅庚寅,党緖擧人.甲寅丙子.方宗重擧人.

명조)1-[당서 거인] 명조)2-[방종중 거인]

　丁 丙 庚 丙　　丁 丙 丙 甲

　酉 戌 寅 寅　　酉 戌 子 寅

염화소금(炎火銷金)局은 身이 衰하면 가장 손상된다. 평상인은 현달(顯達)하기 어려우나 군자(君子)는 한결같다. (炎火銷金局,身衰最可傷.常人難顯達,君子也如常.)

丙火가 酉를 만나면 상당(相當)하지 않은데 태양(太陽)이 일몰(日沒)하면 찬란한 빛이 적다. 四柱에서 만약 衝 剋 破를 兼하면 육친(六親)을 刑 害하며 방황(彷徨)하게 된다. (丙火遇酉不相當,太陽日沒少輝光.四柱若兼衝剋破,六親刑害走傍徨.)

丙일이 丁酉시를 만나면, 천원(天元)의 염화(炎火)가 金을 녹인다. 六親을 지켜도 안녕(安寧)치 못하고, 전정(前程)을 가로막아 나아가기 어렵다. 밤낮으로 생각하고 헤아려도 부족(不足)하다. 벼슬에 있어도 오히려 가난함을 스스로 근심한다. 만약 巳월을 만나면 문정(門庭)을 고치고, 子 午 [月]은 가까운 사람을 탓하며 원망한다. (丙日時逢丁酉,天元炎火銷金.六親相守不安寧,阻礙前程難進.日夜思量不足.居官猶自憂貧.若逢巳月改門庭,子午傍人嗔恨.)

34. 六丙日戊戌時斷

6丙일생 戊戌시면, 火局중에서 食神을 본다. 月氣가 火에 通根하면 복수(福壽)가 되고, 불통(不通)한데 吉을 만나도 역시 평상인이다. (六丙日生時戊戌,火局之中遇食神.月氣火通爲福壽,不通逢吉亦常人.)

丙일 戊戌시는, 묘당(廟堂)의 食神이고, 丙은 戊를 食神인 壽星으로 삼아 戌상의 丙火가 庫에 들며 戊土의 전위인데, 만약 火氣의 月에 通[根]하고 東南 運으로 흐르면 福이 두텁고 長壽한다. 불통(不通)하면 보통이다. (丙日,戊戌時,廟堂食神,丙以戊爲食神壽星,戌上丙火入庫,戊土專位,若通火氣月,及東南運,福厚有壽.不通,平常.)

丙子일 戊戌시는, 수명(壽命)이 길고, 명리(名利)를 잃지 않는다. 亥 卯 未의 印綬 및 申 酉 戌 巳의 年 月이면 貴하다. (丙子日,戊戌時,壽永,名利不失.亥卯未印,及申酉戌巳年月,主貴.)

丙寅庚寅,張憲尙書.丙申戊戌,潘方伯.癸亥壬戌,林璧郞中.甲辰丁卯,洪珠進士.乙卯癸未,張文鎬,進士.丙戌庚子,宋元瀚知縣.丙午戊戌,劉庭蘭進士.癸未甲子,楊珂郞中不壽.丙午戊戌,太守.丙辰丙申,進士.

명조)1-[장헌 상서] 명조)2-[반 방백] 명조)3-[林璧郞中]

戊 丙 庚 丙　　　戊 丙 戊 丙　　　戊 丙 壬 癸
戊 子 寅 寅　　　戊 子 戊 申　　　戊 子 戊 亥

명조)4)-[홍주 진사] 명조)5=[장문호, 進士] 명조)6-[송원한 지현]

戊 丙 丁 甲　　　戊 丙 癸 乙　　　戊 丙 庚 丙
戊 子 卯 辰　　　戊 子 未 卯　　　戊 子 子 戊

명조)7-[유정란 진사] 명조)8-[양가 낭중 不壽] 명조)9-[태수] 명조)10-[진사]

戊 丙 戊 丙　　　戊 丙 甲 癸　　　戊 丙 戊 丙　　　戊 丙 丙 丙
戊 子 戊 午　　　戊 子 子 未　　　戊 子 戊 午　　　戊 子 申 辰

丙寅일 戊戌시는, 夏月은 복수(福壽)가 쌍전(雙全)하고, 春절의 木은 土를 剋하니 食神이 梟[神]에게 劫奪되는데, 寅월은 丙 戌가 함께 長生하여 가장 吉하다. 申 庚이 있어 甲을 制하면 대귀(大貴)하다. 秋 冬절의 火는 衰하니 빈천(貧賤)하다. 巳 申 亥의 年 月이면 풍헌(風憲)으로 극품(極品;품계가 지극히 높음)하다. (丙寅日,戊戌時,夏月福壽雙全,春木剋土,食神被梟,寅月丙戌俱長生,最吉.有申庚制甲,大貴.秋冬火衰,貧下.巳申亥年月,風憲極品.)

戊申壬戌,張賢尚書.己巳壬申,尚書.癸酉甲寅,韓鳳僑太守.壬申壬寅,朱衡尚書李廷龍命同,官止大參丙子年卒,荊吳分野不同.庚午甲申,林石海御史.丁巳庚戌,李元陽御史.己巳戊辰,黃希白僉憲.

명조)1-[장현 상서]　명조)2-[상서]　명조)3-[한봉교 태수]

戊 丙 壬 戊　　　　戊 丙 壬 己　　　　戊 丙 甲 癸

戊 寅 戊 申　　　　戊 寅 申 巳　　　　戊 寅 寅 酉

명조)4-[주형상서, 이정룡] 명조)5-[임석해 어사] 명조)6-[이원양 어사]　명조)7-[황희백 첨헌]

戊 丙 壬 壬　　　戊 丙 甲 庚　　　戊 丙 庚 丁　　　戊 丙 戊 己

戊 寅 寅 寅　　　戊 寅 申 午　　　戊 寅 戊 巳　　　戊 寅 辰 巳

명조)4에서, 주형 상서와 이정용은 命이 동일하고, 벼슬은 대참이고, 丙子년에 卒하였다.

丙辰일 戊戌시는, 午월은 丙火가 有氣하고 土가 두터운 지방(地方)으로 5~6품의 貴이다. 亥월에 金 火운이면 풍헌(風憲)이다. 또 이르길, 조업(祖業)을 破하며 고독하여 가히 승(僧)도(道)가 된다. (丙辰日,戊戌時,午月丙火有氣,土厚地方,五六品貴.亥月金火運,風憲.一云,破祖孤,可爲僧道.)

壬申癸丑,宋大諫凶死.癸巳乙丑,汪廉憲.戊申庚申,吳琛太守.己亥丁丑,龔懋賢御史.

명조)1-[송대간 흉사] 명조)2-[왕렴헌] 명조)3-[오침 태수] 명조)4-[공무현 어사]

戊 丙 癸 壬　　　戊 丙 乙 癸　　　戊 丙 庚 戊　　　戊 丙 丁 己

戊 辰 丑 申　　　戊 辰 丑 巳　　　戊 辰 申 申　　　戊 辰 丑 亥

丙午일 戊戌시는, 양인과 食神으로 健旺하여 명리(名利)가 빠르게 發하고, 亥 未 辰 戌의 년 월에 西方운이면 풍헌(風憲)이다. 또 이르길, 기뻐하는 중에 재앙이 있다. (丙午日,戊戌時,羊刃食神健旺,名利驟發,亥未辰戌年月,西方運,風憲.一云,喜中有災.)

甲寅戊辰,侍郎.戊戌戊午,侍郎.甲子辛未,憲副.丁巳丙午,劉懋太守.壬戌癸丑,姜以達進士.壬申辛亥,王一貫亞魁.庚午戊子,御史.戊午壬辰,憲副.

명조)1-[시랑]　명조)2-[侍郎] 명조)3-[도헌] 명조)4-[유각 태수]

```
戊 丙 戊 甲      戊 丙 戊 戊      戊 丙 辛 甲      戊 丙 丙 丁
戊 午 辰 寅      戊 午 午 戌      戊 午 未 子      戊 午 午 巳
```

명조)5-[강이달 진사] 명조)6-[왕일관 아괴] 명조)7-[어사] 명조)8-[헌부]
```
戊 丙 癸 壬        戊 丙 辛 壬        戊 丙 戊 庚        戊 丙 壬 戊
戊 午 丑 戌        戊 午 亥 申        戊 午 子 午        戊 午 辰 午
```

丙申일 戊戌시는, 亥월에 東方 運이면 貴하다. 寅 午[月]은 身旺한데 天干에 財가 투출하면 吉하다.丑 辰은 戌庫를 刑 衝하여 만년(晩年)에 발달(發達)한다. 또 이르길, 가난하거나 요절(夭折)한다. (丙申日,戊戌時,亥月東方運貴.寅午身旺,干透財吉.丑辰刑衝戌庫,發於晩年.一云,夭貧.)

辛丑甲午,李廷相尙書.壬申辛亥,袁汝是給事.

명조)1-[이정상 상서]   명조)2-[원여시 급사]
```
戊 丙 甲 辛        戊 丙 辛 壬
戊 申 午 丑        戊 申 亥 申
```

丙戌일 戊戌시는, 가난한데, 만약 寅 巳 午 戌의 火局에 通根하면 수복(壽福)이 쌍전(雙全)하여 대귀(大貴)하다. 財를 만나도 역시 吉하다. (丙戌日,戊戌時,貧,若通寅巳午戌火局,福壽雙全,大貴.見財亦吉.)

丙午癸巳,韓邦彦尙書.丁酉乙巳,林仕鳳進士.戊寅丁巳,主事.乙酉戊寅,擧人.戊戌壬戌,富.壬戌壬申,凶.丙戌辛丑,進士.壬戌丙午,僕少.

명조)1-[한방언 상서] 명조)2-[임사봉 진사] 명조)3-[주사]   명조)4-[거인]
```
戊 丙 癸 丙        戊 丙 乙 丁        戊 丙 丁 戊        戊 丙 戊 乙
戊 戌 巳 午        戊 戌 巳 酉        戊 戌 巳 寅        戊 戌 寅 酉
```

명조)5-[富] 명조)6-[凶]   명조)7-[진사]   명조)8-[僕少]
```
戊 丙 壬 戊      戊 丙 壬 壬      戊 丙 辛 丙      戊 丙 丙 壬
戊 戌 戊 戊      戊 戌 申 戌      戊 戌 丑 戌      戊 戌 午 戌
```

시상식신(時上食神)局은, 누대(樓臺)의 여관 중에 다방(茶房)과 술집을 아울러 몇 번 가풍(家風)을 세운다. (時上食神局,樓臺店舍中.茶房併酒肆,幾度立家風.)

丙일 [戊]戌시는 財庫를 열어야하는데, 소년시절에 만나지 않으면 침몰(沈沒)한다. 運이 通하면 조만(早晩)간에 관작(官爵)에 封해지는데 설령 관직(官職)이 없더라도 發財한다. (丙日戌時財庫開, 少年未遇且沈埋.運通早晩封官爵,設若無官也發財.)

　丙일이 戊戌시를 만나면, 특별히 그 중에서도 창고(倉庫)를 겸전(兼全)한다. 거듭된 복록(福祿)은 자연(自然)적이며 富貴하고 어진 妻와 子息을 부러워한다. 君子는 젊을 때에 문장(文章)을 세우고, 평상인은 재물(財物)이 끊임없이 이어진다. 요절하거나 부모(父母)를 일찍 잃어 의지할 데가 없고, 辰 戌은 빗장을 열쇠로 열어야 드러난다. (丙日時達戊戌,就中倉庫兼全.重重福祿自天然,富貴妻賢子羨.君子文章早立,常人財物綿延.天孤父母早淹連,辰戌鑰匙開顯.)

35. 六丙日己亥時斷

　六丙日生時己亥,亥中壬旺被己傷.若通月氣方爲貴,寅卯不逢主泛常.
　6丙일생이 己亥시면, 亥中에 壬이 旺하여 自身이 손상을 당한다. 만약 月氣에 통근하면 비로소 貴하게 되는데 寅 卯를 만나지 않으면 평범하다.

　丙일 己亥시는, 鬼는 旺하고 身은 絶하며, 丙이 己를 보면 煞을 손상하고, 壬은 正鬼가 되고, 甲은 도식(倒食)이고, 亥상에 己가 투간해 있으며 旺한 壬이 甲을 生하고, 丙火는 絶氣하는데, 만약 身旺한 月에 通하여 의지할 곳이 있으면 鬼가 변화하여 官이 되어 貴하지만 결국에는 사납고 흉악하다. 身旺한 運에 通하여도 貴하고, 身弱하여 의지할 데가 없으며 月氣에 불통(不通)하고 四柱중에 壬(字)가 투출하면 위화백단(爲禍百端)한데, 거만하고 氣가 고강한 평상인이다. 丙은 소장(小腸)과 심제(心臍)에 속하여 심혈관의 질환(疾患)이 많다. (丙日,己亥時,鬼旺身絶,丙見己爲傷煞,壬爲正鬼,甲爲倒食,亥上有明己,旺壬生甲,丙火絶氣,若通身旺月,有倚托者,化鬼爲官,主貴,終亦凶狠.通身旺運亦貴,身弱無倚托,不通月氣,柱中透出壬字,爲禍百端,傲物氣高,主平常.丙屬小腸與心臍,多患心血疾.)

　丙子일 己亥시는, 秋 冬절은 평상하다. 未월에 水木運으로 行하고 天干에 木火가 透出하면 貴하다. 子월에 東方 運으로 行하면 대귀(大貴)하다. 申 亥 丑 戌의 年 月은 역시 貴하다. (丙子日,己亥時,秋冬平常.未月行水木運,干透木火者貴.子月行東運大貴.申亥丑戌年月,亦貴.)

　辛未庚子,張瀚尙書,壽九十外.甲子丁丑,蔡國公.辛亥辛丑,方狀元.丙申己亥,謝騫布政.丁巳丁未,華察學士.丁丑癸卯,富多子.

명조)1-[장한 상서, 수명 九十이상] 명조)2-[채 국공] 명조)3-[방 장원]

| 己 丙 庚 辛 | 己 丙 丁 甲 | 己 丙 辛 辛 |
| 亥 子 子 未 | 亥 子 丑 子 | 亥 子 丑 亥 |

명조)4-[사건 포정] 　명조)5-[화찰 학사] 　명조)6-[富, 多子]

己 丙 己 丙 　　　 己 丙 丁 丁 　　　 己 丙 癸 丁

亥 子 亥 申 　　　 亥 子 未 巳 　　　 亥 子 卯 丑

丙寅일 己亥時는, 夏節에 生하면 鬼가 변하여 官이 되니 妻가 어질고 자식은 孝子로써 貴하지 않으면 富하다. 寅 卯 辰 巳 申 丑의 年 月에 혹 午 戌이 會局하며 天干에 다시 丙 戌(字)가 투출하면 대권(大權)의 貴이다. 신백경에 이르길, 納音으로 火木의 象은 貴하다. (丙寅日,己亥時,夏生化鬼爲官,妻賢子孝,不貴則富.寅卯辰巳申丑年月,或午戌會局,天干更透丙戌[戊]字,主大權貴.神白經云,納音火木象貴.[註:戌을 戊로 고침])

庚辰庚辰,極品授王爵.一丞相命同.庚寅庚辰,太師.丙午戊戌,王以旗尙書,總制.丙子丁酉,郭琥總兵.丁巳戊申,謝存儒憲副.癸卯乙卯,郭持平都憲.癸丑甲子,羅珵榜眼.辛丑辛丑,祭酒,一同知命同.癸巳丙辰,張從律進士.癸巳乙丑,常自新進士.辛亥己亥,知州.辛未庚寅,擧人.己卯丁卯,擧人.乙酉己丑,知縣.乙丑乙酉,臧爾勸侍郎.己酉癸酉,擧人知州.己亥癸酉,公弟巨富.

명조)1-[극품] 　　명조)2-[태사] 　명조)3-[왕이기 상서총제]

己 丙 庚 庚 　　　 己 丙 庚 庚 　　　 己 丙 戊 丙

亥 寅 辰 辰 　　　 亥 寅 辰 寅 　　　 亥 寅 戌 午

명조)1에서, 극품으로 왕작을 수여 받았는데 또 한 사람 승상의 명과 동일하다.]

명조)4-[곽호 총병] 　명조)5-[사존유 헌부] 　명조)6-[곽지평 도헌]

己 丙 丁 丙 　　　 己 丙 戊 丁 　　　 己 丙 乙 癸

亥 寅 酉 子 　　　 亥 寅 申 巳 　　　 亥 寅 卯 卯

명조)7-[라정 방안] 　명조)8-[제주, 일동지 命同] 명조)9-[장종율 진사]

己 丙 甲 癸 　　　 己 丙 辛 辛 　　　 己 丙 丙 癸

亥 寅 子 丑 　　　 亥 寅 丑 丑 　　　 亥 寅 辰 巳

명조)10-[상자신 진사] 명조)11-[지주] 　명조)12-[거인]

己 丙 乙 癸 　　　 己 丙 己 辛 　　　 己 丙 庚 辛

亥 寅 丑 巳 　　　 亥 寅 亥 亥 　　　 亥 寅 寅 未

명조)13-[거인] 　명조)14-[지현] 　명조)15-[장이권 시랑]

己 丙 丁 己 　　 己 丙 己 乙 　　 己 丙 乙 乙

亥 寅 卯 卯 　　 亥 寅 丑 酉 　　 亥 寅 酉 丑

명조)16-[거인 지주]　명조)17-[공제거부]

己 丙 癸 己　　　　己 丙 癸 己

亥 寅 酉 酉　　　　亥 寅 酉 亥

　丙辰일 己亥시는, 일덕격(日德格)이다. 寅월생은 吉하고, 辰월은 僧, 道가 되면 富하지만 평상인은 고독하며 剋한다. 戌월은 辰을 衝하고, 巳월은 亥를 衝하니 丙이 旺한 庫는 모두 吉하다. 卯未가 會合하며 金 水運으로 行하거나, 申 子가 會合하여 木火 運으로 行하면 모두 貴하다. 신백경에 이르길, 火 土가 化하면 모름지기 福은 있지만 단지 요수(夭壽)한다. (丙辰日,己亥時,日德格.寅月生吉,辰月爲僧道,主富,平人孤剋.戌月衝辰,巳月衝亥,丙旺庫俱吉.卯未會行金水運,申子會行木火運,俱貴.神白經云,火土化須有福,只壽夭.)

　己巳丙寅,夏子開知府.壬午庚戌,顔守賢知州.己巳壬申,唐時雍擧人.甲午丁丑,經歷.丁酉戊申,丞相.

명조)1-[하자개 지부]　명조)2-[안수현 지주]　명조)3-[당시옹 거인]

己 丙 丙 己　　　　己 丙 庚 壬　　　　己 丙 壬 己

亥 辰 寅 巳　　　　亥 辰 戌 午　　　　亥 辰 申 巳

명조)4-[경력]　명조)5-[승상]

己 丙 丁 甲　　　　己 丙 戊 丁

亥 辰 丑 午　　　　亥 辰 申 酉

　丙午일 己亥시는, 武로써 貴하다. 寅 巳 午월에 生하면 妻가 중복(重複)하여도 자식은 늦고, 貴하지 않으면 富하다. 秋 冬절은 명리(名利)가 진퇴(進退)하고, 酉 午 戌은 대귀(大貴)하다. (丙午日,己亥時,武貴.寅巳午月生,妻重子晚,不貴卽富.秋冬名利進退,酉午戌大貴.)

　甲子癸酉,李遂侍郞.戊戌乙卯,李敬狀元.庚子己卯,參政.丁卯丙寅,諫垣.辛未丁酉,杜南谷僉憲.丁卯甲辰,林允宗進士.乙亥癸未,羅外山擧人.壬午丁未,王時槐主事.庚申丁亥,憲長.

명조1)-[이수 시랑]　명조)2-[이경 장원]　명조)3-[참정]

己 丙 癸 甲　　　　己 丙 乙 戊　　　　己 丙 己 庚

亥 午 酉 子　　　　亥 午 卯 戌　　　　亥 午 卯 子

명조)4-[간원]　명조)5-[두남곡 첨헌]　명조)6-[임윤종 진사]

己 丙 丙 丁　　　己 丙 丁 辛　　　　己 丙 甲 丁

亥 午 寅 卯　　　亥 午 酉 未　　　　亥 午 辰 卯

명조)7-[라외산 거인] 명조)8-[왕시괴 주사] 명조)9-[헌장]

己 丙 癸 乙 　　　己 丙 丁 壬 　　　己 丙 丁 庚

亥 午 未 亥 　　　亥 午 未 午 　　　亥 午 亥 申

丙申일 己亥시는, 春夏절 생이면 이근환엽(移根換葉;뿌리를 옮겨 잎이 바뀜)하니 妻를 바꾸어 福을 쫓는다. 秋 冬절은 평상하다. 酉월에 東南 運으로 흐르면 풍헌(風憲)이다. (丙申日,己亥時, 春夏生,移根換葉,就妻改福.秋冬平常.酉月行東南運,風憲.)

己亥丙子,周奇雍都堂.戊午乙卯,陳大護進士.甲申乙亥,劉禹謨太守.甲午壬申,張裔御史.丁丑壬寅,部郎.庚子丙戌,南科.丙寅己亥,憲長.

명조)1-[주기옹 도당] 명조)2-[진대호 진사] 명조)3-[유우모 태수]

己 丙 丙 己 　　　己 丙 乙 戊 　　　己 丙 乙 甲

亥 申 子 亥 　　　亥 申 卯 午 　　　亥 午 亥 申

명조)4-[장예 어사] 명조)5-[부랑] 명조)6-[남과] 명조)7-[헌장]

己 丙 壬 甲 　　　己 丙 壬 丁 　己 丙 丙 庚 　　　己 丙 己 丙

亥 申 申 午 　　　亥 申 寅 丑 　亥 申 戌 子 　　　亥 申 亥 寅

丙戌일 己亥시는, 寅 卯 巳 午[月]은 木이 화염(火焰)을 生하여 妻를 손상하니 子息이 드물지만, 총명(聰明)하며 富貴하다. 酉 亥 子 丑은 평상(平常)하지만 東方 運이면 역시 貴하다. (丙戌日,己亥時,寅卯巳午,木生火炎,妻傷子少,聰明富貴,酉亥子丑平常,東運亦貴.)

丙子庚寅,黃元恭僉憲.丙子甲午,王守中丞.癸卯辛酉,周御史.辛巳辛丑,屠仲律進士.辛酉己亥,擧人.壬午癸卯,擧人.己未壬申,通政.丁未丙午,學憲.戊子丙辰,王用汲南刑部尙書.

명조)1-[황원공 첨헌] 명조)2-[왕수 중승] 명조)3-[주 어사]

己 丙 庚 丙 　　　己 丙 甲 丙 　　　己 丙 辛 癸

亥 戌 寅 子 　　　亥 戌 午 子 　　　亥 戌 酉 卯

명조)4-[도중율 진사] 명조)5-[거인] 명조)6-[거인]

己 丙 辛 辛 　　　己 丙 己 辛 　己 丙 癸 壬

亥 戌 丑 巳 　　　亥 戌 亥 酉 　亥 戌 卯 午

명조)7-[통정] 명조)8-[학헌] 명조)9-[왕용급 남 형부상서]

己 丙 壬 己　　己 丙 丙 丁　　己 丙 丙 戊
亥 戌 申 未　　亥 戌 午 未　　亥 戌 辰 子

천을부관(天乙扶官)局은, 청렴한 명망(名望)이 도처(到處)에 드날린다. 평상인은 발복(發福)하고, 君子는 왕후(王侯;왕이나 제후)가 된다. (天乙扶官局,清名到處揚.常人須發福,君子作侯王.)

丙일亥시는 최고(最高)의 命인데, 마치 난초에서 쑥이 나오는 것과 같다. 四柱에 만약 衝 剋 破를 겸하면 명리(名利)를 구(求)하여도 오히려 헛된 노력이다. (丙日亥時命最高,猶如蘭蕙出蓬蒿.四柱若兼衝剋破,求名求利卻虛勞.)

丙일이 己亥시에 臨하는데, 만약 壬[字]이 없으면 드물게 뛰어나다. 命中에서 子息은 적고 2~3명의 妻로써 天乙[貴人]을 만나 속으로 좋아한다. 부모 형제는 원행(遠行)하고, 刑 공망은 文으로 福이 순탄하기 어렵다. 모든 八字에는 고저(高低)가 있고, 財를 貪하면 파직(罷職)당하니 절대 꺼린다. (丙日時臨己亥,若無壬字希奇.命中子少兩三妻,就裏喜逢天乙.父母雁侶行遠,刑空文福難齊.皆因八字有高低,切忌貪財罷職.)

36. 六丁日庚子時斷

6丁일생이 庚子시면, 身은 衰하고 旺한 鬼가 암장(暗藏)한다. 月에서 구조(救助)하지 않으면 가난하거나 요절(夭折)함이 많지만, 身强한데 坐하면 吉함이 昌盛하다. (六丁日生時庚子,身衰鬼旺暗中藏.月無救助多貧夭,得坐身强又吉昌.)

丁일 庚子시는, 身은 絶하며 鬼가 旺하고, 丁은 庚이 財가 되고, 癸는 鬼인데 子중에 鬼가 있어 丁火가 無氣하여 부조(扶助)할 수 없다. 만약 身旺한 月에 通하여 의지할 곳이 있으면 貴하고, 다시 身旺한 運으로 行하면 대귀(大貴)하다. 이와 반대면 가난한 하천(下賤)인 이거나 요절(夭折)한다. 丁은 심장(心臟)에 속하며 심장은 혈부(血腑)인데 주로 血에 관한 病이다. (丁日,庚子時,身絶鬼旺,丁以庚爲財,癸爲鬼,子中有鬼,丁火無氣,不能助扶.若通身旺月,有倚托者貴,更行身旺運,大貴.反是,貧夭下賤.丁屬心,心乃血之腑,又主血病.)

丁丑일 庚子시는, 보통인데 木火의 氣運에 통근하고 혹 신왕한 運으로 行하면 貴하다. 또한 亥子의 年 月이 貴한 것은 丁火가 음유(陰柔)함으로써 水鄕을 두려워하지 않기 때문이다. 또 이르길, 먼저는 가난하고 나중에는 吉하고, 戊寅월은 요절(夭折)하고, 辛丑월은 조업(祖業)을 破하고, 중년(中年)에는 순조롭지 않다. (丁丑日,庚子時,平,通木火氣,或行身旺運,貴.亦有亥子年月貴者,以丁火陰柔,不怕水鄕故也.一云,先貧後吉,戊寅月夭,辛丑月破祖,中年蹇.)

己酉丙寅,羅江進士,一參政命同.辛亥庚子,陳選進士.壬子癸卯,僉憲.庚辰癸未,進士.癸未甲子,擧人.戊戌乙丑,女命子韓敬會狀.癸巳庚申,女命夫王錫爵閣老,子王衡榜眼.庚申戊子,中丞.丁巳戊申,進士.

명조)1-[라강] 명조)2-[진선 진사] 명조)3-[첨헌]

庚 丁 丙 己　　庚 丁 庚 辛　　　庚 丁 癸 壬
子 丑 寅 酉　　子 丑 子 亥　　　子 丑 卯 子

명조)1에서, 라강은 진사인데, 또 참정의 命과 동일하다.

명조)4-[진사] 명조)5-[거인] 명조)6-[여명子 한경 회장]

庚 丁 癸 庚　　庚 丁 甲 癸　　庚 丁 乙 戊
子 丑 未 辰　　子 丑 子 未　　子 丑 丑 戌

명조)7-[여명]명조)8-[중승] 명조)9-[진사]

庚 丁 庚 癸　　庚 丁 戊 庚　　庚 丁 戊 丁
子 丑 申 巳　　子 丑 子 申　　子 丑 申 巳

명조)7에서, 남편이 왕석인데 각로이고, 자식은 왕형인데 방안이다.

丁卯일 庚子시는, 가난하고, 辰 戌 丑 未[月]에 편관의 制가 있거나, 午월의 干이 强하거나, 春절에 身旺하면 모두 吉하다. 秋 冬절은 평상(平常)하다. 계사(癸巳)월은 조업(祖業)을 破하여 凶하니 꺼린다. 己未월은 형상(刑傷)한다. 甲申월은 얼굴을 찔려 혈광사(血光死)한다. (丁卯日,庚子時,貧,辰戌丑未,偏官有制,午月干强,春身旺俱吉.秋冬平常.忌癸巳月破祖凶.己未月刑傷.甲申月刺面血光死.)

丙子庚子,翁理憲副.丙子乙未,林城御史.癸酉壬戌,金鏡擧人.辛亥丁酉,丞相.丁亥癸卯,高文薦都憲陶大臨榜眼命同,癸酉年卒吳梁分野不同.壬辰壬辰,僕少.

명조)1-[옹리 헌부] 명조)2-[임성 어사] 명조)3-[금경 거인]

庚 丁 庚 丙　　庚 丁 乙 丙　　　庚 丁 壬 癸
子 卯 子 子　　子 卯 未 子　　　子 卯 戌 酉

명조)4-[승상] 명조)5-[고 문천] 명조)6-[복소]

庚 丁 丁 辛　　庚 丁 癸 丁　　庚 丁 壬 壬
子 卯 酉 亥　　子 卯 卯 亥　　子 卯 辰 辰

명조)5에서, 고 문천은 도헌인데, 도 대임 방안과 命이 같다. 癸卯년에 卒한 오량 분야와 같지 않다.

丁巳일 庚子시는, 春절은 旺하며 夏절은 强하여 모두 貴하다. 秋 冬절은 평상하다. 四季월은 제복(制伏)하여 中吉을 얻는다. 子 辰에 西方 運으로 行하면 4~5품의 貴이다. 또 이르길, 太旺하면 갑자기 발달(發達)한다. 庚寅월은 刑하고, 庚申월은 대파(大破)하고, 辛酉월은 刑 破하여 꺼린다. (丁巳日,庚子時,春旺夏强俱貴.秋冬平常.四季月制伏得中吉.子辰行西運,四五品貴.一云,橫發大旺.忌庚寅月刑,庚申月大破,辛酉月破刑.)

戊寅壬戌,李尙智都憲.壬申辛亥,陳元琰太守.丁丑丁未,張郤齋御史.甲子丁丑,狀元.癸亥辛酉,甲部.

명조)1-[이상지 도헌] 명조)2-[진원염 태수] 명조)3-[장극재 어사]

庚	丁	壬	戊		庚	丁	辛	壬		庚	丁	丁	丁
子	巳	戌	寅		子	巳	亥	申		子	巳	未	丑

명조)4-[장원] 명조)5-[甲部]

庚	丁	丁	甲		庚	丁	辛	癸
子	巳	丑	子		子	巳	酉	亥

丁未일 庚子시는, 辰 戌 丑 未월에는 편관을 制함이 있다. 午월에 天干이 强하면 貴하다. 나머지 月은 제복(制伏)하면 吉하다. 戊子는 文章이 빼어나다. 戊申월은 夭折하니 꺼린다. 丙戌월은 刑한다. 辛丑월은 刑하여 凶하다. (丁未日,庚子時,辰戌丑未月,偏官有制.午月干强,貴.餘月有制伏吉.戊子文章顯秀.忌戊申月夭.丙戌月刑.辛丑月刑凶.)

庚午壬午,陳綬小參.己未癸酉,大參.

명조)1-[진수 소참] 명조)2-[대참]

庚	丁	壬	庚		庚	丁	癸	己
子	未	午	午		子	未	酉	未

丁酉일 庚子시는, 강직하고 머리가 좋으며 특별히 재주가 뛰어나고 貴하다. 辰 巳의 年 月이면 존귀(尊貴)한 상부(相府;丞相의 府署)에 있다. 甲寅월은 破 敗 惡死하여 꺼린다. 癸巳월은 고향을 떠나고 惡死한다. 乙酉월은 형벌로 사망한다. (丁酉日,庚子時,辰戌丑未月,剛明特達,貴.辰巳年月,貴尊相府.忌甲寅月破敗惡死.癸巳月離鄕惡死.乙酉月刑死.)

丁巳丁未,王筆峰參政.丙子甲午,吳定泉太守.乙卯戊寅,黃大經主事.戊申癸亥,魏公濟進士.乙酉己卯,劉爾牧郎中.癸亥庚申,朱端擧人.壬寅癸丑,張皇親.

명조)1-[왕필봉 참정 명조)2-[오정천 태수] 명조)3-[황대경 주사]

庚 丁 丁 丁	庚 丁 甲 丙	庚 丁 戊 乙
子 酉 未 巳	子 酉 午 子	子 酉 寅 卯

명조)4-[위공제 진사] 명조)5-[유이목 낭중] 명조)6-[주단 거인] 명조)7-[장 황친]

庚 丁 癸 戊	庚 丁 己 乙	庚 丁 庚 癸	庚 丁 癸 壬
子 酉 亥 申	子 酉 卯 酉	子 酉 申 亥	子 酉 丑 寅

丁亥일 庚子시는, 50後에 크게 旺하다. 辰 戌 丑 未월은 吉하다. 寅 午의 年 月은 貴하다. 庚寅월은 惡死하여 꺼린다. 庚申월은 신체(身體)가 온전치 못하게 죽는다. 辛酉월은 破 敗한다. (丁亥日,庚子時,五十後大旺.辰戌丑未月吉.寅午年月貴.忌庚寅月惡死.庚申月身不全死.辛酉月破敗.)

壬子癸丑,張狀元,鄭材進士命同.己酉丙寅,大参.庚子己卯,大参.

명조)1-[장 장원, 정재 진사 命同] 명조]2-[대참] 명조]3-[대참]

庚 丁 癸 壬	庚 丁 丙 己	庚 丁 己 庚
子 亥 丑 子	子 亥 寅 酉	子 亥 卯 子

사리도금(沙裏淘金)局은 사서(士庶;일반백성)인은 주로 평상(平常)하며 형(刑)상(傷)하여 험난(險難)함이 많지만, 君子는 재앙(災殃)을 免한다. (沙裏淘金局,士庶主平常,刑傷多險難,君子免災殃.)

庚子時가 丁일을 만나면 火가 강호(江湖)에 떨어져 어두움을 다시 밝힌다. 四柱에 만약 衝 剋 破를 兼하면 노경(老境)에 이르기까지 독서(讀書)하여도 단지 허명(虛名)뿐이다. (庚子時逢日是丁, 火落江湖暗復明.四柱若兼衝剋破,讀書到老只虛名.)

丁일이 庚子時를 만나면 일간 丁火가 휘광(輝光)하다. 火는 胎[地]이며 金은 絶하니 영휴(盈虧)하고, 처첩(妻妾)이 아름답지 못하다. 剋이 있고 刑 衝 破가 있으면 특히 그중에 文福이 순탄하기 어렵다. 상생(相生)하고 상구(相救)하는 貴人이 되는 이러한 命은 먼저는 어려우나 나중에는 쉬워진다. (丁日時逢庚子,日干丁火光輝.火胎金絶有盈虧,妻妾不能全美.有剋有刑衝破,就中文福難齊.相生相救貴人提,此命先難後易.)

37. 六丁日辛丑時斷(以下六丁日所忌月分同上,時忌併論)

6丁일생이 辛丑시면, 庫(창고)중에 재곡(財穀)이 썩은 것이 많다. 身이 의지할 데가 없으면 좋지 않고, 의탁(依託)할 데가 있으면 妻가 어질며 부유(富裕)하다. (六丁日生時辛丑,庫中財穀多陳朽.身無依倚不爲佳,有託妻賢而富厚.)

丁일 辛丑시는, 丑은 財庫가 되고, 辛은 妻와 財가 되며, 己는 食神이고, 丑은 金局으로 旺하며 暗으로 己가 득위(得位)하니 丁火가 무기(無氣)하다. 만약 천시(天時)를 잃고 의탁(依託)할 곳이 없으면 妻를 쫓아 發達한다. 의탁할 데나 구조(救助)함이 있으면 財와 食이 풍족(豊足)하다. (丁日,辛丑時,丑爲財庫,辛爲妻財,己爲食神,丑旺金局,暗己得位,丁火無氣,若失天時,無倚託者,就妻而發. 有倚託救助者,財食豊足.)

丁丑일 辛丑시는, 申 酉월은 재성격으로 財旺하여 官을 生하니 貴하다. 午월은 財를 傷하며 身旺하여 官祿이다. 純粹한 子 寅이면 武로서 3品의 貴이다. 水월은 간난신고(艱難辛苦)한다. 辰월은 貴와 가깝다. (丁丑日,辛丑時,申酉月,財星格,財旺生官貴.午月傷財身旺,主官祿.純子寅,武貴三品. 水月艱辛勞苦.辰月貴戚.)

癸卯戊午,陳尙書.乙卯己丑,王侍郞.戊辰己未,憲副.己酉丙寅,譚一召進士.丙寅辛丑,雙瞥.戊戌壬戌, 禮部郞.

명조)1-[진상서]　명조)2-[왕시랑]　명조)3-[헌부]

辛	丁	戊	癸		辛	丁	己	乙		辛	丁	己	戊
丑	丑	午	卯		丑	丑	丑	卯		丑	丑	未	辰

명조)4-[담일소 진사]　명조)5-[쌍고]　명조)6-[례 부랑]

辛	丁	丙	己		辛	丁	辛	丙		辛	丁	壬	戊
丑	丑	寅	酉		丑	丑	丑	寅		丑	丑	戌	戌

丁卯일 辛丑시는, 辰 巳 未의 年 月은 富貴하나 처자(妻子)가 늦어진다. 寅 卯의 印綬가 돕고, 戊 庫는 身旺하며 丑을 刑하고, 丁이 의탁(依託)함을 얻으면 대귀(大貴)하다. (丁卯日,辛丑時,辰巳 未年月,富貴,妻子遲.寅卯印助,戊庫身旺刑丑,丁得倚託大貴.)

壬子癸丑,李三才尙書.丁卯庚戌,張漢侍郞.甲申丙子,賈淇太守.丙辰癸巳,陳憲擧人.丙寅乙未,陸都司.

명조)1-[이삼재 상서]　명조)2-[장한 시랑]　명조)3-[가기 태수]

辛	丁	癸	壬		辛	丁	庚	丁		辛	丁	丙	甲
丑	卯	丑	子		丑	卯	戌	卯		丑	卯	子	申

명조)4-[진헌 거인]　명조)5-[육 도사]

辛	丁	癸	丙		辛	丁	乙	丙
丑	卯	巳	辰		丑	卯	未	寅

丁巳일 辛丑시는, 陰人이기 때문에 貴하게 된다. 巳 酉 丑 申의 年 月은 財旺하여 官을 生하니 부귀(富貴)하다. 卯月은 평상(平常)한데 北方 運으로 行하면 역시 貴하다. 丑月은 西南방 運으로 行하면 대귀(大貴)하다. (丁巳日,辛丑時,因陰人致貴.巳酉丑申年月,財旺生官,富貴.卯月平常,行北運亦貴.丑月西南運大貴.)

戊午乙丑,楊丞相.乙卯己丑,王學士.壬戌丁未,奚良輔同知凶死.丁丑己酉,李一德知縣.丁亥己酉,舉人. 癸酉戊午,舉人午月建祿透官吉.壬申己酉,甲部.甲午丙寅,內官.乙巳戊子,大參.

명조)1-[양 승상]　명조)2-[왕 학사]　명조)3-[해량보 동지, 凶死]
辛 丁 乙 戊　　辛 丁 己 乙　　辛 丁 丁 壬
丑 巳 丑 午　　丑 巳 丑 卯　　丑 巳 未 戌

명조)4-[이일덕 지현]　명조)5-[거인]　명조)6-[거인, 午月 建祿透官吉]
辛 丁 己 丁　　　辛 丁 己 丁　　辛 丁 戊 癸
丑 巳 酉 丑　　　丑 巳 酉 亥　　丑 巳 午 酉

명조)7-[甲部]　명조)8-[내관]　명조)9-[대참]
辛 丁 己 壬　　辛 丁 丙 甲　　辛 丁 戊 乙
丑 巳 酉 申　　丑 巳 寅 午　　丑 巳 子 巳

丁未일 辛丑시는, 日時가 나란히 衝하니 妻子를 손상할까 근심된다. 酉月은 水氣가 通[根]하여 吉하다. 歲運도 같다. (丁未日,辛丑時,時日倂衝,憂傷妻子.酉月通水氣,吉.歲運同.)

己卯甲戌,林照舉人.

명조)1-[임조 거인]
辛 丁 甲 기
丑 未 戌 卯

丁酉일 辛丑시는, 寅 卯 巳 午[월]은 身旺하여 의지함이 있어 문장(文章)으로 명성(名聲)이 고귀(高貴)하고 총애(寵愛)함이 대단하다. 申 酉 戌[月]은 財旺함을 쫓아서 가장 吉하다. 亥 子[月]은 官이 旺하여 역시 吉하다. (丁酉日,辛丑時,寅卯巳午,身旺有托,主文名高貴,寵遇非常.申酉戌財旺從之,最吉.亥子官旺,亦吉.)

乙卯辛巳,胡澯尙書名臣.辛丑丁酉,黃鎬尙書.戊辰戊午,汪宗凱郞中.戊寅甲寅,主事.丙辰戊戌,吳文偉擧人.丙辰庚子,蔡宗德擧人.甲申丙寅,王荊公.癸亥壬戌,黃志淸庶吉士.甲寅己巳,熊尙文楚撫.甲寅辛未,陳懿典翰林目失明無子.

명조)1-[호영 상서 명신]　　명조)2-[황호 상서]　　명조)3-[왕종개 낭중]

辛 丁 辛 乙　　　　　辛 丁 丁 辛　　　　　辛 丁 戊 戊

丑 酉 巳 卯　　　　　丑 酉 酉 丑　　　　　丑 酉 午 辰

명조)4-[주사]　　명조)5-[오문위 거인]　　명조)6-[채종덕 거인]

辛 丁 甲 戊　　　　辛 丁 戊 丙　　　　辛 丁 庚 丙

丑 酉 寅 寅　　　　丑 酉 戌 辰　　　　丑 酉 子 辰

명조)7-[왕형공]　　명조)8-[황지청 庶吉士]　　명조)9-[웅상문 초무]

辛 丁 丙 甲　　　辛 丁 壬 癸　　　　辛 丁 己 甲

丑 酉 寅 申　　　丑 酉 戌 亥　　　　丑 酉 巳 寅

명조)10-[진의전 한림 눈失明 無子]

辛 丁 辛 甲

丑 酉 未 寅

丁亥일 辛丑시는, 春節은 印綬로써 吉하고, 秋節생은 火氣가 있으면 역시 吉하고, 夏節은 太旺하니 凶하다. 冬節은 官煞이 旺하여 吉하다. 未 戌월은 丑 庫를 충개(衝開)하여 富하다. (丁亥日,辛丑時,春印綬吉,秋生有火氣亦吉,夏太旺凶.冬官煞旺吉.未戌月衝開丑庫,富.)

庚子戊子,進士.

명조)1-[진사]

辛 丁 戊 庚

丑 亥 子 子

시상고재(時上庫財)局은 人生에서 因緣이 있어야 만난다. 손상함이 없으면 결국 부귀(富貴)한데, 이 말은 헛되이 전(傳)해진 것이 아니다. (時上庫財局,人生遇有緣.無傷終富貴,此語不虛傳.)

辛丑[時]는 丁이 투출하면 보고(寶庫)가 되고, 四柱에 닫힌 것에 열쇠가 없으면 富하다고 말하기 어렵다. 刑衝運에 이르면 고인(高人)을 만나 타향에서 업적이 發하여 명예(名譽)를 나타낸다.
[참고] 高人;벼슬을 사양하고 세상물욕에 뜻을 두지 아니하는 고상한 사람　(辛丑透丁爲寶庫,柱無匙鑰難言富.刑衝運至遇高人,發跡他鄕名譽著.)

丁일이 辛丑시를 만나면, 편재와 庫로써 刑 衝함이 좋다. 만약 나타내지 못하고 돌아오면 허명(虛名)만 있다. 처자(妻子)는 마땅히 경사스러우나 부모 형제는 화목하기 어렵다. 가문(家門)을 거듭 새롭게 고치고, 발재(發財) 발복(發福)하여 중흥(中興)하니 필시 영화로운 命이다. (丁日時逢辛丑,偏財庫喜刑衝.若還不顯有虛名.妻子宜爾相慶,父母雁行難睦.家門改換重新,發財發福見中興.必是榮華之命.)

38. 六丁日壬寅時斷

6丁일생 壬寅시는, 身을 버리고 從官하여 木神으로 化한다. 水 木월에 通하면 성국(成局)하는 상(象)으로 존경받고 부귀(富貴)하며 無倫하다. (六丁日生時壬寅,身去從官化木神.水木月通成局象,尊榮安富貴無倫.)

丁일 壬寅시는, 身을 버리고 從官하며 丁 壬이 化木하고, 寅상에서 건왕(健旺)하다. 만약 水局하는 月이면 대귀(大貴)하다. 木월에 通根하여도 역시 貴하다. 만일 丁未월에 東方 運으로 行하면 좋다. (丁日,壬寅時,身去從官,丁壬化木,寅上健旺.若水局之月大貴.通木月亦貴.如丁未月,行東方運好.)

丁丑일 壬寅시는, 化[格]으로 貴하다. 冬월에 生하면 官旺하여 貴하다. 春절은 印綬로 안온(安穩)하고, 夏절은 吉하고, 秋절은 보통인데 東方운으로 行하면 좋다. (丁丑日,壬寅時,化貴.生冬月官旺貴.春印綬安穩,夏吉,秋平,行東運好.)

庚子戊子,黃鞏進士.乙酉壬午,學士.丙午庚寅,鄭汝璧淮撫.乙亥丙戌,萬恭侍郎.乙卯辛巳,富.

명조)1-[황공 진사] 명조)2-[학사] 명조)3-[정여벽 회무]

壬	丁	戊	庚
寅	丑	子	子

壬	丁	壬	乙
寅	丑	午	酉

壬	丁	庚	丙
寅	丑	寅	午

명조)4-[만공 시랑] 명조)5-[富]

壬	丁	丙	乙
寅	丑	戌	亥

壬	丁	辛	乙
寅	丑	巳	卯

丁卯일 壬寅시는, 化[格]으로 吉하다. 寅 卯의 年 月에 金 水運으로 行하면 대귀(大貴)하다. 亥 子月은 西方운으로 行하면 貴하다. (丁卯日,壬寅時貴,化吉.寅卯年月,行金水運大貴.亥子月,行西運貴.)

壬寅庚戌,王德明都憲.癸丑乙卯,邵梗憲副.庚申壬午,憲副.丙辰辛丑,方正梁會魁.戊辰庚申,主事.癸丑戊午,同知.壬申壬子,進士.丙寅庚寅,邵皇親.

명조)1-[왕덕명 도헌] 명조)2-[소경 헌부] 명조)3-[헌부]

壬	丁	庚	壬		壬	丁	乙	癸		壬	丁	壬	庚
寅	卯	戌	寅		寅	卯	卯	丑		寅	卯	午	申

명조)4-[방정량 회괴] 명조)5-[주사] 명조)6-[동지]

壬	丁	辛	丙		壬	丁	庚	戊		壬	丁	戊	癸
寅	卯	丑	辰		寅	卯	申	辰		寅	卯	午	丑

명조)7-[진사] 명조)8-[소 황친]

壬	丁	壬	壬		壬	丁	庚	丙
寅	卯	子	申		寅	卯	寅	寅

丁巳일 壬寅시는,丁이 寅에서 死하며 巳는 생의(生意)가 없고, 寅이 刑을 하여, 시작은 있으나 끝이 없다. 만약 金 水運으로 行하면 영귀(榮貴)하다. 寅 午의 年 月은 身旺하다. 申 子 辰은 官旺하다. 亥 卯 未는 印旺하여 모두 貴하다고 말할 수 있다. (丁巳日,壬寅時,丁死於寅,巳無生意,又被寅刑,有始無終,若行金水運榮貴.寅午年月身旺.申子辰官旺.亥卯未印旺,俱可言貴.)

壬子壬寅,李仁傑編修.丙午戊戌,丁洪進士.丙戌辛丑,史朝宋進士.己未丙寅,張正卿主事.甲申辛未,兪紹擧人.丁酉丙午,太守.辛亥辛卯,郎中.壬辰壬寅,趙可總兵.癸巳己未,總兵.甲申丁卯,傅朝佑長科.癸丑乙丑,李封君子春芳狀元閣老.庚辰庚辰,進士卽卒.甲午癸酉,御史.

명조)1-[이인걸 편수] 명조)2-[정홍 진사] 명조)3-[사조채 진사]

壬	丁	壬	壬		壬	丁	戊	丙		壬	丁	辛	丙
寅	巳	寅	子		寅	巳	戌	午		寅	巳	丑	戌

명조)4-[장정경 주사] 명조)5-[유소 거인] 명조)6-[태수]

壬	丁	丙	己		壬	丁	辛	甲		壬	丁	丙	丁
寅	巳	寅	未		寅	巳	未	申		寅	巳	午	酉

명조)7-[낭중] 명조)8-[조가 총병] 명조)9-[總兵]

壬	丁	辛	辛		壬	丁	壬	壬		壬	丁	己	癸
寅	巳	卯	亥		寅	巳	寅	辰		寅	巳	未	巳

명조)10-[부조우 장과] 명조)11-[이봉군] 명조)12-[進士되자 곧 卒함]

壬 丁 丁 甲　　　壬 丁 乙 癸　　　壬 丁 庚 庚

寅 巳 卯 申　　　寅 巳 丑 丑　　　寅 巳 辰 辰

명조)11에서, 이 봉군인데, 자식(아들)인 춘방은 장원으로 각로이다.

명조)13-[어사]

壬 丁 癸 甲

寅 巳 酉 午

丁未日 壬寅時는, 惡死한다. 春節에 生하면 印綬로 吉하고, 夏節은 木火운이면 발복(發福)한다. 秋절은 富하며 冬절은 貴하다. 酉 戌의 年 月은 벼슬이 3品에 이른다. 亥 卯 寅 戌은 文으로 貴하고, 순수한 卯는 金 水運으로 行하면 존귀한 사람이다. 신백경에 이르길, 木 化格은 貴하다. (丁未日,壬寅時,惡死.春生印吉,夏木火運發福.秋富,冬貴.酉戌年月,官至三品.亥卯寅戌文貴,純卯行金水運,金紫.神白經云,化木主貴.)

己卯壬申,彭澤都憲.丙午庚子,時臣總兵.癸巳己未,董一夔總兵.丙午戊戌,孟賜進士.癸卯甲寅,陳器進士.壬寅壬子,黃廷宣僉憲.己卯甲戌,趙四山僉憲.乙亥戊子,章丞相.戊辰癸亥,何狀元.乙卯庚辰,劉如寵進士.

명조)1-[팽택 도헌] 명조)2-[시신 총병] 명조)3-[동일기 총병]

壬 丁 壬 己　　　壬 丁 庚 丙　　　壬 丁 己 癸

寅 未 申 卯　　　寅 未 子 午　　　寅 未 未 巳

명조)4-[맹사 진사] 명조)5-[진기 진사] 명조)6-[황정선 첨헌]

壬 丁 戊 丙　　　壬 丁 甲 癸　　　壬 丁 壬 壬

寅 未 戌 午　　　寅 未 寅 卯　　　寅 未 子 寅

명조)7-[조사산 첨헌] 명조)8-[장 승상] 명조)9-[하 장원]

壬 丁 甲 己　　　壬 丁 戊 乙　　　壬 丁 癸 戊

寅 未 戌 卯　　　寅 未 子 亥　　　寅 未 亥 辰

명조)10-[유여총 진사]

壬 丁 庚 乙

寅 未 辰 卯

丁酉일 壬寅시는, 亥 未 寅 卯 申 子의 年 月은 총명(聰明)부귀(富貴)하며 풍헌(風憲)으로 극품 (極品)한다. 巳 午는 재상(宰相)이다. 辰월에 金 水運으로 行하거나, 戌월에 東方運은 모두 貴하 다. 신백경에 이르길, 木 化格은 貴하다. (丁酉日,壬寅時,亥未寅卯申子年月,聰明富貴,風憲極品.巳 午宰相.辰月行金水運,戌月東方運,俱貴.神白經云,化木主貴.)

壬申辛亥,胡宗憲尙書.乙巳甲申,陳則淸都憲.戊申癸亥,林二山都憲.乙巳丁亥,顧可久憲副.甲辰庚午, 張大倫進士.辛未己亥,袁正總兵.丙子庚寅,沈進士.癸丑甲寅,黃日敬擧人.己卯丙子,聖公.庚戌庚辰,趙 南星太宰.辛未丙申,譚昌言學憲.丁巳己酉,甲部.

명조)1-[호종헌 상서] 명조)2-[진칙청 도헌] 명조)3-[임이산 도헌]

壬 丁 辛 壬　　　　壬 丁 甲 乙　　　　壬 丁 癸 戊
寅 酉 亥 申　　　　寅 酉 申 巳　　　　寅 酉 亥 申

명조)4-[고가구 헌부] 명조)5-[장대윤 진사] 명조)6-[원정 총병]

壬 丁 丁 乙　　　　壬 丁 庚 甲　　　　壬 丁 己 辛
寅 酉 亥 巳　　　　寅 酉 午 辰　　　　寅 酉 亥 未

명조)7-[심 진사] 명조)8-[황일경 거인] 명조)9-[성공]

壬 丁 庚 丙　　　　壬 丁 甲 癸　　　　壬 丁 丙 己
寅 酉 寅 子　　　　寅 酉 寅 丑　　　　寅 酉 子 卯

명조)10-[조남성 태재] 명조)11-[담창언 학헌] 명조)12-[甲部]

壬 丁 庚 庚　　　　壬 丁 丙 辛　　　　壬 丁 己 丁
寅 酉 戌 辰　　　　寅 酉 申 未　　　　寅 酉 酉 巳

丁亥일 壬寅시는,일귀(日貴)格인데 壬寅을 배합(配合)하면 官印이 구전(俱全)하여, 문장(文章)으 로 현달(顯達)한다. 子월은 대귀(大貴)하고, 化[氣]格은 凶하다. 신백경에 이르길, 木 化格은 貴하 다. (丁亥日,壬寅時,日貴格,配合壬寅,官印俱全,文章顯達.子月大貴,化氣凶.神白經云,化木主貴.)

丙子庚寅,徐侍郞.己卯丁丑,祖大壽元戎忠臣.己巳癸酉,太守.癸酉壬戌,擧人.

명조)1-[서 시랑] 명조)2-[조대수 원융 충신] 명조)3-[태수] 명조)4-[거인]

壬 丁 庚 丙　　壬 丁 丁 己　　　壬 丁 癸 己　　壬 丁 壬 癸
寅 亥 寅 子　　寅 亥 丑 卯　　　寅 亥 酉 巳　　寅 亥 戌 酉

점철성금(點鐵成金)局은 때를 만나면 大吉함이 창성(昌盛)하다. 서인(庶人=서민)도 발복(發福)함이 많고, 君子는 명리(名利)가 나타난다. (點鐵成金局,時逢大吉昌.庶人多發福,君子利名彰.)

丁壬이 合化하여 金鄉에 들면, 구록승명(狗祿蠅名)하여도 헛되이 자신만 바쁘다. 절개(節槪)가 쇠잔(衰殘)하여 取할 것이 없고, 목전(目前)의 골육(骨肉) 역시 서로 떨어져 만날 수 없다. (丁壬合化入金鄉,狗祿蠅名空自忙.節槪衰殘無足取,眼前骨肉亦參商.)

丁일 壬寅시는, 合化하는 局은 木旺한 곳이다. 月支에 申 酉를 만나지 않으면 뜻한 바를 이루며 고인(高人)에게 천거(薦擧)되어 쓰인다. 父母 兄弟는 힘이 적고, 외인(外人)은 춘풍(春風)에 기뻐하며 웃고, 運에서 水 木을 만나고 金의 흔적이 없으면 귀현(貴顯) 영달(榮達)하는 命이다. (丁日壬寅時,合化局,木旺之鄉.月支申酉不相逢,得志,高人薦用.父母雁行少力,外人喜笑春風,運逢水木沒金蹤,貴顯榮達之命.)

39. 六丁日癸卯時斷

6丁일생이 癸卯시면, 鬼가 旺하고 身이 衰하여 피곤함을 禁하지 못한다. 月에 通[根]하여 의탁(依託)하여야 비로소 福이 있고, 그렇지 않으면 빈천(貧賤)하며 슬픔으로 괴롭다. (六丁日生時癸卯,鬼旺身衰困不禁.倚託月通方論福,不然貧下苦悲心.)

丁일 癸卯시는, 身이 衰하며 鬼가 旺하고, 丁은 癸가 鬼가 되고, 乙은 도식(倒食)으로 卯상에서 癸는 長生하고 乙은 旺하다. 만약 의탁(依託)할 데가 있어 구조(救助)하고 身旺한 月이면 鬼가 化하여 官이 되니 吉하다. 四柱에 없고 運에서 通하여도 역시 吉하다. 이와 반대면 빈천(貧賤)하고 실명(失明) 혈병(血病)이 있고, 처(妻)는 재앙(災殃)이 있고 자식이 드물다. (丁日,癸卯時,身衰鬼旺,丁以癸爲鬼,乙爲倒食,卯上癸生乙旺,若有倚託救助,及身旺月,化鬼爲官,吉.柱無運通亦吉.反此貧下,失明,血疾,妻災子少.)

丁丑일 癸卯시는, 辰 戌 丑 未월에 제복(制伏)함을 얻거나 午월에 天干이 강하면 貴하다. 申 丑월은 풍헌(風憲)이다.[참고];풍헌(風憲)은 지방의 하급관리이다. (丁丑日,癸卯時,辰戌丑未月,制伏得中,午月干強貴.申丑風憲.)

甲申庚午,黃士觀郎中.壬子癸丑,李際泰進士.辛丑乙未,趙可懷楚撫被宗室拷死.癸丑己未,伯.辛酉丙申,方應祥進士兵部郎.

명조)1-[황사관 낭중] 명조)2-[이제태 진사] 명조)3-[조 가회]

癸 丁 庚 甲	癸 丁 癸 壬	癸 丁 乙 辛
卯 丑 午 申	卯 丑 丑 子	卯 丑 未 丑

명조)3에서, 조 가회는 금무인데, 종실(宗室=종친)에게 맞자 죽었다.

명조)4-[백(伯)]　　명조)5-[방응상 진사 병부랑]

癸 丁 己 癸　　　癸 丁 丙 辛

卯 丑 未 丑　　　卯 丑 申 酉

丁卯일 癸卯시는, 寅 卯月에 生하면 印綬가 煞을 대동(帶同)하여 凶으로 論하지 않는다. 官運으로 行하면 귀현(貴顯)한다. (丁卯日,癸卯時,寅卯月生印綬帶煞,不爲凶論.行當[官]運貴顯.)

辛丑癸巳,楊白泉尚書.庚戌丁亥,蕭良有會元榜眼祭酒.己巳癸酉,大參.乙未戊寅,太守.辛巳庚寅,擧人.己酉辛未,一庚午科推官歡人.一丙子科學正閩人.戊申丙辰,江鐸都憲.

명조)1-[양백천 상서]　명조)2-[소량유 會元 榜眼 祭酒]

癸 丁 癸 辛　　　癸 丁 丁 庚

卯 卯 巳 丑　　　卯 卯 亥 戌

명조)3-[대참]　명조)4-[태수]　명조)5-[거인]

癸 丁 癸 己　　癸 丁 戊 乙　　癸 丁 庚 辛

卯 卯 酉 巳　　卯 卯 寅 未　　卯 卯 寅 巳

명조)6-[두 사람 命]　명조)7-[강탁 도헌]

癸 丁 辛 己　　　　癸 丁 丙 戊

卯 卯 未 酉　　　　卯 卯 辰 申

명조)6에서, 一人은 庚午 年에 급제하여 추관으로 안휘사람이고, 一人은 丙子 年에 급제하여 학정으로 복건사람이다.

丁巳일 癸卯시는, 丑월에 生하면 北方 運에 土가 厚하여 吉하다. 水가 **빼**어난 地支는 2~3품의 貴이다. 申 酉[月]은 財를 用하여 역시 吉하다. (丁巳日,癸卯時,丑月生,北方運,土厚地方吉.水秀之地,二三品貴.申酉用財亦吉.)

乙巳甲申,陳應之郎中.丙戌甲午,貴戚.戊戌癸亥,丞相.乙酉辛巳,御醫.丁酉癸丑,楊時寧進士三兄弟,兄擧人,弟巨富.丙午丙申,擧人巨富.

[참고] 거인(擧人);중국 한나라 때에 지방관에 의하여 조정에 추천된 사람.

명조)1-[진응지 낭중]　명조)2-[귀척]　　명조)3-[승상]

癸 丁 甲 乙　　　　癸 丁 甲 丙　　　癸 丁 癸 戊

卯 巳 申 巳　　　　卯 巳 午 戌　　　卯 巳 亥 戌

명조)4-[어의] 명조)5-[양시녕]명조)6-[거인 거부]

癸 丁 辛 乙　　癸 丁 癸 丁　　　癸 丁 丙 丙
卯 巳 巳 酉　　卯 巳 丑 酉　　　卯 巳 申 午

명조)5에서, 양 시녕은 진사로 삼형제인데, 형(兄)은 거인이고, 동생은 거부(巨富)였다.

丁未일 癸卯시는, 편관이 印을 生한다. 春절은 吉하고, 夏절은 보통이고. 秋절은 富하고, 冬절은 가난하다. 혹 이르길, 丁火는 水를 두려워하지 않아 冬절의 亥 子[月]에 生하면 살중신유(煞重身柔)하여 대귀(大貴)하다. 丑 未[月]에 東方운으로 行하면 貴하다. (丁未日,癸卯時,偏官生印.春吉,夏平,秋富,冬貧.或云,丁火不怕水,冬生亥子,煞重身柔,大貴.丑未行東方運,貴.)

丁亥壬子,章丞相.丙戌辛卯,林進士.丙申乙未,韓紹方伯子敬會狀.丁酉丁未,唐龍尙書子汝楫狀元.庚寅戊寅,進士.

명조)1-[장 승상] 명조)2-[임 진사]　명조)3-[한소 方伯 子 敬會狀]

癸 丁 壬 丁　　　癸 丁 辛 丙　　　癸 丁 乙 丙
卯 未 子 亥　　　卯 未 卯 戌　　　卯 未 未 申

명조)4-[당룡 상서 子 여즙 장원] 명조)5-[진사]

癸 丁 丁 丁　　　　　　癸 丁 戊 庚
卯 未 未 酉　　　　　　卯 未 寅 寅

丁酉일 癸卯시는, 日時가 모두 貴人에 坐하여 가장 吉하다. 春 夏절은 身旺하여 鬼가 化하여 官이 된다. 秋 冬절은 身衰하여 일하여도 고생한다. 巳 戌월은 貴하다. 순수한 午 丑의 年 月은 天干에 庚 己가 투출하면 淸貴하다. (丁酉日,癸卯時,日時俱坐貴最吉.春夏身旺,化鬼爲官.秋冬身衰勤苦.巳戌月貴.純午丑年月,干透庚己,淸貴.)

丙子甲午,楊忠愍公繼盛.乙卯丁亥,金狀元.庚午己丑,李春芳狀元閣老.癸丑丙辰,項喬憲副.己巳乙亥,林策評事.

명조)1-[양충민 공 계성] 명조)2-[김 장원]

癸 丁 甲 丙　　　　癸 丁 丁 乙
卯 酉 午 子　　　　卯 酉 亥 卯

명조)3-[이춘방 장원 각로] 명조)4-[항교 헌부] 명조)5-[임책 평사]

```
癸 丁 己 庚        癸 丁 丙 癸        癸 丁 乙 己
卯 酉 丑 午        卯 酉 辰 丑        卯 酉 亥 巳
```

丁亥일 癸卯시는, 卯월은 印綬로써 근시(近時;임금을 가까이 모심)의 貴이다. 寅 午[月]은 경관(京官)인 5~6품이다. [참고]:경관(京官)은 5~6품의 벼슬이다. (丁亥日,癸卯時,卯月印綬,近侍之貴,寅午,京官五六品.)

乙亥戊子,林敬主事.己未庚午,禮部郎.

명조)1-[임경 주사] 명조)2-[예부랑]
```
癸 丁 戊 乙        癸 丁 庚 己
卯 亥 子 亥        卯 亥 午 未
```

몽중접화(夢中蝶化)局은 깨달은 후에 생각하고 헤아려선 안 되고, 運에서 身의 旺地로 通하여야 비로소 명리(名利)가 창성(昌盛)하게 된다. (夢中蝶化局,覺後莫思量.運身通旺地,方許利名昌.)

丁丑일 癸卯시를 만나면, 명리(名利)를 求하여도 또한 평범하다. 身衰하면 지나치게 재주를 부리다가 도리어 서툴게 되고, 뜻을 이루려면 모름지기 貴人을 만나 通해야 한다. (丁丑日逢癸卯生,求名求利且中平.身衰弄巧翻成拙,得志須通遇貴人.)

丁일이 癸卯시에 臨하면, 身衰하여 의지함이 없으면 평상(平常)하다. 문중(門中)의 귀적(鬼賊)이 財와 양식(糧食)을 소모하니 조업(祖業)을 지키려면 반드시 파탕(破蕩)함을 막아야한다. 부모 형제에게 의지함이 적으며 妻子는 이향(離鄉)을 피하지 못한다. 運中에서 身旺하면 비로소 煞이 항복하여 명리(名利)와 영화(榮華)가 번성하게 된다. (丁日時臨癸卯,身衰無倚平常.門中鬼賊耗財糧,守祖須防破蕩.父母雁行少靠,妻子不免離鄉.運中身旺煞方降,堪許利名榮暢.)

40. 六丁日甲辰時斷

6丁일생이 甲辰시면, 관성이 득위(得位)하며 인수(印綬)가 身을 生한다. 月氣에 불통(不通)하면 보통의 福은 되고, 의지하고 돕는 것이 있으면 祿 貴人과 동일하다. (六丁日生時甲辰,官星得位印生身.不通月氣平爲福,有倚扶同祿貴人.)

丁일 甲辰시는, 인수(印綬)와 官庫인데, 甲은 印綬이며 壬은 官이고, 辰中에 [通根한] 甲木 印綬가 身을 生하며 관성은 合局한다. 만약 月氣에 通하여 의탁(依託)할 것이 있으면 貴하고, 아니면 평상(平常)하다. 春절생이면 北方운을 기뻐한다. 冬절생이면 南方운을 기뻐하며 吉하다. (丁日,甲

辰時,印綬官庫,甲爲印,壬爲官,辰中甲木印綬生身,官星合局,若通月氣有倚託者,貴,否則平常.春生喜北運.冬生喜南運,吉.)

丁丑일 甲辰시는, 吉하고, 亥 子월은 부귀(富貴)하다. 申월에 東方운이거나, 午월에 金 水運은 모두 貴하다. 순수한 寅이면 풍헌(風憲)으로 극품(極品)이다. (丁丑日,甲辰時,吉,亥子月富貴.申月東方運,午月金水運,俱貴.純寅風憲極品.)

丙申庚子,孫樞密.甲辰壬申,王冢宰.癸丑辛酉,何教諭.甲寅丁丑,傅洽擧人.丁亥辛亥,巨富.癸丑癸亥,擧人.

명조)1-[손 추밀] 명조)2-[왕 총재] 명조)3-[하 교유]

甲	丁	庚	丙
辰	丑	子	申

甲	丁	壬	甲
辰	丑	申	辰

甲	丁	辛	癸
辰	丑	酉	丑

명조)4-[부흡 거인] 명조)5-[거부] 명조)6-[거인]

甲	丁	丁	甲
辰	丑	丑	寅

甲	丁	辛	丁
辰	丑	亥	亥

甲	丁	癸	癸
辰	丑	亥	丑

丁卯일 甲辰시는, 辰 戌 丑 未월은 고독하고 剋하지만 運에서 通[根]하면 財가 發한다. 丑월에 南方운이면 貴하다. 卯월에 金 水運이면 근시(近侍;임금을 가까이 모심)로 권귀(權貴)하지만, 자신의 주장을 제기하는 것은 불리(不利)하다. (丁卯日,甲辰時,辰戌丑未月,孤剋,運通發財.丑月南方運貴.卯月金水運,近侍權貴,不利建白.)

甲寅辛未,倫以諒進士.庚辰壬午,周儀擧人.甲寅丁丑,吳大選擧人.癸未乙卯,諫垣.戊申乙丑,同知.壬戌戊申,富.

명조)1-[윤이량 진사] 명조)2-[주의 거인] 명조)3-[오대선 거인]

甲	丁	辛	甲
辰	卯	未	寅

甲	丁	壬	庚
辰	卯	午	辰

甲	丁	丁	甲
辰	卯	丑	寅

명조)4-[간원] 명조)5-[동지] 명조)6-[富]

甲	丁	乙	癸
辰	卯	卯	未

甲	丁	乙	戊
辰	卯	丑	申

甲	丁	戊	壬
辰	卯	申	戌

丁巳일 甲辰시는, 형벌로 凶하며 고독하고 剋한다. 春절은 印綬로 吉하다. 夏 秋절은 평상(平常)하다. 冬절은 官이 旺하다. 순수한 戌에 木 火운이면 관직(官職)이 한직(閒職)이다. (丁巳日,甲

辰時,凶刑孤剋,春印吉.夏秋平常.多官旺.純戌木火運,官居冷職.)

丙午壬辰,王皇親.乙未壬申,知縣.丙申己亥,陳子壯探花侍郎.丙戌癸巳,陳觀陽銓部.癸未乙丑,進士.

명조)1-[왕 황친] 명조)2-[지현] 명조)3-[진자장 탐화시랑]

甲 丁 壬 丙　　　甲 丁 壬 乙　　　甲 丁 己 丙
辰 巳 辰 午　　　辰 巳 申 未　　　辰 巳 亥 申

명조)4-[진관양 전부] 명조)5-[진사]

甲 丁 癸 丙　　　甲 丁 乙 癸
辰 巳 巳 戌　　　辰 巳 丑 未

丁未일 甲辰시는, 丑 亥 卯 未월은 印綬와 官貴이다. 夏節은 보통이다. 辰 戌은 貴가 厚하다. 酉 午[月]에 金 水運이면 대귀(大貴)하다. (丁未日,甲辰時,丑亥卯未月,印綬官貴.夏平.辰戌貴厚.酉午金水運大貴.)

甲午丙子,王廷相尙書名公.壬午庚戌,伍布政.己未甲戌,王太守.辛卯戊戌,劉豫卿進士.壬戌丙午,謝檢討.己卯丙寅,中書法死.癸亥甲子,喩天性巡撫.己巳壬申,貴橫亡.丁酉丁未,唐龍尙書名臣.

명조)1-[왕정상 상서명공] 명조)2-[오 포정]　명조)3-[왕 태수]

甲 丁 丙 甲　　　　甲 丁 庚 壬　　　　甲 丁 甲 己
辰 未 子 午　　　　辰 未 戌 午　　　　辰 未 戌 未

명조)4-[유예경 진사] 명조)5-[사 검토] 명조)6-[중서 법사]

甲 丁 戊 辛　　　甲 丁 丙 壬　　　甲 丁 丙 己
辰 未 戌 卯　　　辰 未 午 戌　　　辰 未 寅 卯

명조)7-[유천성 순무] 명조)8-[귀횡망] 명조)9-[당용 상서 명신]

甲 丁 甲 癸　　　甲 丁 壬 己　　　甲 丁 丁 丁
辰 未 子 亥　　　辰 未 申 巳　　　辰 未 未 酉

丁酉일 甲辰시는, 보통이고, 年 月에 戌(字)을 보지 않으면 일주영귀격(日主榮貴格)이다. 春節생이 南方運은 貴하지만 北方運이면 대귀(大貴)하다. 年의 天干과 月의 地支가 合局하면 입마화격(入馬化格)으로 한층 더 貴하다. (丁酉日,甲辰時,平,年月不見戌字,日主榮貴格.春生南運貴,北運大貴.年干月支合局,入馬化格,尤貴.)

丁未辛亥,李維楨方伯京山人有文集行於世.乙亥庚辰,何侍郞.丁丑壬寅,方太守.甲申己巳,韓廉憲.丙辰壬辰,王三接知府.丁丑壬子,徐大用同知.丙辰壬辰,封官先貧.丙子戊戌,縣丞巨富.乙丑壬午,進士早卒.庚午己丑,李春芳閣老五世同堂,一云癸卯時.

명조)1-[이 유정] 명조)2-[하 시랑] 명조)3-[방 태수]

| 甲 | 丁 | 辛 | 丁 | | 甲 | 丁 | 庚 | 乙 | | 甲 | 丁 | 壬 | 丁 |
| 辰 | 酉 | 亥 | 未 | | 辰 | 酉 | 辰 | 亥 | | 辰 | 酉 | 寅 | 丑 |

명조)1에서, 이 유정은 방백으로 경산[현]사람인데, 문집(文集)을 세상에 펴냈다.

명조)4-[한 렴헌] 명조)5-[왕삼접 지부] 명조)6-[서대용 동지]

| 甲 | 丁 | 己 | 甲 | | 甲 | 丁 | 壬 | 丙 | | 甲 | 丁 | 壬 | 丁 |
| 辰 | 酉 | 巳 | 申 | | 辰 | 酉 | 辰 | 辰 | | 辰 | 酉 | 子 | 丑 |

명조)7-[봉관 선빈] 명조)8-[현승 거부] 명조)9-[進士 요절] 명조)10-[이 춘방]

| 甲 | 丁 | 壬 | 丙 | | 甲 | 丁 | 戊 | 丙 | | 甲 | 丁 | 壬 | 乙 | | 甲 | 丁 | 己 | 庚 |
| 辰 | 酉 | 辰 | 辰 | | 辰 | 酉 | 戌 | 子 | | 辰 | 酉 | 午 | 丑 | | 辰 | 酉 | 丑 | 午 |

명조)10에서, 이 춘방은 각로인데, 오대(五代)가 같이 살았다. 또, 癸卯 時라고도 한다.

丁亥일 甲辰시는, 일귀격(日貴格)으로 官祿이 득위(得位)하여 반드시 현달(顯達)한다. 申辰의 年月은 대귀(大貴)하다. 午월의 東北운이거나 辰월의 北方運은 모두 貴하다. 또 이르길, 血疾이 있으며 형벌로 凶하다. (丁亥日,甲辰時,日貴格,官祿得位,必當顯達.甲[申]辰年月大貴.午月東北運,辰月北方運,俱貴.一云,血疾凶刑.)

丁亥甲辰,狀元.壬戌己酉,都憲.乙未戊寅,周尙文總兵眞將才.庚申戊子,內官.

명조)1-[장원] 명조)2-[도헌] 명조)3-[주상문 총병 진장재] 명조)4-[내관]

| 甲 | 丁 | 甲 | 丁 | | 甲 | 丁 | 己 | 壬 | | 甲 | 丁 | 戊 | 乙 | | 甲 | 丁 | 戊 | 庚 |
| 辰 | 亥 | 辰 | 亥 | | 辰 | 亥 | 酉 | 戌 | | 辰 | 亥 | 寅 | 未 | | 辰 | 亥 | 子 | 申 |

시중관고(時中官庫)局은 발복(發福)하려면 刑 衝을 해야 한다. 만약 형통(亨通)한 運으로 行하면 財가 官을 生하여 자연히 從한다. (時中官庫局,發福要刑衝.若行亨通運,財生官自從.)

丁일이 時에 官印을 함께 만나면, 財庫를 열어야 전룡(錢龍)을 보게 된다. 四柱의 干支에 刑 破가 없고, 運에 이르러야 비로소 부귀한 늙은이가 된다. (丁日時逢官印同,匙開財庫見錢龍.支干四柱無刑破,運至方稱富貴翁.)

丁일이 [甲]辰시는 庫旺한데, 그 중에 印綬가 상생(相生)한다. 열쇠인 戊로 열면 壬 丁이 기뻐하는데, 문장(文章)이 수려하여 무리들 중에서 출중(出衆)하다. 골육(骨肉) 육친(六親)은 刑 剋하지만 결과적으로 成花하여 거듭된 영화로움에 감사한다. 단지 運에서 다투면 전룡(錢龍)을 만나는 것이 늦어지니 선암후명(先暗後明)한 命이 된다. (丁日辰時庫旺,其中印綬相生.匙鑰戊開喜壬丁,文秀出群超衆.骨肉六親刑剋,果成花謝重榮.只爭運遲見錢龍,先暗後明之命.)

41. 六丁日乙巳時斷

6丁일생이 乙巳시면, 상관이 暗藏한가운데 梟神이 모였다. 東方運의 地支는 빼어남이 헛되지만 金 水鄕에서는 祿 貴人이다. (六丁日生時乙巳,傷官暗裏會梟神.東方運地成虛秀,金水之鄕祿貴人.)

丁일 乙巳시는, 丁은 壬을 官으로 삼으며 乙은 도식(倒食)이 되고, 巳상에서 壬이 絕하는데 乙의 도식(倒食)이 透出해 있으며 암장한 戊의 傷官이 健旺하니 위인(爲人)이 거만하고 뜻은 크나 평상인이다. 만약 金 水月의 기운에 通하면 貴하다. 運에서 [金 水월의 기운에] 通하여도 역시 貴하다. (丁日,乙巳時,丁以壬爲官,乙爲倒食,巳上壬絕,有明乙倒食,暗戊傷官健旺,爲人傲物志高,平常.若通金水月氣貴.運通亦貴.)

丁丑일 乙巳시는, 春절은 富하고, 夏절은 고독하고, 秋절은 吉하고, 冬절은 貴하다. (丁丑日,乙巳時,春富,夏孤,秋吉,冬貴.)

癸卯癸亥,許成名侍郎.甲戌丙寅,陳仁布政.辛未甲午,莊獻擧人.壬辰癸卯,徐封君以子民式封中丞.乙巳丙戌,李長春禮部尚書.己卯丁卯,刑凶.壬戌壬寅,賊.

명조)1-[허성명 시랑]　명조)2-[진인 포정]　명조)3-[장헌 거인]

乙 丁 癸 癸　　　乙 丁 丙 甲　　　乙 丁 甲 辛
巳 丑 亥 卯　　　巳 丑 寅 戌　　　巳 丑 午 未

명조)4-[서 봉군]　명조)5-[이 장춘 예부상서]

乙 丁 癸 壬　　　乙 丁 丙 乙
巳 丑 卯 辰　　　巳 丑 戌 巳

명조)4에서, 서 봉군인데, 子(아들)인 민식은 중승(中丞)에 封해 졌다.

명조)-6[刑凶]　명조)7-[도둑]

乙 丁 丁 己　　　乙 丁 壬 壬
巳 丑 卯 卯　　　巳 丑 寅 戌

丁卯일 乙巳시는, 春절은 印綬이고, 夏절은 [身]旺하고, 秋절은 財이고, 冬절은 官인데, 취용(取用)은 어떻게 봐야하는가? 가히 모두 吉하다고 논(論)한다. 午 未의 年 月은 문장(文章)으로 현귀(顯貴)하고, 관(官)록(祿)의 運으로 行하면 吉하다. (丁卯日,乙巳時,春印,夏旺,秋財,冬官,看取用何如.俱可論吉.午未年月,文章貴顯,行官祿運吉.)

辛未丙申,進士.乙酉乙酉,甲部.辛未戊戌,陳以勤閣老.

명조)1-[진사]　명조)2-[갑부(甲部)]　명조)3-[진이근 각로]
乙 丁 丙 辛　　乙 丁 乙 乙　　乙 丁 戊 辛
巳 卯 申 未　　巳 卯 酉 酉　　巳 卯 戌 未

丁巳일 乙巳시는, 다시 巳月에 生하면, 亥를 도충(倒衝)하여 壬을 官으로 삼는데, 水가 전실(塡實)하여 破格이 되지 않으면 4~5품의 貴이다. (丁巳日,乙巳時,再生巳月,倒衝亥壬爲官,無水塡實破格者,主四五品貴.)

癸卯丁巳,項編修.丙子癸巳,任狀元.甲午丙子,趙大參.甲寅甲戌,何太守.戊辰丁巳,王郎中.辛酉癸巳,施判院.辛未丙申,運使.己巳癸酉,文貴.丁卯庚戌.武貴.

명조)1-[항 편수]　명조)2-[임 장원] 명조)3-[조 대참]
乙 丁 丁 癸　　乙 丁 癸 丙　　乙 丁 丙 甲
巳 巳 巳 卯　　巳 巳 巳 子　　巳 巳 子 午

명조)4-[하 태수] 명조)5-[왕 낭중]　명조)6-[시 판원]
乙 丁 甲 甲　　乙 丁 丁 戊　　乙 丁 癸 辛
巳 巳 戌 寅　　巳 巳 巳 辰　　巳 巳 巳 酉

명조)7-[운사] 명조)8-[文貴]　명조)9-[武貴]
乙 丁 丙 辛　　乙 丁 癸 己　　乙 丁 庚 丁
巳 巳 申 未　　巳 巳 酉 巳　　巳 巳 戌 卯

丁未일 乙巳시는, 만약 도충(倒衝)격에 들어 衝 破함이 없으면 貴하다. 巳 亥의 年 月은 3~4품의 貴이다. 酉 丑은 財局을 合하여 富하다. (丁未日,乙巳時,若入倒衝格,無衝破,貴.巳亥年月,三四品貴.酉丑合財局富.)

癸酉乙丑,張承叙太守.丁巳乙巳,貴.癸未乙卯,女命榮壽.丁未乙巳,女命天啓西宮.辛巳甲午.總管.

명조)1-[장승서 태수] 명조)2-[貴] 명조)3-[女命 영(榮)수(壽)]

乙 丁 乙 癸　　　乙 丁 乙 丁　　乙 丁 乙 癸

巳 未 丑 酉　　　巳 未 巳 巳　　巳 未 卯 未

명조)4-[女命 천계(天啓)西宮] 명조)5-[총관(總管)]

乙 丁 乙 丁　　　　　乙 丁 甲 辛

巳 未 巳 未　　　　　巳 未 午 巳

丁酉일 乙巳시는, 파재(破財) 도식(倒食)하는데, 만약 金 水의 年 月에 通하면 金 水運으로 行하여야 吉하다. (丁酉日,乙巳時,破財倒食,若通金水年月,行金水運吉.)

辛卯丁酉,向成御史.癸卯丙辰,文大參.癸卯己未,大貴.丁巳乙巳,葉左丞.壬戌辛亥,朱愷太守.戊寅丙辰,李會春擧人.辛丑戊戌,黃洪憲少詹.己未辛未,汪可受都院.

명조)1-[향성 어사] 명조)2-[문 대참] 명조)3-[大貴]

乙 丁 丁 辛　　　乙 丁 丙 癸　　　乙 丁 己 癸

巳 酉 酉 卯　　　巳 酉 辰 卯　　　巳 酉 未 卯

명조)4-[엽 좌승] 명조)5-[주개태수] 명조)6-[이회춘 거인]

乙 丁 乙 丁　　　乙 丁 辛 壬　　　乙 丁 丙 戊

巳 酉 巳 巳　　　巳 酉 亥 戌　　　巳 酉 辰 寅

명조)7-[황홍헌 소첨] 명조)8-[왕가수 도원]

乙 丁 戊 辛　　　　乙 丁 辛 己

巳 酉 戌 丑　　　　巳 酉 未 未

丁亥일 乙巳시는, 日時가 나란히 衝하니 처자(妻子)를 손상함이 염려된다. 巳 酉 丑, 申 子 辰의 金 水 二局은 財 官을 득용(得用)함으로써 부귀(富貴)하다고 論한다. (丁亥日,乙巳時,時日倂衝,憂傷妻子.巳酉丑申子辰金水二局,財官得用,以富貴論.)

壬辰甲辰,王懭侍郞.丁亥甲辰,乞丐.

명조)1-[왕광 시랑] 명조)2-[거지]

乙 丁 甲 壬　　　乙 丁 甲 丁

巳 亥 辰 辰　　　巳 亥 辰 亥

편인파재(偏印破財)局은, 젊은 나이에 죽을 수 있다. 運이 官祿의 地支로 行하면 부귀(富貴)가 자연히 온다. (偏印破財局,早年且掩埋.運行官祿地,富貴自天來.)

丁일이 巳時면 虎[寅]의 刑을 두려워하고, 財官運은 평보(平步)로 시작하여 통달(通達)할 수 있다. 좋은 뜻과 인정(人情)이 도리어 악의(惡意)가 되며 먼저는 어려우나 나중에는 쉬우며 즐거움이 따른다. (丁日巳時怕虎刑,財官運步始能通.好意人情反惡意,先難後易樂從容.)

丁일에 乙巳시가 臨하면, 도식(倒食)으로 파재(破財)하여 通하기 어렵다. 부모(父母) 형제(兄弟)는 또 화평(和平)하지만 처자(妻子)에게 원망도 없고 번민도 없다. 君子는 學文에 빼어난 기운이 있고, 보통사람은 재예(才藝)에 통달(通達)한다. 壬 庚 辛 癸가 만약 거듭 만나면 中 末年에 재물과 명성이 충족된다. (丁日時臨乙巳,破財倒食難通.雙親雁侶且和平,妻子無嗔無悶.君子文學秀氣,常人財藝通明.壬庚辛癸若重逢,中末財名足用.)

42. 六丁日丙午時斷

6丁일생 丙午시를 만나면, 日祿이 時上에 居하니 기쁘다. 四柱중에 서(鼠=子) 토(兎=卯) 癸의 손상함이 없으면 소년시절에 벼슬길에 올라 입신출세한다. (六丁日生逢丙午,日祿喜居時上遇,柱中鼠兎癸無傷,少年騰達青雲路.)

丁일 丙午시는, 벼슬길로 나아간다. 丁火는 午상에서 建祿인데, 만약 地支에 梟[神]의 破가 없으며 天干에 癸의 刑이 없고 祿元이 순수(純粹)하면 貴하다. 만일 地支에 子 卯가 있으며 天干에 癸가 있어 祿을 破하면 만나는데도 만나지 않는 것이다. (丁日,丙午時,青雲得路.丁火午上建祿,若支無梟破,干無癸刑,祿元純粹,主貴.如支有子卯,干有癸,破祿,遇而不遇.)

丁丑일 丙午시는 보통이고, 寅 卯 戌 未의 年 月은 貴하다. 酉 丑[月]에 財를 用[神]하면 가장 吉하다. 亥 子[月]의 官煞을 꺼린다. (丁丑日,丙午時,平,寅卯戌未年月貴.酉丑用財最吉.忌亥子官煞.)

己亥丙寅,史平章.戊寅辛酉,擧人.庚寅己丑,擧人.辛未庚午,范安撫.

명조)1-[사 평장]   명조)2-[擧人]   명조)3-[거인]   명조)4-[범 안무]

丙	丁	丙	己		丙	丁	辛	戊		丙	丁	己	庚		丙	丁	庚	辛
午	丑	寅	亥		午	丑	酉	寅		午	丑	丑	寅		午	丑	午	未

丁卯일 丙午시는, 旺한중에 재앙(災殃)이 있고, 卯(字)를 刑 破하면 백정(白丁)이 된다. 巳월에 西北運은 貴하다. 東南(方)이면 극품(極品)으로 권력(權力)이 있다. 寅 亥[月]이면 무직(武職)으로 2품이 된다. 만약 子 酉가 온전하면 대귀(大貴)하다. (丁卯日,丙午時,旺中有災,卯字刑破,白丁.巳月西北運貴.東南極品,有權.寅亥武職二品.若全子酉大貴.)

戊子辛酉,黎侍郎,王其勤郎中命同.甲午丙寅,和大參.陳平章命同.辛未丁酉,鄭寺簿.丁卯壬子,劉一燦閣老.

명조)1-[려 시랑] 명조)2-[화 대참] 명조)3-[정 사부] 명조)4-[유일경 각로]

丙 丁 辛 戊	丙 丁 丙 甲	丙 丁 丁 辛	丙 丁 壬 丁
午 卯 酉 子	午 卯 寅 午	午 卯 酉 未	午 卯 子 卯

명조1)에서, 려 시랑인데, 왕 기근낭중도 命이 같다.
명조2)에서, 화 대참인데, 진 평장도 命이 같다.

丁巳일 丙午시는, 丁은 午가 祿이며 丙은 巳가 祿이다. 호환록격(互換祿格)으로 四柱에 寅 亥 子의 글자가 없으면 문장(文章)으로 현귀(顯貴)하여 妻가 작위(爵位)를 받고 자식은 음덕(蔭德)을 받는다. (丁巳日,丙午時,丁祿午,丙祿巳,互換祿格,柱無寅亥子字,文章顯貴.封妻蔭子.)

癸丑丁巳,盧後屛尙書.庚申壬午,林承訓進士.丙辰戊戌,吳雲臺擧人.丁亥乙巳,擧人.乙卯壬午,進士.辛酉乙未,金達會元探花.丙子丁酉,女命無子受繼子之封.癸巳乙丑,進士.

명조)1-[려후병 상서] 명조)2-[임승훈 진사] 명조)3-[오운대 거인]

丙 丁 丁 癸	丙 丁 壬 庚	丙 丁 戊 丙
午 巳 巳 丑	午 巳 午 申	午 巳 戌 辰

명조)4-[거인] 명조)5-[진사] 명조)6-[금달 회원탐화]

丙 丁 乙 丁	丙 丁 壬 乙	丙 丁 乙 辛
午 巳 巳 亥	午 巳 午 卯	午 巳 未 酉

명조)7-[女命]명조)8-[진사]

丙 丁 丁 丙	丙 丁 乙 癸
午 巳 酉 申	午 巳 丑 巳

명조)7에서, 여자의 命인데, 자식이 없었고, 양아들로 인해 봉작을 받았다.

丁未일 丙午시는, 貴한데 조업(祖業)을 破하고 성취(成就)한다. 甲申월은 財 官 印으로 삼기(三奇)이다. 辰월은 官庫이다. 亥월은 官印으로 모두 대귀(大貴)하다. (丁未日,丙午時,貴,破祖而成.年

月忌壬癸字.甲申月財官印三奇.辰月官庫.亥月官印,俱大貴.)

庚辰甲申,譚綸尙書丁丑年卒.己亥己巳,呂柟狀元.己丑戊辰,萬戶.辛酉壬辰,憲副.乙巳乙酉,大貴.己亥丙子,解元.丁亥庚戌,王孫蕃擧人僉都前任濟寧知州淸和士民至今誦之.辛丑壬辰,甲部.庚辰辛巳,公.

명조)1-[담륜 상서,丁丑年 卒] 명조)2-[려남 장원] 명조)3-[만호]

| 丙 丁 甲 庚 | 丙 丁 己 己 | 丙 丁 戊 己 |
| 午 未 申 辰 | 午 未 巳 亥 | 午 未 辰 丑 |

명조)4-[헌부] 명조)5-[大貴] 명조)6-[해원]

| 丙 丁 壬 辛 | 丙 丁 乙 乙 | 丙 丁 丙 己 |
| 午 未 辰 酉 | 午 未 酉 巳 | 午 未 子 亥 |

명조)7-[왕 손번 거인] 명조)8-[甲部] 명조)9-[公]

| 丙 丁 庚 丁 | 丙 丁 壬 辛 | 丙 丁 辛 庚 |
| 午 未 戌 亥 | 午 未 辰 丑 | 午 未 巳 辰 |

丁酉日 丙午時는, 자손(子孫)에게 불리(不利)하다. 亥 卯 未의 年 月은 貴하다. 巳 酉 丑[月]은 보통이다. 寅 午 戌[月]은 富하다. (丁酉日,丙午時,平,不利子孫.亥卯未年月貴.巳酉丑平.寅午戌富.)

丁丑壬子,王安仁太守.己巳庚午,鄭寺丞.癸酉壬戌,陳所志刑垣.

명조)1-[왕안인 태수] 명조)2-[정 사승] 명조)3-[진소지 형원]

| 丙 丁 壬 丁 | 丙 丁 庚 己 | 丙 丁 壬 癸 |
| 午 酉 子 丑 | 午 酉 午 巳 | 午 酉 戌 酉 |

丁亥日 丙午時는, 보통이다. 子月에 金 水運은 낭관(郎官)이다. 未 申 酉 丑의 年 月은 모두 吉하다. 또 이르길, 먼저는 破하고 나중에는 富하다. (丁亥日,丙午時,平.子月金水運,郎官.未申酉丑年月,俱吉.一云,先破後富.)

壬申丁未,張狀元.辛酉辛丑,姚左丞.癸未壬戌,陳奇瑜總督.

명조)1-[장 장원] 명조)2-[요 좌승] 명조)3-[진기유 총독]

| 丙 丁 丁 壬 | 丙 丁 辛 辛 | 丙 丁 壬 癸 |
| 午 亥 未 申 | 午 亥 丑 酉 | 午 亥 戌 未 |

마화기린(馬化麒麟)局은 만나게 되면 반드시 풍영(豊盈)하다. 刑 衝 破를 犯하지 않으면 명성(名聲)이 궁궐의 제왕까지 전해진다. (馬化麒麟局,遇者必豊盈,不犯刑衝破,聲名近帝庭.)

丁일에 午시는 록원국(祿元局)으로 관성을 만나지 않아야 무리를 제압(制壓)한다. 四柱에 刑이 없으며 行運이 吉하면 벼슬길에 있어 붉고 아름다운구름 위를 걷는다. (午時丁日祿元局,不見官星壓衆曹.四柱無刑行運吉,青雲有路步丹霄.)

丁일 丙午시를 만나면, 호환록마(互換祿馬)하여 아름답게 빛난다. 공명(功名)이 빛나고 밝은 것은 세응(世應)에서 드물지만 문장(文章)을 학습(學習)하여 貴하다. 年 月에 癸 子 卯가 없으며 때가 오면 文福의 반열(班列)로 순탄하다. 베옷에서 비단옷을 바꿔 입고 돌아오는 것은 바람이 구름을 만리(萬里)나 보내는 것이다. (丁日時逢丙午,互換祿馬光輝.功名烜赫世應希,習學文章主貴.年月無癸子卯,時來文福班齊.布衣換得錦衣歸,風送雲程萬里.)

43. 六丁日丁未時斷

6丁일생이 丁未시면, 火는 木局의 生함에 의지하여 有氣하다. 衣祿이 안온(安穩)하며 또한 한결같고, 水運을 만나야 비로소 득지(得地)한다. (六丁日生時丁未,火託木局生有氣.衣祿安穩且如常,運見水兮方得地.)

丁일 丁未시는, 火가 木局에 의지하고, 丁은 甲으로 印綬를 삼고, 未는 木의 庫로써 인수지향(印綬之鄉)이다. 만약 四柱에서 財星을 보지 않으며 財運으로 行하지 않고, 年 月이 亥 卯 未[木]局에 通하여 의탁(依託)함이 있으면 안온(安穩)한 福이 된다. (丁日,丁未時,火託木局,丁以甲爲印綬,未爲木庫,印綬之鄉,若柱不見財星,不行財運,月年通亥卯未局,有倚託者,安穩之福.)

丁丑일 丁未시는, 丑 未가 刑 衝하여 종말(終末)이 좋지 못하다. 年 月이 辰 戌로써 사고(四庫)가 완전하면 貴는 마땅히 극품(極品)이다. 未 申은 3품의 법사(法司)이고, 담박(淡泊)하며 맑고 여유롭다. 또 이르길, 조업(祖業)을 破하여 형(刑)한다. (丁丑日,丁未時,丑未刑衝,不得善終.年月辰戌四庫全,貴當極品.申未三品法司,淡泊清閒.一云,破祖刑.)

戊辰壬戌,明太祖考國史戊辰年九月十八丙子日己丑時與傳者不同黨,以國史爲正若丙子己丑明出地上宜爲大明君也.丙申丙申,大參.戊辰庚辰,巨富.己卯庚午,蔡國用閣老.

명조)1-[명 태조]　명조)2-[대참]　명조)3-[거부]　명조)4-[채국용 각로]

丁 丁 壬 戊	丁 丁 丙 丙	丁 丁 庚 戊	丁 丁 庚 己
未 丑 戌 辰	未 丑 申 申	未 丑 辰 辰	未 丑 午 卯

명조)1에서, 明나라 太祖[주원장]인데, 국사(國史)를 상고하면, 戊辰년 9月 18丙子일 己丑시로 傳하는 者는 동당(同黨)이 아니다. 國史가 올바르게 된 것은, 丙子 己丑은 明나라가 地上에 출현한 것이고, 大明의 君主가 된 것이 옳다.

丁卯일丁未시는, 刑중에 발달(發達)한다. 寅 卯월은 印綬로써 돈후(敦厚)하며 財가 發한다. 辰 戌 申 午는 모두 吉하다. (丁卯日,丁未時,刑中發.寅卯月印綬,發財敦厚.辰戌申午俱吉.)

甲午壬申,韓大參.甲戌戊辰,兪林侍郞.壬申丙午,林兆金主事.乙酉壬午,黎僉憲.癸未丁未,貲郞凶死.丁亥癸卯,陶大臨榜眼吏部侍郞.

명조)1-[한 대참]　명조)2-[유림 시랑]　명조)3-[임조금 주사]

| 丁 | 丁 | 壬 | 甲 |
| 未 | 卯 | 申 | 午 |

| 丁 | 丁 | 戊 | 甲 |
| 未 | 卯 | 辰 | 戌 |

| 丁 | 丁 | 丙 | 壬 |
| 未 | 卯 | 午 | 申 |

명조)4-[려 첨헌]　명조)5-[자랑 凶死]　명조)6-[도대임 방안 이부시랑]

| 丁 | 丁 | 壬 | 乙 |
| 未 | 卯 | 午 | 酉 |

| 丁 | 丁 | 丁 | 癸 |
| 未 | 卯 | 未 | 未 |

| 丁 | 丁 | 癸 | 丁 |
| 未 | 卯 | 卯 | 亥 |

丁巳일 丁未시는, 공록격(拱祿格)으로 貴하다. 年에 子(字)가 있으면 午는 궐문(關門)으로 공협(拱夾)하여 얻으니 대귀(大貴)하다. 공망과 전실(塡實)을 꺼린다. 年 月에 財 官 印을 보면 모두 吉하다. 財는 富하고 官印은 貴하다. (丁巳日,丁未時,拱祿格貴.年有子字,則午爲關門,得拱,大貴.忌空亡塡實.年月見財官印俱吉.財富,官印貴.)

戊子乙卯,費宏狀元閣老.壬午戊申,許大亨御史.壬子己酉,傅燮進士.丁卯壬寅,楊階進士.辛丑丁酉,巨富.癸亥己未,巨商晚貧.丁未丁未,廕郞.

명조)1-[비굉 장원각로]　명조)2-[허대형 어사]　명조)3-[부섭 진사]

| 丁 | 丁 | 乙 | 戊 |
| 未 | 巳 | 卯 | 子 |

| 丁 | 丁 | 戊 | 壬 |
| 未 | 巳 | 申 | 午 |

| 丁 | 丁 | 己 | 壬 |
| 未 | 巳 | 酉 | 子 |

명조)4-[양계 진사]　명조)5-[거부]　명조)6-[거상 晚貧]　명조)7-[음랑]

| 丁 | 丁 | 壬 | 丁 |
| 未 | 巳 | 寅 | 卯 |

| 丁 | 丁 | 丁 | 辛 |
| 未 | 巳 | 酉 | 丑 |

| 丁 | 丁 | 己 | 癸 |
| 未 | 巳 | 未 | 亥 |

| 丁 | 丁 | 丁 | 丁 |
| 未 | 巳 | 未 | 未 |

丁未일 丁未시는, 팔전(八專)으로 太旺하여 일찍이 父母 처자(妻子)를 훼하고, 衣祿은 평상(平常)하고, 승(僧)도(道)가 되어야 吉하다. 四柱에 金 水 木이 通하며 아울러 金 水運이면 衣祿이

안온(安穩)하며 대귀(大貴)하다. 또 이르길, 凶한 중에서도 말년에 발달(發達)하여 大富가 된다. (丁未日,丁未時,八專太旺,早剋父母妻子,衣祿平常,爲僧道吉.柱通金水木,並金水運,衣祿安穩,大貴.一云,凶中晩發大富.)

乙亥己丑,楊一清閣老無子名臣.辛亥辛卯,鄒守益會元尚書道學名臣.己酉丁卯,唐文獻狀元侍郎.丁未辛亥,羅大紘禮郎.乙卯甲申,馮岳尚書.丁未丁未,進士,一生員命同.壬午己酉,甲部早卒.己亥丁丑,婁志德卿.

명조)1-[양 일청] 명조)2-[추 수익] 명조)3-[당문헌 장원시랑]

丁 丁 己 乙   丁 丁 辛 辛   丁 丁 丁 己
未 未 丑 亥   未 未 卯 亥   未 未 卯 酉

명조)1에서, 양 일청은 각로인데 자식은 없고, 名臣이었다.
명조)2에서, 추 수익은 회원 상서 인데 도학(道學)으로 명신(名臣)이었다.

명조)4-[라대굉 례랑] 명조)5-[풍악 상서] 명조)6-[진사, 一生員命同]

丁 丁 辛 丁   丁 丁 甲 乙   丁 丁 丁 丁
未 未 亥 未   未 未 申 卯   未 未 未 未

명조)7-[갑부(甲部), 요절] 명조)8-[루지덕 경]

丁 丁 己 壬   丁 丁 丁 己
未 未 酉 午   未 未 丑 亥

丁酉일 丁未시는, 일귀격(日貴格)이다. 만약 亥 卯 未 寅월생이면 衣祿이 돈후(敦厚)하고, 寅월에 金 水運은 금띠를 두르고 紫衣를 입는 풍헌(風憲)이다. 또 이르길, 크게 凶하여 夭折한다. (丁酉日,丁未時,日貴格.若亥卯未寅月生,衣祿敦厚,寅月金水運,金紫風憲.一云,大凶夭.)

丙寅甲午,黃希晦知縣.壬寅丙午,余知縣.壬戌辛亥,顧應祥官生.庚申乙酉,商人巨富.丁未癸未,擧人卒於獄.

명조)1-[황희회 지현] 명조)2-[余 지현] 명조)3-[고응상 관생]

丁 丁 甲 丙   丁 丁 丙 壬   丁 丁 辛 壬
未 酉 午 寅   未 酉 午 寅   未 酉 亥 戌

명조)4-[상인 거부] 명조)5-[거인 옥(獄)에서 사망]

丁 丁 乙 庚   丁 丁 癸 丁
未 酉 酉 申   未 酉 未 未

丁亥일 丁未시는, 卯월은 三合하여 印綬 局으로 貴하며 壽命이 길다. 申은 財旺하고, 亥는 官旺하여 모두 吉하다. 夏節생은 丁火가 有氣하여 선비로 벼슬은 있으나 다만 고독함과 가난은 면하지 못한다. (丁亥日,丁未時,卯月三合印局,貴而有壽,申財旺.亥官旺,俱吉.夏生丁火有氣,儒官,但不免孤貧.)

庚戌己卯,耿裕尚書.己卯乙亥,黃謙給事.丁丑戊申,唐詩雍擧人.

명조)1-[경유 상서] 명조)2-[황겸 급사] 명조)3-[당시옹 거인]

丁	丁	己	庚		丁	丁	乙	己		丁	丁	戊	丁
未	亥	卯	戌		未	亥	亥	卯		未	亥	申	丑

시봉목고(時逢木庫)局은, 印綬는 열쇠로 開庫하는 것을 좋아한다. 運이 官旺地로 行하면 복록(福祿)이 자연히 찾아온다. (時逢木庫局,印綬喜匙開.運行官旺地,福祿自天來.)

두 丁이 未時에서 서로 만나면 배척하여 험난한 길이지만 중년(中年)에 발복(發福)한다. 運이 吉하여 貴人을 會合하면 편안하고 한가로운데 衣祿은 의심할 필요가 없다. (二丁相遇未時排,險路中年發福來.運吉貴人相會合,安閒衣祿不須猜.)

丁일이 丁未시를 만나면, 그 중에서 倉庫가 매몰되어 묻힌다. 소년(少年)시절에 발달(發達)하기 어려워도 때가 도래(到來)하면 丑 未가 相衝하여 편안히 通한다. 父母 兄弟의 탓이 아니고 꽃이 피고 열매를 수확하는 妻財이다. 時에서 수명(壽命)이 충분하여 福이 거듭 찾아오면 말년(末年)에는 영화(榮華)를 흔쾌히 만난다. (丁日時逢丁未,其中倉庫沈埋.少年難發等時來,丑未相衝通泰.不罪雙親雁侶,花開收果妻財.時逢壽足福重來,末遇榮華堪快.)

44. 六丁日戊申時斷

6丁일생이 戊申시면, 天元이 배록(背祿)하여 身이 敗한다. 月에서 구조(救助)함이 없으면 財를 發하기 어려우나 다만 평상(平常)한 衣祿人이다. (六丁日生時戊申,天元背祿敗其身.月無救助財難發,只是平常衣祿人.)

丁일 戊申시는, 背祿하여 身敗하고, 丁은 壬을 官으로 삼는데 申상에서 戊土를 보아 剋傷된다. 만약 年 月의 天干에 壬이 투출하여 官을 만나면 화(禍)가 된다. 비록 旺한 庚이 있어 財가 되지만 자패(自敗)하여 制剋할 수 없고, 身旺한 月에 불통(不通)하면 평상(平常)하다. 甲寅의 年 月은 좋으나 壬子[年 月]는 꺼린다. (丁日,戊申時,身敗背祿,丁以壬爲官,申上見戊土傷剋,若年月干透壬,

見官爲禍,雖有旺庚爲財,自敗不能制剋,不通身旺月者平常.喜甲寅年月,忌壬子.)

丁丑일 戊申시는, 빼어나게 貴하다. 未 申의 年 月은 貴한데 東南 運으로 行하면 대귀(大貴)하다. 巳 月에 西北 運은 육경(六卿)의 직위(職位)를 맡는다. (丁丑日,戊申時,秀貴.未申年月貴.行東南運,大貴.巳月西北運,六卿之職.)

乙丑己卯,盧宗哲光祿卿.庚戌戊寅,黃禎郎中.癸巳丁巳,擧人.壬辰辛亥,擧人.

명조)1-[로종철 광록경] 명조)2-[황정 낭중] 명조)3-[거인] 명조)4-[거인]

戊 丁 己 乙	戊 丁 戊 庚	戊 丁 丁 癸	戊 丁 辛 壬
申 丑 卯 丑	申 丑 寅 戌	申 丑 巳 巳	申 丑 亥 辰

丁卯일 戊申시는, 春節에는 상관용인(傷官用印)하고, 秋節은 상관용재(傷官用財)하여 모두 吉하다. 夏節은 비견(比肩)이고, 冬節은 상관견관(傷官見官)하여 평상(平常)하다. 사계(四季)월은 吉하다. (丁卯日,戊申時,春傷官用印.秋傷官用財,俱吉.夏比肩.冬傷官見官,平常.四季月吉.)

辛亥辛丑,歐陽必進尙書.庚午戊寅,范參政.癸未丙辰,高才擧人二兄無子富貴合屬此人.

명조)1-[구양필 進 尙書] 명조)2-[범 참정] 명조)3-[고재 거인]

戊 丁 辛 辛	戊 丁 戊 庚	戊 丁 丙 癸
申 卯 丑 亥	申 卯 寅 午	申 卯 辰 未

명조)3에서, 고재는 거인인데, 兄이 둘이며, 자식은 無子, 富貴하였다.

丁巳일 戊申시는, 貴하지 않으면 富하고, 그런데 刑 剋을 피하지는 못한다. 夏節생은 西北운으로 行하면 貴하다. 秋冬節은 노고(勞苦)한다. (丁巳日,戊申時,不貴卽富,未免刑剋.夏生行西北運貴.秋冬勞苦.)

辛酉己亥,謝三洲都憲.己酉戊辰,郭提刑.己巳丁丑,趙通判.乙未戊寅,蕭春芳擧人.乙卯庚辰,富.

명조)1-[사삼주 도헌] 명조)2-[곽 제형] 명조)3-[조 통판]

戊 丁 己 辛	戊 丁 戊 己	戊 丁 丁 己
申 巳 亥 酉	申 巳 辰 酉	申 巳 丑 巳

명조)4-[소춘방 거인] 명조)5-[富]

戊 丁 戊 乙	戊 丁 庚 乙
申 巳 寅 未	申 巳 辰 卯

丁未일戊申시는, 巳 午 未 戌[月]에 生하여 身旺하면 귀현(貴顯)한다. 만약 亥 卯가 未를 회합(會合)하거나, 子 辰이 申을 회합(會合)하면 모두 貴하다고 論한다. (丁未日,戊申時,生巳午未戌身旺貴顯.若亥卯會未,子辰會申,俱以貴論.)

乙亥丙戌,蔣之奇內翰.壬子壬子,貴.癸巳壬辰,貴.丙申辛卯,黃文煥翰林.戊午乙丑,黃汝良禮部尚書.丁巳丙午,英國公一云癸巳戊午.

명조)1-[장지기 내한] 명조)2-[貴] 명조)3-[貴]

| 戊 | 丁 | 丙 | 乙 | | 戊 | 丁 | 壬 | 壬 | | 戊 | 丁 | 壬 | 癸 |
| 申 | 未 | 戌 | 亥 | | 申 | 未 | 子 | 子 | | 申 | 未 | 辰 | 巳 |

명조)4-[황문환 한림] 명조)5-[황여량 예부상서] 명조)6-[영국공. 一云 癸巳戊午]

| 戊 | 丁 | 辛 | 丙 | | 戊 | 丁 | 乙 | 戊 | | 戊 | 丁 | 丙 | 丁 |
| 申 | 未 | 卯 | 申 | | 申 | 未 | 丑 | 午 | | 申 | 未 | 午 | 巳 |

丁酉일 戊申시는, 寅 午 戌 丑 辰 未월생은 상관상진(傷官傷盡)하여 좋고, 그리고 일귀격(日貴格)으로 과거에 급제하며, 運이 金 水運으로 行하면 허리에 금띠를 두른 자의(紫衣)를 입게 된다.(참고;높은 관직을 한다는 뜻) (丁酉日,戊申時,寅午戌丑辰未月生,傷官傷盡爲奇,又日貴格,主登科第,運行金水,腰金衣紫.)

辛亥戊戌,明武宗地支亥戌酉申相連無間,名透頂漣榮格,又辛亥戊申名天關地軸格至貴.壬子丙午,耶律大參.丙午乙未,僉憲.癸亥戊午,擧人.辛卯甲午,主事.

명조)1-[明 무종]명조)2-[야율 대참] 명조)3-[첨헌]

| 戊 | 丁 | 戊 | 辛 | | 戊 | 丁 | 丙 | 壬 | | 戊 | 丁 | 乙 | 丙 |
| 申 | 酉 | 戌 | 亥 | | 申 | 酉 | 午 | 子 | | 申 | 酉 | 未 | 午 |

명조)1에서, 明나라 무종인데, 地支가 亥 戌 酉 申으로 서로 연결하여 틈이 없는데 명칭을 투정연영격(透頂漣榮格)이라한다. 그리고 辛亥~戊申은 부르기를 천관지축격(天關地軸格)이라 하여 지극히 貴하다.

명조)4-[거인] 명조)5-[주사]

| 戊 | 丁 | 戊 | 癸 | | 戊 | 丁 | 甲 | 辛 |
| 申 | 酉 | 午 | 亥 | | 申 | 酉 | 午 | 卯 |

丁亥일 戊申시는, 日時가 서로 상해(相害)하니 처자(妻子)를 손상할까 염려된다. 월(月)氣에 通

[根]하여 身旺하면 귀현(貴顯)한다. 年 月이 戊戌 丁巳라서 火 土가 태중(太重)하면 눈병이 생긴다. (丁亥日,戊申時,日時相害,憂傷妻子.通月氣身旺者貴顯.年月戊戌丁巳,火土太重者目疾.)

癸亥丙辰,董士衡憲副極富晚年病目.己未辛未,大參.壬申庚戌,應伯川御史.甲子丁卯,知縣.

명조)1-[동 사형] 명조)2-[대참] 명조)3-[응백천 어사] 명조)4-[지현]

戊 丁 丙 癸	戊 丁 辛 己	戊 丁 庚 壬	戊 丁 丁 甲
申 亥 辰 亥	申 亥 未 未	申 亥 戌 申	申 亥 卯 子

명조)1에서, 동 사형은 헌부이고, 극히 부유(富裕)하였는데, 말년(末年)에 눈병이 있었다.

복록예수(福祿藝隨)局은, 凶중에 오히려 吉로 변화(變化)한다. 金 水運으로 行하여야 비로소 재물이 날마다 發한다. (福祿藝隨局,凶中反化吉.運行金水鄕,方是發財日.)

丁일 戊申時가 正이 되면, 천원(天元)의 氣가 旺하여 문명(文明)의 象을 나타낸다. 官(벼슬)을 하면서 비록 만족스럽지 못하더라도, 運이 吉하면 결국 가도(家道)를 이룬다. (丁日戊申時爲正,天元氣旺顯文明.爲官雖是甘淡薄,運吉終須家道成.)

丁일戊申時의 正은, 申상에서 戊土가 長生한다.상관상진(傷官傷盡)하지 않아도 형통(亨通)하고, 癸亥가 전실(塡實)하면 用하기를 꺼린다. 君子는 자신이 해직(解職)되어 물러나지만, 평민(平民)은 생계(生計)를 꾸리기 어려운데 만약 富貴하다가 가난하면 불안(不安)하다. 생각하건대, 生時가 부정(不定)할 것이다. (丁日,戊申時正,申上戊土長生.傷官傷盡否中亨,癸亥塡實忌用.君子退身解職,常人家計難成,若還富貴不安貧,想是生時不定.)

45. 六丁日己酉時斷

6丁일생이 己酉時면, 학당(學堂)이 貴格을 만나는데 진실로 드물다. 처자(妻子)가 有氣하고 食神이 旺하여 刑 破가 없으면 비로소 뛰어나게 좋은 것이다. (六丁日生時己酉,學堂遇貴格誠稀.妻子有氣食神旺,無破無刑方是奇.)

丁일 己酉時는, 丁火가 酉상에서 長生하고, 학당(學堂)과 천을貴人을 모두 兼하여 얻은 것이다. 丁은 己가 食神이며 辛은 財이고, 酉상에 투출한 己가 暗으로 辛을 生하여 旺盛하여 문장(文章)이 수려(秀麗)하다. 만일 卯 乙을 만나 衝 破하면 貴하지 않다. (丁日,己酉時,丁火酉上長生,學堂天乙貴人,皆兼得之.丁用己爲食,辛爲財,酉上明己暗辛生旺,文章秀麗,如見卯乙衝破者,不貴.)

丁丑일 己酉時는, 辰 巳 午 未 申 戌의 年 月은 貴하다. (丁丑日,己酉時,辰巳午未申戌年月貴.)

甲午戊辰,張內翰.庚戌庚辰,曾存仁參議.丁酉癸卯,蔡弈琛侍郞.庚子己丑,岳封翁三子進士.

명조)1-[장 내한] 명조)2-[증존인 참의] 명조)3-[채혁침 시랑] 명조)4-[악봉옹 三子 進士]

己 丁 戊 甲　　己 丁 庚 庚　　　己 丁 癸 丁　　　己 丁 己 庚

酉 丑 辰 午　　酉 丑 辰 戌　　　酉 丑 卯 酉　　　酉 丑 丑 子

丁卯일 己酉시는, 日時가 나란히 衝하니 처자(妻子)의 손상이 염려된다. 화(火)氣에 通[根]하면 吉하다. 乙 卯의 글자는 꺼린다. 年 月에 亥 未 巳 丑이 있어서 단 一字라도 양합(兩合)하면 衝으로 論하지 않는다. (丁卯日,己酉時,時日倂衝,憂傷妻子,通火氣吉.忌乙卯字.年月有亥未巳丑,但一字兩合,不以衝論.)

丁亥丁未,楊令公三位天乙貴倂三位煞神居於時所以武略出人百戰百勝.丁巳乙巳,葉學士.癸巳辛酉,林崇知縣.

명조)1-[양령공] 명조)2-[엽 학사] 명조)3-[임숭 지현]

己 丁 丁 丁　　己 丁 乙 丁　　　己 丁 辛 癸

酉 卯 未 亥　　酉 卯 巳 巳　　　酉 卯 酉 巳

명조)1에서, 양령공은 3位의 天乙貴와 아울러 3位의 煞[神]이 時에 居하므로, 무략(武略=군사상의 책략)이 출중하여 백전백승(百戰百勝)하였다.

丁巳일 己酉시는, 巳 酉 丑의 年 月은 財旺하여 官을 生하니 종신(終身)토록 富貴하다. 亥 子도 역시 吉하다. (丁巳日,己酉時,巳酉丑年月,財旺生官,終身富貴.亥子亦吉.)

辛巳戊戌,師宗魯侍郞.癸未癸亥,沈紹德參議.辛亥辛丑,林穎擧人.乙丑辛巳,富.丙寅庚子,劉生中翰林.

명조)1-[사종로 시랑] 명조)2-[침소덕 참의] 명조)3-[임영 거인]

己 丁 戊 辛　　　己 丁 癸 癸　　　己 丁 辛 辛

酉 巳 戌 巳　　　酉 巳 亥 未　　　酉 巳 丑 亥

명조)4-[富] 명조)5-[유생중 한림]

己 丁 辛 乙　　己 丁 庚 丙

酉 巳 巳 丑　　酉 巳 子 寅

丁未일 己酉시는, 火氣에 통근하면 貴하다. 卯 乙 癸의 글자를 보면 貴하지 않다. (丁未日,己酉時,通火氣貴.見卯乙癸字不貴.)

乙酉乙酉,劉平章.

명조)1-[유 평장]
己 丁 乙 乙
酉 未 酉 酉

丁酉일 己酉시는, 刑 害하여 고독하며 惡하고, 木 火월에 通[根]하면 吉하다. (丁酉日,己酉時,刑害孤惡,通木火月吉.)

甲子辛未,楊憲副.丙戌庚寅,郭天祿憲副.乙巳丁亥,歐溥擧人.辛未丙戌,光祿少卿.丙申乙未,趙總管.

명조)1-[양 헌부] 명조)2-[곽천록 헌부] 명조)3-[구부 거인]
己 丁 辛 甲   己 丁 庚 丙   己 丁 丁 乙
酉 酉 未 子   酉 酉 寅 戌   酉 酉 亥 巳

명조)4-[광록소경] 명조)5-[조 총관]
己 丁 丙 辛   己 丁 乙 丙
酉 酉 戌 未   酉 酉 未 申

丁亥일 己酉시는, 건체(蹇滯)하고, 혹 노비를 妻로 삼아 장가간다. 만일 戊 己 丙 丁의 年 月이면 근시(近侍=임금을 곁에서 모심)로써 권세(權勢)가 있다. 卯 甲 乙 寅에 西北 運이면 貴하다. (丁亥日,己酉時,蹇滯.或娶婢爲妻.如戊己丙丁年月,居近侍有權.卯甲乙寅西北運貴.)

乙酉壬午,禮部.乙丑丙戌,李珊府尹.戊子甲子,呂旻編修.戊寅丁巳,陸從太進士.戊寅壬戌,孫如游閣老.庚午戊寅,葛寅亮學憲.

명조)1-[예부] 명조)2-[이산 부윤] 명조)3-[려민 편수]
己 丁 壬 乙   己 丁 丙 乙   己 丁 甲 戊
酉 亥 午 酉   酉 亥 戌 丑   酉 亥 子 子

명조)4-[육종태 진사] 명조)5-[손여유 각로] 명조)6-[갈인량 학헌]
己 丁 丁 戊   己 丁 壬 戊   己 丁 戊 庚
酉 亥 巳 寅   酉 亥 戌 寅   酉 亥 寅 午

추월당생(秋月當生)局은, 財星이 낭랑(朗朗)하게 밝다. 만약 刑 剋 破가 없으면 富貴가 身을 떠나지 않는다. (秋月當生局,財星朗朗明.若無刑剋破,富貴不離身.)

丁일이 [己]酉시는 결국 貴하고, 편재와 食神이 祿을 만나도 돌아갈 데가 없다. 干支가 生旺하면 凶中에 吉하고, 재성을 衝 破하면 은폐(隱蔽)된 재앙의 변고가 생긴다. (丁日酉時終見貴,偏財食遇祿無歸.干支生旺凶中吉,衝破財星隱禍機.)

丁일이 己酉시에 臨하면, 食神이 旺相하여 財를 生하니 청한(淸閑)한 복록(福祿)이 자연히 찾아와 일생동안 명성이 빠르게 전파된다. 君子는 넓은 도량이 관대하고 크지만, 平民은 사해(四海)에 情을 품는다. 재관쌍미(財官雙美)의 象에 적중하면 외길로 도도히 흐르는데 장애가 없다.[49] (丁日時臨己酉,食神旺相生財,淸閒福祿自然來,一世爲人響快.君子寬洪海量,常人四海情懷.財官雙美象中排,一路滔滔無礙.)

46. 六丁日庚戌時斷

6丁일생이 庚戌시면, 墓中에 敗를 만나니 福을 이루기 어렵다. 만약 구조(救助)함이 없으면 鬼가 와서 손상하여, 재백(財帛)이 모이지 않으며 눈이 손상한다. (六丁日生時庚戌,墓中逢敗難成福.若無救助鬼來傷,財帛不聚傷其目.)

丁일庚戌시는, 墓中에 敗를 만나고, 丁은 庚 辛으로 財를 삼고, 戌中에는 丙이 있는데 敗가 되니 福을 이루지 못한다. 만약 구조(救助)함은 없는데 첩첩(疊疊)하게 癸水를 보면 주로 눈을 손상하게 된다. (丁日,庚戌時,墓中逢敗,丁以庚辛爲財,戌中有丙爲敗,不成其福.若無救助,疊見癸水,主傷目.)

丁丑일 庚戌시는, 日時가 相刑하여 처자(妻子)를 손상할까 염려된다. 만약 寅 亥 申 酉의 年 月이면 벼슬이 3품에 이른다. 午 未 子 辰에 金 水運으로 行하면 역시 貴하다. (丁丑日,庚戌時,時日相刑,憂傷妻子.若寅亥申酉年月,官至三品.午未子辰行金木運,亦貴.)

丙子庚寅,魏一龍憲副.壬申甲辰,郭公顯御史.戊寅辛酉,郎中.丁未壬子,擧人.甲午甲戌,一程正誼戊午辛未科知縣丙戌卒,虞懷忠丁卯辛未科癸巳年仕至方伯.

명조)1-[위일용 헌부] 명조)2-[곽공현 어사] 명조)3-[낭중]

庚 丁 庚 丙	庚 丁 甲 壬	庚 丁 辛 戊
戌 丑 寅 子	戌 丑 辰 申	戌 丑 酉 寅

---

49) 승승장구(乘勝長驅)한다는 말이다.

명조)4-[거인] 명조)5-[정 정의, 우 회충]

庚 丁 壬 丁　　庚 丁 甲 甲
戌 丑 子 未　　戌 丑 戌 午

명조)5에서,정 정의는 戊午년 辛未월에 급제하여 지현으로 丙戌年에 사망, 우 회충은 丁卯년 辛未월에 급제하여 癸巳년에 벼슬이 방백에 이르렀다.

丁卯일 庚戌시는, 亥 未의 年 月에 生하면 三合 印綬로 회합하여 貴하다. 子월은 煞印으로 吉하다. 年 月이 建祿이면 僧道로서 주로 貴하다. 四柱에 구조(救助)함은 없고 旺한 癸를 보면 근심이 많으며 눈에 病이 있다. 酉월은 貴가 없고, 순수한 酉 戌의 年 月에 天干에 甲 己가 투출하면 貴한 중에 凶함이 있다. (丁卯日,庚戌時,生亥未年月,三合會印,貴.子月煞印吉.年月建祿,僧道主貴.柱無救助,見癸旺,多患目疾,酉月無貴,純酉戌年月,天干透己甲者,貴中帶凶.)

乙未庚辰,陳長春憲副.乙丑丁亥,楊守謙憲副.辛酉庚子,江以瀚郎中.戊申甲子,何良輔進士.丁丑丁未,谷中虛都憲,一云戊辰己卯辛卯辛卯恐非.

명조)1-[진장춘 헌부] 명조)2-[양수겸 헌부] 명조)3-[강이한 낭중]

庚 丁 庚 乙　　　庚 丁 丁 乙　　　庚 丁 庚 辛
戌 卯 辰 未　　　戌 卯 亥 丑　　　戌 卯 子 酉

명조)4-[하량보 진사] 명조)5-[곡중허 도헌]

庚 丁 甲 戊　　　庚 丁 丁 丁
戌 卯 子 申　　　戌 卯 未 丑

丁巳일 庚戌시는, 辰 巳月에 金 水運이면 풍헌(風憲)이다. 癸 子 壬 亥[月]에 南方 運이면 극품(極品)이다. 순수한 未에 西北운은 3~4品이다. 신왕한데 財官 運으로 行하지 않으면 평상(平常)人이지만 僧, 道면 사람됨이 맑고 고결하다. (丁巳日,庚戌時,辰巳月金水運,風憲.癸子壬亥南方運極品.純未西北運,三四品.身旺不行財官運,平常,僧道清高.)

戊戌乙丑,侯居坤主政.甲申辛未,金一鳳解元.戊辰壬戌,主事.戊子辛酉,進士.己丑丁卯,勞堪闓撫譎戌.戊辰庚申,侯水死.

명조)1-[후거곤 주정] 명조)2-[금일봉 해원] 명조)3-[주사]

庚 丁 乙 戊　　　庚 丁 辛 甲　　　庚 丁 壬 戊
戌 巳 丑 戌　　　戌 巳 未 申　　　戌 巳 戌 辰

명조)4-[진사] 명조)5-[노감 민무 譎戌(변방에 귀양)] 명조)6-[侯 水死]

```
庚 丁 辛 戊        庚 丁 丁 己            庚 丁 庚 戊
戌 巳 酉 子        戌 巳 卯 丑            戌 巳 申 辰
```

丁未日 庚戌시는, 刑한다. 亥 卯는 印綬를 회합하고, 申 子 辰은 官을 화합하여 모두 文으로 貴하다. 午월은 건록인데 子가 있으면 衝하여 凶하다. 만약 年 月에서 用[神]인 土가 財를 生하면 주로 富하다. 財를 用[神]하는데 官을 生하면 부귀양전(富貴兩全)한다. (丁未日,庚戌時,主刑.亥卯會印,申子辰會官,俱主文貴.午月建祿,有子衝凶.若年月用土生財,主富.用財生官,富貴兩全.)

戊申辛酉,張治會元閣老.戊戌甲子,周伯溫丞相.己卯戊辰,進士.辛亥辛卯,楚書都憲.癸亥癸亥,李學詩翰林.丁丑甲辰,晏沃擧人.壬辰壬寅,劉堯臣擧人.甲子乙亥,指揮七子.戊辰丙辰,張電白衣中書官,至侍郎蔭二子.己巳戊辰,富.

명조)1-[장치 회원각로] 명조)2-[주백온 승상] 명조)3-[진사]
```
庚 丁 辛 戊          庚 丁 甲 戊          庚 丁 戊 己
戌 未 酉 申          戌 未 子 戌          戌 未 辰 卯
```

명조)4-[초서 도헌] 명조)5-[이학시 한림] 명조)6-[안옥 거인]
```
庚 丁 辛 辛          庚 丁 癸 癸          庚 丁 甲 丁
戌 未 卯 亥          戌 未 亥 亥          戌 未 辰 丑
```

명조)7-[유요신 거인] 명조)8-[指揮 七子] 명조)9-[장전] 명조)10-[富]
```
庚 丁 壬 壬          庚 丁 乙 甲          庚 丁 丙 戊      庚 丁 戊 己
戌 未 寅 辰          戌 未 亥 子          戌 未 辰 辰      戌 未 辰 巳
```
명조)9에서, 장전은 백의중서관이고, 두 아들은 음덕(蔭德)으로 시랑이 되었다.

丁酉일 庚戌시는, 일귀격(日貴格)으로 貴하고, 효예업(曉藝業)으로 기략(機略)이 있다. 酉 戌은 육해(六害)로서 골육(骨肉)간에 무정(無情)하고, 秋월은 5~6品의 貴이다. (丁酉日,庚戌時,日貴格,近貴,曉藝業,有機謀.酉戌六害,骨肉無情,秋月五六品貴.)

丁巳壬寅,張震侍郎.丙辰戊戌,鄭綱太守.癸卯辛酉,王應麟蘇撫.丁亥庚戌,陰武鄉尚書星案傳.

명조)1-[장진 시랑] 명조)2-[정강 태수] 명조)3-[왕응린 선무] 명조)4-[음무향 상서 星案傳]
```
庚 丁 壬 丁        庚 丁 戊 丙        庚 丁 辛 癸        庚 丁 庚 丁
戌 酉 寅 巳        戌 酉 戌 辰        戌 酉 酉 卯        戌 酉 戌 亥
```

丁亥일 庚戌시는,일귀격(日貴格)이다. 巳 酉 丑의 年 月은 4~5품의 貴이다. 寅 卯 亥에 火金 運

이면 지위(地位)가 육경(六卿)에 이른다. (丁亥日,庚戌時,日貴格,巳酉丑年月,四五品貴.寅卯亥火金運,位至六卿.)

己酉乙亥,尙書.丁巳癸卯,侍郞.己卯庚午,劉翰參政.癸酉甲寅,劉雲鶴進士.己丑庚午,陳省都憲.戊寅甲寅,太守.壬寅己酉,主事.辛丑辛丑,主事.

명조)1-[상서]　명조)2-[시랑]　명조)3-[유한 참정]

庚 丁 乙 己　　庚 丁 癸 丁　　庚 丁 庚 己
戌 亥 亥 酉　　戌 亥 卯 巳　　戌 亥 午 卯

명조)4-[유운학 진사]　명조)5-[진성 도헌]　명조)6-[태수]

庚 丁 甲 癸　　　庚 丁 庚 己　　　庚 丁 甲 戊
戌 亥 寅 酉　　　戌 亥 午 丑　　　戌 亥 寅 寅

명조)7-[주사]　명조)8-[주사]

庚 丁 己 壬　　庚 丁 辛 辛
戌 亥 酉 寅　　戌 亥 丑 丑

잔화[50]치우(殘花値雨)局은 만나면 通할 수 없고, 運이 財官의 地支에 이르러야 비로소 곤궁(困窮)함을 벗어난다. (殘花値雨局,遇者不能通.運至財官地,方知免困窮.)

丁일이 [庚]戌의 時刻 참이면, 자물쇠로 倉庫문이 잠겼는데 열쇠가 없다. 父母 兄弟는 의지하기 어려워 가계(家計)를 세우려면 스스로 부지런해야한다. (丁日時逢戌刻眞,鎖鑰無匙庫閉門.父母兄弟難依靠,立成家計自殷勤.)

丁일이 庚戌時를 만나면, 火金이 刑 害하여 夭折하거나 고독하다. 丑 辰을 만나지 못하면 열쇠가 없으니 닫힌 倉庫에 財(재물)이 쌓여서 저장되어 있다. 合을 就하니 妻에게 의지하여 살아가고 육친(六親) 골육(骨肉)은 소원(疏遠)해 진다. 만년(晩年)에 발복(發福)하여 문려(門閭)를 바꾸니, 이 命은 먼저는 고통스러우나 나중에는 행복하다. (丁日時逢庚戌,火金刑害夭孤.丑辰不遇鑰匙無,庫閉財能收貯.就合託妻隨住,六親骨肉消疏.晩年發福改門閭,此命後甜先苦.)

47. 六丁日辛亥時斷

6丁일생이 辛亥시면, 재관쌍미(財官雙美)이며 印綬가 長生한다. 만약 月氣에 通[根]하면 극히 고

귀(高貴)하고, 月에 불통(不通)하면 명리(名利)가 가볍다. (六丁日生時辛亥,財官雙美印長生.若通月氣極高貴,月不通兮名利輕.)

丁일 辛亥시는, 재관쌍미(財官雙美)이고, 丁은 壬을 官으로 삼으며 辛은 財이고, 甲은 印綬인데, 亥상에 투출한 辛은 財이고, 암장한 壬은 官으로 甲 印綬를 生한다. 만약 火氣에 通[根]하여 의탁(依託)함이 있으면 대귀(大貴)하며 완벽하다. 불통(不通)하면 명리(名利)가 어그러지고 뒤떨어진다. (丁日,辛亥時,財官雙美,丁用壬爲官,辛爲財,甲爲印,亥上有明辛爲財,暗壬爲官,生甲爲印,若通火氣有倚託者,大貴,有全美之名.不通,名利乖劣.)

丁丑일 辛亥시는, 秋절은 財旺하고, 夏절은 身旺하고, 春절은 印旺하여 귀현(貴顯)하다. 冬절은 官煞이 太重하니 身弱하면 두려운데, 그 福을 감당할 수 없다. (丁丑日,辛亥時,秋財旺,夏身旺,春印旺,貴顯.冬官煞太重,恐身弱,不能勝任其福.)

丁未庚戌,郭惟賢進士.壬戌癸丑,伯.庚子戊子,王杲尚書.丙子丁酉,洪朝選侍郎卒於獄,星案傳.戊子癸亥,何汝健進士子進士孫進士.丁酉丙午,裴應章吏部尚書.

명조)1-[곽유현 진사] 명조)2-[伯] 명조)3-[왕고 상서]

辛 丁 庚 丁　　　辛 丁 癸 壬　　辛 丁 戊 庚
亥 丑 戌 未　　　亥 丑 丑 戌　　亥 丑 子 子

명조)4-[홍조선] 명조)5-[하여건] 명조)6-[배응장 이부상서]

辛 丁 丁 丙　　　辛 丁 癸 戊　　辛 丁 丙 丁
亥 丑 酉 子　　　亥 丑 亥 子　　亥 丑 午 酉

명조)4에서, 홍조선은 시랑인데, 감옥에서 사망했다. 성안전
명조)5에서,하여건은 진사인데, 자식도 진사이며 손자도 진사이다.

丁卯일 辛亥시는, 時상에는 財 官 印의 삼기(三奇)인데, 재차 年 月에 印綬가 얻고 財가 生하여 도우면 모두 대귀(大貴)한다. 순수한 子에 木火運으로 行하면 벼슬은 가히 6품이다. 巳 酉 丑월에 辛이 財局을 얻고 의지할 곳이 있어 旺하면 부귀쌍전(富貴雙全)한다. (丁卯日,辛亥時,時上財官印三奇,再得年月印助財生,皆主大貴.純子行木火運,官可六品.巳酉丑月,辛財得局,方有倚旺,富貴雙全.)

辛未戊戌,陳以勤閣老.丁卯癸丑,趙炳然尚書.己卯癸酉,謝東之尚書.乙丑辛巳,董策憲副.庚辰壬子,侍郎.丁丑丁未,王好問尚書.丙午甲午,進士.

명조)1-[진이근 각로] 명조)2-[조병연 상서] 명조)3-[사동지 상서]

辛 丁 戊 辛　　　　辛 丁 癸 丁　　　　辛 丁 癸 己
亥 卯 戌 未　　　　亥 卯 丑 卯　　　　亥 卯 酉 卯

명조)4-[동책 헌부] 명조)5-[시랑] 명조)6-[왕호문 상서] 명조)7-[진사]
辛 丁 辛 乙　　　辛 丁 壬 庚　　　辛 丁 丁 丁　　　辛 丁 甲 丙
亥 卯 巳 丑　　　亥 卯 子 辰　　　亥 卯 未 丑　　　亥 卯 午 午

丁巳일 辛亥시는, 日時가 相衝하여 처자(妻子)를 손상할까 근심된다. 만약 화(火)氣에 通[根]하고 秋節에 生하여 東方운으로 行하면 貴하다. 申월에 巳 亥를 얻으면 조업(祖業)을 破하지만 빼어남을 나타낸다. 또 이르길, 濁하다고 한다. (丁巳日,辛亥時,時日相衝,憂傷妻子.若通火氣,秋生行東運貴.辛[申]月得巳亥者,破祖顯秀.一云,濁.)

己丑丙寅,洪孚仲尙書馬頭帶劍中年財祿不貲末年破盡.辛亥甲午,胡周鼏刑垣.

명조)1-[홍부중 상서] 명조)2-[호주자 형원]
辛 丁 丙 己　　　　辛 丁 甲 辛
亥 巳 寅 丑　　　　亥 巳 午 亥
명조)1에서, 홍 부중은 상서인데, 마두대검[格]으로, 중년에는 財祿이 있었고, 자본이 없어 末年에 파진하였다. [참고]마두대검(馬頭帶劍);夭折하지 않으면 刑을 당하고 다친다.

丁未일 辛亥시는, 亥 卯 未 寅 辰 午의 年月에 正印 正官이 透干하면 총명(聰明)고 귀현(貴顯)하다. 西方운으로 行하면 극품(極品)이다. 巳 丑월은 풍헌(風憲)이다. (丁未日,辛亥時,亥卯未寅辰午年月,干透正印正官者,聰明貴顯.行西運極品.巳丑月風憲.)

壬午甲辰,殷塘川閣老.丁酉己酉,張程翰林.癸巳乙丑,張位閣老.庚子庚辰,盧象升侍郎以兵敗死.

명조)1-[은당천 각로] 명조)2-[장정 한림] 명조)3-[장위 각로] 명조)4-[노 상승]
辛 丁 甲 壬　　　辛 丁 己 丁　　　辛 丁 乙 癸　　　辛 丁 庚 庚
亥 未 辰 午　　　亥 未 酉 酉　　　亥 未 丑 巳　　　亥 未 辰 子
명조)4에서, 노 상승은 시랑인데, 병졸에게 敗하여 사망했다.

丁酉일 辛亥시는, 貴人이 봉인(捧印)하여 貴하다. 子월에 東方운이면 풍헌(風憲)이다. 四柱에 巳 丑이 있어 財로 會合하거나, 卯 未가 있어 印으로 會合하고, 天干에 財 官 印이 투출하면 대귀(大貴)하다.   (丁酉日,辛亥時,貴人捧印貴.子月東方運風憲.柱有巳丑會財,卯未會印,天干透財官印者,大貴.)

辛未乙未,郭朴閣老,一云癸巳月九子.甲申丁丑,僉憲.丁丑壬子,饒才太守五子萬來侍郎命同謫戌饒擧人萬進士饒貴州人萬江西人.丁亥庚戌,陰武鄉都憲,原本傳.丙辰乙未,劉元霖尚書.丙子戊戌,曹三陽尙書.

명조)1-[곽박 각로] 명조)2-[첨헌]　명조)3-[요재 태수]

辛 丁 乙 辛　　　辛 丁 丁 甲　　　辛 丁 壬 丁

亥 酉 未 未　　　亥 酉 丑 申　　　亥 酉 子 丑

명조)1에서, 곽박은 각로이고, 또한 癸巳월이라고도 하는데 자식이 아홉이다.

명조)3에서, 요재는 태수인데, 자식이 五子이다. 만래시랑도 命이 같은데 변방으로 귀양 갔다. 요는 거인, 만은 진사, 饒는 귀주 사람이고, 萬은 강서사람이다.

명조)4-[음무향 도헌, 原本傳] 명조)5-[유원림 상서] 명조)6-[조삼양 상서]

辛 丁 庚 丁　　　　辛 丁 乙 丙　　　　辛 丁 戊 丙

亥 酉 戌 亥　　　　亥 酉 未 辰　　　　亥 酉 戌 子

丁亥일 辛亥시는, 日貴格이며 그리고 삼기(三奇)가 완전한데 月氣에 通根하여 身旺하면 貴하다. 卯 未가 三合하여 印綬局이면 대귀(大貴)하다. 또 이르길, 自刑으로 정체(停滯)한다. (丁亥日,辛亥時,日貴格,又三奇全,通月氣身旺者貴.卯未三合印局,大貴.一云,自刑滯.)

乙亥甲戌,劉崙御史.戊子甲子,擧人.癸丑乙丑,同知.丙子戊寅,貴.丁丑壬子,貴戚或云年月子丑與亥相連官煞重惟丁陰柔最吉.戊午庚申,解元.丙辰癸巳,李宗延少卿.庚戌甲申,祝以豳僉憲終養.乙卯己丑,甲部.

명조)1-[유윤 어사] 명조)2-[거인]　명조)3-[동지]

辛 丁 甲 乙　　　辛 丁 甲 戊　　　辛 丁 乙 癸

亥 亥 戌 亥　　　亥 亥 子 子　　　亥 亥 丑 丑

명조)4-[貴]　　명조)5-[귀척(貴戚)] 명조)6-[해원]

辛 丁 戊 丙　　　辛 丁 壬 丁　　　辛 丁 庚 戊

亥 亥 寅 子　　　亥 亥 子 丑　　　亥 亥 申 午

명조)5에서, 귀척(貴戚)이고, 혹 이르길, 년 월의子 丑과 亥가 서로 연결하여 관살이 重하다. 오직 丁이 陰으로 柔하니 가장 吉하다.

명조)7-[이종연 소경] 명조)8-[축이빈 첨헌 종양] 명조)9-[갑부(甲部)]

辛 丁 癸 丙　　　辛 丁 甲 庚　　　辛 丁 己 乙

亥 亥 巳 辰　　　亥 亥 申 戌　　　亥 亥 丑 卯

곤화위붕(鯤化爲鵬)[51]局은 명성(名聲)이 저절로 드러난다. 運이 官祿의 地支로 行地 하면 발달(發達)하는 것이 어찌 예사롭겠는가![52] (鯤化爲鵬局,聲名自此彰.運行官祿地,發達豈尋常.)

천원(天元)의 丁일이 亥時는 富하며 평보(平步)로 벼슬길에 나아가 항상 올바르다. 뜻을 얻으면 닭의 터럭이 빠져서 봉황으로 化하여 붕정만리(鵬程萬里)하는 임무를 다한다. (天元丁日亥時富,平步青雲路正長.得意退毛雞化鳳,鵬程萬里任翱翔.)

丁일이 辛亥時에 臨하면, 天元은 록마동향(祿馬同鄉)이다. 벼슬이 진사(進士)로 조정(朝廷)으로 나아가서 필시 한문(寒門)에서 장상(將相;장수와 재상)이 된다. 妻는 어질며 자식은 효도하며 위풍당당하여 권력을 좌지우지하는 것이 가능하기 어렵다. 대성(臺省)과 경당(京堂)으로 벼슬이 갑자기 올라가는 것은 財官이 生旺하기 때문이다. (丁日時臨辛亥,天元祿馬同鄉.官居進士掛朝裳,必是寒門將相.定主妻賢子孝,威儀權柄難量.驟陞臺省與京堂,因是財官生旺.)

48. 六戊日壬子時斷

6戊일생이 壬子시면, 月이 사계(四季)의 墓中에 財가 通하여, 만약 身이 化하여 진화(眞火)가 되면 水旺한 運에 눈에 재앙(災殃)이 있어 꺼린다. (六戊日生時壬子,月通四季墓中財.若交身化爲眞火,水旺運鄉忌目災.)

戊일 壬子시면, 妻와 財가 모두 旺하고, 戊는 壬으로 妻와 財를 삼는데 子상에서 壬水가 旺하며 戊土는 무기(無氣)하여 辰 戊 丑 未월에 生하여 불화(不化)하면 財를 얻는다. 만약 癸와 合化하여 水旺한 곳에 떨어지면 火가 그 빛을 드러내지 못하니 하는 일은 이루지 못하고, 헛되고 부실(不實)하여 눈에 질환이 생긴다. 月氣에 通[根]하여 旺盛해야 貴하다. (戊日,壬子時,妻財俱旺,戊以壬爲妻財,子上壬水旺,戊土無氣,生辰戊丑未月,不化者獲財.若合癸化,落水旺鄉,火不顯其光,作事無成,虛而不實,當患目災.通月氣旺者貴.)

戊子일 壬子시는, 財(星)格이다. 寅 卯월은 祿馬가 朝元하여 현귀(顯貴)하다. 酉 亥 丑의 年 月에 西北운이면 금빛 자의를 입는 풍헌(風憲)이 된다. 乙卯의 年은 刑으로 꺼리고, 癸巳월은 旺한 중에 刑하고, 丙午월은 旺한 중에 刑을 받는다. (戊子日,壬子時,財星格.寅卯月,祿馬朝元,顯貴.酉亥丑年月,西北運,金紫風憲.忌乙卯年刑,癸巳月旺中刑,丙午月旺中受刑.)

丁丑丙子,楊巍侍郎.乙亥己丑,憲副.丙辰辛卯,黃謹容進士.壬戌癸卯,丞相.甲子丙子,元帥.庚午乙酉,探花.庚子戊寅,進士.

---

51) 곤화위붕(鯤化爲鵬)은 물고기알이 변화하여 붕새가 된다는 뜻이다.
52) 뛰어나게 발달(發達)한다는 뜻이다.

명조)1-[양외 시랑] 명조)2-[헌부]   명조)3-[황근용 진사]

壬 戊 丙 丁   壬 戊 己 乙   壬 戊 辛 丙

子 子 子 丑   子 子 丑 亥   子 子 卯 辰

명조)4-[승상] 명조)5-[원수] 명조)6-[탐화] 명조)7-[진사]

壬 戊 癸 壬   壬 戊 丙 甲   壬 戊 乙 庚   壬 戊 戊 庚

子 子 卯 戌   子 子 子 子   子 子 酉 午   子 子 寅 子

戊寅일 壬子시는, 卯월은 正官格으로 貴하다. 夏절은 어긋나고, 秋절은 順함이 적다. 丑 酉의 年 月은 吉하다. 己巳월은 刑으로 꺼린다. 己亥월은 刑하여 凶하다. (戊寅日,壬子時,卯月正官格貴.夏乖,秋少順.丑酉年月吉.忌己巳月刑,己亥月凶刑.)

丙子丁酉,洪朝選侍郎,原本傳.癸未乙卯,貴同.壬寅癸卯,林益太守.甲午乙亥,姚永寺丞.戊戌壬戌,韓奕御史.癸未甲寅,劉炌憲長.庚申己卯,少卿.丁未丁巳,同知.甲寅丙寅,廧郎.甲午丙子,御史.丙子乙亥,康知縣.

명조)1-[홍조선 시랑, 原本傳] 명조)2-[命1과 貴가 같다.] 명조)3-[임익 태수]

壬 戊 丁 丙   壬 戊 乙 癸   壬 戊 癸 壬

子 寅 酉 子   子 寅 卯 未   子 寅 卯 寅

명조)4-[요영 사승] 명조)5-[한혁 어사] 명조)6-[유개 헌장]

壬 戊 乙 甲   壬 戊 壬 戊   壬 戊 甲 癸

子 寅 亥 午   子 寅 戌 戌   子 寅 寅 未

명조)7-[소경]   명조)8-동지]   [명조)9-[음랑]

壬 戊 己 庚   壬 戊 丁 丁   壬 戊 丙 甲

子 寅 卯 申   子 寅 巳 未   子 寅 寅 寅

명조)10-[어사] 명조)11-[강 지현]

壬 戊 丙 甲   壬 戊 乙 丙

子 寅 子 午   子 寅 亥 子

戊辰일 壬子시는, 春절에는 財官이 旺하여 貴하다. 夏절은 어긋난다. 秋절은 順함이 적다. 冬절은 財旺하여 西南 運으로 行하면 5~6품의 貴이다. 庚辰월은 自刑하여 凶하니 꺼린다. 辛巳월은 절로(截路공망)을 刑하여 凶하다. 乙丑월은 破敗하여 凶하다. (戊辰日,壬子時,春財官旺貴.夏乖.秋

少順.多財旺,行西南運,五六品貴.忌庚辰月自刑凶.辛巳月截路凶刑.乙丑月破敗凶.)

壬申壬寅,劉燾右都.丙子辛卯,陳甘雨太守.己卯乙亥,孫獻策遊戎.乙巳庚辰,樞密.辛未庚子,平章.丁丑乙巳,進士.庚午戊寅,進士.戊辰丙辰,京卿.丙寅庚子,御史.

명조)1-[유도 우도]　명조)2-[진감우 태수]　명조)3-[손헌책 유융]
壬 戊 壬 壬　　　壬 戊 辛 丙　　　壬 戊 乙 己
子 辰 寅 申　　　子 辰 卯 子　　　子 辰 亥 卯

명조)4-[추밀]　명조)5-[평장]　명조)6-[진사]
壬 戊 庚 乙　　壬 戊 庚 辛　　　壬 戊 乙 丁
子 辰 辰 巳　　子 辰 子 未　　　子 辰 巳 丑

명조)7-[진사]　명조)8-[경경]　명조)9-[어사]
壬 戊 戊 庚　　壬 戊 丙 戊　　壬 戊 庚 丙
子 辰 寅 午　　子 辰 辰 辰　　子 辰 子 寅

戊午일 壬子시는, 日時가 나란히 衝하니 처자(妻子)를 손상할까 근심된다. 巳 午의 年 月은 풍헌(風憲)이다. 寅 卯 亥는 육경(六卿)이다. 申월에 木火運으로 行하면 후백(侯伯;후작과 백작)이 된다. 丙午월은 꺼리는데 身이 온전하지 못한다. 癸亥는 自刑으로 요절(夭折)한다. 年 月에 子 午로 雜되지 않고, 丑 戌로 또 刑하면 모두가 대귀(大貴)하다. (戊午日,壬子時,時日併衝,憂傷妻子.巳午年月風憲.寅卯亥六卿.申月行木火運,侯伯.忌丙午月,身不全.癸亥自刑夭.年月子午不雜,丑戌又刑,俱主大貴.)

壬子癸丑,賈元大參.戊午壬子,大參.戊戌癸亥,大參.壬戌壬寅,少卿.庚子乙酉,運同.壬戌辛亥,布政.

명조)1-[가원 대참]　명조)2-[대참]　명조)3-[대참]
壬 戊 癸 壬　　　壬 戊 壬 戊　　　壬 戊 癸 戊
子 午 丑 子　　　子 午 子 午　　　子 午 亥 戌

명조)4-[소경]　명조)5-[運同]　명조)6-[포정]
壬 戊 壬 壬　　壬 戊 乙 庚　　　壬 戊 辛 壬
子 午 寅 戌　　子 午 酉 子　　　子 午 亥 戌

戊申일 壬子시는, 뛰어나고, 먼저는 체(滯)하지만 나중에는 旺하다. 子 酉의 年 月은 시상편재(時上偏財)로 貴하다. 巳 午 未 戌은 身이 制化하면 財를 전용(專用)하여 모두 吉로 論한다. 申

酉는 食傷이 財를 生하여 天干에 甲 乙이 투출하면 부귀쌍전(富貴雙全)한다. 己巳월은 刑 害하여 꺼리고, 壬午월은 夭折하거나 육친(六親)을 손상한다. 癸亥월은 고독하고 가난하다. (戊申日,壬子時,高,先滯後旺.子酉年月,時上偏財貴.巳午未戌,身有制化,用財亦專,皆以吉論.申酉食傷生財,天干透甲乙者,富貴雙全.忌己巳月刑害,壬午月夭折,傷六親.癸亥月孤貧.)

辛未丙申,梁儲閣老.乙巳乙酉,都督.乙酉乙[己]卯,雷龍總兵.乙巳甲申,葛恆太守.戊子辛酉,太守.丙午丙申,朱洲進士.庚午丁亥,僉憲.庚午丙戌,主政.己酉丁卯,貢太守.癸亥甲子,京堂.

명조)1-[량저 각로]　명조)2-[도독]　명조)3-[뢰룡 총병]

壬 戊 丙 辛　　壬 戊 乙 乙　　壬 戊 己 乙
子 申 申 未　　子 申 酉 巳　　子 申 卯 酉

명조)4-[갈긍 태수]　명조)5-[태수]　명조)6-[주제 진사]

壬 戊 甲 乙　　壬 戊 辛 戊　　壬 戊 丙 丙
子 申 申 巳　　子 申 酉 子　　子 申 申 午

명조)7-[첨헌]　명조)8-[주정]　명조)9-[공 태수]　명조)10-[경당]

壬 戊 丁 庚　　壬 戊 丙 庚　　壬 戊 丁 己　　壬 戊 甲 癸
子 申 亥 午　　子 申 戌 午　　子 申 卯 酉　　子 申 子 亥

戊戌일 壬子시는, 寅 巳 午의 年 月에 財를 제거하여 印을 보존하니 3~4품으로 貴하다. 經에서 이르길, 옳은 것을 보면 이로움을 잊는 것은 印綬를 취하고 財를 버리는 이것이다. 子 酉는 5품으로 한림(翰林)이다. 순수한 酉에 水木運은 옥당(玉堂)에서 극귀(極貴)한다. 戊午월은 꺼리는데, 얼굴에 자상(刺傷)이 있으며 단명(短命)으로 요절(夭折)한다. 辛卯월은 破敗하고 刑하여 凶하다. 癸丑월은 刑을 받는다. 庚午월은 가난한 소경이다. (戊戌日,壬子時,寅巳午年月,去財留印,三四品貴.經云,能見義忘利,取印捨財是也.子酉五品翰林.純酉水木運,玉堂極貴.忌戊午月,刺面短夭.辛卯月破敗凶刑.癸丑月受刑.庚午月貧瞽.)

壬子己酉,曾狀元學士.癸亥甲子,談石山都憲.甲寅戊辰,胡宗明參政.己丑戊辰,白啓常少卿.癸卯辛酉,傅作雨銓部.戊寅癸亥,進士.己亥丙子,進士.丁未乙巳,擧人.

명조)1-[증 장원 학사]　명조)2-[담석산 도헌]　명조)3-[호종명 참정]

壬 戊 己 壬　　壬 戊 甲 癸　　壬 戊 戊 甲
子 戌 酉 子　　子 戌 子 亥　　子 戌 辰 寅

명조)4-[백계상 소경]　명조)5-[부작우 전부]　명조)6-[진사]

```
壬 戊 戊 己        壬 戊 辛 癸          壬 戊 癸 戊
子 戊 辰 丑        子 戊 酉 卯          子 戊 亥 寅
```

명조)7-[진사] 명조)8-[거인]

```
壬 戊 丙 己      壬 戊 乙 丁
子 戊 子 亥      子 戊 巳 未
```

재왕생관(財旺生官)局은 재능을 사방(四方)에 떨친다. 실시(失時)하면 누실(陋室)에 거(居)하여도 후왕(侯王)이 되는 뜻을 이룬다. (財旺生官局,才能振四方.失時居陋室,得志作侯王.)

戊일이 壬子시를 만나면 좋은데, 身强하고 官旺하여야 마땅하다. 運이 배반하여 오히려 휴수(休囚)한 地支로 行하면 영화스러운 복록(福祿)은 세찬물결에 흘러가고 형식적인 직책만 맡는다. (戊日喜逢壬子時,身强官旺正相宜.運行背卻休囚地,榮祿奔波任作爲.)

戊일이 壬子시를 만나면, 이는 財旺하여 官을 生하게 된다. 化는 丁火로서 만만(滿滿)한 것인데 子는 東西로 주찬(走竄)을 맡는다. 목(木)旺한 運중에 현달(顯達)하며 문장(文章)이 秀麗하고 다양하다. 위인(爲人)이 박람(博覽)하며 즐거움을 추구하고 부귀(富貴)하여 자산(資産)으로 많은 것을 달성한다.   (戊日時逢壬子,此爲財旺生官.化爲丁火是漫漫,任子東西走竄.木旺運中顯達,文章秀麗多端.爲人博覽任追歡,富貴資財萬貫.)

49. 六戊日癸丑時斷 (以下六戊日所忌月分俱同上斷,時犯亦同)

6戊일생이 癸丑시면, 오히려 따르는 妻를 버리고 배필(配匹)을 이룬다. 위인(爲人)은 성품이 교모하고 매우 총명(聰明)하지만 더욱 풍류(風流)를 좋아하여 술과 기생을 즐긴다. (六戊日生時癸丑,卻去從妻成配偶.爲人性巧甚聰明,尤好風流嗜花酒.)

戊일 癸丑시면, 戊는 癸로써 妻와 財를 삼는데 丑중에 癸의 여기(餘氣)가 있어 從財하여 癸가 旺하다. 만약 月氣에 通하여 [合]化하면 眞火가 되어 총명(聰明)하다. 만약 토(土)氣에 通하면 富貴하여 권력을 장악한다. 夏월에 東方 運으로 行하면 귀현(貴顯)한다. (戊日,癸丑時,戊以癸爲妻財,丑中有癸餘氣,從財,癸旺,若通月氣,化爲眞火,爲人聰明.若通土氣,主富貴操權.夏月行東方運貴顯.)

戊子일 癸丑시는, 戊월에 生하면 잡기인수(雜氣印綬)인데, 天干에 丙 丁이 투출하면 [잡기인수의]格局은 필요하지 않고, 부귀(富貴)하다. 만약 年 月이 午 酉이고 천간에 庚 乙이 투출하면 乙과 庚이 合하며 戊와 癸가 合한다. 戊의 食神은 庚이며 庚은 酉에서 旺하고 丑에서 貴[人]이 된다. 癸는 財이며 乙은 官이고, 午는 印綬의 根이 된다. 日時의 干支는 천지합덕(天地合德)이 되고, 貴祿이 교가(交加)하고 더구나 라문귀(羅文貴)로 만나면 극품(極品)이 된다. (戊子日,癸丑時,戊月生,雜氣印綬,天干透丙丁字,不必格局,主富貴.若年月午酉,干透庚乙,乙與庚合,戊與癸合.戊食庚,庚旺於酉,貴於丑.癸爲財,乙爲官,而印根於午.日時干支,爲天地合德,貴祿交加,況以羅文貴,遇者主極品.)

庚午乙酉,王鼇閣老,一云甲寅時.癸卯甲寅,林德輝州牧.乙酉癸未,同知.甲戌丁丑,楊選侍郎,一云戊申癸亥癸亥年受刑.

명조)1-[왕오 각로, 甲寅時라고도 함] 명조)2-[임덕휘 주목]

| 癸 | 戊 | 乙 | 庚 | | 癸 | 戊 | 甲 | 癸 |
| 丑 | 子 | 酉 | 午 | | 丑 | 子 | 寅 | 卯 |

명조)3-[동지(同知)] 명조)4-[양선 시랑]

| 癸 | 戊 | 癸 | 乙 | | 癸 | 戊 | 丁 | 甲 |
| 丑 | 子 | 未 | 酉 | | 丑 | 子 | 丑 | 戌 |

명조)4에서, 양선 시랑이다. 또 戊申 癸亥라고도 하는데, 癸亥년에 형벌을 받았다.

戊寅일 癸丑시는, 寅 巳 午 未 戌월에 火로 化하면 吉하다. 秋 冬절은 평상(平常)하다.
甲申乙亥,陳伯獻憲副.壬戌戊申,李白同知.甲寅庚午,僕人. (戊寅日,癸丑時,寅巳午未戌月,化火吉.秋冬平常.)

명조)1-[진백헌 헌부] 명조)2-[이백 동지] 명조)3-[복인(僕人)]

| 癸 | 戊 | 乙 | 甲 | | 癸 | 戊 | 戊 | 壬 | | 癸 | 戊 | 庚 | 甲 |
| 丑 | 寅 | 亥 | 申 | | 丑 | 寅 | 申 | 戌 | | 丑 | 寅 | 午 | 寅 |

戊辰일 癸丑시는, 寅 巳 午 未 戌월 火로 化하여 得地하거나, 申 子 辰의 財局도 역시 吉하다. 年 月의 干支가 순수한 土이며 四庫를 온전하게 얻으면 貴하다. (戊辰日,癸丑時,寅巳午未戌月,化火得地,申子辰財局亦吉.年月干支純土,得四庫全者貴.)

己亥丁卯,趙燿御史,官至冢宰.壬午丙午,樊北燕行人.

명조)1-[조요 어사] 명조)2-[번북연 행인]

| 癸 | 戊 | 丁 | 己 | | 癸 | 戊 | 丙 | 壬 |
| 丑 | 辰 | 卯 | 亥 | | 丑 | 辰 | 午 | 午 |

명조)1에서, 조요는 어사인데, 벼슬이 총재에 이르렀다.

戊午일 癸丑시는, 寅 戌 未 午의 年 月은 본성이 총명(聰明)하고, 특별히 권위(權威)를 지닌다.

(戊午日,癸丑時,寅戌未午年月,性聰明,特達威權.)

丙寅乙未,林應亮侍郎.戊寅丁巳,李福總兵.庚辰己丑,牛秉中總兵.癸未丙午,擧人.庚戌丙戌,擧人.丁未癸卯,京卿.

명조)1-[임응량 시랑] 명조)2-[이복 총병] 명조)3-[우병중 총병]

癸	戊	乙	丙
丑	午	未	寅

癸	戊	丁	戊
丑	午	巳	寅

癸	戊	己	庚
丑	午	丑	辰

명조)4-[거인] 명조)5-[거인] 명조)6-[京卿]

癸	戊	丙	癸
丑	午	午	未

癸	戊	丙	庚
丑	午	戌	戌

癸	戊	癸	丁
丑	午	卯	未

戊申일 癸丑시는, 辰 戌 丑 未 午월생은 富貴하며 주색(酒色)을 좋아한다. 夏절에 東方운이면 貴하다. 秋 冬절은 財旺하여 官을 生하여, 만일 身이 쇠약(衰弱)하면 夭折하지 않으면 가난하다. (戊申日,癸丑時,辰戌丑未午月生,富貴愛酒色.夏東方運貴.秋多財旺生官,若身衰,不夭即貧.)

己丑癸酉,兪應辰太守.庚午癸未,唐仕濟總憲.庚戌癸丑,富.壬申辛亥,富.

명조)1-[유응진 태수] 명조)2-[당사제 총헌] 명조)3-[富] 명조)4-[富]

癸	戊	癸	己
丑	申	酉	丑

癸	戊	癸	庚
丑	申	未	午

癸	戊	癸	庚
丑	申	丑	戌

癸	戊	辛	壬
丑	申	亥	申

戊戌일 癸丑시는, 夏절생이면 東方운에 貴하다. 辰 戌 丑 未월은 富貴하며 권력을 잡고, 주색(酒色)을 좋아하는 풍류가(風流家)이다. (戊戌日,癸丑時,夏生,東方運貴.辰戌丑未月,富貴操權,好花酒風流.)

乙卯庚辰,擧人.癸未庚申,解學龍兵部侍郎,投江死,一生多凶.戊辰乙丑,貴妃.

명조)1-[거인] 명조)2-[해학룡] 명조)3-[귀비(貴妃)]

癸	戊	庚	乙
丑	戌	辰	卯

癸	戊	庚	癸
丑	戌	申	未

癸	戊	乙	戊
丑	戌	丑	辰

명조)2에서, 해학용은 병부시랑인데 강에 투신하여 사망하였는데 일생토록 凶이 많았다.

이상의 六日은 年 月에서 喜忌를 융통성 있게 활용하여 보고, 다시 모든 命을 참작하면 얻을 것이다. (以上六日,喜忌年月,通融活看,更參諸命則得矣.)

화합남리(化合南離)局은, 財의 문호(門戶)가 날마다 열린다. 四柱중에 衝 破가 없으면 福祿이 자연히 찾아온다. (化合南離局,財門日日開.柱中無衝破,福祿自然來.)

丑시는 戊 癸가 화합(化合)하는 궤(櫃)인데 刑 衝을 가장 좋아하며 폐쇄(閉鎖)된 것을 싫어한다. 運에서 홀연히 [닫힌 것을]열쇠로 열면 가문(家門)이 흥왕(興旺)하여 살아갈 방도가 된다. (丑時戊癸化合櫃,最喜刑衝忌鎖閉.運行忽遇鑰匙開,興旺家門爲活計.)

戊일이 癸丑시를 만나서 化하면 염화생광(炎火生光;불이 맹렬히 타올라 빛을 내다.)한다. 運이 水의 地支로 行하는 것은 마땅하지 않고, 運이 東南에 이르면 흥왕(興旺)해진다. 조업(祖業)을 떠나서는 일정(一定)하지 않으나, 妻에 의해 논밭을 사둔다. 그렇지 않으면 골육(骨肉)에게 형상(刑傷)이 있으나 노년(老年)에 영화(榮華)를 누린다. (戊日時逢癸丑,化爲炎火生光.運行地水不相當,運到東南興旺.祖業相離不定,從妻置買田莊.不然骨肉有刑傷,晚景榮華旺相.)

50. 六戊日甲寅時斷

6戊일생이 甲寅시면, 病중에 또 鬼[煞]에게 身을 손상당한다. 만약 月氣에 通[根]하여 身旺하면 吉하고, 日干이 衰弱하면 요절할 사람이다. (六戊日生時甲寅,病中又被鬼傷身.月氣若通身旺吉,日干衰弱夭亡人.)

戊일 甲寅시는, 身은 衰하며 鬼는 旺하고, 寅중에 甲은 건록이며 丙은 身을 生한다. 만일 身旺한 月에 通하여 의탁(依託)함이 있고 구조(救助)함이 있으면 鬼가 化하여 官이 되니 富貴하다. 이와 반대면 가난하거나 夭折하는데, 身旺한 運으로 行하여야 吉하다. (戊日,甲寅時,身衰鬼旺,寅中甲建祿,丙生身.如通身旺月,有倚托有救助,化鬼爲官,主富貴.反此貧夭,行身旺運亦吉.)

戊子일 甲寅시는, 먼저는 破하지만 나중에는 발달(發達)하여 貴하다. 未월생은 天干에서 제복(制伏)함이 있으면 貴하다. 午월에 制함이 없으면 총명(聰明)하여 貴와 가깝다. 辰 戌 丑은 身旺하고, 亥 卯는 煞旺하다. 그러나 印綬가 있고 制가 있어야 貴하다. 순수한 乙丑의 年 月이면 금띠를 두른 자의(紫衣)를 입는다. (戊子日,甲寅時,先破後發貴.未月生,干有制伏貴.午月無制,聰明近貴.辰戌丑身旺,亥卯煞旺,但有印有制貴.純乙丑年月金紫.)

壬午丁未,梁辰布政.甲戌戊辰,鄭達陽主政壽不永.戊戌丙辰,方隨我知縣.丙午辛丑,丘民仰知縣.丙申己亥,御史.戊寅壬戌,副使.

명조)1-[량진 포정] 명조)2-[정 봉양 주정,壽不永] 명조)3-[방수아 지현]

甲 戊 丁 壬　　　甲 戊 戊 甲　　　　甲 戊 丙 戊
寅 子 未 午　　　寅 子 辰 戌　　　　寅 子 辰 戌

명조)4-[구민앙 지현] 명조)5-[어사] 명조)6-[부사]

甲 戊 辛 丙　　　甲 戊 己 丙　　　甲 戊 壬 戊
寅 子 丑 午　　　寅 子 亥 申　　　寅 子 戌 寅

戊寅일 甲寅시는, 身旺(旺)하여 골육(骨肉)간에 동거(同居)를 못한다. 午月은 刃과 印綬가 煞을 동반한다. 子月은 正財가 당살(黨煞)하여 天干에 투출하면 制해야한다. 亥 卯 未로 煞이 순수하고 身이 유약(柔弱)한데 天干에 인(刃)이 투출하고 西南 運으로 行하면 병권(兵權)이 만리(萬里)까지다. 巳 丑 戌의 年 月은 신왕적살(身旺敵煞)한다. 酉 丑 申은 制煞하니 모두가 대귀(大貴)하다. 劫煞이 身을 剋하면 凶하니 싫어한다. (戊寅日,甲寅時,身旺,骨肉不同居.午月刃印帶煞.子月正財黨煞,干透制.亥卯未純煞身柔,干透刃,運行西南,兵權萬里.巳丑戌年月,身旺敵煞.酉丑申制煞,皆主大貴.嫌劫煞剋身則凶.)

庚子戊子,李尚書.壬子壬子,尹都憲.庚寅壬午,鄭尚書.癸卯己未,劉侍郎.庚戌乙酉,劉順徵進士.辛亥戊戌,管石峰大參.辛丑庚子,蔡昂侍郎.乙酉癸未,顏總兵.戊戌壬戌,麻貴總兵.甲午戊辰,擧人.丁酉丙午,擧人.己亥丁丑,進士.甲戌辛未,進士.甲午戊辰,侯.己未戊辰,顧大峻探花.

명조)1-[이 상서] 명조)2-[윤 도헌] 명조)3-[정 상서] 명조)4-[유시랑]

甲 戊 戊 庚　　　甲 戊 壬 壬　　　甲 戊 壬 庚　　　甲 戊 己 癸
寅 寅 子 子　　　寅 寅 子 子　　　寅 寅 午 寅　　　寅 寅 未 卯

명조)5-[유순징 진사] 명조)6-[관석봉 대참] 명조)7-[채앙 시랑] 명조)8-[안 총병]

甲 戊 乙 庚　　　甲 戊 戊 辛　　　甲 戊 庚 辛　　　甲 戊 癸 乙
寅 寅 酉 戌　　　寅 寅 戌 亥　　　寅 寅 子 丑　　　寅 寅 未 酉

명조)9-[마귀 총병] 명조)10-[거인] 명조)11-[거인] 명조)12-[진사]

甲 戊 壬 戊　　　甲 戊 戊 甲　　　甲 戊 丙 丁　　　甲 戊 丁 己
寅 寅 戌 戌　　　寅 寅 辰 午　　　寅 寅 午 酉　　　寅 寅 丑 亥

명조)13-[진사] 명조)14-[후(侯)] 명조)15-[고 대준 탐화]

甲 戊 辛 甲　　　甲 戊 戊 甲　　　甲 戊 戊 己
寅 寅 未 戌　　　寅 寅 辰 午　　　寅 寅 辰 未

戊辰일 甲寅시는, 시상편관(時上偏官)으로 印綬가 煞을 대동하여 四柱에 庚 辛의 제복(制伏)함이 있으면 貴하다. 辰 戌 丑 未는 身旺하니 역시 貴하다. (戊辰日,甲寅時,時上偏官,印綬帶煞,柱有庚辛制伏者貴.辰戌丑未身旺亦貴.)

戊子丙辰,李志綱廉憲.甲辰癸酉,周文光給事.丙午辛丑,解元進士.庚戌乙酉,顧憲成解元進士.壬午庚戌,陸樹德都院.己巳庚午,汪元極司業.甲戌乙亥,賀逢聖榜眼入閣.壬子辛亥,陳道亨侍郎.丙申庚子,擧人.

명조)1-[이지강 렴헌] 명조)2-[주문광 급사] 명조)3-[해원 진사]

甲	戊	丙	戊		甲	戊	癸	甲		甲	戊	辛	丙
寅	辰	辰	子		寅	辰	酉	辰		寅	辰	丑	午

명조)4-[고헌성 해원 진사] 명조)5-[육수덕 도원] 명조)6-[왕원극 사업]

甲	戊	乙	庚		甲	戊	庚	壬		甲	戊	庚	己
寅	辰	酉	戌		寅	辰	戌	午		寅	辰	午	巳

명조)7-[하봉성 방안입각] 명조)8-[진도형 시랑] 명조)9-[거인]

甲	戊	乙	甲		甲	戊	辛	壬		甲	戊	庚	丙
寅	辰	亥	戌		寅	辰	亥	子		寅	辰	子	申

戊午일 甲寅시는, 日은 양인이며 時는 편관인데, 양인합살(羊刃合煞)하여 貴하다. 巳 酉 丑월은 도필(刀筆;문서를 기록)로써 사람을 놀라게 하는데, 제복(制伏)이 太過하면 좋지 않다. 寅 卯 辰 巳 戌 子의 年 月은 天干에 제복(制伏)이 있으면 모두 대귀(大貴)하다. 또 이르길, 化하면 貴하지만 주로 賤한 가운데 貴하다. (戊午日,甲寅時,日羊刃,時偏官,以刃合煞貴.巳酉丑月刀筆驚人,制伏不宜太過.寅卯辰巳戌子年月,天干有制伏,俱主大貴.一云,化貴,主賤中貴.)

戊午癸亥,唐劾純己丑科庶吉士本年卒.戊戌癸亥,張元忭狀元.辛巳庚子,王希烈侍郎.辛酉庚寅,鄒守愚侍郎.乙未戊寅,何總山平章.丁巳戊申,羅一忠擧人.乙酉癸未,武貴.庚辰戊午,富.己卯庚午,張綸員外由貢有學行.

명조)1-[당효순]　명조)2-[장원변 장원] 명조)3-[왕희열 시랑]

甲	戊	癸	戊		甲	戊	癸	戊		甲	戊	庚	辛
寅	午	亥	午		寅	午	亥	戌		寅	午	子	巳

명조)1에서, 당 효순은 己丑년에 과거에 급제하였는데 庶子로 吉士인데, 그 해에 사망하였다.

명조)4-[추수우 시랑] 명조)5-[하총산 평장] 명조)6-[라일충 거인]

甲	戊	庚	辛		甲	戊	戊	乙		甲	戊	戊	丁

寅 午 寅 酉 寅 午 寅 未 寅 午 申 巳

명조)7-[武 貴] 명조)8-[富] 명조)9-[장 륜원]

甲 戊 癸 乙 甲 戊 戊 庚 甲 戊 庚 己

寅 午 未 酉 寅 午 午 辰 寅 午 午 卯

명조)9에서, 장 륜원은 외유공(外由貢)하여 學行이 있었다.

戊申일 甲寅시는, 申 酉는 상관대살(傷官帶煞)하여 土가 두터운 地方이면 貴하다. 丑 卯의 年月은 거관유살(去煞留官)하여 대귀(大貴)하다. 火 金運으로 行하면 지위(地位)가 극품(極品)인 신하가 된다. (戊申日,甲寅時,申酉傷官帶煞,土厚地方貴.丑卯年月,去煞留官,大貴.要行金火運,位極人臣.)

乙丑己卯,葛守禮左都名臣.辛卯庚子,何東序都憲.戊午壬戌,韓應龍乙未科狀元,丁酉年卒壽夭.辛丑辛丑,華章擧人.甲寅庚子,文貴.甲子辛未,武貴.乙亥辛巳,汪來憲副.庚寅壬午,內官.

명조)1-[갈수례 좌도명신] 명조)2-[하동서 도헌] 명조)3-[한 응룡]

甲 戊 己 乙 甲 戊 庚 辛 甲 戊 壬 戊

寅 申 卯 丑 寅 申 子 卯 寅 申 戌 午

명조)4-[화장 거인] 명조)5-[문귀(文貴)] 명조)6-[武貴]

甲 戊 辛 辛 甲 戊 庚 甲 甲 戊 辛 甲

寅 申 丑 丑 寅 申 子 寅 寅 申 未 子

명조)7-[왕래 헌부] 명조)8-[내관]

甲 戊 辛 乙 甲 戊 壬 庚

寅 申 巳 亥 寅 申 午 寅

戊戌일 甲寅시는, 辰 戌 丑 未월에 水 木運으로 亥하면 3품이다. 丑 未의 年 月에 金 水運으로 行하면 부귀쌍전(富貴雙全)한다. 申 子 酉의 年 月이면 모두 貴하고, 자손(子孫) 역시 창성한다. 巳 午는 貴하지만 妻를 손상하고 자식을 害친다. (戊戌日,甲寅時,辰戌丑未月,行水木運三品.丑未年月,行金水運,富貴雙全.申子酉字年月俱貴,子孫亦昌.巳午貴,傷妻害子.)

庚辰丙戌,朱尙書.辛酉乙未,張椿御史.甲戌甲寅,楊曼秋學士.丁未丁未,劉勳都憲.乙丑乙未,夏育才太守.壬辰癸丑,饒孚州牧.壬戌癸丑,李廷裕進士.甲戌丁卯,擧人.丙辰甲午,擧人.丁巳壬子,擧人.戊戌甲寅,進士憲副.乙丑庚辰,萬虞愷尙書.丁未庚戌,東宮貴妃.丙午己亥,部郎.

명조)1-[주상서] 명조)2-[장춘 어사] 명조)3-[양만질 학사] 명조)4-[유훈 도헌]

```
甲 戊 丙 庚      甲 戊 乙 辛      甲 戊 甲 甲      甲 戊 丁 丁
寅 戌 戌 辰      寅 戌 未 酉      寅 戌 寅 戌      寅 戌 未 未
```

명조)5-[하육재 태수] 명조)6-[요부 주목] 명조)7-[이정유 진사] 명조)8-[거인]
```
甲 戊 乙 乙      甲 戊 癸 壬      甲 戊 癸 壬      甲 戊 丁 甲
寅 戌 未 丑      寅 戌 丑 辰      寅 戌 丑 戌      寅 戌 卯 戌
```

명조)9-[擧人] 명조)10-[거인] 명조)11-[진사 헌부] 명조)12-[만우개 상서]
```
甲 戊 甲 丙      甲 戊 壬 丁      甲 戊 甲 戊      甲 戊 庚 乙
寅 戌 午 辰      寅 戌 子 巳      寅 戌 寅 戌      寅 戌 辰 丑
```

명조)13-[동궁귀비] 명조)14-[부랑]
```
甲 戊 庚 丁      甲 戊 己 丙
寅 戌 戌 未      寅 戌 亥 午
```

시상편관(時上偏官)局은, 신강하고 印綬와 연결되면 좋아한다. 刑 衝 剋 破가 없으면 장수와 정승의 두 권력을 장악한다. (時上偏官局,身强喜印連.無刑衝剋破,將相秉雙權.)

寅時 戊日은 자연히 비범(非凡)하여 무리들 중에 탁월(卓越)하여 세상에 출세(出世)한다. 한미(寒微)한 집안에서 장상(將相;장수와 재상)이 나오고, 만일 身弱하면 간난신고(艱難辛苦)한다. (寅時戊日自非凡,卓越超群出世間.定顯寒門出將相,如逢身弱是艱難.)

戊日이 甲寅時가 正이면, 身强하며 꽃나무가 봄을 만난다. 편관을 만난 것같이 刑 衝을 두려워하고, 가살(假煞)이 도리어 權印이 된다. 煞旺하고 身衰하면 福을 減하고, 부모 형제를 의지하기 어렵다. 만일 印運으로 行하면 福이 모여들어 主는 재명(才名)이 비로소 유순(柔順)해진다. (戊日,甲寅時正,身强花木逢春.偏官如遇怕刑衝,假煞反爲權印.煞旺身衰減福,難倚雁侶雙親.如行印運福駢臻,定主才名初順.)

51. 六戊日乙卯時斷

6戊일생이 乙卯시면, 四柱에서 상관을 보는 것은 좋지 않다. 辛 甲이 衝을 만나지 않으면 害가 없으니 공명(功名)을 노년(老年)에 이르기까지 가진다. (六戊日生時乙卯,四柱傷官不見好.辛甲弗達衝害無,管取功名直到老.)

戊日이 乙卯시면, 官은 强하고 身弱하고, 戊는 乙이 官이 되고, 卯상에서 乙은 旺하지만 戊는

死한다. 만약 의탁(依託)함이 없고 月氣에 불통(不通)하면 신약(身弱)하니, 官이 변화하여 鬼[煞]이 되는데, 설령 貴하더라도 요절(夭折)한다. 만약 月氣에 通[根]하고 身旺하여 의지할 데가 있으며, 柱中에 申 酉 辛 庚의 상관을 보지 않고, 甲木을 破하는 命이면 귀현(貴顯)한다. [참고;甲木을 파(破)한다는 것은 거살유관을 말하는 것 같다.] (戊日,乙卯時,官強身弱,戊用乙爲官,卯上乙旺戊死,若無倚託,不通月氣,身弱,化官爲鬼,縱貴壽夭.若通月氣,身旺有託,柱中不見申酉辛庚傷官,甲木破命者貴顯.)

戊子일 乙卯시는, 日時가 相刑하여 妻를 손상하며 자식을 害하고, 자립(自立)하여 스스로 이룬다. 年 月에서 다시[戊子 乙卯를] 만나면 主는 풍헌(風憲)이다. 午 酉로 사정(四正)이 완전하면 대귀(大貴)하다. 신백경에 이르길, 火木의 象은 주로 貴하지만 壽命이 짧다. 또 이르길, 刑하여 凶하다. (戊子日,乙卯時,時日相刑,傷妻害子,自成自立.年月再遇,主風憲.午酉四正全,大貴.神白經云,火木象,主貴少壽.一云,凶刑.)

丙午丁酉,馬文昇尚書一品九年考滿一代名卿.乙巳丁卯,翁世經太守.甲辰乙亥,鄧顯麒進士.丁亥壬子,吳可行翰林.乙巳己卯,憲副.

명조)1-[마 문승] 명조)2-[옹세경 태수] 명조)3-[등 현기]

乙 戊 丁 丙	乙 戊 丁 乙	乙 戊 乙 甲
卯 子 酉 午	卯 子 卯 巳	卯 子 亥 辰

명조)1에서, 마 문승은 一品의 상서로써 9년 동안 관할하였고, 한 시대의 이름난 卿이었다.

명조)4-[오가행 한림] 명조)5-[헌부]

乙 戊 壬 丁	乙 戊 己 乙
卯 子 子 亥	卯 子 卯 巳

戊寅일 乙卯시는, 亥 子의 年 月은 妻가 어질고 자식은 효도(孝道)하며 貴하다. 卯 辰으로 순수하면 吉하다. 寅 巳도 역시 吉하다. (戊寅日,乙卯時,亥子年月,妻賢子孝,貴.卯辰純,吉.寅巳亦吉.)

甲子庚午,衛學士.戊辰乙卯,徐堯封郎中.乙亥戊寅,林大有進士.甲辰丁丑,運使.戊戌乙丑,袁繼咸郎撫凶.戊子乙丑,吳孔嘉探花.癸未甲寅,擧人.庚子癸未,丁卯科擧人,壬午被難.

명조)1-[위 학사] 명조)2-[서요봉 낭중] 명조)3-[임대유 진사]

乙 戊 庚 甲	乙 戊 乙 戊	乙 戊 戊 乙
卯 寅 午 子	卯 寅 卯 辰	卯 寅 寅 亥

명조)4-[운사] 명조)5-[원계함 운무인데 凶]

乙 戊 丁 甲　　　乙 戊 乙 戊
卯 寅 丑 辰　　　卯 寅 丑 戌

명조)6-[오공가 탐화] 명조)7-[거인] 명조)8-[거인]

乙 戊 乙 戊　　　乙 戊 甲 癸　　　乙 戊 癸 庚
卯 寅 丑 子　　　卯 寅 寅 未　　　卯 寅 未 子

명조)8에서, 丁卯년에 급제한 거인이고, 壬午년에 어려움을 당했다.

戊辰일 乙卯시는, 身은 고독하나 貴하다. 巳 卯의 年 月은 신강하고 官旺하여 자신(自身)은 영화로우며 조상(祖上)을 드높이고, 자식은 효도하며 妻는 어질다. 신백경에 이르길, 木火의 象은 貴하지만 長壽하지 못한다. (戊辰日,乙卯時,身孤貴.巳卯年月,身強官旺,榮身顯祖,子孝妻賢.神白經云,水木象,主貴無壽.)

戊辰乙卯,鄔懋卿尙書兩干不雜,黨惡害善謫戍.壬戌癸卯,夾谷明太守.辛未丙申,張琦太守.丙辰乙未,金情御史.辛亥丙申,馬明衡進士.壬申庚戌,曹員外.甲申庚午,張廉憲.庚辰乙卯,憲副.丁未庚戌,丞相.戊申庚申,丞相.丙申戊戌,羅萬化狀元尙書.

명조)1-[언 무경] 명조)2-[협곡명 태수] 명조)3-[장기 태수]

乙 戊 乙 戊　　　乙 戊 癸 壬　　　乙 戊 丙 辛
卯 辰 卯 辰　　　卯 辰 卯 戌　　　卯 辰 申 未

명조)1에서, 언 무경은 상서인데, 양간부잡이다. 악한 무리들이 善함을 시기하여, 변방으로 유배를 갔다.

명조)4-[금정 어사] 명조)5-[마명형 진사] 명조)6-[조 원외]

乙 戊 乙 丙　　　乙 戊 丙 辛　　　乙 戊 庚 壬
卯 辰 未 辰　　　卯 辰 申 亥　　　卯 辰 戌 申

명조)7-[장 염헌] 명조)8-[헌부]　명조)9-[승상]

乙 戊 庚 甲　　　乙 戊 乙 庚　　　乙 戊 庚 丁
卯 辰 午 申　　　卯 辰 卯 辰　　　卯 辰 戌 未

명조)10-[승상] 명조)11-[라만화 장원 상서]

乙 戊 庚 戊　　　乙 戊 戊 丙
卯 辰 申 申　　　卯 辰 戌 申

戊午일 乙卯시는, [羊]刃格으로 正官이 刃을 제거(除去)하여 福이 된다. 子 寅 卯 辰 午 未 辛

亥의 年 月은 모두 귀현(貴顯)하다. (戊午日,乙卯時,刃格,正官去刃爲福,子寅卯辰午未申亥年月,俱主貴顯.)

戊辰甲子,趙貞吉閣老剛直,丙子年四月卒.己未丙子,周延左都.丙子丙申,李御史.壬申壬子,大參.乙卯戊寅,進士.丁未丙午,貴.癸亥壬戌,貴.癸酉丁巳,御史.

명조)1-[조 정길] 명조)2-[주연 좌도] 명조)3-[이 어사]

乙 戊 甲 戊　　乙 戊 丙 己　　乙 戊 丙 丙
卯 午 子 辰　　卯 午 子 未　　卯 午 申 子

명조)1에서, 조 정길은 각로인데 강직하였다. 丙子년 4月에 사망하였다.

명조)4-[대참]　명조)5-[진사] 명조)6-[貴]

乙 戊 壬 壬　　乙 戊 戊 乙　　乙 戊 丙 丁
卯 午 子 申　　卯 午 寅 卯　　卯 午 午 未

명조)7-[貴]　　명조)8-[어사]

乙 戊 壬 癸　　乙 戊 丁 癸
卯 午 戌 亥　　卯 午 巳 酉

戊申일 乙卯시는, 중년(中年)에 조업(祖業)을 破한다. 春節은 貴하고, 夏節은 貴에 가깝다. 秋節은 외롭고 고달프고, 冬節은 부귀(富貴)雙全한다. 巳월에 木火 運이면 5품 이상의 貴이다. (戊申日,乙卯時,中年破祖.春貴.夏近貴.秋孤苦.冬富貴雙全.巳月木火運,五品上貴.)

壬午丁未,燕丞相.乙亥辛巳,王尙文總兵.壬寅庚戌,梁縣尹.丁酉丁未,寧旺.

명조)1-[연 승상] 명조)2-[왕상문 총병] 명조)3-[량 현윤] 명조)4-[영왕]

乙 戊 丁 壬　　乙 戊 辛 乙　　乙 戊 庚 壬　　乙 戊 丁 丁
卯 申 未 午　　卯 申 巳 亥　　卯 申 戌 寅　　卯 申 未 酉

戊戌일 乙卯시는, 春節은 官이 旺하다. 夏節은 官印이 쌍전(雙全)하여 귀현(貴顯)하다. 秋節은 보통이다. 冬節은 貴하다. 丑 戌의 年 月방면이면 3품이다. 戌월에 東方의 運으로 行하면 고독하고 가난하다. 또 이르길, 지체가 낮고 천한 출신이지만 발달(發達)한다. (戊戌日,乙卯時,春官旺.夏官印雙全,貴顯.秋平.冬貴.戌丑年月方面三品.戌月行東方運,孤貧.一云,出身卑微發.)

戊子壬戌,吳德彰僉憲.丁巳己酉,孫縣尹.丁丑戊申,擧人.癸卯甲子,提刑.庚午癸未,部郎.乙酉戊寅,濫獨.

명조)1-[오덕창 첨헌]　명조)2-[孫 현윤]　명조)3-[거인]

乙　戊　壬　戊　　　乙　戊　己　丁　　　乙　戊　戊　丁
卯　戌　戊　子　　　卯　戌　酉　巳　　　卯　戌　申　丑

명조)4-[提刑]　명조)5-[부랑]　　명조)6-[람독]

乙　戊　甲　癸　　　乙　戊　癸　庚　　　乙　戊　戊　乙
卯　戌　子　卯　　　卯　戌　未　午　　　卯　戌　寅　酉

천록조원(天祿朝元)局은 옥토끼가 섬궁(蟾宮;달)에 이른다. 刑 衝 破가 도와주지 않으면 못의 龍을 通하여 변화(變化)한다. [참고;월령이 卯라는 말이다. 刑 衝 破하여 개고하지 않으면 辰이 所用된다.] (天祿朝元局,玉兔到蟾宮.不佑刑衝破,潭龍變化通.)

時상에서 官을 生하여 祿에 坐한 權은, 戊일이 이를 만나면 등한시하지 못한다. 身强하고 의지할 데가 있어야 비로소 貴를 이루고, 官星을 制나 合하면 貴하여도 역시 어렵다. (時上生官坐祿權,戊日逢之不等閒.身强有托方成貴,制合官星貴亦難.)

戊일이 乙卯시를 만나면, 木이 六合을 衝하면 개고하여 통근된다. 금계(金鷄) 옥토(玉兔)가 영광(榮光)을 드러내고, 合으로 권인(權印)의 아름다운 빛을 비춘다. 乙 酉 辛은 형제를 손상하고, 소중한 꽃이 열매를 맺어야 비로소 이룬다. 피곤한 龍이 물을 얻어 구름에 올라타는 것을 좋아하고, 運에 이르면 무리들 중에서 뛰어나게 된다. (戊日時逢乙卯,木衝六合開通.金鷄玉兔顯光榮,合掌光輝權印.乙酉辛傷雁侶,重花結子方成.困龍得水喜騰雲,運至超群出衆.)

52. 六戊日丙辰時斷

6戊일생이 丙辰시면, 보물을 재물창고에 저장하여 [自]身에게 이롭다. 손상함이 없고 破가 없으면 무엇을 반드시 물어야하는가! 祿馬가 서로도우면 富貴한 사람이 된다. (六戊日生時丙辰,寶藏財庫利於身.無傷無破何須問,祿馬相扶富貴人.)

戊일 丙辰시면, 官이 財庫에 암장(暗藏)하고, 戊는 壬 癸를 財로 삼고, 乙木은 官이 되고, 丙은 도식(倒食)인데, 辰상에서 丙火는 무기(無氣)하며 壬 癸는 입고(入庫)하고 乙은 여기(餘氣)가 있다. 만약 의탁(依託)함이 있고 월(月)氣에 通하면 귀현(貴顯)하다.[참고]귀현(貴顯);尊貴하고 명성이 높음.　(戊日,丙辰時,官藏財庫,戊用壬癸爲財,乙木爲官,丙爲倒食,辰上丙火無氣,壬癸入庫,乙有餘氣,若有倚託,通月氣者貴顯.)

戊子일 丙辰시는, 春절생이면 貴와 가깝다. 夏절은 심한 고생을 한다. 秋절은 권력은 높으나 수명(壽命)이 촉박하다. 冬절은 財인데 火 土에 通하고 의탁(依託)함이 있으면 貴하다. (戊子日,丙辰時,春生近貴.夏辛苦.秋權高壽促.冬財,通火土,有倚託者貴.)

辛酉丙申,天師.辛酉庚子,王良桂太守.乙亥甲申,姜金和探花,壽不永.庚戌戊子,吳道南閣老.壬寅乙巳,汪以時都院.丁亥辛亥,小貴.癸卯乙丑,雙瞽.

명조)1-[천사] 명조)2-[왕량계 태수] 명조)3-[강금화 탐화, 壽命이 길지 않았다.]

丙 戊 丙 辛　　丙 戊 庚 辛　　　丙 戊 甲 乙
辰 子 申 酉　　辰 子 子 酉　　　辰 子 申 亥

명조)4-[오도남 각로] 명조)5-[왕이시 도원] 명조)6-[小貴] 명조)7-[쌍고(雙瞽)]

丙 戊 戊 庚　　丙 戊 乙 壬　　丙 戊 辛 丁　　丙 戊 乙 癸
辰 子 子 戌　　辰 子 巳 寅　　辰 子 亥 亥　　辰 子 丑 卯

戊寅일 丙辰시는, 룡음호소(龍吟虎嘯)格으로 중년(中年)에 대귀(大貴)한다. 子月에 北方 運은 土가 두터운 지방(地方)이라서 벼슬이 3품에 이른다. 동방(東方) 運이면 풍헌(風憲)이다. 丑 辰의 年月은 4~5품의 貴이다. 寅 午 戌年에 土氣의 月에 通根하고 木火 運으로 行하면 극품(極品)이다. (戊寅日,丙辰時,龍吟虎嘯格,中年大貴.子月北運,土厚地方,官至三品.東運風憲.丑辰年月,四五品貴.寅午戌年,通土氣月,行木火運,極品.)

癸酉丙辰,康愛主政.癸亥丙辰,大富.丁巳丁未,魏國公.

명조)1-[강애 주정] 명조)2-[대부] 명조)3-[위 국공]

丙 戊 丙 癸　　丙 戊 丙 癸　　丙 戊 丁 丁
辰 寅 辰 酉　　辰 寅 辰 亥　　辰 寅 未 巳

戊辰일 丙辰시는, 부(父)를 극(剋)하며 대발(大發)한다. 身旺한 月에 通하고 東北방 運으로 行하면 富하다. 水 木월에 身旺한 運으로 行하면 貴하다. (戊辰日,丙辰時,剋父大發,通身旺月,行東北運,富.水木月,行身旺運,貴.)

己巳戊辰,徐仁總兵,一進士命同.甲寅癸酉,林養浩副都.乙丑乙酉,天引布政.庚午甲申,丞相.庚戌己卯,林材京卿.庚戌乙酉,汪應蛟尚書.

명조)1-[서인 총병] 명조)2-[임양호 부도] 명조)3-[천인 포정]

丙 戊 戊 己　　丙 戊 癸 甲　　　丙 戊 乙 乙

辰 辰 辰 巳　　　　辰 辰 酉 寅　　　　辰 辰 酉 丑

명조)4-[승상]　명조)5-[임재 경경]　명조)6-[왕응교 상서]

丙 戊 甲 庚　　　丙 戊 己 庚　　　　丙 戊 乙 庚

辰 辰 申 午　　　辰 辰 卯 戌　　　　辰 辰 酉 戌

戊午일 丙辰시는, 亥 卯의 年 月에 東北방 運으로 行하면 富貴한다. 未 丑은 西南방 運으로 行하면 풍헌(風憲)이다. (戊午日,丙辰時,亥卯年月,行東北運富貴.未丑,行西南運,風憲.)

甲子乙亥,范瑟編修.辛未辛丑,吳御史.辛未丙申,富多子.庚午戊寅,夏汝勵州牧.庚寅壬午,元戎.戊午癸亥,陳所學侍郎.己卯壬申,富.己卯甲戌,富.

명조)1-[범슬 편수]　명조)2-[오 어사]　명조)3-[富, 多子]

丙 戊 乙 甲　　　丙 戊 辛 辛　　　　丙 戊 丙 辛

辰 午 亥 子　　　辰 午 丑 未　　　　辰 午 申 未

명조)4-[하여려 주목]　명조)5-[원융]　명조)6-[진소학 시랑]

丙 戊 戊 庚　　　　丙 戊 壬 庚　　　丙 戊 癸 戊

辰 午 寅 午　　　　辰 午 午 寅　　　辰 午 亥 午

명조)7-[富]　명조)8-[富]

丙 戊 壬 己　　丙 戊 甲 己

辰 午 申 卯　　辰 午 戌 卯

戊申일 丙辰시는, 辰 戌 丑 未월은 貴하다. 土氣에 불통(不通)하여도 土運으로 行하면 역시 貴하다. (戊申時,丙辰時,辰戌丑未月貴.不通土氣,行土運亦貴.)

庚子丙戌,劉元震禮部尙書,無子.戊午癸亥,蘇茂相浙撫.戊寅乙卯,林子震貢士.

명조)1-[유원진 예부상서, 無子]　명조)2-[소무상, 절강성 순무]　명조)3-[임자진 공사]

丙 戊 丙 庚　　　　丙 戊 癸 戊　　　　丙 戊 乙 戊

辰 申 戌 子　　　　辰 申 亥 午　　　　辰 申 卯 寅

戊戌일 丙辰시는, 日時가 나란히 衝하여 妻子가 손상할까 근심이다. 괴강[煞]이 東北방 運으로 行하면 권세가 대단하고 발복(發福)한다. 酉월은 貴에 가까우나 福祿은 없다. 亥 卯 未월은 官印으로 論하여 貴하다. 또 이르길, 破한 후에 大富한다. 또한 刑으로 大凶하다. (戊戌日,丙辰時,時

日倂衝,憂傷妻子.魁罡行東北方運,主權重發福.酉月近貴,無福祿.亥卯未月,以官印論,貴.一云,破後大富.又云,大凶刑.)

甲戌辛未,孫交尙書.癸亥辛酉,李仕安侍郞.庚午丁亥,張時進士.癸亥乙卯,許以明擧人.戊辰庚申,白震都司.庚戌庚辰,貴.丁丑壬子,富.丙申辛丑,魯王.

명조)1-[손교 상서] 명조)2-[이사안 시랑] 명조)3-[장시 진사]

丙	戊	辛	甲		丙	戊	辛	癸		丙	戊	丁	庚
辰	戌	未	戌		辰	戌	酉	亥		辰	戌	亥	午

명조]4-[허이명 거인] 명조)5-[백진 도사] 명조)6-[貴]

丙	戊	乙	癸		丙	戊	庚	戊		丙	戊	庚	庚
辰	戌	卯	亥		辰	戌	申	辰		辰	戌	辰	戌

명조)7-[富] 명조)8-[노왕]

丙	戊	壬	丁		丙	戊	辛	丙
辰	戌	子	丑		辰	戌	丑	申

수고장재(水庫藏財)局은, 庫를 衝하지 않으면 열지 못한다. 열쇠로 만약 잠긴 것을 풀면 非運이 지극(至極)하여 吉運이 돌아온다. (水庫藏財局,無衝庫不開.鑰匙如脫鎖,否極泰還來.)

丙辰時를 戊일간이 만나면, 財官이 있는 庫(창고)의 門이 닫혀있다. 열쇠를 만나지 못하면 발달(發達)하기 어렵고, 밤낮으로 노력해도 헛된 것이다. (丙辰時遇日干戊,庫有財官鎖閉門.不遇鑰匙難發達,誅求勞碌度晨昏.)

戊일 丙辰時가 正이면, 화광(火光)이 庫에 坐하여 功이 없다. 財官이 폐쇄(閉鎖)되어 융성(隆盛)하려면 오로지 열쇠만을 사용해야한다. 卯 戌이 乙 癸를 개방(開放)하면 부귀(富貴) 명예가 숭고(崇高)해 진다. 火 土運으로 行하면 형통(亨通)하지 않으며, 하는 일이 혼미(昏迷)하여 꿈에 취한 듯하다. (戊日丙辰時正,火光坐庫無功.財官鎖閉主興隆,專等鑰匙收用.卯戌開放乙癸,富貴名擧高崇.運行火土不亨通,作事渾如醉夢.)

53. 六戊日丁巳時斷

6戊일생이 丁巳시면, 印綬가 日을 生하고 祿이 時에 있어 좋다. 財官이 刑 衝 破를 만나지 않으면, 일찍이 풍운지회(風雲之會)를 기약하여 만난다. [참고]풍운지회(風雲之會); 영웅호걸이 시기를 타서 뜻을 이룰 좋은 기회 (六戊日生時丁巳,印生日祿喜歸時.財官不見刑衝破,早際風雲會遇期.)

戊일이 丁巳시면, 印綬가 祿을 만나고, 戊의 祿은 巳에 있으며 丁을 보면 印綬가 되고, 巳상의 丁火는 帝旺이 된다. 年 月의 干支에서 財官을 보는 것은 좋지 않다. 官을 보면 祿이 손상하고, 財를 보면 印綬가 손상한다. 官 煞을 만나지 않고 財 官으로 行하지 않으며, 食傷이나 印綬의 運으로 行하면 고귀(高貴)하다. 刑 衝 破 害를 싫어한다. (戊日,丁巳時,印綬遇祿,戊祿居巳,見丁爲印,巳上丁火帝旺.年月支干,不宜見財官,見官損祿,見財損印.不見官煞,不行財官,行食傷印運,高貴.忌刑衝破害.)

戊子일 丁巳시는, 貴하다. 子월은 정재인데 土가 두터운 地方에서 현달(顯達)한다. 亥 丑의 年 月은 벼슬이 극품(極品)에 머물고, 내신(內臣)으로 부귀(富貴)쌍전(雙全)한다.
辛亥辛丑,楊榮少師名臣.甲子丙子,孫文錫進士.乙卯壬午,丘樞密.辛亥甲午,大富.丙寅己亥,銓部. (戊子日,丁巳時,貴.子月正財.土厚地方顯達.亥丑年月,官居極品,內臣中,富貴雙全.)

명조)1-[양영 소사 명신] 명조)2-[손문석 진사] 명조)3-[구 추밀]

丁	戊	辛	辛		丁	戊	丙	甲		丁	戊	壬	乙
巳	子	丑	亥		巳	子	子	子		巳	子	午	卯

명조)4-[大富] 명조)5-[전부(銓部)]

丁	戊	甲	辛		丁	戊	己	丙
巳	子	午	亥		巳	子	亥	寅

戊寅일 丁巳시는, 寅 巳가 相刑하여 처자(妻子)를 손상할까 염려된다. 午월에 東北방 運이면 풍헌(風憲)이다. 寅 午의 年 月은 4품이다. (戊寅日,丁巳時,寅巳相刑,憂傷妻子.午月東北運,風憲.寅午年月,四品.)

壬午壬寅,林侍郎.戊寅丁巳,鄭東白僉憲.癸酉辛酉,張邦紀學士.己酉甲戌,徐民式都憲,一舉人知州命同.庚申戊寅,吳梓舉人.丙申甲午,連標都憲.

명조)1-[임 시랑] 명조)2-[정동백 첨헌] 명조)3-[장방기 학사]

丁	戊	壬	壬		丁	戊	丁	戊		丁	戊	辛	癸
巳	寅	寅	午		巳	寅	巳	寅		巳	寅	酉	酉

명조)4-[서민식 도헌] 명조)5-[오재 거인] 명조)6-[연표 도헌]

丁	戊	甲	己		丁	戊	戊	庚		丁	戊	甲	丙
巳	寅	戌	酉		巳	寅	寅	申		巳	寅	午	申

명조)4에서, 서 민식은 도헌이고, 또 한사람은 거인 지주인데 命이 같다.

戊辰일 丁巳시는, 巳 酉 丑월은 성격(性格)이 풍류(風流)하며 권위(權威)가 중대(重大)하다. 年月의 干支에 財官을 만나지 않으면 높은 벼슬길에 오른다. 亥 戌에 南方 운으로 行하면 5~6품의 貴이다. 申은 北方 운으로 行하면 貴하다. (戊辰日,丁巳時,巳酉丑月,性格風流,威權重大.年月支干,不見財官,靑雲得路.亥戌行南運.五六品貴.申行北運,貴.)

甲子丙午,戴尙書.辛卯辛丑,王侍郎.

명조)1-[대 상서] 명조)2-[왕 시랑]

丁 戊 丙 甲　　丁 戊 辛 辛
巳 辰 午 子　　巳 辰 丑 卯

戊午일 丁巳시는, 四柱에 甲 乙 寅 卯가 없으면 일록귀시격(日祿歸時格)이다. 그리고 戊의 祿은 時에 있고 丁의 祿은 日에 있어 호환(互換)祿이 되어 고귀(高貴)하다. 食傷 印綬의 運으로 行하면 吉하다. 甲 乙 寅 卯 未의 글자가 있어서 官印을 지어 취용(取用)하면 역시 貴하다. (戊午日,丁巳時,柱無甲乙卯寅,日祿歸時格,又戊祿居時,丁祿居日,爲互換祿,高貴.行傷食印運,吉.有甲乙寅卯未字,作官印取用,亦貴.)

癸酉乙丑,郭用賓尙書.己丑丁卯,黃可大參議.丙戌癸巳,趙鏘參政.壬戌己酉,貴.丙辰丙申,兩司.甲戌己巳,凶.

명조)1-[곽용빈 상서] 명조)2-[황가대 참의] 명조)3-[조장 참정]

丁 戊 乙 癸　　　丁 戊 丁 己　　　丁 戊 癸 丙
巳 午 丑 酉　　　巳 午 卯 丑　　　巳 午 巳 戌

명조)4-[貴] 명조)5-[양사] 명조)6-[凶]

丁 戊 己 壬　丁 戊 丙 丙　　丁 戊 己 甲
巳 午 酉 戌　巳 午 申 辰　　巳 午 巳 戌

戊申일 丁巳시는, 春 夏절은 보통이고, 秋절은 성패(成敗)가 있고, 冬절은 富貴하다. 木 金運으로 行하면 吉하다. (戊申日,丁巳時,春夏平,秋成敗,冬富貴.行木金運吉.)

甲戌丙寅,董中丞.辛卯庚寅,林烶章憲副.丁酉丁未,郭田進士.己丑丙寅,蕭擧人.己未戊辰,子貴受封.戊辰庚申,子貴巨富.癸未丁巳,凶死.癸卯甲寅,林文俊主政.壬戌甲辰,常少.己酉己巳,進士.

명조)1-[동 중승] 명조)2-[임정장 헌부] 명조)3-[곽전 진사]

| 丁 戊 丙 甲 | 丁 戊 庚 辛 | 丁 戊 丁 丁 |
| 巳 申 寅 戌 | 巳 申 寅 卯 | 巳 申 未 酉 |

명조)4-[소 거인]　명조)5-[貴子로 인해 봉작을 받음] 명조)6-[子貴, 巨富]

| 丁 戊 丙 己 | 丁 戊 戊 己 | 丁 戊 庚 戊 |
| 巳 申 寅 丑 | 巳 申 辰 未 | 巳 申 申 辰 |

명조)7-[凶死]　 명조)8-[임문준 주정] 명조)9-[상소] 명조)10-[진사.

| 丁 戊 丁 癸 | 丁 戊 甲 癸 | 丁 戊 甲 壬 | 丁 戊 己 己 |
| 巳 申 巳 未 | 巳 申 寅 卯 | 巳 申 辰 戌 | 巳 申 巳 酉 |

戊戌일 丁巳시는, 衝破가 없고, 年 月에서 財官을 보지 않고 財官運으로 行하지 않으면 貴하다. 寅월은 편관으로 論하는데 未 申의 運으로 行하면 貴하다. 子월에 甲이 투출하면 역시 貴하다. 亥 卯 未의 財官을 비록 만나더라도 모두 吉하다. 대개 귀록격(貴祿格)은 官煞과 財를 꺼리지 않는데, 身旺하여 그[官煞과 財]를 얻으면 오히려 福이 된다. (戊戌日,丁巳時,無衝破,年月不見財官,不行財官運,貴.寅月作偏官論,行未申運貴.子月透甲亦貴.亥卯未雖見財官俱吉.蓋歸祿格,不忌官煞與財,以身旺得之,反爲福也.)

丁未癸卯,林文俊侍郎.癸巳乙卯,曾同亨尙書.乙亥丙辰,范主政.甲寅癸酉,進士早卒.戊午乙卯,韋經錦衣千戶.

명조)1-[임문준 시랑]　명조)2-[증동형 상서] 명조)3-[범 주정]

| 丁 戊 癸 丁 | 丁 戊 乙 癸 | 丁 戊 丙 乙 |
| 巳 戌 卯 未 | 巳 戌 卯 巳 | 巳 戌 辰 亥 |

명조)4-[진사, 요절]　명조)5-[위경 금의 천호(千戶)]

| 丁 戊 癸 甲 | 丁 戊 乙 戊 |
| 巳 戌 酉 寅 | 巳 戌 卯 午 |

풍운취회(風雲聚會)局은 관성을 만날 필요가 없다. 年 月에 損傷이나 敗하지 않으면 공명(功名)은 외길로 쭉 通한다. (風雲聚會局,不要見官星.年月無傷敗,功名一路通.)

日干은 地支의 祿이 귀시(歸時)하면, 財官을 보지 않아도 貴를 기약할 수 있다. 破가 없으면 우문(禹門) 삼급랑(三汲浪)하여 머물러 있어도 일약(一躍) 천지(天池)위를 바라본다. (日干支祿喜歸時,不見財官貴可期.無破禹門三汲浪,佇看一躍上天池.)

戊일에 丁巳시가 臨하면, 祿元과 印綬를 서로 만난다. 일찍이 단계(丹桂;붉은 계수나무, 즉 과거에 급제함)를 쟁취(爭取)하여 섬궁(蟾宮)을 거닐고, 공경하는 고관(高官)이 되어 권력(權力)을 좌지우지(左之右之)한다. 食神 상관運은 吉하다. 財官은 서로 만나면 功이 없으니 父母 兄弟가 함께 돕지 않는다. 破가 있으면 달리 格用을 찾는다. (日戊時臨丁巳,祿元印綬相逢.早奪丹桂步蟾宮,合掌公卿權柄.食神傷官運吉.財官相遇無功,雙親雁侶不扶同.有破別尋格用.)

54. 六戊日戊午時斷

6戊日생이 戊午시면, 흉악하며 성품이 대부분 剛하다. 月에서 火로 化하여 官이 居하면 吉하고, 刑 衝 破 害가 오히려 좋은 것이다. (六戊日生時戊午,爲人兇狠性多剛.月中化火居官吉,破害刑衝卻是良.)

戊일이 戊午시면, 양인이 중첩(重疊)하고, 戊는 午가 양인이 되어 성격이 흉폭하며 대부분 剛하다. 만일 刑 衝 破 害를 만나 양인이 制를 받고, 月氣에 通하면 변방을 지키는 무직(武職)이다. 月중에 化氣가 천시(天時)를 얻으면 대귀(大貴)하다. 年 月의 天干에서 甲을 보면 승(僧)도(道)의 命이다. 午중에 火旺하여 戊土가 불살라지니, 비장(脾臟)과 폐장(肺臟)의 病으로 근심이 많다. 만약 月에 寅 午 戌 亥가 불통(不通)하면, 運氣에 通하여도 역시 貴하다. (戊日,戊午時,刃神重疊,戊以午爲刃,性狠多剛,如見刑衝破害,刃神受制,通月氣者,爲邊疆武職.月中有化氣得天時者,大貴.年月干見甲,僧道命.午中火旺,戊土被焚,多患脾肺疾.若月不通寅午戌亥,通運氣者,亦貴.)

戊子일 戊午시는, 巳 寅 戌월은 풍헌(風憲)이다. 夏절은 용주(鎔鑄;일의 성취)가 되지 않는데, 먼저는 刑하고 나중에는 발달(發達)한다. 旺한 곳은 관재(官災)가 많으며 조업(祖業)을 破한다. (戊子日,戊午時,巳寅戌月風憲.夏不鎔鑄,先刑後發,旺處多官災破祖.)

庚申丙戌,張果運使,丙午辛卯,解元.

명조)1-[장과 운사] 명조)2-[해원]
戊 戊 丙 庚　　　 戊 戊 辛 丙
午 子 戌 申　　　 午 子 卯 午

戊寅일 戊午시는, 戌월은 火局으로 三合하고, 天干에 투출한 癸를 化하여 천시(天時)와 지리(地利)를 얻으면 貴하다. 年 月에 申 子가 水로 會局하면 寅 午는 火로 會局하여 [水火]旣濟의 기묘(奇妙)함이 있다. 辰월도 역시 얻으면, 酉의 상관이나 未의 官印은 모두 吉하다. (戊寅日,戊午時,戌月三合火局,干透癸化,得天時地利者貴.年月申子會水,寅午會火,有旣濟之妙.辰月亦得,酉傷官,未官印,俱吉.)

癸未辛酉,王子勉中丞.戊辰甲寅,趙伯員外.戊午己未,方國位進士.壬申壬子,鄧羊叔都司,一給事命同. 甲子戊辰,周瀾擧人.癸酉戊午,凶死.庚子己丑,李同芳會魁.丙午辛卯,任啓運解元.

명조)1-[왕자면 중승] 명조)2-[조백 원외] 명조)3-[방국위 진사]

戊	戊	辛	癸		戊	戊	甲	戊		戊	戊	己	戊
午	寅	酉	未		午	寅	寅	辰		午	寅	未	午

명조)4-[등양숙 도사,一給事 命同] 명조)5-[주란 거인]

戊	戊	壬	壬		戊	戊	戊	甲
午	寅	子	申		午	寅	辰	子

명조)6-[凶 死] 명조)7-[이동방 회괴] 명조)8-[임계운 해원]

戊	戊	戊	癸		戊	戊	己	庚		戊	戊	辛	丙
午	寅	午	酉		午	寅	丑	子		午	寅	卯	午

戊辰일 戊午시는, 공록격(拱祿格)인데, 年 月에 寅 巳 甲 乙의 글자가 없으면 貴하다. 卯 申은 무직(武職)이다. 酉 丑 亥는 南方운으로 行하면 貴하다. 또 이르길, 刑으로 凶하다. (戊辰日,戊午 時,拱祿格,年月無寅巳甲乙字,貴.卯申武職.酉丑亥行南運貴.一云,刑凶.)

癸卯癸亥,劉太守.丙寅癸巳,太守.甲辰癸酉,王御史.癸酉癸亥,御史.癸未戊午,李純知縣.己卯丁丑,擧 人.

명조)1-[유 태수] 명조)2-[태수] 명조)3-[왕 어사]

戊	戊	癸	癸		戊	戊	癸	丙		戊	戊	癸	甲
午	辰	亥	卯		午	辰	巳	寅		午	辰	酉	辰

명조)4-[어사] 명조)5-[이순 지현] 명조)6-[거인]

戊	戊	癸	癸		戊	戊	戊	癸		戊	戊	丁	己
午	辰	亥	酉		午	辰	午	未		午	辰	丑	卯

戊午일 戊午시는, 먼저는 刑하며 나중에는 발달하지만, 대부분 끝이 좋지 않다. 寅 巳 午 戌로 年 月이 印綬면 대귀(大貴)하다. 순수한 午는 무직에서 권위(權威)가 있고 명예가 높은 번진(藩 鎭;절도사)이다. 亥 卯 未 申은 富貴쌍전(雙全)한다. (戊午日,戊午時,先刑後發,多不善終.寅巳午戌 年月印綬,大貴.純午,武職威權,名重藩鎭.亥卯未申,富貴雙全.)

戊午戊午,關聖帝君,李鎭撫一萬戶命同.戊申戊午,張尚書.戊寅戊午,李昉丞相.乙巳壬午,張潮侍郎.壬寅辛未,周廷用廉憲.乙亥癸未,進士.壬午丁未,大參.辛卯庚子,卿.壬辰己酉,知州.辛卯庚寅,擧人.壬子壬子,京卿.戊辰戊午,凶.癸未戊午,孤貧瞽目.

명조)1-[관성제군] 명조)2-[장 상서] 명조)3-[이방 승상]

戊	戊	戊	戊		戊	戊	戊	戊		戊	戊	戊	戊
午	午	午	午		午	午	午	申		午	午	午	寅

명조)1에서, 관성제군인데, 이 진무의 一萬戶의 命과 같다.

명조)4-[장조 시랑] 명조)5-[주정용 염헌] 명조)6-[진사]

戊	戊	壬	乙		戊	戊	辛	壬		戊	戊	癸	乙
午	午	午	巳		午	午	未	寅		午	午	未	亥

명조)7-[대참] 명조)8-[경(卿)] 명조)9-[지주]

戊	戊	丁	壬		戊	戊	庚	辛		戊	戊	己	壬
午	午	未	午		午	午	子	卯		午	午	酉	辰

명조)10-[거인] 명조)11-[京 庚] 명조)12-[凶] 명조)13-[고빈고목(孤貧瞽目)]

戊	戊	庚	辛		戊	戊	壬	壬		戊	戊	戊	戊		戊	戊	戊	癸
午	午	寅	卯		午	午	子	子		午	午	午	辰		午	午	午	未

戊申일 戊午시는, 공귀격(拱貴格)인데, 年 月에서 寅을 만나고 南方運으로 行하면 풍헌(風憲)이다. 午를 만나면 貴하고 長壽한다. 戊은 文의 貴이다. 未가 전실(塡實)하고, 巳의 建祿이 일편(一片)으로 연결하면 대귀(大貴)하다.[참고;地支連茹를 말한다.] 또 이르길, 法에 의해 죽거나 그렇지 않으면 전투중에 사망한다. (戊申日,戊午時,拱貴格,年月逢寅,行南運風憲.逢午貴壽.戊文貴.有未塡實,巳建祿,相連一片者,大貴.一云,主法死,不然戰亡.)

丁卯庚戌,沈鍊經歷爲權相所害凶死.乙巳甲申,許天倫大參.丁未癸未,貴.乙亥辛巳,山西藩王.壬午乙巳,富.己未戊午,宋節使.

명조)1-[침련]명조)2-[허천윤 대참] 명조)3-[貴]오류명조[月 天干만 바꿈]

戊	戊	庚	丁		戊	戊	甲	乙		戊	戊	丁	丁
午	申	戌	卯		午	申	申	巳		午	申	未	未

명조)1에서 침련은 경력(經歷;겪어 지내온 일들)에서 권력이害로운 것이 되어 흉(凶)死하였다.

명조)4-[산서심왕] 명조)5-[富] 명조)6-[송 절사]오류명조[月 天干만 바꿈]

戊 戊 辛 乙　　　　戊 戊 乙 壬　　　　戊 戊 庚 己
午 申 巳 亥　　　　午 申 巳 午　　　　午 申 午 未

戊戌日 戊午時는, 크게 凶하다. 卯 午의 年 月에 官運은 귀현(貴顯)하다. 寅은 印綬가 煞을 동반하니 凶이 변하여 吉하게 된다. (戊戌日,戊午時,大凶.卯午年月,官運貴顯.寅印綬帶煞,變凶爲吉.)

甲寅庚午,吳崑太守.辛巳辛卯,進士.己酉辛末,陳龍擧人.癸丑壬戌,富多子.甲申己巳,擧人.

명조)1-[오곤 태수]　명조)2-[진사]　명조)3-[진룡 거인]
戊 戊 庚 甲　　　　戊 戊 辛 辛　　　　戊 戊 辛 己
午 戊 午 寅　　　　午 戊 卯 巳　　　　午 戊 未 酉

명조)4-[富, 多子]　명조)5-[거인]
戊 戊 壬 癸　　　　戊 戊 己 甲
午 戊 戊 丑　　　　午 戊 巳 申

석중장옥(石中藏玉)局은 결단력이 있고 베풀지만 육친(六親)을 지키기는 부족(不足)하고, 처자(妻子)를 일찍이 저버림이 많다. (石中藏玉局,剛斷有施爲.六親防不足,妻子早多虧.)

戊가 戊午(火)를 만나면 고향을 떠나고, [羊]刃이 旺하여 身强하니 크게 현양(顯揚)한다. 運이 건체(蹇滯)하고 時가 어긋나면 명성을 얻지 못하고 평상(平常)한 의록(衣祿)으로 빛나던 때를 헤아린다. (戊逢戊午火離鄕,刃旺身强大顯揚.運蹇時乖名未就,平常衣祿度時光.)

戊일이 戊午시를 만나면, 比肩이 財祿을 위반(違反)한다. 妻가 많아도 자식이 늦어 베풀게 되고, 運이 壬 癸에 臨하면 발달(發達)한다. 부모 형제에게 이로움이 적고, 육친(六親)은 얼음과 숯처럼 소원하여 멀리 떨어진다. 衝 剋 破가 있어야 비로소 좋고, 中 末年에 貴하다. (戊日時逢戊午,比肩財祿遲違.妻重子晚任施爲,發達運臨壬癸,父母雁行少利,六親冰炭疏暌.有衝剋破始奇特,中末之年主貴.)

55. 六戊日己未時斷

6戊일생이 己未시면, 양인과 편관은 衝을 두려워하지 않는다. 그러나 사람의 성격(性格)이 대부분 사나우며 평생토록 의록(衣祿)은 나쁘지 않다. (六戊日生時己未,陽刃偏官不怕衝.但是爲人多性狠,平生衣祿亦無凶.)

戊일 己未시면, 양인과 편관인데, 戊는 己가 양인이 되며 甲은 편관이고, 時上의 명암(明暗)에 있는 두 己는 刃이 되고, 甲木은 未中에 合하는 局이다. 만약 刑 衝 破 害를 보면 刃과 煞이 制가 있어야 貴하게 된다. 月에 통근하여 旺하면 보통의 의록(衣祿)이고, 20살 즈음에 父母를 모두 잃는다. 만약 月氣에 불통(不通)하고 寅 申을 얻으면 貴하다. (戊日,己未時,陽刃偏官,戊以己爲陽刃,甲爲偏官,時上明暗二己爲刃,甲木未中合局,若見刑衝破害,刃煞有制,主貴.通月旺者平常衣祿,二十年父母俱失.若不通月氣,得寅申者貴.)

戊子일 己未시는, 日時가 상천(相穿)하여 妻子를 손상할까 염려된다. 먼저는 고생하지만 나중에는 좋다. 月에 土氣가 通[根]하고 財官 運으로 行하면 貴하다. 水 木월은 身旺한 運으로 行하면 역시 貴하다. (戊子日,己未時,時日相穿,憂傷妻子,早苦晚好.月通土氣,行財官運貴.水木月行身旺運亦貴.)

丁丑辛亥,擧人兩司凶終.戊子癸亥,湯道衡都憲.

명조)1-[거인 양사, 凶終] 명조)2-[탕도형 도헌]

己	戊	辛	丁
未	子	亥	丑

己	戊	癸	戊
未	子	亥	子

戊寅일 己未시는, 먼저는 어려우나 나중에는 쉽고, 貴人이 도와주어 貴하지 않으면 富하다. 年 月에 투출한 甲을 刃이 制하고, 地支는 午 未로 身旺하고, 煞 刃이 둘 다 나타나면 대귀(大貴)하다.[참고;살인상정에 신왕하면 대귀하다는 말] (戊寅日,己未時,先難後易,貴人提攜,不貴即富.年月透甲制刃,地支午未身旺,煞刃雙顯,主大貴.)

辛未甲午,郭乾尙書.庚子丁亥,李多見會魁吏部主事.己未丙寅,庶吉士改禮部.甲申丙子,擧人.

명조)1-[곽건 상서] 명조)2-[이다견, 會魁 이부주사]

己	戊	甲	辛
未	寅	午	未

己	戊	丁	庚
未	寅	亥	子

명조)3-[서 길사, 改禮部] 명조)4-[거인]

己	戊	丙	己
未	寅	寅	未

己	戊	丙	甲
未	寅	子	申

戊辰일 己未시는, 春절과 冬절은 北方운으로 行하면 富貴하다. (戊辰日,己未時,春冬行北運,富貴.)

甲子辛未,閻璞祭酒性剛招禍氣死.庚寅辛巳,李廷梧進士.己卯壬申,貴.戊辰己未,貴.

명조)1-[염박]   명조)2-[이정오 진사]

己 戊 辛 甲   己 戊 辛 庚

未 辰 未 子   未 辰 巳 寅

명조)1에서, 염박은 제주인데 강직한 성격으로 禍를 불러 사망했다.

명조)3-[貴]   명조)4-[貴]

己 戊 壬 己   己 戊 己 戊

未 辰 申 卯   未 辰 未 辰

戊午일 己未시는, 양인과 편관인데, 기략(機略)이 있으며 壽命은 짧다. 그렇지 않으면 妻子가 어렵게 되고, 거듭하여 세우고 거듭해서 이룬다. 午 亥의 年 月에 金 土운이면 貴하다. 申 酉는 富하다. (戊午日,己未時,陽刃偏官,主人機謀,壽促,不然,妻子難爲,重立重成.午亥年月金土運貴.申酉富.)

乙卯甲申,大參.丙寅乙未,林應亮侍郎.甲申庚午,貴.乙酉丁亥,貴.

명조)1-[대참]   명조)2-[임응량 시랑]

己 戊 甲 乙   己 戊 乙 丙

未 午 申 卯   未 午 未 寅

명조)3-[貴]   명조)4-[貴]

己 戊 庚 甲   己 戊 丁 乙

未 午 午 申   未 午 亥 酉

戊申일 己未시는, 貴한데, 財官 運으로 行하면 발복(發福)한다. 寅을 꺼리는데 煞을 衝하여 凶함이 있다. 또 辛卯 庚寅은 煞을 衝하여 凶하다. (戊申日,己未時,貴,行財官運,發福.嫌寅衝煞,有凶.一辛卯庚寅,果衝煞凶.)

癸亥辛酉,劉伯躍侍郎.戊午丁亥,丞相.

명조)1-[유백약 시랑] 명조)2-[승상]

己 戊 辛 癸   己 戊 丁 戊

未 申 酉 亥   未 申 亥 午

戊戌일 己未시는, 春절은 官이 旺하여 貴하다. 夏절은 印綬로 안온(安穩)하다. 秋절은 보통이다.

冬절은 고독하며 고생한다. 戊월은 괴강격(魁罡格)으로 5~6品의 貴이다. 모름지기 年 月이 申 子 辰의 財로 會局하고, 寅 午의 印綬, 巳 酉의 상관, 亥 卯의 官煞로 각각 국면(局面)을 이루면 바야흐로 吉하다. (戊戌日,己未時,春官旺貴.夏印安穩.秋平.多孤苦.戊月魁罡格,五六品貴.須年月申子辰會財,寅午印綬,巳酉傷官,亥卯官煞,各成局面,方吉.)

壬子甲辰,王守都憲.丙寅庚子,李鎭憲副.己酉己巳,謝汝像進士.壬寅丁未,郞中.壬申戊戌,主政.

명조)1-[왕수 도헌]　명조)2-[인진 헌부]　명조)3-[사여상 진사]

己 戊 甲 壬　　　　己 戊 庚 丙　　　　己 戊 己 己
未 戌 辰 子　　　　未 戌 子 寅　　　　未 戌 巳 酉

명조)4-[낭중]　명조)5-[주정]

己 戊 丁 壬　　　己 戊 戊 壬
未 戌 未 寅　　　未 戌 戌 申

고경중마(古鏡重磨)局은, 어두운 가운데 빛을 본다. 만약 官印으로 行하면 현달(顯達)함이 예사롭지 않다. (古鏡重磨局,昏中又見光.若行官印處,顯達不尋常.)

未中에 戊 己의 土가 쌓이면 刑 害 衝하면 할일이 역시 조화롭다. 선암후명(先暗後明)하여 凶이 吉로 변하고, 貴人이 이끌어 도와주니 세속(世俗)에서 벗어난다. (未中戊己土成堆,刑害衝來事亦諧.先暗後明凶變吉,貴人提携出塵埋.)

戊일이 己未時에 臨하면, 六親 骨肉과 소통한다. 火 印綬를 만나 暗中으로 돕는 것을 좋아하고, 甲 乙 寅 卯는 主가 된다. 꽃이 피고 열매를 맺는 것은 고마우나, 부모형제는 요절하거나 고독하다. 스스로 자립(自立)을 도모(圖謀)하지만 貴人이 도와주어 의지하게 된다. (戊日時臨己未,六親骨肉成疏.喜達火印暗中扶,甲乙寅卯爲主.重謝花開結果,雙親雁行夭孤.自爲自立自圖謀,賴有貴人扶助.)

56. 六戊日庚申時斷

6戊일생이 庚申時면, 干上의 食神과 서로 친하게 지내는 것을 기뻐한다. 卯 寅과 겸하여 甲 丙을 보지 않는데, 어찌 옥대(玉帶)를 차며 身이 영화롭지 않음을 근심하겠는가! (六戊日生時庚申,干上食神喜相親.不見卯寅兼甲丙,何憂玉帶不榮身.)

戊일 庚申時면, 戊는 庚이 食神이 되고, 壬 癸는 財가 된다. 申상에서 庚은 旺하며 壬이 長生하고, 戊土는 유기(有氣)하다. 丙火가 食神을 겁탈(劫奪)하여 파재(破財)함이 없으며 다시 寅 巳의

刑 衝이 없고, 秋월에 生하면 대귀(大貴)하다. 만일 丙火가 甲寅과 아울러 巳가 있으면 위인(爲人)이 반복(反覆;생각을 엎치락뒤치락)하고, 그런데 공명(功名)은 있다. 年 月의 天干에 甲 삼기(三奇)가 투출하고, 地支가 會局하고, 혹 寅 辰이 있으면 모두 貴하다. (戊日,庚申時,戊以庚爲食,壬癸爲財,申上庚旺,壬生,戊土有氣,無丙火奪食破財,再無寅巳刑衝,生秋月大貴.如有丙火,甲寅倂巳,爲人反覆,亦有功名.年月干止透甲三奇,地支會局,或止寅辰,皆貴.)

戊子일 庚申시는, 만약 亥 子월에 生하면 역시 合祿으로 貴하다. (戊子日,庚申時,若生亥子月,亦是合祿,貴.)

己未壬申,謝丞相.壬申壬寅,周尙書.辛未戊戌,王太守.癸巳癸亥,蔡可敎主政.庚午辛巳,陳亮采擧人.

명조)1-[사 승상] 명조)2-[주상서] 명조)3-[왕 태수]

庚 戊 壬 己   庚 戊 壬 壬   庚 戊 戊 辛
申 子 申 未   申 子 寅 申   申 子 戌 未

명조)4-[채가교 주정] 명조)5-[진량채 거인]

庚 戊 癸 癸   庚 戊 辛 庚
申 子 亥 巳   申 子 巳 午

戊寅일 庚申시는, 刑하여 凶한 후에 발달(發達)한다. 만일 寅월에 生하면 食祿이 制煞하는 것으로 論하여 貴하다. [참고;식신제살격] (戊寅日,庚申時,凶刑後發,如生寅月,作食祿制煞論,貴.)

丙辰辛丑,張明進士.戊子壬戌,大參.壬申辛亥,太守.甲戌丙子,肖學和知縣.己酉甲戌,王肯堂翰林纂輯醫書證治準繩等集無子,一擧人知縣向德相有子王金櫃人向上元人命同.

명조)1-[장명 진사] 명조)2-[대참] 명조)3-[태수]

庚 戊 辛 丙   庚 戊 壬 戊   庚 戊 辛 壬
申 寅 丑 辰   申 寅 戌 子   申 寅 亥 申

명조)4-[초학화 지현] 명조)5-[왕긍당 한림]

庚 戊 丙 甲   庚 戊 甲 己
申 寅 子 戌   申 寅 戌 酉

명조)5에서, 왕 긍당은 한림인데, 의서(醫書) 증치준승(證治準繩)등을 모아 편찬하였고, 무자(無子)였다. 또 한사람은 거인 지현인 향 덕상유자(有子), 왕 금단인, 향 상원인과 命이 같다.

戊辰일 庚申시는, 專食이 合祿하고, 순수한 寅의 年 月이면 두개의 寅은 하나의 申이 衝하는 것을 두려워하지 않으니 역시 貴하다. (戊辰日,庚申時,專食合祿,純寅年月,二寅不怕一申衝,亦貴.)

甲戌庚午,高耀尚書.壬寅己酉,鄭茂德太守.壬辰丁未,呂律太守.戊戌丙辰,鄭太師.己未戊辰,蜀王.戊申甲寅,貴.庚寅戊寅,貴.庚午戊午,貴.己酉癸酉,進士.辛巳丙申,進士.乙酉壬午,遼王.

명조)1-[고요 상서] 명조)2-[정무덕 태수] 명조)3-[여율 태수]

庚	戊	庚	甲
申	辰	午	戌

庚	戊	己	壬
申	辰	酉	寅

庚	戊	丁	壬
申	辰	未	辰

명조)4-[정 태사] 명조)5-[촉 왕]   명조)6-[貴]

庚	戊	丙	戊
申	辰	辰	戌

庚	戊	戊	己
申	辰	辰	未

庚	戊	甲	戊
申	辰	寅	申

명조)7-[貴]   명조)8-[貴]   명조)9-[진사]

庚	戊	戊	庚
申	辰	寅	寅

庚	戊	戊	庚
申	辰	午	午

庚	戊	癸	己
申	辰	酉	酉

명조)10-[진사] 명조)11-[요 왕]

庚	戊	丙	辛
申	辰	申	巳

庚	戊	壬	乙
申	辰	午	酉

戊午일 庚申시는, 未 酉 丑의 年 月에 四柱에 丙 甲 卯 寅이 없어야 합록격(合祿格)에 드는데, 西北의 運으로 行하면 貴하다. 甲 丙이 있고 또 合神이 암장(暗藏)한 煞을 제거하면 사주순양(四柱純陽)格으로 대귀(大貴)하다. (戊午日,庚申時,未酉丑年月,柱無丙甲卯寅,入合祿格,行西北運貴.有甲丙,又合神藏煞沒,四柱純陽格,大貴.)

甲戌丙子,葉華光祿卿.戊辰甲子,蔡煥員外.壬午己酉,史春坊.甲子癸酉,吳主政.丁酉辛亥,楊擧人.庚申庚辰,張知縣.辛未癸巳,畢懋康侍郎.

명조)1-[엽화광 록경] 명조)2-[채환 원외] 명조)3-[사 춘방]

庚	戊	丙	甲
申	午	子	戌

庚	戊	甲	戊
申	午	子	辰

庚	戊	己	壬
申	午	酉	午

명조)4-[오 주정] 명조)5-[양 거인]

庚	戊	癸	甲
申	午	酉	子

庚	戊	辛	丁
申	午	亥	酉

명조)6-[장 지현] 명조)7-[필무강 시랑]

庚 戊 庚 庚　　　庚 戊 癸 辛

申 午 辰 申　　　申 午 巳 未

戊申일 庚申시는, 身科 祿이 동궁(同宮)하여 부귀양전(富貴兩全)한다. 子 辰 未 酉의 年 月에 西方 運으로 行하면 합록격(合祿格)에 드는데, 上에 가까운 3품이다. 年 月이 丑 戌이면 吉하다. 辰 戌로 剋傷하면 보통이다. 亥 巳의 年 月에 東北 運으로 行하면 1~2품의 貴이다. (戊申日,庚申時,身祿同窠,富貴兩全,子辰未酉年月,行西運,入合祿格,近上,三品.年月丑戌吉.辰戌傷剋平常.亥巳年月,行東北運,一二品貴.)

壬戌乙巳,胡守中都憲凶死.壬申癸卯,伊王發高牆.乙亥辛巳,王崇古尙書.甲寅戊辰,呂臻狀元.己未癸酉,曾丞相.庚申丁亥,汪御史.乙亥癸未,長史.壬辰甲辰,王家棟解元.丁丑壬子,郝守業進士.辛巳丙申,邵姜布政二子進士.

명조)1-[호수중 도헌, 凶死] 명조)2-[이왕발 고장]　명조)3-[왕숭고 상서]

庚 戊 乙 壬　　　　庚 戊 癸 壬　　　　庚 戊 辛 乙

申 申 巳 戌　　　　申 申 卯 申　　　　申 申 巳 亥

명조)4-[려진 장원]　명조)5-[증 승상]　명조)6-[왕 어사]

庚 戊 戊 甲　　　庚 戊 癸 己　　　庚 戊 丁 庚

申 申 辰 寅　　　申 申 酉 未　　　申 申 亥 申

명조)7-[장사]　명조)8-[왕가동 해원] 명조)9-[학수업 진사]

庚 戊 癸 乙　　　庚 戊 甲 壬　　　庚 戊 壬 丁

申 申 未 亥　　　申 申 辰 辰　　　申 申 子 丑

명조)10-[소강]소강은 포정인데, 자식둘은 進士였다.

庚 戊 丙 辛

申 申 申 巳

戊戌일 庚申시는,학질의 재앙이고, 丙子월 역시 합록격(合祿格)인데, 文의 貴로써 2품이다. 卯 辰의 年 月은 대귀(大貴)하다. (戊戌日,庚申時,災瘧內,丙子月亦合祿格,文貴二品.卯辰年月,大貴.)

己未丙子,侍郞.丁巳壬寅,廣文.戊戌庚申,韓四維翰林.壬戌丙午,部郞.丁未癸丑,孝子.

명조)1-[시랑] 명조)2-[광문] 명조)3-[한사유 한림]

庚 戊 丙 己   庚 戊 壬 丁   庚 戊 庚 戊

申 戌 子 未   申 戌 寅 巳   申 戌 申 戌

명조)4-[부랑] 명조)5-[효자(孝子)]

庚 戊 丙 壬   庚 戊 癸 丁

申 戌 午 戌   申 戌 丑 未

식신생왕(食神生旺)局은 삼베옷이 비단옷으로 바뀐다. 벼슬길로 나아가는 것이 마땅하고, 명리(名利)는 자연히 좋다. (食神生旺局,麻衣換錦衣.仕途宜進用,名利自然奇.)

戊일은 時에서 庚을 보는 것이 기쁜데, 食神이 合祿하여 영화가 창성(創成)한다. 왕(旺)한 가운데 만약 刑 衝하는 글자를 보면 살아나갈 생계(生計)는 단지 평범할 뿐이다. (戊日時臨喜見庚,食神合祿主昌榮.旺中若見刑衝字,活計生涯只許平.)

戊일이 庚申시를 만나면, 地支상에서 生旺하여 드물게 뛰어난다. 食神이 福을 生하여 광휘(光輝)를 드러내고 상하(上下)에서 旺氣가 유통(流通)한다. 丙(字)는 지엽(枝葉)을 손상하고, 甲寅의 무리는 형제를 손상한다. 만약 時에서 衝破와 刑 剋하면 적옥퇴금(積玉堆金)하는 貴이다. [참고; 무언가 이상하다. 時가 衝破 刑剋하는데 어찌 金과 玉이 산더미처럼 쌓이고 貴하단 말인가!] (戊日庚申時遇,支上生旺奇希.食神生福顯光輝,上下流通旺氣.丙字傷枝損葉,甲寅群雁行虧.若時衝破與刑剋,積玉堆金之貴.)

57. 六戊日辛酉時斷

6戊일생이 辛酉시면, 흉포하고 敗[地]인 상관을 時에서 만나니 두렵다. 柱중에 설령 재성의 도움이 있을지라도, 자식이 있으면 일찍 종명(終命)하게 된다.[참고;時에서 상관이 健旺하면 子星인 官을 剋하니 末年에라도 官을 剋하기에 자식이 먼저 가는 것이다.] (六戊日生時辛酉,傷陽官暴敗怕時逢.柱中縱有財星助,有子不成命早終.)

戊일이 辛酉시면, 身이 敗하는 상관이고, 戊는 乙이 官이 되고 辛은 상관이다. 酉상에서 辛金은 旺하며 戊土는 목욕(沐浴)地가 되어, 위인(爲人)이 성품은 거만하고 졸렬한 행동을 한다. 年 月에 乙이 투출하면 재앙이 수없이 발생한다. 만일 乙이 있는데 재차 官旺한 運으로 行하면 刑 害하여 불길(不吉)하다. 만약 생기(生氣)인 月에 通[根]하고 官運으로 行하면 貴하지 않으면 富하다. (戊日,辛酉時,身敗傷官,戊以乙爲官,辛爲傷官,酉上辛金旺,戊土沐浴,爲人性傲行卑.年月透乙,爲禍百端.如有乙再行官旺運,刑害不吉.若通生氣月行官運,不貴卽富.)

戊子일 辛酉시는, 巳 酉 丑의 年 月은 상관상진(傷官傷盡)하여 財旺한 運으로 行하면 무직(武職)으로 풍헌(風憲)이다. 자식은 음덕(蔭德)이 있으며 妻는 봉작(封爵)을 받는다. (戊子日,辛酉時,巳酉丑年月,傷官傷盡,行財旺運,武職風憲.蔭子封妻.)

壬午癸卯,州牧.癸未戊午,廕郎.

명조)1-[주목]　명조)2-[음랑]
辛 戊 癸 壬　　辛 戊 戊 癸
酉 子 卯 午　　酉 子 午 未

戊寅일 辛酉시는, 土氣가 月에 通[根]하고, 西北방 運으로 行하면 貴하진 않아도 富하다. (戊寅日,辛酉時,通土氣月,行西北運,不貴亦富.)

壬申壬子,王西石尚書.甲寅丙寅,魏濟民主政.戊辰丁巳,黃啓初擧人.乙卯戊寅,擧人.

명조)1-[왕서석 상서]　명조)2-[위제민 주정]
辛 戊 壬 壬　　　辛 戊 丙 甲
酉 寅 子 申　　　酉 寅 寅 寅

명조)3-[황계초 거인]　명조)4-[거인]
辛 戊 丁 戊　　　辛 戊 戊 乙
酉 寅 巳 辰　　　酉 寅 寅 卯

戊辰일 辛酉시는, 丑 未의 年月은 天干에 財가 투출하면 貴하다. 만약 癸巳월이면 학당(學堂) 사관(詞館)이 제강(월령)에 있으니, 학문(學文)으로 과거에 수석으로 합격한다. 寅 申 巳 亥의 年이면 時에서 낭자살(狼藉煞)을 犯하여 만년(晚年)에도 결과(結果)가 없다. (戊辰日,辛酉時,丑未年月,干透財,主貴.若癸巳月,詞館學堂居提綱,主文學高科,寅申巳亥年,則時犯狼藉煞,晚無結果.)

辛巳癸巳,錢福狀元或云甲寅時.癸未乙丑,侍郎.乙亥辛巳,貴.壬午壬子,李待問總河尚書.戊戌乙丑,凶.

명조)1-[전복 장원, 혹 甲寅時라고 한다.]　명조)2-[시랑]
辛 戊 癸 辛　　　　辛 戊 乙 癸
酉 辰 巳 巳　　　　酉 辰 丑 未

명조)3-[貴]　명조)4-[이대문총하상서]　명조)5-[凶]

```
辛 戊 辛 乙    辛 戊 壬 壬         辛 戊 乙 戊
酉 辰 巳 亥    酉 辰 子 午         酉 辰 丑 戌
```

戊午일 辛酉시는, 春 夏절은 평상(平常)하다. 秋절은 상관상진(傷官傷盡)하여 권귀(權貴;권세가 있고 지위가 높음)하나 수명(壽命)이 짧다. 冬절은 妻子를 두기 어렵다. (戊午日,辛酉時,春夏平常. 秋傷官傷盡,權貴,壽促.冬難爲妻子.)

乙未庚辰,劉丞相.丙辰庚子,戴廷章擧人.戊申己未,周孔敎都院.癸亥乙卯,祁光宗侍郞.

명조)1-[유 승상]   명조)2-[대정장 거인]
```
辛 戊 庚 乙        辛 戊 庚 丙
酉 午 辰 未        酉 午 子 辰
```

명조)3-[주공교 도원]   명조)4-[기광종 시랑]
```
辛 戊 己 戊        辛 戊 乙 癸
酉 午 未 申        酉 午 卯 亥
```

戊申일 辛酉시는, 戊 亥 丑 子의 年 月은 권세가 있고 지위가 높다. (戊申日,辛酉時,戊亥丑子年 月,權貴.)

丁巳庚戌,狀元.辛亥辛卯,廣文.乙亥辛巳,曾丁欽擧人太守.壬申己酉,唐汝楫狀元.癸巳辛酉,黨惡凶終.

명조)1-[장원]   명조)2-[광문]   명조)3-[증정흠 거인 태수]
```
辛 戊 庚 丁     辛 戊 辛 辛        辛 戊 辛 乙
酉 申 戌 巳     酉 申 卯 亥        酉 申 巳 亥
```

명조)4-[당여즙 장원]   명조)5-[악당인데, 凶하게 죽음]
```
辛 戊 己 壬        辛 戊 辛 癸
酉 申 酉 申        酉 申 酉 巳
```

戊戌일 辛酉시는, 辰 戌 丑 未月은 貴하다. 고인(古人)은 水土의 敗(浴)地가 酉에 있으므로 대부분 결과(結果)가 없다. 혹 공명(功名)이 일찍 물러나거나, 혹 자식이 성공(成功)하지 못한다. 위의 6일을 살펴보면, 고관대작(高官大爵)의 命이 없는데, 가히 時에서 상관을 보면 不吉하게 된다는 것이다.   (戊戌日,辛酉時,辰戌丑未月貴.古人以水土敗在酉,所以多無結果,或功名早退,或子息不成.觀 上六日,無大官命,可見傷官時遇不吉.)

丙午辛丑,祝侍郞.丁未乙巳,王鉅進士.甲辰甲戌,吳寶進士.乙巳庚辰,州牧.己巳辛未,吳振纓御史問死免.戊子壬子,檢校死於途壽三十九.丙申辛卯,擧人.

명조)1-[축 시랑] 명조)2-[왕거 진사] 명조)3-[오보진사]

辛 戊 辛 丙　　　辛 戊 乙 丁　　　辛 戊 甲 甲

酉 戌 丑 午　　　酉 戌 巳 未　　　酉 戌 戌 辰

명조)4-[주목] 명조)5-[오 진영]

辛 戊 庚 乙　　辛 戊 辛 己

酉 戌 辰 巳　　酉 戌 未 巳

명조)5에서, 오 진영은 어사인데 죽음을 免했다.

명조)6-[검교] 명조)7-[거인]

辛 戊 壬 戊　　辛 戊 辛 丙

酉 戌 子 子　　酉 戌 卯 申

명조)6에서,검교인데 39세에 길거리에서 죽었다.

시상상관(時上傷官)局은 만년(晩年)에 주로 곤궁(困窮)하다. 運이 財나 印綬의 地支로 行하여야 형통(亨通)하게 된다. (時上傷官局,晩年主困窮.運行財印地,方始見亨通.)

戊일이 辛을 만나면官을 손상하는데, 時상에서 보면 한층 더 싫어한다. 관성이 만약 [시상상관을] 만나면 기이(奇異)한 禍가 생기는데, 더욱 두려운 것은 불구인 자식이 있어 온전치 못하다. (戊日逢辛號剝官,時上遇之尤堪嫌.官星若遇生奇禍,尤恐帶疾子不全.)

戊일에 辛酉시가 臨하면, 상관은 관성을 좋아하지 않는다. 財運의 地支라야 비로소 형통(亨通)하고, 성격(性格)은 마음에 품은 생각과 감정이 일정하지 않다. 파(破)가 없어도 조업(祖業)을 이어가기 어렵고, 형제는 제각각 비상(飛上)한다. 妻가 많아도 자식을 늦게 두어야 비로소 편안하고, 먼저는 어려워도 나중에는 편안한 命이다. (戊日時臨辛酉,傷官不喜官星.財鄕運地始亨通,性格心情不定.無破難招祖業,雁侶各自飛騰.妻重子晩始安寧,先難後易之命.)

58. 六戊日壬戌時斷

6戊일생이 壬戌시면, 身이 정위(正位)에 머물러 천재(天財)를 만난다. 만약 秋월에 生하여 身旺함에 通하면 집안의 자산을 많이 이루는 것은 의심할 필요가 없다. (六戊日生時壬戌,身居正位見天財.若生秋月通身旺,萬貫家資不用猜.)

戊일이 壬戌시면, 오직 한 자리에서 財를 만나고, 戊는 壬이 財가 되며 戊상의 水는 관대(冠帶)이다. 春夏절은 壬水가 무기(無氣)하여 재백(財帛)이 왕성(旺盛)하지 않다. 冬절이면 [財帛은]크게 旺盛하지만 土가 虛하여 身弱하니 멍에를 잡을 수 없다. 오직 秋절이 지난 후에는 戊土가 견실하고 두터워 財命이 유기(有氣)하여 富貴하다. [참고]멍에;임금이 타고 있는 수레의 고삐를 말하는 것인데, 즉 임금 곁에서 모실 수 없다는 말이다.] (戊日,壬戌時,專位逢財,戊以壬爲財,戊上水冠帶.春夏壬水無氣,財帛不旺.多則大旺,土虛身弱,不能驅駕.惟秋後戊土堅厚,財命有氣,富貴.)

戊子일 壬戌시는,酉 申 戌월이면 집안의 재물이 눈에 가득 찬다. 辰 丑은 衝 刑하여 庫가 열리니 모두 吉하다. (戊子日,壬戌時,酉申戌月,家財滿目.辰丑衝刑,庫開俱吉.)

甲申甲戌,陳奎憲副.辛卯壬辰,許太傅.庚辰己丑,小貴.辛亥壬辰,滕郞.

명조)1-[진규 헌부] 명조)2-[허 태부(정일품)]

壬	戊	甲	甲
戌	子	戌	申

壬	戊	壬	辛
戌	子	辰	卯

명조)3-[소귀] 명조)4-[음랑]

壬	戊	己	庚
戌	子	丑	辰

壬	戊	壬	辛
戌	子	辰	亥

戊寅일 壬戌시는, 寅 午 戌 辰의 年 月은 金 水運이면 대귀(大貴)하다. (戊寅日,壬戌時,寅午戌辰年月,金水運,大貴.)

戊午丙辰,林尙書.戊午乙卯,黃大廉進士.癸亥甲寅,府判.丁卯辛亥,大參.甲申戊辰,趙志皋探花入閣.辛亥辛丑,府丞.

명조)1-[임 상서] 명조)2-[황대렴 진사] 명조)3-[부판]

壬	戊	丙	戊
戌	寅	辰	午

壬	戊	乙	戊
戌	寅	卯	午

壬	戊	甲	癸
戌	寅	寅	亥

명조)4-[대참] 명조)5-[조지고 탐화入閣] 명조)6-[부승]

壬	戊	辛	丁
戌	寅	亥	卯

壬	戊	戊	甲
戌	寅	辰	申

壬	戊	辛	辛
戌	寅	丑	亥

戊辰일 壬戌시는 日時가 나란히 衝하여 妻子를 손상할까 염려된다. 만일 土가 두터운 지방(地

方)이면 대귀(大貴)하다. 辰월에 火 金運은 중귀(中貴)이다. 寅 申 戌 丑은 西南 運으로 行하면 극귀(極貴)하다. (戊辰日,壬戌時,時日併衝,憂傷妻子.如土厚地方,大貴.辰月火金運,中貴.寅申戌丑行西南運,極貴.)

乙酉戊子,周斯盛御史.甲申戊辰,張燭運同無子.辛亥壬辰,甘雨御史.壬寅己酉,韋德甫擧人.

명조)1-[주사성 어사] 명조)2-[장촉(명조1의 주사성과)運은 같은데, 무자(無子)였다.]
壬 戊 戊 乙   壬 戊 戊 甲
戌 辰 子 酉   戌 辰 辰 申

명조)3-[감우 어사] 명조)4-[위덕보 거인]
壬 戊 壬 辛   壬 戊 己 壬
戌 辰 辰 亥   戌 辰 酉 寅

戊午일 壬戌시는, 寅 午 戌월생이 時와 歲에 火가 많으면 印綬로 論하는데, 고독하며 尅함을 피하지 못하고, 먼저는 어려우나 나중에는 좋고, 貴하지 않으면 富하다. 卯月은 관성이 [羊]刃을 制하여 吉하다. (戊午日,壬戌時,寅午戌月生,時歲火多,以印綬論,未免孤尅,先難後易,不貴卽富.卯月官星制刃,吉.)

己巳癸酉,王弼太守.辛亥辛卯,柯維羆擧人.丁丑癸卯,擧人.庚寅甲申,國公.

명조)1-[왕필 태수] 명조)2-[가유비 거인]
壬 戊 癸 己   壬 戊 辛 辛
戌 午 酉 巳   戌 午 卯 亥

명조)3-[거인]   명조)4-[국공]
壬 戊 癸 丁   壬 戊 甲 庚
戌 午 卯 丑   戌 午 申 寅

戊申일 壬戌시는, 春절은 貴하고, 夏절은 보통이고, 秋절은 富貴하고, 冬절은 보통이다. (戊申日,壬戌時,春貴,夏平,秋富貴,冬平常.)

辛卯庚寅,張璉侍郞.壬辰甲辰,擧人.己巳己巳,岳和聲學憲.辛亥壬辰,太守.庚子戊寅,李和駙馬,一云戊戌日癸亥時命夭無子.

명조)1-[장연 시랑] 명조)2-[거인]   명조)3-[악화성 학헌]

```
壬 戊 庚 辛        壬 戊 甲 壬        壬 戊 己 己
戌 申 寅 卯        戌 申 辰 辰        戌 申 巳 巳
```

명조)4-[태수] 명조)5-[이화]

```
壬 戊 壬 辛        壬 戊 戊 庚
戌 申 辰 亥        戌 申 寅 子
```

명조)5에서, 이화는 부마이다. 또 戊戌일 癸亥시 라고도 하며, 요절하였는데, 자식은 무자(無子)였다.

戊戌일 壬戌시는, 秋절은 富貴하다. 夏절의 西方운, 春절의 北運, 冬절의 南方운이면 모두 貴하다. 辰丑월은 [刑衝하여] 더욱 吉하다. (戊戌日,壬戌時,秋富貴.夏西運,春北運,冬南運,俱貴.辰丑月尤吉.)

庚子甲申,主政.甲子丙子,孟布政.丙寅庚子,鄭文煥擧人.癸酉乙丑,郝勳擧人無子貧.戊午辛酉,紀尙書.辛丑辛卯,凶徒磔死.

명조)1-[주정]   명조)2-[맹 포정] 명조)3-[정문환 거인]

```
壬 戊 甲 庚        壬 戊 丙 甲        壬 戊 庚 丙
戌 戌 申 子        戌 戌 子 子        戌 戌 子 寅
```

명조)4-[학훈 거인 無子 貧] 명조)5-[기상서] 명조)6-[凶한 무리들에게 찢기어 죽었다.]

```
壬 戊 乙 癸        壬 戊 辛 戊        壬 戊 辛 辛
戌 戌 丑 酉        戌 戌 酉 午        戌 戌 卯 丑
```

기구영신(棄舊迎新)[53]局은 時上에서 편재를 만난다. 만일 比肩을 만나지 않고 신왕하면 형통(亨通)한다. (棄舊迎新局,偏財時上達.比肩如不遇,身旺主亨通.)

壬戌시는 財가 庫속에 묻혀있으니 오로지 열쇠가 와서 열길 바란다. 運에서 財官이 生旺한 地支로 行하면 부귀영화(富貴榮華)는 의심할 필요가 없다. (壬戌時財庫內埋,要開專等鑰匙來.運行財官生旺地,富貴榮華不用猜.)

戊일이 壬戌시를 만나면, 柱중에 卯 丑이 있으면 기뻐하게 된다. 子 辰 乙은 財官으로 귀현(貴顯)하고, 고인(高人)이 나온 곳에서 서로 함께한다. 개고(開庫)하여 전방(塡房)되면 버리고, 衝이 없으면 형제가 완전하기 어렵다. 선빈후부(先貧後富)하고 하는 일이 원만하며 貴하지 않지만 창고에 [재물이]가득 차게 된다. [참고]고인(高人);벼슬을 하지 않고 고결하게 사는 사람 (戊日時逢

---

53) 기구영신(棄舊迎新) ; 옛것을 버리고 새로운 것을 맞아들임.

- 1064 -

壬戌,柱中卯丑爲歡.子辰乙貴顯財官,出處高人相伴.開庫塡房就舍,無衝雁侶難完.先貧後富事團圓,不貴倉箱廣滿.)

59. 六戊日癸亥時斷

6戊일생이 癸亥시면, 火로 化하는데 戊이 없으면 水鄕과 다툰다. 만약 乙 庚을 만나고 아래에 丑이 없으면 오히려 官命이 예사롭지 않다. (六戊日生時癸亥,化火無戊戰水鄕.若見乙庚下丑無,反爲官命不尋常.)

戊일이 癸亥시면, 戊와 癸가 合하여 火로 化하고, 火는 亥에서 絶하며 水鄕과 다투어 그 象을 이루지 못하니 위인(爲人)이 빼어남이 헛되고, 대부분 구류(九流)예술(藝術)로써 貴와 가까운 사람이다. 주로 눈에 질환(疾患)이 있다. 戊는 甲이 鬼가 되며 壬 癸는 財인데, 亥상에서 壬은 旺하며 甲은 長生하고 戊土가 絶氣하여 재백(財帛)이 취산(聚散)한다. 만약 年 月의 간두(干頭)에 乙 丁 庚이 旺함을 만나면 삼기(三奇)로 貴하게 된다. 土氣가 月에 通하여 신왕하고 火木의 運으로 行하면 吉하다. (戊日,癸亥時,戊合癸化火,火絶於亥,戰於水鄕,不成其象,爲人虛秀,多是九流藝術,近貴之人,主患目疾.戊以甲爲鬼,壬癸爲財,亥上壬旺甲生,戊土氣絶,財帛聚散.若年月干頭,見乙丁庚旺,爲三奇之貴.通土氣月,身旺,行火木運吉.)

戊子일 癸亥시는, 年 月에 戊(字)로써 破格이 되지 않으면 貴하다.[참고;투합하여 化格을 破하지 않아야 貴하다는 말.]申 子의 年 月은 東南 運이나, 亥 卯의 南方 運은 모두 貴하다. 巳 午 未는 旺하여 대귀(大貴)하다. (戊子日,癸亥時,年月不見戊字破格,貴.[甲]申子年月,東南運,亥卯南運,俱貴.巳午未旺,大貴.)

戊辰己未,李文進都憲.甲申乙巳,朱卿布政.癸亥甲子,王舜卿僉憲.己卯庚午,吳狀元.

명조)1-[이문진 도헌] 명조)2-[주경 포정]
癸 戊 己 戊　　　　癸 戊 乙 甲
亥 子 未 辰　　　　亥 子 巳 申

명조)3-[왕순경 첨헌] 명조)4-[오 장원]
癸 戊 甲 癸　　　　癸 戊 庚 己
亥 子 子 亥　　　　亥 子 午 卯

戊寅일 癸亥시는, 午 未월생이면 火로 化하고 會局하니 뛰어난 命이다. 春節은 官煞이 혼잡(混雜)하여도 의록(衣祿)은 넉넉하다. 酉 丑의 年 月은 3품으로 경당(京堂)이다. (戊寅日,癸亥時,午未

月生,化火會局,高命.春官煞混雜,溫飽衣祿.酉丑年月,三品京堂.)

乙丑丁亥,張舜臣尚書.甲子丁丑,姜良翰憲長.甲子庚午,徐應光祿卿.戊辰癸亥,章東倆進士.辛丑壬辰,高仁進士.庚辰丙戌,進士知縣貪橫法死.壬辰癸卯,封君.辛卯庚寅,進士.辛未壬辰,駙馬.壬午甲辰,御史.乙亥癸未,陳貴妃.

명조)1-[장순신]상서 명조)2-[강량한 헌장] 명조)3-[서응광 록경]

癸 戊 丁 乙　　　　癸 戊 丁 甲　　　　癸 戊 庚 甲
亥 寅 亥 丑　　　　亥 寅 丑 子　　　　亥 寅 午 子

명조)4-[장동칭 진사] 명조)5-[고인 진사] 명조)6-[진사 지현]

癸 戊 癸 戊　　　　癸 戊 壬 辛　　　　癸 戊 丙 庚
亥 寅 亥 辰　　　　亥 寅 辰 丑　　　　亥 寅 戌 辰

명조)6에서, 진사로 지현인데, 탐욕이 많고 횡포를 부리다가 法에 의해 죽었다.

명조)7-[봉군]　명조)8-[진사]　명조)9-[부마]

癸 戊 癸 壬　　　癸 戊 庚 辛　　　癸 戊 壬 辛
亥 寅 卯 辰　　　亥 寅 寅 卯　　　亥 寅 辰 未

명조)10-[어사]　명조)11-[진 귀비]

癸 戊 甲 壬　　　癸 戊 癸 乙
亥 寅 辰 午　　　亥 寅 未 亥

戊辰일 癸亥시는, 수려하다. 亥 子月은 財官格으로 貴하지 않으면 富하다. 寅 卯의 年 月은 귀현(貴顯)한다. 夏절生이면 교직(教職)이다. (戊辰日,癸亥時,秀.亥子月財官格,不貴則富.寅卯年月貴顯.夏生教職.)

甲寅己巳,黃杭員外.甲申甲戌,宋國祚舉人.辛丑乙未,舉人.戊寅戊午,進士.乙亥丁亥,滄州戴封君世家.癸丑己未,劉鋌元戎.

명조)1-[황항 원외] 명조)2-[송국조 舉人] 명조)3-[거인]

癸 戊 己 甲　　　　癸 戊 甲 甲　　　　癸 戊 乙 辛
亥 辰 巳 寅　　　　亥 辰 戌 申　　　　亥 辰 未 丑

명조)4-[진사] 명조)5-[창주대 封君世家] 명조)6-[유정 원융]

癸 戊 戊 戊　　　癸 戊 丁 乙　　　　癸 戊 己 癸

亥 辰 午 寅　　亥 辰 亥 亥　　　　　亥 辰 未 丑

戊午일 癸亥시는, 貴하다. 寅 巳의 年 月에 土가 두텁고 水가 빼어난 지방(地方)이면 6~7품의 貴이다. 卯 未 辰 丑은 모두 吉하다. (戊午日,癸亥時,貴.寅巳年月,土厚水秀地方,六七品貴.卯未辰丑俱吉.)

壬子癸卯,鄭弼進士.癸未癸亥,擧人.癸亥乙丑,陳大資進士.丙戌己亥,憲副.

명조)1-[정필 진사]　명조)2-[거인]
癸 戊 癸 壬　　　癸 戊 癸 癸
亥 午 卯 子　　　亥 午 亥 未

명조)3-[진대자 진사]　명조)4-[헌부]
癸 戊 乙 癸　　　癸 戊 己 丙
亥 午 丑 亥　　　亥 午 亥 戌

戊申일 癸亥시는, 子 未의 年 月은 조업(祖業)이 없으며 妻로 인해 부자(富者)가 된다. 그렇지 않으면 이근환엽(移根換葉)하여도 빈천(貧賤)하다.[참고]이근환엽;뿌리를 옮겨 잎이 바뀌다. (戊申日,癸亥時,子未年月,無祖業,因妻致富,不然,移根換葉,貧而且賤.)

戊辰丙辰,刑尙簡都憲,無子.壬寅壬子,憲副.己未丁丑,主政.戊子癸亥,尙書.辛巳庚子,郞中.壬寅壬寅,金學曾閩撫.

명조)1-[형상간 도헌,無子]　명조)2-[헌부]　명조)3-[주정]
癸 戊 丙 戊　　　　癸 戊 壬 壬　　癸 戊 丁 己
亥 申 辰 辰　　　　亥 申 子 寅　　亥 申 丑 未

명조)4-[상서]　명조)5-[낭중]　　명조)6-[금학증 민무]
癸 戊 癸 戊　　癸 戊 庚 辛　　　癸 戊 壬 壬
亥 申 亥 子　　亥 申 子 巳　　　亥 申 寅 寅

戊戌일 癸亥시는, 寅 卯 午 巳 丑 戌 亥의 년 월은 天干에 乙 庚 丁의 글자가 투출하면 청환(淸宦)과 요직(要職)으로 권귀(權貴)한다. 火 土運이 좋다. (戊戌日,癸亥時,寅卯午巳丑戌亥年月,天干透乙庚丁字,淸要權貴,宜火土運.)

乙酉己卯,姚謨尙書子淶,狀元.辛丑辛丑,太師.丙辰庚寅,主政.戊戌癸亥,布政.甲子甲戌,太守無子.己巳辛未,御史.己巳己巳,郎中.戊子乙丑,駙馬.

명조)1-[요모 상서 자래, 장원] 명조)2-[태사] 명조)3-[주정]

癸 戊 己 乙　　　　　癸 戊 辛 辛　　　癸 戊 庚 丙

亥 戌 卯 酉　　　　　亥 戌 丑 丑　　　亥 戌 寅 辰

명조)4-[포정] 명조)5-[태수 無子] 명조)6-[어사]

癸 戊 癸 戊　　　癸 戊 甲 甲　　　癸 戊 辛 己

亥 戌 亥 戌　　　亥 戌 戌 子　　　亥 戌 未 巳

명조)7-[낭중] 명조)8-[부마]

癸 戊 己 己　　　癸 戊 乙 戊

亥 戌 巳 巳　　　亥 戌 丑 子

天干이 火象으로 化하면 運行이 길지(吉地)를 만나야한다. 局을 얻으면 예사롭지 않아서 四海에
성명(姓名)이 퍼진다. (天干化火象,運行遇吉地.得局定非常,四海姓名香.)

戊癸가 火로 化한 亥時생은, 저녁노을이 강호(江湖)를 비추어 어두움을 다시 밝힌다. 卯未월생
은 三合하여 길하고, 주거지를 옮겨 집을 바꾸니 반드시 편안하게 된다. [참고] 戊癸합을 저녁노
을로 표현함. (戊癸化火亥時生,落照江湖暗復明.卯未月生三合吉,移屋換舍必安寧.)

戊일에 癸亥시가 臨하면, 天干이 火로 化하여 기묘(奇妙)하게 된다. 乙 庚 丁은 마땅히 旺해야
좋으며 명성(名聲)이 귀현(貴顯)하다. 사해(四海)에 춘풍(春風)이 빠르게 울려나가고 六親 골육(骨
肉)은 刑으로 져버린다. 妻는 어질고 子息은 효도(孝道)하여 더욱 기쁨을 즐거워하고, 破가 없으
면 과거에 급제하여 명성을 얻는다. (戊日時臨癸亥,天干化火爲奇.乙庚丁旺喜相宜,定主名聲顯貴.
四海春風響快,六親骨肉刑虧.妻賢子孝樂怡怡,無破科名及第.)

제8권 終

1. 六己日甲子時斷

6己일생이 甲子시면, 天干(明)에서 관성을 만나고 地支(暗)에는 財가 있다. 의탁(依託)하고 만약 月氣에 通하면 평생토록 의록(衣祿)이 자연히 찾아온다. (六己日生時甲子,明見官星暗有財.倚托若通於月氣,平生衣祿自天來.)

己일이 甲子시면, 명관암재(明官暗財)해 있다. 己는 甲이 官이 되며 癸는 財이고 辛은 食神이다. 子는 天乙귀인인데, 子상에 甲이 투출하며 癸가 암장해 있고 辛이 長生한다. 身이 만약 의지할 곳이 있고 月氣에 通하면 富貴한다. 만약 身旺하지 않으면 土의 運으로 行하여도 역시 좋다. (己日,甲子時,明官暗財.己用甲爲官,癸爲財,辛爲食,子爲天乙貴,子上有明甲暗癸,辛長生.身若有倚托通月氣者,富貴.若不身旺,行土氣運亦好.)

己丑일 甲子시는, 化하면 貴하고, 午 寅의 年 月은 요절(夭折)한다. 土氣의 月에 通[根]하면 貴하다. 甲寅월은 꺼리는데, 貴한 중에 악사(惡死)한다. 丁未월은 刑을 당하고, 丁丑월은 祖業을 破하고 고향을 떠나서 惡死한다. (己丑日,甲子時,化貴,午寅年月夭折.通土氣月貴.忌甲寅月,貴中惡死.丁未月受刑,丁丑月破祖失鄕惡死.)

癸酉丁巳,丁襄知府.乙巳丁亥,進士.乙巳丁亥,于愼行大學士.甲戌丙子,何寬尙書,潘春谷少參命同.己丑甲戌,武貴二品.癸丑乙卯,刀筆.辛亥辛壬卯,奔寬.甲戌丙子,潘春谷參議.

명조)1-[정양 지부]　명조)2-[진사]　명조)3-[우신행 대학사]

甲	己	丁	癸		甲	己	丁	巳		甲	己	丁	乙
子	丑	巳	酉		子	丑	亥	巳		子	丑	亥	巳

명조)4-[하관 상서]　명조)5-[武 貴, 二品]　명조)6-[도필]

甲	己	丙	甲		甲	己	甲	己		甲	己	乙	癸
子	丑	子	戌		子	丑	戌	丑		子	丑	卯	丑

명조)4에서, 하관은 상서인데, 반 춘곡의 소참命과 같다.

명조)7-[분관]　　명조)8-[반춘곡 참의]

甲	己	辛	辛		甲	己	丙	甲
子	丑	卯	亥		子	丑	子	戌

己卯일 甲子시는, 먼저는 祖業을 破하지만 나중에는 旺盛하고, 혹 旺한 중에 손상이 있고, 辰 戌 丑 未月은 貴하다. 午[月]은 身이 正[신왕을 말함]하고, 子월은 貴를 갖추고, 亥월은 官이 長生하여, 모두 대귀(大貴)하다. 己巳월을 꺼리는데, 破敗하여 凶死한다. 庚申월은 핏빛으로 악사(惡死)한다. 壬子월은 刑害로 死한다. (己卯日,甲子時.先破祖後旺,或旺中有傷,辰戌丑未月貴.午身正,子聚貴.亥官長生,俱大貴.忌(巳日)己巳月,破敗凶死.庚申月,血光惡死.壬子月,刑害死.)

庚寅甲申,明孝宗在位十八年賢君丙寅年崩.庚子戊子,屠尚書.己酉庚午,鄭少保.癸亥癸亥,聞天官.甲辰乙亥,林豫布政.

명조)1-[명 효종] 명조)2-[도 상서] 명조)3-[정 소보]

甲 己 甲 庚　　　甲 己 戊 庚　　　甲 己 庚 己
子 卯 申 寅　　　子 卯 子 子　　　子 卯 午 酉

명조)4-[문 천관] 명조)5-[임예 포정]

甲 己 癸 癸　　　甲 己 乙 甲
子 卯 亥 亥　　　子 卯 亥 辰

己巳일 甲子시는, 辰 戌 丑 未月은 풍헌(風憲)으로 3품이고, 水 木운으로 行하여야하며 西方운은 이룰 수 없고, 南方운은 財官이 무기(無氣)하여 허명(虛名)으로 이로움이 적고, 貴는 그런데도 드러나지 않는다. 子 寅의 年月에 東南운이면 귀현(貴顯)한다. 신백경에 이르길, 土로 化하면 福인데, 다만 드러나지 않는다. 壬寅월은 刑을 받아 꺼린다. 乙未월은 刑으로 손상한다. 癸酉월은 요절(夭折)한다. (己巳日,甲子時,辰戌丑未月,風憲三品,要行水木運,西運無成,南運財官無氣,虛名薄利,貴而不顯.子寅年月東南運,貴顯.神白經云,化土主福,但不顯.忌壬寅月受刑.乙未月刑傷.癸酉月夭.)

乙亥己卯,丞相.甲子己巳,樞密.癸亥甲寅,張東谷都憲.癸亥乙卯,州牧.丙寅辛丑,小貴.甲午甲戌,巨富.庚申戊子,沈坤狀元終於獄星案傳.

명조)1-[승상] 명조)2-[추밀] 명조)3-[장동곡 도헌]

甲 己 己 乙　　　甲 己 己 甲　　　甲 己 甲 癸
子 巳 卯 亥　　　子 巳 巳 子　　　子 巳 寅 亥

명조)4-[주목] 명조)5-[소귀]

甲 己 乙 癸　　　甲 己 辛 丙
子 巳 卯 亥　　　子 巳 丑 寅

명조)6-[거부] 명조)7-[침곤 장원]

```
甲 己 甲 甲        甲 己 戊 庚
子 巳 戌 午        子 巳 子 申
```
명조)7에서, 침 곤은 장원인데, 감옥(星案傳)에서 사망했다.

己未일 甲子시는, 뛰어난 身이 官庫에 坐하여, 辰 戌 丑 未月은 吉하다. 寅 亥월은 官旺하여 文章으로 떨치고 일어나 귀현(貴顯)하고 쉽게 이룬다. 巳 丑월은 文貴로 늦게 이룬다. 寅 卯월은 빈한(貧寒)하다. 甲申월을 꺼리는데, 身(몸)이 온전하지 못하게 죽는다. 丙子월은 고독하고 가난하다. 丁丑월은 刑害한다. (己未日,甲子時,高身坐官庫,辰戌丑未月吉.寅亥月官旺,文章振發,貴顯易成. (己丑)巳丑文貴晚成.寅卯貧下.忌甲申月,身不完死.丙子月孤貧.丁丑月,刑害.)

庚申戊寅,黃應魁擧人.丁丑己酉,胡直廉憲.

명조)1-[황응괴 거인]   명조)2-[호직 염헌]
```
甲 己 戊 庚        甲 己 己 丁
子 未 寅 申        子 未 酉 丑
```


己酉일 甲子시는, 寅 申 午 未 丑의 年 月은 文貴로 풍헌(風憲)이다. 午月에 東北운이면 극품(極品)이다. 庚寅월을 꺼리는데, 破敗하여 惡死한다. 己巳월은 凶惡하다. 戊戌월은 고단(孤單)하여 혈사(血死)한다. (己酉日,甲子時,寅申午未丑年月,文貴風憲.午月東北運,極品.忌庚寅月,破敗惡死. 己巳月凶惡.戊戌月孤單血死.)

丁卯壬子,沈坤狀元原本傳.壬寅甲辰,江曉府尹.辛亥庚寅,侍郎.戊午乙卯,朱之莆狀元尚書.

명조)1-[침곤 장원, 原本 傳] 명조)2-[강효 부윤]
```
甲 己 壬 丁        甲 己 甲 壬
子 酉 子 卯        子 酉 辰 寅
```


명조)3-[시랑]   명조)4-[주 지불 장원상서]
```
甲 己 庚 辛        甲 己 乙 戊
子 酉 寅 亥        子 酉 卯 午
```


己亥일 甲子시는, 春夏절에 財官이 生旺하면 吉하다. 秋冬절의 두 季(戌 丑)는 배록축마(背祿逐馬)로 凶하다. 寅월에 金 火運이면 낭관(郎官)이다. 午월에 東北방 運이면 금띠를 두른 자의(紫衣)를 입는다. 壬寅월은 꺼리는데 惡死한다. 壬申월은 고독하고 가난하며 형벌(刑罰)을 당한다. 癸酉월은 破敗한다.54) (己亥日,甲子時,春夏財官生旺吉.秋冬二季,背祿逐馬凶.寅月金火運,郎官.午月

---

54) 배록축마;官貴가 制를 받거나 絶하고, 재마가 비겁을 만난 것을 말한다. 낭관(郎官)은 5~6품정도의 벼슬이다.

東北運,金紫.忌壬寅月惡死.壬申月孤貧遭刑.癸酉月破敗.)

壬戌辛亥,路天亨員外.己卯丙寅,張智望擧人.癸未癸亥,張道御史無子巨富.丁亥壬寅,廳郎.

명조)1-[로천형 원외]　명조)2-[장지망 거인]

甲 己 辛 壬　　　　甲 己 丙 己
子 亥 亥 戌　　　　　子 亥 寅 卯

명조)3-[장도 어사, 無子 巨富]　명조)4-[음랑]

甲 己 癸 癸　　　　　甲 己 壬 丁
子 亥 亥 未　　　　　子 亥 寅 亥

기충우두(氣衝牛斗)局은, 학문이 넓고 품행이 단정하며 문장(文章)이 풍부하다. 계창객(雞窓客)을 만나지 않고 時에서 만난 姓氏가 향기롭다. (氣衝牛斗局,博雅富文章.未遇雞窓客,逢時姓字香.)

己일이 甲子時를 만나면 좋은데, 재관쌍미(財官雙美)로 대단히 貴하다. 하루아침에 풍운경회(風雲慶會)를 얻어 독보(獨步)적으로 섬궁(蟾宮＝월궁)의 계수나무가지를 꺾는다.[55] (己日喜逢甲子時,財官雙美貴希奇.一朝得遇風雲會,獨步蟾宮折桂枝.)

己일에 甲子時가 臨하면, 化生하여 土의 근본 토대가 두텁다. 財官이 이미 도와 광휘(光輝)를 드러내고, 청룡(靑龍)이 水(물)을 희롱함과 같다. 庚金이 卯 午를 만나지 않으면 爲人의 祿과 福이 가지런하다. 상인(常人)은 발복(發福)하여 베풀게 되고, 君子는 과거에 급제한다. (己日時臨甲子,化生土厚鎡基.財官旣助顯光輝,有似靑龍戲水.不遇庚金卯午,爲人祿至福齊.常人發福有施爲,君子登科及第.)

2. 六己日乙丑時斷,(以下六己日所忌月分與上同時犯倂論)

6己일생이 乙丑時면, 煞성의 制를 받아도 손상되지 않는다. 柱 중에서 신왕하면 대부분 영귀(榮貴)하고, 생조(生助)함이 없는 사람은 밤낮으로 바쁘기만 하다. (六己日生時乙丑,煞星受制不爲傷.柱中身旺多榮貴,無助生人晝夜忙.)

己일 乙丑時면, 전재봉귀(專財逢鬼)한다. 丑상에 투출한 乙은 鬼가 되며 암장한 癸는 財가 된다. 만약 의탁(依託)함이 있고 신(身)旺하면 貴하다. 運에서 通하여도 역시 吉하다. 만약 鬼는 돕는 것이 있어 旺한데, 감당할 수 없으면 衣祿이 보통이다. (己日,乙丑時,專財逢鬼,丑上有明乙爲鬼,暗癸爲財,若有倚托,通身旺者,貴.通運亦吉,若鬼有助旺,不能任者,衣祿平常.)

---

55) 하루아침에 장원급제를 한다는 말이다.

己丑일 乙丑시는, 시상편관(時上偏官)인데, 무직(武職)인 도곤(都閫)으로 지방(地方)을 관장(管掌)한다. 卯월에 金 水運이면 6~7品의 貴이다. (己丑日,乙丑時,時上偏官,居武職都閫,還看地方斷之.卯月金水運,六七品貴.)

甲子乙亥,劉鑰侍郎.壬午己巳,顔頤壽天官.庚寅己卯,邵原哲太守.乙巳壬午,佛印禪師.戊午壬戌,公鼐祭酒侍郎.丁巳癸卯,進士.癸卯癸亥,女命岳元聲和聲金聲之母三子科甲.

명조)1-[유약 시랑] 명조)2-[안이수 천관] 명조)3-[소원철 태수]

乙 己 乙 甲　　　乙 己 己 壬　　　乙 己 己 庚
丑 丑 亥 子　　　丑 丑 巳 午　　　丑 丑 卯 寅

명조)4-[불인 선사] 명조)5-[공내 제주시랑] 명조)6-[진사]

乙 己 壬 乙　　　乙 己 壬 戊　　　乙 己 癸 丁
丑 丑 午 巳　　　丑 丑 戌 午　　　丑 丑 卯 巳

명조)7-[여명]

乙 己 癸 癸
丑 丑 亥 卯

명조)7에서, 여자의 命인데, 악 원성, 화성, 금성의 母로써 세 아들이 과거에 급제하였다.

己卯일 乙丑시는, 子 申월은 土 金運으로 行하면 후백(侯伯;후작과 백작)이고, 巳 酉 丑 戌의 年 月은 모두 吉하다. (己卯日,乙丑時,子申月行金土運,侯伯,巳酉丑戌年月,俱吉.)

乙巳乙酉,侍郎.庚辰己卯,劉光濟尙書無子.辛丑戊戌,都憲.丙子辛丑,貴.乙亥壬午,貴.庚戌丙戌,孫繼皋狀元尙書,星案傳.甲辰己巳,禮科.

명조)1-[시랑]　　명조)2-[유광제 상서, 無子] 명조)3-[도헌]

乙 己 乙 乙　　　乙 己 己 庚　　　乙 己 戊 辛
丑 卯 酉 巳　　　丑 卯 卯 辰　　　丑 卯 戌 丑

명조)4-[貴]　명조)5-[貴]　　명조)6-[손계고 장원상서, 星案傳]

乙 己 辛 丙　乙 己 壬 乙　　　乙 己 丙 庚
丑 卯 丑 子　丑 卯 午 亥　　　丑 卯 戌 戌

명조)7-[예과]

乙 己 己 甲
丑 卯 巳 辰

己巳일 乙丑시는, 寅 卯月은 편관격인데, 酉 戌의 글자가 없으면 文으로 진출(進出)하여 貴命이다. (己巳日,乙丑時,寅卯月偏官格,無酉戌字,文進貴命.)

癸卯乙卯,蔣狀元.丙寅辛卯,楚王.甲辰丙寅,秦燿巡撫謫戌.戊申庚申,武狀元.己亥丁丑,孫鎭卿守備.

명조)1-[장 장원] 명조)2-[초나라 왕] 명조)3-[진요, 순무인데 謫戌(변방에 귀양)]
乙 己 乙 癸   乙 己 辛 丙   乙 己 丙 甲
丑 巳 卯 卯   丑 巳 卯 寅   丑 巳 寅 辰

명조)4-[武職에서 장원] 명조)5-[손진경 수비]
乙 己 庚 戊   乙 己 丁 己
丑 巳 申 申   丑 巳 丑 亥

己未일 乙丑시는, 日時에서 妻[宮]을 나란히 衝하니 生財함이 옳은 것이다. 卯 午의 年 月은 金神이 火(鄕)에 들어 西南방 運이면 貴하다. 辰 戌로 사계(四季)가 완전하면 대귀(大貴)하다. 天干에 丁 辛이 투출하여 순수한 陰이면 역시 貴하다. (己未日,乙丑時,時日併衝妻,生財可也.卯午年月,金神入火鄕,西南運貴,辰戌四季全大貴,干透丁辛,純陰亦貴.)

丁卯戊申,翁五倫御史.庚午己卯,郎中.乙卯丙戌,廖雲龍進士.辛卯戊戌,戴一俊進士.丁未丁未,萬世德右都.丙戌辛卯,卿凶.

명조)1-[옹오윤 어사] 명조)2-[낭중] 명조)3-[료운용 진사]
乙 己 戊 丁   乙 己 己 庚   乙 己 丙 乙
丑 未 申 卯   丑 未 卯 午   丑 未 戌 卯

명조)4-[대일준 진사] 명조)5-[만세덕 우도] 명조)6-[卿 凶]
乙 己 戊 辛   乙 己 丁 丁   乙 己 辛 丙
丑 未 戌 卯   丑 未 未 未   丑 未 卯 戌

己酉일 乙丑시는, 卯月은 편관이고, 辰月은 財煞인데 貴하다. 申 酉[月]은 상관상진(傷官傷盡)하고, 巳 午[월]은 印綬인데 모두 貴하다. 丑 戌 역시 貴하다. (己酉日,乙丑時,卯月偏官,辰月財煞貴.申酉傷官傷盡,巳午印綬俱貴,丑戌亦貴.)

丙午壬辰,尹臺尙書.戊戌乙丑,崔銑翰林俱有文名.己未辛未,趙卿總兵名將.庚戌丙戌,孫繼皐狀元,原本傳.辛卯戊戌,周良賓副使.

명조)1-[윤대 상서] 명조)2-[최선 한림, 俱有文名] 명조)3-[조경 총병명장]

乙 己 壬 丙　　　乙 己 乙 戊　　　　乙 己 辛 己

丑 酉 辰 午　　　丑 酉 丑 戌　　　　丑 酉 未 未

명조)4-[손계고 장원, 原本 傳] 명조)5-[주량빈 부사]

乙 己 丙 庚　　　乙 己 戊 辛

丑 酉 戌 戌　　　丑 酉 戌 卯

己亥일 乙丑시는, 卯月은 대귀(大貴)하다. 申月은 水 木運이면 풍헌(風憲) 방면이다.
乙丑庚辰,蔡子文通政.戊寅壬戌,方鄰布政.辛卯癸巳,廕郞. (己亥日,乙丑時,卯月大貴.申月水木運,風憲方面.)

명조)1-[채자문 통정] 명조)2-[방린 포정] 명조)3-[음랑]

乙 己 庚 乙　　　乙 己 壬 戊　　　乙 己 癸 辛

丑 亥 辰 丑　　　丑 亥 戌 寅　　　丑 亥 巳 卯

시상편관(時上偏官)局은 身强하고 印綬가 旺盛해야 좋다. 만약 구조(救助)함이 없으면 명리(名利)는 전부 헛된 것이다. (時上偏官局,身强印旺奇.若還無救助,名利總成虛.)

[己일이] 時에서 乙丑을 만나면 본래 身이 衰弱한데, 庫속에 재성이 암장되어 있다. 열쇠를 만나지 못하면 현달(顯達)하기 어렵고, 밖으로 나와야 품은 뜻을 알게 된다. (時達乙丑本身衰,庫有財星內伏埋.不遇鑰匙難顯達,方知出外稱心懷。)

己일에 乙丑시가 臨하면, 庫중의 鬼가 소용(所用)되어 재앙을 일으킨다. 조종(祖宗)의 業은 영휴(盈虧)가 있고, 財의 거래(去來)를 바란다. 戊 未로 刑 衝하면 발복(發福)하고, 열쇠가 없으면 내왕(來往)하여 옮기게 된다. 부모 형제에게 의지하기 어렵고, 구원(救援)함이 있으면 말년(末年)중에 貴를 取한다. (己日時臨乙丑,庫中耗鬼興災.祖宗業有盈虧,謀望財去財來.戊未刑衝發福.無匙來往搬移.雙親雁序事難依,有救,末中取貴.)

3. 六己日丙寅時斷 (以下六己日所忌月分與上同時犯併論)

6己일생이 丙寅시면, 官은 암장하고 印綬는 투출하여 그 身이 旺하다. 月에 木氣가 通하고 衝

破가 없으면 貴함이 삼태(三台)八位를 이루게 된다. (六己日生時丙寅,暗官明印旺其身.月通木氣無衝破,貴有三台八位成.)

己일이 丙寅시면, 官印이 生旺한데, 己는 甲이 官이 되며 丙은 印綬이다. 寅상에서 甲은 旺하고 丙이 長生한다. 만약 破가 없고 木局이 月氣에 通하면 대귀(大貴)하다. 木 火운으로 行하면 좋으며 金 水운은 좋지 않다. 歲運도 같다. (己日,丙寅時,官印生旺,己用甲爲官,丙爲印,寅上甲旺丙生.若無破,通木局月氣者,大貴.喜行木火,不宜金水,歲運同.)

己丑일 丙寅시는, 春절은 官이 旺하고, 夏절은 印綬가 旺하고, 秋절은 기제(既濟)이고, 冬절은 평평하다. 辰 戌의 年 月은 文貴로 현달(顯達)하고, 순수한 丑이면 장수(長壽)하고, 戌月에 木 火운은 5~6품의 貴이다. 신백경에 이르길, 火 土의 象은 貴하지만 혈질(血疾)이 있다. (己丑日,丙寅時,春官旺,夏印旺,秋既濟,冬平.辰戌年月,文貴顯達,純丑壽高,戌月木火運,五六品貴.神白經云,火土象主貴,有血疾.)

甲申壬申,丞相.己亥甲戌,章極都憲.乙丑壬午,進士.庚辰己丑,通判.

명조)1-[승상] 명조)2-[장극 도헌]
丙 己 壬 甲   丙 己 甲 己
寅 丑 申 申   寅 丑 戌 亥

명조)3-[진사] 명조)4-[통판]
丙 己 壬 乙   丙 己 己 庚
寅 丑 午 丑   寅 丑 丑 辰

己卯일 丙寅시는, 午 辰의 년 월은 문장(文章)으로 현달(顯達)하여 대귀(大貴)하다. 寅 午는 벼슬이 3품에 이른다. (己卯日,丙寅時,午辰年月,文章顯達大貴.寅午官至三品.)

戊午丙辰,尙書.丙子庚午,陳珂布政.甲辰癸酉,韓楷布政.甲寅丙寅,朱徹憲副.甲申丙寅,劉謦狀元.壬辰辛亥,黃鶴主政.戊寅癸亥,蔡光擧人.丙辰庚子,蕭良譽進士大參兄弟同科.壬寅壬子,進士.庚寅辛巳,兵科.甲寅庚午,郎中.

명조)1-[상서] 명조)2-[진가 포정] 명조)3-[한해 포정]
丙 己 丙 戊   丙 己 庚 丙   丙 己 癸 甲
寅 卯 辰 午   寅 卯 午 子   寅 卯 酉 辰

명조)4-[주철 헌부] 명조)5-[유예(찰) 장원] 명조)6-[황학 주정]

```
丙 己 丙 甲        丙 己 丙 甲        丙 己 辛 壬
寅 卯 寅 寅        寅 卯 寅 申        寅 卯 亥 辰
```

명조)7-[채광 거인] 명조)8-[소량예] 명조)9-[진사]

```
丙 己 癸 戊        丙 己 庚 丙        丙 己 壬 壬
寅 卯 亥 寅        寅 卯 子 辰        寅 卯 子 寅
```

명조)8에서, 소량예는 진사로 대참인데, 형제가 과거에 같이 합격했다.

명조)10-[병과] 명조11-[낭중]

```
丙 己 辛 庚        丙 己 庚 甲
寅 卯 巳 寅        寅 卯 午 寅
```

己巳일 丙寅시는, 먼저는 刑하지만 나중에는 旺盛하다. 寅月은 正官격으로 문장(文章)으로 현달(顯達)한다. 亥 子의 水 木운은 貴하고, 순수한 戊은 무직으로 3품이다. 年 月이 申 亥로써 四生局이 완전하면 대귀(大貴)하고, 혹 종말이 좋지 않다. (己巳日,丙寅時,先刑後旺,寅月正官格,文章顯貴.亥子水木運貴,純戊武職三品.年月申亥四生局全,大貴,或不善終.)

己巳丙子,魏謙吉都憲.壬戌壬戌,布政.己亥丙寅,陳洸給諫.丁亥癸亥,劉東立舉人.

명조)1-[위겸길 도헌] 명조)2-[포정]

```
丙 己 丙 己        丙 己 壬 壬
寅 巳 子 巳        寅 巳 戌 戌
```

명조)3-[진광 급간] 명조)4-[유동립 거인]

```
丙 己 丙 己        丙 己 癸 丁
寅 巳 寅 亥        寅 巳 亥 亥
```

己未일丙寅시는, 土가 두터운 地方에 生하면 貴하다. 水 木의 年 月에 東北 運으로 行하면 貴하다. 또 이르길, 대부분 서출(庶出)이나 입양(入養)이고, 혹은 父가 태어난 것을 보지 못한다. (己未日,丙寅時,生土厚地方,貴.水木年月,行東北運貴.一云,多庶出過房,或父不見生.)

壬戌戊申,布政.丁卯庚戌,布政.甲寅丙子,高科權貴.己巳庚午,舉人.甲子丁丑,袁狀元.
명조)1-[포정] 명조)2-[포정] 명조)3-[高科權貴]

```
丙 己 戊 壬        丙 己 庚 丁        丙 己 丙 甲
寅 未 申 戌        寅 未 戌 卯        寅 未 子 寅
```

명조)4-[거인] 명조)5-[원 장원]

丙 己 庚 己　　丙 己 丁 甲

寅 未 午 巳　　寅 未 丑 子

己酉일 丙寅시는, 月에 木 火局이 通하면 貴하고, 木 火運도 역시 영달(榮達)한다. (己酉日,丙寅時,月通木火局貴,木火運亦榮達.)

甲申丁丑,翁茂南布政.甲午丙寅,張鉞廉憲.甲午癸酉,劉經緯副使.戊戌己酉,巨富無子.

명조)1-[옹무남 포정] 명조)2-[장월 염헌]

丙 己 丁 甲　　　　丙 己 丙 甲

寅 酉 丑 申　　　　寅 酉 寅 午

명조)3-[유경위 부사] 명조)4-[巨富, 無子]

丙 己 癸 甲　　　　丙 己 己 戊

寅 酉 酉 午　　　　寅 酉 酉 戌

己亥일 丙寅시는, 春節생은 官이 旺하여 貴하고, 夏 秋節은 보통이고, 冬節은 財가 旺하여 吉하다. 寅 申 丑 巳 午 辰 戌의 年 月은 貴하다. 신백경에 이르길, 火 木의 象으로 貴하다. (己亥日,丙寅時,春生官旺貴,夏秋平,冬財旺吉.寅申丑巳午辰戌年月貴.神白經云,火木象貴.)

甲申丁丑,靳貴閣老.戊戌丁巳,熊浹尚書.辛巳辛丑,沈應時侍郎.戊寅丙辰,丞相.丙子丁酉,元戎.丙戌甲午,參將死於陣.丙寅庚寅,穆撒憲副.己卯乙亥,卿.己丑乙亥,倪嘉慶進士戶部上元人君子.

명조)1-[근귀 각로] 명조)2-[웅협 상서] 명조)3-[침응시 시랑]

丙 己 丁 甲　　　丙 己 丁 戊　　　丙 己 辛 辛

寅 亥 丑 申　　　寅 亥 巳 戌　　　寅 亥 丑 丑

명조)4-[승상] 명조)5-[원융] 명조)6-[참장인데 진영(陣營)에서 사망]

丙 己 丙 戊　　丙 己 丁 丙　　丙 己 甲 丙

寅 亥 辰 寅　　寅 亥 酉 子　　寅 亥 午 戌

명조)7-[목살 헌부] 명조)8-[경(卿)] 　　명조)9-[예 가경]

丙 己 庚 丙　　　丙 己 乙 己　　丙 己 乙 己

寅 亥 寅 寅　　　寅 亥 亥 卯　　寅 亥 亥 丑

명조)9에서, 예 가경은 진사인데, 상서호부의 上元人으로 君子였다.

호방표명(虎榜標名)局은, 財 官이 안과 밖에서 드러난다. 만약 衝 破가 없으면 반드시 공경(公卿)이 된다.[56] (虎榜標名局,財官內外明.若無衝破者,必定作公卿.)

己일丙寅시는 보통과는 다른데, 少年시절에 未를 만나면 문장(文章)이 풍부하다. 運이 卯地로 行하고 명월(明月)에 生하면 평보(平步)로 벼슬길에 올라 황제 곁에 이른다. (己日丙寅時異常,少年未遇富文章.運行卯地生明月,平步靑雲到帝鄕.)

己일 丙寅시는, 正官으로 印綬가 長生한다. 學堂이 三合하면 좋고 영광(榮光)인데, 문장(文章)이 뛰어나고 총명(聰明) 준수(俊秀)하다. 年 月에 衝 破가 없으면 과거에 급제하여 이름을 올리게 된다. 運이 官旺한데로 行하면 형통(亨通)하여, 상등(上等)의 인격이 높은 선비의 命이 된다. (己日,丙寅時,正官星印綬長生.學堂三合喜光榮,博覽文章聰俊.年月無衝無破,定應金榜題名.運行官旺主亨通,上等高人之命.)

4. 六己日丁卯時斷

6己일생이 丁卯시면, 地支에 암장한 鬼와 天干에는 梟神이 虛하다. 柱중에 生助함이 있어야 비로소 福이 되고, 生助함이 없으면 현달(顯達)하기 어렵다. (六己日生時丁卯,支干暗鬼梟虛神.柱中有助方爲福,無助難爲顯達人.)

己일 丁卯시면, 己는 丁이 印이 되며 乙은 鬼이다. 卯상에서 丁은 투출하고 乙이 암장한다. 만약 歲(年) 月중에 구조(救助) 의탁(依託)할 데가 없으면 빼어나지 못하고 부실(不實)하여 성패(成敗)가 있다. 月중에서 辛을 만나 制伏하고 身旺하면 貴한데, 運에서 旺해도 역시 吉하다. (己日,丁卯時,己以丁爲印,乙爲鬼,卯上明丁暗乙.若歲月中無救助倚托者,虛秀不實,有成有敗.月中見辛,制伏身旺者貴,運旺亦吉.)

己丑일丁卯시는, 申 子 辰은 무직(武職)이다. 亥 卯 未는 영귀(榮貴)하고, 巳 酉 丑은 東北방의 運으로 行하면 吉하다. (己丑日,丁卯時,申子辰武職.亥卯未榮貴,巳酉丑行東北運吉.)

己酉乙亥,林茂竹進士.癸酉甲寅,擧人.丁巳乙巳,陳箎進士.己酉壬申,擧人.甲申甲戌,進士.庚申戊子,理卿.丁卯甲辰,擧人.

---

56) 호방표명;과거에 급제한 사람의 이름이 나무판에 붙음.

명조)1-[림무죽 진사] 명조)2-[거인] 명조)3-[진호 진사]

丁 己 乙 己　　　　丁 己 甲 癸　　丁 己 乙 丁
卯 丑 亥 酉　　　　卯 丑 寅 酉　　卯 丑 巳 巳

명조)4-[거인]　명조)5-[진사]

丁 己 壬 己　　丁 己 甲 甲
卯 丑 申 酉　　卯 丑 戌 申

명조)6-[리경]　명조)7-[거인]

丁 己 戊 庚　　丁 己 甲 丁
卯 丑 子 申　　卯 丑 辰 卯

己卯일 丁卯시는, 巳 酉의 年 月은 制伏하여야 좋고, 庚申은 合煞하면 문(文)으로 나아가 대귀(大貴)하다. 子월은 刑煞을 만나 貴하며 병권(兵權)을 쥐고, 혹 법관(法官)이고, 地支가 순수한 印이거나 혹 三合 木局하고, 運이 寅의 혼잡한 官으로 行하고, 거듭하여 流年에서 衝하는 運을 만나면 흉사(凶死)한다. (己卯日,丁卯時,巳酉年月,制伏得宜,庚申合煞,文進大貴.子月刑煞遇貴,主兵權,或法官,地支純印,或三合木局.運行寅混官,再遇流年衝運凶死.)

己巳乙酉,史道尙書.庚申庚辰,吳山尙書剛正.癸未甲子,陳選進士.壬申甲戌,李宜春進士.辛巳丁酉,袁福徵進士.丙申辛卯,宋開春戶部郞中平原人余得三命通會原本卽此公所惠者.乙卯戊子,大貴.

명조)1-[사도 상서] 명조)2-[오산 상서剛正] 명조)3-[진선 진사]

丁 己 乙 己　　　　丁 己 庚 庚　　　　丁 己 甲 癸
卯 卯 酉 巳　　　　卯 卯 辰 申　　　　卯 卯 子 未

명조)4-[이의춘 진사]　명조)5-[원복징 진사]

丁 己 甲 壬　　　　丁 己 丁 辛
卯 卯 戌 申　　　　卯 卯 酉 巳

명조)6-[송개춘]　명조)7-[大貴]

丁 己 辛 丙 丁 己 戊 乙
卯 卯 卯 申 卯 卯 子 卯

명조)6에서, 송 개춘은 호부낭중으로 평원사람인데, 내가 삼명통회원본을 얻은 것은 곧 이 公의 덕택인 것이다.

己巳일 丁卯시는, 衝 破가 없으면 富貴하고, 寅 午 辰의 年 月은 刑傷으로 불리(不利)하다. 亥 月에 木 火運이면 貴하고, 만약 春節생이 甲 乙이 투출하면 官 煞이 太旺하여 制化하여야 역시 貴하다. 아니면 凶하게 요절한다. (己巳日,丁卯時,無衝破富貴,寅午辰年月,刑傷不利.亥月木火運貴, 若春生透甲乙者,官煞太旺,有制化亦貴,否則凶夭.)

癸卯辛酉,路通侍郎.丙子辛卯,呂調陽榜眼閣老純謹子進士.戊子丙辰,張祚指揮使.丙戌丁酉,擧人.
명조)1-[로통 시랑] 명조)2-[려 조양]

丁 己 辛 癸　　　丁 己 辛 丙
卯 巳 酉 卯　　　卯 巳 卯 子

명조)2에서, 려 조양은 방안 각로, 순 근자는 진사]

명조)3-[장조지 휘사] 명조)4-[거인]

丁 己 丙 戊　　　丁 己 丁 丙
卯 巳 辰 子　　　卯 巳 酉 戌

己未일 丁卯시는, 貴하지 않으면 富한데, 卯 戌 亥 丑의 年 月은 吉하다. (己未日,丁卯時,不貴 則富,卯戌亥丑年月吉.)

壬子癸丑,劉靖臣進士.癸丑乙卯,方名南進士.

명조)1-[유정신 진사] 명조)2-[방명남 진사]

丁 己 癸 壬　　　丁 己 乙 癸
卯 未 丑 子　　　卯 未 卯 丑

己酉일 丁卯시는, 九成하고 十破하여도 말년(末年)은 旺盛하다. 年 月에 身이 通[根]하여 生旺 하고, 干頭에 辛 癸가 있어 丁 乙을 制伏하면 吉하다. (己酉日,丁卯時,九成十破.末年旺.年月通身 生旺,干頭有辛癸,制伏丁乙者吉.)

丁丑己酉,侍郎.己丑丁卯,朱天和憲副.壬戌丁未,賈默狀元.丁卯丙午,尤烈僉事.癸丑乙卯,太守.

명조)1-[시랑]　　명조)2-[주천화 헌부] 명조)3-[가묵 장원]

丁 己 己 丁　　　丁 己 丁 己　　　丁 己 丁 壬
卯 酉 酉 丑　　　卯 酉 卯 丑　　　卯 酉 未 戌

명조)4-[우열 첨사] 명조)5-[태수]

```
丁 己 丙 丁        丁 己 乙 癸
卯 酉 午 卯        卯 酉 卯 丑
```

己亥일 丁卯時는, 秋절생은 편관의 制가 있어 富貴하다. 春절은 壽命을 재촉한다. 夏절은 身旺하여 吉하다. 冬절은 평상(平常)하다. 戊 丑 未月은 貴하다. (己亥日,丁卯時,秋生偏官有制,富貴.春壽促,夏身旺吉,冬平常,戊丑未月貴.)

辛酉辛卯,通政.乙丑甲戌,中丞.己巳丁丑,金九齡郎中.

명조)1-[통정]   명조)2-[중승]   명조)3-[금구령 낭중]
```
丁 己 辛 辛        丁 己 甲 乙        丁 己 丁 己
卯 亥 卯 酉        卯 亥 戌 丑        卯 亥 丑 巳
```

편관편인(偏官偏印)局에 태어난 사람은 성품이 강인하고 강열하여 신강하면 大吉하고, 만일 신약하면 평상(平常)하다. (偏官偏印局,生人性剛强,身强爲大吉,如弱也平常.)

己일 [丁]卯時는 福이 자연히 무너져서 명(名)과 리(利)를 求하여도 모두 좋지 않다. 단지 身宮에 刑 剋하는 글자가 있으면 고향마을을 떠나 동서(東西)로 헤어진다. (己日卯時福自摧,求名求利總不宜.身宮但有刑剋字,離鄕別井走東西.)

己일이 丁卯時를 만나면, 도식(倒食)과 편관이 동시에 나타난다. 酉 庚 辛이 破하여 파사(波渣)를 받으면 사상(思想)이 통달(通達)하지 못한다. 부모 형제를 기대하기 어렵고, 꽃이 떨어진 후에 뿌리와 싹이 나온다. 원만하지 못하여 고향을 떠나 성가(成家)하고, 산림(山林)의 계곡아래에 흔적이 발생한다. (己日時逢丁卯,倒食偏官交加.酉庚辛破受波渣,思想不能通達.父母雁行難望,落花後立根芽.圓虧離祖可成家,發跡山林澗下.)

5. 六己日戊辰時斷

6己일생이 戊辰시면, 身이 財神을 만나며 得位한다. 전원(田園)이 있으며 富貴하고 대부분 성실(誠實)하다. 甲 乙이 제강(提綱)이면 록(祿)貴人이다. (六己日生時戊辰,其身得位遇財神.田園富貴多誠信,甲乙提綱祿貴人.)

己일이 戊辰시면, 재고(財庫)가 전위(專位)한다. 己는 壬 癸가 財이며 辰土가 入墓하고 己土가 專位하니 사람됨이 성실(誠實)하고 富貴하다. 만약 月氣에 通하고, 혹 甲乙이 투출하고 生月에 祿을 지니면 대귀(大貴)하다. 辰月은 身旺하여 父母의 힘을 얻지 못한다. 甲이 化土하면 대부(大

富)한다. 多夏절에 財旺하면 官을 生하여 부귀(富貴)하다. 서(西)運은 평상(平常)하다. (己日,戊辰時,財庫專位.己以壬癸爲財,辰土入墓,己土專位.爲人誠信富貴.若通月氣,或甲乙透出,是生月帶祿大貴.辰月身旺,不得父母力.見甲化土者大富.多夏財旺生官富貴.西運平常.)

己丑일 戊辰시는, 自身이 고독하다. 寅 卯월은 祿旺하다. 辰월에 甲이 투출하여 化氣를 짓게 되면 貴하다. 午[月]은 富가 厚하다. 寅 酉는 풍헌(風憲)이다. 子 丑의 年 月에 甲이 투출하고 東 南 運으로 行하면 금띠를 두르며 자의를 입고, 임금을 가까이 모신다. 두려운 것은 西北운인데 퇴직(退職)한다. (己丑日,戊辰時,身孤.寅卯月祿旺.辰月透甲,作化氣看,貴.午富厚.寅酉風憲.年月子丑透甲,行東南運,金紫近侍.怕西北運退職.)

甲午乙亥,尙寶卿.乙丑丙戌,進士.庚午乙酉,擧人.乙未丙戌,御史.壬辰癸卯,傳甲子御史諫,戊午少卿.甲午庚午,進士.

명조)1-[尙寶卿]　명조)2-[진사]　명조)3-[거인]
戊 己 乙 甲　　戊 己 丙 乙　　戊 己 乙 庚
辰 丑 亥 午　　辰 丑 戌 丑　　辰 丑 酉 午

명조)4-[어사]　명조)5-[傳]　명조)6-[진사]
戊 己 丙 乙　　戊 己 癸 壬　　戊 己 庚 甲
辰 丑 戌 未　　辰 丑 卯 辰　　辰 丑 午 午

명조)5에서 전 갑자는 어사 諫에서 戊午년에 少卿이 되었다.

己卯일 戊辰시는, 卯월은 풍헌(風憲)이다. 水 木의 年 月에 東北 運으로 行하여도 동일하다. (己卯日,戊辰時,卯月風憲.水木年月,行東北運,並同.)

癸未壬戌,羅瑤都憲.庚寅乙酉,御史.癸酉戊午,進士.丁亥丁未,都督.癸未乙卯,探花.甲寅丁卯,貴.乙卯癸未,富.戊午甲子,善弈.乙卯丁亥,擧人.壬寅己酉,進士.戊辰甲寅,舒弘志探花.

명조)1-[나요 도헌]　명조)2-[어사]　명조)3-[진사]
戊 己 壬 癸　　戊 己 乙 庚　　戊 己 戊 癸
辰 卯 戌 未　　辰 卯 酉 寅　　辰 卯 午 酉

명조)4-[도독]　명조)5-[탐화]　명조)6-[貴]
戊 己 丁 丁　　戊 己 乙 癸　　戊 己 丁 甲
辰 卯 未 亥　　辰 卯 卯 未　　辰 卯 卯 寅

명조)7-[富]　　명조)8-[선혁(善弈)]　명조)9-[거인]

戊 己 癸 乙　　戊 己 甲 戊　　　戊 己 丁 乙

辰 卯 未 卯　　辰 卯 子 午　　　辰 卯 亥 卯

명조)10-[진사]　　명조)11-[서홍지 탐화]

戊 己 己 壬　　　戊 己 甲 戊

辰 卯 酉 寅　　　辰 卯 寅 辰

己巳일 戊辰시는, 身이 고독한데 나중에는 발달한다. 春節은 官으로 貴하고, 夏節은 평온(平穩)하고, 秋節은 흉폭(凶暴)하고, 冬節은 財가 旺하다. 歲運도 같다. (己巳日,戊辰時,身孤後發.春官貴,夏平穩,秋凶暴,冬財旺.歲運同.)

壬戌壬寅,莊仁春太守與民爭利遭害.戊子辛酉,高斂舜兩淮撫院,壬午追贓棄市.壬寅辛亥,李廷機解元會元壬午大學士不受饋.戊寅乙丑,斂事.

명조)1-[장인춘 태수]　명조)2-[고렴순]

戊 己 壬 壬　　　戊 己 辛 戊

辰 巳 寅 戌　　　辰 巳 酉 子

명조)3-[이정기 해원]　　명조)4-[첨사]

戊 己 辛 壬　　　　戊 己 乙 戊

辰 巳 亥 寅　　　　辰 巳 丑 寅

己未일 戊辰시는, 丑月은 잡기재관(雜氣財官)格으로 吉하다. 寅 辰 巳 亥 午 戌 의 年 月은 문장(文章)으로 귀현(貴顯)한다. (己未日,戊辰時,丑月雜氣財官吉.寅辰巳亥午戌年月,文章貴顯.)

辛巳壬辰,丁士美狀元官止侍郎丁丑年卒.甲辰丙寅,副使.壬申丙午,副使.丁酉壬子,通判.戊申己未,貧寔.丙辰辛丑,僧.

명조)1-[정 사미]　명조)2-[부사]　　명조)3-[부사]

戊 己 壬 辛　　戊 己 丙 甲　　　戊 己 丙 壬

辰 未 辰 巳　　辰 未 寅 辰　　　辰 未 午 申

명조1에서, 정 사미는 장원으로 벼슬이 시랑에 그쳤고, 丁丑년에 사망했다.

명조)4-[통판] 명조)5-[貧, 절름발이] 명조)6-[僧]

戊 己 壬 丁　　戊 己 壬 丁　　　戊 己 辛 丙
辰 未 子 酉　　辰 未 未 申　　　辰 未 丑 辰

己酉일 戊辰시는, 春절은 官旺하고, 夏절은 평길(平吉)하고, 秋절은 난폭하고, 冬절은 財旺하다. (己酉日,戊辰時,春官旺,夏平吉,秋暴狼,冬財旺.)

丁丑癸丑,侍郎.癸巳丁巳,尤奇員外.丁酉癸卯,御史.庚午庚辰,進士.乙酉壬午,方逢年壬戌進士閣老,丙戌年凶死.癸未甲子,富納中書.

명조)1-[시랑]　명조)2-[우기 원외] 명조)3-[어사]

戊 己 癸 丁　　　戊 己 丁 癸　　　戊 己 癸 丁
辰 酉 丑 丑　　　辰 酉 巳 巳　　　辰 酉 卯 酉

명조)4-[진사] 명조)5-[방 봉년] 명조)6-[부납 중서]

戊 己 庚 庚　　戊 己 壬 乙　　　戊 己 甲 癸
辰 酉 辰 午　　辰 酉 午 酉　　　辰 酉 子 未

명조5에서, 방 봉년은 壬戌년에 진사 각로이고, 丙戌년에 凶死했다.

己亥일 戊辰시는, 丑월은 잡기재관으로 貴하다. 戌월은 木火運이면 6~7품이다. 寅 午 子 辰의 年 月이면 대귀(大貴)하다. (己亥日,戊辰時,丑月雜氣財官貴.戌月木水運,六七品.寅午子辰年月大貴.)

甲午丙寅,周廣都憲.戊子甲寅,擧人.癸巳甲寅,貢士.癸未乙卯,葉有聲副都.壬寅辛亥,元戎.

명조)1-[주광 도헌] 명조)2-[거인]　명조)3-[공사]

戊 己 丙 甲　　　戊 己 甲 戊　　　戊 己 甲 癸
辰 亥 寅 午　　　辰 亥 寅 子　　　辰 亥 寅 巳

명조)4-[엽유성 부도] 명조)5-[원융]

戊 己 乙 癸　　　戊 己 辛 壬
辰 亥 卯 未　　　辰 亥 亥 寅

취죽비도(翠竹緋桃)局은, 푸르고 붉은 사이에서 희미하다. 寅의 剋 害를 만나지 않으면 개고(開庫)하여 전용(錢龍)을 만난다. (翠竹緋桃局,依稀綠間紅.不逢寅剋害,開庫見錢龍.)

己일에 戊辰時는 예사롭지 않고, 안에 있는 전용(錢龍)이 庫에 암장한 것을 압박한다. 比劫을

行運에서 만나지 않으면 吉하고, 富貴하여 전장(田莊;개인이 소유하는 논밭)을 넓힌다. (辰時己日 不尋常,內有錢龍鎭庫藏.比劫不逢行運吉,定教富貴廣田庄.)

己일이 戊辰時를 만나면, 身이 旺한 庫에서 풍영(豊盈)함을 만난다. 과연(果然) 꽃이 보답하여 거듭 영화(榮華)가 重하고, 丑戌이 刑 衝하면 財가 旺盛하다. 壬申은 재관쌍미(財官雙美)로써, 妻는 重하고 자식은 만년(晩年)에야 비로소 이룬다. 父母 兄弟는 하는 일이 평범하고, 독립(獨立)하여 스스로 성공하는 命이다. (己日戊辰時遇,身達旺庫豊盈.果然花謝再重榮,丑戌刑衝財盛.壬申財官 雙美,妻重子晩方成.雙親雁侶事中平,獨立自成之命.)

6. 六己日己巳時斷

6己일생이 己巳시면, 金神과 火가 둘이 서로 화목(和睦)하다. 月氣에 불통(不通)하면 평상(平常)하게 보고, 月氣에 만일 通[根]하면 과거(진사시험)에 합격하여 영예롭다. (六己日生時己巳,金 神與火兩相和.不通月氣平常看,月氣如通榮甲科.)

己일 己巳시면, 金火가 상합(相合)하고, 己는 丙을 印綬로 삼으며 巳中에 丙이 健旺하다. 己巳 는 또 金神인데 火位에 坐하여 상합(相合)한다. 만약 火가 月氣에 通[根]하고, 四柱에 재성이 破 印하지 않고 財運으로 行하지 않으면 특별하게 발복(發福)한다. 만약 月氣에 불통(不通)하고, 혹 多절생이면 빼어남이 헛되고 부실(不實)하다. 불통(不通)하며 南運으로 行하여도 역시 吉하다. (己日,己巳時,金火相合,己以丙爲印,巳中有丙健旺.己巳又爲金神,坐於火位相合.若通火月氣,四柱不見 財星破印,不行財運,發福非常.若不通月氣,或在多生,虛秀不實.不通行南運,亦吉.)

己丑일己巳시는, 辰월에 西北運은 貴하다. 午 未[月]은 火旺하여 대귀(大貴)하다. 申 子 戌 巳 도 역시 吉하다. (己丑日,己巳時,辰月西北運貴.午未火旺大貴.申子戌巳亦吉.)

辛丑乙未,周啓祥擧人.辛卯丁酉,錦衣凶死.壬辰丁未,脫丞相.

명조)1-[주계상 거인]　명조)2-[금의, 凶 死]　명조)3-[탈 승상]

己	己	乙	辛		己	己	丁	辛		己	己	丁	壬
巳	丑	未	丑		巳	丑	酉	卯		巳	丑	未	辰

己卯일 己巳시는, 辰의 財庫를 공협하여 대부(大富)이다. 또 卯는 巳가 역마가 되며 두 己가 통근하니 좌마재생(坐馬再生)이라 일컫는다. 午월은 祿 馬가 모두 있으니 더욱 貴命이 된다. 亥 월은 財가 旺地에 臨하며 官이 長生한다. 巳월은 金神이 火를 만나는데, 모두 대귀(大貴)한다. (己卯日,己巳時,夾辰財庫,主大富.又卯以巳爲(澤)驛馬,二(巳)己通看,謂之坐馬再生.午月祿馬俱有,尤

爲貴命.亥月財臨旺地,官遇長生.巳月金神遇火,皆主大貴.)

乙酉庚午,李植巡撫.壬子癸丑,翁正春狀元尚書,一湖廣吏員命同.

명조)1-[이식 순무] 명조)2-[옹정춘 장원상서, 또 호광리원의 命도 같다.]

己 己 庚 乙　　　己 己 癸 壬
巳 卯 午 酉　　　巳 卯 丑 子

己巳일 己巳시는, 午의 年 月은 권위(權威)가 혁혁하고, 명예(名譽)가 훤하다. 春월에는 자식은 효도하고 妻는 현량(賢良)하다. 秋 冬절은 평상(平常)하며 貴하지만 나타나지 않는다. 辰 戌은 財印 官 食이다. 申은 상관생재(傷官生財)하는데, 모두 吉하다고 추리한다.

戊午壬戌,申太和尚書,丁丑年卒.甲戌戊辰,林廷玉都堂.戊戌庚申,黃河淸通政.戊辰甲辰,運使.甲辰壬申,進士.癸卯壬戌,進士. (己巳日,己巳時,午年月,權威赫赫,名譽昭昭.春月子孝妻賢.秋冬平常,貴而不顯.辰戌財印官食.申傷官生財,俱作吉推.)

명조)1-[신태화 상서] 명조)2-[임정옥 도당] 명조)3-[황하청 통정]

己 己 壬 戊　　　己 己 戊 甲　　　己 己 庚 戊
巳 巳 戌 午　　　巳 巳 辰 戌　　　巳 巳 申 戌

명조1에서, 신 태화는 상서인데, 丁丑년에 사망했다.

명조)4-[운사]　　명조)5-[진사]　명조)6-[진사]

己 己 甲 戊　　　己 己 壬 甲　　　己 己 壬 癸
巳 巳 辰 辰　　　巳 巳 申 辰　　　巳 巳 戌 卯

己未일 己巳시는, 공록격(拱祿格)이다. 만약 양인 七煞과 午(字)의 전실(塡實)이 없으며 공망을 犯하지 않으면 귀현(貴顯)한다. 亥 丑 辰 申의 年 月은 東方 運으로 行하면 문무(文武)직에서 극품(極品)이다. 이 格이 丁巳 丁未보다 못한데, 丁은 [拱夾한 午가]正祿이지만 己는 祿이 붙어있기 때문이다. (己未日,己巳時,拱祿格.若無羊刃七煞午字塡實,不犯空亡,主顯貴.亥丑辰申年月,行東運,文武極品.此格不如丁巳丁未,以丁正祿,(巳)己寄祿故也.)

庚午丁亥,侍郎.庚子癸未,蘇得祿擧人.乙酉己丑,富.己巳丙子,壽.

명조)1-[시랑] 명조)2-[선득록 거인]

己 己 丁 庚　　　己 己 癸 庚
巳 未 亥 午　　　巳 未 未 子

명조)3-[富]　　명조)4-[장수(長壽)]

己 己 己 乙　　己 己 丙 己

巳 未 丑 酉　　巳 未 子 巳

己酉일 己巳시는, 夏절생은 金神이 火鄉에 들어 귀현(貴顯)한데, 歲)運도 같다. (己酉日,己巳時,夏生金神入火鄉,貴顯,歲運同前.)

甲寅甲戌,趙子昂學士.己酉己巳,學士.戊午甲子,擧人.乙巳辛巳,千戶.

명조)1-[조자앙 학사] 명조)2-[학사]

己 己 甲 甲　　　己 己 己 己

巳 酉 戌 寅　　　巳 酉 巳 酉

명조)3-[거인]　명조)4-[천호]

己 己 甲 戊　　己 己 辛 乙

巳 酉 子 午　　巳 未 巳 巳

己亥일 己巳시는, 夏절생은 자산(資産)이 가득하니 잘 놀고 즐겁게 지내며 풍채가 좋고 의기가 당당하다. 冬절은 평상(平常)하다. 戌월은 東南 運으로 行하면 국사(國師)로써 존귀(尊貴)한 사람이다. 寅월도 역시 貴하다. (己亥日,己巳時,夏生,資財滿目,行樂軒昂.冬平常,戌月行東南運,國師金紫.寅月亦貴.)

戊戌丁巳,錢汝京尙書.丁丑甲辰,副使.乙卯丙戌,鄭溥進士.己亥己巳,李廷龍通判.

명조)1-[전여경 상서] 명조)2-[부사]

己 己 丁 戊　　　己 己 甲 丁

巳 亥 巳 戌　　　巳 亥 辰 丑

명조)3-[정부 진사] 명조)4-[이정용 통판]

己 己 丙 乙　　　己 己 己 己

巳 亥 戌 卯　　　巳 亥 巳 亥

화왕금신(火旺金神)局은 南方운에 氣가 아름답다. 만약 冬절의 月令에 生하면 財祿은 허망(虛妄)한 꽃이다. (火旺金神局,南方運氣佳.若生冬月令,財祿定虛花.)

己일이 己巳시를 거듭 만나면, 金神이 化하여 旺함이 적합하다. 南方 運으로 나아가 財官이 나타나면, 寅卯의 東方을 만나도 역시 좋다. (己日重逢己巳時,金神化旺要相宜.南方運步財官顯,寅卯東方遇亦奇.)

己일이 己巳시를 만나면, 夏節에 丙火 金神을 生한다. 戌 亥와 庚 申을 만나지 않고 破가 없으면 명성(名聲)이 향응(響應)한다. 父母는 한 번은 衰하고 한 번은 旺하는데, 刑과 공망은 事業이 머뭇거린다. 현달(顯達)하여 조정에서 직함이 바뀌는 것은 火旺한 南方의 運에서이다. (己日時逢己巳,夏生丙火金神.不遇戌亥與庚申,無破聲名響應.父母一衰一旺,刑空事業逡巡.要知顯達改名庭,火旺南方之運.)

7. 六己日庚午時斷

6己일생이 庚午시면, 時地에 歸祿하여 영화가 번성한다. 柱中에 관성을 보면 두려운데, 만약 복정(伏晶)格이라면 따로 評한다. (六己日生時庚午,祿歸時地主昌榮.柱中怕有官星見,若是伏晶另一評.)

己일이 庚午시면, 日祿이 歸時한다. 己는 庚이 상관이 되며 乙은 (正)鬼가 된다. 午상에 투출한 庚이 乙을 合하여 상관합살(傷官合煞)하니 독립(獨立)하여 성공한다. 만약 年 月에 乙이 없으며 상관이 敗地에 臨하고, 柱에 甲 丙의 두 글자가 있으면, 복정격(伏晶格)으로 格局을 손상하지 않고 衝破가 없으면 대귀(大貴)하다. (己日,庚午時,日祿歸時.己見庚爲傷官,乙爲正鬼.午上有明庚合乙,傷官合煞,主人獨立有成.若年月無乙,而傷官臨於敗地,柱有甲丙二字,伏晶格,不損格局,無衝破,主大貴.)

己丑일 庚午시는, 寅월생은 貴하다. 夏節은 凶하다. 秋節은 해롭다. 冬節은 財旺하나 자식이 드물다. 또 이르길, 대귀(大貴)하다. (己丑日,庚午時,寅月生貴.夏凶.秋暴.冬財旺,子少.一云,大貴.)

丙子壬辰,林茂達都堂.庚午丁亥,楊思忠侍郞.庚申壬申,張文拱僉事.庚子丁亥,通判.丙辰丁酉,武狀元.

명조)1-[임무달 도당]　명조)2-[양사충 시랑]　명조)3-[장문공 첨사]

```
庚 己 壬 丙        庚 己 丁 庚        庚 己 甲 庚
午 丑 辰 子        午 丑 亥 午        午 丑 申 申
```

명조)4-[통판]　명조)5-[武, 장원]

```
庚 己 丁 庚    庚 己 丁 丙
```

午 丑 亥 子　　午 丑 酉 辰

己卯일 庚午시는, 己의 祿은 午에 있는데, 年 月에 甲 丙 및 寅 午 戌이 있으면 대귀(大貴)하다. 卯월은 煞旺한데 庚이 合하면 권귀(權貴)하다. (己卯日,庚午時,己祿居午,年月有甲丙及寅午者,大貴.卯月煞旺,庚合權貴.)

丁丑乙巳,畢鏘尙書江南池州石埭人,一浙江生員命同.甲申乙亥,主政.乙未戊子,周尙文總兵名將.癸卯乙卯,田太師.丙寅甲寅,擧人.丁酉丙午,擧人.戊申甲寅,擧人.丁卯丁午,主政.丁未庚戌,羅朝國南尙書.

명조)1-[필장 상서] 명조)2-[주정]　명조)3-[주상문 총병 명장]

庚	己	乙	丁		庚	己	乙	甲		庚	己	戊	乙
---	---	---	---		---	---	---	---		---	---	---	---
午	卯	巳	丑		午	卯	亥	申		午	母	子	未

명조1에서, 필장 상서인데, 강남 지주 석태사람이다. 또 한사람 절강의 생원과 命이 같다.

명조)4-[전 태사] 명조)5-[거인]　명조)6-[거인]

庚	己	乙	癸		庚	己	甲	丙		庚	己	丙	丁
---	---	---	---		---	---	---	---		---	---	---	---
午	卯	卯	卯		午	卯	寅	寅		午	卯	午	酉

명조)7-[거인] 명조)8-[주정] 명조)9-[라조국 남상서]

庚	己	甲	戊		庚	己	丙	丁		庚	己	庚	丁
---	---	---	---		---	---	---	---		---	---	---	---
午	卯	寅	申		午	卯	午	卯		午	卯	戌	未

己巳일 庚午시는, 寅 午 戌월은 金神이 火鄕에 들어 印綬論으로 귀현(貴顯)하고, 辰 戌 丑 未월은 후백(侯伯;후작과 백작)이다. 만약 合煞하는 運을 만나면 반드시 종말이 좋지 않다. 酉월은 東南 運이면 貴하다. (己巳日,庚午時貴.寅午戌月,金神入火鄕,作印綬論,貴顯,辰戌丑未年月,侯伯.若逢合煞運,必不善終.酉月東南運貴.)

丁卯丁未,翟景淳會元官止侍郞,一云丙午月.乙丑丙戌,駙馬.戊子癸亥,司訓.

명조)1-[적경순 회원] 명조)2-[부마]　명조)3-[사훈]

庚	己	丁	丁		庚	己	丙	乙		庚	己	癸	戊
---	---	---	---		---	---	---	---		---	---	---	---
午	巳	未	卯		午	巳	戌	丑		午	巳	亥	子

己未일 庚午시는, 배록상관(背祿傷官)하여 육친(六親)을 형(刑)극(剋)하고, 破가 없으면 만년(晩年)에 왕성(旺盛)하게 發한다. 未 戌의 年 月은 貴하다. (己未日,庚午時,背祿傷官,六親刑剋,無破,晩年發旺.未戌年月貴.)

甲戌辛未,湯日新通政.辛酉乙未,方重耿進士.己卯甲戌,梁佑元戎.丙申丁酉,張綱參將.癸亥己未,周道興太守.壬辰戊申,擧人.

명조)1-[탕일신 통정] 명조)2-[방중경 진사] 명조)3-[량우 원융]

庚	己	辛	甲		庚	己	乙	辛		庚	己	甲	己
午	未	未	戌		午	未	未	酉		午	未	戌	卯

명조)4-[장강 참장] 명조)5-[주도흥 태수] 명조)6-[거인]

庚	己	丁	丙		庚	己	己	癸		庚	己	戊	壬
午	未	酉	申		午	未	未	亥		午	未	申	辰

己酉日,庚午時.(己酉일 庚午시)
丙申癸巳,馬士英明末入閣被刑.

명조)1-[마 사영, 明나라 末期에 입각하여 刑을 당함.]

庚	己	癸	丙
午	酉	巳	申

己亥일 庚午시는, 午 戌의 年 月은 財 官 祿 印으로 대귀(大貴)하다. 寅年에 午月은 거부(巨富)이다. 卯월에 酉運은 貴하다. (己亥日,庚午時,午戌年月,財官祿印大貴.寅年午月巨富.卯月酉運貴.)

壬午癸丑,毛鋼都憲.壬申丙午,丞相.壬辰乙巳,平章.丁卯戊辰,僉事.辛未乙未,進士.庚午丙戌,擧人.丙子甲午,知縣.

명조)1-[모강 도헌] 명조)2-[승상] 명조)3-[평장]

庚	己	癸	壬		庚	己	丙	壬		庚	己	乙	壬
午	亥	丑	午		午	亥	午	申		午	亥	巳	辰

명조)4-[첨사] 명조)5-[진사]

庚	己	戊	丁		庚	己	乙	辛
午	亥	辰	卯		午	亥	未	未

명조)6-[거인] 명조)7-[지현]

庚	己	丙	庚		庚	己	甲	丙

午 亥 戌 午　　午 亥 午 子

일록귀길(日祿歸吉)局은, 벼슬길은 기약되어 있다. 그런데 만약 官이 기반(羈絆)되고 衝破하면 좋지 않게 된다. (日祿歸吉局,靑雲定有期.若達官惹絆,衝破不爲奇.)

己[일]이 庚午시의 歸祿을 만나면, 衝破가 없으면 발복(發福)할 수 있다. 柱중에 丙申을 상봉(相逢)하면 德이 身을 윤택하게하며 富가 집을 윤택하게 한다. (己逢庚午時歸祿,無破無衝能發福.柱中丙申若相逢,德潤身兮富潤屋.)

己일이 庚午시를 만나면, 명칭을 배록상관(背祿傷官)이라 한다. 衝 刑 破 害하면 재앙이 많은데, 골육(骨肉)육친(六親)은 얼음과 숯, 즉 물과 불이다. 甲 丙을 柱중에서 만나면 복정격(伏晶格)으로 청한(淸閑)하다. 月중의 단계(丹桂)에서 고반(高攀)을 담당하여 富貴는 추산(推算)할 필요가 없다. (己日時達庚午,名爲背祿傷官.衝刑破害禍多端,骨肉六親冰炭.甲丙柱中如遇,伏晶之格淸閑.月中丹桂任高攀,富貴不須推算.)

8. 六己日辛未時斷

6己일생이 辛未시면, 食神과 官庫가 상친(相親)함이 기쁘다. 木이 月氣에 通[根]하여야 貴를 말할 수 있고, 月에 불통(不通)하면 부유(富裕)한 사람이다. (六己日生時辛未,食神官庫喜相親.木通月氣須言貴,月不通兮富命人.)

己일이 辛未시면, 食神이 官을 돕는다. 己는 辛이 食神이 되며 甲은 官이고, 未는 官庫인데 未상에 辛은 투출하고 甲은 암장해 있다. 만약 의탁(依託)할 데가 있고 月氣에 通하면 貴하다. 食神이 生旺하면 財 官보다 낫다. 木氣가 月에 通[根]하면 官旺하여 더욱 貴하다. 불통(不通)하면 주로 富하다. 運에서 通하여도 역시 貴하다. (己日,辛未時,食神助官.己以辛爲食,甲爲官,未爲官庫,未上有明辛暗甲.若有倚托通月氣貴.食神生旺,勝過財官.通木氣月官旺,尤貴.不通主富.通運亦貴.)

己丑일辛未시는, 貴하지 않으면 즉 富하다. 土氣가 月에 通하면 富하다. 木氣가 月에 通하면 貴하다. 또 이르길, 刑하여 凶하다. (己丑日,辛未時,不貴卽富.通土氣月富.通木氣月貴.一云,刑凶.)

丁未辛亥,鄭鳳擧人.壬午癸卯,擧人.甲寅丙寅,談相加衛侍郞以寫字出身後刑.辛丑己亥,女命,貴.

명조)1-[정봉 거인]　명조)2-[거인]

辛 己 辛 丁　　辛 己 癸 壬

未 丑 亥 未　　未 丑 卯 午

명조)3-[담상가 함 시랑]명조)4-[女命, 貴]

辛 己 丙 甲　　　　辛 己 己 辛

未 丑 寅 寅　　　　未 丑 亥 丑

명조3에서, 담상가 함 시랑은 寫字(사자;문서 출납관)출신인데 後에 刑을 받음

己卯일辛未시는, 酉 戌 亥 卯 未의 年 月은 貴하고, 東南 運으로 行하면 존귀한 사람이 된다.

壬子癸卯,朵列平章.丁丑癸卯,丞相.辛未丙申,宋曰仁主政.乙卯戊子,擧人.(己卯日,辛未時,酉戌亥卯未年月貴,行東南運,金紫.)

명조)1-[타열 평장] 명조)2-[승상]

辛 己 癸 壬　　　辛 己 癸 丁

未 卯 卯 子　　　未 卯 卯 丑

명조)3-[송왈인 주정] 명조)4-[거인]

辛 己 丙 辛　　　　辛 己 戊 乙

未 卯 申 未　　　　未 卯 子 卯

己巳일辛未시는, 금신일(金神日)이다. 寅 午 戌월생은 貴하다. 亥 卯 辰 午[月生]에 金 火 水 木의 運으로 行하면 대귀(大貴)하다. (己巳日,辛未時,金神日.寅午戌月生貴.亥卯辰午,行金火水木運,大貴.)

甲午丁卯,商輅三元閣老,名臣.甲辰戊辰,極品.己卯庚午,鄭玉副使.己卯己巳,林燦章進士不祿.壬申甲辰,通判.丙午戊戌,擧人.

명조)1-[상로삼원각로, 名臣] 명조)2-[극품] 명조)3-[정옥 부사]

辛 己 丁 甲　　　　辛 己 戊 甲　　　　辛 己 庚 己

未 巳 卯 午　　　　未 巳 辰 辰　　　　未 巳 午 卯

명조)4-[임찬장 진사, 不祿(사망)] 명조)5-[통판] 명조)6-[거인]

辛 己 己 己　　　　辛 己 甲 壬　　　辛 己 戊 丙

未 巳 巳 卯　　　　未 巳 辰 申　　　未 巳 戌 午

己未일 辛未시는, 春 夏절과 丑월은 자태가 풍성하며 특별히 재주가 뛰어나고, 말은 청산유수이고, 명성은 높고 祿이 重하여 妻가 봉작을 받고 자식은 음덕(蔭德)이 있다. 秋冬절은 평상(平

常)하다. 木火 運은 刑害하지만 발재(發財)한다. 또 이르길, 재물이 자신을 해친다. (己未日,辛未時,春夏丑月,豐姿特達,言語淸辨,名高祿重.封妻蔭子.秋冬平常.木火運,刑害發財.一云,財中自害.)

乙巳壬午,樞密.癸巳丙辰,副使.己未壬申,富.庚午丁亥,進士.

명조)1-[추밀] 명조)2-[부사]　명조)3-[富] 명조)4-[진사]

辛 己 壬 乙　　辛 己 丙 癸　　辛 己 壬 己　　辛 己 丁 庚
未 未 午 巳　　未 未 辰 巳　　未 未 申 未　未 未 亥 午

己酉일 辛未시는, 春절은 반복(反復)한다. 夏절은 吉하다. 秋절은 수명을 재촉한다. 冬절은 재백(財帛)이 풍후(豐厚)하다. 卯月에 金水運이면 5품 이상의 貴이다. 丑월에 西南 運이면 낭관(郎官)이다. 辰戌은 財印의 庫地인데 모두 吉하다. 또 이르길, 刑하여 凶한 후에 旺盛하다.

辛巳壬辰,蔡克廉尙書.庚戌戊子,林見素父贈尙書.甲寅丙子,黃仕達同知. (己酉日,辛未時,春反復.夏吉.秋壽促.冬財帛豐厚.卯月金水運,五品以上貴.丑月西南運郎官.辰戌財印庫地俱吉.一云,凶刑後旺.)

명조)1-[채극렴 상서] 명조)2-[임견소 부증상서] 명조)3-[황사달 동지]

辛 己 壬 辛　　　辛 己 戊 庚　　　辛 己 丙 甲
未 酉 辰 巳　　　未 酉 子 戌　　　未 酉 子 寅

己亥일 辛未시는, 春절은 貴하고, 夏절은 평온하고, 秋절은 가난하고, 冬절은 富하다. 酉월은 己土가 長生하며 食神이 祿을 만나니 자연히 향수(享受)한다.또 이르길, 영화(榮華)를 누리는 가운데 요절(夭折)하니 凶하다. (己亥日,辛未時,春貴,夏穩,秋貧,冬富.酉月己土長生,食神遇祿,享受自然.一云,榮中凶夭.)

甲子壬申,平章.壬申己酉,方攸躋郞中子貴.

명조)1-[평장]　명조)2-[방유제 낭중, 자식이 貴했다.]

辛 己 壬 甲　　　辛 己 己 壬
未 亥 申 子　　　未 亥 酉 申

시고관성(時庫官星)局은 春절에 가장 吉하다. 運이 官旺한 地支로 行하면 명성(名聲)이 자연히 드날린다. (時庫官星局,逢春最吉昌.運行官旺地,名姓自然香.)

己일이 辛未시를 만나면, 창가의 등불이 적막(寂寞)함을 누가 알겠는가! 運이 財旺과 官旺한 곳으로 行하면 명리(名利)쌍전(雙全)하며 후회함이 없다. (己日相逢辛未時,燈窗寂寞有誰知.運行財旺兼官旺,名利雙全莫恨遲.)

己일이 辛未時에 臨하면, 食神이 官庫에 坐하여 열리길 바란다. 丑 戌의 刑 衝은 官과 財가 나타나며 전정(前程)을 가로막아 방해한다. 君子는 문장(文章)으로 福이 되고, 상인(常人)은 장사꾼의 우두머리로 뛰어나게 된다. 열쇠로 열어 命중에 해당하면 발복(發福)하는데, 재물의 거래(去來)가 항상 있다. (己日時臨辛未,食坐官庫要開.丑戌刑衝顯官財,鎭閉前程阻礙.君子文章福助,常人商賈奇魁.匙開發福命中該,財去財來常在.)

9. 六己日壬申時斷

6己일생이 壬申시면, 天元의 氣가 손상하고 敗하여 온전하지 못하다. 만약 天元을 잃어 의지할 데가 없으면 궁핍하지 않으면 요절할 命인데 연장하기 어렵다. (六己日生時壬申,損敗天元氣不全.若失天元無倚托,非窮卽夭命難延.)

己일이 壬申시면, 水는 旺하나 土는 虛하고, 己는 甲이 官이 되며 壬은 財인데 庚이 배록(背祿)하였다. 申상에서 庚은 旺하며 壬이 長生하고 甲은 絕하여 己의 土氣가 敗하였다. 만약 사계(四季)의 土氣에 通하거나 혹, 土氣의 運에 通하면 吉하다. 만약 천시(天時)를 잃어 의탁(依託)함이 없고, 月氣에 불통(不通)하면 가난하지 않으면 요절(夭折)한다. 그렇지 않으면 잔질(殘疾)이 있고, 末年에 낭패(狼狽)한다. (己日,壬申時,水旺土虛,己以甲爲官,壬爲財,庚背祿.申上庚旺,壬生甲絕,己土氣敗.若通四季土氣,或通土氣運吉.若失天時無倚托,不通月氣,非貧卽夭.不然殘疾,末狼狽.)

己丑일 壬申시는, 酉의 年月은 天干에 甲이 투출하면 富貴하며 예의가 바르며 강개(慷慨)한 사람이다. 辰 戌은 吉하다. 亥年은 건청곤이(乾淸坤夷)하여 大格이다. 寅 申은 官貴를 서로도와 모두 吉하다. (己丑日,壬申時,酉年月天干透甲,富貴好禮,爲人慷慨.辰戌吉.亥年乾淸坤夷,夭[大]格.寅申官貴相輔俱吉.)

丙寅丁酉,蔣因丞相.癸未癸亥,黃顯大參.壬子乙巳,進士.乙酉丙戌,貴.戊申丙辰,富.己丑壬申,富.

명조)1-[장인 승상] 명조)2-[황옹 대참]   명조)3-[진사]
壬 己 丁 丙   壬 己 癸 癸   壬 己 乙 壬
申 丑 酉 寅   申 丑 亥 未   申 丑 巳 子

명조)4-[貴]   명조)5-[富] 명조)6-[富]
壬 己 丙 乙   壬 己 丙 戊   壬 己 壬 己
申 丑 戌 酉   申 丑 辰 申   申 丑 申 丑

己卯일 壬申시는, 辰月은 잡기재관(雜氣財官)으로 젊어서부터 貴하다. 亥月에 南方운이면 6品의 貴이다. 寅 申年은 2~3품의 貴이다. (己卯日,壬申時,辰月雜氣財官早貴.亥月南方運,六品貴.寅申年,二三品貴.)

辛亥庚子,丞相.辛亥戊戌,丞相.辛亥壬庚寅,丞相.壬申庚子,少參.甲寅壬申,侍郎.壬子甲辰,王狀元.辛卯丁酉,布政.乙丑己丑,都憲.壬寅己酉,孫忠烈公子如津錦衣.

명조)1-[승상] 명조)2-[승상] 명조)3-[승상]

壬 己 庚 辛   壬 己 戊 辛   壬 己 庚 辛
申 卯 子 亥   申 卯 戌 亥   申 卯 寅 亥

명조)4-[소참] 명조)5-[시랑] 명조)6-[왕 장원]

壬 己 庚 壬   壬 己 壬 甲   壬 己 甲 壬
申 卯 子 申   申 卯 申 寅   申 卯 辰 子

명조)7-[포정] 명조)8-[도헌]   명조)9-[손충열 공자, 如津錦衣]

壬 己 丁 辛   壬 己 己 乙   壬 己 己 壬
申 卯 酉 卯   申 卯 丑 丑   申 卯 酉 寅

己巳일 壬申시는, 刑하여 크게 凶하다. 巳 酉 丑월은 상관인데 財運으로 行하면 吉하다. 寅 午 戌월은 金神이 火鄕運에 들면 西南[運]에 貴하다. 申 子 辰월은 木 火運에 貴하다. (己巳日,壬申時,大凶刑.巳酉丑月傷官,行財運吉.寅午戌月,金神入火鄕運,西南貴.申子辰月,木火運貴.)

丙午壬辰,進士.乙巳丙戌,楊四知御史.

명조)1-[진사] 명조)2-[양사지 어사]

壬 己 壬 丙   壬 己 丙 乙
申 巳 辰 午   申 巳 戌 巳

己未일壬申시는, 巳月생이면 관후율진(貫朽栗陳)하다. 亥 子 寅월에 金 火運은 후백(侯伯)이다. 辰 亥의 年 月은 임금의 측근으로 貴하다. (己未日,壬申時,巳月生,貫朽栗陳.亥子寅月金火運,侯伯.辰亥年月,近侍貴.)

癸巳壬戌,林石渠太守.乙亥辛巳,李庶進士.癸未戊午,陳華進士.乙未甲申,郭淸進士.辛丑辛丑,鄭公琦進士.癸丑乙丑,富三子.

명조)1-[임석거 태수] 명조)2-[이서 진사] 명조)3-[진화 진사]

壬 己 壬 癸　　　壬 己 辛 乙　　　壬 己 戊 癸

申 未 戌 巳　　　申 未 巳 亥　　　申 未 午 未

명조)4-[곽청 진사] 명조)5-[정공기 진사] 명조)6-[부자인데, 자식이 셋]

壬 己 甲 乙　　　壬 己 辛 辛　　　壬 己 乙 癸

申 未 申 未　　　申 未 丑 丑　　　申 未 丑 丑

己酉일 壬申시는, 巳 酉 丑월은 상관상진(傷官傷盡)하여 吉하다. 寅월은 흉폭(凶暴)하다. 卯 未는 무직(武職)이다. 子 未는 공후(公侯:공작과 후작)이다. 또 이르길, 심장이 불순하고 신장에 病이 있어도 대귀(大貴)하다. (己酉日,壬申時,巳酉丑月,傷官傷盡吉.寅月凶暴.卯未武職.子未公侯.一云,主心狂腎病,大貴.)

癸亥丁未,兪大尤都督,狡猾.戊申乙丑,載時中都堂.庚午甲申,朱都堂.癸亥癸亥,何繼之進士.庚戌癸未,擧人.

명조)1-[유대우 도독, 교활(狡猾)] 명조)2-[재시중 도당] 명조)3-[주 도당]

壬 己 丁 癸　　　壬 己 乙 戊　　　壬 己 甲 庚

申 酉 未 亥　　　申 酉 丑 申　　　申 酉 申 午

명조)4-[하계지 진사] 명조)5-[거인]

壬 己 癸 癸　　　壬 己 癸 庚

申 酉 亥 亥　　　申 酉 未 戌

己亥일 壬申시는, 卯 未는 三合으로 官을 會局하여 天干에 印綬가 투출하면 대귀(大貴)하다. 戊子월은 財旺하여 官을 生한다. 酉는 己토의 生을 받는데, 天干에 甲 丙이 투출하면 모두 吉하다. (己亥日,壬申時,卯未三合會官,干透印大貴.戊子月財旺生官.酉己土受生,干透甲丙俱吉.)

난봉서오(鸞鳳棲梧)局은 크게 날아오는데 어렵지 않다. 만일 刑 剋 破를 만나면 쉬지 않고 꾸준히 노력하여도 여유롭지 않다. (鸞鳳棲梧局,飛騰大不難.如逢刑剋破,勞碌不曾閑.)

일간己가 申時와 모이면, 衝 破가 없어야 가장 적합하다. 柱중에 설령 官이 나타나지 않더라도 財旺한 근기(根基)가 된다. (日干是己會申時,無破無衝最合宜.柱中縱然官不現,也交財旺定根基.)

壬申시가 己일을 만나면, 특별히 그 가운데서 三合이 적당하다. 천을귀인이 正으로 제강(提綱=월령)에 들면 마땅히 財官을 用[神]하여 귀현(貴顯)한다. 戊 己 辰 戊이 득위(得爲)하면 문장(文

章)과 학문(學文)이 넓어 마땅히 알게 된다. 妻는 어질며 자식이 효도하고 福이 문직(文職)으로 순탄한데, 刑 破하면 중년(中年)에 불리(不利)하다. (壬申時逢己日,就中三合爲宜.天乙貴人正入提,宜用財官顯貴.戊己辰戌得位,文章廣學須知.妻賢子孝福文齊,刑破中年不利.)

10. 六己日癸酉時斷

6己일생이 癸酉시면, 목욕(沐浴)의 地支에서 水 土가 혼탁하다. 財 食이 地支에 암장하면 취산(聚散)이 많아 身衰하여 실지(失地)하면 수명을 보존하기 어렵다. (六己日生時癸酉,沐浴之鄉水土渾.財食支藏多聚散,身衰失地壽難存.)

己일이 癸酉시면, 水 土가 혼탁(混濁)하다. 己는 癸가 財가 되고 辛은 食神이 된다. 酉상에서 癸는 病[地]이고 辛은 [帝]旺인데, 比肩이 탈재(奪財)하여 財가 모였다 흩어짐이 많다. 거듭 실지(失地)하여 身衰하면 成敗를 반복(反覆)한다. 그렇지 않으면 수명(壽命)을 재촉한다. 만약 身旺한 月에 通[根]하거나 혹 運[運에서 통근하면]이면 吉하다. (己日,癸酉時,水土渾濁.己以癸爲財,辛爲食.酉上癸病辛旺,比肩奪財,財多聚散.更身衰失地,主成敗反覆.不然壽促.若通身旺月,或運吉.)

己丑일 癸酉시는, 春절은 평평하다. 夏절은 안온(安穩)하다. 秋절은 상관상진(傷官傷盡)하여 권위(權威)가 있다. 冬절은 富하다. 만일 丙 寅 巳월은 金神이 火를 만나 貴하다. 木 土 金 水運은 낭관(郎官)이다. 乙이 투출하면 대귀(大貴)하다. (己丑日,癸酉時,春平.夏穩.秋傷官傷盡,有威權.冬富.如丙寅巳月,金神遇火貴.木土金水運郎官.透乙大貴.)

庚午辛巳,龔廉遊擊壽五十九.乙巳丁亥,馮時可進士.

명조)1-[공렴 유격, 수명 59세] 명조)2-[풍시가 진사]

癸	己	辛	庚		癸	己	丁	乙
酉	丑	巳	午		酉	丑	亥	巳

己卯일 癸酉시는, 日時에 卯 酉가 서로 만나 천이(遷移)하며 刑傷하고, 또 상관대살(傷官帶煞)하여 성격이 흉폭(凶暴)하며 하는 일이 지연(遲延)된다. 4季月에 生하면 吉하다. (己卯日,癸酉時,時日相逢卯酉,主遷移刑傷,又傷官帶煞,主性凶暴,作事遲延.生四季月,吉.)

丁巳壬子,明建文君水土敗酉時犯破碎宜失國遊走.丁卯癸卯,王春復副使.

명조)1-[명 건문 군] 명조)2-[왕춘복 부사]

癸	己	壬	丁		癸	己	癸	丁

酉 卯 子 巳   酉 卯 卯 卯

명조1에서, 명나라건문군인데 水土가 酉時에 敗가 되고, 破碎살을 犯하니 실국(失國)하여 달아났다.

己巳일 癸酉시는, 巳 酉 丑월은 상관상진(傷官傷盡)하여 무직(武職)에 머물며 풍헌(風憲)이다. 寅 卯 戌월은 금신이 火鄕에 들어 貴하다 말할 수 있지만 貴함이 손상되어 뜻을 거두고 일찍 물러나는데, 水 土의 敗[浴地]가 酉에 있기 때문이다. (己巳日,癸酉時,巳酉丑月,傷官傷盡,居武職月[風]憲.寅卯戌月,金神入火鄕,貴而能言傷貴,收心早退,以水土敗在酉,故也.)

癸未甲子,林石洲副使.己巳壬申,貴夭.己卯丙寅,小貴早退.庚申戊寅,富被劫.

명조)1-[임석주 부사] 명조)2-[貴했지만 요절]
癸 己 甲 癸   癸 己 壬 己
酉 巳 子 未   酉 巳 申 巳

명조)3-[소귀, 早退] 명조)4-[富裕하나 재물을 겁탈 당함]
癸 己 丙 己   癸 己 戊 庚
酉 巳 寅 卯   酉 巳 寅 申

己未일 癸酉시는, 戌 亥 丑 辰의 年 月에 西方운이면 貴하다. 子 巳는 대귀(大貴)하다. 卯 辰은 근시(近侍)인데 [벼슬이] 높지는 않다. (己未日,癸酉時,戌亥丑辰年月,西方運貴.子巳大貴.卯辰近侍不大.)

戊子丁巳,楊兆尚書四干四支互換貴全.壬辰庚戌,周書生員極富.己未甲戌,運使.

명조)1-[양조 상서] 명조)2-[주서 생원, 極富] 명조)3-[운사]
癸 己 丁 戊   癸 己 庚 壬   癸 己 甲 己
酉 未 巳 子   酉 未 戌 辰   酉 未 戌 未
명조1에서, 양조 상서인데,4干支가 호환하여貴가 완전하다.

己酉일 癸酉시는, 편재가 식신을 만나니 우뚝 솟아오른다. 丑 未 子 午는 모두 吉하다. 酉월은 내척(內戚;아버지 쪽의 친척)이다. 만일 年 月에 巳 酉가 전부라면 파쇄살(破碎煞)을 犯하여, 일생토록 破 敗하며 매진(邁進)하여도 아무런 결과가 없다. (己酉日,癸酉時,偏財遇食,主崢嶸.丑未子午俱吉.酉月內戚.如年月巳酉全犯破碎煞,主一生破敗,遊走無結果.)

癸亥辛酉,陳效太守.辛未辛丑,貴.壬子丙午,蔡纘擧人.甲子丁卯,擧人.

명조)1-[진효 태수] 명조)2-[貴]
癸 己 辛 癸　　　癸 己 辛 辛
酉 酉 酉 亥　　　酉 酉 丑 未

명조)3-[채찬 거인] 명조)4-[거인]
癸 己 丙 壬　　　癸 己 丁 甲
酉 酉 午 子　　　酉 酉 卯 子

己亥일 癸酉시는, 土氣가 月에 通하고 木火運으로 行하면 貴하다. (己亥日,癸酉時,通土氣月,行木火運貴.)

壬午癸丑,黎來擧人.

명조)1-[려래 거인]
癸 己 癸 壬
酉 亥 丑 午

식신생재(食神生財)局은, 刑傷과 아울러 衝을 꺼린다. 만약 [刑傷과 衝을] 犯하지 않으려면 조만(早晩)간 가풍(家風)을 고쳐야한다. (食神生財局,刑傷更忌衝.若無犯此字,遲早改門風.)

己가癸酉 時生을 만나면, 食神이 生旺하여 저절로 따른다. 身弱한데 다시 衝 剋 破를 兼하는 命은 산출(算出)하자면 평범할 뿐이다. (己逢癸水酉時生,食神生旺自從容.身弱更兼衝剋破,此命依算只中平.)

己일이 癸酉시를 만나면, 편재가 식신을 만나 기뻐한다. 형제가 부모에게 의지할 수 없으며 성격과 품은 情이 일정하지 않다. 재물의 거래(去來)는 취산(聚散)하고, 눈앞은 넓게 보여 보존하기 어렵다. 꽃이 피면 꽃은 다시 시들어 거듭하여 새로우니, 이 命은 먼저는 거스르지만 나중에는 順하다 . (己日時逢癸酉,偏財喜遇食神.雁行無倚靠雙親.性格情懷不定.財來財去聚散,眼前廣見難存.花開花謝再重新,此命先逆後順.)

六己日甲戌時斷
6己일생이 甲戌시면, 妻가 夫를 따라서 化하니 眞土가 된다. 만일 月氣의 祿에 通하여 근원이 깊으면 오히려 평상(平常)시로 取한다. (六己日生時甲戌,妻從夫化爲眞土.如通月氣祿源深,反此而言平常取.)

己일 甲戌시면, 妻가 夫를 따라서 化한다. 己는 甲木을 합하여 化土로 成局하고, 土神이 빼어나며 祿의 근원이 심후(深厚)하다. 月中에서 化함이 없으면 甲을 取하여 官으로 삼고 丙은 印이 되는데, 戌상의 甲木은 形을 이루어 丙火와 合局한다. 月氣에 通하면 貴하고, 불통(不通)하며 刑衝 破 害가 있으면 평상(平常)한데, 자신이 비록 吉하더라도 조실부모(早失父母)한다. (己日,甲戌時,妻從夫化.己合甲木化土成局,土神鍾秀,祿源深厚.月中無化,取甲爲官,丙爲印,戌上甲木成形,丙火合局.通月氣.貴.不通有刑衝破害者平常,己身雖吉,父母早失.)

己丑일 甲戌시는, 父를 剋함이 太旺하다. 辰월생은 土가 厚한 곳에 있다. 巳 午 未 申 臨官 帝旺은 吉하다. 亥 戌 寅 卯와 土의 病 死[地]는 凶하다. 酉 辰은 3~4품의 貴이나 中年에 퇴직한다. 亥[月에] 木火運은 6~7품의 貴이다. (己丑日,甲戌時,剋父太旺.辰月生土厚居.巳午未申臨官帝旺吉.亥戌寅卯土病死凶.酉辰三四品貴,中年退閑.亥木火運,六七品貴.)

甲辰癸酉,周卓訓導.丁巳辛亥,周繼昌府丞.壬戌壬子,解元.壬辰癸卯,傅御史.

명조)1-[주탁 훈도] 명조)2-[주계창 부승]
甲 己 癸 甲　　　　甲 己 辛 丁
戌 丑 酉 辰　　　　戌 丑 亥 巳

명조)3-[해원] 명조)4-[부 어사]
甲 己 壬 壬　　　甲 己 癸 壬
戌 丑 子 戌　　　戌 丑 卯 辰

己卯일 甲戌시는, 丙 丁 午 戌의 年 月은 天干에 庚 辛이 있어 官煞을 제복(制伏)하고, 산과 물의 경치가 빼어나고 아름다운 지방(地方)에 태어나면 벼슬이 2~3품에 이른다. 未 酉 丑月은 土 火運으로 行하면 4~5품이다. 午月에 東北 運이면 대귀(大貴)하다. 子月에 木火運이면 풍헌(風憲)이다. 辰 巳[月]에 의지할 곳이 있으면 극품(極品)이다. (己卯日,甲戌時,丙丁午戌年月,干有庚辛制伏官煞,生山明水秀地方,官至二三品.未酉丑月行土火運,四五品.午月東北運,大貴.子月木火運,風憲.辰巳有倚托者,極品.)

壬午壬子,王正國侍郎.己巳戊辰,陳益都堂.壬午乙巳,大富.乙酉丙戌,太守.戊辰乙卯,富,五子.辛酉庚寅,大參.辛酉甲壬辰,部郎.

명조)1-[왕정국 시랑] 명조)2-[진익 도당] 명조)3-[大富]
甲 己 壬 壬　　　　甲 己 戊 己　　　　甲 己 乙 壬
戌 卯 子 午　　　　戌 卯 辰 巳　　　　戌 卯 巳 午

명조)4-[태수] 명조)5-[富, 5子]

甲 己 丙 乙   甲 己 乙 戊

戌 卯 戌 酉   戌 卯 卯 辰

명조)6-[대참] 명조)7-[부랑]

甲 己 庚 辛   甲 己 壬 辛

戌 卯 寅 酉   戌 卯 辰 酉

己巳일 甲戌시는, 寅 午 戌월은 금신이 火鄕에 들어 귀현(貴顯)한다. 亥 戌의 年 月은 벼슬이 수령(守令)에 머물며 명성(名聲)이 지극하다. 子월에 木 火운이면 극품(極品)이다. (己巳日,甲戌時,寅午戌月,金神入火鄕,貴顯.亥戌年月,官居守令,極有聲名.子月木火運,極品.)

甲子癸酉,皇甫芳員外.丁丑壬寅,給事.戊申丙辰,方重杰擧人.丁亥己亥,擧人.

명조)1-[황보방 원외] 명조)2-[급사]

甲 己 癸 甲   甲 己 壬 丁

戌 巳 酉 子   戌 巳 寅 丑

명조)3-[방중걸 거인] 명조)4-[거인]

甲 己 丙 戊   甲 己 己 丁

戌 巳 辰 申   戌 巳 亥 亥

己未일 甲戌시는, 剋을 당해 刑을 만난다. 寅 午의 年 月은 3~4품의 貴이다. 戌월에 東南운이면 5품이다. 순수한 辛卯의 年 月은 刑한다. (己未日,甲戌時,剋陷遭刑.寅午年月,三四品貴.戌月東南運,五品.純辛卯年月刑.)

癸未壬戌,郞中,主政俱同擧人.戊戌乙丑,進士.壬午庚戌,封官二子俱貴.

명조)1-[낭중 주정 같이 거인이다. 명조)2-[진사]   명조)3-[봉관 이자 俱貴]

甲 己 壬 癸   甲 己 乙 戊   甲 己 庚 壬

戌 未 戌 未   戌 未 丑 戌   戌 未 戌 午

己酉일 甲戌시는, 辰 丑이 刑 衝하면 재원(財源)을 더하여 나아간다. 酉 戌이 相害하면 명리(名利)가 평범하다. 子월은 己가 貴하다. 寅月은 官印인데 印綬운으로 行하면 貴하다. 순수한 乙 酉의 年 月은 완고하며 사납다. 또 이르길, 고독(孤獨)하며 고향을 떠난다. (己酉日,甲戌時,辰丑

刑衝,財源益進.酉戌相害,名利中平.子月己貴.寅月官印,行印運貴.純乙酉年月頑暴.一云,孤獨離鄉.)

乙丑丙戌,李克齋尚書子貴.庚寅戊子,林景陽進士.辛卯壬辰,沈鯉舉人.甲戌癸酉,舉人.

명조)1-[이극재 상서, 子貴] 명조)2-[임경양 진사]

甲 己 丙 乙   甲 己 戊 庚

戌 酉 戌 丑   戌 酉 子 寅

명조)3-[심리 거인] 명조)4-[거인]

甲 己 壬 辛   甲 己 癸 甲

戌 酉 辰 卯   戌 酉 酉 戌

己亥일 甲戌시는, 土氣의 月에 通하면 木運으로 行하고, 水 木월에 通하면 身旺한 運으로 行하여야 모두 貴하다. (己亥日,甲戌時,通土氣月,要行木運.通水木月,要行身旺運,俱貴.)

丁酉辛亥,宋景尚書.乙丑庚辰,學士.己未丙子,陳豪御史.

명조)1-[송경 상서] 명조)2-[학사]   명조)3-[진호 어사]

甲 己 辛 丁   甲 己 庚 乙   甲 己 丙 己

戌 亥 亥 酉   戌 亥 辰 丑   戌 亥 子 未

추엽경상(秋葉經霜)局은 푸른빛이 붉게 변한다. 그러나 衝 剋하는 字를 만나면 조락(凋落)하여 西와 東에서 감당한다. (秋葉經霜局,須臾綠變紅.但逢衝剋字,凋落任西東.)

甲己가 土氣로 化하여 수장(收藏)하면, 열쇠를 만나야 편안하고 한가한 복(福)이 된다. 만일 財를 만나면 財가 모이지 않고, 나무의 잎과 같이 무성하면 가을이 깊어진다. (甲己化土氣藏收,如逢鑰匙福優遊.假若逢財財不聚,深如木葉值秋深.)

己일이 甲戌시를 만나면, 妻는 夫를 쫓아 化하여 아름답게 된다. 財庫는 오직 열쇠로 열기를 기다리고, 壬 申 丑神은 通[根]함이 크다. 父母가 夭折하여 고독한 것은 刑 剋한 것이고, 형제 자식이 해로하기 어렵다. 만약 시운(時運)을 만나 때가 오면 가업(家業)이 일어나 번영하고 빠르게 형통한다. (己日時逢甲戌,妻從夫化爲佳.庫財專待鑰匙開,壬申丑神通泰.父母夭孤刑剋,雁行花果難諧.若逢時運一時來,家業興隆亨快.)

11. 六己日乙亥時斷

6己일생이 乙亥시면, 官은 암장하고 煞이 드러나 좋지 못하다. 金을 만나 制煞해야 비로소 吉하고, 身이 旺하지 않으니 凶함을 알 수 있다. (六己日生時乙亥,官藏煞見未爲奇.逢金制煞方爲吉, 身不旺兮凶可知.)

己일乙亥시면, 煞은 드러나고 관은 암장한다. 己는 甲이 官이 되며 乙은 鬼가 된다. 亥상에 乙은 투출하고 甲은 암장하여 관살혼잡(官煞混雜)이 된다. 柱中에 辛을 보고 乙을 制하면 거살유관(去煞留官)이다. 月氣에 通하면 귀현(貴顯)한다. 亥상에서 水旺하며 土는 虛하니, 생업(生業)을 잃어 떠돌며 財를 보아도 모이지 않고, 성패(成敗)를 자주한다. 身과 鬼가 둘만 머물러야 비로소 吉하다. 月氣에 불통(不通)하면 運의 氣運에서 通하여도 역시 吉하다. (己日,乙亥時,煞見官藏.己以甲爲官,乙爲鬼.亥上有明乙暗甲,爲官煞混雜.柱中見辛制乙,去煞留官.通月氣者,貴顯.亥上水旺土虛,漂流失業,見財不聚,成敗進退.要身鬼兩停方吉.不通月氣,通運氣亦吉.)

己丑일乙亥시는, 巳 酉 丑월은 제살유관(制煞留官)하여 貴하다. 午月은 身旺하니 역시 貴하다. 子月은 火運이면 7~8품의 貴이다. 卯 未는 辛이 투출하여 乙을 制하면 대귀(大貴)하다. (己丑日, 乙亥時,巳酉丑月,制煞留官貴.午月身旺亦貴.子月火運,七八品貴.卯未透辛制乙,大貴.)

辛未己亥,嚴訥閣老.丙午庚子,秦尙都堂.壬申癸丑,侍郎.己巳庚午,黃乾亨司副.己丑庚午,吳一琴主事夭死.癸卯乙丑,沈應文尙書,一歙縣程監生命同巨富.乙丑己丑,趙標侍郎.

명조)1-[엄눌 각로]　명조)2-[진상 도당]　명조)3-[시랑]

乙	己	己	辛		乙	己	庚	丙		乙	己	癸	壬
亥	丑	亥	未		亥	丑	子	午		亥	丑	丑	申

명조)4-[황건형 사부]　명조)5-[오일금 주사, 夭死]

乙	己	庚	己		乙	己	庚	己
亥	丑	午	巳		亥	丑	午	丑

명조)6-[침응문 상서]　명조)7-[조표 시랑]

乙	己	乙	癸		乙	己	己	乙
亥	丑	丑	卯		亥	丑	丑	丑

명조6에서, 침 응문 상서이고, 또 한명은 흡 현정 감생인데 命은 같으나 巨富였다.

己卯일 乙亥시는, 卯월은 편관격으로 煞이 重하고 身이 柔弱하여 기명(棄命)을 짓는다고 본다.

壬(字)을 暗으로 만나면 뜻과 기백이 앙양(昂揚)한다. 四柱에 제복(制伏)함이 있고 土 金運으로 行하면 벼슬이 3~4品에 이른다. 丑月은 雜氣이다. 辰 巳 酉運은 금자(金紫;존귀한 사람을 비유)가 된다. 亥月에 水運은 病으로 夭折한다. (己卯日,乙亥時,卯月偏官格,煞重身柔,作棄命看.壬字暗逢,志氣軒昂.柱有制伏,行土金運,官至三四品.丑月雜氣.辰巳酉運金紫.亥月水運疾夭.)

辛巳癸巳,尙書.癸未戊午,進士.乙酉丁亥,貧而濫多子不才凶年不免.壬辰辛亥,貧苦.辛巳己亥,廢疾.

명조)1-[상서] 명조)2-[진사] 명조)3-[貧]

乙 己 癸 辛　　乙 己 戊 癸　　　乙 己 丁 乙
亥 卯 巳 巳　　亥 卯 午 未　　　亥 卯 亥 酉

명조3에서, 가난하였으며, 자식이 매우 많았지만 재능이 부족했고, 흉년을 면하기 어려웠다.

명조)4-[빈고(貧苦)] 명조)5-[폐질(廢疾)]

乙 己 辛 壬　　　乙 己 己 辛
亥 卯 亥 辰　　　亥 卯 亥 巳

己巳일 乙亥시는, 寅 午 戌월은 금신이 火鄕에 들어 貴하다. 巳월은 西北운이면 벼슬이 공경(公卿)에 이른다. 卯 午는 풍헌(風憲)이다. 순수한 子亥의 年月은 財로써 煞의 무리를 지으니 기명(棄命)으로 간주(看做)하는데, 큰 병권(兵權)을 가진다. (己巳日,乙亥時,寅午戌月,金神入火鄕貴.巳月西北運,官至公卿.卯午風憲.純子亥年月,以財黨煞,作棄命看,主大兵權.)

丁卯丁未,李西涯閣老.戊申丁巳,金幼孜尙書名臣.戊子癸亥,戚繼光都督名將.己亥壬申,沈懋學狀元.乙卯己卯,進士.

명조)1-[이서애 각로] 명조)2-[금유자 상서명신] 명조)3-[척계광 도독명장]

乙 己 丁 丁　　　乙 己 丁 戊　　　乙 己 癸 戊
亥 巳 未 卯　　　亥 巳 巳 申　　　亥 巳 亥 子

명조)4-[심무학 장원] 명조)5-[진사]

乙 己 壬 己　　　乙 己 乙 乙
亥 巳 申 亥　　　亥 巳 卯 卯

己未일 乙亥시는, 刑 破와 [관살]混雜이 없으면 청고(淸高)하고 富貴하며 文學으로 자랑할 만하다. (己未日,乙亥時,無刑破混雜,淸高富貴,文學堪誇.)

己亥丁卯,崔東洲侍郎.庚戌己丑,黃佐翰林院.乙亥丁亥,蔡白石都憲.丙寅丁酉,李旻狀元.丙辰壬辰,宋天民進士.癸酉丁巳,同知.壬辰壬寅,廕郎.

명조)1-[최동주 시랑] 명조)2-[황좌 한림원] 명조)3-[채백석 도헌]

乙 己 丁 己　　　　乙 己 己 庚　　　　乙 己 丁 乙
亥 未 卯 亥　　　　亥 未 丑 戌　　　　亥 未 亥 亥

명조)4-[이민 장원] 명조)5-[송천민 진사]

乙 己 丁 丙　　　　乙 己 壬 丙
亥 未 酉 寅　　　　亥 未 辰 辰

명조)6-[동지] 명조)7-[음랑]

乙 己 丁 癸　　　乙 己 壬 壬
亥 未 巳 酉　　　亥 未 寅 진

己酉일 乙亥시는, 春夏절은 현달(顯達)한다. 秋절은 제복(制伏)이 太過하여 가난한 선비이다. 冬절은 財旺하다. 午 巳 戌의 年 月은 6~7품의 貴이다. 寅月은 金火運으로 行하면 4~5품의 貴이다.　(己酉日,乙亥時,春夏顯達.秋制伏太過,貧儒.冬財旺.午巳戌年月,六七品貴.寅月行金火運,四五品貴.)

庚午丙戌,董芬侍郎.乙亥辛巳,王印束參政.乙卯丙戌,林華進士.己酉乙亥,進士.乙亥丁亥,部郎.甲午乙亥,兵道.癸酉乙卯,刑人.己酉乙亥,邢雲露進士.

명조)1-[동분 시랑] 명조)2-[왕인속 참정] 명조)3-[림화 진사]

乙 己 丙 庚　　　　乙 己 辛 乙　　　　乙 己 丙 乙
亥 酉 戌 午　　　　亥 酉 巳 亥　　　　亥 酉 戌 卯

명조)4-[진사] 명조)5-[부랑] 명조)6-[병도]

乙 己 乙 己　　　乙 己 丁 乙　　　乙 己 乙 甲
亥 酉 亥 酉　　　亥 酉 亥 亥　　　亥 酉 亥 午

명조)7-[형인] 명조)8-[형운로 진사]

乙 己 乙 癸　　　乙 己 乙 己
亥 酉 卯 酉　　　亥 酉 亥 酉

己亥일 乙亥시는, 年 月에 辛이 투출하여 制하면 貴하다. 制함이 없어도 역시 특별히 재주는 뛰어나다. 戌月은 풍헌(風憲)이다. 巳월 역시 貴하다. 丑월은 土가 두터운 宮으로 벼슬이 3품에 이른다. 또 이르길, 自刑은 成敗가 많아 만년(晩年)에 富하다. (己亥日,乙亥時,年月透辛,制貴.無制,亦主特達.戌月風憲.巳亦貴.丑土厚之[官]宮,官至三品.一云,自刑多成敗,晩富.)

癸丑甲寅,應櫃總制名臣.癸丑庚申,邵經濟太守.庚寅丙戌,趙灼都諫.乙丑丁亥,黃穆編修.甲辰戊辰,舒芬狀元.己卯癸未,進士.

명조)1-[응가 총제명신] 명조)2-[소경제 태수] 명조)3-[조작 도간]
乙 己 甲 癸　乙 己 庚 癸　乙 己 丙 庚
亥 亥 寅 丑　亥 亥 申 丑　亥 亥 戌 寅

명조)4-[황목 편수] 명조)5-[서분 장원] 명조)6-[진사]
乙 己 丁 乙　乙 己 戊 甲　乙 己 癸 己
亥 亥 亥 丑　亥 亥 辰 辰　亥 亥 未 卯

이상의 6日은 乙亥時에 태어나면, 모두 學文하는 선비가 많아 출신(出身)이 과거에 우수하게 급제하여, 높은 벼슬의 요직에 머문다. (以上六日,得此時生者,皆多文學之士,出身高科,官居淸要.)

어입심담(魚入深潭)局은 뜻을 얻으면 고래나 거북으로 化한다. 刑 공망 剋 破가 없으면 도성(都省=정승)의 명판을 가진다. (魚入深潭局,得志化鯨鰲.無刑空剋破,都省把名標.)

天元乙亥는 시간(時間)에 있고, 역마 장생(長生)은 등한시(等閑視)하지 않는다. 身旺하고 煞强하면 福祿이 나란하고, 功名이 현달(顯達)하여 저절로 기뻐하게 된다. (天元乙亥在時間,驛馬長生不等閒.身旺煞强騈福祿,功名顯達自歡顔.)

己일이 乙亥時를 만나면, 편관이 정재를 만나니 기쁘다. 만약 身旺함을 만나도 역시 아름답게 되고, 天元이 混雜하면 반감(半減)한다. 암장하여 行하면 진퇴(進退)가 일정하지 않고, 육친(六親) 형제가 흥(興)하였다 쇠락(衰落)한다. 運行이 祿馬로 자연히 오면 富貴하고 청한(淸閑)함이 저절로 있다. (己日時逢乙亥,偏官喜遇正財.若逢身旺亦爲佳,混雜天元減半.行藏進退無定,六親雁侶興衰.運行祿馬自然來,富貴淸閑自在.)

12. 六庚日丙子時斷

6庚일생이 丙子시면, 身과 鬼 모두 쇠퇴(衰退)하며 神은 强하다. 의지할 데가 있으면 영화(榮華)하고 의지할 데가 없으면 천(賤)한데, 鬼가 生旺하면 장수(長壽)하기 어렵다. (六庚日生時丙子,身鬼俱衰退神强.有托榮華無托賤,鬼逢生旺壽難長.)

庚일이 丙子시를 만나면, 身과 鬼 모두 衰弱하다. 庚은 癸가 상관이 되고, 丙은 鬼가 된다. 子 상에서 庚은 死하고, 丙火는 무기(無氣)하며 癸水는 건왕하다. 만약 身이 의지할 데가 있으면 吉하다. 의지할 데가 없으며 또 身衰하고 鬼旺한 運으로 行하면 표풍(飄風)하여 요절(夭折)하거나 賤하다. 火氣 月에 通하고 西運으로 行하면 貴하다. 身弱하면 그렇지 않다. (庚日,丙子時,身鬼俱衰弱.庚以癸爲傷,丙爲鬼.子上庚死,丙火無氣,癸水建旺.若身有倚托吉.無倚托,又行身衰鬼旺運,飄風夭賤.通火氣月,要行西運貴.身弱不然.)

庚子日丙子시는, 貴하다. 年 月이 다시 子이면 병충(倂衝)하고, 午중에 丁은 官이 되고 己는 印綬가 되어 비천록마격(飛天祿馬格)에 든다. 四柱에 財 官의 전실(塡實)이 없어야 貴하다. 승(僧)도(道)가 되면 조그마한 티끌에도 물들지 않고 만법(萬法)을 모두 이룬다. 평상인이면 명리(名利)는 있으나 妻子를 刑傷한다. 또 이르길, 선빈후부(先貧後富)한다. 己巳월을 꺼리는데 刑破하여 가난하다. 癸未월은 고단(孤單)하다. 己亥월은 刑한다. (庚子日,丙子時,貴.年月再子,倂衝,午中丁爲官,己爲印,入飛天祿馬格.柱無財官塡實主貴.爲僧道,一塵不染,萬法皆成.爲常人,有名有利,刑傷妻子.一云,先貧後富.忌己巳月破刑貧.癸未月孤單.己亥月刑.)

庚午丁亥,沈應乾兵備.壬午乙巳,史官太守.丙申辛卯,鄭贊主政.甲寅甲戌,擧人.甲申丙寅,賀烺侍郎.壬子丙午,周文燭司業.辛酉丙寅,進士.癸丑癸亥,依覓.

명조)1-[심응건 병비] 명조)2-[사관 태수] 명조)3-[정찬 주정]

| 丙 庚 丁 庚 | 丙 庚 乙 壬 | 丙 庚 辛 丙 |
| 子 子 亥 午 | 子 子 巳 午 | 子 子 卯 申 |

명조)4-[거인] 명조)5-[하랑 시랑] 명조)6-[주문촉 사업]

| 丙 庚 甲 甲 | 丙 庚 丙 甲 | 丙 庚 丙 壬 |
| 子 子 戌 寅 | 子 子 寅 申 | 子 子 午 子 |

명조)7-[진사] 명조)8-[의멱]

| 丙 庚 丙 辛 | 丙 庚 癸 癸 |
| 子 子 寅 酉 | 子 子 亥 丑 |

庚寅일 丙子시는, 春절에 生하면 財와 煞을 대동하여 金 火運으로 行하면 존귀하게 된다. 夏절은 煞왕하여 대귀(大貴)하다. 秋절은 身旺하니 반드시 南方 運으로 行하여야 貴하다. 冬절은 身과 鬼수한가 모두 弱하여 평상(平常)하다. 순수한 午의 年 月은 지위가 공경(公卿)에 이른다. 壬子는 식전후살(食前後煞;식거선 후살격)이다. 一陽을 쫓아서 生한 후에 丙火가 유기(有氣)하여 극귀(極貴)한 臣下이다. 癸酉월을 꺼리는데 破敗하여 凶하다. 辛亥월은 핏빛이다. 甲子월은 요절

한다.　(庚寅日,丙子時,春生帶財帶煞,行金火運金紫.夏煞旺大貴.秋身旺,須行南運貴.冬身鬼俱弱,平常.純午年月,位至公卿.壬子食前煞後.隨一陽生後,丙火有氣,貴極人臣.忌癸酉月破敗凶.辛亥月血光.甲子月天.)

丁卯壬子,明成化皇帝.丁未乙巳,霍韜會元尙書名臣.丙午甲午,黃冢宰.壬寅乙巳,陳狀元.己酉辛未,何天衢侍郎.癸亥壬戌,魏良貴都堂.辛卯癸巳,副使.庚午丁亥,御史.丁丑戊申,擧人.己未己巳,時霖進士.壬戌壬寅,陳堯侍郎.丁卯癸丑,解元.壬辰乙丑,諫垣辛巳四月卒.丁酉壬子,黃太傅.庚戌戊寅,王佐尙書.乙未戊寅,乙卯鄕試甲戌進士守道鹽道戌運壬運俱.

명조)1-[명성화 황제]　명조)2-[곽도회원 상서名臣]　명조)3-[황 총재]

丙	庚	壬	丁
子	寅	子	卯

丙	庚	乙	丁
子	寅	巳	未

丙	庚	甲	丙
子	寅	午	午

명조)4-[진 장원]　명조)5-[하천구 시랑]　명조)6-[위량귀 도당]

丙	庚	乙	壬
子	寅	巳	寅

丙	庚	辛	己
子	寅	未	酉

丙	庚	壬	癸
子	寅	戌	亥

명조)7-[부사]　명조)8-[어사]　명조)9-[거인]

丙	庚	癸	辛
子	寅	巳	卯

丙	庚	丁	庚
子	寅	亥	午

丙	庚	戊	丁
子	寅	申	丑

명조)10-[시림 진사]　명조)11-[진요 시랑]　명조)12-[해원]

丙	庚	己	己
子	寅	巳	未

丙	庚	壬	壬
子	寅	寅	戌

丙	庚	癸	丁
子	寅	丑	卯

명조)13-[간원 辛巳년四月卒]　명조)14-[황 태부]

丙	庚	乙	壬
子	寅	丑	辰

丙	庚	壬	丁
子	寅	子	酉

명조)15-[왕좌 상서]　명조)16-[00]

丙	庚	戊	庚
子	寅	寅	戌

丙	庚	戊	乙
子	寅	寅	卯

명조)16에서, 乙卯년에 향시, 甲戌년에 진사, 수도염도 戌運 壬運 모두 다 그렇다.

庚辰일 丙子시는, 月에 木 火氣가 通하고 西方 運으로 行하면 좋다. 乙巳월을 꺼리는데 破敗

하여 凶하다. 丁酉월은 旺한 중에 刑하여 凶하다. 己丑월은 破敗하여 凶하다. (庚辰日,丙子時,月通木火氣,行西運妙.忌乙巳月破敗刑.丁酉月旺中刑凶.己丑月破敗凶.)

丙戌丙申,大參.乙巳辛巳,會元.己巳甲戌,儀部.己酉丙子,知縣.甲寅辛未,二擧人命同三子一無.辛巳戊[庚]寅,林元美子孫五尙書.戊辰甲子,袁宏道銓部.

명조)1-[대참]　명조)2-[회원]　명조)3-[의부]

丙 庚 丙 丙	丙 庚 辛 乙	丙 庚 甲 己
子 辰 申 戌	子 辰 巳 巳	子 辰 戌 巳

명조)4-[지현] 명조)5-[거인 두 사람의 命이 같은데, 한명은 자식3명, 또 한명은 없음]

丙 庚 丙 己	丙 庚 辛 甲
子 辰 子 酉	子 辰 未 寅

명조)6-[임원미]　명조)7-[원굉도 전부]

丙 庚 庚 辛	丙 庚 甲 戊
子 辰 寅 巳	子 辰 子 辰

명조6에서, 임 원미는 子孫 5명이 상서.

庚午일 丙子시는, 貴하다. 日時가 相衝하여 妻子를 손상할까 염려되고, 運은 西南이 좋은데, 火 未月의 기운에 通하면 풍헌(風憲)으로 3~4품이다. 秋節에 生하면 丙火가 무기(無氣)하여 자식을 두기 어렵다. 己巳월을 꺼리는데 조업을 破하여 凶하다. 己亥월은 도적을 당하여 凶하다. 癸丑월은　고독하다. (庚午日,丙子時,貴.時日相衝,憂傷妻子,運喜西南,通火未月氣風憲,三四品.秋生,丙火無氣,難爲子息.忌己巳月,破祖凶.己亥月被劫盜,凶.癸丑月孤.)

壬子癸丑.何鰲尙書.辛未庚子,黃封進士.己卯癸酉,張承勛元戎.

명조)1-[하오 상서] 명조)2-[황봉 진사] 명조)3-[장승훈 원융]

丙 庚 癸 壬	丙 庚 庚 辛	丙 庚 癸 己
子 午 丑 子	子 午 子 未	子 午 酉 卯

庚申일 丙子시는, 申월은 土가 두터운 地方에 태어나면 貴하다. 辰 未의 年 月은 西方 運으로 行하면 공후(公侯)이다. 辛巳월을 꺼리는데 刑으로 凶하다. 辛亥월은 고독하며 요절한다. (庚申日,丙子時,申月生土厚地方貴.辰未年月行西運,公侯.忌辛巳月凶刑.辛亥月孤夭.)

戊辰己未,定國公.甲子辛未,李本閣老一云壬午時.乙丑丁亥,陳元琦郎中.丙午庚寅,進士.戊寅庚申,遊擊.壬申壬寅,楊子充解元.丙申丁酉,洪聲遠進士.

명조)1-[정 국공] 명조)2-[이본 각로 一云 壬午時] 명조)3-[진원기 낭중]

丙 庚 己 戊　　　丙 庚 辛 甲　　　　　丙 庚 丁 乙
子 申 未 辰　　　子 申 未 子　　　　　子 申 亥 丑

명조)4-[진사] 명조)5-[유격]

丙 庚 庚 丙　　　丙 庚 庚 戊
子 申 寅 午　　　子 申 申 寅

명조)6-[양자충 해원] 명조)7-[홍성원 진사]

丙 庚 壬 壬　　　　丙 庚 丁 丙
子 申 寅 申　　　　子 申 酉 申

庚戌日 丙子시는, 春 夏절에 生하여 西南 運이나, 秋절에 木 火運은 모두 貴하다. 乙巳월을
꺼리는데 破하여 凶하다. 乙亥월은 관재(官災)가 많고 刑하여 凶하다. 己丑월은 破敗하여 凶하다.
戊戌월은 惡死한다. (庚戌日,丙子時,春夏生西南運,秋月木火運俱貴.忌乙巳月凶破.乙亥月官災多凶
刑.己丑月破敗凶.戊戌月 , 惡死.)

癸亥乙丑,文彦博丞相.癸丑壬戌,馬西園侍郎.乙卯丙戌,任中丞.戊辰戊午,羅崇奎進士.丙戌辛丑,胡緒
吏部主事.乙卯丁亥,大貴.壬辰甲辰,蕭大亨尚書.辛丑甲午,司丞.丙子戊戌,黃懋官侍郎死於亂軍申價副
使命同黃閩人申魏人申先死黃後死申無子黃一子.

명조)1-[문언박 승상] 명조)2-[마서원 시랑] 명조)3-[임 중승]

丙 庚 乙 癸　　　　丙 庚 壬 癸　　　　丙 庚 丙 乙
子 戌 丑 亥　　　　子 戌 戌 丑　　　　子 戌 戌 卯

명조)4-[라숭규 진사] 명조)5-[호서 이부주사] 명조)6-[大貴]

丙 庚 戊 戊　　　　丙 庚 辛 丙　　　　　丙 庚 丁 乙
子 戌 午 辰　　　　子 戌 丑 戌　　　　　子 戌 亥 卯

명조)7-[소대형 상서] 명조)8-[사승] 명조)9-[황무관 시랑]

丙 庚 甲 壬　　　　丙 庚 甲 辛　　丙 庚 戊 丙
子 戌 辰 辰　　　　子 戌 午 丑　　子 戌 戌 子

명조9에서, 황 무관시랑은 亂의 軍中에서 사망, 신가부사와는 命이 동일한데, 황씨는 閩인이고

신씨는 魏인이다. 신씨가 먼저 죽은 후에 황씨가 사망했다. 신씨는 無子였고, 황씨는 一子였다.

유어피강(遊魚避綱)局은 도약(跳躍)하여 천진(天津)에 이른다. 運이 지극히 凶하면 吉이 되며 때가 오면 가난하지 않다. (遊魚避綱局,跳躍到天津.運至凶成吉,時來不受貧.)

庚일이 丙子시를 만나 상관으로 合局하면 좋지 않게 된다. 父母의 조업(祖業)을 성취(成就)하기 어렵고, 연침란서별립기(燕寢鸞棲別立基). (庚日相逢丙子時,傷官合局不爲奇.雙親祖業難成就,燕寢鸞棲別立基.)

庚일이 丙子時를 만나면, 官을 刑하고 배록(背祿)하여도 身이 편안하다. 父母가 극함(剋陷)되어 젊어서 고생하며 어렵고, 형제는 화순(和順)할 수 없다. 학업을 그만두고 장사의 길로써 발복(發福)하고, 논밭을 소유하며 먼저는 게으르나 나중에는 부지런하다. 집에 재백(財帛)이 있어 만년(晩年)에 재능을 이루는 선암후명(先暗後明)한 命이다. (庚日時逢丙子,刑官背祿安身.雙親剋陷早難辛,雁侶不能和順.廢學經商發福,田莊先懶後勤.家居財帛晩纔成,先暗後明之命.)

13. 六庚日丁丑時斷

6庚일생이 丁丑시면, 貴人의 地支에서 官인 火를 만나 매우 輕하다. 木 火運에 通[根]하면 헌면(軒冕;고관이 쓰던 면류관)客이 되고, 불통(不通)하면 독립(獨立)하여 허명(虛名)뿐이다. (六庚日生時丁丑,貴地逢官火太輕.木火運通軒冕客,不通獨立只虛名.)

庚일이 丁丑시면, 金이 重하고 火는 輕하다. 庚은 丁이 官이 되고 己가 印인데, 丑상에는 丁火의 氣가 輕하며 己土는 정위(正位)이다. 만약 木 火의 氣運이 月에 通하면 官印이 生旺하여야 貴하다. 불통(不通)하면 허명(虛名)일 뿐이다. 火 土의 生旺한 月에 通하면 富하다. 불통(不通)하여 運에서 만나도 역시 명성(名聲)이 있다. (庚日,丁丑時,金重火輕.庚以丁爲官,以己爲印,丑上丁火氣輕,己土正位.若通木火氣月,官印逢生旺貴.不通,虛名而已.通火土生旺月,富.不通,運遇亦主名聲.)

庚子일 丁丑시는, 春 夏절은 貴하다. 秋절은 평상(平常)하다. 多절은 고독하며 剋한다. (庚子日,丁丑時,春夏貴.秋平常.多孤剋.)

庚午丁亥,沈應乾兵備.壬午乙巳,史官太守.丙申辛卯,鄭贊主政.甲寅甲戌,擧人.甲申丙寅,賀烺侍郎.壬子丙午,周文燭司業.辛酉丙寅,進士.癸丑癸亥,依覓.

명조)1-[심응건 병비] 명조)2-[사관 태수] 명조)3-[정찬 주정]
　丁 庚 丁 庚　　　　丁 庚 乙 壬　　　　丁 庚 辛 丙

丑 子 亥 午　　　　丑 子 巳 午　　　　丑 子 卯 申

명조)4-[거인] 명조)5-[하랑 시랑] 명조)6-[주문촉 사업]

丁 庚 甲 甲　　　丁 庚 丙 甲　　　　丁 庚 丙 壬
丑 子 戊 寅　　　丑 子 寅 申　　　　丑 子 午 子

명조)7-[진사] 명조)8-[의먁]

丁 庚 丙 辛　　丁 庚 癸 癸
丑 子 寅 酉　　丑 子 亥 丑

庚寅일 丁丑시는, 우두머리이다. 寅 卯 午 未 亥월은 청수(淸秀)하며 뛰어난 命이다. 午 未運
으로 行하면 귀현(貴顯)한다. 火 土의 年 月에 通하면 貴하다. (庚寅日,丁丑時,魁元.寅卯午未亥
月,淸秀高命.行午未運貴顯.通火土年月貴.)

戊午乙丑,倫以訓會元榜眼官止侍郎.乙巳己丑,黃世範舉人.壬寅癸丑,元戎.戊午壬戌,常常.癸丑癸亥,
申己卯舉人,壬午遇難.

명조)1-[윤 이훈] 명조)2-[황세범 거인] 명조)3-[원융]

丁 庚 乙 戊　　　丁 庚 己 乙　　　　丁 庚 癸 壬
丑 寅 丑 午　　　丑 寅 丑 巳　　　　丑 寅 丑 寅

명조6에서, 윤 이원회원은 방안으로 벼슬이 시랑에 이르렀다.

명조)4-[상상] 명조)5-[거인]

丁 庚 壬 戊　　丁 庚 癸 癸
丑 寅 戊 午　　丑 寅 亥 丑

명조5에서, 申運 己卯년 거인이 되고, 壬午년 難(재앙)을 만났다.

庚辰일 丁丑시는, 丑월은 富하나 壽命이 촉박하다. 己는 근시(近侍)로써 대귀(大貴)하다. 火 土
가 生旺한 月에 通하면 貴하다. 運을 얻지 못하여도 또한 富하며 명예(名譽)가 있다. (庚辰日,丁
丑時,丑月富而壽促.己近侍大貴.通火旺土生月貴.不得運遇,亦富有名譽.)

戊辰戊午,丞相.戊子癸丑,穆鐸舉人.甲午戊辰,胡汝欽給諫.乙酉乙酉,顧錫疇禮部尙書.己巳庚午,依
覓.

명조)1-[승상] 명조)2-[목탁 거인] 명조)3-[호여흠 급간]

丁 庚 戊 戊　　　丁 庚 癸 戊　　　　丁 庚 戊 甲

丑 辰 午 辰　　　　丑 辰 丑 子　　　　　丑 辰 辰 午

명조)4-[고석주 예부상서] 명조)5-[의멱]

丁 庚 乙 乙　　　　　　丁 庚 庚 己

丑 辰 酉 酉　　　　　　丑 辰 午 巳

庚午일丁丑시는, 土가 月의 氣運에 通하면 貴하지 않아도 또한 富하며 명성(名聲)이 있다. (庚午日,丁丑時,通土月氣,不貴亦富有名聲.)

乙丑戊子,嚴蒙丞相.庚子戊寅,周在大參.庚寅丁亥,進士.甲午辛未,同知.戊戌丙辰,擧人.己巳戊辰,擧人.己丑庚午,富.壬子己酉,楊道賓榜眼侍郎.甲寅辛未,張嗣修榜眼謫戍.壬戌己酉,雷轟三十四歲.庚辰壬午,進士.

명조)1-[엄몽 승상] 명조)2-[주재 대참] 명조)3-[진사]

丁 庚 戊 乙　　　　　丁 庚 戊 庚　　　　　丁 庚 丁 庚

丑 午 子 丑　　　　　丑 午 寅 子　　　　　丑 午 亥 寅

명조)4-[동지]　 명조)5-[擧人] 명조)6-[거인]

丁 庚 辛 甲　　　　丁 庚 丙 戊　　　丁 庚 戊 己

丑 午 未 午　　　　丑 午 辰 戌　　　丑 午 辰 巳

명조)7-[富]　 명조)8-[양도빈 방안시랑] 명조)9-[장사수 방안, 謫戍]

丁 庚 庚 己　　丁 庚 己 壬　　　　　丁 庚 辛 甲

丑 午 午 丑　　丑 午 酉 子　　　　　丑 午 未 寅

명조)10-[뇌굉 三十四歲] 명조)11-[진사]

丁 庚 己 壬　　　　　丁 庚 壬 庚

丑 午 酉 戌　　　　　丑 午 午 辰

庚申일 丁丑시는, 丑月에 金 火運은 극품(極品)이다. 辰 巳 午 未 戌월은 官印이 兩旺하여 貴하다. 申 酉[月]은 身이 太旺하니 반드시 木 火로 行해야 한다. 寅 卯는 財가 太旺하니 반드시 金 水[運]으로 行해야 한다. 亥 子는 금한수냉(金寒水冷)하니 반드시 火 土運으로 行하여야 貴하다. (庚申日,丁丑時,丑月金火運極品.辰巳午未戌月,官印兩旺貴.申酉身太旺,須行木火.寅卯財太旺,須行金水.亥子金寒水冷,須行火土運貴.)

乙巳庚辰,尚書.壬申己酉,陣虛窗都堂.己巳己巳,吳球副使.己卯丙寅,魯龍山御史.壬午丙午,鄭三得通判.丙午庚子,進士.己巳庚午,解元.庚子丁亥,林春澤進士太守壽一百.戊申辛酉,御史無子.

명조)1-[상서]   명조)2-[진허창 도당]   명조)3-[오구 부사]
丁 庚 庚 乙   丁 庚 己 壬   丁 庚 己 己
丑 申 辰 巳   丑 申 酉 申   丑 申 巳 巳

명조)4-[로용산 어사]   명조)5-[정삼득 통판] 명조)6-[진사]
丁 庚 丙 己   丁 庚 丙 壬   丁 庚 庚 丙
丑 申 寅 卯   丑 申 午 午   丑 申 子 午

명조)7-[해원] 명조)8-[임춘택 진사태수 壽一百.] 명조)9-[어사 無子]
丁 庚 庚 己   丁 庚 丁 庚   丁 庚 辛 戊
丑 申 午 巳   丑 申 亥 子   丑 申 酉 申

庚戌일 丁丑시는, 春절은 財旺하다. 夏절은 官이 旺하다. 秋절은 평담(平淡;마음이 고요하고 의욕이 없음)하다. 冬절은 무력(無力)하다. 또 이르길, 형(刑)하고, 40살 후에 발달한다. (庚戌日, 丁丑時,春財旺.夏官旺.秋平淡.冬無力.一云,刑,四十後發.)

丁巳丁未,侍郎.庚申壬午,黃萬石州牧.乙未戊子,彭球知縣.己未戊辰,林培擧人.戊戌丁巳,擧人.丁酉癸丑,解元.丁酉丁未,兵道.乙酉己卯,黃道周詹事假道學庚辰廷杖,丙戌自領兵被殺.

명조)1-[시랑] 명조)2-[황만석 주목] 명조)3-[팽구 지현]
丁 庚 丁 丁   丁 庚 壬 庚   丁 庚 戊 乙
丑 戌 未 巳   丑 戌 午 申   丑 戌 子 未

명조)4-[임배 거인] 명조)5-[거인]   명조)6-[해원]
丁 庚 戊 己   丁 庚 丁 戊   丁 庚 癸 丁
丑 戌 辰 未   丑 戌 巳 戊   丑 戌 丑 酉

명조)7-[병도]   명조)8-[황도주 첨사]
丁 庚 丁 丁   丁 庚 己 乙
丑 戌 未 酉   丑 戌 卯 酉

명조8에서, 황 도주 첨사는 道學하였고, 庚辰년에 정장이 되었고, 丙戌년에 자신이 거느리고 있는 병사에게 피살(被殺)당했다.

기토홍예(氣吐虹霓)局은, 창고(倉庫)의 문호(門戶)가 열리는 어느 한때에 運이 이르면 福祿이 자연히 찾아온다. (氣吐虹霓局,倉門庫戶開,一朝時運至,福祿自然來.)

庚 丁이 相合한 丑時가 온전하면 마치 밝은 달빛이 푸른 하늘을 빛내는 것 같다. 刑 剋을 만나지 않는 것은 참으로 드물고, 財官이 흥왕(興旺)하면 한층 더 오래 산다. (庚丁相合丑時全,好象明蟾耀碧天.不遇刑剋眞稀少,財官興旺更長年.)

庚일이 丁丑時를 만나면, 正官과 財와 庫가 서로 붙어있다. 午 未 戌월은 福이 넉넉하여 남고, 庚이 時를 取하여 금궤(金櫃)를 만난다. 金은 火를 만나 그릇을 이루면 반드시 子息의 음덕(蔭德)과 妻가 봉작(封爵)을 받는다. 종래(從來)로부터 술과 노래가 떠나지 않고 청한락의(淸閑樂意)한다.　(庚日時逢丁丑,正官財庫相隨.午未戌月福優餘,庚取時逢金櫃.金逢火而成器,必然蔭子封妻.從來歌酒不相離,定主淸閑樂意.)

14. 六庚日戊寅時斷

6庚일생이 戊寅시면, 火는 長生하고 金은 絶하여 福이 부족한 사람이다. 月이 종혁(從革)에 通하여 혹 秋절생이면 오히려 황가(皇家)의 중요한 신하가 된다. (六庚日生時戊寅,火生金絶福虧人.月通從革或秋降,卻作皇家柱石臣.)

庚일이 戊寅시면, 火는 長生하고 金이 絶한다. 庚은 丙이 鬼가 되고 戊는 도식(倒食)이다. 寅상에 透干한 戊가 癸를 合하여 火로 化하며 庚金의 氣는 絶한다. 만약 金旺한 月에 불통(不通)한데 구조(救助)함이 없으면 빈천(貧賤)하거나 요절(夭折)한다. 巳月은 庚이 長生하며 丙이 건왕하니 身과 鬼가 모두 强하다. 運이 西方으로 行하면 매우 용맹하여 무(武)로써 貴하다. 申 酉 丑 戌월은 金火가 合局하니 鬼가 化하여 官이 되고, 다시 身强한 運을 얻으면 貴하다. (庚日,戊寅時,火生金絶.庚以丙爲鬼,戊爲倒食.寅上有明戊合癸化火,庚金氣絶.若不通金旺月,無救助者,夭賤貧下.巳月庚長生,丙健旺,身鬼俱强.運行西方,勇暴武貴.申酉丑戌月,金火合局,化鬼爲官,更得身强運貴.)

庚子일戊寅시는, 寅 午의 年 月은 과거에 급제하여 현달(顯達)한다. 순수한 申은 3~4품의 貴이다. 丑月에 金 火運은 공경(公卿)이다. (庚子日,戊寅時,寅午年月,登科顯達.純甲[申]三四品貴.丑月金火運,公卿.)

乙巳己丑,呂震尙書.己未癸酉,極品.壬午壬寅,侍郞.己丑戊辰,姚廉使.甲寅甲戌,宋茂熙進士.庚寅丙戌,參將問死.丙午癸巳,同知.乙丑壬午,李騰芳少詹.丁卯辛亥,通參.戊午乙卯,國公.丙戌庚寅,福王.

명조)1-[여진 상서] 명조)2-[극품]　명조)3-[시랑]

戊 庚 己 乙　　　戊 庚 癸 己　　　戊 庚 壬 壬
寅 子 丑 巳　　　寅 子 酉 未　　　寅 子 寅 午

명조)4-[요 염사] 명조)5-[송무희 진사] 명조)6-[참장문 死]
戊 庚 戊 己　　　戊 庚 甲 甲　　　　戊 庚 丙 庚
寅 子 辰 丑　　　寅 子 戌 寅　　　　寅 子 戌 寅

명조)7-[동지] 명조)8-[이등방 소첨] 명조)9-[통참]
戊 庚 癸 丙　　戊 庚 壬 乙　　　　戊 庚 辛 丁
寅 子 巳 午　　寅 子 午 丑　　　　寅 子 亥 卯

명조)10-[국공] 명조)11-[복왕]
戊 庚 乙 戊　　　戊 庚 庚 丙
寅 子 卯 午　　　寅 子 寅 戌

庚寅일 戊寅시는, 月에 火局이 通하고, 혹 秋절생이 身旺運으로 行하면 貴하다. 庚子월은 自身이 死한다. 年에 辛酉를 보면 가난하거나 요절하고 잔질(殘疾)로 身衰하다. 丙이 太旺하여도 동일하게 論한다. (庚寅日,戊寅時,月通火局,或秋生行身旺運貴.庚子月自死.年見辛酉,貧夭殘疾身衰. 見丙太旺同論.)

甲申乙亥,尙書.壬辰己酉,馮成大參.壬辰壬寅,廉使.壬子庚戌,進士.庚寅己丑,進士.己亥丙寅,呈杰守備.丁卯丁未,縣尹.乙酉庚辰,知州.庚寅戊寅,極品.己亥丙戌,御史.

명조)1-[상서] 명조)2-[풍성 대참] 명조)3-[염사]
戊 庚 乙 甲　　戊 庚 己 壬　　　戊 庚 壬 壬
寅 寅 亥 申　　寅 寅 酉 辰　　　寅 寅 寅 辰

명조)4-[진사] 명조)5-[진사] 명조)6-[정걸 수비]
戊 庚 庚 壬　　戊 庚 己 庚　　戊 庚 丙 己
寅 寅 戌 子　　寅 寅 丑 寅　　寅 寅 寅 亥

명조)7-[현윤] 명조)8-[지주]
戊 庚 丁 丁　　戊 庚 庚 乙
寅 寅 未 卯　　寅 寅 辰 酉

명조)9-[극품] 명조)10-[어사]

```
戊 庚 戊 庚     戊 庚 丙 己
寅 寅 寅 寅     寅 寅 戌 亥
```

庚辰일戊寅시는, 春 夏節 生은 天干에 丙 丁이 투출한 運이 身旺으로 行하면 貴하다. (庚辰日, 戊寅時, 春夏生, 干透丙丁運, 行身旺貴.)

丙寅辛卯, 尚書. 壬子壬寅, 史梧進士. 壬戌壬寅, 知州. 戊戌甲寅, 進士. 丁卯丁[癸]丑, 擧人. 壬戌丁未, 府尹. 戊辰甲子, 進士.

명조)1-[상서] 명조)2-[사오 진사] 명조)3-[지주]
```
戊 庚 辛 丙     戊 庚 壬 壬     戊 庚 壬 壬
寅 辰 卯 寅     寅 辰 寅 子     寅 辰 寅 戌
```

명조)4-[진사] 명조)5-[거인]
```
戊 庚 甲 戊     戊 庚 癸 丁
寅 辰 寅 戌     寅 辰 丑 卯
```

명조)6-[부윤] 명조)7-[진사]
```
戊 庚 丁 壬     戊 庚 甲 戊
寅 辰 未 戌     寅 辰 子 辰
```

庚午일 戊寅시는, 寅 午 戌월은 金이 衰弱하고 火는 旺하여 마땅히 잔질(殘疾)이 있다. 순수한 寅이면 도리어 극귀(極貴)하다. 秋절은 金旺하여 貴함이 많으며, 단지 時에서 凶 劫을 만나는 것을 꺼리는데, 身을 剋하면 凶하다. (庚午日, 戊寅時, 寅午戌月, 金衰火旺, 當帶殘疾. 純寅反主極貴. 秋金旺多貴, 但忌時遇凶劫剋身則凶.)

甲寅丙寅, 祭酒. 庚午戊寅, 劉眞大參. 庚申戊寅, 進士. 丁丑己酉, 王宗會僉事. 戊戌庚申, 廉使. 壬午丙午, 戴綸總兵. 庚子己丑, 指揮. 丙申庚寅, 富壽. 辛巳丙寅, 凶死.

명조)1-[제주] 명조)2-[유진 대참] 명조)3-[진사]
```
戊 庚 丙 甲     戊 庚 戊 庚     戊 庚 戊 庚
寅 午 寅 寅     寅 午 寅 午     寅 午 寅 申
```

명조)4-[왕종회 첨사] 명조)5-[염사] 명조)6-[대륜 총병]
```
戊 庚 己 丁     戊 庚 庚 戊     戊 庚 丙 壬
寅 午 酉 丑     寅 午 申 戌     寅 午 午 午
```

명조)7-[지휘] 명조)8-[富, 壽] 명조)9-[凶死했다.]

戊 庚 己 庚   戊 庚 庚 丙   戊 庚 丙 辛

寅 午 丑 子   寅 午 寅 申   寅 午 寅 巳

庚申일 戊寅시는, 日 時가 나란히 衝하니 妻子를 손상할까 염려된다. 寅 卯 辰월에 火 金運은 후백(侯伯)이다. 春月에 西南 運은 대귀(大貴)하다. 寅월은 귀현(貴顯)이 오래가지 않는다. 또 이르길, 먼저는 형(刑)하지만 나중에는 吉하다. (庚申日,戊寅時,時日倂衝,憂傷妻子.寅卯辰月火金運,侯伯.春月西南運大貴.寅月貴顯不久.一云,先刑後吉.)

庚戌丙戌,彭韶尙書.己酉戊辰,余子俊尙書名臣.癸亥壬戌,陳狀元.丙戌己亥,擧人巨富.丁丑癸卯,擧人.

명조)1-[팽소 상서] 명조)2-[여자준 상서 명신] 명조)3-[진 장원]

戊 庚 丙 庚   戊 庚 戊 己   戊 庚 壬 癸

寅 申 戌 戌   寅 申 辰 酉   寅 申 戌 亥

명조)4-[거인 거부] 명조)5-[거인]

戊 庚 己 丙   戊 庚 癸 丁

寅 申 亥 戌   寅 申 卯 丑

庚戌일 戊寅시는, 貴하다. 戌월은 잡기재관인수로 貴하다. 庚辰년 己卯월이면 후백(侯伯)이다. (庚戌日,戊寅時,貴.戌月雜氣財官印綬貴.庚辰年己卯月者,侯伯.)

辛酉丙申,傅伯壽樞密.己未丁丑,中書.壬申庚戌,運使.丁亥癸丑,劉大受少卿乙亥年卒.壬寅壬寅,劉堂錦衣.丁未丁未,蔭生.乙巳癸未,陳禹謨侍郎.己酉丙子,進士.

명조)1-[부백수 추밀] 명조)2-[중서] 명조)3-[운사]

戊 庚 丙 辛   戊 庚 丁 己 戊 庚 庚 壬

寅 戌 申 酉   寅 戌 丑 未 寅 戌 戌 申

명조)4-[유대수 소경 乙亥년 卒] 명조)5-[유당 금의] 명조)6-[음생]

戊 庚 癸 丁   戊 庚 壬 壬   戊 庚 丁 丁

寅 戌 丑 亥   寅 戌 寅 寅   寅 戌 未 未

명조)7-[진우모 시랑] 명조)8-[진사]

```
戊 庚 癸 乙        戊 庚 丙 己
寅 戌 未 巳        寅 戌 子 酉
```

량공탁옥(良工琢玉)局은 만나지 않으면 初時에 있다. 하루아침에 뛰어난 장인(匠人)을 만나면 貴人으로 그릇을 이룬다. (良工琢玉局,未遇在初時.一朝逢巧匠,成器貴人提.)

庚일[戊] 寅시는 매우 자랑할 만하고, 刑 剋 破가 없으면 영화(榮華)를 드러낸다. 運이 저절로 찾아와 고인(高人)의 도움이 있고, 時에 이르면 금상첨화(錦上添花)이다. (庚日寅時甚可誇,無刑剋破顯榮華.運來自有高人助,時至如添錦上華.)

庚일 戊寅시는 빼어나지만 편인 도식은 용납하기 어렵다. 소년시절에 만나지 않으면 마음의 근심이 없는데, 이러한 命은 혹 가난하거나 혹 부유하다. 때가 이르면 발재(發財) 발복(發福)하고, 運이 오면 유순(柔順)한 물로 배가 나아간다. 月중에 金 水가 서로 맞고 破가 없으면 공명(功名)을 이룬다. (庚日戊寅時秀,偏印倒食難收.少年未遇莫心憂,此命或貧或富.時至發財發福,運來順水行舟.月中金水更相投,無破功名成就.)

15. 六庚日己卯時斷

6庚일생이 己卯시면, 胎가 元命을 生하여 妻로 인해 發한다. 柱중에 의지함이 있어 庚이 旺하면 財祿이 풍영(豊盈)하며 수복(壽福)을 누린다. (六庚日生時己卯,胎生元命發因妻.柱中有托逢庚旺,財祿豊盈福壽齊.)

庚일 己卯시면, 胎는 元命을 生한다. 庚金이 卯상에서 수태(受胎)하여 己를 보면 生氣인 印綬가 된다. 庚은 乙이 財가 되고, 卯에는 旺한 乙이 있어 妻로 인해 발복(發福)한다. 만약 柱에 旺한 丁이 生하고 月에 祿이 있으면 貴하다. 의탁(依託)함이 있으면 富하다. 생기(生氣)에 通[根]하고 財旺하거나 財旺한 運을 生하면 모두 貴하다. (庚日己卯時,胎生元命.庚金卯上受胎,見己爲生氣印綬.庚以乙爲財,卯有旺乙,因妻發福.若柱旺丁生,月帶祿者貴.有倚托者富.通生氣財旺者,生財旺運者,俱貴.)

庚子일己卯시는, 子 卯가 相刑하니 妻子를 손상할까 염려된다. 子의 년 월은 貴하다. 丑 未는 벼슬이 3품에 이른다. 또 이르길, 조업을 破하고 고향을 떠나지만 대귀(大貴)하다. (庚子日,己卯時,子卯相刑,憂傷妻子.子年月貴.丑未官至三品.一云,破祖失土,大貴.)

辛卯庚寅,岳鍾英太守.甲午乙巳,萬嵩尚書.一命,富同

명조)1-[악종영 태수] 명조)2-[만륜 상서. 一命, 富同]

己 庚 庚 辛　　　　己 庚 乙 甲

卯 子 寅 卯　　　　卯 子 巳 午

庚寅일 己卯시는, 亥 卯월은 재성格인데, 젊어서 영화하고 일찍 물러난다. 午 戌은 三合하여 官局인데 天干에 金水가 투출하고 西北 運으로 行하면 吉하다. (庚寅日,己卯時,亥卯月財星格,早榮早退.午戌三合官局,干透金水,行西北運者吉.)

甲午甲戌,平章.丁卯癸卯,邵同溪運判.乙亥丙戌,王錫爵閣老父.癸巳乙丑,女命子中丞.

명조)1-[평장]　명조)2-[소동계 운판]

己 庚 甲 甲　　　己 庚 癸 丁

卯 寅 戌 午　　　卯 寅 卯 卯

명조)3-[왕석작 閣老 父] 명조)4-[女命 子 中丞]

己 庚 丙 乙　　　　己 庚 乙 癸

卯 寅 戌 亥　　　　卯 寅 丑 巳

庚辰일己卯시는, 고독하다. 年 月에 木氣가 通하고 의탁(依託)할 곳이 있으면 貴하다. (庚辰日,己卯時,孤.年月通木氣,及有倚托者貴.)

壬子癸卯,丞相.辛酉丙申,大參.丙辰庚子,解元.

명조)1-[승상]　명조)2-[대참]　명조)3-[해원]

己 庚 癸 壬　　　己 庚 丙 辛　　　己 庚 庚 丙

卯 辰 卯 子　　　卯 辰 申 酉　　　卯 辰 子 辰

庚午일己卯시는, 刑 破한다. 申 子 辰 巳 酉 丑은 모두 東南 運으로 行하여야 貴하다. 寅 午 戌 亥 卯 未는 모름지기 西北운을 얻어야 아름답게 된다. (庚午日,己卯時,刑破.申子辰巳酉丑,俱行東南運貴.寅午戌亥卯未,須得西北運爲佳.)

乙丑乙酉,御史.壬寅己酉,監丞.戊戌己卯,富.癸酉乙卯,武元.

명조)1-[어사] 명조)2-[감승]

己 庚 乙 乙　　　己 庚 己 壬

卯 午 酉 丑　　　卯 午 酉 寅

명조)3-[富]　　명조)4-[무원]

己 庚 己 戊　　己 庚 乙 癸

卯 午 卯 戌　　卯 午 卯 酉

庚申일 己卯시는, 卯월은 재성격으로 貴하지 않으면 富하다. 丑 巳의 年 月은 한림(翰林)으로 청(淸)貴하며 벼슬이 아경(亞卿;정승 판서 다음인 참판정도의 벼슬)에 이른다. 또 이르길, 젊어서 가난하고, 중년(中年)에 작은 재앙이 있고, 妻를 剋하며 자식이 드물다. (庚申日,己卯時,卯月財星格,不貴卽富.丑巳年月,翰林淸貴,官至亞卿.一云,少貧,中年有小災,剋妻少子.)

甲戌丁卯,丞相.己卯甲寅,平章.甲午戊辰,都督.

명조)1-[승상]　명조)2-[평장]　　명조)3-[도독]

己 庚 丁 甲　　己 庚 甲 己　　　己 庚 戊 甲

卯 申 卯 戌　　卯 申 寅 卯　　　卯 申 辰 午

庚戌일 己卯시는, 어려서 고독하고 母가 賤하지만 중년에는 貴하다. 卯 酉 辰 丑월은 벼슬이 공경(公卿)에 이른다. (庚戌日,己卯時,少孤母賤,中年貴.卯酉辰丑月,官至公卿.)

戊申癸亥,南部.壬辰庚戌,進士.乙丑癸未,運使.丁酉乙巳,李戴冢宰無子.

명조)1-[남부]　명조)2-[진사]

己 庚 癸 戊　　己 庚 庚 壬

卯 戌 亥 申　　卯 戌 戌 辰

명조)3-[운사]　명조)4-[이대 총재, 無子]

己 庚 癸 乙　　己 庚 乙 丁

卯 戌 未 丑　　卯 戌 巳 酉

태성원명(胎星元命)局은 財旺하니 身强함을 좋아한다. 때가 오면 마땅히 발달하며 中 末년에 성명(姓名;성과 이름)을 날린다. (胎星元命局,財旺喜身强.時來宜進達,中末姓名香.)

天元의 庚이 己卯시와 잇닿으니 祿이 文書를 만나니 富貴가 온전하다. 四柱에 刑 衝 剋 破가 없고, 貴人을 맞이하면 젊어서 임금에 등극한다. (天元庚己卯時連,祿見文書富貴全.四柱無刑衝剋破,貴人接引上靑天.)

庚일 己卯시를 만나면, 財 官運의 氣運에 형통(亨通)한다. 만약 刑 衝이 없으면 봉작을 받지만 破가 있으면 중년(中年)에 순탄하지 않다. 六親이나 兄弟는 의지하기 어렵고 계책이 무궁(無窮)하며 자수성가(自手成家)한다. 때가 오면 발달(發達)하며 공명(功名)을 드러내고, 스스로 고인(高人)임을 자처한다. (庚日時逢己卯,財官運氣亨通.若無刑衝定襃封,有破中年不順.雁行六親難靠,自成家計無窮.時來發達顯功名,自有高人引用.)

16. 六庚日庚辰時斷

6庚일생이 庚辰시면, 金 水의 秋절생은 기상(氣象)이 순수(純粹)하다. 만약 괴강이 있으면 귀천(貴賤)을 아우르는데, 財 官은 喜忌를 6宮으로 나눈다. (六庚日生時庚辰,金水秋生氣象純.若有魁罡包貴賤,財官喜忌六宮分.)

庚일이 庚辰시면, 金 水가 청백(淸白)하다. 6庚중에 庚戌 辰은 괴강인데, 財 官을 보는 것이 두렵다. 刑 衝을 만나지 않으면 용맹스런 호걸로 貴하지만 [刑衝을] 만나면 화환(禍患)이 백출(百出)한다. 庚子 庚寅 庚午 庚申은 財 官을 보는 것이 기쁘다. 秋월에 生하면 위인(爲人)이 수려(秀麗)하며 貴하지 않으면 富하다. 만약 身이 불화(不化)하면 甲 乙 丁이 투출하여 火木분야를 生하여도 역시 財 官으로 論하게 된다. 기쁜 것이 月氣에 通하는 運이면 吉하다. (庚日,庚辰時,金水淸白.六庚之中,庚戌庚辰爲魁罡,怕見財官,刑衝不見,主爲人龕豪暴勇而貴,見則禍患百出.庚子庚寅庚午庚申,喜見財官.生秋月,爲人秀麗,不貴則富.若身不化,得甲乙丁透出,生火木分野,亦作財官論.喜月氣通運者吉.)

庚子일 庚辰시는, 申月생이면 정란차격(井欄叉格)이다. 四柱에서 運과 아울러 丙 丁 巳 午 寅 戌의 글자를 보지 않아야 貴하다. 순수한 卯의 年 月이면 지위가 공후(公侯)에 이른다. (庚子日,庚辰時,申月生,井欄叉格.柱倂運不見丙丁巳午寅戌字貴.純卯年月,位至公侯.)

庚午己丑,京卿.庚辰乙酉,解元.甲申壬申,進士.戊申乙丑,都督.己巳丙寅,郭希顔諭德庚申年以諫言梟示痛哉.一命庚子庚辰祖父皆貴申運申年問軍信頑金要火.一命純庚辰年月强盜分屍,三柱魁罡獨旺柱無火制一片頑金爲盜遭凶宜矣.丁丑乙丑,遊擊.癸巳甲子,僉事.

명조)1-[京卿]　명조)2-[해원]　명조)3-[진사]

庚	庚	己	庚		庚	庚	乙	庚		庚	庚	壬	甲
辰	子	丑	午		辰	子	酉	辰		辰	子	申	申

명조)4-[도독]　명조)5-[곽희안 유덕]

庚	庚	乙	戊		庚	庚	丙	己

辰 子 丑 申　　辰 子 寅 巳

명조5에서, (1)곽 희안은 유덕인데, 庚申년에 간언(諫言)하다가 효수(梟首)를 당하였으니 슬프도다! (2)또 하나의 命은 庚子 庚辰으로 祖 父가 모두 貴하였는데, 申運申年問軍信頑金要火. (3)또 하나의 命은 순수한 庚辰의 年 月에 강도(强盜)에게 살해당하였는데, 三柱에서 괴강이 다만 旺한데 柱에 火의 制함이 조금도 없으니, 완고한 金이 도적을 만나니 마땅히 凶하게 되는 것이다.

명조)6-[유격]　명조)7-[첨사]
庚 庚 乙 丁　　庚 庚 甲 癸
辰 子 丑 丑　　辰 子 子 巳

庚寅일 庚辰시는, 용호공문(龍虎拱門)이다. 年 月에 火 土가 通[根]하면 貴하다. 순수한 庚辰은 왕후(王侯)인데 그렇지 않으면 극히 凶하다. 만약 年 月에서 木 火를 만나고 運에서 재차 行하면 극품(極品)이다. (庚寅日,庚辰時,龍虎拱門.年月通火土者,貴.純庚辰王侯,不然極凶.若年月遇木火運再行,極品.)

庚午辛巳,王道立編修.己巳戊辰,都憲.乙丑丙戌,金琦僉堂.壬戌壬子,大富凶死.己未壬申,劉廷柱河間太守被奴弒死.戊子甲寅,孫鋌庶吉士.乙亥丙戌,項鼎鉉庶吉士.辛丑丁酉,憲副.

명조)1-[왕도립]　명조)2-[헌부]　명조)3-[금기 첨당]
庚 庚 辛 庚　　　庚 庚 戊 己　　庚 庚 丙 乙
辰 寅 巳 午　　　辰 寅 辰 巳　　辰 寅 戌 丑

명조)4-[大富 凶死]　명조)5-[유정주]　명조)6-[손정 庶吉士]
庚 庚 壬 壬　　　庚 庚 壬 己　　　庚 庚 甲 戊
辰 寅 子 戌　　　辰 寅 申 未　　　辰 寅 寅 子

명조5에서, 유 정주는 하간태수인데 奴(하인)에게 피살당했다.

명조)7-[항 정현 庶吉士]　명조)8-[헌부]
庚 庚 丙 乙　　　庚 庚 丁 辛
辰 寅 戌 亥　　　辰 寅 酉 丑

庚辰일 庚辰시는, 괴강인데 年 月에서 財 官과 아울러 戌[字]를 보지 않으면 貴하고, 衝 破하면 富하다. 申 子의 年 月은 정란차격(井欄叉格)인데, 西南운으로 行하면 吉하다. 순수한 庚辰 庚申이거나, 혹 乙酉로 化金하고 火氣에 通[根]함이 없으면 흉악한 무리인 소인배(小人輩)이다. 또 이르길, 형(刑)한다. (庚辰日,庚辰時,魁罡年月,不見財官並戌字貴,衝破者富.申子年月,作井欄叉,

行西南運吉.純庚辰庚申,或乙酉化金,通無火氣,凶徒小人.一云,刑.)

乙亥庚辰,甲戌運衝刃太歲戊辰小運己未五十四歲凌遲死.壬寅丁未,陸萬鍾進士.戊寅甲寅,王鼎都憲.甲申乙亥,趙廷槐大尹.戊子辛酉,擧人.甲戌乙亥,太守.丁亥戊申,張佳胤尚書.一御史同.甲申庚午,一元戎,一都司.甲寅戊辰,武貴陣亡.丙申甲午,王麟洲少卿.乙酉庚辰,統制.

명조)1-[능지처참] 명조)2-[육만종 진사] 명조)3-[왕정 도헌]

```
庚 庚 庚 乙      庚 庚 丁 壬      庚 庚 甲 戊
辰 辰 辰 亥      辰 辰 未 寅      辰 辰 寅 寅
```

명조1에서, 甲戌運에 太歲戊辰의 刃을 衝하여, 小運己未인 54歲에 능지처참(陵遲處斬)으로 죽었다.

명조)4-[조정괴 대윤] 명조)5-[擧人] 명조)6-[태수]

```
庚 庚 乙 甲      庚 庚 辛 戊      庚 庚 乙 甲
辰 辰 亥 申      辰 辰 酉 子      辰 辰 亥 戌
```

명조)7-[장가윤 상서.一御史同] 명조)8-[한명은 원융,또 한명은 도사]

```
庚 庚 戊 丁            庚 庚 庚 甲
辰 辰 申 亥            辰 辰 午 申
```

명조)9-[武職으로 貴하였으나 陣中에서 사망] 명조)10-[왕린주 소경] 명조)11-[통제]

```
庚 庚 戊 甲              庚 庚 甲 丙        庚 庚 庚 乙
辰 辰 辰 寅              辰 辰 午 申        辰 辰 辰 酉
```

庚午일 庚辰시는, 自刑으로 金神이 火鄕에 든다. 申月에 火木의 運으로 行하면 벼슬이 가히 6품이다. (庚午日,庚辰時,自刑,金神入火鄕.申月行火木運,官可六品.)

丁巳丁未,王嘉賓文選.丁丑己酉,黃希憲御史.辛丑乙未,太守.丙子己亥,擧人.己卯己巳,平章.

명조)1-[왕가빈 문선] 명조)2-[황희헌 어사] 명조)3-[태수]

```
庚 庚 丁 丁      庚 庚 己 丁      庚 庚 乙 辛
辰 午 未 巳      辰 午 酉 丑      辰 午 未 丑
```

명조)4-[거인]   명조)5-[평장]

```
庚 庚 己 丙      庚 庚 己 己
辰 午 亥 子      辰 午 巳 卯
```

庚申일 庚辰시는, 子 申의 年月은 정란차격(井欄又格)에 든다. 四柱의 運에서 丙 丁 巳 午의 글자를 만나지 않으면 貴하다. 순수한 庚申 庚辰은 西 北 東의 運으로 行하면 무직(武職)으로 극품(極品)이다. (庚申日,庚辰時,子申年月,入井欄又.柱運不逢丙丁巳午字,貴.純庚申庚辰,行西北東運,武職極品.)

戊申庚申,韓郡王.乙巳甲申,周忠布政.癸亥乙丑,王鶴府尹.己卯庚寅,都諫.癸亥庚申,員外.癸未庚申,尹鳳武狀元.己亥辛未,周令中書.甲寅丙寅,費尙伊給事.壬辰壬寅,縣尹.戊寅乙卯,末淸霞道人百二十歲.乙未庚辰,子黃士俊狀元閣老.戊寅甲子,錢龍錫閣老謫戌.戊午庚申,周應秋尙書.辛酉癸巳,進士.

명조)1-[한군왕]　명조)2-[주충 포정]　명조)3-[왕학 부윤]

庚 庚 庚 戊　　庚 庚 甲 乙　　　庚 庚 乙 癸
辰 申 申 申　　辰 申 申 巳　　　辰 申 丑 亥

명조)4-[도간]　명조)5-[원외]　명조)6-[윤봉무 장원]

庚 庚 庚 己　　庚 庚 庚 癸　　庚 庚 庚 癸
辰 申 寅 卯　　辰 申 申 亥　　辰 申 申 未

명조)7-[주령 중서]　명조)8-[비상이 급사]　명조)9-[현윤]

庚 庚 辛 己　　　庚 庚 丙 甲　　　庚 庚 壬 壬
辰 申 未 亥　　　辰 申 寅 寅　　　辰 申 寅 辰

명조)10-[말청하 도인, 120歲]　명조)11-[子 황사준 장원閣老]

庚 庚 乙 戊　　　　庚 庚 庚 乙
辰 申 卯 寅　　　　辰 申 辰 未

명조)12-[전용석 각로, 謫戌]　명조)13-[주응추 상서]　명조)14-[진사]

庚 庚 甲 戊　　　庚 庚 庚 戊　　庚 庚 癸 辛
辰 申 子 寅　　　辰 申 申 午　　辰 申 巳 酉

庚戌일 庚辰시는, 土가 두터운 지방(地方)이면 벼슬이 높고 祿이 重하다. 子월에 西南운이면 貴하다. 寅 辰의 年 月은 평상(平常)하다. (庚戌日,庚辰時,魁罡,土厚地方,官高祿重.子月西南運貴.寅辰年月平常.)

丙辰辛丑,丞相.乙丑己丑,胡璉都堂.癸丑己未,陳之良郎中.甲申丁卯,魏邦衡主政.己酉丁丑,作縣應朝拿問.癸酉乙卯,伯.

명조)1-[승상]　　명조)2-[호연 도당]　명조)3-[진지량 낭중]

庚 庚 辛 丙　　　庚 庚 己 乙　　　庚 庚 己 癸

辰 戌 丑 辰　　　辰 戌 丑 丑　　　辰 戌 未 丑

명조)4-[위방형 주정]　명조)5-[작현응, 朝拏問] 명조)6-[伯]

庚 庚 丁 甲　　　庚 庚 丁 己　　　庚 庚 乙 癸

辰 戌 卯 申　　　辰 戌 丑 酉　　　辰 戌 卯 酉

원진뇌정(遠震雷霆)局은 위인(爲人)이 변화(變化)하는 기미(機微)가 있다. 福星이 여러 곳에 臨하면 身이 봉황지(鳳凰池)에 이른다. (遠震雷霆局,爲人有變機.福星臨到處,身至鳳凰池.)

6庚[庚]辰時를 자세히 추리하면, 辰中에 印綬인 庫를 열쇠로 열어야한다. 四柱에 만약 刑 衝하는 글자가 있으면 어찌 福祿이 자연히 오겠는가! (六庚時辰仔細推,辰中印庫鑰匙開.四柱若有衝刑字,安然福祿自天來.)

庚일 庚辰時는, 正으로 地支가 三合하면 우두머리가 된다. 그 중에 특히 卯 戌의 庫門을 열고 破함이 없으면 붉은 옷을 입고 금대(金帶)를 두른다.[高官大爵이 된다.]巳 午 丙 丁은 福을 減하고 財의 거래(去來)를 도모(圖謀)하게 된다. 妻는 重하나 子息이 늦은 命中에 해당하고, 富貴와 청한(淸閑)함이 자연히 있다. (庚日庚辰時,正地支三合爲魁.就中卯戌庫門開,無破紫袍金帶.巳午丙丁減福,謀爲財去財來.妻重子晩命中該,富貴淸閑自在.)

17. 六庚日辛巳時斷

6庚일생이 辛巳時면, 편관은 刃을 合하고 생신(生身)한다. 위인(爲人)이 강의(剛毅)하여 妻와 財를 손상하고, 運이 金鄕에 이르면 貴와 祿이 향유한다.[57] (六庚日生時辛巳,偏官合刃自身生.爲人剛毅妻財損,運到金鄕貴祿享.)

庚일이 辛巳時면, 양인과 편관이다. 庚은 辛이 刃이고 丙은 煞이 된다. 辛은 투출하고 丙은 암장하는데, 合煞하여 權이 된다. 身旺한 月에 通하면 貴하다. 불통(不通)하면 貴하지 않지만 장수(長壽)한다. (庚日,辛巳時,陽刃偏官.庚以辛爲刃,丙爲殺.明辛暗丙,合煞爲權.通身旺月貴.不通,無貴,壽考.)

庚子일 辛巳時는, 春節은 富하다. 夏 秋節은 貴하다. 冬節은 가난하다. 辰 戌 丑 未의 年 月은

---

57) **강의**(剛毅:강직하여 굴하지 않음)

印綬인데, 西南 運으로 行하면 貴하다. (庚子日,辛巳時,春富.夏秋貴.冬貧.辰戌丑未年月,印綬,行西南運貴.)

己未丁丑,張瑞太守.丁丑癸卯,主政.己未己巳,黃德純進士.己丑戊辰,副使.甲戌壬申,運使.戊戌壬戌,福順進士.甲寅戊辰,王庭讓探花.丙寅癸巳,劉光復御史以諫梃擊被謫,光宗登基起陞光祿寺丞.

명조)1-[장서 태수] 명조)2-[주정] 명조)3-[황덕순 진사]

辛 庚 丁 己　　　辛 庚 癸 丁　　辛 庚 己 己
巳 子 丑 未　　　巳 子 卯 丑　　巳 子 巳 未

명조)4-[부사] 명조)5-[운사] 　명조)6-[복순 진사]

辛 庚 戊 己　　辛 庚 壬 甲　　辛 庚 壬 戊
巳 子 辰 丑　　巳 子 申 戌　　巳 子 戌 戌

명조)7-[왕정선 탐화] 명조)8-[유광복 어사]

辛 庚 戊 甲　　　辛 庚 癸 丙
巳 子 辰 寅　　　巳 子 巳 寅

명조5에서, 유 광복어사인데, 간언(諫言)으로 곤장 맞고 귀양 갔다가, 광종이 등극하자 다시 광록사승에 올랐다.

庚寅일 辛巳시는, 巳 酉 丑월은 身旺하여 貴하다. 煞旺하고 身弱한 月은 가난하다. 순수한 申의 年月은 대귀(大貴)함이 유구(悠久)하다. 亥월에 東南 運이면 권귀(權貴)가 있다. (庚寅日,辛巳時,巳酉丑月,身旺貴.煞旺身弱月貧.純申年月大貴,悠久.亥月東南運,主有權貴.)

庚子甲申,侍郞.甲午癸酉,陳祥都堂.己酉乙亥,進士.壬辰辛亥,擧人.庚辰己丑,擧人.癸丑癸亥,太守.壬子壬寅,刺史.

명조)1-[시랑] 명조)2-[진상 도당] 　명조)3-[進士]

辛 庚 甲 庚　　辛 庚 癸 甲　　　辛 庚 乙 己
巳 寅 申 子　　巳 寅 酉 午　　　巳 寅 亥 酉

명조)4-[거인] 명조)5-[거인]

辛 庚 辛 壬　　辛 庚 己 庚
巳 寅 亥 辰　　巳 寅 丑 辰

명조)6-[태수] 명조)7-[자사]

辛 庚 癸 癸　　辛 庚 壬 壬
巳 寅 亥 丑　　巳 寅 寅 子

庚辰일 辛巳시는, 종신토록 건체한다. 年 月에 財를 만나지 않으면 뛰어나다. 木氣에 通根하고 西南 運으로 行하거나, 未 申에 東北 運은 모두 貴하다.또 이르길, 선무후유(先無後有; 먼저는 貴하지 않아도 나중에는 貴함)하다. (庚辰日,辛巳時,終蹇.年月不見財高.通木氣行西南運,未申東北運,俱貴.一云,先無後有.)

壬申壬寅,汪鎧尚書.丙午丁丑,少卿.庚辰乙亥,方萬有主政.辛酉丙申,州牧.甲申丙子,張學顔尚書原本傳.

명조)1-[왕당 상서] 명조)2-[소경] 명조)3-[방만유 주정]

辛 庚 壬 壬　　　辛 庚 丁 丙　　　辛 庚 乙 庚
巳 辰 寅 申　　　巳 辰 丑 午　　　巳 辰 亥 辰

명조)4-[주목]　명조)5-[장학안 상서, 原本에 전함]

辛 庚 丙 辛　　　辛 庚 丙 甲
巳 辰 申 酉　　　巳 辰 子 申

庚午일 辛巳시는, 巳 午 丑의 年 月은 進士 풍헌(風憲)이다. 巳 申 酉 戌에 土木 運으로 行하면 후백(侯伯)이다. (庚午日,辛巳時,巳午丑年月,進士風憲.巳申酉戌行土木運,侯伯.)

甲子己巳,盧孝達主政.甲申甲戌,白元擧人.辛未戊戌,主政.辛酉丁酉,邵景堯榜眼.戊辰壬戌,壽有八旬外.

명조)1-[로효달 주정] 명조)2-[백원 거인] 명조)3-[주정]

辛 庚 己 甲　　　辛 庚 甲 甲　　　辛 庚 戊 辛
巳 午 巳 子　　　巳 午 戌 申　　　巳 午 戌 未

명조)4-[소경요 방안] 명조)5-[壽命이 80을 넘었다.]

辛 庚 丁 辛　　　辛 庚 壬 戊
巳 午 酉 酉　　　巳 午 戌 辰

庚申일 辛巳시는, 刑한다. 巳 酉 丑월은 특별히 재주가 뛰어나다. 春 夏절은 木火가 旺하여 財官이 地支를 얻어 吉하다. 辰 戌 丑 未는 印綬로써 南方 運으로 行하면 貴하다. (庚申日,辛巳時,刑.巳酉丑月特達.春夏木火旺,財官得地吉.辰戌丑未印綬,行南運貴.)

丙寅己亥,陶朱公.辛未戊戌,王東臺少卿.癸酉乙丑,縣尹.丁未壬寅,方伯.

명조)1-[도주공] 명조)2-[왕동대 소경] 명조)3-[현윤]

辛 庚 己 丙　　　辛 庚 戊 辛　　　辛 庚 乙 癸
巳 申 亥 寅　　　巳 申 戌 未　　　巳 申 丑 酉

명조)4-[방백]

辛 庚 壬 丁
巳 申 寅 未

庚戌일 辛巳時는, 年 月에서 財를 만나면 吉하다. 午 未는 東南운으로 行하면 문직(文職)으로 권력을 잡지만 종말이 좋지 않는 것이 두렵다. 寅 申은 한림(翰林)재상(宰相)이지만 만약 火運으로 行하면 역시 종말이 좋기는 어렵다. (庚戌日,辛巳時,年月遇財吉.午未行東南運,文職操權,恐無好終.寅申翰林宰輔.若行火運,亦難善終.)

甲申丙寅,曹鼐狀元閣老,死土木之難.壬戌丁未,翁溥尚書.壬申辛亥,學士.辛巳戊戌,狀元.戊辰庚申,參政.丁丑丙午,楊且癸丑進士.辛酉溺死.癸巳乙丑,張問主政.癸卯乙未,女命夫劉勃進士,子元震元霖俱中進士.

명조)1-[조내 장원각로] 명조)2-[옹부 상서] 명조)3-[학사]

辛 庚 丙 甲　　　辛 庚 丁 壬　　　辛 庚 辛 壬
巳 戌 寅 申　　　巳 戌 未 戌　　　巳 戌 亥 申

명조1에서, 조내 장원각로인데, 土木之難으로 사망.

명조)4-[장원] 명조)5-[참정] 명조)6-[양차 진사]

辛 庚 戊 辛　　辛 庚 庚 戊　　辛 庚 丙 丁
巳 戌 戌 巳　　巳 戌 申 辰　　巳 戌 午 丑

명조6에서, 양차는 癸丑년에 進士가 되었고, 辛酉년에 익사(溺死)하였다.

명조)7-[장문 주정] 명조)8-[女命]

辛 庚 乙 癸　　　辛 庚 乙 癸
巳 戌 丑 巳　　　巳 戌 未 卯

명조8에서, 여자의 命인데, 남편은 유발 진사이고, 자식은 원진과 원림으로 모두 進士였다.

일간생왕(日干生旺)局은, 안으로 기쁘고 또 근심은 감춘다. 運이 財旺한 地支로 行하면 富貴는 반드시 추구(追求)하지 않는다. (日干生旺局,喜內又藏憂.運行財旺地,富貴不須求.)

庚일이 [辛]巳시를 만나면, 위인(爲人)은 福祿이 별로 없다. 刑 衝 破 害하는 柱가 있으면 자기 스스로 이루어 재앙의 두려움을 면한다. (庚日相逢時巳生,爲人福祿依稀平.刑衝破害柱如有,自立自成免禍驚.)

庚일이 辛巳시에 臨하면, 패재(敗財)와 암귀(暗鬼)를 몰래 찾는다. 재물이 오고가면 소인배가 침입하여 祖 父의 터전과 家業을 蔭德으로 얻기 어렵다. 외합(外合)의 行함이 重하면 발복(發福)하지만 떠돌아다니는 형제는 소식이 없다. 妻를 늦게 만나 子息은 늦어도 개심(開心;지혜를 일깨워 줌)하여 기쁘니 먼저는 고생스러우나 나중에는 영화로운 命이다. (庚日時臨辛巳,敗財暗鬼偸尋.財來財去小人侵,祖父家基難蔭.外合重行發福,兄弟雁行無音.妻遲子晚喜開心,先苦後甘之命.)

18. 六庚日壬午時斷

6庚일생이 壬午시면, 官印의 福宮이 食神에 모인다. 金 土가 身을 도우면 반드시 귀현(貴顯)하고, 月에 火旺함을 만나면 命이 순조롭기 어렵다. (六庚日生時壬午,官印福宮聚食神.金土助身須顯貴,月逢火旺命難通.)

庚일이 壬午시면, 官印이 건왕하다. 庚은 丁이 官이 되며 己는 印綬이고 壬은 食神이 된다. 午상의 壬 食神은 무기(無氣)하고, 丁巳는 祿旺하다. 金 土월의 氣運에 通[根]하여 身을 도우면 貴하다. 火氣에 通[根]하여 官貴가 太重하면 오히려 변화하여 鬼가 된다. 庚金이 유약(柔弱)하여도 福이 되지 않고, 運의 氣運이 身을 도우면 역시 貴하다. (庚日,壬午時,官印健旺.庚以丁爲官,己爲印,壬爲食.午上壬食無氣,丁巳祿旺.通金土月氣扶身者貴.通火氣官貴太重,反化爲鬼.庚金柔弱,不能作福,運氣扶身亦貴.)

庚子일壬午시는, 日時가 나란히 衝하여 妻子를 손상할까 근심된다. 金氣에 通[根]하면 貴하다. 火氣는 대귀(大貴)한데, 그러나 열심히 일하여도 근심이 많다. (庚子日,壬午時,時日併衝,憂傷妻子.通金氣貴.火氣大貴,但多憂勞碌.)

癸酉己未,胡韶侍郎.庚子丙戌,周煦都堂.甲寅戊辰,沈定一副使.甲辰庚午,趙性剛進士.己未丙寅,解元.戊子甲子,余孟麟榜眼,祭酒無子.

명조)1-[호소 시랑] 명조)2-[주후 도당] 명조)3-[심정일 부사]

壬 庚 己 癸	壬 庚 丙 庚	壬 庚 戊 甲
午 子 未 酉	午 子 戌 子	午 子 辰 寅

명조)4-[조성강 진사] 명조)5-[해원] 명조)6-[여맹린 방안, 祭酒 無子]

壬 庚 庚 甲　　　　壬 庚 丙 己　　　壬 庚 甲 戊

午 子 午 辰　　　　午 子 寅 未　　　午 子 子 子

庚寅일 壬午시는, 辰 戌 丑 未 巳 申 酉월은 身旺하여 貴하다. 寅 午[月]에 火旺한 氣運을 다시 만나면 壽命을 재촉한다. 그렇지 않으면 잔질이 있다. (庚寅日,壬午時,辰戌丑未巳申酉月,身旺俱貴.寅午火旺運氣再遇,壽促.不然殘疾.)

己巳丁卯,趙時春會元都堂.乙卯己丑,吳子孝主政.甲戌甲戌,馬謙進士.戊午戊午,狀元.己巳己巳,擧人.丙戌丙申,羅鳳翔擧人都堂.時落空亡少子.丁酉甲辰,沈一貫大學士.

명조)1-[조시춘 회원도당] 명조)2-[오자효 주정] 명조)3-[마겸 진사]

壬 庚 丁 己　　　　壬 庚 己 乙　　　壬 庚 甲 甲

午 寅 卯 巳　　　　午 寅 丑 卯　　　午 寅 戌 戌

명조)4-[장원] 명조)5-[거인]

壬 庚 戊 戊　　　壬 庚 己 己

午 寅 午 午　　　午 寅 巳 巳

명조)6-[라 봉상] 명조)7-[심 일관 대학사]

壬 庚 丙 丙　　　壬 庚 甲 丁

午 寅 申 戌　　　午 寅 辰 酉

명조6에서, 라 봉상은 거인도당인데, 時가 공망이라 자식이 적었다.

庚辰일壬午시는, 食神이 旺하여 음식(飮食)을 좋아하며 경영함에 있어 발(發)하면 죽는다. (庚辰日,壬午時,食神旺,善飮食,有操持,發即死.)

庚子戊寅,劉誠意伯地支漣茹最妙.甲申丙子,張學顔尚書,星案傳.

명조)1-[유성의] 명조)2-[장 학안]

壬 庚 戊 庚　　　壬 庚 丙 甲

午 辰 寅 子　　　午 辰 子 申

명조1에서, 유 성의는 伯(백작)인데, 지지연여(地支漣茹)로 가장 妙하다.

庚午일 壬午시는, 寅 午 戌월에 金은 柔弱하고 火旺하여 잔질(殘疾)로 외축(畏縮)된다. 亥 子

午월에 木火 運으로 行하면 貴하다. (庚午日,壬午時,寅午戌月,金柔火旺,畏縮殘疾.亥子午月,行木火運貴.)

戊子甲子,銓部.癸酉丁巳,丘秉文寺丞.己巳甲午,太守.丙辰乙未,鄭洛書御史.癸巳丙辰,指揮.壬寅癸丑,推官.己丑丁丑,太守.己卯丁卯,擧人.庚寅乙酉,進士府同.己酉乙亥,御史.

명조)1-[전부]　명조)2-[구병문 사승]　명조)3-[태수]
壬 庚 甲 戊　　壬 庚 丁 癸　　　壬 庚 庚 己
午 午 子 子　　午 午 巳 酉　　　午 午 午 巳

명조)4-[정낙서 어사]　명조)5-[지휘]　명조)6-[추관]
壬 庚 乙 丙　　　壬 庚 丙 癸　　壬 庚 癸 壬
午 午 未 辰　　　午 午 辰 巳　　午 午 丑 寅

명조)7-[太守]　명조)8-[거인]
壬 庚 丁 己　　壬 庚 丁 己
午 午 丑 丑　　午 午 卯 卯

명조)9-[진사 府同]　명조)10-[어사]
壬 庚 乙 庚　　　壬 庚 乙 己
午 午 酉 寅　　　午 午 亥 酉

庚申일 壬午시는, 록마동향(祿馬同鄕)으로 가장 吉하다. 午 未의 年 月이면 지위(地位)가 대각(臺閣;사헌부)에 이른다. 卯 辰 巳[月]은 貴하다. 戌월에 火 土運으로 行하면 淸하나 한직(閒職)에 머문다. (庚申日,壬午時,祿馬同鄕最吉.如午未年月,位至臺閣.卯辰巳貴.戌月行火土運,淸虛冷職.)

丙午庚子,工部.甲子辛未,進士.丙戌丁酉,鄭壺陽大參.乙亥己卯,劉廷芸州牧.壬申甲辰,州牧.甲子辛未,呂本閣老浙江人.一江寧人命同平常.庚戌癸未,徐兆魁都院.辛未丁酉,孔貞時翰林.己酉丙子,貧.庚子庚辰,凶.

명조)1-[공부]　명조)2-[진사]　명조)3-[정호양 대참]
壬 庚 庚 丙　　壬 庚 辛 甲　　　壬 庚 丁 丙
午 申 子 午　　午 申 未 子　　　午 申 酉 戌

명조)4-[유 정운 주목]　명조)5-[주목]　명조)6-[려본]
壬 庚 己 乙　　　壬 庚 甲 壬　　壬 庚 辛 甲

午 申 卯 亥　　　　午 申 辰 申　　午 申 未 子

명조6에서, 려본은 각로인데 절강 사람이다. 또 한사람은 강녕사람으로 평상인이다.

명조)7-[서조괴 도원] 명조)8-[공 정시 한림]

壬 庚 癸 庚　　　　壬 庚 丁 辛

午 申 未 戌　　　　午 申 酉 未

명조)9-[貧]　　명조)10-[凶]

壬 庚 丙 己　　　壬 庚 庚 庚

午 申 子 酉　　　午 申 辰 子

庚戌일壬午시는, 卯월은 정재格으로 吉하다. 未월은 잡기재관으로 貴하다. 辰 丑월도 동일하다. (庚戌日,壬午時,卯月正財吉.未月雜氣財官貴.辰丑月同.)

辛未辛卯,祝學士.辛卯庚子,楊俊民尚書.乙未癸未,大參.己未丁卯,進士.癸丑乙卯,給事.庚辰甲申,楊且閣老,凶夭.壬申丁未,洪承選丁酉解元癸丑進士未廷試而卒.辛丑甲午,兵部.

명조)1-[축 학사] 명조)2-[양준민 상서]　명조)3-[대참]

壬 庚 辛 辛　　　壬 庚 庚 辛　　　　壬 庚 癸 乙

午 戌 卯 未　　　午 戌 子 卯　　　　午 戌 未 未

명조)4-[진사] 명조)5-[급사] 명조)6-[양차 각로, 凶 夭]

壬 庚 丁 己　　壬 庚 乙 癸　　壬 庚 甲 庚

午 戌 卯 未　　午 戌 卯 丑　　午 戌 申 辰

명조)7-[홍승선] 명조)8-[병부]

壬 庚 丁 壬　　　壬 庚 甲 辛

午 戌 未 申　　　午 戌 午 丑

명조7에서, 홍 승선은 丁酉년에 해원, 癸丑년에 進士이나 정시(廷試)가 아니며 졸(卒)하였다.

준마리군(駿馬離群)局은 사람됨이 장상(將相;장수와 재상)의 재능이 있다. 四柱에 衝破가 없어야 富貴한 命에 해당한다. (駿馬離群局,人間將相才.四柱無衝破,富貴命中該.)

壬庚이 午시에 臨하여 회합(會合)하면 衝破가 없어야 福은 저절로 온다. 이로부터 명리(名利)는 모두 유망(有望)하며 貴人에 천거(薦擧)되어 황제 옆에 오른다. (壬庚會合時臨午,無破無衝福自來.從此利名皆有望,貴人舉薦上天階.)

庚일이 壬午時에 臨하면, 地支중에 官印이 함께 암장한다. 귀인 록마가 동향(同鄕)하여 화환(禍患)이 사라지고 복(福)이 길다. 刑 衝 剋 破는 불길(不吉)한데, 柱중에 또 공망을 싫어한다. 장성(將星)과 天乙[貴人]은 영화(榮華)가 창성(昌盛)하며 中末年에 가문(家門)이 흥왕(興旺)한다. (庚日時臨壬午,支中官印俱藏.貴人祿馬更同鄉,禍患潛消福長.剋破刑衝不吉,柱中更忌空亡.將星天乙主榮昌,中暮家門興旺.)

19. 六庚日癸未時斷

6庚일생이 癸未시면, 으뜸인 관성을 制하여 權星이 물러난다. 柱중에 己를 보고 丁이 투출하지 않으면 오히려 벼슬자리를 얻어 현달(顯達)할 수 있다. (六庚日生時癸未,官星魁制權星退.柱中見己不透丁,卻能顯達得官位.)

庚일이 癸未시면, 편인과 財庫인데, 庚은 乙이 財로써 未중에 입고(入庫)하고, 丁은 官이고 己는 印이 되며, 未중에는 丁 己가 있어 오히려 투출한 癸를 制한다. 柱에 己가 있어 癸를 制하여 丁[字]가 투출하지 않아도 벼슬을 하며 현달(顯達)한다. 만약 己가 없고 丁이 투출하면 위화백단(爲禍百端)이다. 火 土의 기운에 通하면 貴하다. (庚日,癸未時,印財庫,庚以乙爲財,未中入庫,用丁爲官,己爲印,未中己丁,卻有明癸制之.柱有己制癸,不透丁字,居官顯達.若無己透丁,爲禍百端.通火土運氣貴.)

庚子일癸未시는, 年月에 丁이 투출하지 않고 己土가 있어 癸水를 制伏하면 貴하다. (庚子日,癸未時,年月無丁透露,有己土制伏癸水者貴.)

己卯庚午,鄭王賢被誣發高牆復正位.丁酉己酉,益王三十六子.壬子戊申,富.

명조)1-[정왕현] 명조)2-[익왕 36명의 자식] 명조)3-[富]

명조1	명조2	명조3
癸 庚 庚 己	癸 庚 己 丁	癸 庚 戊 壬
未 子 午 卯	未 子 酉 酉	未 子 申 子

명조1에서, 정왕현은 무고(誣告)를 당하였다가 다시 정위(正位)로 회복했다.

庚寅일 癸未시는, 貴하다. 辰 戌 丑 未월은 뛰어나다. 夏절은 富하다. 歲運도 동일하고, 巳 酉 申월은 身旺하여 대귀(大貴)하다. (庚寅日,癸未時,貴.辰戌丑未月高.夏富.歲運同,巳酉申月身旺,大貴.)

戊子庚申,汪俊尙書.辛巳辛卯,曾于拱都堂.辛酉癸巳,王士翹都堂.戊子甲子,太守.乙亥戊子,御史.癸卯乙丑,憲副.

명조)1-[왕준 상서] 명조)2-[증우공 도당] 명조)3-[왕사교 도당]

癸 庚 庚 戊　　　癸 庚 辛 辛　　　癸 庚 癸 辛

未 寅 申 子　　　未 寅 卯 巳　　　未 寅 巳 酉

명조)4-[태수] 명조)5-[어사] 명조)6-[헌부]

癸 庚 甲 戊　　癸 庚 戊 乙　　癸 庚 乙 癸

未 寅 子 子　　未 寅 子 亥　　未 寅 丑 卯

庚辰일 癸未시는, 괴강日이다. 辰중에 土가 있어 癸를 制한다. 年 月에 丁이 없어야 貴하다. 卯월에 金 水運은 7품의 貴이다. (庚辰日,癸未時,魁罡日.辰中有土制癸.年月無丁,貴.卯月金水運,七品貴.)

壬午壬子,擧人.

명조)1-[거인]

癸 庚 壬 壬

未 辰 子 午

庚午일癸未시는, 貴하다. 酉 申 巳 亥의 年月은 총사령관으로 벼슬이 2품에 이른다. 먼저는 허(虛)하나 나중에는 실(實)하다. (庚午日,癸未時,貴.酉申巳亥年月,總領兵戎,官至二品.先虛後實.)

戊戌甲寅,蔣詔侍郎.癸酉甲寅,潘仲駸編修犯法問死.丁酉庚戌,汪玄錫都堂.戊申甲子,張鳴崗尚書.辛丑戊戌,部郎.

명조)1-[장조 시랑] 명조)2-[반 중참] 명조)3-[왕현석 도당]

癸 庚 甲 戊　　　癸 庚 甲 癸　　　癸 庚 庚 丁

未 午 寅 戌　　　未 午 寅 酉　　　未 午 戌 酉

명조)2에서, 반 중참 편수(編修)는 法을 어겨 처형되었다.

명조)4-[장명강 상서] 명조)5-[부랑]

癸 庚 甲 戊　　　癸 庚 戊 辛

未 午 子 申　　　未 午 戌 丑

庚申일 癸未시는, 酉월은 武職으로 貴한데, 초년(初年)에는 권력이 떨어진다. 年月이 寅 午 戌,

申 子 辰의 2局은 정승이나 판서의 貴이다. (庚申日,癸未時,酉月武貴,初年剋權.年月寅午戌,申子辰二局,相參貴.)

甲午丙子,胡訓尚書.庚辰庚辰,韓敬會元狀元.甲申丙寅,參將.

명조)1-[호훈 상서] 명조)2-[한경 회원장원] 명조)3-[참장]

| 癸 庚 丙 甲 | 癸 庚 庚 庚 | 癸 庚 丙 甲 |
| 未 申 子 午 | 未 申 辰 辰 | 未 申 寅 申 |

庚戌일 癸未시는, 戌월에 東方 運은 貴하다. 辰월에 卯년은 대귀(大貴)하다. 秋절생은 가장 吉하다. 夏절생은 반드시 西北 運으로 行하여야 비로소 吉하다. (庚戌日,癸未時,戌月東方運貴.辰月卯年大貴.秋生最吉.夏須行西北運,方吉.)

辛卯壬辰,李承勛尚書.辛巳壬辰,御史.辛丑丙申,劉以修號九一翰林四川人萬福州君子.

명조)1-[이승훈 상서]명조)2-[어사]명조)3-[유 이수는 별호가 구일인데, 사천사람으로 만복주의 군자였다.]

| 癸 庚 壬 辛 | 癸 庚 壬 辛 | 癸 庚 丙 辛 |
| 未 戌 辰 卯 | 未 戌 辰 巳 | 未 戌 申 丑 |

경리관용(鏡裏觀容)局은 기쁜 가운데 근심이 있다. 구름이 걷혀야 밝은 달이 나오며, 하는 일이 염려되니 미리미리 빈틈없이 자세하게 준비해야한다. (鏡裏觀容局,喜中仍帶憂.雲開明月出,作事恐綢繆.)

庚일 未時는 庫에 財가 있어 열쇠로 열어야 으뜸이 된다. 運이 財旺하여 官을 生하는 地支에 이르면 부귀영화(富貴榮華)는 틀림없다. (庚日未時庫有財,鑰匙開處獨爲魁.運至財旺生官地,富貴榮華不用猜.)

庚일이 癸未시를 만나면, 丑 戌을 만나야 재물과 영화로워 기쁘다. 상관이 배록하여 庫를 열기 어려워 조업(祖業)이 온전하여도 장애가 있다. 父母가 요절하여 고독하거나 剋하면 妻子가 늦으나 화목하다. 運이 吉地로 行하면 재앙을 免하고, 官旺한 財鄕으로 소통(疏通)한다. (庚日時逢癸未,喜逢丑戌榮財.傷官背祿庫難開,祖業盈全有礙.父母夭孤空剋,妻遲子晚和諧.運行吉地免生災,官旺財鄕通泰.)

20. 六庚日甲申時斷

6庚일이 甲申시면, 귀록대재(歸祿帶財;時에 일간의 祿과 재성이 있음)格이라 가장 순수(純粹)하다. 巳 丙과 寅을 四柱에서 만나지 않으면 자연히 富貴 공명(功名)하게 된다. (六庚日生時甲申,歸祿帶財格最純.巳丙與寅柱不見,功名富貴自然臻.)

庚일이 甲申시면, 日祿이 時에 있다. 庚金이 申상에서 祿을 보며 甲은 편재가 된다. 四柱중에 丙火와 寅 巳의 刑 衝이 소통하지 않으면 貴한데, 평상(平常)함도 있다. 歲運도 동일하다. (庚日,甲申時,日祿居時.庚金申上見祿,甲爲偏財.柱中不通丙火,巳寅衝刑,主貴,有平常.歲運同.)

庚子일 甲申시는, 時에 日祿이 있고 재성을 보는데, 四柱에 巳 寅과 丙이 없으면 부귀쌍전(富貴雙全)한다. 辰 戌 丑 未는 능히 土가 金을 生할 수 있으니 吉하다. 寅 午 戌은 평상(平常)하다. 申 酉는 火木 運으로 行하면 貴하다. 寅 亥는 3~4品의 貴이다. 卯는 子를 刑하여 凶이 많다. (庚子日,甲申時,時犯日祿,見財星,柱無巳寅丙,富貴雙全.辰戌丑未,土能生金吉.寅午戌平常.申酉行火木運貴.寅亥三四品貴.卯刑子多凶.)

庚戌戊子,孔子此史記述之家語又路,史載己酉年癸酉月.丙戌甲午,御史.己未己巳,李默冢宰.丁未辛亥,彭黯尚書.庚午己丑,范惟一方伯.乙丑庚辰,洪垣太守.戊辰甲子,劉存德副使.庚午辛巳,楊以誠御史.乙亥戊寅,張星州牧.壬子辛亥,徐生啓鎬滄州人.己巳丁丑弟,雙生擧人.

명조)1-[공자] 명조)2-[어사] 명조)3-[이묵 총재]

甲 庚 戊 庚   甲 庚 甲 丙   甲 庚 己 己
申 子 子 戌   申 子 午 戌   申 子 巳 未

명조1에서, 공자의 이 명조는 史記의 家語又路에 적혀있고, 史에는 己酉년 癸酉월에 등재 되어 있다.

[참고] 원 수산의 저서 "명보"에는 공자의 四柱가 庚戌년 乙酉월로 적혀있다.

명조)4-[팽암 상서] 명조)5-[범유일 방백] 명조)6-[홍원 태수]

甲 庚 辛 丁   甲 庚 己 庚   甲 庚 庚 乙
申 子 亥 未   申 子 丑 午   申 子 辰 丑

명조)7-[유존덕 부사] 명조)8-[양이성 어사] 명조)9-[장성 주목]

甲 庚 甲 戊   甲 庚 辛 庚   甲 庚 戊 乙
申 子 子 辰   申 子 産 午   申 子 寅 亥

명조)10-[徐生啓鎬 창주인] 명조)11-[쌍생제 거인]

```
甲 庚 辛 壬          甲 庚 丁 己
申 子 亥 子          申 子 丑 巳
```

이상의 제공(諸公)들은 모두 도의(道義)가 있으므로, 전부 이름을 열거하였다. 공자(孔子)가 태어난 것도 역시 동일하며 맞을 것이다. (以上諸公,皆有道義.故俱列名,豈亦同孔子之生而然耶.)

庚寅일甲申시는, 寅 亥月은 벼슬이 3품에 이른다. (庚寅日,甲申時,寅亥月,官至三品.)

丙寅己亥,通政.丙戌庚子,僉憲.甲子丙寅,富商.

명조)1-[통정] 명조)2-[첨헌]   명조)3-[부자 상인]
```
甲 庚 己 丙      甲 庚 庚 丙      甲 庚 丙 甲
申 寅 亥 寅      申 寅 子 戌      申 寅 寅 子
```

庚辰일 甲申시는, 日이 괴강이고 또 歸祿하니 모두 재관을 좋아하지 않는다. 四柱에 寅 午 戌 丙 丁 巳의 글자가 없어야 貴하다. (庚辰日,甲申時,日魁罡,又歸祿,俱不喜財官,柱無寅午戌丙丁巳字,貴.)

庚寅乙酉,施篤臣太守.丁亥壬子,太守.戊子辛酉,通判.乙巳丙戌,進士.癸巳辛酉,劉堯卿御史,官起倒.

명조)1-[시독신 태수] 명조)2-[태수] 명조)3-[통판]
```
甲 庚 乙 庚          甲 庚 壬 丁      甲 庚 辛 戊
申 辰 酉 寅          申 辰 子 亥      申 辰 酉 子
```

명조)4-[진사] 명조)5-[유요경 어사, 官起倒]
```
甲 庚 丙 乙      甲 庚 辛 癸
申 辰 戌 巳      申 辰 酉 巳
```

庚午일甲申시는, 貴하다. 身旺월에 通[根]하고 丙 巳 寅 午 丁이 傷 破함이 없어야 貴하다. (庚午日,甲申時,貴.通身旺月,無丙巳寅午丁傷破貴.)

壬子丙午,賴學士.己巳戊辰,大參.庚午丁亥,黃甲狀元.甲寅辛未,陳廷謨擧人.庚午己卯,孟時芳少詹.

명조)1-[뇌 학사] 명조)2-[대참] 명조)3-[황갑 장원]
```
甲 庚 丙 壬      甲 庚 戊 己      甲 庚 丁 庚
申 午 午 子      申 午 辰 巳      申 午 亥 午
```

명조)4-[진정모 거인] 명조)5-[맹시방 소첨]

甲 庚 辛 甲　　　　甲 庚 己 庚

申 午 未 寅　　　　申 午 卯 午

庚申일 甲申시는, 貴하다. 卯 午 未 戌 丙 丁의 글자가 없어야 貴하다. 子丑월은 金水運이면 文[職]으로 貴하다. 庚申 甲申을 보면 專祿과 歸祿이다. 견고한 金은 火가 아니면 단련(鍛鍊)할 수 없으므로 巳 午 戌월에 生하여야 대부분 貴하다. 歸祿을 살펴보면 7法이 있는데, 의심해서는 안 된다. 財月이 가장 吉하다. (庚申日,甲申時,貴.無卯午未戌丙丁字,貴.子丑月,金水運文貴.余見庚申甲申,專祿歸祿.堅金非火不能煉煆,故巳午戌月生者多貴.看歸祿有七法,勿以爲嫌.財月最吉.)

甲戌己巳,吳嘉會侍郎.壬午丙午,武金都堂.庚辰乙酉,憲副.戊子壬戌,司業.戊辰庚申,給事.己卯甲戌,州牧.丁丑癸卯,擧人.癸未甲申,武元.庚寅甲申,工部侍郎凶死.丁酉癸丑,石星兵部尚書卒於獄中,子譴戍東明人.一寒儒命同鎭江人.

명조)1-[오가회 시랑] 명조)2-[무금 도당] 명조)3-[헌부]

甲 庚 己 甲　　　　甲 庚 丙 壬　　　　甲 庚 乙 庚

申 申 巳 戌　　　　申 申 午 午　　　　申 申 酉 辰

명조)4-[사업] 명조)5-[급사] 명조)6-[주목]

甲 庚 壬 戊　　　甲 庚 庚 戊　　　甲 庚 甲 己

申 申 戌 子　　　申 申 申 辰　　　申 申 戌 卯

명조)7-[거인] 명조)8-[무원]

甲 庚 癸 丁　　　甲 庚 甲 癸

申 申 卯 丑　　　申 申 申 未

명조)9-[공부시랑 凶 死] 명조)10-[석성 병부상서]

甲 庚 甲 庚　　　　　甲 庚 癸 丁

申 申 申 寅　　　　　申 申 丑 酉

명조10에서, 석성은 병부상서로 감옥에서 사망하였고, 자식은 변방으로 쫓겨났는데, 동명사람이다.

또 한사람 가난한 선비의 命과 같은데 鎭江사람이다.

庚戌일 甲申시는,寅 巳 午 戌월은 妻가 어질고 자식은 효도하며 貴하다. 신백경에 이르길, 金水가 印綬가 있으면 청현(淸顯)한 福이 있다. (庚戌日,甲申時,寅巳午戌月,妻賢子孝,貴.神白經云,金

水帶印,主清顯之福.)

乙丑戊寅,金尙書.乙丑丁亥,張大參.戊午甲寅,進士.己未戊辰,擧人.乙卯丙戌,擧人.

명조)1-[금 상서] 명조)2-[장 대참] 명조)3-[진사]

甲	庚	戊	乙		甲	庚	丁	乙		甲	庚	甲	戊
申	戌	寅	丑		申	戌	亥	丑		申	戌	寅	午

명조)4-[거인] 명조)5-[擧人]

甲	庚	戊	己		甲	庚	丙	乙
申	戌	辰	未		申	戌	戌	卯

庚日 甲申시는, 刑衝하면 하는 일이 좋지 않다. 運에서 破하지 않는 地支로 行하면 평보(平步)로써 높이 올라간다. (庚日甲申時,刑衝事未奇.運行無破地,平步上天梯.)

日祿이 時에서 申을 만나는 것을 좋아하고, 柱중에 巳 丙과 寅을 싫어한다. 때가 와서 만약 고인(高人)에게 천거되면 푸른 버들과 붉은 도화가 만리(萬里)나 봄이다. (日祿居時喜遇申,柱中嫌巳丙和寅.時來若遇高人薦,柳綠桃紅萬里春.)

庚日이 申시는 財祿이 상부(相扶)한다. 태어나서 자라면 청한(淸閑)하여 시서(詩書)를 좋아하고, 참된 성품으로 화내거나 노여워하지 않는다. 運이 좋지 않아 農商工을 하여도 때가 오면 직위(職位)가 바뀐다. 고인(高人)은 소인(小人)을 돕는 것을 좋아하고, 破가 없으면 입신출세(立身出世)할 수 있다. (庚日申時爲主,是名財祿相扶.生長淸閑好詩書,眞性無嗔無怒.運拙農商工賈,時來職位遷除.高人見喜小人扶,無破靑雲有路.)

21. 六庚日乙酉時斷

6庚일생이 乙酉시면, 金중에 서로 만나 眞金으로 化한다. 柱중에 火가 없으면 강(剛)함이 많이 부족하고, 火가 있으면 貴氣를 이루어 영화롭다. (六庚日生時乙酉,金中相會化眞金.柱中無火多剛缺,有火相成貴氣榮.)

庚일이 乙酉시면, 氣가 眞金으로 化한다. 庚은 乙이 財가 되며 辛은 [羊]刃이 되는데, 酉상에서 財는 絶하고 刃은 旺하다. 만약 眞金으로 化하고 柱중에 火가 없으면 金이 태강(太剛)하여 결여(缺如)된다. 火運으로 行하면 눌러서 조화(造化)하여 중도(中道)의 습을 얻는다. 庚辰일이 가장 좋고 年 月에 馬가 있으면 3~4품의 貴인데, 다만 자식이 드물고 또한 혹 불초(不肖)하다. (庚日,

乙酉時,氣化眞金.庚以乙爲財,辛爲刃,酉上財絶刃旺.若化眞金,柱中無火,金太剛則缺.行火運造化抑揚, 得合中道.庚辰日最好,年月帶馬,三四品貴,但主少子,亦或不肖.)

庚子일 乙酉시는, 주로 富하다. 月에 火氣가 通하면 貴하고, 불통(不通)하면 평상(平常)한데, 運에서 通하여도 뜻을 이룬다. 卯 亥의 年 月은 수곤(帥闞)이다. 또 이르길, 조업(祖業)을 破하며 刑하여 凶하다. (庚子日,乙酉時,主富.月通火氣貴,不通平常,運通亦稱意.卯亥年月帥闞.一云,破祖刑 凶.)

壬申癸丑,汝伯太京卿.己丑庚午,監生.

명조)1-[여백태경경] 명조)2-[감생]

乙 庚 癸 壬　　　乙 庚 庚 己
酉 子 丑 申　　　酉 子 午 丑

庚寅일 乙酉시는, 刑한다. 寅 午 戌은 吉하다. 申 子는 흉포(凶暴)하다. (庚寅日,乙酉時,刑.寅午 戌吉.甲(申)子凶暴.)

癸巳乙卯,奬深通政.甲寅丙寅,端逢赦都堂.壬辰己酉,吳子仁元戎.丁丑癸丑,太守無子.甲子丙寅,孫孟 太守.丁未癸卯,進士.己巳己巳,擧人.甲申丙子,林士章探花尚書.

명조)1-[장심 통정] 명조)2-[단봉사 도당] 명조)3-[오자인 원융]

乙 庚 乙 癸　　　乙 庚 丙 甲　　　乙 庚 己 壬
酉 寅 卯 巳　　　酉 寅 寅 寅　　　酉 寅 酉 辰

명조)4-[태수, 無子] 명조)5-[손맹 태수] 명조)6-[진사]

乙 庚 癸 丁　　　乙 庚 丙 甲　　　乙 庚 癸 丁
酉 寅 丑 丑　　　酉 寅 寅 子　　　酉 寅 卯 未

명조)7-[거인] 명조)8-[임사장 탐화 상서]

乙 庚 己 己　　　乙 庚 丙 甲
酉 寅 巳 巳　　　酉 寅 子 申

庚辰일 乙酉시는, 刑한다. 寅 卯 午 未의 年月은 2품의 권귀(權貴)하다. 戌 亥는 대귀(大貴)하 다. 신백경에 이르길, 化金하면 주로 福이 두텁다. (庚辰日,乙酉時,刑.寅卯午未年月,二品權貴.戌 亥大貴.神白經云,化金主福厚.)

丁丑辛亥,李天榮進士.甲子丙寅,舉人.乙酉戊子,張國彥尚書.

명조)1-[이천영 진사] 명조)2-[거인] 명조)3-[장국언 상서]

乙 庚 辛 丁	乙 庚 丙 甲	乙 庚 戊 乙
酉 辰 亥 丑	酉 辰 寅 子	酉 辰 子 酉

庚午일 乙酉시는, 刑하여 中貴이다. 寅 午 戌, 亥 卯 未의 두 局은 貴하다. 巳 역시 吉하다. (庚午日,乙酉時,刑中貴.寅午戌亥卯未二局貴.巳亦吉.)

壬午丁未,太守.丁亥癸卯,學憲.丁亥癸卯,蔡國珍尚書.

명조)1-[태수] 명조)2-[학헌] 명조)3-[채국진 상서]

乙 庚 丁 壬	乙 庚 癸 丁	乙 庚 癸 丁
酉 午 未 午	酉 午 卯 亥	酉 午 卯 亥

庚申일 乙酉시는, 眞刑이다. 寅 午 戌은 대귀(大貴)하다. 巳 酉 丑은 中貴이다. 申 子 辰은 富하다. 亥 卯 未는 쇠락한다. 또 이르길, 財는 吉하다. (庚申日,乙酉時,眞刑.寅午戌大貴.巳酉丑中貴.申子辰富.亥卯未凋零.一云,財吉.)

丁卯丁未,趙司業.

명조)1-[조 사업]

乙 庚 丁 丁
酉 申 未 卯

庚戌일 乙酉시는, 刑한 後에 發한다. 寅 午 戌의 관성은 명랑(明朗)하고 貴하다. 亥 卯 未는 富하다. 혹 5~6품의 貴이다. 巳 酉 丑은 [羊]刃이 旺하여 권력을 가지고, 공적(功績)이 변방에서도 드러나니 무신(武臣)이면 가장 좋고, 문신(文臣)이어도 역시 병권(兵權)을 장악하지만 궁극적으로는 양인(羊刃)의 화(禍)를 받는다. (庚戌日,乙酉時,刑後發.寅午戌官星明朗,貴.亥卯未富.或五六品貴.巳酉丑刃旺持權,主發跡於疆場之中,武臣最宜,文臣亦主掌兵權,究竟受羊刃之禍.)

乙酉辛巳,吳兌尚書.一生員命同俱是浙人.戊申乙丑,李汝華尚書.乙丑庚辰,沈雁閣老.庚午庚辰,進士.

명조)1-[오태 상서] 명조)2-[이 여화 상서]

乙 庚 辛 乙	乙 庚 乙 戊
酉 戌 巳 酉	酉 戌 丑 申

명조1에서, 오태상서의 命이고, 또 한사람은 생원인데, 두 사람 모두 절강사람이다.

명조)3-[심안 각로]　명조)4-[진사]
乙 庚 庚 乙　　乙 庚 庚 庚
酉 戌 辰 丑　　酉 戌 辰 午

입해구주(入海求珠)局은 천성(天性)이 부유(富裕)한 문장(文章)가이다. 君子는 官祿이 올라가고, 일반백성은 財와 양식이 있다. (入海求珠局,天性富文章.君子陞官祿,士庶有財糧.)

天元이 화합(化合)하는 酉시생이면, 생월(生月)중에서 土의 형통함을 만난다. 財 官을 만나면 영화로우며 모두 현달(顯達)하고, 祿은 공명(功名)에 이롭고 영화로운 은혜를 입는다. (天元化合酉時生,生月之中見土亨.榮遇財官皆顯達,功名利祿沐恩榮.)

庚일이 乙酉시를 만나면, 合化하여 眞金이 된다. 財官運으로 나아가면 福의 근원(根源)을 생하며 문장이 빼어나고 매우 총명(聰明)하게 된다. 亥 子를 만나지 못하면 극처(剋妻)하며 귀천(貴賤)을 일으키며 흉금(胸襟)을 잃는다. 무릇 일에서 나중에는 吉하지만 먼저는 凶함이 많고, 품계에 들어 현달(顯達)할 命이다. (庚日時逢乙酉,就中合化眞金.財官運步福源生,文秀聰明爲甚.不遇亥子剋妻,貴賤擧失胸襟.凡事後吉先多凶,入品顯達之命.)

22. 六庚日丙戌時斷

6庚일생이 丙戌시면, 金 火가 다툼이 있어 일이 상서롭지 않다. 身旺한 月에 印綬가 通하면 吉하고, 불통(不通)하며 구조(救助)함이 없으면 禍를 감당하기 어렵다. (六庚日生時丙戌,金火持爭事不詳.身旺月通印綬吉,不通無救禍難當.)

庚일이 丙戌시면, 金 火가 다툼이 있다. 庚은 丙이 鬼가 되고, 戌상에서 丙火가 合局하여 金이 무기(無氣)하다. 만약 신왕 인왕한 月에 通[根]하고 구조(救助)함이 있으면 貴한데, 반대이면 평상(平常)하고, 혹 빈천하거나 요절한다. 運에서 通하여도 역시 吉하다. 庚은 대장(大腸)에 속하는데, 만약 丙丁이 심히 旺하면 주로 치루(痔漏), 장독(臟毒), 농혈(膿血)의 재앙이 있다. (庚日,丙戌時,金火持爭.庚以丙爲鬼,丙火戌上合局,金無氣.若通身旺印旺,月有救助者貴,反是平常,或夭賤.運通亦吉.庚屬大腸,若丙丁旺甚,主痔漏臟毒膿血之災.)

庚子일 丙戌시는, 春절은 편관용재(偏官用財)하여 吉하다. 夏절은 살왕신쇠(煞旺身衰)하여 흉폭(凶暴)하다. 秋절은 身煞이 모두 旺하다. 巳 酉 丑월은 西方운에 허리에 금대를 찬 붉은 옷을 입는다.[고관대작] 寅 亥 子월은 金이 絶病死하니 대부분 빈천(貧賤)하다. 또 이르길, 농아(聾兒)나개, 늑대에게 손상을 당한다. (庚子日,丙戌時,春偏官用財吉.夏煞旺身衰凶暴.秋身煞俱旺.巳酉丑月西方運,腰金衣紫.寅亥子月,金絶病死,多貧賤.一云,聾啞,犬狼傷.)

庚寅丙戌,吳愼庵侍郎.辛丑辛丑,侍郎.癸巳丙辰,詹瑩進士.壬午己酉,擧人.甲辰乙亥,魏允中解元會魁,三兄弟俱科甲.甲子丙寅,常少.

명조)1-[오신암 시랑] 명조)2-[시랑] 명조)3-[첨영 진사]

丙 庚 丙 庚	丙 庚 辛 辛	丙 庚 丙 癸
戊 子 戊 寅	戊 子 丑 丑	戊 子 辰 巳

명조)4-[거인] 명조)5-[위 윤중] 명조)6-[상소]

丙 庚 己 壬	丙 庚 乙 甲	丙 庚 丙 甲
戊 子 酉 午	戊 子 亥 辰	戊 子 寅 子

庚寅일 丙戌시는, 申 子 辰월은 편관이 制가 있어 吉하다. 秋絶생은 身煞이 모두 旺하니 祿과 權이 있다. 순수한 午는 고독하고 가난하여 의지할 데가 없는데, 그렇지 않으면 잔질(殘疾)이 있다. 丑 午는 西南으로 行하면 공경(公卿=삼공과 구경)으로 上의 貴이다. 순수한 寅도 역시 貴하다. (庚寅日,丙戌時,申子辰月,偏官有制吉.秋生身煞俱旺,有祿權.純午,孤貧無倚,不然殘疾.丑午行西南,公卿以上貴.純寅亦貴.)

乙酉戊寅,鄒應龍太宰.庚子甲申,聞淵銓部五子.丁未癸丑,黃宗明侍郎.丙午辛丑,江汝璧學士.乙未戊子,鄒繼之冢宰.辛卯辛卯,方孔昭楚撫謫戍.壬寅己酉,廕郎.丁丑丙午,給事.癸巳乙丑,少卿.戊寅丙辰,擧人.戊寅乙丑,李勇總兵背義,小人.庚戌甲申,太守巨富多子.丙戌庚子,擧人.戊子戊午,知縣.庚申癸未,貧儒無子.乙丑丙戌,瞽一目極貧,甲寅年死無子.庚辰乙酉,木匠.

명조)1-[추응룡 태재] 명조)2-[문연전부 五子] 명조)3-[황종명 시랑] 명조)4-[강여벽 학사]

丙 庚 戊 乙	丙 庚 甲 庚	丙 庚 癸 丁	丙 庚 辛 丙
戊 寅 寅 酉	戊 寅 申 子	戊 寅 丑 未	戊 寅 丑 午

명조)5-[추계지 총재] 명조)6-[방공소 초무, 謫戍] 명조)7-[음랑] 명조)8-[급사]

丙 庚 戊 乙	丙 庚 辛 辛	丙 庚 己 壬	丙 庚 丙 丁
戊 寅 子 未	戊 寅 卯 卯	戊 寅 酉 寅	戊 寅 午 丑

명조)9-[소경] 명조)10-[거인] 명조)11-[이용 총병, 背義 小人] 명조)12-[태수 巨富 多子]

丙 庚 乙 癸	丙 庚 丙 戊	丙 庚 乙 戊	丙 庚 甲 庚
戊 寅 丑 巳	戊 寅 辰 寅	戊 寅 丑 寅	戊 寅 申 戌

명조)13-[舉人] 명조)14-[지현] 명조)15-[가난한 선비, 無子]

丙 庚 庚 丙　　丙 庚 戊 戊　　丙 庚 癸 庚

戊 寅 子 戊　　戊 寅 午 子　　戊 寅 未 申

명조)16-[고 일목은 극히 가난하였는데, 甲寅년에 사망, 無子] 명조)17-[목장]

丙 庚 丙 乙　　　　　　丙 庚 乙 庚

戊 寅 戊 丑　　　　　　戊 寅 酉 辰

庚辰일 丙戌시는, 日時가 相衝하여 처자(妻子)를 손상할까 염려된다. 月에 金 水氣가 通하면 貴하다. 木火의 氣運이 重하면 간난신고(艱難辛苦)하며 가난하거나 요절하는데, 혹은 잔질(殘疾)이 있다. (庚辰日,丙戌時,時日相衝,憂傷妻子.月通金水氣貴.木火氣重者艱辛,貧夭,或殘疾.)

辛酉戊戌,何遷侍郎道學.壬午癸丑,御史.辛酉丙申,御史.辛丑辛丑,蔣紫溪學憲.甲戌癸酉,御史.壬辰戊戌,進士.

명조)1-[하천시랑, 道學] 명조)2-[어사] 명조)3-[어사]

丙 庚 戊 辛　　　　　丙 庚 癸 壬　　丙 庚 丙 辛

戊 辰 戊 酉　　　　　戊 辰 丑 午　　戊 辰 申 酉

명조)4-[장자계 학헌] 명조)5-[어사] 명조)6-[진사]

丙 庚 辛 辛　　　　丙 庚 癸 甲　　丙 庚 戊 壬

戊 辰 丑 丑　　　　戊 辰 酉 戊　　戊 辰 戊 辰

庚午일 丙戌시는, 申 酉 亥 丑은 富하며 貴가 3품이다. 巳 午 未 申월에 壬[字]이 투출하고 艮 坎 乾方의 運이면 정승과 판서로 수명(壽命)이 길다. (庚午日,丙戌時,申酉亥丑富,貴三品.巳午未申透出壬字,艮坎乾方運,卿相有壽.)

乙亥丁亥,吳道直侍郎,丁丑年卒.壬寅癸丑,大理卿.己亥癸酉,大貴.丙寅癸巳,次貴.甲戌丙寅,享福.庚午丙戌,舉人.壬午壬子,進士.己亥丁丑,貧夭.

명조)1-[오도직 시랑, 丁丑년사망] 명조)2-[대리경] 명조)3-[대귀]

丙 庚 丁 乙　　　　　　丙 庚 癸 壬　　丙 庚 癸 己

戊 午 亥 亥　　　　　　戊 午 丑 寅　　戊 午 酉 亥

명조)4-[차귀] 명조)5-[福을 누림] 명조)6-[거인]

丙 庚 癸 丙　　丙 庚 丙 甲　　　丙 庚 丙 庚
戌 午 巳 寅　　戌 午 寅 戌　　　戌 午 戌 午

명조)7-[진사]　명조)8-[가난하고 요절함]
丙 庚 壬 壬　　　丙 庚 丁 己
戌 午 子 午　　　戌 午 丑 亥

庚申일 丙戌시는, 戌 亥의 年 月에 東南 運은 貴하다. 申월은 대귀(大貴)하다. (庚申日,丙戌時,戌亥年月,東南運貴.申月大貴.)

丙戌辛丑,蔡茂春會元,官止副使.丁亥辛亥,廉使.己未甲戌,布政.癸巳己亥,推官.丙子丁酉,推官.甲戌甲戌,郎中.甲辰丙寅,例貢.戊申乙卯,太守.丙寅辛丑,凶死.

명조)1-[채무춘 회원,官止副使]　명조)2-[염사]　명조)3-[포정]
丙 庚 辛 丙　　　　　　丙 庚 辛 丁　　丙 庚 甲 己
戌 申 丑 戌　　　　　　戌 申 亥 亥　　戌 申 戌 未

명조)4-[추관]　명조)5-[추관]　명조)6-[낭중]
丙 庚 己 癸　　丙 庚 丁 丙　　　丙 庚 甲 甲
戌 申 亥 巳　　戌 申 酉 子　　　戌 申 戌 戌

명조)7-[예공]　명조)8-[태수]　명조)9-[凶死]
丙 庚 丙 甲　　丙 庚 乙 戊　　　丙 庚 辛 丙
戌 申 寅 辰　　戌 申 卯 申　　　戌 申 丑 寅

庚戌일 丙戌시는, 辰 戌 丑 未월은 印綬가 生助하여 吉하다. 申 子 辰월은 편관이 制가 있어 貴하다. 月에 金氣가 通[根]하고 壬이 투출하지 않으면 北方 運으로 行하여야 貴하다. (庚戌日,丙戌時,辰戌丑未月,印綬生助吉.申子辰偏官有制貴.月通金氣,不透壬字,行北運貴.)

甲辰庚午,張勇川尙書.甲申丁卯,林爌尙書.癸卯甲子,金賁亨憲副道學,三子俱進士.丁未丙午,府尹.丁亥癸卯,都事.丙午庚寅,進士.癸卯丙辰,擧人.庚戌癸未,擧人.壬寅壬子,方伯.壬辰壬子,周世選南兵部尙書.

명조)1-[장용천 상서]　명조)2-[림광 상서]　명조)3-[금분형 헌부 道學, 三子모두 進士]
丙 庚 庚 甲　　　　丙 庚 丁 甲　　　丙 庚 甲 癸
戌 戌 午 辰　　　　戌 戌 卯 申　　　戌 戌 子 卯

명조)4-[부윤]　명조)5-[도사]　명조)6-[진사]

丙 庚 丙 丁　　丙 庚 癸 丁　　丙 庚 庚 丙

戌 戌 午 未　　戌 戌 卯 亥　　戌 戌 寅 午

명조)7-[거인]　명조)8-[거인]

丙 庚 丙 癸　　丙 庚 癸 庚

戌 戌 辰 卯　　戌 戌 未 戌

명조)9-[방백]　명조)10-[주세선 南 병부상서]

丙 庚 壬 壬　　丙 庚 壬 壬

戌 戌 子 寅　　戌 戌 子 辰

시상편관(時上偏官)局은 身强하여야 가장 좋다. 秋절생은 財가 旺하면 복록(福祿)이 자연히 온다. (時上偏官局,身强最妙哉.秋生財鄕旺,福祿自然來.)

[丙]戌시는 官庫로 최고의 우두머리가 되고, 丑 戌이 相刑하면 庫가 저절로 열린다. 초년과 중년은 현달(顯達)하지 못하지만 말년에는 마음에 품은 뜻을 이룬다. (戌時官庫最爲魁,丑戌相刑庫自開.初主中年無顯達,末年晚景稱心懷.)

庚일이 丙戌시를 만나면, 편관이 창고(倉庫)에 암장(暗藏)되어 있다. 그 중의 도적인 鬼를 당해내지 못하는데, 身弱하면 전재(錢財)가 허탕(虛蕩)이다. 旺하거나 身强한 運은 발복(發福)하지만 육친(肉親) 골육(骨肉)은 서로 떨어져 만날 수 없다. 妻가 거듭하여도 子息이 늦으며 형상(刑傷)을 免하고, 노년에 봉작을 받는다. (庚日時達丙戌,偏官倉庫埋藏.就中鬼賊不相當,身弱錢財虛蕩.運旺身强發福,雁行骨肉參商.妻重子晚免刑傷,老景封侯拜相.)

23. 六庚日丁亥時斷

6庚일생이 丁亥시면, 관성이 실지(失地)하고 자신(自身)도 衰弱하다. 月氣에 불통(不通)하면 福을 이루기 어려운데, 만약 魁罡을 보면 오히려 기묘(奇妙)하구나! (六庚日生時丁亥,官星失地自身衰.不通月氣難成福,若見魁罡卻妙哉.)

庚일이 丁亥시면, 庚은 甲이 財가 되고 壬은 食神이며 丁은 官이 된다. 亥상의 丁火는 무기(無氣)하며 壬은 旺하여 甲을 生하고 庚金이 실지(失地)하니 食神과 財를 감당하기 어렵다. 만약 身旺한 月에 불통(不通)하면 福을 이룰 수 없고, 月氣에 通하고 陰土가 있어 身을 도우면 발재(發

財)한다. 관성이 도움이 있으면 차츰 貴해진다. 庚戌 庚辰의 이 2日은 魁罡인데, 財 官이 生旺하면 좋지 않다. 丁亥時를 만나면 도리어 貴하다. (庚日,丁亥時,庚以甲爲財,壬爲食,丁爲官.亥上丁火無氣,壬旺甲生,庚金失地,難任財食.若不通身旺月,不能成福,通月氣,有陰土扶身者發財.官星有助,稍貴.庚戌庚辰,此二日魁罡,不宜財官生旺.時逢丁亥反貴.)

庚子일 丁亥時는 貴하다. 申 子 辰月은 상관으로 고생한다. 卯월에 金 火運은 5~6品의 貴이다. (庚子日,丁亥時,貴.申子辰月傷官勞碌.卯月金火運,五六品貴.)

庚申丁亥,敖璠進士.庚寅戊子,知縣.壬寅甲辰,顧可學原任參議以修養進身官至尙書.

명조)1-[오번 진사] 명조)2-[지현] 명조)3-[고 가학]

丁 庚 丁 庚　　　丁 庚 戊 庚　　丁 庚 甲 壬
亥 子 亥 申　　　亥 子 子 寅　　亥 子 辰 寅

명조)3에서, 고 가학은 원래 참의벼슬 이였는데, 수양(修養)하고 전진하여 벼슬이 상서(尙書)에 이르렀다.

庚寅일 丁亥時는, 보통이고, 초년에 가난하고, 중년에 빼어나고, 말년엔 주로 富가 크다. 辰 戌의 年 月은 귀현(貴顯)하다. 申 酉 亥 卯 巳 午의 年 月은 天干에 乙 己가 투출하면 대귀(大貴)하다. (庚寅日,丁亥時,平,初貧,中秀,末主富旺.辰戌年月貴顯.申酉亥卯巳午年月,干透乙己者,大貴.)

庚子甲申,高公韶侍郎.辛酉辛卯,進士.丙寅庚寅,富.辛巳癸巳,擧人.辛巳辛亥,擧人.乙巳甲申,極貴.壬午庚戌,進士.辛巳丙申,擧人.

명조)1-[고 공소 시랑] 명조)2-[진사] 명조)3-[富]

丁 庚 甲 庚　　　丁 庚 辛 辛　　丁 庚 庚 丙
亥 寅 申 子　　　亥 寅 卯 酉　　亥 寅 寅 寅

명조)4-[거인] 명조)5-[거인] 명조)6-[극귀]

丁 庚 癸 辛　　丁 庚 辛 辛　　丁 庚 甲 乙
亥 寅 巳 巳　　亥 寅 亥 巳　　亥 寅 申 巳

명조)7-[진사] 명조)8-[거인]

丁 庚 庚 壬　　丁 庚 丙 辛
亥 寅 戌 午　　亥 寅 申 巳

庚辰일 丁亥時는, 순수한 木면 현달(顯達)한다. 巳 午에 西北 運이면 풍헌(風憲)으로 존귀하다.

亥 卯는 존귀(尊貴)하며 권력이 있다. 申월은 건록으로 가장 吉하다. (庚辰日,丁亥時,純未顯達.巳午西北運,風憲金紫.亥卯金紫有權.申月建祿最吉.)

丁卯辛亥,閔煦尚書.癸酉丙辰,李方至郎中,子神童翰林.甲辰壬申,學士.戊辰乙卯,魏忠賢.

명조)1-[민후 상서] 명조)2-[이 방지 낭중, 자식이 신동(神童)으로 翰林이다.]

丁 庚 辛 丁	丁 庚 丙 癸
亥 辰 亥 卯	亥 辰 辰 酉

명조)3-[학사] 명조)4-[위충현]

丁 庚 壬 甲	丁 庚 乙 戊
亥 辰 申 辰	亥 辰 卯 辰

庚午일 丁亥시는, 貴하다. 辰 戌 丑 未월에 土가 능히 金을 生하여 영화롭고 현달한다. 申 亥 酉월에 木火運으로 行하면 극품(極品)이다. (庚午日,丁亥時,貴.辰戌丑未月,土能生金榮顯.申亥酉月行木火運,極品.)

己丑癸酉,蔣瑤閣老.己卯丁丑,陳道基都憲.丁丑戊申,尚書.戊午癸亥,布政.乙卯己卯,太守.辛亥庚子,太守.丁丑己酉,明經司道.丁卯庚戌,御史.壬戌庚戌,擧人.癸巳壬戌,李喬中丞.丁未丁未,先貴後貧死.庚子丁亥,貴.辛未辛卯,貴.戊辰戊午,貴.庚申壬午,貴.

명조)1-[장요 각로] 명조)2-[진도기 도헌] 명조)3-[상서]

丁 庚 癸 己	丁 庚 丁 己	丁 庚 戊 丁
亥 午 酉 丑	亥 午 丑 卯	亥 午 申 丑

명조)4-[포정] 명조)5-[태수] 명조)6-[태수]

丁 庚 癸 戊	丁 庚 己 乙	丁 庚 庚 辛
亥 午 亥 午	亥 午 卯 卯	亥 午 子 亥

명조)7-[명경사도] 명조)8-[어사] 명조)9-[거인]

丁 庚 己 丁	丁 庚 庚 丁	丁 庚 庚 壬
亥 午 酉 丑	亥 午 戌 卯	亥 午 戌 戌

명조)10-[이교 중승] 명조)11-[선귀후빈,死] 명조)12-[귀]

丁 庚 壬 癸	丁 庚 丁 丁	丁 庚 丁 庚
亥 午 戌 巳	亥 午 未 未	亥 午 亥 子

명조)13-[귀] 명조)14-[귀] 명조)15-[貴]

丁 庚 辛 辛　　丁 庚 戊 戊　　丁 庚 壬 庚

亥 午 卯 未　　亥 午 午 辰　　亥 午 午 申

庚申일 丁亥시는, 秋절생은 南運이면 귀현(貴顯)한다. 북(北)運은 평상(平常)하다. (庚申日,丁亥時,秋生,南運貴顯.北運平常.)

庚辰己丑,李讚尙書.丁丑癸丑,陸完尙書通寧藩謫戌.乙酉乙酉,佟登元戎,甲申副將包承引從丙寅.己巳壬寅,大參.乙未丙戌,御史.壬午壬子,貴.癸卯丙辰,貴.丁未癸丑,進士.甲戌己巳,進士.

명조)1-[이찬 상서] 명조)2-[육완 상서] 명조)3-[동등 원융]

丁 庚 己 庚　　　　丁 庚 癸 丁　　　　丁 庚 乙 乙

亥 申 丑 辰　　　　亥 申 丑 丑　　　　亥 申 酉 酉

명조2에서, 육완 상서는 통녕번의 변방으로 유배.
명조3에서, 동등은 원융인데, 甲申년 부장 包承引從 丙寅년.

명조)4-[대참] 명조)5-[어사] 명조)6-[귀]

丁 庚 壬 己　　丁 庚 丙 乙　　丁 庚 壬 壬

亥 申 寅 巳　　亥 申 戌 未　　亥 申 子 子

명조)7-[귀] 명조)8-[진사] 명조)9-[진사]

丁 庚 丙 癸　　丁 庚 癸 丁　丁 庚 己 甲

亥 申 辰 卯　　亥 申 丑 未　亥 申 巳 戌

庚戌일 丁亥시는, 辰 巳 午월은 관살이 비록 혼잡하나 또한 武職으로 貴하다. 丑월에 西運은 낭관(郞官)이다. 辰月에 西北 運은 방면(方面=관찰사)이다. (庚戌日,丁亥時,辰巳午月,官煞雖混,亦主武貴.丑月西運,郞官.辰月西北運,方面.)

丁未丙午,梁劍庵侍郞.癸丑丁巳,楊循布政.癸丑癸亥,黃潤大參.丁丑戊申,進士.己巳甲戌,給事.辛未壬辰,員外.丙申辛卯,府判.甲申丁丑,擧人.丙子丙子,通判.

명조)1-[량검암 시랑] 명조)2-[양순 포정] 명조)3-[황윤 대참]

丁 丙 丙 丁　　　　丁 庚 丁 癸　　　　丁 庚 癸 癸

亥 戌 午 未　　　　亥 戌 巳 丑　　　　亥 戌 亥 丑

명조)4-[진사] 명조)5-[급사] 명조)6-[원외]

丁 庚 戊 丁   丁 庚 甲 己   丁 庚 壬 辛

亥 戌 申 丑   亥 戌 戌 巳   亥 戌 辰 未

명조)7-[부판] 명조)8-[거인] 명조)9-[통판]

丁 庚 辛 丙   丁 庚 丁 甲   丁 庚 庚 丙

亥 戌 卯 申   亥 戌 丑 申   亥 戌 子 子

명수공성(名遂功成)局은 마의(麻衣=삼베옷)가 금의(錦衣=비단옷)로 바뀐다. 만약 衝 剋 破가 없으면 福祿이 한층 더 차고 남는다.[58] (名遂功成局,麻衣換錦衣.若無衝剋破,福祿轉加餘.)

丁亥시가 庚일을 차례로 만나면, 거듭하여 주비(朱扉)를 비추어 얼굴빛이 기쁘다. 도홍(桃紅)색이 밝게 빛나듯이 日時가 피어올라, 일진춘풍(一陣春風)이 자연히 위엄을 드러낸다. (丁亥時逢庚日排,重重喜色照朱扉.桃紅爛熳日時綻,一陣春風自顯威.)

庚일이 丁亥시를 만나면, 柱중에 삼기(三奇)를 암합(暗合)한다. 天干이 旺함을 알면 3妻와 父子, 兄弟가 가히 아름답다. 癸巳戊辛을 만나지 않으면 문장(文章)이 박람(博覽)하여 아는 것이 많다. 衝破가 없으며 제강(提綱)이 貴人이면 결국 말년에는 형통(亨通)하여 吉하고 이롭다. (庚日時逢丁亥,柱中暗合三奇.要知干旺幷三妻,父子雁行可美.癸巳戊辛不遇,文章博覽多知.無衝無破貴人提,終末亨通吉利.)

24. 六辛日戊子時斷

6辛일생이 戊子시면, 印綬 學堂이 食神에 坐했다. 丙丁과 같은 午의 破를 보지 않으면 반드시 부귀영화(富貴榮華)를 누리는 사람이다. (六辛日生時戊子,印綬學堂坐食神.不見丙丁同午破,必是榮華貴顯人.)

辛일이 戊子시면, 육음조양(六陰朝陽)格이다. 辛金이 子상에서 長生하며 학당이다. 辛은 戊가 印綬가 되며 癸는 食神인데 時상에 戊는 투출하고 癸를 암장하여 柱중에 丙丁 午[字]를 衝하지 않고, 身旺한 月에 通[根]하면 대귀(大貴)한다. 犯하면 貴하지 않다. 月氣에 불통(不通)하면 運에서 通하여도 역시 貴하다. (辛日,戊子時,六陰朝陽.辛金子上長生學堂.辛以戊爲印.癸爲食,時上明戊暗癸,柱中不見丙丁午字衝開.通身旺月大貴.犯者不貴.不通月氣,通運亦貴.)

辛卯일 戊子시는, 丑월은 잡기재관(雜氣財官)으로 貴하다. 순수한 丑은 학자이다. 순수한 辰은

---

58) 名遂功成(공을 이루어 명성을 크게 떨침)

西運으로 行하면 도헌(都憲)이다. 酉월에 東北 運이면 貴하다. 庚寅월은 꺼리는데 자면(刺面)하여 凶하다. 癸未월은 刑을 받는다. 癸丑월은 破 敗하고 고독하여 凶하다. (辛丑日,戊子時,丑月雜氣財官貴.純丑儒職.純辰行西運都憲.酉月東北運貴.忌庚寅月刺面凶.癸未月受刑.癸丑月破敗孤凶.)

乙亥丙戌,孫愼都堂.癸酉乙丑,荀穎僕卿.辛丑戊戌,林希元僉事.

명조)1-[손신도당] 명조)2-[순영복경] 명조)3-[림희원 첨사]

戊 辛 丙 乙   戊 辛 乙 癸   戊 辛 戊 辛
子 丑 戌 亥   子 丑 丑 酉   子 丑 戌 丑

辛卯일 戊子시는, 春절생은 寅은 가난하고 卯는 貴하다. 夏절은 淸貴하다. 秋절은 羊刃으로 무익(無益)하다. 冬절은 富한데 丑월은 더욱 吉하다. 辰 戌 丑 未월은 財 官 印綬로 모두 吉하다. 신백경에 이르길, 金火가 化하면 貴하다. 辛卯월을 꺼리는데, 父母가 凶死한다. 辛巳월은 大破하여 凶하다. 壬申월은 시체가 죽어서도 온전하지 못하다. (辛卯日,戊子時,春生,寅貧卯貴.夏淸貴.秋羊刃無益.冬富,丑月尤吉.辰戌丑未月,財官印綬俱吉.神白經云,金火化主貴.忌辛卯月,父母凶死.辛巳月大破凶.壬申月尸不全死.)

丙辰壬辰,都堂.庚辰癸未,御史.丁丑癸丑,御史.辛卯辛卯,進士.乙未己卯,亞元官止推官貧,無子.壬子壬子,擧人.乙亥乙卯,擧人.丙申丙申,擧人.辛酉庚寅,劉一焜巡撫.己丑辛未,侍郎.丁酉壬寅,黃熙胤現太僕正卿.

명조)1-[도당] 명조)2-[어사] 명조)3-[어사]

戊 辛 壬 丙   戊 辛 癸 庚   戊 辛 癸 丁
子 卯 辰 辰   子 卯 未 辰   子 卯 丑 丑

명조)4-[진사] 명조)5-[아원] 명조)6-[거인]

戊 辛 辛 辛   戊 辛 己 乙   戊 辛 壬 壬
子 卯 卯 卯   子 卯 卯 未   子 卯 子 子

명조5에서, 아원은 벼슬이 추관에 머물렀고 가난하였으며, 자식이 없었다.

명조)7-[거인] 명조)8-[거인] 명조)9-[유일혼 순무]

戊 辛 乙 乙   戊 辛 丙 丙   戊 辛 庚 辛
子 卯 卯 亥   子 卯 申 申   子 卯 寅 酉

명조)10-[시랑] 명조)11-[황희윤은 현재 태복정경이다.]

戊 辛 辛 己   戊 辛 壬 丁

子 卯 未 丑　　子 卯 寅 酉

辛巳일 戊子시는, 寅 巳 午월은 正官으로 귀현(貴顯)한다. 亥 子는 상관으로 자식이 적고 妻는 많다. 卯 戌은 5~6품의 貴이다. 신백경 云, 金이 化하는 象은 주로 貴하다. 庚寅월은 刑하여 꺼리는데 보통이다. 乙巳월은 먼저는 가난하다. 丁酉월은 요절한다. (辛巳日,戊子時,寅巳午月正官貴顯.亥子傷官,子少妻多.卯戌五品貴.神白經云,金化象主貴.忌丙寅月刑平.乙巳月先貧.丁酉月夭.)

丙寅戊戌,尚書.癸丑辛酉,大參.丙寅丁酉,同知.戊子丁巳,進士.壬午庚戌,錢謙益探花侍郎.丁亥壬寅,王及泉御史以訪異術異人升侍講.

명조)1-[상서] 명조)2-[대참] 명조)3-[동지]
戊 辛 戊 丙　　戊 辛 辛 癸　　戊 辛 丁 丙
子 巳 戌 寅　　子 巳 酉 丑　　子 巳 酉 寅

명조)4-[진사] 명조)5-[전겸익 탐화시랑] 명조)6-[왕급천 어사]
戊 辛 丁 戊　　戊 辛 庚 壬　　　　戊 辛 壬 丁
子 巳 巳 子　　子 巳 戌 午　　　　子 巳 寅 亥

辛未일 戊子시는, 貴하다. 寅 巳 午 酉의 年 月은 火木운에 貴하다. 亥 子[月]은 한원(翰苑=한림원)이다. 辰 戌 丑 未[月]는 잡기재관, 인수로 모두 吉하다. 庚申월을 꺼리는데 시체가 죽어서도 온전하지 못한다. 壬子월은 고독하며 凶하다. 癸丑월은 凶한데 刑으로 죽는다. (辛未日,戊子時,貴.寅巳午酉年月,火木運貴.亥子翰苑.辰戌丑未雜氣財官印俱吉.忌庚申月,尸不全死.壬子月孤凶.癸丑月凶刑死.)

己未戊辰,彭鳳翰林.壬申壬子,王國光尚書.甲子乙亥,羅洪先狀元江右人,一松江生員,一山東宗室命俱同.丙申戊戌,郎中.乙卯癸未,御史.甲戌庚午,府尹.癸巳丙辰,御史.甲戌丁丑,揚惟平太守,凶死無子.壬寅辛亥,進士.癸亥丁巳,學士.癸酉甲寅,太守.己未丙子,孟養浩南都院.

명조)1-[팽봉 한림] 명조)2-[왕국광 상서] 명조)3-[라홍선 장원]
戊 辛 戊 己　　　　戊 辛 壬 壬　　　　戊 辛 乙 甲
子 未 辰 未　　　　子 未 子 申　　　　子 未 亥 子
명조3에서, 라 홍선은 장원으로 강우사람이고, 또 한사람은 송강 생원이고, 또 한사람은 산동 종실의 命인데 모두 동일하다.

명조)4-[낭중] 명조)5-[어사] 명조)6-[부윤]
戊 辛 戊 丙　　戊 辛 癸 乙　　戊 辛 庚 甲

子 未 戌 申　　子 未 未 卯　　子 未 午 戌

명조)7-[어사] 명조)8-[양유평 태수]　명조)9-[진사]

戊 辛 丙 癸　　戊 辛 丁 甲　　　戊 辛 辛 壬

子 未 辰 巳　　子 未 丑 戌　　　子 未 亥 寅

명조8에서, 양유평 태수는 흉사하였고, 자식은 없었다.

명조)10-[학사] 명조)11-[태수] 명조)12-[맹양호남도원]

戊 辛 丁 癸　　戊 辛 甲 癸　　戊 辛 丙 己

子 未 巳 亥　　子 未 寅 酉　　子 未 子 未

辛酉일 戊子시는, 子 酉월생은 丙 丁火가 없고 南運으로 行하지 않으면 3~4품의 貴이고, 妻子를 손상하며 무직(武職)으로 권세가 크다. 신백경 云, 金火가 化하면 貴하고, 조업(祖業)을 破하여야 비로소 발달한다. 壬寅월을 꺼리는데 凶死한다. 辛巳월은 大敗하여 주로 凶하다. 庚戌월은 凶死한다.　(辛酉日,戊子時,子酉月生,無丙丁火,不行南運,三四品貴.傷妻子,武職權重.神白經云,金火化主貴,破祖方發.忌壬寅月凶死.辛巳月大敗,主凶.庚戌月凶死.)

甲午丁卯,侍郞.丙子辛卯,侍郞.癸巳甲寅,劉國元戎.丁亥乙酉,副使.庚子庚辰,太守.甲子癸酉,進士.丙寅戊戌,大參.戊子乙丑,王凝侍郞,己卯卒.戊子辛酉,學憲.丙戌辛丑,中丞.戊寅戊午,宋師襄府尹.乙亥丁亥,進士本年四月卒.丁酉戊申,侍郞.戊戌乙卯,貧薄.

명조)1-[시랑] 명조)2-[시랑] 명조)3-[유국 원융]

戊 辛 丁 甲　　戊 辛 辛 丙　　戊 辛 甲 癸

子 酉 卯 午　　子 酉 卯 子　　子 酉 寅 巳

명조)4-[부사] 명조)5-[태수] 명조)6-[진사]

戊 辛 乙 丁　　戊 辛 庚 庚　　戊 辛 癸 甲

子 酉 酉 亥　　子 酉 辰 子　　子 酉 酉 子

명조)7-[대참] 명조)8-[왕응 시랑,己卯년 卒] 명조)9-[학헌]

戊 辛 戊 丙　　戊 辛 乙 戊　　　戊 辛 辛 戊

子 酉 戌 寅　　子 酉 丑 子　　　子 酉 酉 子

명조)10-[중승] 명조)11-[송사양 부윤] 명조)12-[진사된 본년 4월에 사망]

戊 辛 辛 丙　　戊 辛 戊 戊　　戊 辛 丁 乙

子 酉 丑 戌　　子 酉 午 寅　　子 酉 亥 亥

명조)13-[시랑] 명조)14-[가난하고 보잘 것 없음]

戊 辛 戊 丁　　戊 辛 乙 戊

子 酉 申 酉　　子 酉 卯 戌

辛亥일 戊子시는, 貴하지 않으면 富하다. 亥월에 官이 없고 상관상진(傷官傷盡)하면 발복(發福)하는데 자식이 드물다. 春 夏절 亥 子 丑은 木 火運의조 局에 금빛 혁대에 붉은 옷을 입는 풍헌(風憲)이다.　　(辛亥日,戊子時,不貴則富.亥月無官,傷官傷盡,發福,子少.春夏亥子丑木火運局,金紫風憲.)

癸丑庚申,尚書.甲辰丙寅,孫化龍進士.壬午辛亥,胡杰祭酒.壬申癸亥,郎中.乙巳辛巳,太守.丙戌庚子,貴.己丑丙子,凶.壬戌壬子,使.丁未丙午,男女命同男遭刑女爲娼.

명조)1-[상서] 명조)2-[손화용 진사] 명조)3-[호걸 제주]

戊 辛 庚 癸　　戊 辛 丙 甲　　　戊 辛 辛 壬

子 亥 申 丑　　子 亥 寅 辰　　　子 亥 亥 午

명조)4-[낭중] 명조)5-[태수] 명조)6-[貴]

戊 辛 癸 壬　　戊 辛 辛 乙　　戊 辛 庚 丙

子 亥 亥 申　　子 亥 巳 巳　　子 亥 子 戌

명조)7-[凶] 명조)8-[使] 명조)9-[男女의 命같았는데, 男은 刑을 받았고, 女는 창년가 되었다.]

戊 辛 丙 己　　戊 辛 壬 壬　　戊 辛 丙 丁

子 亥 子 丑　　子 亥 子 戌　　子 亥 午 未

6辛일이 戊子시를 보면, 천정청현기(天庭淸顯氣)라 한다. 辛酉 辛亥를 얻으면 최고(最高)가 된다. 丙寅월을 꺼리는데 시체가 죽어서도 온전하지 못하고, 丙申월은 실향(失鄕)하고 惡死한다. 丁酉월은 죽어도 좋지 않게 죽는다. (六辛日見戊子時,謂之天庭淸顯氣.辛酉辛亥得之最高.忌丙寅月,死不全尸,丙申月失鄕惡死.丁酉月失亡惡死.)

한문생귀(寒門生貴)局은 福祿이 자연히 드러난다. 刑 衝 破를 犯하지 않으면 영전(榮轉)하여 도당(都堂)에 이른다. (寒門生貴局,福祿自然彰.不犯刑衝破,陞遷到省堂.)

天元의 6辛이 [戊]子시생이면, 春절에는 개화(開花)하여 찬란(燦爛)하게 밝다. 丙 巳 午 丁은 파괴(破壞)하여 공명(功名)은 기대하기 어려우나 만년에 비로소 이룬다. (天元六辛子時生,春到花開燦爛明.丙巳午丁如破壞,功名難望晩方成.)

辛일이 戊子시를 만나면, 六陰이 朝陽과 회합(會合)한다. 金神 印綬가 위광(威光)을 드러내어 상조(相助)하니 일신(一身)의 영화가 왕성하다. 巳 午를 만나면 福을 減하고 丙은 父母 兄弟와 이별한다. 妻子가 도와 부지런하면 가장(家長)이 旺하고, 破가 없으면 미천한 집안에서 장수나 정승이 된다. (辛日時逢戊子,六陰會合朝陽.金神印綬顯威光,相助一身榮旺.巳午逢之減福,丙離雁侶尊堂.妻子勤助旺家莊,無破寒門將相.)

25. 六辛日己丑時斷

6辛일생이 己丑시면, 金 土가 세력을 다투어 불안(不安)하다. 年 月에서 財官이 구조(救助)하면 빈곤(貧困)한 배고픔을 면한다. (六辛日生時己丑,金土持爭勢不安.年月財官相救助,免交貧困受饑寒.)

辛일이 己丑시면, 金 土가 다툰다. 辛은 己가 도식이 되고, 丑상에서 己는 투출하며 辛이 암장해 있다. 歲(年) 月에 財官의 구조(救助)가 없으면 빈곤(貧困)하다. 財官 運을 얻어도 역시 吉하다. (辛日,己丑時,金土相爭.辛以己爲倒食,丑上有明己暗辛.歲月無財官救助者,貧困.得財官運亦吉.)

辛丑일 己丑시는, 고독(孤獨)하고 정체(停滯)한다. 申 酉월은 金旺하여 運이 火鄕으로 行하면 소통(疏通)되나, 妻子를 刑 傷한다. 승(僧)道가 되면 貴하다. 순수한 丑은 西南 運에 대귀(大貴)하다. (辛丑日,己丑時,孤濁滯生.申酉月金旺,運行火鄕,疏通,刑傷妻子.爲僧道貴.純丑西南運,大貴.)

壬午壬寅,布政.庚戌辛巳,副使.丙午庚寅,僉事.戊辰辛酉,太守.辛丑辛丑,趙狀元.戊子甲子,縣尹.丙申乙未,大參.甲申辛未,凶死.

명조)1-[포정] 명조)2-[부사] 명조)3-[첨사]
己 辛 壬 壬　　 己 辛 辛 庚　　 己 辛 庚 丙
丑 丑 寅 午　　 丑 丑 巳 戌　　 丑 丑 寅 午

명조)4-[태수] 명조)5-[조 장원] 명조)6-[현윤]
己 辛 辛 戊　　 己 辛 辛 辛　　 己 辛 甲 戊
丑 丑 酉 辰　　 丑 丑 丑 丑　　 丑 丑 子 子

명조)7-[대참] 명조)8-[凶하게 사망]
己 辛 乙 丙　　 己 辛 辛 甲
丑 丑 未 申　　 丑 丑 未 申

辛卯일 己丑시는, 寅 卯 亥 未등의 月은 재성격인데 南方운에 貴하다. 辰 戌 丑 未[月]는 印綬로 南方운에 吉하다. (辛卯日,己丑時,寅卯亥未等月,財星格,南方運貴.辰戌丑未印綬,南方運吉.)

壬辰癸丑,知縣.丙辰丁酉,擧人.庚寅丙戌,富貴.
명조)1-[지현]　명조)2-[거인]　명조)3-[부귀]

| 己 | 辛 | 癸 | 壬 | | 己 | 辛 | 丁 | 丙 | | 己 | 辛 | 丙 | 庚 |
| 丑 | 卯 | 丑 | 辰 | | 丑 | 卯 | 酉 | 辰 | | 丑 | 卯 | 戌 | 寅 |

辛巳일 己丑시는, 丑 巳 申 酉월생은 金이 많아 木을 剋하니 妻子를 손상한다. 僧 道면 貴하다. 寅 卯 辰월은 南方 運에 貴하다. (辛巳日,己丑時,丑巳申酉月生,金多剋木,損傷妻子.僧道貴.寅卯辰月,南運貴.)

丁卯己酉,明仁宗皇帝,一云戊子時.丙戌戊戌,代王.癸酉甲子,方伯.乙卯癸未,王邦瑞尚書.壬申乙巳,擧人.庚辰戊寅,檢討.丙辰乙亥,封君.

명조)1-[황제] 명조)2-[대왕] 명조)3-[방백]

| 己 | 辛 | 己 | 丁 | | 己 | 辛 | 戊 | 丙 | | 己 | 辛 | 甲 | 癸 |
| 丑 | 巳 | 酉 | 卯 | | 丑 | 巳 | 戌 | 戌 | | 丑 | 巳 | 子 | 酉 |

명조1에서, 명나라 인종황제인데, 혹 戊子시라고도 한다.

명조)4-[왕방서 상서] 명조)5-[거인] 명조)6-[검토]

| 己 | 辛 | 癸 | 乙 | | 己 | 辛 | 乙 | 壬 | | 己 | 辛 | 戊 | 庚 |
| 丑 | 巳 | 未 | 卯 | | 丑 | 巳 | 巳 | 申 | | 丑 | 巳 | 寅 | 辰 |

명조)7-[봉군]

| 己 | 辛 | 乙 | 丙 |
| 丑 | 巳 | 亥 | 辰 |

辛未일 己丑시는, 寅 卯 未월은 재성격이다. 巳 午는 官을 나타낸다. (辛未日,己丑時,寅卯未月財星格.巳午官顯.)

戊寅乙卯.大參.辛亥戊戌,擧人.辛酉甲午,龔用卿狀元.

명조)1-[대참] 명조)2-[거인] 명조)3-[공용경 장원]

| 己 | 辛 | 乙 | 戊 | | 己 | 辛 | 戊 | 辛 | | 己 | 辛 | 甲 | 辛 |

丑 未 卯 寅　　丑 未 戌 亥　　丑 未 午 酉

辛酉일 己丑시는, 조업(祖業)을 破한다. 巳 酉 丑월은 金이 많아 木을 剋하고, 준수(俊秀)하고 재물은 있으나 처자(妻子)를 얻기 어렵다. 寅 午월은 근시(近侍-임금을 가까이 모심)로 貴하다. (辛酉日,己丑時,破祖.巳酉丑月,金多剋木,俊俏有財,難爲妻子.寅午月近侍貴.)

丁卯乙巳,尙書.癸未甲寅,王宗沐侍郎.辛巳丁酉,知縣.戊戌乙丑,知縣.庚寅甲申,進士.癸巳甲寅,史范少卿死於獄中.

명조)1-[상서]　명조)2-[왕종목 시랑] 명조)3-[지현]
己 辛 乙 丁　　己 辛 甲 癸　　　己 辛 丁 辛
丑 酉 巳 卯　　丑 酉 寅 未　　　丑 酉 酉 巳

명조)4-[지현]　명조)5-[진사] 명조)6-[사원 소경]
己 辛 乙 戊　　己 辛 甲 庚　　己 辛 甲 癸
丑 酉 丑 戌　　丑 酉 申 寅　　丑 酉 寅 巳
명조6에서, 사원 소경은 옥(獄)중에서 사망했다.

辛亥일 己丑시는, 寅 巳 午월은 관성이 명랑(明朗)하여 입계성가(立計成家)한다. 卯 未는 財局으로 부귀(富貴)하다. 未戌은 衝하여 吉하다. 申 子 辰의 年 月은 金水가 빼어나 아름답다. 酉는 건록으로 木火운으로 行하여야 吉하다. 순수한 亥와 金水는 함수(涵秀;빼어남)하여 貴하다. (辛亥日,己丑時,寅巳午月官星明朗,立計成家.卯未財局富貴.未戌衝吉.申子辰年月,金水涵秀佳.酉建祿行木火運吉.純亥金水涵秀貴.)

己亥乙亥,王教侍郎.丁未壬子,姚鳴鸞進士.己酉己巳,吳翰進士.戊申辛酉,擧人.甲申辛未,知縣.辛亥乙未,同知.辛丑庚寅,通政.

명조)1-[왕교 시랑] 명조)2-[요명란 진사] 명조)3-[오한 진사]
己 辛 乙 己　　　己 辛 壬 丁　　　己 辛 己 己
丑 亥 亥 亥　　　丑 亥 子 未　　　丑 亥 巳 酉

명조)4-[거인]　명조)5-[지현]　명조)6-[동지]
己 辛 辛 戊　　己 辛 辛 甲　　己 辛 乙 辛
丑 亥 酉 申　　丑 亥 未 申　　丑 亥 未 亥

명조)7-[통정]

己 辛 庚 辛
丑 亥 寅 丑

도식을 時상에서 만나고 財官이 庫에 암장하는데, 때가 어긋나면 어려움이 많고 골육(骨肉)은 또 떨어진다. (倒食逢時上,財官庫內藏.時乖多險阻,骨肉且參商.)

己丑時가 辛日을 만나면 險한데, 財官이 매몰(埋沒)하면 기묘(奇妙)하지 않다. 육친(六親) 골육 (骨肉)이 刑 害가 많고, 年 月에서 衝하여 열어야 富貴하다고 추리한다. (己丑時逢辛日險,財官埋 沒未爲奇.六親骨肉多刑害,年月衝開富貴推.)

辛日은 己丑時가 臨하면, 도식(倒食)이 머무는 것이다. 그 중에 金의 궤(櫃=丑)는 감수(監收)가 요긴하고, 午 未 戌로 열어야 성취(成就)한다. 甲 丙 卯 寅은 발복(發福)하고, 癸 壬 亥 子는 표 류(漂流)한다. 少年의 지략으로는 일을 이루기 어려우나 中 末年의 전정(前程)에는 자연히 있기 마련이다. (辛日時臨己丑,總由倒食淹留.就中金櫃緊監收,午未戌開成就.甲丙卯寅發福,癸壬亥子漂 流.少年謀望事難周,中末前程自有.)

26. 六辛日庚寅時斷

6辛일생이 庚寅시면, 財旺하여 生官하고 貴人(천을)을 만난다. 金 木局이 月氣에 通하면 반드 시 부귀영화(富貴榮華)를 누리는 사람이 된다. (六辛日生時庚寅,財旺生官遇貴神.金木局中通月氣, 必爲榮貴富豪人.)

辛日이 庚寅시면, 財 官이 貴人이다. 辛은 寅이 천을貴人이 되고, 丙火는 官이며 甲木은 財인 데, 寅상에 丙 甲이 旺하다. 만약 金 木이 月氣에 通[根]하거나, 혹 運에서 通하면 부귀(富貴)하 고 현달(顯達)한다. (辛日,庚寅時,貴人財官.辛以寅爲天乙貴,丙火爲官,甲木爲財,寅上丙甲旺,若通金 木月氣,或通運者,主富貴顯達.)

辛丑일 庚寅시는, 春절은 貴하고, 夏절은 官旺하고, 秋절은 현달(顯達)하며, 冬절은 吉하다. 丑 월에 南運은 풍헌(風憲)이고 혹 武職으로 貴하다. (辛丑日,庚寅時,春貴,夏官旺,秋顯達,冬吉.丑月南 運,風憲或武貴.一云,發卽瘋疾.年月酉申全無火氣,貧夭.)

庚辰戊寅,顧淸尙書.己亥辛未,劉天和都堂.壬戌丁未,御史一侍郎辛亥月.己卯甲戌,御史.己丑丙寅,郎 中.丙寅乙未,沈演方伯.甲申乙亥,耿定開南京掌院.乙酉甲申,貧夭.

명조)1-[고청 상서] 명조)2-[유천화 도당] 명조)3-[어사, 一侍郞辛亥月]

庚 辛 戊 庚 　　　庚 辛 辛 己 　　　庚 辛 丁 壬

寅 丑 寅 辰 　　　寅 丑 未 亥 　　　寅 丑 未 戌

명조)4-[어사] 명조)5-[낭중] 명조)6-[심연 방백]

庚 辛 甲 己 　　庚 辛 丙 己 　　庚 辛 乙 丙

寅 丑 戌 卯 　　寅 丑 寅 丑 　　寅 丑 未 寅

명조)7-[경정개, 남경장원] 명조)8-[가난하였고 요절함.]

庚 辛 乙 甲 　　　　庚 辛 甲 乙

寅 丑 亥 申 　　　　寅 丑 申 酉

辛卯일 庚寅시는, 午 未 亥 子[월] 모두 貴하다. 寅 卯 申 酉는 6~7품의 貴이다. 혹 이르길, 父가 일찍 사망하고, 대부분 풍병(風病)을 앓는다. (辛卯日,庚寅時,午未亥子俱貴.寅卯申酉,六七品貴.一云,父早亡,多患風疾.)

癸未己未,胡鎭元戎.乙亥丙戌,太守.辛未己亥,陳賓擧人.丁卯辛亥,擧人.乙酉甲申,擧人.丙寅乙未,進士.

명조)1-[호진 원융] 명조)2-[태수] 명조)3-[진빈 거인]

庚 辛 己 癸 　　　庚 辛 丙 乙 　　庚 辛 己 辛

寅 卯 未 未 　　　寅 卯 戌 亥 　　寅 卯 亥 未

명조)4-[거인] 명조)5-[거인] 명조)6-[진사]

庚 辛 辛 丁 　　庚 辛 甲 乙 　　庚 辛 乙 丙

寅 卯 亥 卯 　　寅 卯 申 酉 　　寅 卯 未 寅

辛巳일 庚寅시는, 春절은 貴하고, 夏절은 관록(官祿)이 있는데 西北의 運으로 行하면 대귀(大貴)하다. 秋절은 身旺하고, 冬절은 사납고 난폭하다. 혹 이르길, 刑(형벌)을 받은 후에 財(재물)가 있게 된다. (辛巳日,庚寅時,春貴,夏官祿,行西北運,大貴,秋身旺,冬暴狼.一云,刑後有財.)

壬申丙午,太師.戊午己未,丞相.庚辰己卯,顔若愚擧人.

명조)1-[태사] 명조)2-[승상] 명조)3-[안약우 거인]

庚 辛 丙 壬 　　庚 辛 己 戊 　　庚 辛 己 庚

寅 巳 午 申 　　寅 巳 未 午 　　寅 巳 卯 辰

辛未일 庚寅시는, 己 未 丑월은 과거에 급제하여 방에 나붙고, 妻는 어질고 자식은 효자인데, 만년에 풍질(風疾)이다. 寅 卯 午 戌[월]은 모두 吉하다. (辛未日,庚寅時,己未丑月,名標金榜,妻賢子孝,晚年風疾.寅卯午戌俱吉.)

甲寅甲戌,劉狀元.甲戌庚午,壽.丁卯丙午,富.戊寅乙卯,王佐才擧人.戊午丙辰,孤貧且夭.

명조)1-[유장원] 명조)2-[장수] 명조)3-[부자]

| 庚 | 辛 | 甲 | 甲 | | 庚 | 辛 | 庚 | 甲 | | 庚 | 辛 | 丙 | 丁 |
| 寅 | 未 | 戌 | 寅 | | 寅 | 未 | 午 | 戌 | | 寅 | 未 | 午 | 卯 |

명조)4-[왕좌재 거인] 명조)5-[孤貧하였고 또 요절했다.]

| 庚 | 辛 | 乙 | 戊 | | 庚 | 辛 | 丙 | 戊 |
| 寅 | 未 | 卯 | 寅 | | 寅 | 未 | 辰 | 午 |

辛酉일 庚寅시는, 貴하다. 春절은 財가 모이고, 夏절은 官祿을 이루고, 秋절은 身旺한데, 亥 子 丑 戌 午 酉등의 年 月은 모두 貴하다. (辛酉日,庚寅時,貴.春財聚,夏官祿成,秋身旺,亥子丑戌午酉等年月,俱貴.)

乙亥己丑,吳三樂侍郎.丙申辛卯,侍郎.甲辰丙子,王騰進士.丁酉辛亥,藍渠進士.辛酉庚寅,凶死.壬寅庚戌,依覓.丙辰戊戌,吏科.己亥辛未,溫純尙書.癸未己未,擧人.

명조)1-[오삼락 시랑] 명조)2-[시랑] 명조)3-[왕등 진사]

| 庚 | 辛 | 己 | 乙 | | 庚 | 辛 | 辛 | 丙 | | 庚 | 辛 | 丙 | 甲 |
| 寅 | 酉 | 丑 | 亥 | | 寅 | 酉 | 卯 | 申 | | 寅 | 酉 | 子 | 辰 |

명조)4-[람거 진사] 명조)5-[凶 死] 명조)6-[의멱]

| 庚 | 辛 | 辛 | 丁 | | 庚 | 辛 | 庚 | 辛 | | 庚 | 辛 | 庚 | 壬 |
| 寅 | 酉 | 亥 | 酉 | | 寅 | 酉 | 寅 | 酉 | | 寅 | 酉 | 戌 | 寅 |

명조)7-[리과] 명조)8-[온순 상서] 명조)9-[거인]

| 庚 | 辛 | 戊 | 丙 | | 庚 | 辛 | 辛 | 己 | | 庚 | 辛 | 己 | 癸 |
| 寅 | 酉 | 戌 | 辰 | | 寅 | 酉 | 未 | 亥 | | 寅 | 酉 | 未 | 未 |

辛亥일 庚寅시는, 貴하나 주로 속병이 있다. 天干에 丙이 투출하면 發한다. 午 酉 寅 亥의 年 月은 南方 運이면 貴하다. (辛亥日,庚寅時,貴,主有暗疾.干透丙發.午酉寅亥年月,南方運貴.)

丙子辛卯,李幼孜尙書.癸酉壬戌,侍郞.庚子己丑,都憲.甲子庚午,大參.戊寅辛酉,郞中.壬辰庚戌,主政.
壬申己酉,擧人.辛未丁酉,都司.戊戌乙卯,極富.己亥癸酉,凶死.

명조)1-[이유자 상서]　명조)2-[시랑] 명조)3-[도헌]

庚 辛 辛 丙　　　　庚 辛 壬 癸　　庚 辛 己 庚

寅 亥 卯 子　　　　寅 亥 戌 酉　　寅 亥 丑 子

명조)4-[대참]　명조)5-[낭중] 명조)6-[주정]

庚 辛 庚 甲　　庚 辛 辛 戊　　庚 辛 庚 壬

寅 亥 午 子　　寅 亥 酉 寅　　寅 亥 戌 辰

명조)7-[거인] 명조)8-[도사] 명조)9-[지극한 부자]

庚 辛 己 壬　　庚 辛 丁 辛　　庚 辛 乙 戊

寅 亥 酉 申　　寅 亥 酉 未　　寅 亥 卯 戌

명조)10-[凶하게 사망]

庚 辛 癸 己

寅 亥 酉 亥

배암향명(背暗向明)局은 평생토록 기지(氣志)가 높다. 年 月상에 財官은 난초가 쑥을 헤치고 솟
아나온다. (背暗向明局,平生志氣高.財官年月上,蘭蕙出蓬篙.)

6辛일이 [庚]寅시를 만나면, 財旺하여 生官하는데, 호환(互換)으로 추리한다. 運이 졸렬하면 명
리(名利)가 건체(蹇滯)하는데, 만약 財祿으로 行하면 다시 근심하지 않아도 된다. (六辛之日遇寅
時,財旺生官互換推.運拙利名應蹇滯,若行財祿更無虞.)

辛일이 庚寅시를 만나면, 兄弟 骨肉간에 생소(生疎)하다. 부모(父母)의 조업(祖業)을 이루기 어
렵고, 배필(配匹)은 중년에 미혹된다. 亥 癸 坎 壬은 福을 減하고, 丙 丁 巳 午는 명성을 날린
다. 春節생이나 冬절에 태어나면 貴人이 되어 中 末年이 영화(榮華)로운 命이다. (辛日庚寅時遇,
弟兄骨肉生疏.雙親祖業靠難成,鴛侶中年迷鏡.亥癸坎壬減福,丙丁巳午馳名.春生冬産貴人欽,中末榮
華之命.)

27. 六辛日辛卯時斷

6辛일생이 辛卯시면, 妻子가 비견을 만나면 어렵게 된다. 秋節에 태어나거나 冬節생은 가난한 하격(下格)이고, 丙이 寅 馬에 臨하면 오히려 당권(當權)한다. (六辛日生時辛卯,妻子難爲遇比肩. 秋産多生貧下格,丙臨寅馬却當權.)

辛일이 辛卯시면, 비견은 재를 나눈다. 辛은 乙이 財이고, 卯상의 乙이 旺하며 비겁의 분탈(分奪)을 만나면 妻子를 損傷한다. 秋 冬節에 生하면 財官이 무기(無氣)하니 평상(平常)하다. 寅 巳 午월은 천간에 丙火가 투출하여 丙이 辛을 合하면 官貴하고 현달(顯達)한다. 辛卯 현침煞은 柱에 불길(不吉)함이 많다. (辛日,辛卯時,比肩分財.辛以乙爲財,卯上乙旺,遇比分奪,損傷妻子.生秋冬,財官無氣平常.寅巳午月,干透丙火,丙合辛生,官貴顯達.辛卯懸針煞,柱多不吉.)

辛丑일 辛卯시는, 春夏節생은 土가 두터운 地方으로 富貴하다. 秋節은 妻를 剋하며 子(자식)를 刑한다. 冬節은 간난신고(艱難辛苦)한다. 寅 巳 午월은 근시(近侍)로 貴하다. 甲戌의 年月에 木火運은 풍헌(風憲)이다. (辛丑日,辛卯時,春夏生土厚地方,富貴.秋剋妻刑子.多艱辛.寅巳午月近待貴.甲戌年月,木火運,風憲.)

丙申辛丑,尙書.壬辰庚戌,査布政凶死.甲申丙子,御史.庚申己卯,費懋賢進士.辛丑庚寅,耿定力南京掌院.乙丑戊子,進士.

명조)1-[상서]　명조)2-[사 포정, 凶死]　명조)3-[어사]

辛	辛	辛	丙	辛	辛	庚	壬		辛	辛	丙	甲
卯	丑	丑	申	卯	丑	戌	辰		卯	丑	子	申
世												

명조)4-[비무현 진사]　명조)5-[경정력 남경장원]　명조)6-[진사]

辛	辛	己	庚	辛	辛	庚	辛	辛	辛	戊	乙
卯	丑	卯	申	卯	丑	寅	丑	卯	丑	子	丑

辛卯일 辛卯시는, 寅 午 戌월은 재관쌍미(財官雙美)로 귀현(貴顯)한다. 卯 酉 申 辰의 年 月은 근시(近侍)로 貴하다. 官 印 재성을 보면 기묘(奇妙)하다. 또 이르길, 소년시절에 힘들지만 중년에 대발(大發)한다. (辛卯日,辛卯時,寅午戌月財官雙美,貴顯.卯酉申辰年月,近待貴.見官印財星妙.一云,少苦,中年大發.)

戊午乙卯,徐閣老.癸酉丙辰,嚴世蕃以恩蔭至侍郎惡極罪大典刑.戊午乙丑,余元立翰林.己亥丙子,鄭紳尙書.壬子壬子,魏一恭方伯.丁卯己酉,郭萬程進士.辛巳辛丑,楊一鳳御史.戊午年卒.甲戌己巳,知縣.甲子壬申,憲副.己卯丁卯,憲副.辛丑辛丑,憲副.丁卯己酉,御史夭.

명조)1-[서 각로]　명조)2-[엄세번]　명조)3-[여 원립 한림]

辛 辛 乙 戊　　　辛 辛 丙 癸　　　辛 辛 乙 戊
卯 卯 卯 午　　　卯 卯 辰 酉　　　卯 卯 丑 午

명조)4-[정신 상서]　명조)5-[위일공 방백]　명조)6-[곽만정 진사]

辛 辛 丙 己　　　辛 辛 壬 壬　　　辛 辛 己 丁
卯 卯 子 亥　　　卯 卯 子 子　　　卯 卯 酉 卯

명조)7-[양 일봉 어사]　명조)8-[지현]　명조)9-[헌부]

辛 辛 辛 辛　　　辛 辛 己 甲　辛 辛 壬 甲
卯 卯 丑 巳　　　卯 卯 巳 戌　卯 卯 申 子

명조)10-[헌부]　명조)11-[헌부]　명조)12-[어사, 요절]

辛 辛 丁 己　　　辛 辛 辛 辛　　　辛 辛 己 丁
卯 卯 卯 卯　　　卯 卯 丑 丑　　　卯 卯 酉 卯

辛巳일 辛卯시는, 春절은 財旺하고, 夏절은 官旺하고, 秋절은 身强하고, 冬절은 나약(懦弱)하다. 巳 酉의 年 月에 木火運으로 行하면 귀척(貴戚)이다. 申월에 水火운은 금자(金紫)이다. 巳월에 西北 運은 풍헌(風憲)이다. (辛巳日,辛卯時,春財旺,夏官旺,秋身强,冬懦弱.巳酉年月,行木火運,貴戚.申月水火運,金紫.巳月西北運,風憲.)

己亥甲戌,王繼禮廉憲.辛未丙申,辰運戊午年凶死.

명조)1-[왕계례 렴헌]　명조)2-[辰運 戊午年 凶 死]

辛 辛 甲 己　　　辛 辛 丙 辛
卯 巳 戌 亥　　　卯 巳 申 未

辛未일 辛卯시는, 순수한 未는 丁의 年 月에 비록 권귀(權貴)가 크지만 종말이 좋지 않다. 寅巳 亥가 순수하면 吉하다. (辛未日,辛卯時,純未,丁年月雖大權貴,不善終.寅巳亥純吉.)

癸未丁巳,趙鳳尚書.辛酉庚寅,傳鎭都憲.乙亥乙酉,殷士儋閣老.戊申甲子,進士知州.甲子乙亥,方大樂知州.

명조)1-[조봉 상서]　명조)2-[전진 도헌]　명조)3-[은사담 각로]

辛 辛 丁 癸　　　辛 辛 庚 辛　　　辛 辛 乙 乙

卯 未 巳 未　　　　卯 未 寅 酉　　　　卯 未 酉 亥

명조)4-[진사 지주] 명조)5-[방대락 지주]
辛 辛 甲 戊　　　　辛 辛 乙 甲
卯 未 子 申　　　　卯 未 亥 子

辛酉일 辛卯시는, 출신(出身)이 고독하며 고달픈데, 중년에 福을 받고, 말년에 妻는 봉작을 자식은 음덕(蔭德)을 받아 貴하다. 巳月은 官印으로 천덕(天德)을 만나니 貴가 일품(一品)에 해당한다. 丑月 木火運은 中貴이다. 申 酉 亥의 年 月은 東南 運이면 풍헌(風憲)이다. (辛酉日,辛卯時,出身孤苦,中年獲福,末年封妻廕子貴.巳月官印,逢天德,貴當一品.丑月木火運,中貴.申酉亥年月東南運,風憲.)

乙酉辛巳,張居正閣老十年專政丙子運至壬午年死,歲運沖故.戊申戊午,布政.辛卯丙申,方一正舉人.丁亥辛亥,花應期狀元侍郎縊死,星案傳.丙子辛丑,行人.丙辰癸酉,孫嘉績進士職方郎才學俱佳明末官至侍郎.辛亥辛丑,王國侍郎.戊申甲子,肖景訓進士知州.

명조)1-[장거정 각로] 명조)2-[포정] 명조)3-[방일정 거인]
辛 辛 辛 乙　　　　辛 辛 戊 戊　　　辛 辛 丙 辛
卯 酉 巳 酉　　　　卯 酉 午 申　　　卯 酉 申 卯
명조1에서, 장거정은 각로인데, 10년동안 정사에 전념하다가, 丙子運에 壬午年에 사망했다.

명조)4-[화 응기] 명조)5-[행인] 명조)6-[손 가속]
辛 辛 辛 丁　　　　辛 辛 辛 丙　　　辛 辛 癸 丙
卯 酉 亥 亥　　　　卯 酉 丑 子　　　卯 酉 酉 辰
명조4에서, 화 응기는 장원으로 시랑인데, 목을 메달아 사망[교수형], 星案傳한다.
명조6에서, 손 가속은 진사인데, 직위는 방랑으로 재능과 학문이 모두 뛰어났고, 명나라 말기 벼슬이 시랑에 이르렀다.

명조)7-[왕국 시랑] 명조)8-[초경훈 진사지주]
辛 辛 辛 辛　　　　辛 辛 甲 戊
卯 酉 丑 亥　　　　卯 酉 子 申

辛亥일 辛卯시는, 春 夏절은 재관쌍미(財官雙美)로 귀현(貴顯)한다. 秋 冬절은 배록축마(背祿逐馬)하여 고생이 반복된다. 순수한 亥나 金 水는 빼어나서 대부분 과거에 급제하여 발달한다. 辰 戌은 吉하다. 丑 未는 더욱 吉하다. (辛亥日,辛卯時,春夏財官雙美,貴顯.秋冬背祿逐馬,勞碌反復.純亥金水涵秀,多發高科.辰戌吉.丑未尤吉.)

辛巳戊戌,吳桂芳尙書,一云庚寅時.乙酉己丑,汪道坤侍郎素有文名.乙丑丙戌,錢四窗御史凶死.丁亥辛亥,范應期狀元侍郎縊死,原本傳.己未壬申,御史.辛丑癸巳,擧人.戊寅壬戌,御史.丙寅丙申,御史.

명조)1-[오 계방 상서] 명조)2-[왕도곤 시랑] 명조)3-[전사창 어사, 凶 死]

辛 辛 戊 辛　　　　辛 辛 己 乙　　　　辛 辛 丙 乙
卯 亥 戌 巳　　　　卯 亥 丑 酉　　　　卯 亥 戌 丑

명조1에서, 庚寅시라고도 한다.

명조)4-[범 응기] 명조)5-[어사]　명조)6-[거인]

辛 辛 辛 丁　　　辛 辛 壬 己　　辛 辛 癸 辛
卯 亥 亥 亥　　　卯 亥 申 未　　卯 亥 巳 丑

명조4에서, 범 응기는 장원으로 시랑인데, 목메어 사망. 原本 傳

명조)7-[어사] 명조)8-[어사]

辛 辛 壬 戊　　辛 辛 丙 丙
卯 亥 戌 寅　　卯 亥 申 寅

양인겁재(羊刃劫財)局은 교월(皎月)에 영휴(盈虧)가 있다. 財祿이 중년에 모이고, 배필(配匹)이 통탄하며 슬퍼함이 두렵다. (羊刃劫財局,皎月有盈虧.財祿中年聚,鴛侶恐傷悲.)

두 개의 辛이 卯 祿을 분명(分明)히 만나면 비겁이 財를 만나니 일을 이루지 못한다. 春夏절생인은 財祿이 旺하고, 秋 冬절은 刑 害하나 命은 평범하다. (二辛遇卯祿分明,比劫達財事不成.春夏人生財祿旺,秋冬刑害命中平.)

辛일 辛卯시를 만나면, 두 개의 辛이 妻와 財를 분탈(分奪)한다. 형제 배필과는 화목(和睦)하기 어렵고, 독립(獨立)하여 자수성가(自手成家)하게 된다. 年月에 재성이 生旺하면 祿은 자연히 찾아오니 기쁘다. 運이 비겁으로 行하면 일이 침잠(沈潛)하고, 木 火運에는 크게 通한다. (辛日時逢辛卯,二辛分奪妻財.雁行鴛侶少和諧,獨立自成無礙.年月財星生旺,忻然祿自天來.運行比劫事沉埋,木火運中通泰.)

28. 六辛日壬辰時斷

6辛일생이 壬辰시면, 상관상진(傷官傷盡)하여 정신(精神)이 배(倍)가 된다. 四柱에 火虛하여 剋害를 막으면 구류(九流)술업, 기예(技藝), 복(卜), 의(醫)하는 사람이다. (六辛日生時壬辰,傷官傷盡

倍精神.四柱火虛防剋害,九流技藝卜醫人.)

辛일 壬辰시는, 암(暗)으로 금침수저(金沈水底)한다. 辛은 丙이 官이 되고, 壬은 상관이 되며 辰은 水庫로써 丙 辛이 무기(無氣)하여 壬水로 合局한다. 만약 年 月에 丙이 투출하면 상관견관인데, 刑禍가 수 없이 생기고 위인(爲人)은 기개가 높으나 자랑이 지나치고, 빼어나지만 부실(不實)하다. 月氣에 불통(不通)하면 의탁(依託)할 데가 없고, 위인(爲人)은 성패(成敗)를 반복(反復)하며 의술, 복(卜), 예술(藝術)을 하게 된다. 柱에 木 火가 있고 身旺하며 東南運으로 行하면 貴하다. (辛日,壬辰時,暗金沉水底.辛用丙爲官,壬爲傷官,辰水庫,丙辛無氣,壬水合局.若年月透丙,是傷官見官,刑禍百端,爲人氣高誇大,秀而不實.不通月氣,無倚托者,爲人反復成敗,爲醫卜藝術.柱有木火身旺,行東南運貴.)

辛丑일 壬辰시는, 春節에 현달(顯達)한다. 夏節에 평상(平常)한데, 명리(名利)는 있으나 주로 포학(暴虐)하다. 酉月에 東方운으로 行하면 貴하다. 戌 未의 四庫가 온전하면 최고로 貴하다. 순수한 未는 잡기재인으로 丑未가 衝開하면 주로 권귀(權貴)하다. (辛丑日,壬辰時,春顯達.夏平常.有名利,主暴虐.酉月行東運貴.戌未四庫全最貴.純未雜氣財印.丑未衝開,主有權貴.)

癸未己未,王繼津侍郎.癸酉己未,殷正茂尙書.戊申癸亥,進士.甲申戊辰,解元.壬午己酉,劉堯誨尙書.

명조)1-[왕계진 시랑] 명조)2-[은정무 상서] 명조)3-[진사]

| 壬 辛 己 癸 | 壬 辛 己 癸 | 壬 辛 癸 戊 |
| 辰 丑 未 未 | 辰 丑 未 酉 | 辰 丑 亥 申 |

명조)4-[해원] 명조)5-[유요회 상서]

| 壬 辛 戊 甲 | 壬 辛 己 壬 |
| 辰 丑 辰 申 | 辰 丑 酉 午 |

辛卯일 壬辰시는, 春節에 財旺하여 妻는 어질고 자식은 효도한다. 夏節은 상관견관하지만 그래도 역시 富가 많다. 秋節은 吉하다. 冬節은 고독하고 剋하지만 대부분 貴하다. (辛卯日,壬辰時,春財旺,妻賢子孝.夏傷官見官,然亦多富.秋吉.冬孤剋,多貴.)

壬辰辛亥,給諫.丁卯丙午,周鯤進士.丁卯癸丑,進士.乙巳壬午,貧生.壬申戊申,何棟如進士仕途起倒至南兵部主政.

명조)1-[급간] 명조)2-[주곤 진사] 명조)3-[진사]

| 壬 辛 辛 壬 | 壬 辛 丙 丁 | 壬 辛 癸 丁 |
| 辰 卯 亥 辰 | 辰 卯 午 卯 | 辰 卯 丑 卯 |

명조)4-[貧 生]　명조)5-[하 동여]

壬 辛 壬 乙　　壬 辛 戊 壬

辰 卯 午 巳　　辰 卯 申 申

명조5에서, 하 동여는 진사인데, 사로(仕路)가 엎치락뒤치락하다가 南병부주정에 이르렀다.

辛巳일 壬辰시는, 春절은 상관생재한다. 夏절로 行하면 감춘 것을 반복(反復)하는데, 혹 흉포
(凶暴)하다. 午 未 역시 기이(奇異)하다. 秋절은 申 酉로 身旺하니 火를 얻으면 吉하다. 冬절은
亥 子로 상관상진하고 木土가 있으면 기묘(奇妙)하게 된다. 貴가 重하며 청고(淸高)하나 형(刑)
剋을 면하지 못한다. 辰 戌 丑 未는 조로 武職으로 貴하다. (辛巳日,壬辰時,春傷官生財.夏行藏反
復,或兇暴.午未亦奇.秋申酉身旺,得火則吉.冬亥子傷官傷盡,有木土爲妙.貴重淸高,未免刑剋.辰戌丑未
主武貴.)

乙酉戊子,羅欽順狀元名臣.丙午辛丑,孫應奎尚書剛直.庚午己卯,進士.丁丑丙午,進士.癸丑丙辰,錦
衣.戊辰辛酉,曹世德元戎.丁巳丁未,府尹.

명조)1-[나 흠순 장원 名臣]　　명조)2-[손응규 상서 剛直]　　명조)3-[진사]

壬 辛 戊 乙　　　　　壬 辛 辛 丙　　　　　壬 辛 己 庚

辰 巳 子 酉　　　　　辰 巳 丑 午　　　　　辰 巳 卯 午

명조)4-[진사]　명조)5-[錦衣]　명조)6-[조 세덕 원융]

壬 辛 丙 丁　　壬 辛 丙 癸　　壬 辛 辛 戊

辰 巳 午 丑　　辰 巳 辰 丑　　辰 巳 酉 辰

명조)7-[부윤]

壬 辛 丁 丁

辰 巳 未 巳

辛未일 壬辰시는, 身이 고독하다. 春절생은 재성격으로 吉하다. 夏절은 고생스럽다. 秋절은 貴
하다. 冬절은 상관상진하여 기이(奇異)하게 된다. (辛未日,壬辰時,身孤.春生財星格吉.夏勞碌.秋貴.
冬傷官傷盡爲奇.)

庚申甲申,禮部尙書.壬申戊申,楊廉侍郎.丙戌戊戌,王廷聲侍郎.壬午丙午,擧人.辛未庚子,知縣.戊子
乙丑,張秩翰林早卒乏嗣.

명조)1-[예부상서]　명조)2-[양염 시랑]　명조)3-[왕 정성 시랑]

壬 辛 甲 庚　　　壬 辛 戊 壬　　　壬 辛 戊 丙
辰 未 申 申　　　辰 未 申 申　　　辰 未 戌 戌

명조)4-[거인] 명조)5-[지현] 명조)6-[장질 한림]
壬 辛 丙 壬　　壬 辛 庚 辛　　壬 辛 乙 戊
辰 未 午 午　　辰 未 子 未　　辰 未 丑 子
명조6에서, 장질은 한림인데 일찍 사망하여 자손이 없었다.

辛酉일 壬辰시는, 春절은 부귀쌍전한다. 夏절은 아름답다. 秋절은 신왕하여 貴하다. 冬절은 백정(白丁=보통사람, 백정)이다. 子월은 辛의 생지(生地)이며 학당(學堂)으로 주로 학문(學文)이다. 年 月에 火의 도움이 있으면 貴하다. 甲戌월은 벼슬이 3품에 이른다. (辛酉日,壬辰時,春富貴雙全. 夏好.秋身旺貴.冬白丁,子月辛生地學堂,主文學.年月火濟貴,甲戌月,官至三品.)

庚子己卯,王九庵尚書.丁巳壬子,王仲山僉憲子進士畫入妙品.丙子癸巳,太守.乙酉辛巳,擧人.辛巳癸巳,擧人.乙酉乙酉,刑人.乙酉乙亥,崔恒謙敗於甲申年以投賊被刑.

명조)1-[왕구암 상서] 명조)2-[왕 중산 첨헌] 명조)3-[태수]
壬 辛 己 庚　　　　壬 辛 壬 丁　　　　壬 辛 癸 丙
辰 酉 卯 子　　　　辰 酉 子 巳　　　　辰 酉 巳 子
명조2에서, 왕 중산은 첨헌이였고, 자식은 진사인데 화도(畫圖)가 묘품(妙品)이였다.

명조)4-[거인] 명조)5-[거인] 명조)6-[형벌 받은 사람]
壬 辛 辛 乙　　壬 辛 癸 辛　　壬 辛 乙 乙
辰 酉 巳 酉　　辰 酉 巳 巳　　辰 酉 酉 酉

명조)7-[최 항겸인데, 甲申년에 敗하여 적에게 투항하여 刑을 받았다.]
壬 辛 乙 乙
辰 酉 亥 酉

辛亥월 壬辰시는, 貴하다. 春절은 財旺하며 身을 돕는다. 夏절은 吉하다. 秋절은 身旺하여 아름답다. 冬절은 상관상진으로 자수성가(自手成家)한다. 卯未의 年月은 貴하다. (辛亥日,壬辰時,貴. 春財旺扶身.夏吉.秋身旺好.冬傷官傷盡,自立自成.卯未年月貴.)

丁亥丁未,許國翰林.戊辰乙卯,楊鐸太守.己酉癸酉,郎中.壬子癸丑,沈愷進士.丁卯丙午,侍郎.癸巳壬戌,擧人.戊戌壬戌,擧人.甲戌庚午,關汝梅刑部主事,又丁酉擧人戊辰進士命同俱篤厚君子.丙寅壬辰,張居正閣老母.

명조)1-[허국 한림]　명조)2-[양탁 태수]　명조)3-[낭중]

壬	辛	丁	丁		壬	辛	乙	戊			壬	辛	癸	己
辰	亥	未	亥		辰	亥	卯	辰			辰	亥	酉	酉

명조)4-[심개 진사]　명조)5-[시랑]　명조)6-[거인]

壬	辛	癸	壬		壬	辛	丙	丁		壬	辛	壬	癸
辰	亥	丑	子		辰	亥	午	卯		辰	亥	戌	巳

명조)7-[거인]　명조)8-[관 여매 형부주사]　명조)9-[장거정 각로모]

壬	辛	壬	戊		壬	辛	庚	甲			壬	辛	壬	丙
辰	亥	戌	戌		辰	亥	午	戌			辰	亥	辰	寅

명조8에서, 관여매 형부주사이고, 또 丁酉년에 거인 戊辰년에 진사인 사람과 命이 같았는데, 모두 온화한 君子였다.

세수장류(細水長流)局은 6辛이 모두 陰에 屬한다. 運이 財旺한 地支로 行하면 官祿이 자연히 찾아온다. (細水長流局,六辛總屬陰.運行財旺地,官祿自來臨.)

6辛일간이 壬辰시는 財官이 폐쇄(閉鎖)되어 일을 하지 못한다. 열쇠에 불통(不通)하고 압복(壓伏)을 겸(兼)하면 예로부터 소년(少年)시절에 발달하기 어려운 사람이다. (六辛日干時壬辰,鎖閉財官事未能.不通鑰匙兼壓伏,自古難發少年人.)

辛일이 壬辰시를 만나면, 상관상진으로 기이(奇異)하게 된다. 부모(父母)와 조업(祖業)이 젊어서는 어렵게 되고, 형제가 빠르게 나눔으로써 무의미(無意味)하다. 春夏절은 財官이 生旺하여 東南方 運은 베풀게 된다. 자신의 지략으로 자립(自立)하여 집안의 자산을 이루고, 가까운 사람의 힘을 얻지 못한다. (辛日壬辰時遇,傷官傷盡爲奇.祖業父母早難爲,雁行分飛無意.春夏財官生旺,東南方運施爲.自謀自立作家資,不得親人之力.)

29. 六辛日癸巳時斷

6辛일생이 癸巳시면, 官印이 强하여 貴氣를 손상함이 없다. 月氣에 通하고 의지할 데가 있으면 조년(早年)에 영귀(榮貴)하여 이름을 날린다. (六辛日生時癸巳,貴氣無傷官印强.月氣有通兼倚托,早年榮貴姓名香.)

辛일이 癸巳시는, 官印이 身을 돕는다. 辛은 丙이 官이 되며 戊가 印이고 癸는 食神이 된다.

巳상에서 丙 戊가 健旺하여 癸를 合하여 火로 化하니 적백(赤白)은 문장(文章)이 된다. 만약 의지할 데가 있고 月氣에 通[根]하면 현달(顯達)한다. 만일 月에 불통(不通)하면 運에서 通[根]하여도 역시 貴하다. (辛日癸巳時,官印扶身.辛以丙爲官,戊爲印,癸爲食神.巳上丙戊健旺,癸合化火,赤白文章.若有倚托,通月氣者顯達.若月不通,運通亦貴.)

辛丑일 癸巳시는 凶한데, 父母와 헤어지고 발복(發福)한다. 春夏절은 吉하다. 秋冬절은 흉폭(凶暴)하다. 또 이르길, 술을 삼가면 화(化)귀(貴)한다. (辛丑日,癸巳時凶,別父母,發福.春夏吉.秋冬凶暴.一云,化貴戒酒.)

戊戌癸亥,林子仁魁元.戊辰丁巳,善才進士.丙辰癸巳,張懋修狀元革.辛卯乙未,刑人.

명조)1-[임자인 괴원] 명조]2-[선재 진사] 명조)3-[장무수 장원 革]

癸	辛	癸	戊		癸	辛	丁	戊		癸	辛	癸	丙
巳	丑	亥	戌		巳	丑	巳	辰		巳	丑	巳	辰

명조]4-[형벌 받은 사람]

癸	辛	乙	辛
巳	丑	未	卯

辛卯일 癸巳시는, 春夏절은 身弱하여 壽命을 재촉한다. 秋절은 身强하여 노력(勞力)하여도 신고(辛苦)한다. 만일 月氣가 火木이면 3~4품의 貴이다. (辛卯日,癸巳時,春夏身弱,壽促.秋身强,勞力辛苦.如月氣火木,三四品貴.)

丙寅甲午,趙鸞郎中.丙午辛卯,何道濟進士.乙亥甲戌,張子滔郎中.丙辰乙未,胡公濂進士.

명조)1-[조란 낭중] 명조]2-[하도제 낭중] 명조)3-[장자도 낭중]

癸	辛	甲	丙		癸	辛	辛	丙		癸	辛	甲	乙
巳	卯	午	寅		巳	卯	卯	午		巳	卯	戌	亥

명조]4-[호공렴 진사]

癸	辛	乙	丙
巳	卯	未	辰

辛巳일 癸巳시는, 子 午년에 寅 午 戌月은 貴하고, 亥 卯 未는 淸貴하다. 申 子 辰은 무의(無義)한 사람이다. 辛巳 癸巳로 양간부잡(兩干不雜)하거나, 寅 辰에 丙이 투출한 것은 모두가 극귀(極貴)하다. 丑 酉가 三合하여도 역시 吉하다. (辛巳日,癸巳時,化貴.子午年寅午戌月貴,亥卯未清

貴.申子辰無義之人.辛巳癸巳兩干不雜,寅辰透丙,俱主極貴.丑酉三合亦吉.)

丙子癸巳,呂純陽神仙名臣.丙辰丙寅,富弼鄭公名臣.辛巳癸巳,寇準萊公.

명조)1-[려 순양 신선명신] 명조]2-[부필정공 명신] 명조)3-[구 준래 공]

　癸 辛 癸 丙　　　　　癸 辛 丙 丙　　　　　癸 辛 癸 辛
　巳 巳 巳 子　　　　　巳 巳 寅 辰　　　　　巳 巳 巳 巳

道書를 살펴보면, [명조1의] 呂公은 천보14年 乙未 4月 14日 巳時에 태어났다. (考道書,呂公生天寶十四年乙未,四月十四日巳時.)

송사(宋史)를 살펴보면, [명조3의] 寇公(구공)은 7月 14日 生인데, 魏野詩(위야시)에서 이르길, 어찌 時가 위의 명일(明日)에 生할 것인가! 이는 중원(中元=15日)으로 성가(星家)들이 모두 거짓으로 傳하는 것이다. (考宋史,寇公七月十四日生魏野詩云何時生上相明日是中元星家傳俱誣.)

壬午壬子,太守.甲戌甲戌,胡朝臣通参沈束己巳月二公俱淹獄.戊午乙丑,元戎.癸亥庚申,舉人.庚子己卯,張錠進士.

명조]4-[태수] 명조)5-[호 조신 통판] 명조]6-[원융]

　癸 辛 壬 壬　　癸 辛 甲 甲　　　　癸 辛 乙 戊
　巳 巳 子 午　　巳 巳 戌 戌　　　　巳 巳 丑 午

명조6에서, 호 조신 통판과 심속은 己巳월에 두 公 모두 옥살이 하였다.

명조)7-[거인] 명조)8-[장정 진사]

　癸 辛 庚 癸　　癸 辛 己 庚
　巳 巳 申 亥　　巳 巳 卯 子

辛未일 癸巳시는, 寅 午 戌월은 命이 뛰어나다. 巳 酉 丑은 身旺하여 평온(平穩)하다. 申 子 辰은 백정(白丁)이다. 亥 卯 未는 淸貴하다. (辛未日,癸巳時,寅午戌月高命.巳酉丑身旺平穩.申子辰白丁.亥卯未淸貴.)

己卯辛未,鄒尚書.丙午丙申,太守.甲子乙亥,張潤錦衣極富多子壽不六旬.己未庚午,蔡仁進士.戊戌己未,荒近失家.

명조)1-[추 상서] 명조]2-[태수] 명조)3-[장 윤 금의]

　癸 辛 辛 己　　　癸 辛 丙 丙　　癸 辛 乙 甲
　巳 未 未 卯　　　巳 未 申 午　　巳 未 亥 子

명조3에서, 장윤은 錦衣로 지극히 부유했고, 자식은 많았으나 수명은 60이 안 되었다.

명조]4-[채인 진사] 명조)5-[흉년이 들어 가정을 잃었다.]

癸	辛	庚	己		癸	辛	己	戊
巳	未	午	未		巳	未	未	戌

辛酉일 癸巳時는, 귀현(貴顯)하나 주색(酒色)이 심하다. 寅 卯는 財旺하여 吉하다. 丑은 三合이 온전하여 富貴한다. (辛酉日,癸巳時,貴顯,酒色重.寅卯財旺吉.丑三合全富貴.)

壬寅癸卯,林介和太守.辛巳辛丑,富貴.丙寅乙未,憲副.
명조)1-[임 개화 태수] 명조2-[富貴] 명조)3-[헌부]

癸	辛	癸	壬		癸	辛	辛	辛		癸	辛	乙	丙
巳	酉	卯	寅		巳	酉	丑	巳		巳	酉	未	寅

辛亥일 癸巳時는, 日時가 나란히 衝하니 妻子를 손상할까 염려된다. 春節은 財旺하다. 夏節은 吉하다. 秋節은 보통이다. 冬節은 흉폭(凶暴)하다. 酉 午의 年 月에 木火運이면 도당(都堂)의 풍헌(風憲)이다. (辛亥日,癸巳時,時日併衝,憂傷妻子.春財旺.夏吉.秋平.冬凶暴.酉午年月木火運,風憲都堂.)

丙戌己亥,湛若水尙書道學.癸酉庚申,周進隆布政.辛巳戊戌,金正斂憲.己未壬申,蔣相侍郞.

명조)1-[담약수 상서 道學] 명조2-[주 진융 포정] 명조3-[금정 첨헌]

癸	辛	己	丙		癸	辛	庚	癸		癸	辛	戊	辛
巳	亥	亥	戌		巳	亥	申	酉		巳	亥	戌	巳

명조]4-[장상 시랑]

癸	辛	壬	己
巳	亥	申	未

辛干時對(신간시대)局은, 官印을 상봉(相逢)하여 좋다. 刑 衝 破가 불통(不通)하면 身이 도약하여 帝宮에 이른다. (辛干時對局,官印喜相逢.不通刑衝破,騰身到帝宮.)

癸巳時가 辛일간을 만나면, 柱中에 단독으로 財官이 나타나서 좋다. 運이 祿馬로 行하고 刑하는 地支가 없으면 과거에 급제하여 방에 붙으며 어가(御駕)를 호위한다. (癸巳時逢辛日干,柱中獨喜顯財官.運行祿馬無刑地,金榜題名步御鑾.)

辛일이 癸巳시에 臨하면, 春節생은 財旺하는 근본이 된다. 丙 丁 午年은 가장 기이(奇異)하고, 刑 衝 破 剋하면 불리(不利)하다. 壬 癸 庚 申에 破가 없으면 부귀공명(富貴功名)하게 된다. 妻가 어질며 자식이 효도하여 마땅하고, 巳時를 刑 破하면 좋지 않다. (辛日時臨癸巳,春生財旺鎡基.丙丁午年最爲奇,破剋刑衝不利.壬癸庚申無破,功名富貴爲的.妻賢子孝兩相宜,刑破巳時不濟.)

30. 六辛日甲午時斷

6辛일이 甲午시를 만나면, 暗鬼의 효신이 참으로 두렵다. 만약 의탁(依託)할 데가 없으면 오히려 노력하여도 6辛이 馬貴를 만날 길이 없다. (六辛日逢甲午時,暗鬼梟神眞可畏.若無倚托反勞生, 莫道六辛逢馬貴.)

辛일이 甲午시면, 鬼는 旺하며 身은 衰弱하다. 辛은 丁이 鬼가 되며 己는 도식(倒食)이 되고 甲은 財가 된다. 甲午는 木이 死하니 神이 無氣하고 丁 己가 健旺하여, 비록 午인 천을貴人을 만나더라도 평생(平生)을 반복(反覆=엎치락뒤치락)한다. 설령 旺氣에 通[根]할지라도 역시 貴가 길지 않다. 만약 火土월에 生하면 西方運에 貴하다. (辛日,甲午時,鬼旺身衰.辛用丁爲鬼,己爲倒食, 甲爲財.甲午木死,則神無氣,丁己健旺,雖見午爲天乙貴,平生反覆.縱通旺氣,亦貴不永.若生火土月,西方 運貴.)

辛丑일 甲午시는, 未 申의 年 月은 四柱에 刑 害가 있으면 비록 富하더라도 요절(夭折)한다. 金이 通根하면 비록 貴할지라도 길지 않다. (辛丑日,甲午時,未申年月,四柱有刑害,雖富壽夭.通金, 雖貴不永.)

丙辰甲午,方守布政.壬戌癸丑,進士.丁酉丁未,一進士一官生命同.壬辰丁未,劉覺吾郎中.戊寅壬戌,周 天佐主事諫言繫獄死,一云辛未辛卯壬午庚戌.

명조)1-[방수 포정] 명조)2-[진사] 명조)3-[진사, 관생 두命이 동일]

甲 辛 甲 丙	甲 辛 癸 壬	甲 辛 丁 丁
午 丑 午 辰	午 丑 丑 戌	午 丑 未 酉

명조)4-[유각오 낭중] 명조)5-[주 천좌]

甲 辛 丁 壬	甲 辛 壬 戊
午 丑 未 辰	午 丑 戌 寅

명조5에서, 주 천좌는 주사인데, 간언(諫言)하다가 옥(獄)에서 사망했다.

辛卯일 甲午시는, 卯월은 무직(武職)으로 貴하다. 寅 戌은 조업(祖業)을 破하며 그렇지 않으면 잔질로 요절(夭折)한다. 巳 午는 7~8품의 貴이다. 運도 동일하다. (辛卯目,甲午時,卯月武貴.寅戌破祖,不然殘夭.巳午七八品貴.運同.)

丙午癸巳,陳仲擧人.庚子甲午,開封周王.

명조)1-[진중 거인] 명조)2-[개봉주왕]

甲 辛 癸 丙   甲 辛 甲 庚
午 卯 巳 午   午 卯 午 子

辛巳일 甲午시는, 평범하다. 寅 午 戌은 官旺하여 吉하다. 申 子 辰은 평상(平常)하다. 卯 戌의 年은 관인쌍전(官印雙全)하니 공후(公侯)가 된다. (辛巳日,甲午時,平.寅午戌官旺吉.申子辰平常.卯戌年官印雙全,公候.)

癸酉戊午,參政.辛亥丙申,縣尹.辛巳己亥,楊成尙書.壬辰乙巳,凶死.

명조)1-[참정] 명조)2-[현윤] 명조)3-[양성 상서]

甲 辛 戊 癸   甲 辛 丙 辛   甲 辛 己 辛
午 巳 午 酉   午 巳 申 亥   午 巳 亥 巳

명조)4-[흉사]

甲 辛 乙 壬
午 巳 巳 辰

辛未일 甲午시는, 申 子 辰이 편관을 制하면 吉하다. 丑 戌방면(方面)이나 未月은 貴하다. (辛未日,甲午時,申子辰偏官有制,吉.丑戌方面,未月貴.)

丁未戊申,歐陽鐸侍郎.甲戌甲戌,藍濟卿御史.戊午甲寅,沈良擧人.甲子丁丑,張居正閣老父,子孫昌盛夫婦偕老,丁丑年九月卒生前恩榮無比.壬辰庚戌,擧人瞀.

명조)1-[구양탁 시랑] 명조)2-[람제경 어사] 명조)3-[심양 거인]

甲 辛 戊 丁   甲 辛 甲 甲   甲 辛 甲 戊
午 未 申 未   午 未 戌 戌   午 未 寅 午

명조)4-[장거정 각로 父] 명조)5-[거인 소경]

甲 辛 丁 甲   甲 辛 庚 壬
午 未 丑 子   午 未 戌 辰

辛酉일 甲午시는, 春절은 財가 旺하고, 夏절은 官으로 貴하니 모구 吉하다. 秋절은 身强하여 비록 富할지라도 길지 않다. 冬절은 평상(平常)하다. (辛酉日,甲午時,春財旺,夏官貴,俱吉.秋身强, 雖富不永.冬平常.)

甲午己巳,薛文清公從祀廟廷.乙卯丙寅,擧人.庚戌壬午,紀正時以群飮行封侯令被寺僧首謀反棄市.

명조)1-[설문청공]　명조)2-[거인]　명조)3-[기정시]
甲 辛 己 甲　　　甲 辛 丙 乙　　　甲 辛 壬 庚
午 酉 巳 午　　　午 酉 寅 卯　　　午 酉 午 戌

辛亥일 甲午시는, 亥 子의 年 月은 金水가 빼어나 文學으로 뛰어나다. 辰 戌 丑 未는 잡기재관(雜氣財官)으로 귀현(貴顯)한다. (辛亥日,甲午時,亥子年月,金水涵秀,文學堪誘.辰戌丑未雜氣財官, 貴顯.)

丁亥壬子,楊尙書.癸亥己未,趙文華尙書嚴嵩黨.

명조)1-[양 상서]　명조)2-[조문화 상서 嚴嵩黨]
甲 辛 壬 丁　　　甲 辛 己 癸
午 亥 子 亥　　　午 亥 未 亥

사의삼심(四意三心)局은 도모하는 일이 의심하여 막히게 된다. 비록 그럴지라도 財祿은 모여도 맡은 이것을 또 책임지지 아니한다. (四意三心局,謀爲事滯疑.雖然財祿聚,擔是又擔非.)

6辛일간이 甲午시면, 財神이 무기(無氣)하여 감당하지 못한다. 春절생은 木旺한데 財官運인 한 길로 도도(滔滔)하면 성씨를 날린다. (六辛日干時甲午,財神無氣不相當.春生木旺財官運,一路滔滔姓字香.)

辛일이 甲午시에 臨하면, 妻와 財가 무기(無氣)하며 身이 衰弱하다. 天干이 强하지만 火旺하여 鬼胎가 되고, 火는 重하고 金이 柔弱하여 단련되어 허물어진다. 용신이 손상(損傷)됨을 가장 꺼리고, 金이 해저(海底)에 가라앉으면 재앙이 발생한다. 刑 破가 없으면 마음에 품은 것을 쫓아 貴가 두텁고 光明廣大(광명광대)하다. (辛日時臨甲午,妻財無氣身衰.干强火旺爲鬼胎,火重金柔煉壞.最忌用神傷損,金沉海底生災.無刑無破趁心懷,貴重光明廣大.)

31. 六辛日乙未時斷

6辛일생이 乙未시면, 火木을 이루어 金을 두려워하지 않는다. 月에 通[根]한 金氣와 春節의 영화(榮華)는 財旺하여 官을 生하니 身이 자귀(自貴)하다. (六辛日生時乙未,火木相成金不畏.月通金氣與春榮,財旺生官身自貴.)

辛일이 乙未시면, 天干의 財가 入庫한다. 辛은 乙이 財가 되는데 未상에 입고(入庫)한다. 己는 도식(倒食)이며 丁은 正鬼이고, 未상에 암장한 丁이 있어 己는 투출한 乙에게 제복(制伏)을 당하나 害가 되지는 않는다. 만약 巳 酉 丑月에 通[根]하면 貴하고, 火에 通하며 西方운으로 行하거나, 金에 通하여 南方운으로 行한다면 모두가 貴하다. (辛日乙未時,天財入庫.辛以乙爲財,未上入庫.己爲倒食,丁爲正鬼,未上有暗丁,己被明乙制伏,不能爲害.若通巳酉丑月者貴,通火行西運,通金行南運,俱貴.)

辛丑일 乙未시는, 刑한다. 亥 卯 未 寅月은 財旺하여 官을 生하니 貴하지 않으면 富하다. 辰 戌 丑 子 모두가 吉하다. (辛丑日,乙未時,刑.亥卯未寅月,財旺生官,不貴則富.辰戌丑子,俱吉.)

乙未丁亥,林省吾侍郎.己丑甲戌,陳克恭御史.辛酉戊戌,學士.壬申丁未,胡汝霖都憲.丁卯壬子,進士.壬午己酉,擧人.丁丑戊申,擧人.戊辰庚申,擧人.庚寅癸未,擧人.乙酉丙戌,諫軍.丙寅庚寅,陳紹儒尙書南府人,一貢生命同江右人.

명조)1-[임성오 시랑]　명조)2-[진극공 어사]　명조)3-[학사]

```
乙 辛 丁 乙      乙 辛 甲 己      乙 辛 戊 辛
未 丑 亥 未      未 丑 戌 丑      未 丑 戌 酉
```

명조)4-[호여림 도헌]　명조)5-[진사]　명조)6-[거인]

```
乙 辛 丁 壬      乙 辛 壬 丁    乙 辛 己 壬
未 丑 未 申      未 丑 子 卯    未 丑 酉 午
```

명조)7-[거인]　명조)8-[거인]　명조)9-[거인]

```
乙 辛 戊 丁    乙 辛 庚 戊    乙 辛 癸 庚
未 丑 申 丑    未 丑 申 辰    未 丑 未 寅
```

명조)10-[간군]　명조)11-[진소유 상서]

```
乙 辛 丙 乙      乙 辛 庚 丙
未 丑 戌 酉      未 丑 寅 寅
```

명조11에서 진 소유상서는 남부사람이고, 한사람 공생이며 강우사람인데 命이 같다.

辛卯일 乙未시는, 亥 卯 未월에 財가 旺盛하여 官을 生하니 吉하다. (辛卯日,乙未時,亥卯未月, 財盛生官,吉.)

辛未辛卯,鄭鏊擧人.己丑辛未,李國樑元戎以失機死.

명조)1-[정무 거인] 명조)2-[이 국량은 원융인데 실기(失機)하여 사망]

乙 辛 辛 辛　　　乙 辛 辛 己
未 卯 卯 未　　　未 卯 未 丑

辛巳일 乙未시는, 月에 金火가 通[根]하면 貴하다. 運에서 通하여도 역시 貴하다. (辛巳日,乙未 時,月通金火貴.運通亦貴.)

甲寅癸酉,易學憲.壬寅癸卯,大參貪鄙.

명조)1-[역학헌] 명조)2-[대참, 탐욕스럽고 야비함]

乙 辛 癸 甲　　　乙 辛 癸 壬
未 巳 酉 寅　　　未 巳 卯 寅

辛未일 乙未시는, 寅 卯 未의 年 月에 財旺하여 官을 生하니 이름이 높고 祿이 重하다. 火氣 에 通하고 西方운으로 行하거나, 金氣에 通하고 南으로 行하면 모두 吉하다. (辛未日,乙未時,寅 卯未年月,財旺生官,名高祿重.通火氣行西運,通金氣行南,俱吉.)

癸未乙卯,蔣冕閣老.丙寅丙申,王俊臣布政.丁酉壬寅,主政.甲寅丁未,沈儆價滇撫.戊子乙卯,進士.

명조)1-[장원 각로] 명조)2-[왕준신 포정] 명조)3-[주정]

乙 辛 乙 癸　　　乙 辛 丙 丙　　　乙 辛 壬 丁
未 未 卯 未　　　未 未 申 寅　　　未 未 寅 酉

명조)4-[심경가 전무] 명조)5-[진사]

乙 辛 丁 甲　　　乙 辛 乙 戊
未 未 未 寅　　　未 未 卯 子

辛酉일 乙未시는, 月에 火氣가 通하고 東方운으로 行하면 貴하다. 辰 戌 丑 未는 가장 吉하 다. 亥 卯는 귀현(貴顯)하나 길지 않다. 秋節생은 身이 太旺하고 財官이 무기(無氣)하여 凶하게 요절(夭折)한다. (辛酉日,乙未時,月通火氣,行東運貴.辰戌丑未最吉.亥卯貴顯,不久.秋生身太旺,財官

無氣,凶夭.)

己巳甲戌,歐陽紳納指揮陞都司陣亡蔭指揮子進士.己未乙亥,朱運昌進士.己巳戊辰,秦都事尚書子.

명조)1-[구 양신] 명조)2-[주운창 진사] 명조)3-[진 도사 상서 子]

```
乙 辛 甲 己      乙 辛 乙 己      乙 辛 戊 己
未 酉 戌 巳      未 酉 亥 未      未 酉 辰 巳
```

辛亥일 乙未시는, 亥 卯 未월은 재성격으로 吉하다. 秋 冬절은 고독(孤獨)하다. 辰 丑은 근시 (近侍)로 3品이다. (辛亥日,乙未時,亥卯未月,財星格,吉.秋冬孤獨.辰丑近侍三品.)

戊辰甲子,貴.己酉丁丑,解元.

명조)1-[貴] 명조)2-[해원]

```
乙 辛 甲 戊      乙 辛 丁 己
未 亥 子 辰      未 亥 丑 酉
```

偏財時旺(편재시왕)局은, 乙未의 庫중에 암장한다. 丑 戌이 상봉(相逢)하는 곳은 공명(功名)이 문필(文筆)의 향기이다. (偏財時旺局,乙未庫中藏.丑戌相逢處,功名翰墨香.)

辛일이 未시는 고문(庫門)이 열리면, 특별히 뛰어나며 성가(成家)하여 발재(發財)한다. 金 木運 중에 身旺하면 吉하고, 어느 정도 험난함이 지나가야 福이 다시 찾아온다. (未時辛日庫門開,卓立 成家自發財.金木運中身旺吉,幾經險過福重來.)

辛일 乙未시를 만나면, 庫중에 편재가 투출한다. 運이 木金으로 行하면 身이 衰弱함을 꺼리며 丑 戌의 運은 通根함이 크다. 경력(經歷)이 초년(初年)에 발복(發福)하여 향낭으로 대적(對敵)하면 재앙이 없다. 부귀영화(富貴榮華)한 命중에 破가 없으면 官이 매우 맑게 된다. (辛日時逢乙未,庫 中透出偏財.運行木金忌身衰,丑戌之運通泰.經歷初年發福,鴛幃抵敵無災.榮華富貴命中排,無破爲官 清泰.)

32. 六辛日丙申時斷

辛일이 丙申시를 만나 月에 金 火가 通[根]하면 정신(精神) 바뀐다. 金이 변화한 水가 金地를 만나면 福이 쌓여 富貴한 사람이 될 수 있다. (辛日生時遇丙申,月通金火轉精神.化成金水逢金地, 聚福能爲富貴人.)

辛일이 丙申時를 만나면, 丙 辛이 水로 化하여 申상에서 長生한다. 만약 月에 巳 酉 丑의 金氣가 通하면 정신(精神)이 수려(秀麗)하며 문장(文章)에 福이 모인다. 火氣가 月에 通하여 의지할 데가 있으면 貴하다. 辛酉 辛未가 가장 기묘(奇妙)한데 化象을 이루지 않는다. 申상에서 관성이 無氣하니 의록(衣祿)은 평상(平常)하다. (辛日丙申時,丙辛化水,申上長生.若月通巳酉丑金氣者,精神秀麗,文章聚福.通火氣旺,有倚托者貴.辛酉辛未最妙,不成化象.申上官星無氣,平常衣祿.)

辛丑일 丙申時는, 化하면 貴하다. 少年시절에는 건체하고 어려우나 중년에는 귀현(貴顯)한다. 亥월은 化氣가 되어 吉하다. 寅 午 戌 巳 未월에 관성이 유기(有氣)하거나 春절은 財旺하여 모두 吉하다. (辛丑日,丙申時,化貴.少年蹇剝,中貴顯.亥月作化氣看吉.寅午戌巳未月,官星有氣,春財旺俱吉.)

辛酉己亥,倪緝進士.辛酉戊戌,貴.戊辰庚申,進士.己亥壬申,貴.

명조)1-[예집 진사] 명조)2-[貴]　명조)3-[진사]
丙 辛 己 辛　　　丙 辛 戊 辛　丙 辛 庚 戊
申 丑 亥 酉　　　申 丑 戌 酉　申 丑 申 辰

명조)4-[貴]
丙 辛 壬 己
申 丑 申 亥

辛卯일 丙申時는, 化하면 貴하다. 寅 巳 午 未 戌 酉 亥月은 관성이 명랑(明朗)하니 산수가 빼어나면 과거에 급제하여 영귀(榮貴)한다. 土氣에 通[根]하여도 또한 貴하다. 또 이르길, 소년시절에는 건체하나 중 말년에는 좋다. (辛卯日,丙申時,化貴.寅巳午未戌酉亥月,官星明朗,山明水秀,登科榮貴.通土氣亦貴.一云,少蹇,中末好.)

丙申乙未,丘茂英擧人.辛亥戊戌,太守.

명조)1-[구무영 거인] 명조)2-[태수]
丙 辛 乙 丙　　　丙 辛 戊 辛
申 卯 未 申　　　申 卯 戌 亥

辛巳일 丙申時는, 피를 보면 福이 된다. 또 이르길, 貴중에 잃는 것이 있다. 申 未의 年 月은 身이 두터워 妻는 重하며 자식은 효도하는데, 무직(武職)으로 3품이다. (辛巳日,丙申時,見血則福.一云,貴中失.申未年月,身厚妻重子孝,武職三品.)

戊戌甲子,侍郎.庚子戊子,大參.乙酉甲申,姜應熊元戌.辛亥甲午,吳逵太守.丁巳庚戌,周狀元.丁亥壬寅,巨富.乙巳辛巳,進士知州.

명조)1-[시랑]　명조)2-[대참]　명조)3-[강응웅 원융]

丙 辛 甲 戊　　丙 辛 戊 庚　　丙 辛 甲 乙
申 巳 子 戊　　申 巳 子 子　　申 巳 申 酉

명조)4-[오규 태수]　명조)5-[주 장원]　명조)6-[巨富]

丙 辛 甲 辛　　　丙 辛 庚 丁　　　丙 辛 壬 丁
申 巳 午 亥　　　辛 巳 戊 巳　　　申 巳 寅 亥

명조)7-[진사 지주]

丙 辛 辛 乙
申 巳 巳 巳

辛未日 丙申時는, 貴人의 문하(門下)에서 福을 얻는다. 春節은 청귀(淸貴)하다. 夏節은 평상(平常)하다. 秋節은 富하다. 冬節은 대귀(大貴)하나 수명이 짧다. 신백경에 이르길, 金 水가 合이 어그러지고 化水하여야 주로 貴하다. (辛未日,丙申時,因貴人門下得富.春淸貴.夏平常.秋富.冬大貴壽促.神白經云,金水乖合,化水主貴.)

己巳丁卯,陸樹聲會元尙書九十七歲.壬戌丙午,楊萬程太守.己卯癸酉,進士.甲午丁丑,擧人.

명조)1-[육수성 회원 상서 97歲]　명조)2-[양만정 태수]

丙 辛 丁 己　　　　　丙 辛 丙 壬
申 未 卯 巳　　　　　申 未 午 戌

명조)3-[진사]　명조)4-[거인]

丙 辛 癸 己　　丙 辛 丁 甲
申 未 酉 卯　　申 未 丑 午

辛酉일 丙申시는, 寅 巳 午 戌월은 官旺하여 영귀(榮貴)한다. 신백경에 이르길, 水로 化하여 주로 貴하다. (辛酉日,丙申時,寅巳午戌月,官旺榮貴.神白經云,水化主貴.)

己酉庚午,太守.丁酉己酉,巨富.

명조)1-[태수] 명조)2-[巨富]

丙 辛 庚 己   丙 辛 己 丁

申 酉 午 酉   申 酉 酉 酉

辛亥일 丙申시는, 발복(發福)하지만 고(孤)쥔을 방비해야하며, 질병을 가진다. 金氣에 通하면 사람이 수려(秀麗)하며 福이 두텁다. 水氣에 通하면 크게 貴하다. (辛亥日,丙申時,發福,防孤剋,帶疾.通金氣,主人秀麗福厚.通水氣大貴.)

壬子癸丑,蔡存遠進士.辛亥丙申,侍郞.甲申乙亥,潘允哲學憲.癸未乙丑,楊道亨太守.乙未己丑,馮銓閣老.壬午癸卯,薛國觀由外官入閣賜,死.庚戌丁亥,知州.

명조)1-[채존원 진사] 명조)2-[시랑] 명조)3-[반윤철 학헌]
丙 辛 癸 壬   丙 辛 丙 辛   丙 辛 乙 甲
申 亥 丑 子   申 亥 申 亥   申 亥 亥 申

명조4)-[양도형 태수] 명조)5-[풍전 각로]
丙 辛 乙 癸   丙 辛 己 乙
申 亥 丑 未   申 亥 丑 未

명조)6-[설 국관] 명조)7-[지주]
丙 辛 癸 壬   丙 辛 丁 庚
申 亥 卯 午   申 亥 亥 戌

명조6에서, 설 국관은 외관(外官=지방관직)에서 입각(入閣=내각)을 하였다가 사망하였다.

합화천원(合化天元)局은 동절생이면 福이 유여(有餘)하다. 때가 돌아오면 귀현(貴顯)하며 과거에 급제하여 첫머리에 이름이 붙는다. (合化天元局,冬生福有餘.時來隨貴顯,金榜把名題.)

辛일이 좋은 丙申시를 만나면, 天元이 化合하는 그 참됨을 얻는다. 동절생이 만약 刑 破가 없으면 귀현(貴顯)하여 마땅히 등과(登科)하고 높은 자리에 오른다. (辛日良時遇丙申,天元化合得其眞.冬生若也無刑破,貴顯當登要路津.)

辛日이 丙申시를 만나면, 祿馬가 長生하여 기이(奇異)하다. 天元이 化合하여 광휘(光輝)를 드러내고, 직책은 重하며 이름이 높고 위세(威勢)가 있다. 君子는 문장(文章)이 높고, 평상인은 영화스러우며 가정의 터전이 좋다. 生時가 참되면 오히려 모자람이 없고, 運은 兌(서방) 離(남방) 震(동방)의 地支를 기뻐한다. (辛日丙申時遇,長生祿馬希奇.天元化合顯光輝,職重名高威勢.君子文章上立,常人榮旺家基.生時眞定卻無虧,運喜兌離震地.)

33. 六辛日丁酉時斷

6辛일생이 丁酉시면, 鬼가 祿元을 破하여 禍가 수없이 많다. 의지할 데가 있고 身强하여야 비로소 吉하다고 단정하며 月에 通[根]하여 편관을 제복(制伏)해야 한다. (六辛日生時丁酉,鬼破祿元禍百端.倚托身强方斷吉,月通制伏是偏官.)

辛일이 丁酉시는, 火 金이 다툰다. 辛金은 酉상에서 건왕(健旺)하고, 丁을 보면 정귀(正鬼)가 된다. 酉상에서 丁이 長生하여 파록(破祿)하면 福이 되지 않고 성패(成敗)를 반복(反復)한다. 신강하며 月氣에 通하고 제복(制伏)하면 편관으로 論한다. 다시 身旺한 運으로 行하면 貴하다. 金氣에 通[根]하고 丁이 없으며 身强하고 南方 運으로 行하면 크게 貴하다. (辛日丁酉時,火金持爭.辛金酉上健旺,見丁爲正鬼.酉上丁長生,破祿不成其福,反復成敗.身强通月氣,有制伏者,作偏官論.更行身旺運貴.通金氣無丁,身强行南運,大貴.)

辛丑일 丁酉시는, 뛰어나고 평온(平溫)하다. 酉월에 土木운의 방면(方面)으로 行하고, 戊 亥 子 巳 未의 年 月은 크게 貴하다. (辛丑日,丁酉時,高平穩.行酉月土木運方面,戊亥子巳未年月,大貴.)

壬子庚戌,張岳侍郎名臣.癸丑癸亥,莊仁山進士.辛巳辛丑,徐養相擧人.壬午乙巳,宗室.乙未庚辰,以假印論死狡脫.

명조)1-[장악 시랑 명신] 명조)2-[장 인산 진사] 명조)3-[서 양상 거인]

| 丁 辛 庚 壬 | 丁 辛 癸 癸 | 丁 辛 辛 辛 |
| 酉 丑 戌 子 | 酉 丑 亥 丑 | 酉 丑 丑 巳 |

명조)4-[宗室=종친] 명조)5-[]

| 丁 辛 乙 壬 | 丁 辛 庚 乙 |
| 酉 丑 巳 午 | 酉 丑 辰 未 |

명조5에서, 가짜 인장으로 죽음을 교활하게 벗어났다.

辛卯일 丁酉시는, 日時가 나란히 衝한다. 月에 金氣가 通하고 丙 丁이 투출하지 않으며 南方 운이면 貴하다. (辛卯日,丁酉時,時日併衝.月通金氣,不透丙丁,南方運貴.)

甲子癸酉,王凌侍郎.戊寅甲子,何棨憲副.庚辰乙酉,進士.丙子己亥,吳宗達探花閣老.

명조)1-[왕릉시랑] 명조)2-[하계 헌부] 명조)3-[진사]

| 丁 辛 癸 甲 | 丁 辛 甲 戊 | 丁 辛 乙 庚 |
| 酉 卯 酉 子 | 酉 卯 子 寅 | 酉 卯 酉 辰 |

명조)4-[오 종달 탐화 각로]

丁 辛 己 丙

酉 卯 亥 子

辛巳일 丁酉시는, 보통이다. 亥월은 반복(反復)하며 일정하지 않다. 午月은 편관으로 질병은 있으며 현달(顯達)하지만 수명(壽命)이 짧다. 子월은 귀척(貴戚)이다. 또 이르길, 財가 있고 害가 있는데 수명은 31세에 불과(不過)하다. (辛巳日,丁酉時,平.亥月反復不定.午月偏官帶疾,顯達壽促.子月貴戚.一云,有財有害,壽不過三十一.)

甲子丙寅,莊用賓僉事.辛巳辛卯,同知.丁亥壬子,舒化尙書.庚辰戊子,蔭郞謫戍.丙子戊戌,吳三畏擧人.

명조)1-[장 용빈 첨사]　명조)2-[동지]　명조)3-[서화상서]

丁 辛 丙 甲　　　丁 辛 辛 辛　　丁 辛 壬 丁

酉 巳 寅 子　　　酉 巳 卯 巳　　酉 巳 子 亥

명조)4-[음랑 적수]　명조)5-[오 삼외 거인]

丁 辛 戊 庚　　　丁 辛 戊 丙

酉 巳 子 辰　　　酉 巳 戌 子

명조4에서, 음랑으로 변방에 유배.

辛未일 丁酉시는, 貴하지 않으면 富하다. 月에 金氣가 通[根]하고 丙 丁의 글자가 없으며 南方 운으로 行하면 貴하다. (辛未日,丁酉時,不貴則富.月通金氣,無丙丁字,行南運貴.)

己酉壬申,戴大賓編修考戴公自云庚戌生附於朱文,公己酉恐非惜不祿.辛丑辛丑,馬伋主政.己未丙子,富.丙申庚子,壽蹟百歲.

명조)1-[대 대빈 편수]　명조)2-[마급 주정]　명조)3-[富]

丁 辛 壬 己　　　丁 辛 辛 辛　　丁 辛 丙 己

酉 未 申 酉　　　酉 未 丑 丑　　酉 未 子 未

명조1에서, 대 대빈 편수인데, 살펴보면 대공(戴公)이 스스로 말하길, 庚戌생으로 주문에 붙어 있다. 公은 己酉를 두려워하지 아니하여 애석하게도 사망했다.

명조)4-[壽가 백세를 넘었다.]

丁 辛 庚 丙

酉 未 子 申

辛酉일 丁酉시는, 年 月에 金氣가 通하면 吉하다. 丑월에 西方운이면 풍헌(風憲)이다. 寅 午 戌은 貴하다. (辛酉日,丁酉時,年月通金氣吉.丑月西方運,風憲.寅午戌貴.)

甲辰甲戌,衛承芳尙書.壬戌丙午,郝良臣方伯.庚申己卯,進士.乙卯戊寅,楊鎬經略尙書.

명조)1-[위 승방 상서] 명조)2-[학 량신 방백] 명조)3-[진사]

丁 辛 甲 甲　　　　　丁 辛 丙 壬　　　　　丁 辛 己 庚
酉 酉 戌 辰　　　　　酉 酉 午 戌　　　　　酉 酉 卯 申

명조)4-[양호 경약 상서]

丁 辛 戊 乙
酉 酉 寅 卯

辛亥일 丁酉시는, 貴하다. 丑 寅 卯 酉의 年 月은 근시(近侍)로 금띠를 두르고 자의(紫衣)를 입는다. (辛亥日,丁酉時,貴.丑寅卯酉年月,近待金紫.)

丙午己亥,婺人中浙江擧人名胡正隨中北場擧人名正道又中南場擧人名王國昌參革.己亥辛未,太守巨富無子.59)

명조)1-[무인중 절강 擧人] 명조)2-[태수 巨富 無子]

丁 辛 己 丙　　　　　丁 辛 辛 己
酉 亥 亥 午　　　　　酉 亥 未 亥

시상살생(時傷煞生)局은 天元에 官을 보아서는 안 된다. 身强하고 財祿의 運은 귀현(貴顯)하여 천자(天子) 곁을 따른다. (時傷煞生局,天元莫見官.身强財祿運,貴顯步金鑾.)

辛일이 酉시는 동등(同等)한데, 집을 나서면 기쁘고 새로운 일을 맞는다. 刑 衝 공망 剋 破를 만나지 않으면 어찌 富貴를 근심하며 身은 더할 나위없다. (酉時辛日等同倫,出戶相迎喜事新.不遇刑衝空剋破,何愁富貴不加身.)

辛일이 丁酉시에 臨하면, 편관이 合局하여 잘 맞다. 丙 丁이 머물러 거듭 보면 자식은 딸이 많고 아들이 적다. 祖業은 쇠잔하여 저물어가고, 밝은 달에 노닐던 사람을 구름이 감춘다. 身强하고 官旺하면 한가하고 여유로운 福인데, 運이 財官에 이르면 [福이] 많이 있다. (辛日時臨丁酉,偏

---

59) 근시(近侍)는 임금을 가까이 모시는 신하를 말함. 금자(金紫)는 금띠 혁대를 차고 붉은 옷 즉 높은 관리를 말함.

官合局相投.丙丁重見主淹留,嗣息女多男少.祖業殘花秋暮,遊人皎月雲收.身強官旺福優遊,運至財官大有.)

34. 六辛日戊戌時斷

6辛일생이 戊戌시면, 印綬가 생신(生身)하며 祿[堂]에 坐한다. 의지할 데가 있으면 福있는 사람이나 祖業을 기대하긴 어렵고, 月氣에 불통(不通)하면 평상(平常)하다. (六辛日生時戊戌,印綬生身坐祿堂.有托福人難靠祖,不通月氣是平常.)

辛일이 戊戌시면, 祿은 인당(印堂)과 같으며 동거(同居)한다. 辛은 戌이 祿堂이 되고, 戌상에 투출한 戊가 있으며 印綬가 된다. 丙 丁은 官이 되고, 戌상의 戊土는 정위(正位)이며 丙 丁의 火局이 된다. 만약 의탁(依託)함이 있고 月氣에 通[根]하면 조업(祖業)하기 어렵다. 불통(不通)하면 평상(平常)하다. (辛日,戊戌時,祿同印堂同居.辛以戌爲祿堂,戌上有明戊,爲印綬.以丙丁爲官,戌上戊土正位,丙丁火局.若有倚托通月氣者,難爲祖業.不通,平常.)

辛丑일 戊戌시는, 刑 害한다. 辰 戌 丑 未는 印綬이고 南方 運으로 行하면 크게 貴하다. 寅 巳는 正官으로 貴하다. 子 午 卯 酉는 무직(武職)으로 풍헌(風憲)이다. (辛丑日,戊戌時,刑害.辰戌丑未印綬,行南運大貴.寅巳正官貴.子午卯酉,武職風憲.)

壬辰甲辰,閣老.壬午庚戌,布政.戊辰甲寅,曹當勉太守.辛巳辛丑,擧人.

명조)1-[각로] 명조)2-[포정] 명조)3-[조 당면 태수]
戊 辛 甲 壬　　戊 辛 庚 壬　　戊 辛 甲 戊
戊 丑 辰 辰　　戊 丑 戊 午　　戊 丑 寅 辰

명조)4-[거인]
戊 辛 辛 辛
戊 丑 丑 巳

辛卯일 戊戌시는, 刑 害하여 흉악하며 탐욕스런 사람이다. 亥 卯月의 木火運은 5~6품의 貴이다. (辛卯日,戊戌時,刑害饕餮.亥卯月木火運,五六品貴.)

辛卯甲午,湖廣襄王.丙子辛亥,霍冀尙書壽六十.丁未辛亥,葉珩布政.丁酉丙午,太守.庚寅戊子,通判.

명조)1-[호광양왕] 명조)2-[곽기 상서 수명60] 명조)3-[엽형 포정]

戊辛甲辛　　　戊辛己丙　　　　戊辛辛丁
戊卯午卯　　　戊卯亥子　　　　戊卯亥未

명조)4-[태수] 명조)5-[통판]

戊辛丙丁　　戊辛戊庚
戊卯午酉　　戊卯子寅

辛巳일 戊戌시는, 辰 戌 丑 未월은 印綬인데 문(文)으로 貴하며 질병이 적다. 土를 生하는 두터운 분야(分野)이면 貴하다. 戌月에 木 火운으로 行하면 풍헌(風憲)이다. (辛巳日,戊戌時,辰戌丑未月印綬,文貴,少病.生土厚分野貴.戌月行木火運,風憲.)

丁丑丁未,伯.乙亥壬午,大參.乙丑己丑,高時給事問死.丁未乙巳,陳文浩進士.庚申甲申,擧人.甲寅丁卯,周應賓禮部侍郎.乙未甲申,曾朝節探花侍郎.己亥丙子,知州.

명조)1-[伯] 명조)2-[대참] 명조)3-[고시 급사 問死]

戊辛丁丁　戊辛壬乙　戊辛己乙
戊巳未丑　戊巳午亥　戊巳丑丑

명조)4-[진문호 진사] 명조)5-[거인] 명조)6-[주응빈 예부시랑]

戊辛乙丁　　　戊辛甲庚　　戊辛丁甲
戊巳巳未　　　戊巳申申　　戊巳卯寅

명조)7-[증조절 탐화시랑] 명조)8-[지주]

戊辛甲乙　　　　戊辛丙己
戊巳申未　　　　戊巳子亥

辛未일 戊戌시는, 흉악하고 난폭하여 妻子를 손상할까 염려된다. 寅 巳 午 戌 丑월은 貴하다. 申 子 辰 亥는 金 水가 빼어나니 더욱 貴하다. 또 이르길, 父母를 剋하고, 身旺하여 中年에는 富하다. (辛未日,戊戌時,凶惡狼暴,憂傷妻子.寅巳午戌丑月貴.申子辰亥金水涵秀,尤貴.一云,剋父母,身旺,中年富.)

壬申壬子,王國光尙書.乙亥辛巳,李鳳毛少卿.甲子丁丑,姚鳳翔副使.辛未戊戌,兪杳伯副使,兩干不雜.甲戌丙寅,丘天祐御史.壬午庚戌,李鶚主政.辛未甲午,李奇俊擧人.甲寅丁丑,擧人.丁卯庚戌,凶死.辛未甲午,貴.

명조)1-[왕국광 상서] 명조)2-[이봉모 소경] 명조)3-[요봉상 부사]

戊 辛 壬 壬　　　　戊 辛 辛 乙　　　　戊 辛 丁 甲
戊 未 子 申　　　　戊 未 巳 亥　　　　戊 未 丑 子

명조)4-[유자백 부사, 양간부잡] 명조)5-[구천우 어사]
戊 辛 戊 辛　　　　　　戊 辛 丙 甲
戊 未 戊 未　　　　　　戊 未 寅 戌

명조)6-[이악 주정] 명조)7-[이기준 거인] 명조)8-[거인]
戊 辛 庚 壬　　　　戊 辛 甲 辛　　　　戊 辛 丁 甲
戊 未 戊 午　　　　戊 未 午 未　　　　戊 未 丑 寅

명조)9-[凶死] 명조)10-[貴]
戊 辛 庚 丁　　戊 辛 甲 辛
戊 未 戊 卯　　戊 未 午 未

辛酉일 戊戌시는, 刑으로 凶하다. 巳 酉 丑 辰 戌 未의 年 月은 우두머리로 공경(公卿) 벼슬을
하는 命이다. (辛酉日,戊戌時,凶刑.巳酉丑辰戌未年月,魁元卿尹之命.)

丙子己亥,萬士和尙書君子.己巳癸酉,侍郎.丙辰庚寅,陶謨御史.戊子己未,太守.丙寅辛丑,進士.戊戌
庚申,林文聰知縣.辛丑乙未,學人.癸丑丙辰,少卿.己卯丙寅,中庚戌科進士本年卒.

명조)1-[만사화 상서군자] 명조)2-[시랑] 명조)3-[도모 어사]
戊 辛 己 丙　　　　戊 辛 癸 己　　戊 辛 庚 丙
戊 酉 亥 子　　　　戊 酉 酉 巳　　戊 酉 寅 辰

명조)4-[태수] 명조)5-[진사] 명조)6-[임문총 지현]
戊 辛 己 戊　　戊 辛 辛 丙　　戊 辛 庚 戊
戊 酉 未 子　　戊 酉 丑 寅　　戊 酉 申 戌

명조)7-[거인] 명조)8-[소경] 명조)9-[]
戊 辛 乙 辛　　戊 辛 丙 癸　　戊 辛 丙 己
戊 酉 未 丑　　戊 酉 辰 丑　　戊 酉 寅 卯
명조9에서, 庚戌년에 급제하여 進士가 된 그 해에 사망.

辛亥일 戊戌시는, 흉폭하며 계책을 꾸미고 교활하여 서로 견주는 사람이다.　또 이르길, 凶한
後에 發한다. (辛亥日,戊戌時,凶狠機謀,奸猾計較.一云,凶後發.)

乙酉戊寅,林蘷進士.甲申壬申,趙申甫擧人.丁亥乙巳,凶死.戊辰辛酉,御史.辛卯乙未,伯.己丑丙寅,御史.

명조)1-[임기 진사]　명조)2-[조신보 거인]　명조)3-[凶死]

　戊 辛 戊 乙　　　　戊 辛 壬 甲　　　　戊 辛 乙 丁
　戊 亥 寅 酉　　　　戊 亥 申 申　　　　戊 亥 巳 亥

명조)4-[어사]　명조)5-[伯]　명조)6-[어사]

　戊 辛 辛 戊　　戊 辛 乙 辛　　戊 辛 丙 己
　戊 亥 酉 辰　　戊 亥 未 卯　　戊 亥 寅 丑

관인임시(官印臨時)局은, 조년(早年)에는 일이 화해(和諧)되지 않는다. 말년(末年)중에 시운(時運)이 이르면 창고(倉庫)가 자연(自然)히 열린다. (官印臨時局,早年事莫諧.末中時運至,倉庫自然開.)

辛일 戊시는 財庫가 닫혔는데 만일 열려면 반드시 丑 辰이 오길 기다려야한다. 年 月의 天干에 甲 丙이 투출하면 부귀영화(富貴榮華)는 틀림없다. (辛日戊時財庫閉,如開須待丑辰來.年月甲丙天干透,富貴榮華不用猜.)

辛일에 戊戌시가 臨하면, 五行은 財祿으로 영화(榮華)가 창성(昌盛)하다. 四柱중에 辰 戌로 마땅히 열어야하는데, 이름을 약시개장(鑰匙開藏;열쇠로 감추어진 것을 열다.)이라고 한다. 火 水는 광휘(光輝)로 발달(發達)하고, 공망은 폐쇄(閉鎖)가 한결같다. 運이 財나 官鄕으로 行하고 破가 없으면 자연적으로 복상(福相)이다. (辛日時臨戊戌,五行財祿榮昌.柱中辰戌兩相當,名曰鑰匙開藏.火水光輝發達,空亡鎖閉如常.運行財地併官鄕,無破天然福相.)

35. 六辛日己亥時斷

6辛일생이 己亥시면, 배록박관(背祿剝官)하니 도리어 파상(破傷)한다. 만일 비천록마(飛天祿馬)格이 되면 貴하고, 실시(失時)하고 합이 없으면 쓸데없이 분주하다. (六辛日生時己亥,背祿剝官反破傷.如作飛天祿馬貴,失時無合空忙忙.)

辛일 己亥시는, 비천(飛天)한 祿이 合局한다. 辛은 丙이 官이 되고, 亥상에 旺한 壬의 손상함이 있으므로 官이 무기(無氣)하다. 만일 재차 亥月 혹은 亥日을 얻으면 亥로써 巳중의 丙火를 충출(衝出)하여 관성이 된다. 만약 辛酉 辛丑으로 合局하면 貴하고, 그 나머지 辛은 합이 없다. 月氣에 불통(不通)하고 의지할 데가 없으면 빈궁(貧窮)하다. 의지함이 있으면 吉하다. (辛日,己亥時, 飛祿合局.辛以丙爲官,亥上有旺壬傷,故官無氣.如再得亥月或亥日,以亥衝出巳中丙火爲官星.若是辛酉辛丑合局貴,其餘辛無合.不通月氣,無倚托,貧下.有倚托吉.)

辛丑일 己亥시는, 辰 戌 丑 未 및 寅 卯月생은 비천록마가 되어 貴하다. 未月에 金 水운은 존귀한 사람이 된다. (辛丑日,己亥時,辰戌丑未及寅卯月生,作飛天祿馬貴.未月金水運,金紫方面.)

乙亥丁亥,林廉使合飛天格甲申丙子只作財官看貴.辛酉丙申,喜東南運亦貴.乙丑丙戌,兩司.辛酉戊戌,進士.甲辰丁卯,中庚午科擧人,壬午遇難.

명조)1-[임 염사] 명조)2-[喜 東南運 亦貴] 명조)3-[양사]

己 辛 丁 乙   己 辛 丙 辛   己 辛 丙 乙
亥 丑 亥 亥   亥 丑 申 酉   亥 丑 戌 丑

명조1에서, 임 염사는 비천격에 부합하고, 甲申 丙子는 다만 財 官으로 보는데 貴하다.

명조)4-[진사] 명조)5-[中庚午科 擧人, 壬午 遇難]

己 辛 戊 辛   己 辛 丁 甲
亥 丑 戌 酉   亥 丑 卯 辰

辛卯일 己亥시는, 寅 卯 亥 未월은 財旺하여 관을 生하니 종신(終身)토록 경사스럽다. 巳 酉 丁의 年 月은 貴하다. (辛卯日,己亥時,寅卯亥未月,財旺生官,終身有慶.巳酉丁年月貴.)

丁丑壬寅,南軒郎中.辛丑己亥,張學士.乙卯戊子,張希虞擧人.辛卯丁酉,帥蘭給諫.壬戌壬寅,進士.癸卯辛酉京卿.戊申甲子,下賤.

명조)1-[남헌 낭중] 명조)2-[장학사] 명조)3-[장 희우 거인]

己 辛 壬 丁   己 辛 己 辛   己 辛 戊 乙
亥 卯 寅 丑   亥 卯 亥 丑   亥 卯 子 卯

명조)4-[수란 급간] 명조)5-[진사] 명조)6-[京卿]

己 辛 丁 辛   己 辛 壬 壬   己 辛 辛 癸
亥 卯 酉 卯   亥 卯 寅 戌   亥 卯 酉 卯

명조)7-[下賤]

己 辛 甲 戊

亥 卯 子 申

　　辛巳일 己亥시는, 巳[字]가 전실(塡實=메워짐)되어 비천록마격에 들지 않으니 官 印으로 論하고, 父母가 진력하여 도우며 後에 富貴하게 된다. (辛巳日,己亥時,塡實巳字,不入飛天格,作官印論, 主父母竭力扶持而後富貴.)

　　丁卯己酉,明世宗在位四十五年丁卯年崩.乙丑己丑,沈良材侍郎.癸未甲子,諸大受狀元侍郎,癸酉年卒,一孤寒命同.丁亥壬寅,萬民範知州.甲子丁卯,貴夭.

　　명조)1-[명 세종]　　명조)2-[심 양재 시랑]　　명조)3-[제대수 장원시랑]
　　己 辛 己 丁　　　　己 辛 己 乙　　　　　己 辛 甲 癸
　　亥 巳 酉 卯　　　　亥 巳 丑 丑　　　　　亥 巳 子 未
　　명조1에서, 명나라 세종으로 재위 45년 丁卯년에 붕어(崩御)하였다.
　　명조3에서, 제 대수는 장원으로 시랑이고, 계유(癸酉)년에 사망하였다. 한사람 고독하고 외로운 사람과 명(命)이 동일하였다.

　　명조)4-[만민범 지주]　　명조)5-[貴夭]
　　己 辛 壬 丁　　　　己 辛 丁 甲
　　亥 巳 寅 亥　　　　亥 巳 卯 子

　　辛未일 己亥시는, 貴하다. 亥 卯 未 寅월은 金이 木을 剋할 수 있으니 財가 盛하여 官을 生하면 명리(名利)가 있고 귀현(貴顯)한다. 巳 午의 年 月은 富貴한다. 秋절생이 丙이 투출하면 역시 吉하다. 　　(辛未日,己亥時,貴.亥卯未寅月,金能剋木,爲財盛生官,名利貴顯,巳午年月富貴.秋生透丙亦吉.)

　　戊寅乙卯,秦鳴雷狀元.丙午丙申,丘愈解元.丁酉壬子,賈應元大參.癸亥乙丑,汪道崑父受侍郎封.癸卯辛酉,楊秉義進士.甲戌己巳,解元.辛丑戊戌,田門僉都.

　　명조)1-[진명뢰 장원]　　명조)2-[구유 해원]　　명조)3-[가 응원 대참]
　　己 辛 乙 戊　　　　己 辛 丙 丙　　　　己 辛 壬 丁
　　亥 未 卯 寅　　　　亥 未 申 午　　　　亥 未 子 酉

　　명조)4-[왕도곤 父]　　명조)5-[양병의 진사]　　명조)6-[해원]
　　己 辛 乙 癸　　　　己 辛 辛 癸　　　　己 辛 己 甲
　　亥 未 丑 亥　　　　亥 未 酉 卯　　　　亥 未 巳 戌
　　명조4에서, 왕 도곤의 부(父)는 시랑으로 책봉 받았다.

명조)7-[전문 첨도]

己 辛 戊 辛

亥 未 戌 丑

辛酉일 己亥시는, 辰 戌 丑 未는 잡기재관으로 吉하다. 순수한 亥는 巳중의 丙火를 衝하여 官
貴가 된다. (辛酉日,己亥時,辰戌丑未,雜氣財官吉.純亥衝巳中丙火,爲官貴.)

丁丑辛亥,擧人.辛亥辛丑,擧人.丁酉己亥,鄭綱侍郞.丙子辛卯,趙錦尙書,一高僧命同四川人.庚子己
丑,王四槐副使.庚午庚辰,宋鳳翔解元.

명조)1-[거인] 명조)2-[거인] 명조)3-[정강 시랑]

己 辛 辛 丁   己 辛 辛 辛   己 辛 己 丁

亥 酉 亥 丑   亥 酉 丑 亥   亥 酉 亥 酉

명조)4-[조금 상서] 명조)5-[왕사괴 부사] 명조)6-[송봉상 해원]

己 辛 辛 丙   己 辛 己 庚   己 辛 庚 庚

亥 酉 卯 子   亥 酉 丑 子   亥 酉 辰 午

명조4에서, 조금은 상서이고, 한사람 고승(高僧)이 命 이 같은데 사천사람이다.

辛亥일 己亥시는, 年 月이 거듭 亥이면 비천록마로 3~4품의 貴이다. 무직(武職)은 극품(極品)
이고 후백(侯伯)이다. 寅 巳가 전실(塡實)하면 [福을] 減한다. 子 辰의 年 月은 역시 吉하다. (辛
亥日,己亥時,年月再亥,飛天祿馬,三四品貴.武職極品,侯伯.寅巳塡實,則減.子辰年月亦吉.)

癸丑乙卯,方一桂御史.壬辰戊申,徐元稔進士.辛亥癸巳,姚鳴鳳進士.丁亥乙巳,布政.甲子乙丑,主政.
甲戌丁丑,郎中.己丑己巳,擧人.甲寅庚午,伯.丙辰庚寅,學道.庚辰丁亥,司訓壽七十.

명조)1-[방일계 어사] 명조)2-[서원임 진사] 명조)3-[요명봉 진사]

己 辛 乙 癸   己 辛 戊 壬   己 辛 癸 辛

亥 亥 卯 丑   亥 亥 申 辰   亥 亥 巳 亥

명조)4-[포정] 명조)5-[주정] 명조)6-[낭중]

己 辛 乙 丁   己 辛 乙 甲   己 辛 丁 甲

亥 亥 巳 亥   亥 亥 丑 子   亥 亥 丑 戌

명조)7-[거인]   명조)8-[伯]   명조)9-[학도]

```
己 辛 己 己      己 辛 庚 甲      己 辛 庚 丙
亥 亥 巳 丑      亥 亥 午 寅      亥 亥 寅 辰
```

명조)10-[사훈인데 수명은 70세]

```
己 辛 丁 庚
亥 亥 亥 辰
```

금지출초(芩芝出草)局은 가깝고 친한 각각의 地支는 떨어진다. 옛것을 지키면 성취(成就)하기 어려우며 평생토록 스스로 하게 된다. (芩芝出草局,親面各支離.守舊難成就,平生自作爲.)

辛일 천간이 己亥시면, 효신(梟神)이 배록(背祿)하니 재앙이 염려된다. 衝이 없으면 발복(發福)하고 또한 重하지 않는데 祿馬가 飛天하면 특별히 貴하다. (辛日天干己亥時,梟神背祿主災虞.無衝發福亦不重,祿馬飛天貴自殊.)

辛일이 己亥시에 臨하면, 효신(梟神) 배록(背祿)이 동궁(同宮)한다. 좋은 것이, 이지러진 달은 구름에 쌓여 가려진 것처럼 癸巳 甲寅은 무용(無用)하다. 父母는 완전히 화목치 않고, 시든 꽃이 열매를 맺어 바람을 막는다. 만약 剋 破와 刑 衝함이 없으면 비천록마는 福이 두텁다. (辛日時臨己亥,梟神背祿同宮.好如缺月被雲籠,癸巳甲寅無用.父母完全不睦,殘花結果防風.若無剋破與刑衝,飛天祿馬福重.)

36. 六壬日庚子時斷

6壬일생이 庚子시면, 子상에 투출한 庚은 暗으로 손상(損傷)된다. 火 土月에 속하면 吉하고, 불통(不通)하면 흉악하며 단지 평상(平常)할 뿐이다. (六壬日生時庚子,子上明庚暗損傷.火土月中仍主吉,不通凶狠只平常.)

壬일이 庚子시면, 羊刃이 旺하여 身强하다. 壬은 庚이 도식(倒食)이 되고, 癸는 羊刃이 되며 時상에 庚이 투출하여 癸가 旺하다. 만약 火 土가 月氣에 通하면 庚 癸를 제복(制伏)하니 대귀(大貴)하고, 불통(不通)하면 흉포하고 평상한데, 運에서 通하면 역시 貴하다. (壬日庚子時,刃旺身强.壬以庚爲倒食,癸爲羊刃,時上明庚癸旺,若通火土月氣,制伏庚癸,大貴.不通凶狠,平常,通運亦貴.)

壬子일 庚子시는, 辰 戌 丑 未월이면 잡기재관이다. 巳 申 酉 丑의 印綬나 土가 두터운 분야(分野)에 居하면 모두 貴하다. 寅月에 金 水운은 근시(近侍)로 존귀하다. 午월에 西方運이면 6품이고, 子運은 敗하며 凶하다. 만약 순전히 壬子면 羊刃으로 가난하고 凶하다. 또 이르길, 소년시절에는 富하며 35세 後에는 간난신고(艱難辛苦)하지만 말년에는 대부(大富)한다. 辛巳월을 꺼리는데 흉악하게 죽고, 辛亥월은 대흉(大凶)하고, 甲子월은 刑(형벌)을 받는다. (壬子日,庚子時,辰戌丑未月雜氣財官.巳申酉丑印綬,居土厚分野俱貴.寅月金水運,近侍金紫.午月行西運六品,子運敗凶.若純壬子,羊刃貧凶.一云,少年富,三十五後艱辛,末大富.忌辛巳月,凶惡死,辛亥月大凶,甲子月刑.)

己卯癸酉,司寇.癸酉乙卯,侍郎.癸酉己未,李邦珍都堂.甲戌乙亥,楊午東史部.甲申己巳,嚴淸尚書嘉興人,一平常命同北直人.甲子乙亥,張狀元.辛卯庚寅,葉夢熊尚書世襲錦衣,一王孫命同.庚申己卯,袁宗道會元春坊.戊午戊午,擧人.甲寅丁卯,擧人.辛丑戊戌,蕭遍副使.

명조)1-[사구] 명조)2-[시랑] 명조)3-[이방진 도당]

庚 壬 癸 己　　庚 壬 乙 癸　　庚 壬 己 癸
子 子 酉 卯　　子 子 卯 酉　　子 子 未 酉

명조)4-[양오동 이부] 명조)5-[엄청 상서] 명조)6-[장 장원]

庚 壬 乙 甲　　　庚 壬 己 甲　　　庚 壬 乙 甲
子 子 亥 戌　　　子 子 巳 申　　　子 子 亥 子

명조5에서, 엄청은 상서이고 가흥사람이다. 한사람 평상한 사람의 命과 같았는데 북직(北直)사람이다.

명조)7-[엽몽웅 상서] 명조)8-[원종도 회원춘방] 명조)9-[거인]

庚 壬 庚 辛　　　庚 壬 己 庚　　　庚 壬 戊 戊
子 子 寅 卯　　　子 子 卯 申　　　子 子 午 午

명조7에서, 엽목웅은 상서로 세습(世襲)하여 금의(錦衣)를 입었다. 한사람 왕손(王孫)과 命이 같다.

명조)10-[거인] 명조)11-[소편 부사]

庚 壬 丁 甲　　庚 壬 戊 辛
子 子 卯 寅　　子 子 戌 丑

壬寅일 庚子시는, 貴하지만 刑을 받고, 辰 戌 丑 未월의 잡기재관과 巳 申 酉월은 印綬로 모두 貴하다. 乙巳월은 刑을 받으니 꺼리고, 丁酉월은 祖業을 대파(大破)하며 악(惡)사(死)하고, 乙亥월은 刑을 받는다. (壬寅日,庚子時,貴而刑.辰戌丑未月雜氣財官.巳申酉月印綬,俱貴.忌乙巳月受刑,丁酉月大破祖惡死,乙亥月刑.)

乙巳庚辰,方獻夫閣老.癸酉甲寅,侍郎.庚午己丑,布政.壬辰甲辰,孫丕揚冢宰,原本傳.庚辰辛巳,宋德成戊午擧人乙亥遇難.乙亥甲申,擧人.

명조)1-[방헌부 각로] 명조)2-[시랑] 명조)3-[포정]

庚	壬	庚	乙		庚	壬	甲	癸		庚	壬	己	庚
子	寅	辰	巳		子	寅	寅	酉		子	寅	丑	午

명조)4-[손 비양] 명조)5-[송 덕성] 명조)6-[거인]

庚	壬	甲	壬		庚	壬	辛	庚		庚	壬	甲	乙
子	寅	辰	辰		子	寅	巳	辰		子	寅	申	亥

명조4에서, 손 비양은 총재이라는 것이 原本에 傳한다.

명조5에서, 송 덕성은 戊午년에 擧人이 되고, 乙亥년에 難을 당했다.

壬辰일 庚子시는, 만약 寅 午월생이면 재성이 旺하고, 辰 戌 丑 未는 官이 旺하니 모두 吉하다. 순수한 辰에 庚 壬이 투출하면 임기용배(壬騎龍背)格이 되어 크게 貴하다. 丙辰월을 꺼리는데 요절(夭折)하여 죽어서 시체가 온전치 못한다. 丁未월은 조업을 파하며 고독하고, 辛丑월은 대파(大破)하며 刑을 받는다. (壬辰日,庚子時,若寅午月生,財星旺,辰戌丑未官旺,俱吉.純辰透庚壬,作壬騎龍背格,大貴.忌丙辰月,夭死尸不全.丁未月破祖孤,辛丑月大破刑.)

庚辰庚辰,趙丞相.乙酉甲申,大參.甲戌丙寅,宋儀望都憲.庚戌戊子,經魁.己丑戊辰,擧人甲子年中戊辰年死.辛亥戊戌,富壽.壬子丙午,孫鑛會元.壬寅戊申,吏目八十九猶健.癸酉壬戌,工科.癸酉乙卯,貧凶.庚子甲申,李楨尙書.辛亥己亥,進士.

명조)1-[조 승상] 명조)2-[대참] 명조)3-[송의망 도헌]

庚	壬	庚	庚		庚	壬	甲	乙		庚	壬	丙	甲
子	辰	辰	辰		子	辰	申	酉		子	辰	寅	戌

명조)4-[경괴] 명조)5-[거인] 명조)6-[富하고, 長壽]

庚	壬	戊	庚		庚	壬	戊	己		庚	壬	戊	辛
子	辰	子	戌		子	辰	辰	丑		子	辰	戌	亥

명조5에서, 甲子년에 거인이 되었고, 戊辰년에 사망하였다.

명조)7-[손광 회원] 명조)8-[이목] 명조)9-[공과]

庚	壬	丙	壬		庚	壬	戊	壬		庚	壬	壬	癸
子	辰	午	子		子	辰	申	寅		子	辰	戌	酉

명조8에서, 이목은 89세인데도 오히려 건강하다.

명조)10-[貧 凶] 명조)11-[이정 상서] 명조)12-[진사]

庚	壬	乙	癸		庚	壬	甲	庚		庚	壬	己	辛

子 辰 卯 酉　　　子 辰 申 子　　　　子 辰 亥 亥

　壬午일 庚子시는, 日時가 나란히 衝하여 딸은 많고 아들은 드물다. 丑 未월에 南方 運으로 行하면 富貴하고, 나머지 年 月은 관찰하면 모두 貴한 命으로 가히 볼 수 있다. 甲午월은 自刑으로 꺼리는데, 시비(是非)가 많다. 癸酉월은 대파(大破)하여 고향을 떠나서 악사(惡死)하고, 辛亥월도 악사(惡死)한다. (壬午日,庚子時,時日併衝,女多男少.丑未月行南運,富貴.餘年月,觀諸貴命可見.忌甲午月自刑,多是非,癸酉月大破,失鄉惡死,辛亥月惡死.)

　辛酉甲午,徐緝僉事.丁卯己酉,僉憲.戊子己丑,郭成元戎.乙卯乙酉,蔡季良主政.癸卯乙丑,袁封君子宗道會元宏道中道俱進士孫彭年進士.丙寅乙亥,擧人.癸丑壬戌,擧人.丙申庚寅,宋堯武進士.

　명조)1-[서집 첨사] 명조)2-[첨헌] 명조)3-[곽성 원융]
　庚 壬 甲 辛　　　庚 壬 己 丁　　庚 壬 己 戊
　子 午 午 酉　　　子 午 酉 卯　　子 午 丑 子

　명조)4-[채계량 주정] 명조)5-[원 봉군] 명조)6-[거인]
　庚 壬 乙 乙　　　庚 壬 乙 癸　　　庚 壬 乙 丙
　子 午 酉 卯　　　子 午 丑 卯　　　子 午 亥 寅
　명조5에서, 원 봉군인데, 자식이 종도는 회원이고, 굉도와 중도는 모두 진사이고, 孫 팽년도 進士였다.

　명조)7-[거인] 명조)8-[송 요무 진사]
　庚 壬 壬 癸　　庚 壬 庚 丙
　子 午 戌 丑　　子 午 寅 申

　壬申일 庚子시는 가난하며 刑을 받는다. 未월은 잡기재관이고, 財旺한 運으로 行하면 귀현(貴顯)한데, 먼저는 어려우나 나중에는 편안하다. 辰은 水를 會局하여 太旺하니 반드시 火 土運으로 行하여야 吉하다. 丑 戌은 財 官 印綬로 모두 吉하다. 春 冬절은 평상(平常)하고, 秋 夏절은 吉하여 경사스럽다. 乙巳월은 꺼리는데, 형벌을 받고 요절(夭折)한다. 丁酉는 요절하고, 乙亥월은 고독하며 自刑한다. (壬申日,庚子時,貧刑.未月雜氣財官,行財旺運貴顯,先難後易.辰會水太旺,須行火土運吉.丑戌財官印綬,俱吉.春冬平常,秋夏吉慶.忌乙巳月受刑夭.丁酉夭,乙亥月孤,自刑.)

　甲辰丁丑,夏邦謨尙書.壬午乙未,侍郎.己亥戊辰,李銳進士.己卯乙亥,進士.癸未戊午,陳萬言翰林.

　명조)1-[하방모 상서] 명조)2-[시랑] 명조)3-[이예 진사]
　庚 壬 丁 甲　　　庚 壬 乙 壬　　庚 壬 戊 己

子 申 丑 辰 　　　 子 申 未 午 　 子 申 辰 亥

명조)4-[진사] 명조)5-[진 만언 한림]

庚 壬 乙 己 　 庚 壬 戊 癸

子 申 亥 卯 　 子 申 午 未

壬戌日 庚子시는, 요절한다. 丑월의 金 火運과 辰 未의 財 官格은 모두 貴하다. 寅 酉월이 西 北 運으로 行하면 貴하다. 申 子 辰이 東南 運으로 行하면 극품(極品)이다. 巳酉월은 꺼리는데 고단(孤單)하며 凶하다. 丁亥월은 凶하며 刑하여 악사(惡死)한다. 辛丑월은 刑한다. (壬戌日,庚子 時,夭.丑月金火運,辰未財官格,俱貴.寅酉行西北運貴.申子辰行東南運,極品.忌巳酉月孤單凶.丁亥月 凶,刑惡死.辛丑月刑.)

壬辰壬子,曾省吾尙書後削籍.庚午戊寅,邢一鳳探花.乙丑丙戌,進士.

명조)1-[증 성오 상서] 명조)2-[형 일봉 탐화] 명조)3-[진사]

庚 壬 壬 壬 　　　 庚 壬 戊 庚 　　　 庚 壬 丙 乙

子 戌 子 辰 　　　 子 戌 寅 午 　　　 子 戌 戌 丑

명조1에서, 증 성오는 상서였는데 後에 삭탈되었다.

주중사탄(舟重沙灘)局은 돛이 바람에 날리어 순풍(順風)을 바란다. 몇 차례 흉험(凶險)한 곳을 만나야 吉하며 형통(亨通)한다. (舟重沙灘局,颭帆待順風.幾番凶險處,遇吉又亨通.)

天干의 壬일이 庚子시면, 梟身이 日의 겁재를 만나러온다. 運이 弱한 妻子는 剋 害를 방비해 야하고, 運이 强하면 財祿이 자연적으로 찾아온다. (天干壬日時庚子,梟日由來遇劫財.運弱妻兒防 剋害,運强財祿自天來.)

壬일이 庚子시를 만나면, 겁재 도식(倒食)이 같이 머무는데, 運이 비겁으로 行하면 근심스런 일로 마음을 졸여 財祿이 소통(疏通)할 수 없다. 父母 兄弟는 실의(失意)하고, 妻子가 늦어야 가 정이 원만하다. 財官 運으로 나아가면 福이 그득하지만 그래도 조업(祖業)은 새롭게 고치고 바꾸 어야한다. 　　(壬日時逢庚子,劫財倒食留連,運行比劫事憂煎,財祿不能通顯.雁侶雙親失意,妻兒遲則團 圓.財官運步福滔然,祖業從新改變.)

37. 六壬日辛丑時斷

6壬일이 辛丑시면, 아래는 관성 위에는 印綬가 있다. 만일 月氣에 通[根]하고 西南 運이면 官

印이 身을 도와 사람이 청수(淸秀)하다. (六壬日生時辛丑,下有官星上印綬.如通月氣運西南,官印扶身人淸秀.)

壬일이 辛丑시면, 官 印이 득위(得位)한다. 壬은 己가 官이 되며 辛이 印이 되고, 丑상에 金局은 暗으로 己가 得位한다. 만약 月氣에 通하면 위인(爲人)이 청수(淸秀)하고, 록(祿)貴가 안온(安穩)하다. 불통(不通)하면 성품이 경박하여 교모하고 간사스럽다. (壬日,辛丑時,官印得位.壬以己爲官,辛爲印,丑上金局,暗己得位,若通月氣,爲人淸秀,祿貴安穩.不通,主性僻詭譎.)

壬子일 辛丑시는, 巳 酉 丑월은 印綬인데 대부분 父母의 음덕(蔭德)을 받는다. 申월에 火 土運은 근시(近侍)로써 권력(權力)을 가진다. 辰 戌 丑 未월은 官이 있으며 印綬도 있어 맵시가 예쁘며 활달하고 명성(名聲)이 먼 변방까지 전해진다. 寅 午 戌월은 財가 祿印을 破하여 성국(成局)하지 못하니 평상(平常)하다. 亥 申의 年 月이면 貴하다. (壬子日,辛丑時,巳酉丑月印綬,多受父母蔭.申月火土運,近侍有權.辰戌丑未,有官有印,丰姿曠達,名播天涯.寅午戌月財破祿印,不成局,平常.亥申年月貴.)

丙辰丙申,布政.丁亥戊申,給諫.戊子辛酉,御史.壬子辛亥,小貴.丁卯庚戌,擧人.辛巳甲午,富.丙戌丙申,陳祖苞大參.

명조)1-[포정]　명조)2-[급간]　명조)3-[어사]

辛 壬 丙 丙　　辛 壬 戊 丁　　辛 壬 辛 戊
丑 子 申 辰　　丑 子 申 亥　　丑 子 酉 子

명조)4-[소貴]　명조)5-[거인]　명조)6-[富]

辛 壬 辛 壬　　辛 壬 庚 丁　　辛 壬 甲 辛
丑 子 亥 子　　丑 子 戌 卯　　丑 子 午 巳

명조)7-[진 조포 대참]

辛 壬 丙 丙
丑 子 申 戌

壬寅일 辛丑시는, 丑월은 잡기인수로써 뛰어나다. 辰 巳는 煞이 强한데 財官을 제복(制伏)함이 없고 身弱하면 간난신고(艱難辛苦)한다. (壬寅日,辛丑時,丑月雜氣印綬,高.辰巳煞强,無制伏,財官身弱,辛苦.)

癸未乙丑,徐浦給諫.癸巳己未,進士.癸酉乙丑,符佶知縣.丙申辛丑,王基仁都閫.壬辰甲辰,孫丕揚冢宰無子無女,星案傳.丁酉乙巳,董裕尚書.

명조)1-[서포 급간] 명조)2-[진사] 명조)3-[부길 지현]

辛 壬 乙 癸　　　辛 壬 己 癸　　辛 壬 乙 癸

丑 寅 丑 未　　　丑 寅 未 巳　　丑 寅 丑 酉

명조)4-[왕기인 도곤] 명조)5-[손비양 총재] 명조)6-[동유 상서]

辛 壬 辛 丙　　　辛 壬 甲 壬　　　辛 壬 乙 丁

丑 寅 丑 申　　　丑 寅 辰 辰　　　丑 寅 巳 酉

명조5에서, 손비양은 총재(冢宰)인데 자녀(子女)가 없었다. 성안傳에 전한다.

　　壬辰일 辛丑시는, 辰 戌 丑 未는 잡기재관인수로써 모두 吉하다. 春절은 보통이고, 夏절은 財 祿이고, 秋절은 吉중에 凶이 있다. 冬절은 身旺하니 모름지기 南方 運으로 行하여야 吉하다. (壬 辰日,辛丑時,辰戌丑未,雜氣財官印綬,俱吉.春平,夏財祿,秋吉中有凶.冬身旺,須行南運方顯.)

　　辛丑辛丑,范文正公.辛丑丙申,志淑布政.丙申辛丑,潘旦都憲.戊辰丙辰,秦鳴夏修撰.庚寅丁亥,鄭洛尚 書.辛未丁酉,李天寵都憲,凶死.戊戌丙辰,祝大舟御史謫戌,一中書命同.甲子丙寅,進士.辛未戊戌,禾宗 道禮部尚書.辛未戊戌,進士.戊戌甲寅,舉人.

명조)1-[범문 정공] 명조)2-[지숙 포정] 명조)3-[반단 도헌]

辛 壬 辛 辛　　　辛 壬 丙 辛　　　辛 壬 辛 丙

丑 辰 丑 丑　　　丑 辰 申 丑　　　丑 辰 丑 申

명조)4-[진명하 수찬] 명조)5-[정락 상서] 명조)6-[이천총 도헌, 凶 死]

辛 壬 丙 戊　　　辛 壬 丁 庚　　　辛 壬 丁 辛

丑 辰 辰 辰　　　丑 辰 亥 寅　　　丑 辰 酉 未

명조)7-[축대주 어사] 명조)8-[진사] 명조)9-[뢰 종도 예부상서]

辛 壬 丙 戊　　　辛 壬 丙 甲　辛 壬 戊 辛

丑 辰 辰 戌　　　丑 辰 寅 子　丑 辰 戌 未

명조7에서, 축 대주는 어사인데 변방에 귀양, 한사람은 중서[문화성]의 命과 동일하다.

명조)10-[진사] 명조)11-[거인]

辛 壬 戊 辛　　辛 壬 甲 戊

丑 辰 戌 未　　丑 辰 寅 戌

　　壬午일 辛丑시는, 록마동향(祿馬同鄉)으로 貴하다. 夏절은 吉하다. 秋절은 財 官 印綬가 완전하니 역시 貴하다. (壬午日,辛丑時,祿馬同鄉貴.夏吉.秋財官印全,亦貴.)

丙辰丁酉,江淮憲長.癸酉戊午,僉事.己巳癸酉,林湛太守.戊辰丁巳,林廷瑩給諫.乙未戊寅,劉臺御史劾張居正,謫戌卒.辛亥丁酉,鄒元標進士劾張居正官至冢宰.己丑丁丑,魏時春南刑部尚書江右人,一無錫生員,一四川吏命同.壬寅辛亥,鄧以讚會元探花侍郎.癸酉庚申,陳景行皇親封固安伯.

명조)1-[강회 헌장] 명조)2-[첨사] 명조)3-[임담 태수]

辛 壬 丁 丙　　　辛 壬 戊 辛　　辛 壬 癸 己
丑 午 酉 辰　　　丑 午 午 酉　　丑 午 酉 巳

명조)4-[임정영 급간] 명조)5-[유대 어사] 명조)6-[추 원표 진사]

辛 壬 丁 戊　　　辛 壬 戊 乙　　　辛 壬 丁 辛
丑 午 巳 辰　　　丑 午 寅 未　　　丑 午 酉 亥

명조5에서, 유대는 어사로 핵장거정(劾張居正), 변방에 귀양살이 하다 사망함.
명조6에서, 추 원표는 진사로 핵장거정(劾張居正), 벼슬이 총재(冢宰)에 이르렀다.

명조)7-[위시춘남 형부상서] 명조)8-[등이찬 회원탐화 시랑] 명조)9-[진경행황친 봉고안백]

辛 壬 丁 己　　　辛 壬 辛 壬　　　辛 壬 庚 癸
丑 午 丑 丑　　　丑 午 亥 寅　　　丑 午 申 酉

명조7에서, 위 시춘은 남(南)의 형부상서로 강우인이고, 한사람 무석(중국 강소성 남부에 있는 도시)의 생원, 또 한사람 사천의 벼슬아치의 命과 동일하다.

壬申일 辛丑시는, 寅 卯 亥 未의 年 月은 진사(進士)로 풍헌(風憲)이고, 벼슬은 2품에 이르나 결국은 일어났다가 넘어지게 된다. 辰 戌은 富가 충분하다. 申 酉는 자연히 누리고, 北方 運으로 行하여도 역시 貴하다. (壬申日,辛丑時,寅卯亥未年月,進士風憲,官至二品,終有起倒.辰戌富足.申酉享用自然,行北運亦貴.)

己未丙寅,鄭曉尚書博雅.庚寅丁亥,曹熙學士.丁酉戊申,許從誠駙馬.丁未庚戌,柯維熊進士.戊申甲寅,封官.甲戌壬申,公爵.癸亥辛酉,黃承玄巡撫.壬午壬寅,練國國事巡撫謫戌.己巳戊辰,舉人.丙辰庚寅,刑人.辛亥丁酉,鄒元標進士.乙未戊寅,劉臺御史,一云壬午日.

명조)1-[정효 상서박아] 명조)2-[조희 학사] 명조)3-[허종성 부마]

辛 壬 丙 己　　　辛 壬 丁 庚　　　辛 壬 戊 丁
丑 申 寅 未　　　丑 申 亥 寅　　　丑 申 申 酉

명조)4-[가유웅 진사] 명조)5-[봉관] 명조)6-[공작]

辛 壬 庚 丁　　　　辛 壬 甲 戊　　辛 壬 壬 甲
丑 申 戌 未　　　　丑 申 寅 申　　丑 申 申 戌

명조)7-[황승현 순무] 명조)8-[련국 국사순무 謫戌] 명조)9-[거인]

辛 壬 辛 癸　　　　辛 壬 壬 壬　　　　辛 壬 戊 己
丑 申 酉 亥　　　　丑 申 寅 午　　　　丑 申 辰 巳

명조)10-[刑 人] 명조)11-[추원표 진사] 명조)12-[유대 어사, 혹 말하길, 壬午일]

辛 壬 庚 丙　　辛 壬 丁 辛　　　　辛 壬 戊 乙
丑 申 寅 辰　　丑 申 酉 亥　　　　丑 申 寅 未

壬戌일 辛丑시는, 辰월은 財官을 충개(衝開)하여 貴하다. 丑 戌역시 吉하다. 四柱에 乙 癸 卯의 글자가 있으면 평상(平常)하다. (壬戌日,辛丑時,辰月衝開財官貴.丑戌亦吉.柱有乙癸卯字,平常.)

丙寅戊戌,何洛樞密.乙酉己丑,侍郎.己未辛未,主政.甲子乙亥,梁封君子夢龍尚書.辛酉癸巳,伯.

명조)1-[하낙 추밀] 명조)2-[시랑] 명조)3-[주정]

辛 壬 戊 丙　　　　辛 壬 己 乙　　　辛 壬 辛 己
丑 戌 戌 寅　　　　丑 戌 丑 酉　　　丑 戌 未 未

명조)4-[梁封君子夢龍尚書] 명조)5-[伯]

辛 壬 乙 甲　　　　辛 壬 癸 辛
丑 戌 亥 子　　　　丑 戌 巳 酉

시임관인(時臨官印)局은, 身弱하며 그리고 한결같다. 공명(功名)을 드러내려면 재(財)官運으로 좋게 나아가야한다. (時臨官印局,身弱且如常.欲要功名顯,財官運步昌.)

6壬일간이 辛丑시는, 관인상생(官印相生)하여 모든 일이 좋다. 午月에 다시 金 土가 通하여 旺하면 官이 淸貴하여 변하지 않게 된다. (六壬日干辛丑時,官印相生事事奇.午月更通金土旺,爲官淸貴定無移.)

壬일이 辛丑시에 臨하면, 그 중에 財 官 印綬가 있어 열쇠로 庫를 열어야 通하고 戊 己는 火의 重함을 만나야한다. 癸 卯 乙은 福을 減하고, 龍(辰) 虎(寅)를 만나 상충(相衝)하면 단지 가풍(家風)을 고쳐서 조만(早晩)간에 다투지만 부귀(富貴)하며 공경과 사랑을 받게 된다. (壬日時臨辛丑,財官印綬其中,要知開庫鑰匙通,戊己相逢火重.癸卯乙字減福,有遇龍虎相衝,只爭遲早改門風,富貴承恩拜寵.)

38. 六壬日壬寅時斷

6壬일생이 壬寅시면, 水 火가 서로 만나 기제(既濟)로 論한다. 水木월에 財祿이 通하면 貴하고, 불통(不通)하며 救함이 없으면 평민이다. (六壬日生時壬寅,水火相逢既濟論.水木月通財祿貴,不通無救是常人.)

壬일이 壬寅시는 수화기제(水火既濟)한다. 壬은 丙이 財가 되고 甲은 食神인데, 寅상에서 丙을 甲이 生하여 旺하니 壬水가 무기(無氣)하다. 만약 水局에 通하고 의지할 데가 있으면 모두 貴하고, 불통(不通)하고 구조(救助)함이 없으면 福이 엷다. 壬寅일이 건왕하면 대부(大富)하고, 만일 月氣에 불통(不通)하여도 또한 貴하다. (壬日,壬寅時,水火既濟.壬用丙爲財,甲爲食,寅上丙生甲旺,壬水無氣,若通水局,有倚托皆貴,不通,無救福薄.壬寅日健旺,主大富,如不通月氣,亦貴.)

壬子일 壬寅시는, 순수한 子의 年 月은 午의 衝 破가 없으니 飛天[록마]格이 되어 富貴하다. 寅 卯 巳 申 酉 戌 亥의 年 月은 모두 貴하다. (壬子日,壬寅時,純子年月,無午衝破,入飛天格,富貴.寅卯巳申酉戌亥年月,俱貴.)

辛巳戊戌,方良永尚書.庚寅乙酉,都憲.辛酉辛卯,廉使.壬子丁未,少卿.己未丙寅,主政.乙巳丁亥,進士.丁丑乙巳,知縣.丙寅庚子,李太后.丁酉壬子,貴戚.庚寅戊寅,貴戚.壬子壬子,大貴.癸卯丙辰,孫鑛會元南兵部尚書.辛巳丙申,納貢.辛丑戊戌,伯.癸巳丁巳,進士.庚子庚辰,擧人.

명조)1-[방량영상서] 명조)2-[도헌] 명조)3-[염사] 명조)4-[少卿]

壬 壬 戊 辛	壬 壬 乙 庚	壬 壬 辛 辛	壬 壬 丁 壬
寅 子 戌 巳	寅 子 酉 寅	寅 子 卯 酉	寅 子 未 未

명조)5-[주정] 명조)6-[진사] 명조)7-[지현] 명조)8-[이 태후]

壬 壬 丙 己	壬 壬 丁 乙	壬 壬 乙 丁	壬 壬 庚 丙
寅 子 寅 未	寅 子 亥 巳	寅 子 巳 丑	寅 子 子 寅

명조)9-[귀척] 명조)10-[귀척] 명조)11-[大貴] 명조)12-[손광 회원]

壬 壬 壬 丁	壬 壬 戊 庚	壬 壬 壬 壬	壬 壬 丙 癸
寅 子 子 酉	寅 子 寅 寅	寅 子 子 子	寅 子 辰 卯

명조12에서, 손광은 회원으로 南[部]의 병부상서이다.

명조)13-[납공] 명조)14-[伯] 명조)15-[진사] 명조)16-[거인]

壬 壬 丙 辛	壬 壬 戊 丑	壬 壬 丁 癸	壬 壬 庚 庚
寅 子 申 巳	寅 子 戌 丑	寅 子 巳 巳	寅 子 辰 子

壬寅일 壬寅시는, [6]임추간(壬趨艮)格으로 土가 후한 지방에 산수(山水)가 빼어나면 허리에 금장을 차고 붉은 옷을 입게 된다. 巳 亥의 年 月은 무직(武職)으로 3품이고 상당히 富裕하다. 寅 年 午월에 北運으로 行하면 존귀(尊貴)한 사람이다. 巳월에 西北 運으로 行하면 貴하고, 辰 戌 丑 未 역시 吉하다. 또 이르길, 中年에는 貴하지만 50세 後에는 운수(運數)가 몹시 사납다. (壬寅日,壬寅時,壬趨艮格,土厚地方,山明水秀,腰金衣紫.巳亥年月,武職三品,富厚純篤.寅年午月行北運,金紫.巳月行西北運貴.辰戌丑未亦吉.純寅尤吉.一云,中年貴,五十後大厄.)

戊午丙辰,王天官.丙申丙申,正卿.癸巳甲子,林狀元.壬寅壬寅,韓都憲一氣生成,一巨富命同.壬午戊申,張機進士.戊辰丙辰,刺史.丁卯甲寅,擧人.癸酉甲子,張志發淄川人由刑部侍郎入閣.丙戌乙未,大富.壬辰甲辰,刑人.

명조)1-[왕 천관] 명조)2-[정경] 명조)3-[임 장원]

壬 壬 丙 戊　　壬 壬 丙 丙　　壬 壬 甲 癸
寅 寅 辰 午　　寅 寅 申 申　　寅 寅 子 巳

명조)4-[한 도헌] 명조)5-[장기 진사] 명조)6-[자사]

壬 壬 壬 壬　　壬 壬 戊 壬　　壬 壬 丙 戊
寅 寅 寅 寅　　寅 寅 申 午　　寅 寅 辰 辰

명조4에서, 한 도헌으로 一氣가 生成하였고, 한사람 巨富의 命도 같았다.

명조)7-[거인] 명조)8-[장 지발] 명조)9-[大富]

壬 壬 甲 丁　　壬 壬 甲 癸　　壬 壬 乙 丙
寅 寅 寅 卯　　寅 寅 子 酉　　寅 寅 未 戌

명조8에서, 장 지발은 치천인(淄川人)으로써 형부시랑에 입각하였다.

명조)10-[형벌 받은 사람]

壬 壬 甲 壬
寅 寅 辰 辰

壬辰일 壬寅시는, 순수한 辰은 임기용배(壬騎龍背)格인데 天干에 丙 丁 戊 己가 없고 運이 比肩으로 行하면 대귀(大貴)하다. 순수한 寅은 대부(大富)한다. 卯 戌월에 木 金의 運이면 3~5품의 貴이다. 午월은 평상(平常)하다. (壬辰日,壬寅時,純辰壬騎龍背格,干頭無丙丁戊己,運行比肩大貴.純寅大富.卯戌月木金運,三五品貴.午月平常.)

戊申癸亥,方純尚書.甲戌辛未,僉憲.乙丑庚辰,進士.甲子戊辰,許穀會元侍郎極富.辛巳辛丑,楊道南擧人.丁未丁未,擧人.乙丑庚辰,進士.甲辰丁丑,劉楚先禮部尙書.己卯丁丑,謝陞閣老.己卯丁丑,程國祥侍郎高品.癸未壬戌,林釬探花閣老.乙卯癸未,通判.

명조)1-[방순 상서] 명조)2-[첨헌] 명조)3-[진사]

壬 壬 癸 戊　　　壬 壬 辛 甲　　壬 壬 庚 乙
寅 辰 亥 申　　　寅 辰 未 戌　　寅 辰 辰 丑

명조)4-[허곡 회원侍郎極富] 명조)5-[양도남거인]명조)6-[거인]

壬 壬 戊 甲　　　　壬 壬 辛 辛　　　壬 壬 丁 丁
寅 辰 辰 子　　　　寅 辰 丑 巳　　　寅 辰 未 未

명조)7-[진사] 명조)8-[유초선 예부상서] 명조)9-[사승 각로]

壬 壬 庚 乙　壬 壬 丁 甲　　　　壬 壬 丁 己
寅 辰 辰 丑　寅 辰 丑 卯　　　　寅 辰 丑 卯

명조)10-[정국상 시랑 高品] 명조)11-[임한 탐화각로] 명조)12-[통판]

壬 壬 丁 己　　　　壬 壬 壬 癸　　　壬 壬 癸 乙
寅 辰 丑 卯　　　　寅 辰 戌 未　　　寅 辰 未 卯

壬午일 壬寅시는, 少年시절에 질액(疾厄)이 많다. 壬午는 록마동향(祿馬同鄕)이다. 辰 寅의 年 月은 2품의 貴이다. 申 酉는 고상(高尙)한데, 만약 木 火가 通[根]하면 약관의 나이에 재주로 명망을 얻어 貴하다. 戌월에 東南 運으로 行하는 방면(方面)이면 극품(極品)이다. (壬午日,壬寅時,少年多疾厄.壬午祿馬同鄕.辰寅年月二品貴.申酉高尙,若通木火,才名冠世貴.戌月行東南運,方面極品.)

庚戌丙戌,盛端明尙書.庚寅己丑,丞相.壬申壬子,太守.甲辰丙寅,胡儼祭酒.辛未庚子,太守.辛酉甲午,黃中御史.壬寅辛亥,沈思孝庶吉士侍郎無子.戊辰辛酉,丘預達擧人.戊戌壬戌,擧人.丁亥壬子,凶死.

명조)1-[성단명 상서] 명조)2-[승상] 명조)3-[태수]

壬 壬 丙 庚　　　壬 壬 己 庚　壬 壬 壬 壬
寅 午 戌 戌　　　寅 午 丑 寅　寅 午 子 申

명조)4-[호엄 제주] 명조)5-[태수] 명조)6-[황중 어사]

壬 壬 丙 甲　　　壬 壬 庚 辛　　壬 壬 甲 辛
寅 午 寅 辰　　　寅 午 子 未　　寅 午 午 酉

명조)7-[심사효 庶 길사시랑無子] 명조)8-[구예달 거인]

壬 壬 辛 壬　　　　　壬 壬 辛 戊
寅 午 亥 寅　　　　　寅 午 酉 辰

명조)9-[거인] 명조)10-[흉사]
壬 壬 壬 戊　　壬 壬 壬 丁
寅 午 戌 戌　　寅 午 子 亥

壬申일 壬寅시는, 巳 酉 丑월은 무직(武職)으로 3品이다. 辛卯 戊월 역시 貴하다. 자식은 富하며 대귀(大貴)하다. 또 이르길, 가난하며 발달하여도 또한 오래가지 않는다. (壬申日,壬寅時,巳酉丑月,武職三品.辛卯戊月亦貴.子富大貴.一云,貧而發,亦不久.)

丙申甲午,蔡天祐侍郎.辛亥壬寅,郞中.壬辰壬子,進士.辛卯戊戌,進士.乙酉戊寅,擧人.戊午甲寅,韓邦城進士知州甲辰被殺.

명조)1-[채천우 시랑] 명조)2-[낭중] 명조)3-[진사]
壬 壬 甲 丙　　　　壬 壬 壬 申　　壬 壬 壬 壬
寅 申 午 申　　　　寅 申 寅 亥　　寅 申 子 辰

명조)4-[진사] 명조)5-[거인] 명조)6-[한방성 진사]
壬 壬 戊 辛　　壬 壬 戊 乙　　壬 壬 甲 戊
寅 申 戌 卯　　寅 申 寅 酉　　寅 申 寅 午
명조6에서, 한 방성은 진사이며 지주인데, 甲辰년 피살(被殺)되었다.

壬戌일 壬寅시는, 巳월은 편관格으로 과거에 급제하여 이름이 방(榜)에 붙으며 身이 옥당(玉堂=홍문관)에 앉는다. 순수한 子는 3品이고, 寅 卯가 北方 運으로 行하면 풍헌(風憲)이다. 그리고 6 壬일이 壬寅시를 만나면 부르기를 태허(太虛)라 하여 貴가 오래가지 못하고, 盛하면 禍가 발생한다. (壬戌日,壬寅時,巳月偏官格,名標金榜,身坐玉堂.純子三品,寅卯行北運,風憲.又六壬日見壬寅時,名曰太虛,貴不久,盛而禍生.)

癸亥辛酉,閔如霖侍郎.甲子丙子,京卿.壬寅戊申,大參.壬戌壬子,同知.壬申壬子,憲副.戊寅壬戌,易應昌掌院.庚戌乙酉,御史.

명조)1-[민여림 시랑] 명조)2-[京卿] 명조)3-[대참]
壬 壬 辛 癸　　　　壬 壬 丙 甲　　壬 壬 戊 壬
寅 戌 酉 亥　　　　寅 戌 子 子　　寅 戌 申 寅

명조)4-[동지] 명조)5-[헌부]

壬 壬 壬 壬　　壬 壬 壬 壬

寅 戌 子 戌　　寅 戌 子 申

명조)6-[역응창 장원] 명조)7-[어사]

壬 壬 壬 戌　　　壬 壬 乙 庚

寅 戌 戌 寅　　　寅 戌 酉 戌

임일임시(壬日壬時)局은 官이 없어도 또한 財는 있다. 寅 辰이 중첩(重疊)하게 되면 富貴가 자연히 찾아온다. (壬日壬時局,無官亦有財.寅辰重疊見,富貴自天來.)

6壬이 虎(寅)를 만나면 부구(浮漚)로써 부귀공명(富貴功名)은 억지로 구하지 않아도 된다. 官印이 있으면 上格이 되고, 그래서 財 祿은 근심하지 않는다. (六壬逢虎是浮漚,富貴功名莫強求.有印有官爲上格,驟然財祿免憂愁.)

壬일 壬寅시를 만나면, 比肩이 食神을 만나니 부모 형제가 같은 무리가 되긴 어려운데, 이 生時는 숙명(宿命)적이다. 局에 坐한 運이 官의 地支로 行하면, 身强한 祿位는 초범(超凡)하지만 身衰한데 刑 害하면 재앙이 스며드는 依祿이 평상(平常)한 命이다. (壬日壬寅時遇,比肩相遇食神,弟兄雁侶少同群,此是生時定分.坐局運行官地,身强祿位超倫,身衰刑害禍相侵,衣祿平常之命.)

39. 六壬日癸卯時斷

6壬일생이 癸卯시면, 死地의 勢로 돌아가니 편안하기 어렵다. 겁재煞 刃이 상관鬼를 만나면 의지하여도 보통의 수명(壽命)이 안 되는 것처럼 간주(看做)한다. (六壬日生時癸卯,引歸死地勢難安.劫財煞刃見傷鬼,倚托若無常命看.)

壬일 癸卯시는, 身은 死하나 刃은 長生한다. 壬은 癸가 刃이 되고, 卯는 암장한 乙로써 상관鬼가 되고, 卯상의 癸가 生하여 乙이 旺하고, 壬이 死하여 身旺한 月氣에 불통(不通)하고 구조(救助) 및 의지할 데가 없으면 요절하거나 천(賤)하다. (壬日,癸卯時,身死刃生.壬以癸爲刃,卯爲暗乙而傷官鬼.卯上癸生乙旺,壬死不通身旺月氣,無救助及倚托者,夭賤.巳酉丑月印旺無化者,性僻孤高虛詐,通身旺,見金氣,行才運貴.傷官傷盡,行南運亦貴.)

壬子일 癸卯시는, 子 卯가 相刑하여 妻子를 손상할까 염려되고, 貴人이 제휴(提携)하여 차고 남으니 돈후(敦厚)한 命이다. (壬子日,癸卯時,子卯相刑,憂傷妻子,貴人提攜,財帛盈餘,敦厚之命.)

乙丑癸未,副使.丁卯壬寅,林一陽擧人.丙申辛丑,盜典刑.

명조)1-[부사] 명조)2-[임일양 거인]명조)3-[도전형]

癸	壬	癸	乙		癸	壬	壬	丁		癸	壬	辛	丙
卯	子	未	丑		卯	子	寅	卯		卯	子	丑	申

壬寅일 癸卯시는, 敗財가 背祿하여 혹 興하고 혹 廢한다. 子의 年 月은 貴하다. 巳월은 財 官으로 비록 刑할지라도 역시 貴하다. 辰 戌 丑 未는 官煞이 刃을 制하니 모두 吉하다. (壬寅日,癸卯時,背財敗祿,或興或廢.子年月貴.巳月財官,雖刑亦貴.辰戌丑未,官煞制刃,俱吉.)

甲子己巳,倪岳尙書名臣.己卯丙寅,張大韶經歷甲子年死.丙子戊戌,解元.癸巳己未,都督.

명조)1-[예악 상서명신] 명조)2-[장대소 경력 甲子年死]

癸	壬	己	甲		癸	壬	丙	己
卯	寅	巳	子		卯	寅	寅	卯

명조)3-[해원] 명조)4-[도독]

癸	壬	戊	丙		癸	壬	己	癸
卯	寅	戌	子		卯	寅	未	巳

壬辰일 癸卯시는, 신왕한 月에 通[根]하고 土金을 만나 刃을 破하며 財運으로 行하면 貴하다. (壬辰日,癸卯時,通身旺月,見土金破刃,行財運貴.)

辛酉庚子,田汝成學憲.壬申癸丑,胡叔廉給諫.乙卯己卯,僉事.甲辰丁卯,太常卿.

명조)1-[전여성 학헌] 명조)2-[호숙렴 급간]

癸	壬	庚	辛		癸	壬	癸	壬
卯	辰	子	酉		卯	辰	丑	申

명조)3-[첨사] 명조)4-[태상경]

癸	壬	己	乙		癸	壬	丁	甲
卯	辰	卯	卯		卯	辰	卯	辰

壬午일 癸卯시는, 壬이 午位에 居하여 록마동향(祿馬同鄕)이고, 또 卯시에 놓이니 지위가 높고 존귀하다. 巳 午의 年 月은 무직(武職)으로 풍헌(風憲)이다. 또 이르길, 旺한 중에 破한다. (壬午日,癸卯時,壬居午位,祿馬同鄕,又值卯時,貴顯榮達.巳午年月,武職風憲.又云,旺中破.)

癸未甲寅,唐一麟解元後中進士死.己丑丁卯,平章.丙戌甲申,敎授.己丑丁丑,吳牲侍郞.

명조)1-[당일린 해원 後中進士死]명조)2-[평장]

癸 壬 甲 癸　　　　　癸 壬 丁 己
卯 午 寅 未　　　　　卯 午 卯 丑

명조)3-[교수] 명조)4-[오생 시랑]

癸 壬 甲 丙　 癸 壬 丁 己
卯 午 申 戌　 卯 午 丑 丑

壬申일 癸卯시는, 亥 卯 未 寅월은 상관상진(傷官傷盡)하여 妻는 어질며 자식은 효도하고, 土가 厚하면 貴한 命이다. 순수한 辰은 의(醫) 복(卜)이다. 子월 水木은 貴하다. (壬申日,癸卯時,亥卯未寅月,傷官傷盡,妻賢子孝,土厚貴命.純辰醫卜.子月水木貴.)

丙午庚子,李太后聖母.戊戌壬戌,眞德秀名儒.丙午庚寅,王象乾兵部尙書五十年宦途.甲子癸酉,周廷侍進士.辛丑辛丑,常儒甫擧人.

명조)1-[이태후 성모] 명조)2-[진덕수 명유] 명조)3-[왕 상건]

癸 壬 庚 丙　　　　癸 壬 壬 戊　　　　癸 壬 庚 丙
卯 申 子 午　　　　卯 申 戌 戌　　　　卯 申 寅 午

명조3에서, 왕 상건은 병부상서인데, 50년간 벼슬길에 있었다.

명조)4-[주정시 진사] 명조)5-[상유보 거인]

癸 壬 癸 甲　　　　癸 壬 辛 辛
卯 申 酉 子　　　　卯 申 丑 丑

壬戌일 게卯시는, 甲 癸 午 酉의 年 月은 文으로 貴하다. 申은 평상(平常)하고, 金火 運은 貴하다. (壬戌日,癸卯時,甲癸午酉年月文貴.申平常,金火運貴.)

丁亥丁未,林世明擧人.乙亥己丑,擧人.丁亥辛亥,百戶.

명조)1-[임세명 거인] 명조)2-[거인] 명조)3-[백호]

癸 壬 丁 丁　　　癸 壬 己 乙　 癸 壬 辛 丁
卯 戌 未 亥　　　卯 戌 丑 亥　 卯 戌 亥 亥

겁재상관(劫財傷官)局은 조년(早年)에 하는 일이 무너진다. 태어난 뒤로부터 재물이 모이지 않고 진력(盡力)을 다해도 다시 뉘우치고 한탄한다. (劫財傷官局,早年事沉埋.生來財不聚,用盡復還來.)

壬 癸가 서로 만나 卯 귀인을 보아도 刑 衝 破 害하면 주도면밀하지 못하지만, 천월이덕(天月二德)을 만나고 아울러 신왕하면 禍가 바뀌어 자연히 상서롭게 된다. (壬癸相逢見卯貴,刑衝破害不周全.月逢二德兼身旺,改禍爲祥樂自然.)

壬일이 癸卯시에 臨하면, 敗財가 背祿하면 平生을 반복(反復)하여 하는 일에 의심하고 더딘데, 水가 東方에 이르러 실위(失位)한다. 모름지기 貴人이 구조(救助)하여도 자신(自身)의 문복(文福; 文職의 혜택)은 순탄하기 어렵고, 조업(祖業) 財 골육(骨肉)은 영휴(盈虧)가 있어 명주(命主)가 먼저는 실패하지만 늦은 나이에 성공한다. (壬日時臨癸卯,敗財背祿相逐,平生反復事疑遲,水到東方失位.須有貴人救助,自身文福難齊,祖財骨肉有盈虧,命主晚成先廢.)

40. 六壬日甲辰時斷

6壬일생이 甲辰시면, 임기용배(壬騎龍背)가 食神에 坐했다. 柱中에 의탁(依託)할 것이 있고 刑害함이 없으면 반드시 부귀영화(富貴榮華)할 사람이다. [譯註]四柱중에 의탁할 것이란, 임기용배에 부합하는 것을 말한다. (六壬日生時甲辰,壬騎龍背坐食神.柱中有托無刑害,必是榮華富貴人.)

壬일이 甲辰시는, 역시 임기룡배(壬騎龍背)가 된다. 壬은 甲이 食神이 되며 辰상의 壬水가 合局하여 甲은 생기(生氣)가 있어서 食神이 旺相하고 月氣에 [壬水가] 通[根]하면 富貴하고 福이 두텁다. 冬月에는 卯運으로 行하면 불리(不利)하다. (壬日,甲辰時,亦爲壬騎龍背.壬以甲爲食神,辰上壬水合局,甲有生氣,食神旺相,通月氣者,富貴福厚.冬月行卯運,不利.)

壬子일 甲辰시는, 순수한 子의 年 月은 비천록마(飛天祿馬)로 破가 없으면 육경(六卿=육조판서의 육부)이 된다. 巳 酉는 대귀(大貴)하다. 亥 역시 貴하다. (壬子日,甲辰時,純子年月,飛天祿馬無破,六卿.巳酉大貴.亥亦貴.)

壬子壬子,尚書.壬寅壬子,尚書.甲午己巳,進士.丙申辛丑,擧人.丁丑庚戌,進士.丁亥壬寅,擧人.甲寅辛未,陳大科右都.丙辰戊戌,趙拱極南都.

명조)1-[상서] 명조)2-[상서] 명조)3-[진사]

甲 壬 壬 壬　　甲 壬 壬 壬　　甲 壬 己 甲
辰 子 子 子　　辰 子 子 寅　　辰 子 巳 午

명조)4-[거인] 명조)5-[진사] 명조)6-[거인]

甲 壬 申 丙　　甲 壬 庚 丁　　甲 壬 壬 丁

辰 子 丑 申　　辰 子 戌 丑　　辰 子 寅 亥

명조)7-[진대과 우도] 명조)8-[조공극 남도]

甲 壬 辛 甲　　　　甲 壬 戊 丙

辰 子 未 寅　　　　辰 子 戌 辰

壬寅일 甲辰시는, 巳월은 편관格인데 衝 破하지 않으면 귀현(貴顯)한다. 午는 正官으로 貴하다. 辰 卯는 東方의 局이 온전하니 少年시절에 등과(登科)하여 영귀(榮貴)한다. 또 이르길, 剋하여 함몰(陷沒)하면 매우 가난하다. (壬寅日,甲辰時,巳月偏官格,不衝不破,貴顯.午正官貴.辰卯局全東方,少年登科榮貴.又云,剋陷極貧.)

丙寅庚子,馬森尙書.丁酉丙午,李詔太守.乙卯丁亥,黃希英運使.甲寅丙子,府丞.癸卯丁巳,元戎.辛丑戊戌,擧人.壬寅壬寅,富.庚寅甲申,袁貞吉南兵部尙書.乙未甲申,劉若宰狀元.甲辰丙寅,壽.

명조)1-[마참 상서] 명조)2-[이조 태수] 명조)3-[황희영 운사]

甲 壬 庚 丙　　　　甲 壬 丙 丁　　　　甲 壬 丁 乙

辰 寅 子 寅　　　　辰 寅 午 酉　　　　辰 寅 亥 卯

명조)4-[부승] 명조)5-[원융] 명조)6-[거인]

甲 壬 丙 甲　　甲 壬 丁 癸　　甲 壬 戊 辛

辰 寅 子 寅　　辰 寅 巳 卯　　辰 寅 戌 丑

명조)7-[富] 명조)8-[원정길 남 병부상서] 명조)9-[유약재 장원]

甲 壬 壬 壬　　甲 壬 甲 庚　　　　　甲 壬 甲 乙

辰 寅 寅 寅　　辰 寅 申 寅　　　　　辰 寅 申 未

명조)10-[長壽]

甲 壬 丙 甲

辰 寅 寅 辰

壬辰일 甲辰시는, 辰월생이면 임기용배(壬騎龍背)格으로 대귀(大貴)하다. 寅월은 貴하지 않으면 부유(富裕)하다. 戌월은 잡기재관(雜氣財官)으로 辰庫를 衝開하여 뛰어난 命이다. 子월은 뿌리가 절단하고 엽(葉)이 손상하니 성패(成敗)를 단정(斷定)하지 못한다. 未월에 金 水운은 貴하다. 또 이르길, 재앙은 적어도 고독하다. 또 이르길, 財가 있으면 自刑을 잊는다. (壬辰日,甲辰時,辰月生, 壬騎龍背,大貴.寅月不貴即富.戌月雜氣財官,衝開辰庫,高命.子月斷根損葉,成敗不定.未月金水運貴.又 云,水火災少孤.又云,有財自刑失.)

壬子甲辰,曹一鵬庶吉士.戊辰丁巳,齊王元帥.庚辰丙戌,楊閣老.辛丑庚寅,進士.戊寅辛酉,給諫.甲辰 丁卯,運使.庚辰庚辰,通判.壬寅壬子,貴.戊戌戊午,進士.丙午己亥,一品夫人無子.丙寅庚辰,富.戊申癸 亥,凶死.

명조)1-[조일붕 庶 길사] 명조)2-[제왕 원수] 명조)3-[양 각로]

甲 壬 甲 壬	甲 壬 丁 戊	甲 壬 丙 庚
辰 辰 辰 子	辰 辰 巳 辰	辰 辰 戌 辰

명조)4-[진사] 명조)5-[급간] 명조)6-[운사]

甲 壬 庚 辛	甲 壬 辛 戊	甲 壬 丁 甲
辰 辰 寅 丑	辰 辰 酉 寅	辰 辰 卯 辰

명조)7-[통판] 명조)8-[貴] 명조)9-[진사]

甲 壬 庚 庚	甲 壬 壬 壬	甲 壬 戊 戊
辰 辰 辰 辰	辰 辰 子 寅	辰 辰 午 戌

명조)10-[일품부인 無子]명조)11-[富] 명조)12-[凶死]

甲 壬 己 丙	甲 壬 庚 丙	甲 壬 癸 戊
辰 辰 亥 午	辰 辰 辰 寅	辰 辰 亥 申

壬午일 甲辰시는, 水 火는 재앙이다. 寅 辰의 年 月은 한원(翰苑=한림원=예문관)의 학식 높은 선비이고, 혹 제주(祭酒)도 있다. 순수한 子는 풍헌(風憲)이다. 卯 寅은 부유(富裕)하다. 辰 子는 유직(儒職)이다. 또 이르길, 自刑하여 흉악(凶惡)하게 죽는다. (壬午日,甲辰時,水火災.寅辰年月,翰 苑宿儒,或居祭酒.純子風憲.卯寅富厚.辰子儒職.又云,自刑凶惡死.)

乙丑庚辰,陳節之進士.乙丑丁亥,盛古泉少卿多子.己未癸酉,主政.丙申壬辰,解元.

명조)1-[진절지 진사] 명조)2-[성고천 少卿 多子] 명조)3-[주정]

甲 壬 庚 乙	甲 壬 丁 乙	甲 壬 癸 己
辰 午 辰 丑	辰 午 亥 丑	辰 午 酉 未

명조)4-[해원]

```
甲 壬 壬 丙
辰 午 辰 申
```

壬申일 甲辰시는, 水火는 재앙이고, 丑 寅의 年 月은 文職에서 武職으로 나아가 권력을 가진다. 순수한 子는 金 火운의 방면(方面)이어야 한다. (壬申日,甲辰時,水火災,丑寅年月,文行武權.純子金火運,方面.)

癸巳丁巳,周金尚書.丁巳辛亥,李愷副使.辛亥戊戌,楊大年副使.乙卯己丑,姚文焴進士.辛未庚子,大參.丁酉戊申,徐學古副使,癸卯運辛巳年卒.丁酉庚戌,甲部.癸亥癸亥,擧人.己巳壬申,解元.丙子丁酉,成國公,朱希忠,一云辛亥時.

명조)1-[주금 상서] 명조)2-[이개 부사] 명조)3-[양대년 부사]
```
甲 壬 丁 癸        甲 壬 辛 丁        甲 壬 戊 辛
辰 申 巳 巳        辰 申 亥 巳        辰 申 戌 亥
```

명조)4-[요문소 진사] 명조)5-[대참] 명조)6-[서학고 부사]
```
甲 壬 己 乙          甲 壬 庚 辛      甲 壬 戊 丁
辰 申 丑 卯          辰 申 子 未      辰 申 申 酉
```
명조6에서, 서 학고는 부사인데, 癸卯大運 辛巳年에 사망]

명조)7-[甲部] 명조)8-[거인] 명조)9-[해원]
```
甲 壬 庚 丁      甲 壬 癸 癸      甲 壬 壬 己
辰 申 戌 酉      辰 申 亥 亥      辰 申 申 巳
```

명조)10-[성국공]
```
甲 壬 丁 丙
辰 申 酉 子
```
명조10에서, 성국공인 주 희충인데, 또 辛亥時라고도 한다.

壬戌일 甲辰시는, 寅 申 酉월은 南方 運으로 行하면 귀척(貴戚)이다. 亥 卯 未 申 子 辰 巳 午의 年 月은 모두 吉하다. 또 이르길, 재물이 있어도 고독하다. (壬戌日,甲辰時,寅申酉月,行南運,貴戚.亥卯未申子辰巳午年月俱吉.一云,有財孤.)

丙子庚子,太守.乙酉甲辰,太守.辛亥辛卯,陳祥明進士.戊辰甲子,王繼祖元戎,一云申時富.丙午己亥,王際亨丁丑進士授南和令,半月內遭失城之變論法得免.

명조)1-[태수] 명조)2-[태수] 명조)3-[진상명 진사]

甲	壬	庚	丙	甲	壬	甲	乙	甲	壬	辛	辛
辰	戌	子	子	辰	戌	辰	酉	辰	戌	卯	亥

명조)4-[왕 계조 원융] 명조)5-[왕 제형]

甲	壬	甲	戊	甲	壬	己	丙
辰	戌	子	辰	辰	戌	亥	午

명조4에서, 왕 계조는 원융인데, 또 申時라고 하며 부자(富者)이다.

명조5에서, 왕 제정은 丁丑년에 진사를 제수 받고 南和令으로써 반월(半月)내에 城을 잃었으나 論法이 변하여 사면(赦免) 받았다.

임기용배(壬騎龍背)局은 祿馬가 자연히 풍성하다. 辰이 많으면 官祿이 重하고, 寅이 많으면 석숭(石崇)에 견줄만하다.[譯註]석숭은 富者의 대명사. (壬騎龍背局,祿馬自然豊.辰多官祿重,寅多比石崇.)

壬일간이 甲辰시는, 喜神이 중첩(重疊)하면 福이 대단히 많다. 때가 도래(到來)하면 공명(功名)이 따르고, 運이 申 辰에 이르면 관직이 높아지게 된다. (時遇甲辰壬日干,喜神重疊福多端.時來早晩功名就,運至申辰作顯官.)

壬일 甲辰시는 좋은데, 청룡(靑龍)이 입묘(入廟)하여 뛰어나게 되고, 마치 난초가 쑥에서 나오듯이 水木이 (滋生)하여 번화하고 무성(茂盛)하다. 日時가 庫를 衝開하면 旺하니 자연히 보금자리를 성취(成就)하고, 運이 吉地로 行하면 영웅(英雄)호걸(豪傑)로 뛰어나지만 존귀한 친인(親人)에게 의지하기 어렵다. (壬日甲辰時好,靑龍入廟爲高,猶如蘭蕙出蓬蒿,水木滋生榮茂.時日衝開庫旺,自然成就窩巢,運行吉地逞英豪,貴顯親人難靠.)

41. 六壬日乙巳時斷

6壬일생이 乙巳시는, 身이 絶하면 財가 있어도 財를 모으지 못한다. 進神이 暗鬼를 相剋하여도 己가 투출하여 相刑하면 재앙의 근원이 된다. (六壬日生時乙巳,身絶有財不聚財.進神暗鬼來相剋,透己相刑是禍胎.)

壬일이 乙巳시면, 財旺하지만 身은 絶한다. 壬은 丙이 財가 되고, 戊는 鬼이며 庚은 도식(倒食)이 된다. 巳상의 乙木은 상관이며 丙 戊는 健旺하고 庚金이 長生하며 壬水는 氣가 絶하여 四柱에 己官이 있으면 화환(禍患)이 수없이 생기는데, 거드름을 피우고 매우 뽐낸다. 만약 身旺한 月에 불통(不通)하고 구조(救助)함이 없으면 가난하다. 의탁(依託)함이 있어 旺에 通[根]하고 혹

身旺한 運으로 行하는 것은 모두 吉하다. (壬日,乙巳時,財旺身絕.壬用丙爲財,戊爲鬼,庚爲倒食.巳上有乙木爲傷官,丙戊健旺,庚金長生,壬水氣絕,柱有己官,禍患百端,傲物誇高.若不通身旺月,無救助者貧.有倚托通旺,或行身旺運皆吉.)

壬子일 乙巳시는 貴하지만, 그러나 妻子가 어렵게 되고, 성격(性格)이 강강(剛强)하여 공격받지 않는다. 戌의 年 月은 순수한 煞의 制가 있고 木 金운으로 行하면 벼슬이 3품에 이른다. (壬子日,乙巳時貴,但難爲妻子,性格剛强,不受擊觸.戌年月純煞有制,行木金運,官至三品.)

甲申甲戌,方良節布政.甲戌甲戌,侍郎.癸酉乙卯,汪相進士.庚午壬午,夏範中書.庚辰戊子,劉存業榜眼.庚戌乙酉,知州.

명조)1-[방량절 포정] 명조)2-[시랑] 명조)3-[왕상 진사]

乙 壬 甲 甲　　　乙 壬 甲 甲　　乙 壬 乙 癸
巳 子 戌 申　　　巳 子 戌 戌　　巳 子 卯 酉

명조)4-[하범 중서] 명조)5-[유존업 방안] 명조)6-[지주]

乙 壬 壬 庚　　　乙 壬 戊 庚　　　乙 壬 乙 庚
巳 子 午 午　　　巳 子 子 辰　　　巳 子 酉 戌

壬寅일 乙巳시는, 혼자서 유달리 고상하여 妻子를 刑 剋하니 만일 僧 道가 되면 富貴하다. (壬寅日,乙巳時,孤高,刑妻剋子,如爲僧道,富貴.)

戊寅壬戌,副使.戊寅甲寅,主簿.乙巳己丑,陳于陞閣老.壬申丙午,王思善辛丑科進士,宴日上馬破卵而亡.

명조)1-[부사] 명조)2-[주부] 명조)3-[진우승 각로]

乙 壬 壬 戊　　乙 壬 甲 戊　　乙 壬 己 乙
巳 寅 戌 寅　　巳 寅 寅 寅　　巳 寅 丑 巳

명조)4-[왕 사선은 辛丑년 급제하여 진사가 되었고, 잔칫날 말에게 급소(불알)를 차여 사망했다.]

乙 壬 丙 壬
巳 寅 午 申

壬辰일 乙巳시는, 春節은 보통이고, 夏節은 財이고, 秋節은 온당(穩當)하고, 冬節은 구조(救助)함이 없으면 주로 가난하고 고생한다. (壬辰日,乙巳時,春平,夏財,秋穩實,冬無助救,主貧苦.)

癸未辛酉,周孟尚書.甲寅甲戌,陳京進士.甲申己巳,彭文質擧人.乙巳戊子,同知有壽.

명조)1-[주맹 상서] 명조)2-[진경 진사] 명조)3-[팽문질 거인]

乙 壬 辛 癸　　　乙 壬 甲 甲　　　乙 壬 己 甲
巳 辰 酉 未　　　巳 辰 戌 寅　　　巳 辰 巳 申

명조)4-[동지유수(同知有壽)]

乙 壬 戊 乙
巳 辰 子 巳

壬午일 乙巳시는, 辰 戌월은 貴하다. 亥월에 金運은 도성(都城)의 장수(將帥)에 이른다. (壬午日,乙巳時,辰戌月貴.亥月金運,位至都帥.)

甲辰戊辰,敖銑祭酒.癸酉戊午,御史.

명조)1-[오선 제주] 명조)2-[어사]

乙 壬 戊 甲　　　乙 壬 戊 癸
巳 午 辰 辰　　　巳 午 午 酉

壬申일 乙巳시는, 身이 長生인 學堂에 坐하고, 재백(財帛)이 진퇴(進退)하고, 명리(名利)가 구치(驅馳;빨리 달려 나아감)한다. 木월에 北方 運으로 行하면 貴하다. 辰 戌 丑은 모두 吉하다. 또 이르길, 수족(手足)의 뼈가 부러지고, 自刑하여 죽는다. (壬申日,乙巳時,身坐長生學堂,財帛進退,名利驅馳.木月行北運貴.辰戌丑俱吉.一云,手足折傷,自刑死.)

丙辰庚寅,元帥.癸未辛酉,夏漢壽都堂.辛亥戊戌,尚書.甲戌癸酉,大參.庚午丙戌,傅卿進士.己亥戊辰,擧人.癸丑乙丑,陶大年副使.

명조)1-[원수] 명조)2-[하한수 도당] 명조)3-[성서]

乙 壬 庚 丙　　乙 壬 辛 癸　　　乙 壬 戊 辛
巳 申 寅 辰　　巳 申 酉 未　　　巳 申 戌 亥

명조)4-[대참] 명조)5-[부경 진사] 명조)6-[거인]

乙 壬 癸 甲　　乙 壬 丙 庚　　　乙 壬 戊 己
巳 申 酉 戌　　巳 申 戌 午　　　巳 申 辰 亥

명조)7-[도대년 부사]

乙 壬 乙 癸
巳 申 丑 丑

壬戌일 乙巳시는, 寅의 年 月은 일덕격(日德格)이 되어 貴하다. 辰 戌 丑 未도 貴하다. 秋절은 印綬이고 夏절은 財 官으로 모두 吉하다. 春절은 손상하고, 冬절은 旺한데 天干에 투출한 것을 보면 어떠한가? 역시 貴를 取할 수 있다. (壬戌日,乙巳時,寅年月入日德格貴.辰戌丑未貴.秋印,夏財官,俱吉,春傷,冬旺,看干透何如,亦可取貴.)

乙酉庚辰,鄭主敬進士.丙戌甲午,吳宗器知縣.丁未壬子,黃珠擧人.丙申丁酉,進士.丁酉癸丑,趙參魯庶吉士謫典史歷陞尙書.

명조)1-[정주경 진사] 명조)2-[오종기 지현] 명조)3-[황주 거인]

| 乙 壬 庚 乙 | 乙 壬 甲 丙 | 乙 壬 壬 丁 |
| 巳 戌 辰 酉 | 巳 戌 午 戌 | 巳 戌 子 未 |

명조)4-[진사] 명조)5-[조 삼로]

| 乙 壬 丁 丙 | 乙 壬 癸 丁 |
| 巳 戌 酉 申 | 巳 戌 丑 酉 |

명조5에서, 조 삼로는 서출(庶出)로 吉士인데 유배를 갔고, 전사(典史)를 지내다 상서(尙書)에 올랐다.

임일을사(壬日乙巳)局은 四柱중에서 官을 보지 않아야 한다. 만나서 방어가 부족(不足)한데 刑害를 만나면 하는 일이 복잡해진다. (壬日乙巳局,柱中莫見官.見之防不足,刑害事多端.)

壬일에 乙巳시가 臨하면, 계책을 실행하지 않고 속으로만 깊이 생각한다. 貴人이 있는데 財官이 旺하면 계승할 자식이 향낭속의 원앙처럼 한마음이 못하다. (壬日時逢乙巳臨,謀爲未遇且沈吟. 貴人擧薦財官旺,子嗣鴛幃不一心.)

壬일이 乙巳시에 臨하면, 상관이 배록(背祿)하여 取하지 못하며, 비록 천을貴人이 도울지라도 귀현(貴顯)을 만나도 불우(不遇)하다. 바라는 계략과 언행(言行)이 엎치락뒤치락하여 평생토록 실제로 하는 일은 헛되고, 때가 되어 발달(發達)하면 문려(門閭)를 고치니, 마치 가뭄에 모종이 단비를 얻는 것과 같다. (壬日時臨乙巳,傷官背祿無取,雖然天乙貴人扶,貴顯遇而不遇.謀望云爲反覆,生平實事成虛,時來發達改門閭,猶似旱苗得雨.)

42. 六壬日丙午時斷

6壬일생이 丙午시면, 財가 모인 地支가 포태(胞胎)에 좌(坐)한다. 月에 金 水를 만나면 반드시 富貴하고, 命을 버리고 從하여 財를 쫓는다. (六壬日生時丙午,聚財之地坐胞胎.月逢金水須富貴,棄命從來是就財.)

壬일 丙午시는, 祿 馬 삼기(三奇)이다. 壬은 己가 官이 되고, 丙 丁은 財인데, 午상의 丁 己는 祿馬이고, 壬水는 수태(受胎)하여 의탁(依託)함이 있고, 金水가 月氣에 通하고, 기명취재(棄命就財)하면 富貴하고, 火氣가 通하여도 역시 貴하다. (壬日,丙午時,祿馬三奇.壬以己爲官,丙丁爲財,午上丁己是祿馬,壬水受胎,有倚托,通金水月氣,就財棄命,主富貴,通火氣亦貴.)

壬子일 丙午시는, 공평하며 정직함을 가지고, 혼자서 유달리 고상하며 貴하다. 年 月에 子 午가 重하면 수화기제(水火旣濟)하여 극품(極品)이다. 또 이르길, 旺한 가운데 妻子를 잃거나 손상한다. (壬子日,丙午時,公直撐持,孤高而貴.年月子午字重,水火旣濟極品.一云,旺中失傷妻子.)

壬辰乙巳,太守.丙午壬子,大貴.戊戌癸亥,女命夫子進士.己酉乙亥,擧人.

명조)1-[태수] 명조)2-[대귀] 명조)3-[女命, 남편과 자식이 진사]

丙	壬	乙	壬		丙	壬	庚	丙		丙	壬	癸	戊
午	子	巳	辰		午	子	子	午		午	子	亥	戌

명조)4-[거인]

丙	壬	乙	己
午	子	亥	酉

壬寅일 丙午시는, 寅 午 戌월은 재성격인데, 그렇지만 身弱함을 싫어하고 마땅히 僧道가 吉하다. 秋節생은 印綬이다. 冬절은 身旺하여 金 火運으로 行하면 존귀(尊貴)한 사람이 된다. (壬寅日,丙午時,寅午戌月財星格,但嫌身弱,宜僧道吉.秋生印綬.冬身旺,行金火運,金紫.)

辛酉庚子,侍郎.癸亥乙卯,劉汝南解元.辛未辛丑,何如寵閣老.乙卯乙酉,同知.

명조)1-[시랑]　명조)2-[유여남 해원] 명조)3-[하여총 각로]

丙	壬	庚	辛		丙	壬	乙	癸		丙	壬	辛	辛
午	寅	子	酉		午	寅	卯	亥		午	寅	丑	未

명조)4-[동지]

丙 壬 乙 乙
午 寅 酉 卯

壬辰일 丙午시는, 寅 午 戌월은 財旺하여 대귀(大貴)하다. (壬辰日,丙午時,寅午戌月,財旺大貴.)

戊辰乙丑,尙書.己巳癸酉,羅任智擧人.丙申壬辰,陳文燭大參.

명조)1-[상서] 명조)2-[라임지 거인] 명조)3-[진문촉 대참]
丙 壬 乙 戊　　丙 壬 癸 己　　　丙 壬 壬 丙
午 辰 丑 辰　　午 辰 酉 巳　　　午 辰 辰 申

壬午일 丙午시는, 冬월은 身旺하여 吉하다. 夏절은 재다신약(財多身弱)하고, 丑월은 근시(近侍)로 貴하다. 寅 午월이 土金 運은 홀로 弱하니 强함을 쫓으니 기명취재(棄命就財)하여 뛰어난 命이 된다. (壬午日,丙午時,冬月身旺吉.夏財多身弱,丑月近侍貴.寅午金土運,獨弱從强,棄命就財,高命.)

戊辰癸亥,袁煒會元探花閣老無子.己巳己巳,林冕郎中.庚辰丁亥,僉憲.丙午庚子,丞相.丁亥壬子,太守.乙亥壬午,巨富納指揮.

명조)1-[원위] 명조)2-[임면 낭중] 명조)3-[첨헌]
丙 壬 癸 戊　　丙 壬 己 己　　　丙 壬 丁 庚
午 午 亥 辰　　午 午 巳 巳　　　午 午 亥 辰
명조1에서, 원위는 회원 탐화 각로인데 자식이 없었다.

명조)4-[승상] 명조)5-[태수] 명조)6-[巨富 納 指揮]
丙 壬 庚 丙　　丙 壬 壬 丁　丙 壬 壬 乙
午 午 子 午　　午 午 子 亥　午 午 午 亥

壬申일 丙午시는, 金 水가 月氣에 通根하면 貴하다. 불통(不通)하고 기명취재(棄命就財)하면 富하고, 그렇지 않으면 매우 가난하다. (壬申日,丙午時,通金水月氣貴.不通,棄命就財,主富,不然,極貧下.)

乙亥己丑,溫如璋都堂.癸巳庚申,進士.丁亥戊申,中書.丙午癸巳,富.壬戌丙午,富.

명조)1-[온여장 도당] 명조)2-[진사] 명조)3-[중서]
丙 壬 己 乙　　　丙 壬 庚 癸　丙 壬 戊 丁
午 申 丑 亥　　　午 申 申 巳　午 申 申 亥

명조)4-[富]   명조)5-[富]

丙 壬 癸 丙   丙 壬 丙 壬

午 申 巳 午   午 申 午 戌

壬戌일 丙午시는, 寅월은 三合하여 財局하니 命을 버리고 從하니 富하다. 秋절은 의지할 데가 있어 貴하다. 冬절 역시 吉하다. (壬戌日,丙午時,寅月三合財局,棄命相從,富.秋有倚托貴.冬亦吉.)

丁酉戊申,黃初榜眼.己卯戊辰,廖逢時都堂.戊辰庚申,史弘詢刺史富.辛巳庚寅,沈紹代僉憲.乙亥己卯, 擧人.

명조)1-[황초 방안] 명조)2-[료봉시 도당] 명조)3-[사홍순 자사 富]

丙 壬 戊 丁   丙 壬 戊 己   丙 壬 庚 戊

午 戌 申 酉   午 戌 辰 卯   午 戌 申 辰

명조)4-[심소대 첨헌] 명조)5-[거인]

丙 壬 庚 辛   丙 壬 己 乙

午 戌 寅 産   午 戌 卯 亥

록마동향(祿馬同鄕)局은 신강하면 財祿이 창성(昌盛)하다. 평민도 발복(發福)할 수 있고, 君子는 조정(朝廷)에 자리한다. (祿馬同鄕局,身强財祿昌.常人能發福,君子坐朝堂.)

丙午시생이 壬일은 强해면 時중의 祿馬가 예사롭지 않다. 運이 吉地로 行하고 衝破가 없으면 조만간 벼슬이 높은 자리로 오른다. (丙午時生壬日强,時中祿馬不尋常.運行吉地無衝破,早晩升遷到 省堂.)

壬일이 丙午시를 만나면, 역시 록마동향이라(祿馬同鄕)라 하며 취중기제(就中旣濟)하여 文章 을 하면 의지와 기개가 관대하고 도량이 바다처럼 넓다. 刑 衝 破 害를 만나지 않으면 자연히 財祿이 집에 가득하다. 運이 財旺이나 官鄕으로 흐르면 조정(朝廷)의 재상(宰相)이 된다. (壬日時 達丙午,亦名祿馬同鄕,就中旣濟見文章,志氣寬洪海量.不遇刑衝破害,自然財祿盈箱.運行財旺及官鄕, 定是朝中宰相.)

43. 六壬日丁未時斷

6壬일생이 丁未시면, 부화처종(夫化妻從)의 格局으로 기묘(奇妙)하다. 만약 국(局)중에 水木이 通根하면 發財 發福하는 것이 마땅하다. (六壬日生時丁未,夫化妻從格局奇.若是局中通水木,發財發福兩相宜.)

壬일이 丁未시는, 부종처화(夫從妻化)하는데, 壬은 丁을 合하고, 未상은 같은 木局으로 貴하다. 만약 月에 木局이 通하면 의탁(依託)할 것이 있어야 발재(發財)하고, 불통(不通)하면 단지 자재(資財)의 도움이 있어야 妻로 인해 치부(致富)한다. (壬日,丁未時,夫從妻化,壬合丁,未上同木局貴.若月通木局,有倚托者發財,不通,但有資助,因妻致富.)

壬子일 丁未시는, 月에 木氣가 通하면 貴하다. 金氣에 通하면 富하고, 火土氣에 通하면 부귀(富貴)가 양전(兩全)한다. 불통(不通)하고 火土 運으로 行하면 역시 吉하다. (壬子日,丁未時,月通木氣貴.通金氣富,通火土氣,富貴兩全.不通,行火土運,亦吉.)

壬辰辛亥,王狀元.丁酉壬子,節度.丙申丙申,吳怒知州.庚寅壬午,擧人.戊子己丑,貢士.

명조)1-[왕 장원] 명조)2-[절도] 명조)3-[오노 지주]
丁 壬 辛 壬 　 丁 壬 壬 丁 　 丁 壬 丙 丙
未 子 亥 辰 　 未 子 子 酉 　 未 子 申 申

명조)4-[거인] 명조)5-[공사]
丁 壬 壬 庚 　 丁 壬 己 戊
未 子 午 寅 　 未 子 丑 子

壬寅일 丁未시는, 丁壬이 木으로 化하여, 亥 卯 未 寅월은 貴하다.(壬寅日,丁未時,丁壬化木,亥卯未寅月貴.)

庚子己卯,彭洞進士.戊寅甲寅,陳艮山知縣.

명조)1-[팽동 진사] 명조)2-[진간산 지현]
丁 壬 己 庚 　 丁 壬 甲 戊
未 寅 卯 子 　 未 寅 寅 寅

壬辰일 丁未시는, 辰월생이면 임기용배(壬騎龍背)局으로 귀현(貴顯)한다. 寅월은 妻는 重하고 자식이 영화롭다. 三合한 水局은 身旺하여 의지할 데가 없으니 대부분 가난하고 妻를 剋한다.

(壬辰日,丁未時,辰月生,壬騎龍背局,貴顯.寅月妻重子榮.三合水局,身旺無倚,多貧剋妻.)

癸巳辛酉,張傑御史.壬午丁卯,馬思聰進士.甲午乙亥,楊國本知州.

명조)1-[장걸 어사] 명조)2-[마사총 진사] 명조)3-[양국본 지주]

丁	壬	辛	癸
未	辰	酉	巳

丁	壬	丁	壬
未	辰	卯	午

丁	壬	乙	甲
未	辰	亥	午

壬午일 丁未시는, 春절은 보통이고, 夏절은 부유(富裕)하고, 秋절은 貴하고, 冬절은 吉하다. 巳午의 年 月은 지위가 왕후(王侯)에 이른다. 未월에 東方운은 貴하다. 子월에 正印 三奇가 모두 암장하여 貴하고, 마땅히 극품(極品)이다. (壬午日,丁未時,春平,夏富,秋貴,冬吉.巳午年月,位至王侯.未月東運貴.子月正印三奇,俱藏貴,當極品.)

甲戌丙子,楊一淸閣老名臣無子.乙亥癸未,郎中.壬子壬子,鄭登高進士.庚午壬午,富.壬申壬寅,凶.戊戌乙丑,廕郎.

명조)1-[양 일청] 명조)2-[낭중] 명조)3-[정등고 진사]

丁	壬	丙	甲
未	午	子	戌

丁	壬	癸	乙
未	午	未	亥

丁	壬	壬	壬
未	午	子	子

명조)4-[부자] 명조)5-[凶] 명조)6-[음랑]

丁	壬	壬	庚
未	午	午	午

丁	壬	壬	壬
未	午	寅	申

丁	壬	乙	戊
未	午	丑	戌

壬申일 丁未시는, 대부(大富)이다. 巳 午의 年 月은 혹 戊 己가 투출하면 부귀쌍전(富貴雙全)한다. (壬申日,丁未時,大富.巳午年月,或透戊己,富貴雙全.)

乙卯乙酉,左監丞.

명조)1-[좌 감승]

丁	壬	乙	乙
未	申	酉	卯

壬戌일 丁未시는, 日德으로 妻는 작위를 받고 자식은 음덕(蔭德)을 받는다. 亥 子 申 酉월은 貴하다. 巳 午월은 貴하지 않으면 富하다. [壬水가] 辰월은 天德, 月德귀인이다. (壬戌日,丁未時,日德,封妻廕子,中年又損妻子.亥子申酉月貴.巳午不貴即富.辰月天月德貴.)

己卯戊辰,劉斯潔尙書.丁丑甲辰,大參.丁丑癸卯,擧人.己巳丙子,屬汝進給諫.丙午丙申,進士.辛卯丙申,貴.丁卯壬子,長史.丙子乙丑,擧人.

명조)1-[유사결 상서]　명조)2-[대참]　명조)3-[거인]

　丁　壬　戊　己　　　丁　壬　甲　丁　　丁　壬　癸　丁

　未　戌　辰　卯　　　未　戌　辰　丑　　未　戌　卯　丑

명조)4-[려여진 급간]　명조)5-[진사]　명조)6-[貴]

　丁　壬　丙　己　　　丁　壬　丙　丙　　丁　壬　丙　辛

　未　戌　子　巳　　　未　戌　申　午　　未　戌　申　卯

명조)7-[장사]　명조)8-[거인]

　丁　壬　壬　丁　　丁　壬　乙　丙

　未　戌　子　卯　　未　戌　丑　子

소왕대래(小往大來)局은 家門이 점점(漸漸) 일어난다. 어느 날 시운(時運)이 이르면 명리(名利)를 자연히 이룬다. (小往大來局,家門漸漸興.一朝時運至,名利自然成.)

壬일 丁未시가 臨하면, 木이 化하여 숲을 이루니 金을 보는 것은 꺼린다. 年 月에 만약 다시 破 害가 없으면 반드시 富貴하고 福이 더욱 깊어진다. (壬日時逢丁未臨,木化成林忌見金.年月若還無破害,必敎富貴福彌深.)

壬일에 丁未시가 臨하면, 그 중에 妻財를 暗合하고, 丑 戌이 오면 좋은데 열쇠로 열어 돈과 재물이 광대(廣大)하게 쌓인다. 年 月에서 剋 衝하지 않으면 자연적으로 衣祿이 편안하고, 향낭속의 원앙처럼 자식은 조년(早年)에 떨어지고, 中 末年도 의연(依然)히 크게 형통한다. (壬日時臨丁未,就中暗合妻財,好來丑戌鑰匙開,收積錢財廣大.年月剋衝不犯,天然衣祿安排,鴛幃子息早年乖,中末依然亨泰.)

44. 六壬日戊申時斷

6壬일생이 戊申시면, 長生의 地支에서 鬼가 身을 손상한다. 身强하여 제복(制伏)하면 뛰어난 命이 되고, 이와 반대면 빈궁하고 보잘 것 없는 사람이 된다. (六壬日生時戊申,長生之地鬼傷身.身强制伏爲高命,反此定知貧薄人.)

壬일이 戊申시는, 水土가 혼탁(混濁)하다. 壬은 戊가 鬼이고, 庚은 印인데, 申상에 庚金은 健旺하고, 壬수는 長生하고, 戊土는 편관으로 身과 鬼가 모두 强하니 용감하고 사나운 사람이 된다. 만약 旺한 月에 通하고 신왕운으로 行하며 甲木이 제복(制伏)하면 貴하다. 불통(不通)하면 총명(聰明)하여도 貴하지 않는데, 다시 鬼旺한 運으로 行하면 현달(顯達)하기 어렵다. (壬日,戊申時,水土混濁.壬以戊爲鬼,庚爲印,申上庚金健旺,壬水長生,戊土偏官,身鬼俱强,爲人勇暴.若通旺月,行身旺運,有甲木制伏者貴.不通,聰明不貴,再行鬼旺運,難以顯達.)

壬子일 戊申시는, 양인대살(羊刃帶煞)하고 貴人이 제휴(提携)한다. 巳 午의 年 月은 근시(近侍)로써 권세(權勢)를 가진다. (壬子日,戊申時,羊刃帶煞,貴人提攜.巳午年月,近侍有權.)

乙卯甲申,史際少卿富甲江南.丙午戊戌,傳好禮運使.甲戌丁亥,吳昭副使.己丑乙亥,郭端通判.丁巳戊子,大貴.丙申乙未,京提.

명조)1-[사제 소경]명조)2-[전호례 운사] 명조)3-[오소 부사]

戊	壬	甲	乙		戊	壬	戊	丙		戊	壬	丁	甲
申	子	申	卯		申	子	戌	午		申	子	亥	戌

명조1에서, 사제는 소경(少卿)으로 甲富였으며 강남사람이었다.

명조)4-[곽단 통판] 명조)5-[大貴] 명조)6-[경제]

戊	壬	乙	己		戊	壬	戊	丁		戊	壬	乙	丙
申	子	亥	丑		申	子	子	巳		申	子	未	申

壬寅일 戊申시는, 日時가 相衝하여 身이 고독하니 僧 道가 되면 吉하다. 만일 寅 午 戌 혹은 순수한 辰의 年 月도 역시 貴하다. (壬寅日,戊申時,時日相衝,身孤,爲僧道吉.如寅午戌,或純辰年月亦貴.)

丁未丁未,梁震總兵名將.戊寅甲寅,吳遠都堂.丙戌庚子,同知.丙辰甲午,大參.辛亥壬辰,中丞.乙未癸未,駙馬.乙卯甲申,御史.乙酉己卯,周憲主事由寒儒四十後中有,好子以八字四衝難看.

명조)1-[량진 총병 명장] 명조)2-[오원 도당] 명조)3-[동지]

戊	壬	丁	丁		戊	壬	甲	戊		戊	壬	庚	丙
申	寅	未	未		申	寅	寅	寅		申	寅	子	戌

명조)4-[대참] 명조)5-[중승] 명조)6-[부마]

戊	壬	甲	丙		戊	壬	壬	辛		戊	壬	癸	乙
申	寅	午	辰		申	寅	辰	亥		申	寅	未	未

명조)7-[어사]　명조)8-[주헌 주사]

戊 壬 甲 乙　　戊 壬 己 乙

申 寅 申 卯　　申 寅 卯 酉

명조8에서, 주헌은 주사이고, 가난한 선비이기에 40세후 중유(中有;사유(四有)의 하나), 자식의 八字는 좋았는데 4衝으로 보기는 어렵다.

壬辰일 戊申시는, 戊월생은 일찍 과거에 합격하여 벼슬길에 오른다. 寅 卯 丑 申 子 午등의 年 月은 극귀(極貴)하며 무직(武職)으로 1품이다. (壬辰日,戊申時,戊月生,早登科甲,官至方面.寅卯丑申子午等年月,極貴,武職一品.)

癸丑乙卯,劉文靖公健名臣.戊寅庚申,曹金侍郎.甲戌壬申,張松總制.戊戌甲子,四十五歲殺死.己酉甲戌,張問達冢宰.辛亥甲午,部郎.

명조)1-[유 문정]　명조)2-[조금 시랑]　명조)3-[장송 총제]

戊 壬 乙 癸　　　戊 壬 庚 戊　　　戊 壬 壬 甲

申 辰 卯 丑　　　申 辰 申 寅　　　申 辰 申 戌

명조1에서, 유 문정공은 건강하였고 名臣이었다.

명조)4-[45세에 살해당함]　명조)5-[장 문달 총재]　명조)6-[부랑]

戊 壬 甲 戊　　　　戊 壬 甲 己　　　　戊 壬 甲 辛

申 辰 子 戊　　　　申 辰 戊 酉　　　　申 辰 午 亥

壬午일 戊申시는, 편관과 편인이다. 亥 卯 未 寅월은 권위(權威)가 있다. 子 丑월에 木火 運이면 한림(翰林=예문관)으로 청귀(淸貴)하다. 戊월에 東南 運으로 行하면 품계(品階)가 높다. (壬午日,戊申時,偏官偏印.亥卯未寅月,威權.子丑月木火運,翰林淸貴.戊月行東南運,高品.)

丙寅辛丑,張秉壼侍郎.辛未丙申,戶部.辛未庚子,林大欽壬辰狀元丁酉年卒,一舉人命同.丙子庚子,翁元戎問死.

명조)1-[장병곤 시랑]　명조)2-[戶部]　명조)3-[임 대흠]

戊 壬 辛 丙　　　戊 壬 丙 辛　　戊 壬 庚 辛

申 午 丑 寅　　　申 午 申 未　　申 午 子 未

명조2에서, 호부(戶部)는 상서호부의 준말이다.

명조3에서, 임 대흠은 壬辰년 장원하여 丁酉년에 卒하였다. 한사람 거인(擧人)의 命과 동하다.

명조)4-[翁 원융]

戊 壬 庚 丙

申 午 子 子

명조4에서, 翁씨는 원융인데 문초당하여 사망하였다.

壬申일 戊申시는, 壬水가 長生하는 申에 居하여 살왕신강(煞旺身強)하고, 다시 亥 卯 未월에 生하면 편관을 制하여 吉하다. (壬申日,戊申時,壬水長生居申,煞旺身強,更生亥卯未月,偏官有制吉.)

丁亥癸丑,董堯封都堂.癸卯壬戌,侍郎.戊子丁巳,廉使.壬申丙午,舉人.壬申甲辰,貴.甲子己巳,武元.

명조)1-[동요봉 도당]   명조)2-[시랑]   명조)3-[렴사]

戊 壬 癸 丁   戊 壬 壬 癸   戊 壬 丁 戊

申 申 丑 亥   申 申 戌 卯   申 申 巳 子

명조)4-[거인]   명조)5-[貴]   명조)6-[武元]

戊 壬 丙 壬   戊 壬 甲 壬   戊 壬 己 甲

申 申 午 申   申 申 辰 申   申 申 巳 子

壬戌일 戊申시는, 破하고 정체(停滯)하여 대부분 순탄하지 못하다. 순수한 酉는 거부(巨富)이다. 만약 身旺한 月에 불통(不通)하고 煞旺한 곳으로 行하면 불길(不吉)하다. 甲이 制하여도 역시 가능하다. 戊 己土가 重하면 주로 실명(失明)하며 평상(平常)하다. (壬戌日,戊申時,破滯多蹇.純酉巨富.若不通身旺月,行煞旺鄉,不吉.有甲制亦可.戊己土重,主瞎疾,平常.)

戊午甲子,舒汀御史.庚辰壬午,舉人.庚子庚辰,成德進士部郎死崇禎之難.癸巳癸亥,宣國柱庚辰進士當年授科當年謫.己未丁卯,逆奴.

명조)1-[서정 어사]   명조)2-[舉人]   명조)3-[성덕 진사]

戊 壬 甲 戊   戊 壬 壬 庚   戊 壬 庚 庚

申 戌 子 午   申 戌 午 辰   申 戌 辰 子

명조3에서, 성덕은 진사 부랑이었는데 숭정지란에 사망했다.

명조)4-[선 국주]   명조)5-[逆奴]

戊 壬 癸 癸   戊 壬 丁 己

申 戌 亥 巳   申 戌 卯 未

명조5에서, 선 국주는 庚辰년에 진사였는데, 그 해에 시험관일 때, 그 해 귀양 갔다.

신시임일간(申時壬日干)은 신왕하여 빈한(貧寒)하지 않다. 대명(大名)이 호방(虎榜)에 오르니 험지(險地)에서도 財官을 發한다. (申時壬日干,身旺不貧寒.大名通虎榜,險處發財官.)

申시 壬戌이 天元을 合하는데, 運이 財官으로 가면 福은 자연(自然)히 온다. 鬼는 旺하고 身이 衰弱한데 구조(救助)함이 없으면 평생토록 꾸준히 노력하여도 온전하지 못하다. (申時壬戌合天元, 運去財官福自然.鬼旺身衰無救助,平生勞碌不周全.)

壬일에 戊申시가 드러나면, 地支와 天干에 모두가 煞旺하고, 辰 子를 만나면 서로 연결되니 좋은데 정합(正合)하여 비단옷을 입게 된다. 刑 衝 破 害로 전극(戰剋)하면 그 중에 특히 문(文)의 福은 힘들고 고생하며, 運이 吉地로 行하면 자니(紫泥)를 베풀어, 富貴하며 妻가 많고 자식은 건강하다.　(壬日戊申時顯,支干煞旺雙全,喜逢辰子兩相連,正合衣錦局面.破害刑衝剋戰,就中文福艱難, 運行吉地紫泥宣,富貴妻多子健.)

45. 六壬日己酉時斷

6壬일생이 己酉시면, 官은 투출하고 印綬는 암장하여 돕고 있다. 月에 通[根]하여 신왕하면 청귀(淸貴)한 사람이지만, 그러나 기생을 연모(戀慕)하고 술을 탐하는 것이 염려된다. (六壬日生時 己酉,明官暗印有扶持.月通身旺人淸貴.猶恐戀花貪酒卮.)

壬일이 己酉시면, 敗地에서 生을 만난다. 壬水는 酉상에서 목욕(沐浴)지이고, 辛은 生氣이면 印綬가 되며 酉상에서 辛金이 旺하고, 己는 官이 되고, 酉상에 己가 투출하여 있다. 만약 月氣에 通하여 의탁(依託)할 데가 있고 財官 運으로 行하면 貴하나 이와 반대면 평상(平常)하다. 그러나 도화(桃花)가 命에 있으면 풍류가(風流家)로 주색(酒色)을 탐한다. (壬日,己酉時,敗處達生.壬水酉 上沐浴,辛爲生氣印綬,酉上辛金旺,用己爲官,酉上有明己.若通月氣,有倚托,行財官運貴,反是平常.但犯 桃花坐命,風流人物,戀花貪酒.)

壬子일 己酉시는, 春節은 보통이고, 夏節은 吉하고, 秋節은 평범하고, 冬節은 旺하다. 만일 卯월생이면 주색(酒色)을 좋아한다. (壬子日,己酉時,春平,夏吉,秋常,冬旺.如卯月生,好花酒.)

戊子甲子,吳阿衡侍郎.

명조)1-[오아형 시랑]
己 壬 甲 戊
酉 子 子 子

壬寅일 己酉시는, 크게 富貴하다. 水氣에 通하는 것이 기쁘고, 官運으로 行하면 貴하다. 그러나 주색(酒色)을 좋아하는 풍류가(風流家)이다. (壬寅日,己酉時,大富貴,喜通水氣,行官運貴.但好花酒,風流人物.)

甲辰甲戌,孫狀元閣老.癸未乙酉,林應節擧人.己未丁丑,吳正郎擧人.

명조)1-[손 장원 각로] 명조)2-[임 응절 거인] 명조)3-[오 정랑 거인]

己	壬	甲	甲		己	壬	乙	癸		己	壬	丁	己
酉	寅	戌	辰		酉	寅	酉	未		酉	寅	丑	未

壬辰일 己酉시는, 뛰어나고, 月과 日이 같으면 임기용배로 크게 貴하다. 巳월에 東北 運으로 行하면 貴하다. (壬辰日,己酉時,高,月同日,壬騎龍背,大貴.巳月行東北運貴.)

丁未癸亥,高昭擧人.己未乙亥,趙堂典膳五子俱大富.乙未丙戌,進士.丙申戊戌,呂坤尚書.

명조)1-[고소 거인] 명조)2-[조당 전선]

己	壬	辛	丁		己	壬	乙	己
酉	辰	亥	未		酉	辰	亥	未

명조2에서, 조당은 전선(典膳)인데, 5子가 모두 크게 貴하였다.[60)]

명조)3-[진사] 명조)4-[려곤 상서]

己	壬	丙	乙		己	壬	戊	丙
酉	辰	戌	未		酉	辰	戌	申

壬午일 己酉시는, 록마동향(祿馬同鄉)인데, 먼저는 어렵지만 나중에는 용이(容易)하다. 丑 寅월에 金水 運으로 行하면 무직(武職)으로 2품이다. 또 이르길, 조업(祖業)을 破하여 凶하다. (壬午日,己酉時,祿馬同鄉,先難後易.丑寅月行金水運,武職二品.一云,破祖凶.)

戊戌壬戌,桂萼擧人閣老.丙申己亥,副使.癸巳己未,貴.辛酉庚寅,程軏侍郎.丁丑辛亥,龐尙鵬都堂,或云乙酉丁亥.

명조)1-[계악 거인각로] 명조)2-[부사] 명조)3-[貴]

己	壬	壬	戊		己	壬	己	丙		己	壬	己	癸
酉	午	戌	戌		酉	午	亥	申		酉	午	未	巳

60) 典膳은 중국(中國)에서 천자(天子)의 선부(膳部)를 맡아보던 관직(官職)

명조)4-[정월 시랑] 명조)5-[방상붕 도당]

己 壬 庚 申　　　 己 壬 辛 丁

酉 午 寅 酉　　　 酉 午 亥 丑

명조5에서, 방 상붕은 도당인데, 혹 乙酉년 丁亥월이라고도한다.

壬申일 己酉시는, 官印이 있어 局중에 衝破가 없고, 祿馬가 쌍전(雙全)하여 貴하지 않으면 富하다. 戌월생이 東南방 運이면 허리에 금띠를 차고 붉은 옷을 입는다.[61] (壬申日,己酉時,官印臨門,局中無衝破,祿馬雙全,不貴即富.戌月生東南方運,腰金衣紫.)

壬午丙午,李邦器魁元.壬申己酉,劉狀元.甲午己巳,陳思育祭酒.

명조)1-[이방기 괴원] 명조)2-[유 장원] 명조)3-[진사육 제주]

己 壬 丙 壬　　　 己 壬 己 壬　　　 己 壬 己 甲

酉 申 午 午　　　 酉 申 酉 申　　　 酉 申 巳 午

壬戌일 己酉시는, 亥 寅 子월에 財 官運으로 行하면 특별하게 귀현(貴顯)한다. 순수한 亥는 文[職]으로 貴하다. (壬戌日,己酉時,亥寅子月行財官運,貴顯非常.純亥文貴.)

甲午丙寅,趙賢尚書.戊子丁巳,陳于魯舉人.己卯丙寅,舉人.

명조)1-[조현 상서] 명조)2-[진우로 거인] 명조)3-[거인]

己 壬 丙 甲　　　 己 壬 丁 戊　　　 己 壬 丙 己

酉 戌 寅 午　　　 酉 戌 巳 子　　　 酉 戌 寅 卯

관인임문(官印臨門)局은 衝이 없어야 福祿이 완전하다. 반드시 동서로 뜻이 부합해야 하고, 南北도 자연히 그러하다. (官印臨門局,無衝福祿全.東西須稱意,南北自安然.)

天干의 壬일이 酉시가 참이면, 재앙이 변하여 상서로운 貴人을 만나게 된다. 만약 벼슬의 품계(品階)를 받지 않으면 만년(晚年)에 福을 누리고 가문(家門)이 왕성(旺盛)하게 된다. (天干壬日酉時眞,改禍爲祥遇貴人.若不爲官封品級,晚年享福旺家門.)

壬일이 己酉시를 만나면, 正官 印綬가 치우침이 없고, 영고(榮枯) 귀천(貴賤)의 인연(因緣)으로 사람이 스스로 이루어 편하다. 乙 癸 卯가 衝 破 剋하고 財官이 뒤섞여 순수하지 못하면 반감(半減)하니 富貴가 주춤거리고 양전(兩全)하지 못하는데, 生時의 차이(差異)를 변별(辨別)하기 어렵다. (壬日時逢己酉,正官印綬無偏,榮枯貴賤是因緣,人自生成便見.乙癸卯衝破剋,駁雜財官減半,迍邅

---

61) 腰金衣紫(요금의자);높은 관직에 오름을 이르는 말. 조선으로 따져보면 붉은 옷에 금장의 띠를 차는 것은 당상관이상이다.

富貴不雙全,差了生時難辯.)

46. 六壬日庚戌時斷

6壬일생이 庚戌시면, 身이 財庫에 臨하여 오히려 마(魔)가 된다. 庚이 투출하며 戌은 암장하여 相刑하며 剋하니, 財祿이 평생토록 모였다 흩어짐이 많다. (六壬日生時庚戌,身臨財庫卻爲魔.明庚暗戌相刑剋,財祿生平聚散多.)

壬일이 庚戌시는, 梟[神]이 財庫에 臨하고, 壬은 丙丁이 財인데 戌에서 庫가 되고, 庚은 도식(倒食이며 戌는 편관이다. 만약 火木이 月氣에 通根하여 의지할 데가 있으면 貴하다. 불통(不通)하면 재백(財帛)이 모였다 흩어진다. (壬日,庚戌時,梟臨財庫,壬以丙丁爲財,庫於戌,庚爲倒食,戌偏官.若通火木月氣,有倚托者貴.不通,財帛聚散.)

壬子일 庚戌시는, 명리(名利)가 진퇴(進退)하고, 庚辛의 年月이면 貴하다. 辰丑은 刑衝하고, 酉월은 破害하여 財庫가 用[神]을 얻는다. 巳午는 財官이 旺하니 모두 吉하다. (壬子日,庚戌時,名利進退,庚辛年月貴.辰丑刑衝,酉月破害,財庫得用.巳午財官旺,俱吉.)

乙巳庚辰,吳仕典太守.乙酉己丑,進士.甲辰丙子,指揮.丙申辛丑,指揮.辛丑庚寅,忘恩負義.

명조)1-[오사전 태수] 명조)2-[진사] 명조)3-[지휘]

庚 壬 庚 乙　　　庚 壬 己 乙　　庚 壬 丙 甲
戌 子 辰 巳　　　戌 子 丑 酉　　戌 子 子 辰

명조)4-[지휘] 명조)5-[망은부의]

庚 壬 辛 丙　　庚 壬 庚 辛
戌 子 丑 申　　戌 子 寅 丑

壬寅일 庚戌시는, 妻를 刑하며 자식을 剋한다. 만약 春절생이면 보통이고, 夏절과 冬절이면 吉하다. 辰丑未월은 貴하다. (壬寅日,庚戌時,刑妻剋子.若春生平,夏冬吉.辰丑未月貴.)

庚戌己丑,太守.戊戌甲子,布政.戊子壬戌,沈幾解元進士知州.

명조)1-[태수] 명조)2-[포정] 명조)3-[심기 해원 진사 지주]

庚 壬 己 庚　　庚 壬 甲 戊　　庚 壬 壬 戊
戌 寅 丑 戌　　戌 寅 子 戊　　戌 寅 戌 子

壬辰일 庚戌시는, 夏월은 富하지 않으면 貴하고, 春절은 보통이고, 秋절은 평온하고, 冬절은 부지런하게 노력해도 고생하고, 혹은 僧 道가 되는데 財가 있어도 刑 破한다. (壬辰日,庚戌時,夏月,不富則貴,春平,秋穩,多辛勤勞苦,或爲僧道,有財刑破.)

壬午일 庚戌시는, 록마동향(祿馬同鄉)으로 壬일이 祿에 坐하고, 庚 辛이 甲 乙을 制하여 貴가 된다. 辰 戌 丑 未의 年 月은 吉하다. 申월은 학당(學堂)으로 문(文)貴가 크게 드러난다. 亥 子月은 水旺하니 壬이 투출하면 凶하다. 午 戌월은 戌가 투출하면 煞旺하니 역시 凶하다. 또 이르길, 명리(名利)가 진퇴(進退)하니 박잡(駁雜)하다. (壬午日,庚戌時,祿馬同鄉,壬日坐祿,有庚辛制甲乙爲貴.辰戌丑未年月吉.申月學堂,文貴大顯.亥子水旺,透壬主凶.午戌透戌,煞旺亦凶.一云,名利進退駁雜.)

乙亥甲申,張守直尙書無子.丙戌壬辰,丞相.戊子戊戌,侍郎.壬辰辛亥,知縣.戊子乙丑,都督.丁卯辛亥,白手成家無子.

명조)1-[장 수직 상서無子] 명조)2-[승상] 명조)3-[시랑]

庚	壬	甲	乙		庚	壬	壬	丙		庚	壬	戊	戊
戌	午	申	亥		戌	午	辰	戌		戌	午	戌	子

명조)4-[지현]　명조)5-[도독] 명조)6-[백수성가, 無子]

庚	壬	辛	壬		庚	壬	乙	戊		庚	壬	辛	丁
戌	午	亥	辰		戌	午	丑	子		戌	午	亥	卯

壬申일 庚戌시는, 火木이 月氣에 通[根]하면 富貴하다. 불통(不通)하여 運行에서 通하여도 역시 좋다. 丑 戌의 年 月은 대귀(大貴)하다. (壬申日,庚戌時,通火木月氣,富貴.不通,行通運亦好.丑戌年月大貴.)

丙子丁酉,馬如松進士.丁酉戊申,胡頤尙寶丞,富壽.癸巳甲子,進士.丙戌辛丑,蔡茂春會元三河縣籍閩縣人,一松江生員一江南僧命同.戊申戊午,元戌.

명조)1-[마여송 진사] 명조)2-[호이 尙寶丞, 富壽] 명조)3-[진사]

庚	壬	丁	丙		庚	壬	戊	丁		庚	壬	甲	癸
戌	申	酉	子		戌	申	申	酉		戌	申	子	巳

명조)4-[채 무춘] 명조)5-[원융]

庚	壬	辛	丙		庚	壬	戊	戊
戌	申	丑	戌		戌	申	午	申

명조4에서, 채 무춘은 회원인데 삼하현적민현인(三河縣籍閩縣人). 한사람 송강 생원과, 한사람 강남의 스님도 命이 같았다.

壬戌일 庚戌시는, 처로 불리(不利)하고, 처첩(妻妾)에게 害를 당하며 성패(成敗)를 반복(反覆)한다. 寅 丑은 무직(武職)이다. 申월은 長生 학당(學堂)으로 문장(文章)을 갈고 닦아 대부분 貴하다. 亥월은 건록인데 천간에 財官이 투출하거나, 卯월은 상관인데 天干에 재성이 투출하면 모두 貴하다. 未월은 잡기재관(雜氣財官)이고, 丑 戌은 相刑하여 吉하다. (壬戌日,庚戌時,不利妻,主被妻妾害,反覆成敗.從戌貴.寅丑武職.申月長生學堂,修文多貴.亥月建祿,干透財官,卯月傷官,干透財星,俱貴.未月雜氣財官,丑戌相刑,吉.)

丙戌庚寅,黃相太守.戊辰庚申,宋大勻太守.辛未丙申,太守.丙戌己亥,尹秉衡元戎.己未甲戌,尚寶.戊戌己卯,守備.丙午己亥,進士知縣以失城棄市.

명조)1-[황상 태수] 명조)2-[송대작 태수] 명조)3-[태수]
庚 壬 庚 丙　　　　庚 壬 庚 戊　　　　庚 壬 丙 辛
戊 戌 寅 戌　　　　戊 戌 申 辰　　　　戊 戌 申 未

명조)4-[윤병형 원융] 명조)5-[상보] 명조)6-[수비]
庚 壬 己 丙　　　　庚 壬 甲 己　　　庚 壬 己 戊
戊 戌 亥 戌　　　　戊 戌 戊 未　　　戊 戌 卯 戌

명조)7-[진사 지현으로 城을 잃고 기시(棄市)되었다.[62]
庚 壬 己 丙
戊 戌 亥 午

청탁난분(淸濁難分)은 運에서 똑같은 때가 와도 졸렬하다. 少年시절에 만약 발복(發福)하려면 財庫를 열쇠로 열어야한다. (淸濁難分局,運拙等時來.少年若發福,財庫鑰匙開.)

壬이 庚을 相逢하는 戌시생은, 庫에 財 官이 있어도 문이 폐쇄(閉鎖)되었다. 궁극적으로 天干에 없으면 대부분 엎치락뒤치락하여 공명(功名)은 결국 부운(浮雲)과 같다. (壬庚相逢戌時生,庫有財官鎖閉門.究竟無頭多反覆,功名到底似浮雲.)

壬일이 庚戌시를 만나면, 干支에서 도식(倒食)은 용납(容納)하기 어렵다. 財 官 印綬가 庫속에 밀봉되어 있으니 열쇠가 없으면 취용(取用)할 수 없다. 丑 酉 辰을 만나면 福이 되고, 다시 丁 己를 만나면 명성을 얻지만, 그러나 剋 害를 두려워하는데 刑 衝을 만나면 박잡(駁雜)한 命으로

---

62) **기시**(棄市); 죄인(罪人)의 시체(屍體)를 길거리에 버리던 일.

한결같다.　(壬日時逢庚戌,支干倒食難容.財官印綬庫內封,無鑰不能取用.丑酉辰逢作福,更逢丁己成名,但怕剋害遇刑衝,駁雜如常之命.)

47. 六壬日辛亥時斷

6壬일생이 辛亥時를 만나면, 印綬와 祿이 따르니 가장 기묘(奇妙)하다. 財 官을 보지 않고 衝破가 없으면 벼슬길을 얻게 된다. (六壬日逢辛亥時,印祿相隨最是奇.財官不見無衝破,得路青雲報爾知.)

壬日이 辛亥時면, 日祿이 時에 있는데, 剋 破가 없으며 의지할 데가 있고, 柱中에 財 官을 보지 않으면 富貴하며 현달(顯達)한다. 동방(東方)運으로 行하면 크게 貴하다. 만약 氣가 通[根]하면 福을 減한다. 南方 運은 貴하진 않으나 거부(巨富)이다. (壬日,辛亥時,日祿居時,無剋破,有倚托,柱中不見財官,富貴顯達.行東運大貴.若通氣減福.南方運,不貴巨富.)

壬子日 辛亥時는, 父母가 선종(善終)하지 못하고, 나중에 發하지만 부유하지 못한다. 亥 卯의年 月은 문장(文章)으로 身이 나아가면 크게 貴하게 된다. 또 이르길, 本命이 貴한 것은, 土는 命에 財가 있기 때문이다. (壬子日,辛亥時,主父母不得善終,後發,不富.亥卯年月,文章進身大貴.又云,本命貴,土命有財.)

丙申辛丑,何洛文禮部侍郎.癸巳壬戌,御史.庚寅壬午,太尉.癸丑壬戌,饒景暉南兵部侍郎.壬子壬子,進士.丁卯壬寅,凶.甲辰丙寅,貧.

명조)1-[하낙문 예부시랑]　명조)2-[어사]　명조)3-[태위]

辛 壬 辛 丙　　　辛 壬 壬 癸　　辛 壬 壬 庚
亥 子 丑 申　　　亥 子 戌 巳　　亥 子 午 寅

명조)4-[요경휘 南 병부시랑]　명조)5-[진사]　명조)6-[凶]　명조)7-[貧]

辛 壬 壬 癸　　　　辛 壬 壬 壬　辛 壬 壬 丁　辛 壬 丙 甲
亥 子 戌 丑　　　　亥 子 子 子　亥 子 寅 卯　亥 子 寅 辰

壬寅日 辛亥時는, 괴롭고 고생하는 가운데 發한다. 未月은 잡기재관(雜氣財官)으로 돈후(敦厚)하고, 중년(中年)에는 貴하고, 50후에 죽는다. 亥月은 東南 방면(方面)의 運으로 行하여야 한다. (壬寅日,辛亥時,艱難中發.未月雜氣財官,敦厚,中年貴,五十後終.亥月行東南運,方面.)

己未丙子,李璣尙書.乙未庚辰,凌相都堂.己卯辛未,大參.己卯庚戌,御史.丁酉乙巳,進士.乙巳乙酉,擧人.丙戌甲午,都司.己卯乙亥,選郎.

명조)1-[이기 상서] 명조)2-[능상 도당] 명조)3-[대참] 명조)4-[어사]

辛 壬 丙 己	辛 壬 庚 乙	辛 壬 辛 己	辛 壬 庚 己
亥 寅 子 未	亥 寅 辰 未	亥 寅 未 卯	亥 寅 戌 卯

명조)5-[진사] 명조)6-[거인] 명조)7-[도사] 명조)8-[선랑]

辛 壬 乙 丁	辛 壬 乙 乙	辛 壬 甲 丙	辛 壬 乙 己
亥 寅 巳 酉	亥 寅 酉 巳	亥 寅 午 戌	亥 寅 亥 卯

壬辰日 辛亥時는, 빼어나게 貴하나 악사(惡死)하고, 午월은 간두(干頭)에 己土가 없으면 벼슬길이 열린다. 만약 甲의 合이 있으면 거관유살(去官留煞)이 되니 3~4품의 貴이다. 酉월도 역시 貴하다. (壬辰日,辛亥時,秀貴,惡死,午月干頭無己土,青雲得路.若有甲合,爲去官留煞,三四品貴.酉月亦貴.)

丁亥壬寅,蔡魯公,一命同十歲溺死.己未乙亥,趙王縊死.甲申乙亥,侍郎.己酉乙亥,長史.丁巳辛亥,蘇志皋都堂.辛卯辛卯,太守.己巳丁卯,解元.癸巳乙丑,郜光先兵部尚書,死後被棺被戮.壬寅戊申,王學夔尚書壽九十三.己卯丁丑,凶棍.甲戌乙亥,夭.己丑乙亥,部郎.

명조)1-[채로공] 명조)2-[조왕 縊死] 명조)3-[시랑] 명조)4-[장사]

辛 壬 壬 丁	辛 壬 乙 己	辛 壬 乙 甲	辛 壬 乙 己
亥 辰 寅 亥	亥 辰 亥 未	亥 辰 亥 申	亥 辰 亥 酉

명조1에서, 채 로공인데, 한사람 命이 같았는데 10歲에 물에 빠져 죽었다.

명조)5-[소지고 도당] 명조)6-[태수] 명조)7-[해원] 명조)8-[고광선 병부상서]

辛 壬 辛 丁	辛 壬 辛 辛	辛 壬 丁 己	辛 壬 乙 癸
亥 辰 亥 巳	亥 辰 卯 卯	亥 辰 卯 巳	亥 辰 丑 巳

명조8에서, 고 광선은 병부상서인데, 죽은 後에 부관(剖棺)참시(斬屍)되었다.

명조)9-[왕 학기] 명조)10-[凶棍] 명조)11-[夭] 명조)12-[부랑]

辛 壬 戊 壬	辛 壬 丁 己	辛 壬 乙 甲	辛 壬 乙 己
亥 辰 申 寅	亥 辰 丑 卯	亥 辰 亥 戌	亥 辰 亥 丑

명조9에서, 왕 학기는 상서인데, 壽命이 93歲였다.

壬午日 辛亥時는 보통이다. 丑월은 풍헌(風憲)이다. 寅월은 녹마동향(祿馬同鄉)인데 金水 運의 方面으로 行해야한다. 戌월에 東北 運이면 4~5품이다. 丑 午는 僧 道로 벼슬하는 命이다. (壬午日,辛亥時平.丑月風憲.寅月祿馬同鄉,行金水運,方面.戌月東北運,四五品.丑午僧道官命.)

癸巳己未,朱希周狀元尚書.丁丑丁未,潘晟榜眼尚書入閣辭.己未乙亥,尚書.丁亥己酉,司徒.乙丑己丑,僉憲.乙卯己丑,擧人.戊子丙辰,主事.壬午庚戌,給諫.戊申壬戌,進士.己巳甲戌,進士.辛亥丁酉,鄒元標冢宰.甲申丙寅,褚太初檢討以因臟賈禍棄市.庚戌丙戌,甲部.壬子辛亥,京卿.庚申戊子,王佐侍郎.

명조)1-[주희주 장원상서] 명조)2-[반성 방안] 명조)3-[상서] 명조)4-[사도]

辛 壬 己 癸   辛 壬 丁 丁   辛 壬 乙 己   辛 壬 己 丁
亥 午 未 巳   亥 午 未 丑   亥 午 亥 未   亥 午 酉 亥

명조)5-[첨헌] 명조)6-[거인] 명조)7-[주사] 명조)8-[급간]

辛 壬 己 乙   辛 壬 己 乙   辛 壬 丙 戊   辛 壬 庚 壬
亥 午 丑 丑   亥 午 丑 卯   亥 午 辰 子   亥 午 戌 午

명조)9-[진사] 명조)10-[진사] 명조)11-[추원표 총재] 명조)12-[저태초 검토]

辛 壬 壬 戊   辛 壬 甲 己   辛 壬 丁 辛   辛 壬 丙 甲
亥 午 戌 申   亥 午 戌 巳   亥 午 酉 亥   亥 午 寅 申

명조)13-[甲部] 명조)14-[京卿] 명조)15-[왕좌 시랑]

辛 壬 丙 庚   辛 壬 辛 壬   辛 壬 戊 庚
亥 午 戌 戌   亥 午 亥 子   亥 午 子 申

壬申일 辛亥시는, 辰 戌 丑 未월은 잡기재관(雜氣財官)으로 吉하다. 年 月의 天干에 己土가 없으면 일록격(日祿格)이고, 酉월에 卯 申년은 東北 運으로 行하면 귀현(貴顯)한다. (壬申日,辛亥時貴.辰戌丑未雜氣財官吉.年月干無己土,入日祿格,酉月申卯年,行東北運,顯貴.)

壬申丙午,劉安峰尚書.乙卯辛巳,御史.乙丑癸未,御史.丙子丁酉,陳炌左都掌院,江右人,一南京人平常命同.甲子乙亥,御史.己巳甲戌,給諫.庚子壬午,進士.庚辰己卯,主事.辛酉丁丑,侍郎.辛未壬辰,擧人.庚戌己丑,擧人.丁未庚戌,楊啓元編修侍郎.

명조)1-[유안봉 상서] 명조)2-[어사] 명조)3-[어사] 명조)4-[진개 좌도장원]

辛 壬 丙 壬   辛 壬 辛 乙   辛 壬 癸 乙   辛 壬 丁 丙
亥 申 午 申   亥 申 巳 卯   亥 申 未 丑   亥 申 酉 子

명조4에서, 진개는 좌도장원으로 강우사람이고, 한사람 남경사람으로 평상(平常)한 사람과 命이 같다.

명조)5-[어사] 명조)6-[급간] 명조)7-[진사] 명조)8-[주사]

辛 壬 乙 甲　　辛 壬 甲 己　　辛 壬 壬 庚　　辛 壬 己 庚
亥 申 亥 子　　亥 申 戌 巳　　亥 申 午 子　　亥 申 卯 辰

명조)9-[시랑] 명조)10-[거인] 명조)11-[거인] 명조)12-[양계원 편수시랑]

辛 壬 丁 辛　　辛 壬 壬 辛　　辛 壬 己 庚　　辛 壬 庚 丁
亥 申 丑 酉　　亥 申 辰 未　　亥 申 丑 戌　　亥 申 戌 未

壬戌일 辛亥時는, 少年시절에 富貴한다. 亥 申 巳 戌의 年 月은 1~2품의 貴이다. 순수한 戌은 水火 運이면 존귀(尊貴)한 사람이 된다. (壬戌日,辛亥時,少年富貴.亥申巳戌年月,一二品貴.純戌水火運,金紫.)

甲午丙寅,胡鋌侍郎.癸亥乙丑,黃養蒙侍郎.壬子己酉,大理卿.辛酉乙丑,布政.丙申戌戌,周用都堂.壬寅辛亥,韓雍都堂名臣.甲申丙子,吳希白副使.丙寅辛丑,大參.甲寅乙亥,郎中.庚午壬午,龔愷御史.丁巳丙午,擧人.己卯丁卯,參將.丁未壬辰,魏允中閣老解元.

명조)1-[호정 시랑] 명조)2-[황양몽 시랑] 명조)3-[대리 경] 명조)4-[포정]

辛 壬 丙 甲　　　辛 壬 乙 癸　　　辛 壬 己 壬　　　辛 壬 乙 辛
亥 戌 寅 午　　　亥 戌 丑 亥　　　亥 戌 酉 子　　　亥 戌 丑 酉

명조)5-[주용 도당] 명조)6-[한옹 도당 명신] 명조)7-[오희백 부사] 명조)8-[대참]

辛 壬 戌 丙　　　辛 壬 辛 壬　　　辛 壬 丙 甲　　　辛 壬 辛 丙
亥 戌 戌 申　　　亥 戌 亥 寅　　　亥 戌 子 申　　　亥 戌 丑 寅

명조)9-[낭중] 명조)10-[공개 어사] 명조)11-[거인] 명조)12-[참장]

辛 壬 乙 甲　　辛 壬 壬 庚　　　辛 壬 丙 丁　　辛 壬 丁 己
亥 戌 亥 寅　　亥 戌 午 午　　　亥 戌 午 巳　　亥 戌 卯 卯

명조)13-[위윤중 각로해원]

辛 壬 壬 丁
亥 戌 辰 未

녹마교통(祿馬交通)局은 때가 되면 명리(名利)가 온전하다. 刑 衝 剋 破가 없으면 평지(平地)에서 가히 선경(仙境)에 오른다. (祿馬交通局,時來名利全.無刑衝剋破,平地可登仙.)

壬이 辛亥時 만난 것을 추리하면, 백옥(白玉)이 훌륭하여도 늦게 나타남을 싫어한다. 長生 祿馬가 刑 破가 없으면 오히려 마의(麻衣)는 버리고 자의(紫衣)를 입는다. (壬辛會遇亥時推,白玉休

嫌出見遲.長生祿馬無刑破,抛卻麻衣掛紫衣.)

壬일에 時에 祿馬가 임하면, 인수동향(印綬同鄕)이 되어 水가 金 木을 쫓으니 자연히 强한데, 이러한 命은 지극히 뛰어나 최상이 된다. 癸 乙이 암합(暗合)하면 福을 減하고, 衝 破가 없으면 문장(文章)이 뛰어나며 금은보화가 쌓여 집안에 가득차고, 자식이 음덕(蔭德)을 받고 妻가 작위를 받는 象이다. (壬日時臨祿馬,又爲印綬同鄕,水從金木自然强,此命極高爲上.癸乙暗合減福,無衝破顯文章,積玉堆金滿屋堂,蔭子封妻之象.)

48. 六癸日壬子時斷

6癸일생이 壬子시면, 벼슬길을 나아가니 가장 기이(奇異)하게 된다. 만약 己土와 衝 剋 破가 없으면 저절로 공명(功名)이 있어 현달(顯達)한다. (六癸日生時壬子,靑雲得路最爲奇.若無己土衝剋破,自有功名顯達時.)

癸일 壬子시는, 日祿이 時에 있으며 癸水의 天干에서 건록(建祿)이다. 만약 年 月의 干支에 戊 己 午 未[字]와 刑 衝 破 害가 없고, 三元에 의탁(依託)함이 있고, 월(月)氣에 통[根]하면 문장(文章)이 수려(秀麗)하며 관직(官職)에 현달(顯達)한다. 만약 木氣가 月에 通하면 역시 貴하다. 만일 四柱에 己가 투출하면 甲이 合하여도 역시 貴하다. 그렇지 아니하면 엎치락뒤치락한다. (癸日,壬子時,日祿歸時,癸水干上建祿.若年月干支無戊己午未字,刑衝破害,三元有倚托,通月氣者,文章秀麗,官職顯達.若通木氣月亦貴.如柱透己,有甲合亦貴.否則反覆.)

癸丑일 壬子시는, 午 寅이 있거나 乙丑 己丑의 年 月은 문직(文職)으로 4~5품이다. 身旺하며 木氣月에 通하고 戊 巳 午 己[字]가 없으면 현귀(顯貴)하다. 未월은 풍헌(風憲)이다. 己 午는 進士이다. 壬寅 乙未 庚戌월은 꺼리는데, 모두 刑한다. 乙丑월은 하천(下賤)한 사람이다. (癸丑日,壬子時,犯午寅,乙丑己丑年月,文職四五品.通身旺,木氣月,無戊巳午己字,顯貴.未風憲.己午進士.忌壬寅乙未庚戌月,俱刑.乙丑月下賤.)

壬戌戊申,朱英太守.壬子癸丑,御史.庚辰辛巳,主事.癸巳庚申,進士.辛卯辛丑,進士.

명조)1-[주영 태수] 명조)2-[어사] 명조)3-[주사]

壬 癸 戊 壬　　　壬 癸 癸 壬　　　壬 癸 辛 庚
子 丑 申 戌　　　子 丑 丑 子　　　子 丑 巳 辰

명조)4-[진사] 명조)5-[진사]

壬 癸 庚 癸　　　壬 癸 辛 辛

子 丑 申 巳 　　 子 丑 丑 卯

癸卯일 壬子시는, 日時가 相刑하니 妻를 손상하며 자식을 剋하고, 근귀(近貴)하다. 己가 없으면 권위(權威)가 있다. 만약 巳 亥가 구전(俱全)하면 進士로 오부(烏府)이다. 年 月이 순수한 寅이면 상관생재(傷官生財)하니 대귀(大貴)하지 않으면 대부(大富)한다. 甲辰월을 꺼리는데 凶 刑하며 고독하고, 丙申월은 凶하며 惡死하고, 己丑월은 刑한다. (癸卯日,壬子時,時日相刑,傷妻剋子,近貴.無己,主威權.若亥巳俱全,進士烏府.年月純寅,傷官生財,非大貴卽大富.忌甲辰月凶刑孤,丙申月凶惡死,己丑月刑.)

壬寅壬寅,極品,一富人命同.壬寅庚戌,戴燿尙書.壬午癸丑,擧人.乙酉戊寅,南科.癸亥癸亥,貧.戊午辛酉,凶.

명조)1-[극품] 명조)2-[대요 상서] 명조)3-[거인]
壬 癸 壬 壬　　壬 癸 庚 壬　　　壬 癸 癸 壬
子 卯 寅 寅　　子 卯 戌 寅　　　子 卯 丑 午
명조1에서, 극품(極品)인 사람인데, 한사람 부자(富者)와 命이 같다.

명조)4-[남과] 명조)5-[貧]　명조)6-[凶]
壬 癸 戊 乙　　壬 癸 癸 癸　　壬 癸 辛 戊
子 卯 寅 酉　　子 卯 亥 亥　　子 卯 酉 午

癸巳일 壬子시는, 春 夏절은 財가 發하니 福이고, 辰 戌 丑 未는 貴하지 않으나 결국에는 富하다. 戊寅월은 刑을 만나고, 戊申월은 형벌을 받고, 己酉월은 걸개(乞丐=거지)로 꺼린다. (癸巳日,壬子時,春夏發財福,辰戌丑未,不貴終富.忌戊寅月遭刑,戊申月受刑,己酉月乞丐.)

丙寅丙申,包節御史.庚寅乙酉,副使.戊申庚申,湯封君子賓尹會元榜眼.癸丑乙丑,一褚國賢武進人癸酉丙戌科主政,一魯史餘姚人辛卯科主政.己未丁丑,憲副.

명조)1-[포절 어사] 명조)2-[부사] 명조)3-[탕봉 군자 빈윤]
壬 癸 丙 丙　　　壬 癸 乙 庚　　壬 癸 庚 戊
子 巳 申 寅　　　子 巳 酉 寅　　子 巳 申 申
명조3에서 탕 봉은 君子인데 빈윤 회원 방안 이였다.

명조)4-[저국현 무진인] 명조)5-[헌부]
壬 癸 乙 癸　　　　壬 癸 丁 己
子 巳 丑 丑　　　　子 巳 丑 未

명조4에서, 한사람은 저국현무진인인데 癸酉년 丙戌년 주정으로 급제하고, 한사람이 로사여요 인인데 辛卯년에 주정으로 급제하였다.

癸未일 壬子시는, 申 酉월은 貴하다. 戌 亥월은 대부(大富)하며 貴하다. 寅 卯월은 고독하다. 辰 巳는 凶하다. 壬申을 꺼리는데 身(신체)가 온전하지 못하여 凶하다. 庚辰월은 凶하며 刑(형벌) 이다. 乙丑월은 土를 그르치니 凶하게 죽는다. (癸未日,壬子時,申酉月貴.戌亥大富貴.寅卯孤.辰巳 凶.忌壬申月,身不全,凶.庚辰月凶刑.乙丑月失土,凶死.)

癸亥壬戌,徐階探花閣老名臣孫進士.乙酉戊子,孔惟德太守.癸未甲子,巡撫.甲午丁丑,序班.

명조)1-[서계 탐화] 명조)2-[공유덕 태수] 명조)3-[순무]

壬 癸 壬 癸　　　壬 癸 戊 乙　　　　壬 癸 甲 癸

子 未 戌 亥　　　子 未 子 酉　　　　子 未 子 未

명조1에서, 서계는 탐화 각로인데 名臣이였고, 孫子는 진사였다.

명조)4-[서반]

壬 癸 丁 甲

子 未 丑 午

癸酉일 壬子시는, 행장진퇴(行藏進退)[63]하나 자식이 적고 처가(妻家)가 어렵게 된다. 丙寅월을 꺼리는데 시체가 온전치 못하게 죽는다. 乙巳월은 대파(大破)하며 凶死한다. 丁酉월은 목을 메달 아 자살(自殺)한다. (癸酉日,壬子時,行藏進退,少子,難爲妻家.忌丙寅月,不全尸死.乙巳月大破,凶死. 丁酉月自縊死.)

癸酉戊午,徐陟大理卿.乙酉丙戌,御史.辛未庚子,擧人.辛酉庚辰,三品.庚辰辛巳,擧人.己巳甲戌,諫垣. 丁酉壬寅,徐元泰尙書.壬午戊申,高郵州同以河工棄市.甲子乙亥,明神宗皇后天月德全.

명조)1-[서척 대리경] 명조)2-[어사] 명조)3-[거인]

壬 癸 戊 癸　　　壬 癸 丙 乙　　壬 癸 庚 辛

子 酉 午 酉　　　子 酉 戌 酉　　子 酉 子 未

명조)4-[3품] 명조)5-[거인] 명조)6-[간원]

壬 癸 庚 辛　　壬 癸 辛 庚　　壬 癸 甲 己

子 酉 辰 酉　　子 酉 巳 辰　　子 酉 戌 巳

---

63) 행장진퇴(行藏進退);벼슬에 나아가기도 하고 물러설 줄도 아는 처신(處身)의 신중(愼重)함.

명조)7-[서원태 상서]　명조)8-[고 우주]　명조)9-[명나라 신종황후]

壬 癸 壬 丁　　　壬 癸 戊 壬　　　壬 癸 乙 甲

子 酉 寅 酉　　　子 酉 申 午　　　子 酉 亥 子

명조8에서, 고 우주와 함께 치수공사에 죄인의 시체를 버리는 일을 하였다.

명조9에서, 명나라 신종황후인데 天德 月德이 모두 있었다.

癸亥일 壬子시는, 亥월생이면 비천록마(飛天祿馬)格이니 과거에 첫 번째로 급제하여 대귀(大貴)한다. 그리고 癸의 祿은 子이고 壬의 祿은 亥에 머물러 日時가 호환(互換)祿으로 3~4품의 貴이다. 戊寅월을 꺼리는데 죽어서 시체가 온전하지 못한다. 戊申월은 고독하며 가난하고, 己酉월은 고독하며 곤고(困苦)하다. (癸亥日,壬子時貴.亥月生,飛天祿馬,登科甲第大貴.又癸祿居子,壬祿居亥,日時互換,三四品貴.忌戊寅月,死不全尸.戊申月孤貧,己酉月孤苦.)

癸亥甲子,老彭身歸冬旺故壽.丁巳癸卯,張禎閣老.乙酉庚辰,宋日克都堂.甲戌丁丑,宿應參太守.乙丑戊子,擧人.癸巳癸亥,責死.

명조)1-[노 팽신]　명조)2-[장정 각로]　명조)3-[송일극 도당]

壬 癸 甲 癸　　　壬 癸 癸 丁　　　壬 癸 庚 乙

子 亥 子 亥　　　子 亥 卯 巳　　　子 亥 辰 酉

명조1에서, 노 팽신은 冬절로 왕성하기에 장수(長壽)했다.

명조)4-[숙응참 태수]　명조)5-[거인]　명조)6-[질책으로 사망]

壬 癸 丁 甲　　　壬 癸 戊 乙　　　壬 癸 癸 癸

子 亥 丑 戌　　　子 亥 子 丑　　　子 亥 亥 巳

득록생재(得祿生財)局은 침잠(沈潛)하여 다른 곳에서 通[根]한다. 때가 되면 명리(名利)가 순조로워 富貴한 가풍(家風)을 나타낸다. (得祿生財局,沉潛外處通.時來名利順,富貴顯家風)

일록귀시(日祿歸時)局을 얻으면 食神 만나는 것을 기뻐하고 刑 衝을 두려워한다. 상관은 말할 것도 없고 財運을 손상하면 벼슬이 높아지지도 않고 재물이 풍부해지지도 않는다. (日祿歸時局中得,食神喜遇怕刑衝.傷官莫道傷財運,官不加兮財不豐.)

癸일에 壬子시가 臨하면, 이름이 귀록격(歸祿格)과 같아, 초라한 가문(家門)에서 뛰어나게 우뚝 솟으며, 현무당권(玄武當權)格으로 록(祿)이 重하다. 맑은 물이 보물 항아리에 더해지면 문장(文章)이 박람(博覽)하여 대부분 통(通)하고, 영화스런 내력(來歷)이 바뀌어 자니(紫泥)로 封해지고, 甲 午 寅 亥는 破하여 動한다. (癸日時臨壬子,名爲歸祿格同,家門白屋也崢嶸,玄武當權祿重.水淸寶瓶益盛,文章博覽多通,榮遷來歷紫泥封,甲午寅亥破動.)

49. 六癸日癸丑時斷

6癸일생이 癸丑시면, 地支중의 暗鬼가 刑傷한다. 月에 通[根]하여 신왕하면 妻의 손상을 막아야하고, 丑 巳가 요합(遙合)하면 貴가 특별하다. (六癸日生時癸丑,支中暗鬼有刑傷.月通身旺防妻損,丑巳遙合貴異常.)

癸일이 癸丑시는, 地支에 숨은 鬼가 된다. 癸는 己가 편관이 되고, 丑중에 암장한 己[土]가 得位하며 癸는 丁이 妻인데, 丑중에 丁火가 무기(無氣)하다. 만약 신왕한 比肩의 月에 通[根]하면 妻와 財의 손상함을 막아야한다. 柱중에 丑 寅이 많으면 寅이 巳를 刑하여 丑이 巳를 合하고, 巳중의 丙 戊를 刑出시켜서 財官이 되니 모름지기 干頭(天干)에 戊 己[字]가 없어야 대귀(大貴)한다. 巳 未 卯는 破格으로 꺼린다. (癸日,癸丑時,支得隱鬼.癸以己爲偏官,丑中有暗己得位,癸以丁爲妻,丑中丁火無氣.若通身旺比肩之月,防損妻財.柱丑寅多,以寅刑巳,丑合巳,刑出巳中丙戊爲財官,須干頭無戊己字,大貴.忌己(巳)未卯破格.)

癸丑일 癸丑시는, 丑이 巳를 요합(遙合)하는 가운데 丙 戊는 財官이 된다. 만약 丑 寅 申 子 酉를 三合하는 年 月에 生하면 妻가 어질며 자식이 효도(孝道)하고, 영귀(榮貴)함이 특별하다. 火 土運은 凶하다. 金水 運은 吉하다. 또 이르길, 고독하여 土의 貴를 잃는다. (癸丑日,癸丑時,丑遙巳中丙戊爲財官.若生丑寅申子酉三合年月,主妻賢子孝,榮貴特達.火土運凶.金水運吉.一云,孤中失土貴.)

癸巳壬戌,張瓚尙書.辛丑辛丑,孫恩侍郞.丙申辛丑,王家屛閣老山西山陰人,一寒儒閭人命同.甲午丙寅,馬理通政.壬午壬寅,宋纏都堂.辛未己亥,大參.癸丑癸亥,尙書.丙戌辛卯,辛甫端給諫.癸酉癸亥,安得郞中.戊寅戊午,馬芳元戌.壬戌癸丑,中丞.庚申庚辰,大參.庚申乙酉,于仕廉南太僕卿.

명조)1-[장찬 상서] 명조)2-[손은 시랑] 명조)3-[왕가병 각로]

```
癸 癸 壬 癸        癸 癸 辛 辛        癸 癸 辛 丙
丑 丑 戌 巳        丑 丑 丑 丑        丑 丑 丑 申
```

명조3에서, 왕 가병은 각로이며 산서산음인이고, 한사람은 한유민인으로 命이 같다.

명조)4-[마리 통정] 명조)5-[송전 도당] 명조)6-[대참]

```
癸 癸 丙 甲        癸 癸 壬 壬        癸 癸 己 辛
丑 丑 寅 午        丑 丑 寅 午        丑 丑 亥 未
```

명조)7-[상서] 명조)8-[신보단 급간] 명조)9-[안득 낭중]

```
癸 癸 癸 癸        癸 癸 辛 丙        癸 癸 癸 癸
丑 丑 亥 丑        丑 丑 卯 戌        丑 丑 亥 酉
```

명조)10-[마방 원융] 명조)11-[중승] 명조)12-[대참] 명조)13-[우사렴 南 태복경]

| 癸 | 癸 | 戊 | 戊 | | 癸 | 癸 | 癸 | 壬 | | 癸 | 癸 | 庚 | 庚 | | 癸 | 癸 | 乙 | 庚 |
| 丑 | 丑 | 午 | 寅 | | 丑 | 丑 | 丑 | 戌 | | 丑 | 丑 | 辰 | 申 | | 丑 | 丑 | 酉 | 申 |

癸卯일 癸丑시는, 일귀격(日貴格)으로 身이 고독하며 剋하지만 貴하다. 丑 寅 辰의 年 월은 干 支에 戊 己 巳 午[字]가 없으면 극품(極品)이다. (癸卯日,癸丑時,日貴格,身孤剋主貴.丑寅辰年月,干支無戊己巳午卯字,極品.)

丁丑甲辰,翁大立尙書浙人,一中州生員命同.甲寅丙寅,大貴.丙子庚子,司訓.壬辰己酉,伯.癸卯戊午,伯.己丑丁丑,刑人.乙卯壬午,大參.

명조)1-[옹 대립 상서] 명조)2-[대귀] 명조)3-[사훈]

| 癸 | 癸 | 甲 | 丁 | | 癸 | 癸 | 丙 | 甲 | | 癸 | 癸 | 庚 | 丙 |
| 丑 | 卯 | 辰 | 丑 | | 丑 | 卯 | 寅 | 寅 | | 丑 | 卯 | 子 | 子 |

명조1에서, 옹 대립은 상서인데 절강사람이고, 한사람은 중주생원의 命이 같다.

명조)4-[伯]   명조)5-[伯]   명조)6-[刑人]

| 癸 | 癸 | 己 | 壬 | | 癸 | 癸 | 戊 | 癸 | | 癸 | 癸 | 丁 | 己 |
| 丑 | 卯 | 酉 | 辰 | | 丑 | 卯 | 午 | 卯 | | 丑 | 卯 | 丑 | 丑 |

명조)7-[대참]

| 癸 | 癸 | 壬 | 乙 |
| 丑 | 卯 | 午 | 卯 |

癸巳일 癸丑시는, 복덕수기(福德秀氣)格으로 학문(學問)에 총명(聰明)하고, 영재(英才)로써 특별히 뛰어나며 貴하다. 만약 순수한 丑巳의 年月이면 대귀(大貴)한다. (癸巳日,癸丑時,福德秀氣格,學問聰明,英才特達貴.若純丑巳年月,大貴.)

戊戌甲子,王基尙書登州人.戊子甲寅,杜鴻知州,一武生員命同.戊午癸亥,貴.

명조)1-[왕기 상서 등주인] 명조)2-[두홍 지주] 명조)3-[貴]

| 癸 | 癸 | 甲 | 戊 | | 癸 | 癸 | 甲 | 戊 | | 癸 | 癸 | 癸 | 戊 |
| 丑 | 巳 | 子 | 戌 | | 丑 | 巳 | 寅 | 子 | | 丑 | 巳 | 亥 | 午 |

명조2에서, 두홍은 지주이고, 한사람 武職인 생원과 命이 동일하다.

癸未일 癸丑시는, 子 丑 寅의 年 月은 貴하고, 중년(中年)에는 富하다. 卯월에 金水 運으로 行하면 극품(極品)이다. 辰 戌은 四庫가 완전하니 대귀(大貴)하다. 또 이르길, 먼저는 비천(卑賤)하며 중년(中年)에야 비로소 貴하고, 父母를 剋한다. (癸未日,癸丑時,子丑寅年月貴,中年富.卯月行金水運,極品.辰戌四庫全,大貴.一云,先賤卑,中年方貴,剋父母.)

甲戌辛未,太傅.乙丑戊子,黃澤布政.壬戌庚戌,黃獻可進士.戊寅丙辰,陳化州擧人.癸亥壬戌,七子.丁未壬寅,凌嗣音進士.己酉丙寅,甲部無子戊戌卒.庚申甲申,進士.

명조)1-[태부] 명조)2-[황택 포정] 명조)3-[황헌가 진사]

癸 癸 辛 甲　　癸 癸 戊 乙　　　癸 癸 庚 壬
丑 未 未 戌　　丑 未 子 丑　　　丑 未 戌 戌

명조)4-[진화주 거인] 명조)5-[자식이 7명] 명조)6-[능사음 진사]

癸 癸 丙 戌　　　癸 癸 壬 癸　　　癸 癸 壬 丁
丑 未 辰 寅　　　丑 未 戌 亥　　　丑 未 寅 未

명조)7-[甲部] 명조)8-[진사]

癸 癸 丙 己　　癸 癸 甲 庚
丑 未 寅 酉　　丑 未 申 申

명조7에서, 갑부(甲部)로 자식이 없었고, 戊戌년에 사망했다.

癸酉일 癸丑시는, 복덕수기(福德秀氣)格으로 학문(學問)에 근원(根源)인데, 행장진퇴(行藏進退)[64]하지만 처가(妻家)가 어렵게 된다. 또 이르길, 형벌로 감옥살이로 빈천(貧賤)하다. 만약 年 月이 子 巳이고 天干에 庚 辛이 투출하고 月에 삼기(三奇)가 숨어 있으며 年에서 祿印을 얻으면 富貴하여 일품(一品)이다. (癸酉日,癸丑時,福德秀氣格,學問淵源,行藏進退,難爲妻家.一云,刑獄貧賤.若年月子巳,干透庚辛,是月隱三奇,年得祿印,貴富一品.)

癸丑辛酉,傅石淵都堂.甲子丁丑,張白灘吏科.癸卯癸亥,駕部.乙未甲申,朱賡閣老.己巳壬申,錢象坤閣老.丙子癸巳,甲部.丙申丙申,大參.

명조)1-[부석연 도당] 명조)2-[장백탄 리과] 명조)3-[가부]

癸 癸 辛 癸　　　癸 癸 丁 甲　　　癸 癸 癸 癸
丑 酉 酉 丑　　　丑 酉 丑 子　　　丑 酉 亥 卯

명조)4-[주갱 각로] 명조)5-[전상곤 각로] 명조)6-[甲部]

---

64) 행장진퇴(行藏進退);시세(時勢)에 應하여 벼슬에 나아가기도 하고 물러설 줄도 아는 처신(處身)의 신중(愼重)함.

```
癸 癸 甲 乙      癸 癸 壬 己      癸 癸 癸 丙
丑 酉 申 未      丑 酉 申 巳      丑 酉 巳 子
```

명조)7-[대참]

```
癸 癸 丙 丙
丑 酉 申 申
```

癸亥일 癸丑시는, 공록격(拱祿格)인데, 衝 破와 전실(塡實)을 두려워하고, 四柱에 子 巳 午 未 [字]가 없으면 대귀(大貴)하다. 寅 午 戌月에 南方 運이면 6~7품이다. (癸亥日,癸丑時,拱祿格,怕 衝破塡實,柱無子巳午未字,大貴.寅午戌月南方運,六七品.)

癸卯乙丑,柯潛狀元.庚寅戊子,余申狀元.丁丑癸丑,樞密.丁未癸卯,丞相.辛未戊戌,大參.乙丑己丑,蔡 大用御史.乙丑甲申,都憲.己亥庚午,成憲檢討.己卯丙寅,張執中主事.庚午壬午,林茂擧進士.乙巳戊寅, 陳太后.丁酉乙巳,進士.

명조)1-[가잠 장원] 명조)2-[여신 장원] 명조)3-[추밀]

```
癸 癸 乙 癸      癸 癸 戊 庚      癸 癸 癸 丁
丑 亥 丑 卯      丑 亥 子 寅      丑 亥 丑 丑
```

명조)4-[승상]   명조)5-[대참]   명조)6-[채대용 어사]

```
癸 癸 癸 辛      癸 癸 戊 辛      癸 癸 己 乙
丑 亥 卯 未      丑 亥 戌 未      丑 亥 丑 丑
```

명조)7-[도헌] 명조)8-[성헌 검토] 명조)9-[장집중 주사]

```
癸 癸 甲 乙      癸 癸 庚 己      癸 癸 丙 己
丑 亥 申 丑      丑 亥 午 亥      丑 亥 寅 卯
```

명조)10-[임무거 진사] 명조)11-[진 태후] 명조)12-[진사]

```
癸 癸 壬 庚      癸 癸 戊 乙      癸 癸 乙 丁
丑 亥 午 午      丑 亥 寅 巳      丑 亥 巳 酉
```

고장금궤(庫藏金櫃)局은 未[字]를 만나 열쇠로 열어야한다. 열쇠가 없으면 폐쇄(閉鎖)되어 쓸데 없으니 만경(晚景)을 마음으로만 품게 된다. (庫藏金櫃局,未字見匙開.無匙空鎖閉,晚景稱心懷.)

陰水가 重重하여 時의 庫를 수용하면 少年시절에 發하기 어렵고 强하지 못하는데, 과거(過去) 를 받아들이고 미래(未來)를 헤아리면 中年후에는 어찌 고당(高堂)65)에 앉아 백두(白頭)66)를 감당하겠는가! (陰水重重時庫收,少年難發莫强求.算來受過中年後,安坐高堂任白頭.)

癸일이 癸丑시를 만나면, 수류금국(水流金局)에 衝을 가하면 庫는 戊 未를 만나야 財祿이 풍성하지만 궁핍한 것에 불과(不過)하니 動하기 어렵다. 열쇠가 없으면 소년(少年)시절에 뛰어나지 않고, 열쇠가 있으면 祿馬가 함께 화합(和合)하고, 運이 오는데 어떻게 노고(勞苦)한 마음을 쓰겠으며, 집안이 발달(發達)하여 크게 경사스럽다. (癸日時逢癸丑,水流金局盈衝,庫逢戊未祿財豐,不過空乏難動.無匙少年不顯,有匙祿馬和同,運來何用苦勞心,發達門庭大慶.)

50. 六癸日甲寅時斷

6癸일생이 甲寅시면, 刃 상관이 배록(背祿)하여 정신(精神)을 減한다. 柱中에 없는 庚申[字]가 있어 財官을 刑合하여 貴人인 것이다. (六癸日生時甲寅,刃傷背祿減精神.柱中無有庚申字,刑合財官是貴人.)

癸일 甲寅시는, 財官을 刑合하고, 癸는 丙이 財가 되며 戊는 官인데, 寅이 巳中의 丙 戊를 刑出시켜 財官이 된다. 만약 四柱에 官 煞이 없으며 더불어 刑 衝 破 害가 格을 손상하지 않으면 貴하다. 庚 申 戊 己[字]가 있는데 제복(制伏)이 없으면 貴하지 않다. (癸日,甲寅時,刑合財官,癸以丙爲財,戊爲官,寅刑出巳中丙戊爲財官.若柱無官煞,及刑衝破害損格貴.有庚申戊己字,無制伏,不貴.)

癸丑일 甲寅시는, 본래 貴한데 丑中에 辛금이 있어 분수(分數)를 減한다. 순수한 水의 年 月이면 벼슬이 1품에 이른다. 秋節생은 印綬로 역시 貴하다. 辰月에 東方 運으로 行하면 빈천(貧賤)하다. 순수한 申은 寅을 破하여 凶하다. (癸丑日,甲寅時,本貴,丑中有辛金,減其分數.純水年月,官至一品.秋生印綬,亦貴.辰月行東運,貧下.純申破寅凶.)

壬申癸丑,高拱閣老無子中州人,一生員浙人命同己丑.乙巳戊申,大貴.壬午辛卯,石茂華侍郎.丙子壬午,張大綱知縣,庚辰陳璐擧人.己未甲戌,胡堯時憲長.壬午壬寅,宋繮冢宰.

명조)1-[고공 각로] 명조)2-[대귀] 명조)3-[석무화시랑]

甲	癸	癸	壬		甲	癸	戊	乙		甲	癸	辛	壬
寅	丑	丑	申		寅	丑	申	巳		寅	丑	卯	午

명조1에서, 고공은 각로이고 무자(無子)이며 중주(中州)사람이다. 한사람 생원인데 절강사람으로 命이 같다.

명조)4-[장대강 지현] 명조)5-[호요시 헌장]명조)6-[송훈 총재]

甲	癸	壬	丙		甲	癸	甲	己		甲	癸	壬	壬

---

65) **고당**(高堂):높다랗게 지은 집.
66) **백두**(白頭):허옇게 센 머리라는 뜻으로, 벼슬을 하지 못한 사람을 일컫는다.

```
寅 丑 午 子            寅 丑 戌 未            寅 丑 寅 午
```
명조4에서, 장 대강은 지현인데, 庚辰년에 진로거인이 되었다.

癸卯일 甲寅시는, 亥 卯 未월은 貴하게 된다. 寅 卯의 年 月은 형합격(刑合格)으로 후백(侯伯)이다. 寅 亥는 4품이다. 寅월에 西方 運이면 존귀한 사람이다. 丑 戌 辰 巳도 역시 貴하다. (癸卯日,甲寅時,亥卯未月至貴.寅卯年月,刑合格,侯伯.寅亥四品.寅月西運金紫.丑戌辰巳亦貴.)

癸酉己未,蔡淸祭酒.庚戌癸酉,學士.乙亥丙戌,劉顯都督白衣出身.己未丁丑,曾銑都堂凶死.乙亥戊寅,副使.辛卯庚子,麻祿元戎.癸丑甲寅,大參.癸酉辛酉,大參.癸丑辛酉,運使.乙亥戊子,進士.庚申戊子,貴.

명조)1-[채청 제주] 명조)2-[학사] 명조)3-[유현 도독, 평민출신(出身)]
```
甲 癸 己 癸        甲 癸 癸 庚        甲 癸 丙 乙
寅 卯 未 酉        寅 卯 酉 戌        寅 卯 戌 亥
```

명조)4-[증선 도당, 凶死] 명조)5-[부사] 명조)6-[마록 원융]
```
甲 癸 丁 己            甲 癸 戊 乙        甲 癸 庚 辛
寅 卯 丑 未            寅 卯 寅 亥        寅 卯 子 卯
```

명조)7-[대참] 명조)8-[대참] 명조)9-[운사]
```
甲 癸 甲 癸        甲 癸 辛 癸        甲 癸 辛 癸
寅 卯 寅 丑        寅 卯 酉 酉        寅 卯 酉 丑
```

명조)10-[진사] 명조)11-[貴]
```
甲 癸 戊 乙        甲 癸 戊 庚
寅 卯 子 亥        寅 卯 子 申
```

癸巳일 甲寅시는, 身旺한 月에 通根하면 대귀(大貴)하다. 戊 己 庚 申[字]를 꺼리는데, 歲運도 같다. (癸巳日,甲寅時平,通身旺月大貴.忌戊己庚申字,歲運同.)

甲子壬申,吳嶽尙書.乙卯丙戌,楊宜侍郎.戊寅戊午,杜拯侍郎.癸亥甲子,給諫.庚辰丁亥,御史.庚辰乙酉,擧人.癸酉甲子.甲部.癸丑乙丑,貪瞽夭上元人.甲辰乙亥,司道屢凶.

명조)1-[오악 상서] 명조)2-[양의 시랑] 명조)3-[두증 시랑]
```
甲 癸 壬 甲        甲 癸 丙 乙        甲 癸 戊 戊
寅 巳 申 子        寅 巳 戌 卯        寅 巳 午 寅
```

명조)4-[급간]   명조)5-[어사]   명조)6-[거인]

甲 癸 甲 癸   甲 癸 丁 庚   甲 癸 乙 庚

寅 巳 子 亥   寅 巳 亥 辰   寅 巳 酉 辰

명조)7-[甲部]   명조)8-[빈고] 명조)9-[사도인데 누차 凶하였다.]

甲 癸 甲 癸   甲 癸 乙 癸   甲 癸 乙 甲

寅 巳 子 酉   寅 巳 丑 丑   寅 巳 亥 辰

명조)8에서, 가난한 소경인데, 요절하였으며 상원인이다.

癸未일 甲寅시는, 빼어나고, 중년(中年)에 귀현(貴顯)한다. 만약 己未 己巳의 年 月이면 무직(武職)으로 貴하다. (癸未日,甲寅時,主秀實,中年貴顯.若生己未己巳年月,武貴.)

甲子癸酉,廉使.癸未丁巳,富.壬午戊申,銓部.壬午甲辰,進士.辛亥甲午,布政.

명조)1-[렴사]   명조)2-[富]   명조)3-[전부]

甲 癸 癸 甲   甲 癸 丁 癸   甲 癸 戊 壬

寅 未 酉 子   寅 未 巳 未   寅 未 申 午

명조)4-[진사]   명조)5-[포정]

甲 癸 甲 壬   甲 癸 甲 辛

寅 未 辰 午   寅 未 午 亥

癸酉일 甲寅시는, 금신격(金神格)이다. 寅 午 戌월은 火局을 지어 귀현(貴顯)하고 특별히 재주가 뛰어나니 벼슬이 2~3품에 이른다. 丑년을 꺼리는데 貴하지 않다. 巳 未 亥 子인 年 月은 富하고 장수(長壽)한다. 辰 丑의 天干에 甲 丁이 투출하면 凶하다. 또 이르길, 진량(津梁)은 고귀(高貴)하다. (癸酉日,甲寅時,金神格.寅午戌月結火局,貴顯特達.官至二三品.忌丑年不貴.巳未亥子年月富壽.辰丑干透甲丁者凶.一云,津梁高貴.)

辛亥丁酉,尚書.甲戌甲戌,侍郎.乙未甲申,高撫翰.戊戌甲寅,大參.癸亥甲子,鄭富省魁.甲子丙戌,黃希護知縣.己丑己巳,沈位庶吉士壬申年溺死.戊申庚申,少卿.己巳戊辰,解元.

명조)1-[상서]   명조)2-[시랑]   명조)3-[고무한]

甲 癸 丁 辛   甲 癸 甲 甲   甲 癸 甲 乙

寅 酉 酉 亥   寅 酉 戌 戌   寅 酉 申 未

명조)4-[대참]   명조)5-[정부성괴] 명조)6-[황희호 지현]

甲 癸 甲 戊　　甲 癸 甲 癸　　　甲 癸 丙 甲
寅 酉 寅 戌　　寅 酉 子 亥　　　寅 酉 戌 子

명조)7-[심위서 길사] 명조)8-[少卿] 명조)9-[해원]
甲 癸 己 己　　　　　甲 癸 庚 戊　　甲 癸 戊 己
寅 酉 巳 丑　　　　　寅 酉 申 申　　寅 酉 辰 巳
명조7에서, 심위서는 길사인데, 壬申년에 익사(溺死)했다.

癸亥일 甲寅시는, 子 丑 未 申월은 進士이며 運이 金水로 行하면 풍헌(風憲)이다. 卯 戌의 年 月은 地支가 6合하니 貴하다. 또 이르길, 貴한 가운데 凶死한다. (癸亥日,甲寅時,子丑未申月進士, 運行金水,風憲.卯戌年月,地支六合貴.又云,貴中凶死.)

壬子癸丑,學士.乙未癸未,節度.甲辰丁卯,御史.辛未庚子,知縣.丙癸乙未,莊允中解元.丙戌丙申,林文 進士.癸巳壬戌,貴.丁亥癸亥,貴.丙子癸巳,張宗太監.

명조)1-[학사]　명조)2-[절도]　명조)3-[어사]
甲 癸 癸 壬　　甲 癸 癸 乙　　甲 癸 丁 甲
寅 亥 丑 子　　寅 亥 未 未　　寅 亥 卯 辰

명조)4-[지현]　명조)5-[장윤중 해원] 명조)6-[임문 진사]
甲 癸 庚 辛　　甲 癸 乙 丙　　　　甲 癸 丙 丙
寅 亥 子 未　　寅 亥 未 子　　　　寅 亥 申 戌
[명조5에서, 原文의 癸[字]가 誤字여서 子로 수정함]

명조)7-[貴]　명조)8-[貴]　명조)9-[장종 태감]
甲 癸 壬 癸　　甲 癸 癸 丁　　甲 癸 癸 丙
寅 亥 戌 巳　　寅 亥 亥 亥　　寅 亥 巳 子

일출연하(日出煙霞)局은 비운(悲運)이 지극(至極)하면 형통(亨通)함이 찾아온다. 보통사람은 두 터운 福을 더하지만 君子는 전정(前程)으로 나아간다. (日出煙霞局,否極泰來亨.常人添厚福,君子進 前程.)

甲寅시가 癸일에 戊 丙가 열리면, 少年시절에는 만나지 못하고 또 침몰(沈沒)한다. 만약 四柱 에 다시 衝 破가 없으면 평보(平步)로 벼슬길에 오른다. (甲寅癸日戊丙開,少年未遇且沉埋.若還四 柱無衝破,平步登雲到省臺.)

癸일 寅시가 剋에 응(應)하면, 干支가 相合하여 영광스러운데, 만약 壬 己 戊 庚 申이 없으면 반드시 財祿이 풍요(豊饒)하다. 運이 황주(皇州)에 이르러 현달(顯達)하니 문장(文章)으로 급제하여 이름이 나붙지만, 그러나 한 글자라도 空亡 衝을 만나면 자식을 剋하며 妻를 손상하고 삭탈관직(削奪官職)된다. (癸日寅時剋應,支干相合光榮,若無壬己戊庚申,必然財祿豊潤.運至皇州顯達,文章虎榜標名,但逢一字稍空衝,剋子傷妻剝俸.)

51. 六癸日乙卯時斷

6癸일생이 乙卯시면, 長生하는 地支에서 食神을 만난다. 午 酉와 辛 巳가 없으면 복수(福壽)쌍전(雙全)하며 녹봉과 작위가 있는 사람이다. (六癸日生乙卯時,長生之地遇食神.衆無午酉兼辛巳,福壽雙全祿位人.)

癸일이 乙卯시면, 食神천간이 旺하다. 癸는 乙이 學堂 食神이 되고, 卯상에서 癸水가 長生하며 乙의 祿이 坐하여 柱中에 己의 破와 辛의 탈취(奪取)가 없고, 午 酉는 刑 衝하며 月氣에 通[根]하여 의탁(依託)함이 있으면 총명(聰明)하고 장수(長壽)하며 官과 食祿이 있다. 만약 己土가 있으면 貴하지 않다. 春월생이 北方 運이면 현달(顯達)한다. (癸日,乙卯時,食神干旺.癸以乙爲學堂食神,卯上癸水長生,乙坐祿,柱中無己破辛奪,午酉刑衝,通月氣,有倚托,主聰明有壽,居官食祿.若有己土不貴.春月生北運,顯達.)

癸丑일 乙卯시는, 辰 丑月은 고귀(高貴)하다. 또 이르길, 조금은 천(賤)하지만 中年에는 貴하다. (癸丑日,乙卯時,辰丑月高貴.一云,少賤,中年貴.)

乙丑己丑,侍郞.甲寅丁卯,擧人.壬寅戊申,龍宗武知府謫戍.甲寅丙寅,縣尹.

명조)1-[시랑] 명조)2-[거인] 명조)3-[용종무 지부]
乙 癸 己 乙　　乙 癸 丁 甲　　乙 癸 戊 壬
卯 丑 丑 丑　　卯 丑 卯 寅　　卯 丑 申 寅
명조3에서, 용 종무는 지부인데, 변방에 귀양.

명조)4-[현윤]
乙 癸 丙 甲
卯 丑 寅 寅

癸卯일 乙卯시는, 간난신고(艱難辛苦)한다. 寅 卯월생은 상관格으로 富貴를 말하기는 어렵다. 未 戌의 年 月은 기예(技藝)로 貴와 가깝다. 辰 丑월은 吉하다. 己丑 丙子는 凶하다. (癸卯日,乙

卯時,艱難.生寅卯月,傷官格,難言富貴.未戌年月,技藝近貴.辰丑吉.己丑丙子凶.)

戊午庚申,林志學士.癸卯丁巳,司業.庚午己丑,梁懷仁進士.甲寅辛未,周輆運使.庚辰庚辰,閔紳擧人.
丁卯甲辰,擧人.丙申辛丑,一品夫人.

명조)1-[임지 학사] 명조)2-[사업] 명조)3-[량 회인 진사]

乙 癸 庚 戊　　　乙 癸 丁 癸　　乙 癸 己 庚
卯 卯 申 午　　　卯 卯 巳 卯　　卯 卯 丑 午

명조)4-[주진 운사] 명조)5-[민신 거인] 명조)6-[거인]

乙 癸 辛 甲　　　乙 癸 庚 庚　　　乙 癸 甲 丁
卯 卯 未 寅　　　卯 卯 辰 辰　　　卯 卯 辰 卯

명조)7-[일품 부인]

乙 癸 辛 丙
卯 卯 丑 申

癸巳일 乙卯시는, 재관쌍미(財官雙美)하고, 春節은 상관이고, 夏節은 財旺하고, 秋節은 印綬로
평온(平穩)하고, 冬節은 평상(平常)하다. 만일 丑 午 子 亥의 年 月이면 벼슬이 3~4품에 이른다.
乙亥 乙酉는 잔질(殘疾)이다. (癸巳日,乙卯時,財官雙美,春傷官,夏財旺,秋印穩,冬平常.如丑午子亥年
月,官至三四品.乙亥乙酉殘疾.)

丁巳己酉,侍讀.辛亥庚寅,太尉.己酉庚午,黃嘉善尙書卽擧人.庚戌壬午,丁此呂大參謫戌.丙辰己亥,
卿.

명조)1-[시독] 명조)2-[태위] 명조)3-[황가선 상서 卽 擧人]

乙 癸 己 丁　　乙 癸 庚 辛　　乙 癸 庚 己
卯 巳 酉 巳　　卯 巳 寅 亥　　卯 巳 午 酉

명조)4-[정 차려 대참] 명조)5-[경(卿)]

乙 癸 壬 庚　　　乙 癸 己 丙
卯 巳 午 戌　　　卯 巳 亥 辰

명조4에서, 정 차려는 대참인데, 변방에 귀양.

癸未일 乙卯시는, 寅 亥 卯 未월은 상관상진(傷官傷盡)으로 평상시에 강단(剛斷)이 있다. 辰 戌
申 子월은 貴하다. (癸未日,乙卯時,寅亥卯未月,傷官傷盡,剛斷平常.辰戌申子月貴.)

甲戌壬申,閣老.壬辰辛亥,學憲.己亥甲辰,謝原御史.己酉甲戌,林遠進士.庚申戊子,陳恩進士.乙丑己丑,趙師尹探花.

명조)1-[각로] 명조)2-[학헌] 명조)3-[사원 어사]

乙 癸 壬 甲　　乙 癸 辛 壬　　乙 癸 甲 己
卯 未 申 戌　　卯 未 亥 辰　　卯 未 辰 亥

명조)4-[임원 진사] 명조)5-[진은 진사] 명조)6-[조 사윤, 탐화]

乙 癸 甲 己　　　乙 癸 戊 庚　　　乙 癸 己 乙
卯 未 戌 酉　　　卯 未 子 申　　　卯 未 丑 出

癸酉일 乙卯시는, 申 子 辰월은 貴하다. 寅 午 戌월은 중간이다. 亥 卯 未월은 보통이다. 巳 酉 丑월은 富하다. (癸酉日,乙卯時,申子辰月貴.寅午戌中.亥卯未平.巳酉丑富.)

己卯戊辰,太守.癸亥甲申,郭應聘尙書.

명조)1-[태수] 명조)2-[곽 응빙, 상서]

乙 癸 戊 己　　乙 癸 甲 癸
卯 酉 辰 卯　　卯 酉 申 亥

癸亥일 乙卯시는, 辰 巳월은 풍헌(風憲)이다.(癸亥日,乙卯時,辰巳月風憲.)

庚寅己卯,大參.己亥丁巳,劉節提學.乙未庚辰,進士.庚子癸未,御史.己丑丙子,曹勳會元探花.丁未庚戌,侯.

명조)1-[대참] 명조)2-[유절 제학] 명조)3-[진사]

乙 癸 己 庚　　乙 癸 丁 己　　　乙 癸 庚 乙
卯 亥 卯 寅　　卯 亥 巳 亥　　　卯 亥 辰 未

명조)4-[어사] 명조)5-[조훈 회원탐화] 명조)6-[후(侯)]

乙 癸 癸 庚　　乙 癸 丙 己　　　乙 癸 庚 丁
卯 亥 未 子　　卯 亥 子 丑　　　卯 亥 戌 未

문성식록(文星食祿)局은 명성(名聲)이 도처(到處)에 알려진다. 壬 庚을 더하여 흥왕(興旺)하면 君子는 공경(公卿)에 이른다. (文星食祿局,聲名到處聞.壬庚加興旺,君子至公卿.)

乙이 癸를 만나서 食神의 地支가 旺하면, 천공(天工)에 조화(造化)한 만물(萬物)은 본래 사사로움이 없다. 運이 자연히 行하여 고인(高人)이 천거(薦擧)되어 단계(丹桂;과거에 급제한 명부)에 들어 높은 벼슬로 나아간다. (乙癸相逢旺食支,天工造物本無私.運行自有高人薦,手攀丹桂上雲逵.)

癸일이 乙卯시를 만나면, 貴人이 食祿으로 玉堂(천을貴人)인 乙卯는 후왕(侯王)의 자리이니 바로 대궐의 장수(將帥)와 재상(宰相)인 것이다. 君子는 문장(文章)으로 發하고, 평민은 財祿이 가득하고, 甲寅 辛酉는 자못 편안하며 부귀영화(富貴榮華)를 크게 누린다. (癸日時逢乙卯,貴人食祿之鄕,玉堂乙卯位侯王,便是金門將相.君子文章播發,常人財祿盈箱,甲寅辛酉頗安常,富貴榮華大享.)

52. 六癸日丙辰時斷

6癸일생이 丙辰시면, 편관이 무기(無氣)하여 가난하지 않다. 만약 木氣가 通[根]하지 않는 局이면 청고(淸高)한 복록(福祿)人이다. (六癸日生時丙辰,偏官無氣未爲貧.若無木氣通其局,定是淸高福祿人.)

癸일 丙辰시는, 身이 官庫에 坐하고, 癸는 戊 己가 官이 되고, 辰상의 土墓는 官庫가 되고, 丙을 보면 財가 되고, 辰은 水局이 되며 丙火가 無氣하니 癸水로 合局하고, 柱에서 甲이 官을 破하지 않고 庫를 손상하지 않으면 貴하다. (癸日,丙辰時,身坐官庫,癸用戊己爲官,辰上土墓爲官庫,見丙爲財,辰爲水局,丙火無氣,癸水合局,柱無甲破官損庫,主貴.)

癸丑일 丙辰시는 보통이다. 辰 戌 丑 未월은 財官이 유기(有氣)하여 貴하다. 또 이르길, 財가 적다. (癸丑日,丙辰時平.辰戌丑未月,財官有氣貴.又云,財孤.)

丁丑辛丑,蔣冕擧人.乙巳戊寅,少卿.丙寅壬辰,駙馬.

명조)1-[장면 거인] 명조)2-[少卿] 명조)3-[부마]

丙	癸	辛	丁		丙	癸	戊	乙		丙	癸	壬	丙
辰	丑	丑	丑		辰	丑	寅	巳		辰	丑	辰	寅

癸卯일 丙辰시는, 고독하며 父母가 어렵게 되고, 재백(財帛)이 있으며 貴人이 기쁘고 좋다. 卯亥의 年 月은 日貴格이다. 午 戌은 9품에서 5품이 된다. 寅월에 南方 運으로 行하면 풍헌(風憲)이다. (癸卯日,丙辰時,孤獨,難爲椿萱,有財帛,貴人欽敬.卯亥年月,日貴格.午戌九品至五品.寅月行南運,風憲.)

戊辰庚申,呂光洵尙書無子.丁酉癸卯,隆慶皇帝.戊寅甲寅,都督無子.甲子戊辰,大參.辛巳甲午,太守.庚辰丁亥,沈同和丙辰會元,因假文革戌.甲戌丙寅,擧人.

명조)1-[려광순 상서,無子]　명조)2-[융경 황제]　명조)3-[도독,無子]

丙	癸	庚	戊
辰	卯	申	辰

丙	癸	癸	丁
辰	卯	卯	酉

丙	癸	甲	戊
辰	卯	寅	寅

명조)4-[대참]　명조)5-[태수]　명조)6-[심 동화]

丙	癸	戊	甲
辰	卯	辰	子

丙	癸	甲	辛
辰	卯	午	巳

丙	癸	丁	庚
辰	卯	亥	辰

명조6에서, 심 동화는 丙辰년에 회원인데, 거짓 문장으로 인해 해임되었다.

명조)7-[거인]

丙	癸	丙	甲
辰	卯	寅	戌

癸巳일 丙辰시는, 子월생이 南方은 산명수려(山明水麗)한 지방(地方)이면 고귀(高貴)하다. 子未의 年은 크게 부유(富裕)하다. 戊 卯는 근시(近侍)[67]이다. 未 戌 申은 유관(儒官)[68]이다. (癸巳日,丙辰時,子月生南方山明水秀地方,高貴.子未年月富厚.戊卯近侍.未戌申儒官.)

癸亥丙辰,咸寧侯仇鸞破棺梟示.乙未己丑,尙書.癸卯辛酉,侯.己丑戊辰,張祐布政.辛丑辛丑,李公平御史.己巳己巳,傅夏器會元官郎中壽高.壬子壬寅,丘茂擧人.丙辰壬辰,擧人.癸酉壬戌,府尹.

명조)1-[함녕후 구란]　명조)2-[상서]　명조)3-[侯]

丙	癸	丙	癸
辰	巳	辰	亥

丙	癸	己	乙
辰	巳	丑	未

丙	癸	辛	癸
辰	巳	酉	卯

명조1에서, 함 녕후 구란인데, 부관(剖棺)참시되어 효시(曉示)되었다.

명조)4-[장우 포정]　명조)5-[이 공평, 어사]　명조)6-[부 하기, 회원]

丙	癸	戊	己
辰	巳	辰	丑

丙	癸	辛	辛
辰	巳	丑	丑

丙	癸	己	己
辰	巳	巳	巳

명조6에서, 부 하기는 회원으로 벼슬이 낭중인데, 壽命이 길었다.

명조)7-[구무 거인]　명조)8-[거인]　명조)9-[부윤]

丙	癸	壬	壬

丙	癸	壬	丙

丙	癸	壬	癸

---

67) 근시(近侍): 임금을 곁에서 모시던 신하.
68) 유관(儒官):유학(儒學)을 가르치던 벼슬아치.

辰 巳 寅 子　　　　辰 巳 辰 辰　　　辰 巳 戌 酉

癸未일 丙辰시는 뛰어나다. 寅 卯 未월은 평상(平常)하다. 辰 戌 丑월은 吉하고, 巳월은 財官이 모두 旺하니 貴하다. (癸未日,丙辰時高.寅卯未月平常.辰戌丑月吉,巳月財官俱旺貴.)

丙辰壬辰,陳音太常卿.辛卯壬辰,擧人.丙寅辛丑,熊鏡湖都堂.癸亥壬戌,劉天受憲長多子.辛未癸巳,彭甫僉憲.甲辰乙亥,李盛時擧人.己巳丙寅,熊廷弼經略侍郎.丁未壬子,一汪道亨尚書己卯癸未科婺源人,一林學曾少卿壬辰科晉江人.丁酉戊申,楚王.壬戌戊申,大參.

명조)1-[진음 태상경] 명조)2-[거인] 명조)3-[웅경호 도당]

丙 癸 壬 丙　　　　丙 癸 壬 辛　　　丙 癸 辛 丙
辰 未 辰 辰　　　　辰 未 辰 卯　　　辰 未 丑 寅

명조)4-[유천수 헌장,多子] 명조)5-[팽보 첨헌] 명조)6-[이성시 거인]

丙 癸 壬 癸　　　　丙 癸 癸 辛　　　丙 癸 乙 甲
辰 未 戌 亥　　　　辰 未 巳 未　　　辰 未 亥 辰

명조)7-[웅정필 경략시랑] 명조)8-[왕도형 상서] 명조)9-[楚王(초왕)]

丙 癸 丙 己　　　　丙 癸 壬 丁　　　丙 癸 戊 丁
辰 未 寅 巳　　　　辰 未 子 未　　　辰 未 申 酉

명조8에서, 왕 도형은 상서이며, 己卯 癸未년에 급제하였고, 무원사람이다.

명조)10-[대참]

丙 癸 戊 壬
辰 未 申 戌

癸酉일 丙辰시는, 고독하지만 貴하다. 巳 酉 丑월은 貴하다. 寅 卯는 불길(不吉)하다. 子 午는 富하다. 戌월은 대귀(大貴)하다. (癸酉日,丙辰時,孤貴.巳酉丑月貴.寅卯不吉.子午富.戌月大貴.)

戊申庚申,韓文公.丁亥庚戌,秦鳳山尚書.丁巳庚戌,擧人.甲寅戊辰,林瀚尚書.甲戌壬申,例貢.丁丑癸丑,富.辛亥己亥,饒位進士.乙丑乙酉,李柄巡撫.辛亥己亥,卿.丁卯壬子,夭.

명조)1-[한 문공] 명조)2-[진봉산 상서] 명조)3-[거인]

丙 癸 庚 戊　　　丙 癸 庚 丁　　　丙 癸 庚 丁
辰 酉 申 申　　　辰 酉 戌 亥　　　辰 酉 戌 巳

명조)4-[임한 상서] 명조)5-[예공] 명조)6-[富]

丙 癸 戊 甲　　　丙 癸 壬 甲　　丙 癸 癸 丁
辰 酉 辰 寅　　　辰 酉 申 戌　　辰 酉 丑 丑

명조)7-[요위 진사] 명조)8-[이병 순무]명조)9-[경(卿)]

丙 癸 己 辛　　　丙 癸 乙 乙　　丙 癸 己 辛
辰 酉 亥 亥　　　辰 酉 酉 丑　　辰 酉 亥 亥

명조)10-[요절]

丙 癸 壬 丁
辰 酉 子 卯

癸亥일 丙辰시는, 柱에 甲木이 官庫를 파손(破損)하지 않으면 貴하고, 運 은 南方을 좋아한다. (癸亥日,丙辰時,柱無甲木破損官庫貴,運喜南.)

丙子辛卯,鄭淸之樞密.乙亥丁亥,武貴多凶.丁卯戊申,侯.庚戌壬午,發財凶死.庚子癸未,萬一貫御史.

명조)1-[정청지 추밀] 명조)2-[武貴, 多凶] 명조)3-[후(侯)]

丙 癸 辛 丙　　　丙 癸 丁 乙　　丙 癸 戊 丁
辰 亥 卯 子　　　辰 亥 亥 亥　　辰 亥 申 卯

명조)4-[發財, 凶死] 명조)5-[만일관 어사]

丙 癸 壬 庚　　　丙 癸 癸 庚
辰 亥 午 戌　　　辰 亥 未 子

옥출람전(玉出藍田)局은 休하여 출현(出現)이 늦어 싫어한다. 열쇠인 卯 戌을 만나면 財祿이 자 연히 따른다. (玉出藍田局,休嫌出現遲.鑰匙逢卯戌,財祿自天隨.)

癸일이 丙辰[時]는 官庫가 닫혀 있으니, 재성이 비록 투출하더라도 오히려 무기(無氣)하다. 官 은 열쇠로 열어야하며 財는 興해야하는데, 柱에서 卯 戌을 만나야 비로소 貴하게 된다. (癸日丙 辰官庫閉,財星雖透卻無氣.官要匙開財要興,柱逢卯戌方爲貴.)

癸일이 丙辰시를 만나면, 庫중의 財官이 폐쇄(閉鎖)되어 卯 戌을 만나 열쇠로 열어야하는데, 조업(祖業)과 육친(六親)을 지키는데 방해된다. 暗으로 食神이 도와도 궁핍(窮乏)한 자산(資産)이 헛되니 선빈후부(先貧後富)하는 命으로 조업(祖業)을 고치고 중흥시켜 차츰 좋아진다. (癸日丙辰 時遇,庫中鎖閉財官,要逢卯戌鑰匙開,守祖六親阻礙.暗有食神相助,空乏虛度資財,先貧後富命中排,改

祖重興漸快.)

53. 六癸日丁巳時斷

6癸일생이 丁巳시는, 貴人의 地支에서 財를 만나고 암장한 官을 만난다. 의지할 데가 있으면 財祿이 盛해야하고, 의지할 데가 없으면 반드시 福은 한쪽으로 결함이 된다. (六癸日生時丁巳,貴地逢財遇暗官.有托就看財祿盛,無依必定福偏殘.)

癸일 丁巳시는, 癸가 財 官을 合하고, 癸는 丙이 財가 되며, 戊가 官이 되고, 庚이 印綬가 되며, 巳는 천을귀인이 된다. 巳상에 庚금이 長生하며 丙 戊는 건록이고, 癸수는 [受]胎가 된다. 만약 의탁(倚托)할 데가 있고 水氣월에 通[根]하면 貴하고, 水氣월에 通[根]하지 않으면 평상(平常)하다. 時에서 삼기(三奇)를 만나면 대체로 만년(晩年)에 발달한다. (癸日,丁巳時,癸合財官,癸用丙爲財,戊爲官,庚爲印,巳爲天乙貴人.巳上庚金長生,丙戊建祿,癸水受胎.若有倚托通水氣月貴,不通水氣,平常.時逢三奇,大抵發於晩年.)

癸丑일 丁巳시는, 선빈후부(先貧後富)하고, 火 水運으로 行하면 발달한다. (癸丑日,丁巳時,先貧後富,行火水運,發達.)

癸酉癸亥,馮熊太守.辛巳甲午,擧人.庚戌己丑,少卿.庚戌甲申,乙部.庚寅戊寅,侯恂戶部尙書.

명조)1-[풍웅 태수] 명조)2-[거인] 명조)3-[소경]

```
丁 癸 癸 癸      丁 癸 甲 辛      丁 癸 己 庚
巳 丑 亥 酉      巳 丑 午 巳      巳 丑 丑 戌
```

명조)4-[乙部=史部] 명조)5-[후순 호부상서]

```
丁 癸 甲 庚      丁 癸 戊 庚
巳 丑 申 戌      巳 丑 寅 寅
```

癸卯일 丁巳시는, 만약 子월에 身旺하고 財旺하면 귀현(貴顯)한다. (癸卯日,丁巳時,若子月身旺財旺,貴顯.)

辛酉辛卯,柯焞僉憲.庚申丁亥,中書.

명조)1-[가돈 첨헌] 명조)2-[中書]

```
丁 癸 辛 辛      丁 癸 丁 庚
巳 卯 卯 酉      巳 卯 亥 申
```

癸巳일 丁巳시는, 재관쌍미(財官雙美)이다. 子월은 貴하다. 火월은 富하다. 天干에 土가 투출하고 地支가 午 未면 대권(大權)의 貴이다. 순수한 丑은 극품(極品)이다. 또 이르길, 貴하지만 핏빛으로 죽는다. (癸巳日,丁巳時,財官雙美.子月貴.火月富.天干透土,地支午未,主大權貴.純丑極品.一云,貴中血光死.)

庚辰丁亥,劉章尚書.戊午己未,翁萬達尚書名臣.辛卯辛丑,許誥學士.乙丑己丑,李迨侍郎,戊辰辛酉,府尹.丙戌甲午,鴻臚卿.

명조)1-[유장 상서] 명조)2-[옹만달 상서,名臣] 명조)3-[허고 학사]

丁 癸 丁 庚	丁 癸 己 戊	丁 癸 辛 辛
巳 巳 亥 辰	巳 巳 未 午	巳 巳 丑 卯

명조)4-[이태 시랑] 명조)5-[홍려 경]

丁 癸 己 乙	丁 癸 甲 丙
巳 巳 丑 丑	巳 巳 午 戌

명조4에서, 이태는 시랑인데 戊辰년 辛酉월에 부윤이 되었다.

癸未일 丁巳시는, 寅 午 戌월은 身 財가 旺하고, 秋 冬절은 祿旺하여 잔질(殘疾)로 손상된다.
丁卯辛亥,路可由都憲.甲午丁卯,陳克宅進士.丁酉戊申,擧人. (癸未日,丁巳時,寅午戌月,身財旺顯,秋冬祿旺,傷殘疾.)

명조)1-[노가유 도헌] 명조)2-[진극택 진사] 명조)3-[거인]

丁 癸 辛 丁	丁 癸 丁 甲	丁 癸 戊 丁
巳 未 亥 卯	巳 未 卯 午	巳 未 申 酉

癸酉일 丁巳시는, 선빈후부(先貧後富)한다. 巳 酉월은 官印이 함께 旺하다. 亥 卯 未는 식신상관이 財를 生하여 귀현(貴顯)한다. 午 戌은 財旺하니 역시 吉하다. (癸酉日,丁巳時,先貧後富.巳酉月官印俱旺.亥卯未食傷生財,貴顯.午戌財旺亦吉.)

甲午己巳,李傑尚書.辛卯辛卯,謝騏少卿.辛巳乙未,太守.壬子辛亥,楊維聰狀元.丙子丁酉,宋南川副將.庚子乙酉,憲副.辛卯辛卯,劉珹榜眼.辛丑丁酉,大參.辛巳乙未,陳收知府.

명조)1-[이걸 상서] 명조)2-[사기 소경] 명조)3-[태수]

丁 癸 己 甲	丁 癸 辛 辛	丁 癸 乙 辛
巳 酉 巳 午	巳 酉 卯 卯	巳 酉 未 巳

명조)4-[양 유총, 장원]　명조)5-[송남천 부장]　명조)6-[헌부]

丁 癸 辛 壬　　　　丁 癸 丁 丙　　　丁 癸 乙 庚

巳 酉 亥 子　　　　巳 酉 酉 子　　　巳 酉 酉 子

명조)7-[유감 방안]　명조)8-[대참]　명조)9-[진수 지부]

丁 癸 辛 辛　　　丁 癸 丁 辛　　丁 癸 乙 辛

巳 酉 卯 卯　　　巳 酉 酉 丑　　巳 酉 未 巳

癸亥일 丁巳시는, 刑 害한다. 春 夏월생은 좋다. 秋절은 印綬로 吉하다. 冬절은 평상하다. 庚寅의 年 月은 무직(武職)으로 貴하다. (癸亥日,丁巳時,刑害.春夏月生,好.秋印綬吉.冬平常.庚寅年月,武貴.)

辛未戊戌,大參.甲子丁卯,太守.壬子己酉,周岐麓御史.丁卯乙巳,謝恩擧人.乙未壬午,王璇都憲.甲午丙子,太守.辛丑丁酉,賴庭檜參政.

명조)1-[대참]　명조)2-[태수]　명조)3-[주 기록, 어사]

丁 癸 戊 辛　　丁 癸 丁 甲　　丁 癸 己 壬

巳 亥 戌 未　　巳 亥 卯 子　　巳 亥 酉 子

명조)4-[사은 거인]　명조)5-[왕선 도헌]　명조)6-[태수]

丁 癸 乙 丁　　　丁 癸 壬 乙　　　丁 癸 丙 甲

巳 亥 巳 卯　　　巳 亥 午 未　　　巳 亥 子 午

명조)7-[뇌 정회, 참정]

丁 癸 丁 辛

巳 亥 酉 丑

봉락형산(鳳落荊山)局은 돌 속에 아름다운 玉이 감추어져있다. 훌륭한 장인(匠人)을 만나 뜻을 이루어, 貴하지 않으면 富는 충분하다. (鳳落荊山局,石中隱美玉.得志遇良工,不貴卽富足.)

巳시는 祿馬가 함께 앞서기를 다투어, 조화(造化)는 사심(私心)이 없으니 매우 현명한사람을 낳는다. 刑 衝으로 반감(半減)해도 공망과 剋이 없고 運이 되면 명성(名聲)이 온 사방에 드날린다. (巳時祿馬同爭先,造化無私産大賢.刑衝減半無空剋,運至聲名揚九天.)

癸일이 丁巳시에 臨하면, 貴人이 녹마동향(祿馬同鄕)이고, 삼중(三重)의 사(蛇=巳) 마(馬=午)는 조정의 올바른 기강(紀綱)으로 대궐 계단을 오르내린다. 壬 亥 申 寅은 반감(半減)하고, 단지 運에서 空亡인 것이 근심스러운데, 결과적으로 衝剋과 刑傷이 없으면 봉황지(鳳凰池)에서 춤춘다. (癸日時臨丁巳,貴人祿馬同鄉,三重蛇馬正朝綱,玉殿金階來往.壬亥申寅減半,只愁運落空亡,果無衝剋與刑傷,舞拜鳳凰池上.)

54. 六癸日戊午時斷

6癸일생이 戊午시면, 火로 化한 時가 제왕지에 臨한다. 運은 東南방인 木火의 地支를 기뻐하여, 官이 淸하고 正祿은 영화가 창성하게 된다. (六癸日生時戊午,化火臨時帝旺鄉.運喜東南木火地,爲官淸正祿榮昌.)

癸일이 戊午시는, 화기(化氣)가 火局을 이루고, 癸가 戊를 合하여 火로 化하며 午상에서 제왕(帝旺)이 合局하여 貴하다. 身旺한 癸水 北方의 氣는 불화(不化)한다. 南方에 이르면 癸水가 무기(無氣)하여 貴하지만 壽命은 짧고, 東方 運은 吉하다. (癸日,戊午時,化氣成火局,癸合戊化火,午上帝旺合局而貴.身旺不化,癸水北方之氣.引到南方,癸水無氣,貴而壽促,東方運吉.)

癸丑일 戊午시는, 財가 厚하고, 南方 運은 貴하나 壽命이 촉박하고, 東方 運이 吉하다. (癸丑日,戊午時,財厚,南運主貴,壽促,東運吉.)

丁未丙午,黃鰲進士.丁卯丙午,擧人.乙亥丁亥,翁海門知縣.

명조)1-[황오 진사] 명조)2-[거인] 명조)3-[옹해문 지현]

戊 癸 丙 丁	戊 癸 丙 丁	戊 癸 丁 乙
午 丑 午 未	午 丑 午 卯	午 丑 亥 亥

癸卯일 戊午시는, 申 子 辰 亥월은 身旺하여 불화(不化)하니 평상(平常)하다. 卯 戌월은 貴하다. (癸卯日,戊午時,申子辰亥月,身旺不化,平常.卯戌月貴.)

丙申乙未,顧東階侍郎.庚申癸未,董嗣成進士.甲午壬申,知縣.

명조)1-[고동계 시랑] 명조)2-[동사성 진사] 명조)3-[지현]

戊 癸 乙 丙	戊 癸 癸 庚	戊 癸 壬 甲
午 卯 未 申	午 卯 未 申	午 卯 申 午

癸巳일 戊午시는, 中年에 크게 富하다. 만약 東方 運으로 行하면 귀현(貴顯)한다. 申 未월도 역시 貴하다. (癸巳日,戊午時,中年大富.若行東運貴顯.申未月亦貴.)

甲戌丙寅,富貴.

명조)1-[부귀]

戊 癸 丙 甲

午 巳 寅 戌

癸未일 戊午시는, 寅 午 戌은 火로 合局하여 化하니 귀현(貴顯)한다. (癸未日,戊午時,寅午戌化火合局,貴顯.)

壬午辛亥,王汝正御史.癸亥甲寅,兪鸞給諫.壬戌戊申,張元衡進士.甲午己巳,大參.癸酉癸亥,王經歷尙書子.壬申丙午,周起元御史.丁亥壬寅,大參.己酉庚辰,進士助敎.

명조)1-[왕여정 어사] 명조)2-[유란 급간] 명조)3-[장원형 진사]

戊 癸 辛 壬   戊 癸 甲 癸   戊 癸 戊 壬

午 未 亥 午   午 未 寅 亥   午 未 申 戌

명조)4-[대참] 명조)5-[왕경력 상서의 아들] 명조)6-[주기원 어사]

戊 癸 己 甲   戊 癸 癸 癸   戊 癸 丙 壬

午 未 巳 午   午 未 亥 酉   午 未 午 申

명조)7-[대참]   명조)8-[진사 조교]

戊 癸 壬 丁   戊 癸 庚 己

午 未 寅 亥   午 未 辰 酉

癸酉일 戊午시는, 妻와 가정의 재물을 손상하고, 시작은 있으나 끝이 없고, 子年은 자식이 貴하나 祿이 없는데, 南方 運으로 行하면 좋다. 또 이르길, 조업(祖業)을 破하며 흉패(凶敗)한다. (癸酉日,戊午時,主傷妻家財,有始無終,子年子貴而無祿,行南運好.又云,破祖凶敗.)

丁亥庚戌,金澤尙書.庚申戊寅,林雲同左都御史.乙卯辛巳,左都.丁巳壬子,蔣塗府尹.己亥丙子,傅詮知縣.乙酉壬申,周鳴鸞擧人.壬寅甲辰,進士.己未甲戌,御史.丁卯戊申,甲部.

명조)1-[금택 상서] 명조)2-[임운동 좌도어사] 명조)3-[좌도]

戊 癸 庚 丁   戊 癸 戊 庚   戊 庚 辛 乙

午 酉 戌 亥   午 酉 寅 申   午 酉 巳 卯

명조)4-[장도 부윤] 명조)5-[부전 지현] 명조)6-[주명란 거인]

戊 癸 壬 丁　　　戊 癸 丙 己　　　戊 癸 壬 乙
午 酉 子 巳　　　午 酉 子 亥　　　午 酉 申 酉

명조)7-[진사] 명조)8-[어사] 명조)9-[甲部]

戊 癸 甲 壬　　　戊 癸 甲 己　　戊 癸 戊 丁
午 酉 辰 寅　　　午 酉 戌 未　　午 酉 申 卯

癸亥일 戊午시는 貴하고, 未월에 東方 運은 존귀한 사람이 된다. 또 이르길, 財는 있지만 凶하다. (癸亥日,戊午時貴,未月東方運,金紫.一云,有財凶.)

戊申庚申,大貴.癸亥癸亥,雙瞽.癸亥乙卯,以子封一品夫人.乙巳甲申,擧革.甲寅甲戌,進士.戊寅戊午,擧人.

명조)1-[대귀] 명조)2-[두 눈이 봉사] 명조)3-[아들로 인해서 一品夫人이 되었다.]

戊 癸 庚 戊　　戊 癸 癸 癸　　　戊 癸 乙 癸
午 亥 申 申　　午 亥 亥 亥　　　午 亥 卯 亥

명조)4-[擧革(거혁)] 명조)5-[진사] 명조)6-[거인]

戊 癸 甲 乙　　　戊 癸 甲 甲　　戊 癸 戊 戊
午 亥 申 巳　　　午 亥 戌 寅　　午 亥 午 寅

장성부록(將星扶祿)局은 財旺하여 官祿을 生한다. 衝 破 合은 평상(平常)하고, 분주(奔走)하여도 財가 부족하다. (將星扶祿局,財旺生官祿.衝破合平常,奔走財不足.)

장성(將星)이 祿을 돕는 命의 고저(高低)에서, 타인의 옳고 그름을 사랑한다. 털이 빠져야 닭은 봉황으로 변하며, 먼저 민틋한 언덕에 누워야 토끼가 속는다. (將星扶祿命高低,見愛於人是與非.得志退毛雞化鳳,先臥平坡被兎欺.)

癸일이 戊午시를 만나면, 천원기제(天元旣濟)하는 방향으로, 화(化)가 眞火하여 위광(威光)을 떨치고, 잠복된 재앙을 제거하여 복(福)이 길다. 壬이 甲寅을 만나면 반감(半減)하니 시비(是非)와 성패(成敗)를 방어하기 어렵고, 육친(六親)이 불목(不睦)하며 暗으로 刑傷하니 자산(資産)인 富의 旺盛함을 이루기 어렵다. (癸日時逢戊午,天元旣濟之方,化爲眞火顯威光,禍潛消除福長.壬會甲寅減半,是非成敗難防,六親不睦暗刑傷,難得資財富旺.)

55. 六癸日己未時斷

6癸일생이 己未시면, 鬼는 旺하고 身이 衰弱하여 福이 순탄하지 않다. 月氣에 불통(不通)하고 구조(救助)함이 없으면 평상시에 의(衣)록(祿)이 부족하다. (六癸日生時己未,鬼旺身衰福不齊.月氣不通無救助,平常衣祿有相虧.)

癸일 己未시는, 鬼는 旺하고 身이 衰弱하다. 癸는 己가 鬼[煞]인데, 未상에 명암(明暗)으로 두 己가 전위(專位)하고, 癸水가 無氣하고 혼탁(混濁)하여 淸하지 못하니 성패(成敗)를 반복(反復)한다. 만약 月에 通[根]하여 制하고, 또 水氣가 불통(不通)하면 평상(平常)하다. 癸는 신장(腎臟)과 방광(膀胱)의 장부(臟腑)에 속하는데, 허리와 무릎 하부(下部)의 질환(疾患)이고, 혹 신장(腎臟)의 맥락(脈絡)을 돌다가 종양(암)덩어리가 생긴다. (癸日,己未時,鬼旺身衰.癸以己爲鬼,未上明暗二己,得坐專位,癸水無氣,混濁不淸,反復成敗.若通月制,又不通水氣者平常.癸屬腎,與膀胱爲腑,患腰膝下部之疾,或腎經所循脈絡,生癧瘤.)

癸丑일 己未시는, 뛰어나다. 年 月이 모두 丑이면 보잘것없고 가난하다. 辰 戌 丑 未는 土旺하여 눈병이 있으며 빈천(貧賤)하다. 金 木 水氣에 通[根]하면 貴하다. 午월에 東北 運이면 6~7品의 貴이다. 또 이르길, 刑으로 破한다. (癸丑日,己未時,高.年月俱丑,貧薄.辰戌丑未土旺,主目疾貧賤.通金木水氣貴.午月東北運,六七品貴.又云,刑破.)

甲辰甲戌,羅元帥.壬辰庚戌,鄭雲鵬擧人.丙子乙未,徐閣老命婦.

명조)1-[나 원수] 명조)2-[정운붕, 거인] 명조)3-[서 각로,命婦]

| 己 癸 甲 甲 | 己 癸 庚 壬 | 己 癸 乙 丙 |
| 未 丑 戌 辰 | 未 丑 戌 辰 | 未 丑 未 子 |

癸卯일 己未시는, 子 巳 未의 年 月은 2品이다. 巳 寅[字]는 육친(六親)을 刑한다. (癸卯日,己未時,子巳未年月二品.巳寅字刑六親.)

壬子丁未,張經尙書凶終.丁巳壬子,大參.壬戌戊戌,進士.

명조)1-[장경 상서,凶終] 명조)2-[대참] 명조)3-[진사]

| 己 癸 丁 壬 | 己 癸 壬 丁 | 己 癸 戊 壬 |
| 未 卯 未 子 | 未 卯 子 巳 | 未 卯 戌 戌 |

癸巳일 己未시는, 재관쌍미(財官雙美)이고, 四柱에 戊土가 없으며 卯木이 合局하고 時上이 편관인데 制하는 것이 있으면 貴하다. (癸巳日,己未時,財官雙美,柱無戊土,有卯木合局,作時上偏官,有

制者貴.)

戊寅庚申,張鼎布政.戊辰乙卯,包孝御史.庚午癸未,楊昻通判.癸未己未,崔道光推官.癸亥戊午,徐可求川撫.

명조)1-[장정, 포정] 명조)2-[포효, 어사] 명조)3-[양앙, 통판]

己	癸	庚	戊		己	癸	乙	戊		己	癸	癸	庚
未	巳	申	寅		未	巳	卯	辰		未	巳	未	午

명조)4-[최도광, 추관] 명조)5-[서가구, 천무]

己	癸	己	癸		己	癸	戊	癸
未	巳	未	未		未	巳	午	亥

癸未일 己未시는, 뛰어나다. 春節은 편관을 制하면 吉하다. 夏節은 평상(平常)하다. 秋 冬節은 身旺한데, 申월은 木運으로 行하면 현귀(顯貴)하다. 巳 辰年은 육경(六卿=육조판서)이다. 또 이르길, 刑으로 손상한다. (癸未日,己未時,高.春偏官有制吉.夏平常.秋冬身旺,申月行木運,顯貴.巳辰年六卿.又云,刑傷.)

壬戌戊申,葉鎧侍郎.己卯丁卯,進士.

명조)1-[엽당, 시랑] 명조)2-[진사]

己	癸	戊	壬		己	癸	丁	己
未	未	申	戌		未	未	卯	卯

癸酉일 己未시는, 寅 巳 申 酉 丑 戌의 年 月이면 貴하다. (癸酉日,己未時,寅巳申酉丑戌年月貴.)

壬寅丁未,毛伯溫尙書.戊寅甲寅,擧人.

명조)1-[모백온, 상서] 명조)2-[거인]

己	癸	丁	壬		己	癸	甲	戊
未	酉	未	寅		未	酉	寅	寅

癸亥일 己未시는, 貴하다. 未월생은 충효(忠孝)가 완전하며 벼슬이 풍헌(風憲)이다. 만일 관살이 혼잡(混雜)하면 두려운데 결국은 외지(外地)에 있다. 亥의 年 月은 貴하다. (癸亥日,己未時,貴.未月生,忠孝雙全,官至風憲.如煞官混雜,恐終在外.亥年月貴.)

丁卯丁未,李東陽閣老.丙子乙未,馬鍾英進士.庚辰丁亥,通判.癸丑庚申,大參.

명조)1-[이 동양, 각로] 명조)2-[마종영, 진사] 명조)3-[통판]

己 癸 丁 丁　　　　己 癸 乙 丙　　　　己 癸 丁 庚

未 亥 未 卯　　　　未 亥 未 子　　　　未 亥 亥 辰

명조)4-[대참]

己 癸 庚 癸

未 亥 申 丑

고진감회(苦盡甘回)局은 未를 만나 분주(奔走)해진다. 少年시절에 성공하기 어렵고, 고향을 떠나 성가(成家)한다. (苦盡甘回局,未遇受奔波.少年難得遂,離祖可成家.)

편관이 暗鬼로 庫中에 매몰하니 험난(險難)한 근심에 놀라서 財가 모이지 않는다. 丑 戌 열쇠를 만나면 吉하고, 旺한 가운데 발복(發福)하며 재앙이 없다. (偏官暗鬼庫中埋,險難驚憂不聚財.丑戌相逢鑰匙吉,旺中發福定無災.)

癸일이 己未시에 臨하면, 庫中의 鬼를 소모하여 身衰한데, 卯 戌의 열쇠로 열지 못하면 폐쇄(閉鎖)되어 通[根]할 수가 없다. 꽃이 떨어지면 소중한 열매를 맺어 영화로운데, 父母 兄弟는 화합하기 어렵다. 설령 그렇지만 선빈후부(先貧後富)하여 옛것은 버리고 새로운 것을 맞이하는데 거리낌이 없다. (癸日時臨己未,庫中耗鬼身衰,不逢卯戌鑰匙開,鎖閉不能通泰.花落重榮結子,雙親雁侶難諧,縱然先貧後富來,棄舊迎新無礙.)

56. 六癸日庚申時斷

6癸일생이 庚申시면, 관성은 印綬가 旺한 地支에 있다. 柱中에 己 丙 寅 巳가 없으면 자연히 부귀영화(富貴榮華)할 때가 있다. (六癸日生時庚申,官星印旺在其支.柱中無己丙寅巳,自有榮華富貴時.)

癸일이 庚申시는, 오직 印綬가 祿을 合한다. 癸는 戊가 正官이 되며 庚이 正印이 되고, 申상에서 庚은 旺하고 戊는 長生하여 申이 巳中의 戊 丙을 合하니 癸일은 財官을 얻는다. 만약 의지할 데가 있으며 四柱중에 財와 刑 衝 破 害하는 官印이 없으면 貴하다. 四柱중에 財가 있는데 財運으로 行하면 진퇴(進退)를 반복(反復)하니 貴가 적다. (癸日,庚申時,作專印合祿.癸以戊爲正官,庚爲正印,申上庚旺戊生,以申合巳中戊丙,癸日得財官.若有倚托,柱中無財,及破害刑衝官印,主貴.柱中有財,

- 1264 -

行財運,反復進退,少貴.)

癸丑일 庚申시는, 辰 戌 丑 未의 年 月은 문장(文章)이 걸출하고 벼슬이 3품이다. 子월은 祿에 坐하니 역시 吉하다. (癸丑日庚申時,辰戌丑未年月,文章冠世,官至三品.子月坐祿,亦吉.)

乙酉癸未,丞相.庚子戊子,韓淮侍郎.戊申甲寅,侍郎.丙申乙未,白允中元戎.庚戌己卯,胡有恆大參.己未甲戌,楊鰲大參.戊戌乙丑,劉佐副使.壬午庚戌,員外.癸酉乙丑,同知.

명조)1-[승상] 명조)2-[한회, 시랑] 명조)3-[시랑]

庚	癸	癸	乙		庚	癸	戊	庚		庚	癸	甲	戊
申	丑	未	酉		申	丑	子	子		申	丑	寅	申

명조)4-[백윤중, 원융] 명조)5-[호유긍, 대참] 명조)6-[양오, 대참]

庚	癸	乙	丙		庚	癸	己	庚		庚	癸	甲	己
申	丑	未	申		申	丑	卯	戌		申	丑	戌	未

명조)7-[유좌, 부사] 명조)8-[원외] 명조)9-[동지]

庚	癸	乙	戊		庚	癸	庚	壬		庚	癸	乙	癸
申	丑	丑	戌		申	丑	戌	午		申	丑	丑	酉

癸卯일 庚申시는, 卯월은 합록격(合祿格)이 된다. 西北 運은 貴하여 존귀한 사람이 된다. 申월에 東北 運이면 풍헌(風憲)이다. 庚辰 庚戌의 年 月은 정관격(正官格)으로 貴하다. 辰월에 金水 運은 7품의 貴이다. (癸卯日,庚申時,卯月作合祿格,西北運貴,金紫.申月東北運,風憲.庚辰庚戌年月,正官格貴.辰月金水運,七品貴.)

癸丑庚申,韓尚書.甲午甲戌,盛應期都堂.乙卯甲申,指揮.

명조)1-[한 상서] 명조)2-[성응기 도당] 명조)3-[지휘]

庚	癸	庚	계		庚	癸	甲	甲		庚	癸	甲	乙
申	卯	申	丑		申	卯	戌	午		申	卯	申	卯

癸巳일 庚申시는, 가난하지만 역시 합록격(合祿格)이다. 未월생은 학문(學問)으로 성공하고, 西北 運은 貴하다. 東北 運으로 行하여도 역시 貴하다. (癸巳日,庚申時,貧,亦是合祿格.未月生,學問有成,西北運貴.行東北運亦貴.)

辛酉丙申,侍郎.戊子丙子,受封,一主簿命同.甲午辛未,董德潤舉人.丁酉丙午,兩司.

명조)1-[시랑] 명조)2-[수봉]   명조)3-[동덕윤, 거인]

庚 癸 丙 辛　　庚 癸 丙 戊　　庚 癸 辛 甲
申 巳 申 酉　　申 巳 子 子　　申 巳 未 午

명조2에서, 봉작을 받았고, 한사람 주부로 命이 같다.

명조)4-[양사]

庚 癸 丙 丁
申 巳 午 酉

　癸未일 庚申시는, 柱중에 甲寅 乙卯가 있으면 己와 甲이 合하고 乙과 庚이 合하니, 妻가 어질고 자식은 효도하니 영화가 오래토록 있다. 酉 申의 年 月은 3~4품이다. 秋절생이 木火 運으로 行하면 2~3품이다. 亥 卯는 문직(文職)으로 진출하여 貴하다. (癸未日,庚申時,柱有甲寅乙卯,己與甲合,乙與庚合,妻賢子孝,榮華在後.酉申年月,三四品.秋生,行木火運,二三品.亥卯文進貴.)

　乙酉癸未,丞相.乙丑丙戌,歐陽塾少卿.乙未乙酉,楊國相進士.

명조)1-[승상]   명조)2-[구양숙, 소경]   명조)3-[양국상 진사]

庚 癸 癸 乙　　庚 癸 丙 乙　　　庚 癸 乙 乙
申 未 未 酉　　申 未 戌 丑　　　申 未 酉 未

　癸酉일 庚申시는, 卯 酉 戌 寅의 年 月이면 貴하다. 申 酉는 火木 運이면 대귀(大貴)하다. (癸酉日,庚申時,卯酉戌寅年月貴.申酉火木運,大貴.)

　庚午乙酉,丞相.庚戌壬午,何卿元戎.庚戌戊子,元戎.壬申壬子,劉維芳擧人.

명조)1-[승상] 명조)2-[하경, 원융] 명조)3-[원융]

庚 癸 乙 庚　　庚 癸 壬 庚　　　庚 癸 戊 庚
申 酉 酉 午　　申 酉 午 戌　　　申 酉 子 戌

명조)4-[유 유방, 거인]

庚 癸 壬 壬
申 酉 子 申

　癸亥일 庚申시는, 성품이 평온하나 身은 고독하다. 卯 未월은 배움이 가득하여 貴命이다. 申월 역시 貴하다. 子 申은 근시(近侍)로 권력이 있다. 또 이르길, 조금 가난하지만 학문을 좋아하고 재간(才幹)이 있다. (癸亥日,庚申時,性平,身孤.卯未月飽學貴命.申月亦貴.子申近侍有權.一云,少貧好學,有才幹.)

丁丑壬子,侍郎.癸卯庚申,貴.乙酉乙酉,貴.甲戌丙子,評事.癸未乙丑,通判.

명조)1-[시랑]   명조)2-[貴]   명조)3-[貴]
　庚 癸 壬 丁　　庚 癸 庚 癸　　庚 癸 乙 乙
　申 亥 子 丑　　申 亥 申 卯　　申 亥 酉 酉

명조)4-[평사]　　명조)5-[통판]
　庚 癸 丙 甲　　庚 癸 乙 癸
　申 亥 子 戌　　申 亥 丑 未

금조태양(金鳥太陽)局은 허공에 솟구쳐 하늘 위를 向한다. 만약 剋 破가 없으면 명예(名譽)가 황조(皇朝)를 압도(壓倒)한다. (金鳥太陽局,騰空向九霄.若中無剋破,名譽鎭皇朝.)

癸일 庚申時를 자세히 추리하면, 우문심처(禹門深處;하우씨임금 집안의 깊숙한 곳)에 임금이 즉위한다. 문장(文章)은 웅장한 위력(威力)을 지니고, 柱에서 財 官을 합하는 것은 세상살이의 바램이다. (癸日庚申仔細推,禹門深處見龍飛.文章得助雄威力,柱合財官世所希.)

癸일이 庚申時 正이면, 印綬가 관성을 가지런하게 합하고, 亥 寅 申 丙 巳가 刑 衝하면 합을 떠나서는 입신(立身)을 단정할 수 없다. 破가 없으면 黃甲의 성씨를 나타내고, 평민은 財祿이 편안하지만 결과는 刑 害와 재앙의 星(별)이 없어야 금계(金鷄)69)가 봉황으로 변한다. (癸日庚申時正,印綬齊合官星,亥寅申丙巳刑衝,離合立身不定.無破黃甲顯姓,常人財祿安寧,果無刑害與災星,便是錦雞化鳳.)

57. 六癸日辛酉時斷

6癸일생이 辛酉시면, 자신(自身)이 실지(失地)하였는데 다시 무엇이 있겠는가! 地支중에 명암(明暗)으로 辛에게 손상되어 도움이 없으면 명리(名利)는 끝내 이루지 못한다. (六癸日生時辛酉,自身失地更何有.支中明暗被辛傷,無助利名終不就.)

癸일이 辛酉시면, 명암(明暗)으로 효신(梟神)이다. 癸는 辛이 도식이 되고, 酉상의 辛이 건왕하며   癸는 실지(失地)한다. 만약 의지할 데나 구조(救助)할 것이 없으면 생애(生涯)에 貴를 만나야

---

69) **금계**(金鷄);꿩과에 딸린 화려한 새. 날개의 길이 17~20cm.

한다. 의지할 데가 있어야 吉하다. (癸日,辛酉時,明暗梟神.癸見辛爲倒食,酉上辛建旺,癸失地,若無倚托救助者,遇貴生涯,有倚托則吉.)

癸丑일 辛酉시는, 秋월은 印綬格인데 관살運으로 行하면 吉하다. 冬절은 福祿이 모두 온전하다. 子 寅의 年 月은 干頭(天干)에 戊 己의 글자가 없으면 貴하다. (癸丑日,辛酉時,秋月印綬格,行官煞運吉.冬福祿雙全.子寅年月,干頭無戊己字貴.)

乙丑己丑,侍郎.辛酉辛卯,馮京狀元.甲子丙寅,監丞.己亥壬申,唐九經進士知縣.丁巳丙午,進士.甲申乙巳,乙部.

명조)1-[시랑] 명조)2-[풍경 장원] 명조)3-[감승]

辛	癸	己	乙		辛	癸	辛	辛		辛	癸	丙	甲
酉	丑	丑	丑		酉	丑	卯	酉		酉	丑	寅	子

명조)4-[당구경 진사지현] 명조)5-[진사] 명조)6-[乙部]

辛	癸	壬	己		辛	癸	丙	丁		辛	癸	乙	甲
酉	丑	申	亥		酉	丑	午	巳		酉	丑	巳	申

癸卯일 辛酉시는, 일귀격(日貴格)인데 辰 戌 丑 未월은 貴하다. 子 卯의 年 月은 대귀(大貴)하다. 巳 午 역시 貴하다. 또 이르길, 妻子에게 불리(不利)하다. (癸卯日,辛酉時,日貴格,辰戌丑未月貴.子卯年月大貴.巳午亦貴.又云,不利妻子.)

丁酉癸卯,明穆宗,一云丙辰時在位七年三十七歲.辛卯庚子,麻錦元戎.壬午癸丑,任邱劉封君二子元震元霖.庚子己卯,嚴嵩閣老此老無子世蕃其妻姪也晚被大禍者,皆此兒所致惜哉以余論之殊不足惜.

명조)1-[명 목종] 명조)2-[마금 원융] 명조)3-[임 구유]

辛	癸	癸	丁		辛	癸	庚	辛		辛	癸	癸	壬
酉	卯	卯	酉		酉	卯	子	卯		酉	卯	丑	午

명조1에서, 명나라 목종인데, 병진(丙辰)時라고도 한다. 재위(在位)기간은 7年으로 37歲였다.
명조3에서, 임 구유인데, 君으로 봉해진 두 자식이 원진, 원림이다.

명조)4-[엄숭 각로]

辛	癸	己	庚
酉	卯	卯	子

명조4에서, 엄숭은 각로인데, 늙도록 無子였으나 세대가 번성하여, 그 妻조카가 만년에 큰 禍를 당했는데, 모두 이 아이를 소중히 여긴 까닭으로 생긴 일이고, 나의 논리(論理)는 특히 애석함

이 不足하다.

癸巳일 辛酉시는, 고독하다. 寅 卯년은 辰 戌 丑 未월에 貴하다. 子 午 卯 酉는 중귀(中貴)이다. 寅 申 巳 亥가 가장 貴하다. (癸巳日,辛酉時,孤.寅卯年辰戌丑未月貴.子午卯酉中貴.寅申巳亥最貴.)

甲申乙亥,昌應時主政.辛巳己亥,馮保太監據理論水敗酉時主結果,一云丁巳時.

명조)1-[창응시 주정] 명조)2-[풍보 태감]

辛 癸 乙 甲　　　　辛 癸 己 辛
酉 巳 亥 申　　　　酉 巳 亥 巳

명조2에서, 풍보는 태감으로, 이론(理論)의 근거는 수패(水敗)한 것이 酉時가 주된 결과이다. 또 丁巳時 라고도 한다.

癸未일 辛酉시는, 春절은 가난하고, 夏절은 먼저는 어려우나 나중에는 편하고, 秋절은 吉하고, 冬절은 貴하다. (癸未日,辛酉時,春貧,夏先難後易,秋吉,冬貴.)

己亥丙子,袁桂臻郞中.甲子己巳,學士.甲寅癸酉,都事壽三十五歲.壬辰己酉,許夢熊主政.

명조)1-[원계진 낭중] 명조)2-[학사] 명조)3-[도사, 수명 35세]

辛 癸 丙 己　　　　辛 癸 己 甲　　辛 癸 癸 甲
酉 未 子 亥　　　　酉 未 巳 子　　酉 未 酉 寅

명조)4-[허몽웅 주정]

辛 癸 己 壬
酉 未 酉 辰

癸酉일 辛酉시는, 申 酉월은 印綬가 많아 능히 조업(祖業)을 지키나 妻家는 파산한다. 子 巳의 年 月에 天干에 庚 辛이 투출하면 祿 貴 印綬가 모두 완전하니 貴가 틀림없다. 寅 戌은 귀한 사람이 된다. 午 亥는 크게 貴하다. 丑월은 煞이 重하여 凶하게 요절(夭折)한다. (癸酉日,辛酉時,申酉月印綬多,能守祖破妻家.子巳年月,干透庚辛,祿貴印綬俱全,貴不可言.寅戌腰金.午亥大貴.丑月煞重凶夭.)

庚子辛巳,明成祖.戊午庚申,樞密.壬子辛亥,布政.甲子乙亥,王棠郞中.己卯辛未,陳茂然御史.

명조)1-[명 성조] 명조)2-[추밀] 명조)3-[포정]

辛 癸 辛 庚　　　辛 癸 庚 戊　　辛 癸 辛 壬

酉 酉 巳 子　　　酉 酉 申 午　　酉 酉 亥 子

명조)4-[왕당 낭중] 명조)5-[진무연 어사]

辛 癸 乙 甲　　　辛 癸 辛 己

酉 酉 亥 子　　　酉 酉 未 卯

癸亥일 辛酉시는, 戌월에 東南 運으로 行하면 고귀한 사람이 된다. 東北운은 풍헌(風憲)이다. 子월은 건록인데 年에서 財 官을 만나면 대귀(大貴)하다. (癸亥日,辛酉時,戌月行東南運,金紫.東北風憲.子月建祿,年遇財官,大貴.)

癸亥辛酉,明神宗享國四十八年.戊寅甲子,倪啓祚翰林院.壬午壬子,王楣副使.

명조)1-[명 신종] 명조)2-[예계조 한림원] 명조)3-[왕미 부사]

辛 癸 辛 癸　　　辛 癸 甲 戊　　　　辛 癸 壬 壬

酉 亥 酉 亥　　　酉 亥 子 寅　　　　酉 亥 子 午

홍안실군(鴻雁失群)局은 친척들이 東西로 제각각이고, 육친(六親)도 또한 의지함이 적고, 조업(祖業)을 지켜도 종주(宗主)를 이루지 못한다. (鴻雁失群局,親族各西東.六親亦少靠,守祖不成宗.)

天元이 癸인데 辛酉시는, 用[神]이 마음을 다하여 기미(機微)를 헤아려도 日이 바쁘고, 官印이 相生하여 印綬가 合을 만나면 마음속으로는 富하지만 그래도 평소와 같다. (天元是癸時辛酉,用盡心機度日忙.官印相生達印合,胸中便富且如常.)

癸일이 辛酉시를 만나면, 도식(倒食) 편인은 감당하기 어렵고, 柱중에 의지할 것이 없으며 또 가난하여도 편안하고, 月에서 財官을 만나면 적합하다. 단지 癸水가 실지(失地)하는 것이 두렵고, 수레를 탈수 없는데 어찌 승리하며, 육친(六親) 골육(骨肉)은 東西로 제각각이니 一生동안 노고(勞苦)할 命이다. (癸日辛酉時遇,倒食偏印難禁,柱中無依且安貧,財官月遇亦稱.只怕癸水失地,不能驅駕奚勝,六親骨肉各西東,一生勞苦之命.)

58. 六癸日壬戌時斷

6癸일생이 壬戌시면, 地支속의 正官이 財庫에 坐했다. 月과 더불어 救함이 있으면 貴하며 성공이 많다. 의지할 데가 만약 끝내 없으면 富하지 못한다. (六癸日生時壬戌,支內正官坐財庫.月兼有救貴多成,倚托若無終不富.)

癸일이 壬戌시는, 수화기제(水火旣濟)하고, 癸는 丙 丁이 財가 되며 戊土는 官이 되는데, 戊와 癸가 合旺하니 지모(智謀)가 있고, 月氣에 通하여 의탁(依託)할 데가 있으면 貴하다. 불통(不通)하면 평상(平常)하다. 火土가 月氣에 通[根]하면 부귀(富貴)쌍전(雙全)한다. 運에서 氣가 通하여도 역시 吉하다. (癸日,壬戌時,水火旣濟,癸用丙丁爲財,戊土爲官,戊與癸合旺,爲人智謀,通月氣有倚托者貴.不通平常.通火土月氣,富貴雙全.運氣通亦吉.)

癸丑일 壬戌시는, 刑하고, 亥월에 土가 두터운 지방(地方)이면 貴가 대단하다. 辰 申의 年 月은 南方 運은 장원(狀元)이다. 5월에 南方 運은 풍헌(風憲)이다. 만약 春 秋절생이 南方 運이면 8~9품이다. (癸丑日,壬戌時,刑,亥月土厚地方,上貴.辰申年月,南方運狀元.五月南運風憲.若春秋生南方運,八九品.)

庚午戊寅,忽答細平章.辛巳戊戌,譚維鼎僉憲.庚子戊子,焦竑狀元.

명조)1-[홀답세 평장] 명조)2-[담유정 첨헌] 명조)3-[초횡 장원]

壬	癸	戊	庚		壬	癸	戊	辛		壬	癸	戊	庚
戌	丑	寅	午		戌	丑	戌	巳		戌	丑	子	子

癸卯일 壬戌시는, 일귀격(日貴格)인데, 寅 巳의 年 月 천간에 戊 丁이 투출하면[戊寅년 丁巳월이면] 財官이 旺하니 대귀(大貴)하며 권세(權勢)가 있다. (癸卯日,壬戌時,日貴格,寅巳年月,干透戊丁,財官而旺,大貴有權.卯辰丑午子等年月,文貴.酉戌金土運,五六品.)

戊寅丁巳,于肅愍公謙.壬午癸丑,劉渤僉憲子翰林.壬辰壬寅,縣尹.丁巳丙午,擧人.乙卯壬申,擧人.

명조)1-[우숙민 공겸] 명조)2-[유발 첨헌, 아들은 한림] 명조)3-[현윤]

壬	癸	丁	戊		壬	癸	癸	壬		壬	癸	壬	壬
戌	卯	巳	寅		戌	卯	丑	午		戌	卯	寅	辰

명조)4-[거인] 명조)5-[거인]

壬	癸	丙	丁		壬	癸	壬	乙
戌	卯	午	巳		戌	卯	申	卯

癸巳일 壬戌시는, 재관쌍미(財官雙美)이고, 春절은 평범하고, 夏 秋 冬절은 貴하다. 辰 丑 未 寅 酉의 年 月은 도당(都堂)이다. (癸巳日,壬戌時,財官雙美,春平,夏秋冬貴.辰丑未寅酉年月,都堂.)

癸酉甲寅,都堂.己未丁丑,陳士賢都堂.辛酉庚子,進士.庚午丁亥,楊太傅公夫人,侍郎公母壬午年終.壬申庚戌,甲部.戊辰乙卯,張以誠狀元丙辰年卒.

명조)1-[도당] 명조)2-[진사현 도당] 명조)3-[진사]

壬 癸 甲 癸   壬 癸 丁 己   壬 癸 庚 辛

戌 巳 寅 酉   戌 巳 丑 未   戌 巳 子 酉

명조)4-[양 태부公 夫人] 명조)5-[甲部] 명조)6-[장 이성]

壬 癸 丁 庚   壬 癸 庚 壬   壬 癸 乙 戊

戌 巳 亥 午   戌 巳 戌 申   戌 巳 卯 辰

명조4에서, 양 태부公의 夫人이고, 시랑公의 母인데 壬午년에 죽었다.

명조6에서, 장 이성은 장원으로 丙辰년에 卒하였다.

癸未일 壬戌시는, 刑한다. 巳월생은 3~4품이다. 午 庚의 年 月은 근시(近侍)로 貴하다. (癸未日,壬戌時,刑.巳月生,三四品.午庚年月,近侍貴.)

丙寅癸巳,林廷機尙書.甲寅庚午,林繼美擧人.丙辰辛丑,大富.

명조)1-[임정기 상서] 명조)2-[임계미 거인] 명조)3-[大富]

壬 癸 癸 丙   壬 癸 庚 甲   壬 癸 辛 丙

戌 未 巳 寅   戌 未 午 寅   戌 未 丑 辰

癸酉일 壬戌시는, 亥 子월은 재주와 지혜가 뛰어나며 貴한데 妻가 어질고 자식은 효도한다. 春절은 평상(平常)하다. 夏절은 財官이고 秋절은 印綬이니 모두 吉하고 貴하다. 丑이 戌庫를 刑 衝하면 富貴雙全한다. 戌월에 東南 運이면 무직(武職)으로 貴하다. (癸酉日,壬戌時,亥子月才智高貴,妻賢子孝.春平常.夏財官,秋印綬俱吉貴.丑刑衝戌庫,貴富兩全.戌月東南運,武貴.)

癸巳壬戌,洪承疇閣老.辛卯丙申,石方伯.壬申戊申,孫振宗進士.壬申丙午,陳裕擧人.

명조)1-[홍승주 각로] 명조)2-[석 방백] 명조)3-[손진종 진사]

壬 癸 壬 癸   壬 癸 丙 辛   壬 癸 戊 壬

戌 酉 戌 巳   戌 酉 申 卯   戌 酉 申 申

명조)4-[진유 거인]

壬 癸 丙 壬

戌 酉 午 申

癸亥일 壬戌시는, 春절생은 상관견관(傷官見官)이고, 夏절은 財旺하고, 秋 冬절은 吉하며 명리

(名利)를 이룬다. 辰 戌월에 亥 子運으로 行하면 貴하다. 子월에 西南 運으로 行하면 高貴한 사람이 된다. (癸亥日,壬戌時,春生,傷官見官,夏財旺,秋冬吉,名利有成.戌辰月行亥子運貴.子月行西南運,金紫.)

辛未庚子,何維柏尙書.乙亥丁亥,金立敬學憲父子兄弟俱貴.甲子丁丑,御史.癸卯甲子,韓皐進士.己卯丁卯,都閻.甲辰丙子,御史.癸未癸亥,甲部.

명조)1-[하유백 상서] 명조)2-[금립경] 명조)3-[어사]

| 壬 癸 庚 辛 | 壬 癸 丁 乙 | 壬 癸 丁 甲 |
| 戌 亥 子 未 | 戌 亥 亥 亥 | 戌 亥 丑 子 |

명조2에서, 금 립경은 학헌인데 父子 兄弟가 모두 貴했다.

명조)4-[한고 진사] 명조)5-[도려] 명조)6-[어사]

| 壬 癸 甲 癸 | 壬 癸 丁 己 | 壬 癸 丙 甲 |
| 戌 亥 子 卯 | 戌 亥 卯 卯 | 戌 亥 子 辰 |

명조)7-[甲部]

| 壬 癸 癸 癸 |
| 戌 亥 亥 未 |

전서선창(田鼠船倉)局은 運이 졸렬하고 또 분파(奔波)하면 열쇠인 辰 丑을 만나야 만경(晚景)에 福과 재물이 많다. (田鼠船倉局,運拙且奔波.鑰匙逢辰丑,晚景福財多.)

天干에 乙 壬 癸와 戌時로 나열하면, 庫안에 財 官등을 열쇠로 열어야한다. 刑衝 공망을 만나지 않으면 폐쇄(閉鎖)되어 少年시절에 발달하기 어렵고 더군다나 재앙이 생긴다. (天乙壬癸戌時排,庫內財官等鑰開.不遇刑衝空鎮閉,少年難發更生災.)

癸일이 壬戌時를 만나면, 특히 창고(倉庫)가 가득차고 남아 장성(將星)과 천덕(天德)이 도우며 辰 戌의 열쇠로 열고 도와야한다. 土旺한 장류수(壬辰 癸巳)局은 六親의 은혜를 이루는 곳에 공망을 만나지 않으면 한층 더 남으니 中 末年에는 영화로운 福을 누린다. (癸日時逢壬戌,就中倉庫盈餘,將星天德兩相扶,辰戌鑰匙開助.土旺長流水局,六親恩處成疏,不遇空亡有增餘,中末榮華享福.)

59. 六癸日癸亥時斷 [終]

6癸일생이 癸亥시면, 祿馬가 비천(飛天)하여 旺神에 臨한다. 관성을 보지 않고 아울러 기반(羈

絆)하지 않으면 반드시 貴格으로 특별한사람이 된다. (六癸日生時癸亥,祿馬飛天臨旺神.不見官星兼惹絆,必爲貴格異常人.)

癸일이 癸亥시면, 비천록마격(飛天祿馬格)으로 癸水는 亥에서 건왕하고, 癸는 戊가 官이 되며 丙은 財가 되고, 亥중에 丙 戊는 모두 絶하니 癸는 財官이 없다. 그런데 亥가 巳중의 丙 戊를 衝出시켜 날아와 癸의 財 官이 된다. 四柱에 戊 己의 기반(羈絆) 및 관성의 破祿이 없어야 한다. 만약 庚 辛을 보면 청백(清白)하고 수려(秀麗)하여 위인(爲人)이 지혜로워 貴한 방면(方面)이 된다. (癸日,癸亥時,祿馬飛天格,癸水亥健旺,癸用戊爲官,丙爲財,亥中丙戊俱絶,癸無財官,卻亥去衝出巳中丙戊,飛來就癸爲財官,柱無戊己惹絆,及官星破祿.若見庚辛,清白而秀,爲人智慧,貴爲方面.)

癸丑일 癸亥시는, 공록격(拱祿格)이 된다. 巳 酉 丑생은 복덕수기(福德秀氣)이다. 午월은 평상(平常)하다. 卯 酉월에 南方 運으로 行하면 고귀한 사람으로 풍헌(風憲)인데, 단지 장수(長壽)하기 어렵다. (癸丑日,癸亥時,作拱祿格.巳酉丑生,福德秀氣.午月平常.卯酉月行南運,金紫風憲,但難爲壽.)

壬子癸丑,尚書.癸卯癸亥,許成名侍郎.癸未辛酉,進士.癸亥癸亥,一給諫,一都憲命同.癸巳甲寅,張位大學士.辛未辛丑,擧人.

명조)1-[상서] 명조)2-[허성명 시랑] 명조)3-[진사]

癸	癸	癸	壬		癸	癸	癸	癸		癸	癸	辛	癸
亥	丑	丑	子		亥	丑	亥	卯		亥	丑	酉	未

명조)4-[급간, 도헌 命同] 명조)5-[장위 대학사] 명조)6-[거인]

癸	癸	癸	癸		癸	癸	甲	癸		癸	癸	辛	辛
亥	丑	亥	亥		亥	丑	寅	巳		亥	丑	丑	未

癸卯일 癸亥시는, 평범하며 일귀격(日貴格)이다. 寅 卯월은 상관으로 論하며 金 水運으로 行하면 풍헌(風憲)이다. 辰 戌 丑 未월은 官旺하다. 순수한 卯는 3품의 貴이다. 辰 戌과 卯는 刑(형벌)으로 외롭고 가난하다. (癸卯日,癸亥時,平,日貴格.寅卯月傷官論,行金水運風憲.辰戌丑未月官旺.純卯三品貴.辰戌與卯刑,主孤貧.)

壬申戊申,唐汝楫狀元.己丑乙亥,副使.甲申丁卯,進士.丁未壬寅,劉清元戌.庚午乙酉,張思誠給諫.乙卯壬辰,太守.丙申庚寅,遊戌.

명조)1-[당여즙 장원] 명조)2-[부사] 명조)3-[진사]

癸	癸	戊	壬		癸	癸	乙	己		癸	癸	丁	甲
亥	卯	申	申		亥	卯	亥	丑		亥	卯	卯	申

명조)4-[유청 원융] 명조)5-[장사성 급간] 명조)6-[태수]

癸 癸 壬 丁　　　癸 癸 乙 庚　　　癸 癸 壬 乙

亥 卯 寅 未　　　亥 卯 酉 午　　　亥 卯 辰 卯

명조)7-[유융]

癸 癸 庚 丙

亥 卯 寅 申

癸巳일 癸亥시는, 丑월은 잡기인수(雜氣印綬)로 貴하다. 亥 子의 年 月에 南方 運으로 行하면 貴하다. 그리고 녹마동향(祿馬同鄕)格인데, 巳 申의 年 月은 대귀(大貴)하다. (癸巳日,癸亥時,丑月 雜氣印綬,貴.亥子年月行南運貴.又祿馬同鄕格,巳申年月,大貴.)

癸巳庚申,許讚閣老父子兄弟俱貴.癸卯甲寅,進士.壬寅壬寅,擧人.甲寅辛丑,寺丞.癸卯癸亥,進士.庚寅癸未,貧俗.己亥乙亥,乙部.甲子丙寅,侯爵.

명조)1-[허찬 각로] 명조)2-[진사] 명조)3-[거인]

癸 癸 庚 癸　　　癸 癸 甲 癸　　癸 癸 壬 壬

亥 巳 申 巳　　　亥 巳 寅 卯　　亥 巳 寅 寅

명조1에서, 허찬은 각로인데 부자(父子) 형제(兄弟)가 모두 貴하였다.

명조)4-[사승] 명조)5-[진사] 명조)6-[빈곡]]

癸 癸 辛 甲　　癸 癸 癸 癸　　　癸 揭 癸 庚

亥 巳 丑 寅　　亥 巳 亥 卯　　　亥 巳 未 寅

명조)7-[乙部] 명조)8-[후작]

癸 癸 乙 己　　　癸 癸 丙 甲

亥 巳 亥 亥　　　亥 巳 寅 子

癸未일 癸亥시는, 身의 아래에[日地] 財官이 坐한다. 辰 戌 丑 未월은 東北 運으로 行하면 貴하다. 秋절에 東方 運으로 行하면 7~8품의 貴이다. 天干에 정인 정관이 투출하면 고귀(高貴)한 사람이 된다. (癸未日,癸亥時,身下坐財官.辰戌丑未月,行東北運貴.秋月行東運,七八品貴.干透正印正官,金紫.)

己巳庚午,翰林.庚寅庚午,給諫.癸丑庚申,通判.丁丑丁未,解元.丙申戊戌,李汶尙書任邱人,一孤貧蘇州人命同.己巳甲戌,李樗巡撫.

명조)1-[한림]　명조)2-[급간]　명조)3-[통판]

癸 癸 庚 己　　癸 癸 壬 庚　　癸 癸 庚 癸

亥 未 午 巳　　亥 未 午 寅　　亥 未 申 丑

명조)4-[해원]　명조)5-[이문 상서]　명조)6-[이저 순무]

癸 癸 丁 丁　　癸 癸 戊 丙　　癸 癸 甲 己

亥 未 未 丑　　亥 未 戌 申　　亥 未 戌 巳

명조5에서, 이문은 상서이며 임구사람이고, 한사람은 외롭고 가난한 소주사람인데 命이 같다.

　癸酉일 癸亥시는, 辰 戌 丑 未월이면 일생의 뜻을 이룬다. 酉월에 東北 運으로 行하면 8~9품의 貴이다. 申월에 東方 運은 5품이다. (癸酉日,癸亥時,辰戌丑未月,生涯遂意.酉月行東北運,八九品貴.申月東方運,五品.)

　癸丑己未,張嗣修翰林.庚子丁亥,尚書.壬辰壬子,萬戶.丙戌丁酉,學士.辛未戊戌,進士.丙子丙申,擧人.癸未甲寅,擧人.甲子辛未,擧人.癸卯甲子,李盛春少參.甲辰壬申,擧人.戊午丙辰,南道.

명조)1-[장사수 한림]　명조)2-[상서]　명조)3-[만호]

癸 癸 己 癸　　　　癸 癸 丁 庚　　癸 癸 壬 壬

亥 酉 未 丑　　　　亥 酉 亥 子　　亥 酉 子 辰

명조)4-[학사]　명조)5-[진사]　명조)6-[거인]

癸 癸 丁 丙　　癸 癸 戊 辛　　癸 癸 丙 丙

亥 酉 酉 戌　　亥 酉 戌 未　　亥 酉 申 子

명조)7-[거인]　명조)8-[거인]　명조)9-[이성춘 소참]

癸 癸 甲 癸　　癸 癸 辛 甲　　癸 癸 甲 癸

亥 酉 寅 未　　亥 酉 未 子　　亥 酉 子 卯

명조)10-[거인]　명조)11-[남도]

癸 癸 壬 甲　　　癸 癸 丙 戊

亥 酉 申 辰　　　亥 酉 辰 午

　癸亥일 癸亥시는, 성품이 총명하고 우아하며 중년에 大富한다. 冬월생은 비천록마格으로 戊 己 子의 글자가 없으며 전실(塡實)기반(羈絆)하지 않으면 귀현(貴顯)한다. 그렇지 않으면 고독하며 刱하여 僧 道가 되지만 청고(淸高)하다. 年 月이 辰 亥이고 天干에 辛 壬이 투출하고 전실(塡實)하는 巳[字]가 없으면 지혜가 끝없으며 대귀(大貴)하다. 卯월은 고귀(高貴)한 사람이 된다. 己丑도 역시 貴하다. (癸亥日,癸亥時,性聰飄逸,中年大富.冬月生,飛天祿馬,無戊己子字,塡實惹絆,貴顯.不然,孤剋爲僧道,亦主清高.年月辰亥,干透辛壬,無塡實巳字,有智量大貴.卯月金紫.己丑亦貴.)

壬辰辛亥,王守仁尙書封新建伯.乙酉己卯,宗臣學憲稱才子壽三十六無子.癸丑丁巳,少參.己卯己巳,莊士元參議.丙午庚子,王槐廷太守.癸丑癸亥,陳狀元.丙戌乙未,劉時秋僉憲壽不永生九子.丁巳辛亥,侍郎.癸酉甲寅,僕射.辛丑辛丑,張仁縣尹.己丑丙子,周廷儒癸丑科會元狀元兩次入閣於癸未年賜死.

명조)1-[왕수인 상서] 명조)2-[종신 학헌] 명조)3-[소참]

| 癸 癸 辛 壬 | 癸 癸 己 乙 | 癸 癸 丁 癸 |
| 亥 亥 亥 辰 | 亥 亥 卯 酉 | 亥 亥 巳 丑 |

명조2에서, 재능이 출중했는데, 壽命이 36歲였고 자식이 없었다.

명조)4-[장사원 참의] 명조)5-[왕괴정 태수] 명조)6-[진 장원]

| 癸 癸 己 己 | 癸 癸 庚 丙 | 癸 癸 癸 癸 |
| 亥 亥 巳 卯 | 亥 亥 子 午 | 亥 亥 亥 丑 |

명조)7-[유시추 첨헌] 명조)8-[시랑] 명조)9-[복야]

| 癸 癸 乙 丙 | 癸 癸 辛 丁 | 癸 癸 甲 癸 |
| 亥 亥 未 戌 | 亥 亥 亥 巳 | 亥 亥 寅 酉 |

명조7에서, 유 시추는 첨헌인데 壽命은 길지 못하였으나 아홉 자식을 두었다.

명조)10-[장인 현윤] 명조)11-[주 정유]

| 癸 癸 辛 辛 | 癸 癸 丙 己 |
| 亥 亥 丑 丑 | 亥 亥 子 丑 |

명조11에서, 주 정유는 癸丑년에 급제하여 회원, 장원으로, 두 차례나 입각(入閣)하였는데, 癸未년에 사사(賜死;사약(死藥)으로 자결시킴)되었다.

앵천교목(鶯遷喬木)局은 어둠을 등지고 밝음을 향해 돌아간다.[잘못된 길을 버리고 바른길을 향해 돌아간다.] 열쇠가 剋 破하면 준비하고 기다려야 사람의 명예가 오른다. (鶯遷喬木局,背暗向明歸.鑰匙逢剋破,等待羽毛飛.)

陰水가 重重하면 바다의 파도가 출렁이고, 少年시절에 태양을 만나지 못하면 부질없다. 困한 龍이 뜻한 바를 이루어야 변화할 수 있고, 때를 만나지 못하면 호랑이도 고개에 누워 잔다. (陰水重重透海波,少年未遇日蹉跎.困龍得志方能化,不遇時來虎臥坡.)

癸일이 癸亥시를 만나면, 敗財에 祿이 있어 형통(亨通)한다. 秋 夏절을 만나면 기쁘고, 春 冬절은 꺼리고, 戊 丙 庚 木은 재물이 풍성하다. 己 亥 甲 丙이 반복(反復)하면 육친(六親)은 서로 크게 뜻이 다르다. 일신(一身)이 도약하길 좋아하여도 일정하지 않으니, 먼저는 실패하고 나중에 성공하는 命이다. (癸日時逢癸亥,敗財帶祿亨通.喜遇秋夏,忌春冬,戊丙庚木富盛.己亥甲丙反復,六親大不和同.一身不定好翻騰,先敗後成之命.)

이상의 모든 명조들은 열에 여섯은 원본(原本)이고 열에 넷은 증주(增註)하였는데, 하나의 명조가 둘로 기재(記載)된 것이 있으니, 전(傳)해 들은 오류(誤謬)가 어찌 없다고 말하겠는가! 命은 소식(消息;천지의 시운(時運)이 돌고 돌아 자꾸 변화하는 일)의 뜻으로 가히 알 수 있는 것이다. (以上諸命,原本十之六,增十之四,間有一命而兩載者,傳聞之誤,豈曰無之.要在知命者,以意消息之可也.)

제 9권 終

[譯者註]

상기(上記) 8권 9권의 명조에 관직명이 나오는데, 삼명통회서적은 명나라시대에 만들어졌으니, 그 이전의 관직명과 다를 수 있겠으나, 요지는 명나라시대의 인물들이 주류를 이루니 아래에 명나라 관제(官制)를 기재할 것이니 참고하라.

명나라 관직

삼명통회가 만들어진 時代背景이 明나라이니 명나라 官職을 소개하고자 합니다. 오늘날 공직의 직급과 비교하여 현대 사주에 主眼점을 두고 가늠하는데 도움이 되고자합니다.

명나라의 관직은 주원장이 황제권력의 강화를 목적으로 승상제도를 없애 버렸기 때문에 딱히 누가 제일 높다. 라는 주장을 하기는 힘듭니다. 단순히 품계로만 보자면 명나라의 군을 총괄하는 도독들이 정 1품으로 가장 높지만 그렇다고 이들이 정 2품인 육부의 상서 (명나라의 장관, 조선시대의 판서와 비슷한 직위)들 보다 더 권력이 센 것은 아니기 때문입니다.

명나라의 중앙정부의 조직은 황제의 비서기관인 내각, 명나라 최고의 행정기관인 육부, 감찰 및 사법을 통괄한 도찰원, 군사를 담당한 오호도독부 가 각기 중앙정부의 기능을 분할하고 있었습니다. 어쨌거나 명나라 중앙정부의 조직 및 각 관직의 품계는 대략 다음과 같습니다.

내각: 황제의 비서기관. 내각은 황제의 명령을 받아 각 주요 통치기관 (오호도독부, 육부, 도찰원) 사이의 알력을 조절하는 역할을 수행했다. 현대의 대통령 비서실과 비슷한 기관.
정 5품: 대학사(大學士): 내각의 수장. 원래는 황제의 고문관에 불과했으나, 제도상으로 재상이 없었던 명나라에서 점차 수상의 임무를 맡게 됐다. 주요임무는 황제의 보좌와 주요행정기관간의 알력을 조정하는 것이었다.
종 7품: 중서사인(中書舍人):대학사의 비서. 황제의 명령을 포고하는 제칙방(制勅房)과 황제에게 올라오는 문서를 관리하는 고칙방(誥勅房)에서 근무했다.

육부(六部): 명나라의 최고 실무 행정기관. 조선과 마찬가지로 이, 호, 예, 병, 형, 공의 육부가 있었음
정 2품: 상서(尙書):육부의 장관. 조선시대의 판서와 비슷함.
정 3품: 좌(左), 우(右) 시랑(侍郞): 육부의 부 수장. 조선시대의 참판과 비슷함.
정 5품: 각사난중(各司郞中): 육부 아래의 경력사 (經歷司, 육부 아래의 실무를 담당한 부서. 한 부에는 각기 4~13개의 경력사가 존재했음.) 의 수장
종 5품: 각사외랑(各司外郞): 각사난중을 보좌하는 관료.
정 6품: 주사(主事):실무 담당자
종 8품: 조마:기록을 담당하는 조마청의 1급 서기
정 9품: 검매(檢枚):조마청의 2급 서기

종 9품: 사무(司務):6부 내의 각종 사무업무를 담당하는 사무청(司務廳)의 하급관리

무급: 리(理): 육부의 잡무를 담당하는 하급 실무자. 육부에는 각기 47~183명의 리가 근무했다.

도찰원 (都察院): 명나라 중앙정부의 감찰기관. 또한 관리의 임무수행능력을 평가하기도 했다.

정 2품: 좌(左), 우(右) 도어사(都御司): 도찰원의 장관

정 3품: 좌(左), 우(右) 부도어사(副都御史): 도어사의 부 수장.

정 4품: 좌(左), 우(右) 첨도어사(僉都御史): 도찰원의 보좌관

종 6품: 경력(經歷):도찰원의 기록을 담당한 관리.

정 7품: 감찰어사(監察御史): 도찰원에서 실제로 감찰을 수행한 관리로 각기 관할구역의 감찰을 통괄했다. 감찰어사는 주로 지방의 성(省)을 맡아서 감찰을 수행했다. 도찰원에는 총 110명의 감찰어사가 존재했다. 조선시대의 암행어사와 비슷한 존재로 이들은 감찰결과를 직접 황제에게 보고했다.

종 7품: 조마(照磨): 도찰원의 서기

국자감(國子監):정부에서 운영하는 교육기관을 총괄한 기관.

종 4품: 제주(祭州): 국자감의 총장

정 6품: 사업(司業): 학문연구를 총괄한 관리.

종 8품: 오경박사(五經博士):경전을 연구한 학자.

종 8품: 조교(助敎): 국자감의 교수. 국자감에는 총 32명의 조교가 있었다.

정 8품: 학정(學正): 2급 강사.

종 9품: 학록(學錄): 3급 강사.

과(科): 6부의 감찰을 맡은 하급 감찰 기관. 과는 이과, 호과, 형과, 예과, 병과, 공과, 의 6개 부서로 나뉘어 각기 맡은 부의 문서를 검토했다. 과에서는 또한 각 부의 정책을 거부할 권한이 있었다. (정당한 이유가 있다면.) 과의 관리들은 품계 상으로는 하급관리였으나, 황제에게 직접 보고하는 특권을 인정받아 실제적으로는 권한이 컸다.

정 7품: 도급사중(都給事中): 과의 수장.

종 7품: 급사중(給事中): 도급사중을 도와 각 부의 감찰을 진행한 관리.

대리사(大理寺): 이미 판결이 난 사건을 재검토하는 기관. 판관이 판결을 내린 사건을 다시 하급관청으로 내려 보내거나, 상급관청으로 보내 재판결을 명령하기도 했다. 사형판결을 받은 사람은 황제에게 직접 판결을 요구했다.

정 3품: 경(卿): 대리사의 수장

한림원(翰林院): 황제의 칙령을 다듬거나, 역사편찬, 기밀문서 등 각종 학문에 관련된 임무를

담당한 엘리트 집단. 한림원은 과거시험에서 우수한 성적을 거둔 인재들만이 들어갈 수 있었다. 특히 한림원에서는 명나라의 실질적인 재상인 내각대학사를 배출했다.

정 5품: 학사(學士): 한림원의 수장.

종 5품: 시독학사(侍讀學士)

종 5품: 시강학사(侍講學士)

정 6품: 시독(侍讀)

정 6품: 시강(侍講)

종 6품: 수찬(修撰)

정 7품: 편수(編修)

종 7품: 검토(檢討)

통정사(通政司): 문서를 전달하는 중앙부서. 황제에게 올리는 상소나, 황제가 발표하는 칙령 등을 총괄했다.

정 3품: 통정사(通政使): 통정사의 장관

정 4품: 좌(左), 우(右) 통정(通政): 통정사 바로 아래의 직위.

정 5품: 좌(左), 우(右) 참의(參議): 통정 바로 아래의 직위.

종 6품: 경력(經歷): 통정사 내의 기록을 담당.

종 8품: 지사(知事): 통정사의 하급 사무원.

오호도독부: 명나라 최고의 군정기관으로, 중, 전, 후, 좌, 우의 도독부가 각기 3~4 개 정도의 성을 관할했음. 도독부의 사령관인 도독(정 1품), 도독동지(종 1품), 도독첨사(종 2품) 은 공(公), 후(侯), 백(伯) 등의 귀족이 맡는 것이 관례였다.

정 1품: 좌(左), 우(右) 도독(都督): 명나라 군직 중 최고의 직위. 한 개의 도독부를 총지휘하는 중앙의 사령관

종 1품: 도독동지(都督同知):좌, 우 도독 밑에 각기 1 명씩 있는 도독부의 부사령관

종 2품: 도독첨사(都督僉事):도독부의 주요 부서를 관장. 약간명이 존재

종 5품: 경력사(經歷司), 경력(經歷): 도독첨사 아래서 실무를 관장. 각 1명

종 7품: 도사(都司): 도독첨사 밑에서 실무를 관리 각 1명

명나라 지방관제

승선포정사사(丞宣布正使司): 성(省, 명나라 최고 행정단위, 명나라에는 13개의 성이 있었음)의 통치를 담당하는 기관. 그러나 사법이나 군사에 관한 권한은 없었다. 중앙정부의 최고행정기관인 육부(六部)와 비슷한 역할을 한 기관으로 육부와 유사한 육조(六曹)를 둬 각기 성(省)의 이(吏, 인사), 호(戶, 재정), 예(禮, 각종 행사 및 교육), 병(兵, 군정), 형(刑, 사법), 공(工, 공사)을 관장하게 했다.

종 2품: 좌(左), 우(右) 포정사(布正使): 조선시대의 관찰사와 비슷한 직위. 승선포정사사의 수

장.

종 3품: 좌(左), 우(右) 참정(參政): 한 성(省)의 육조(이, 호, 예, 병, 형, 공)을 담당한 수장. 조선의 판서와 비슷함.

종 4품: 좌(左), 우(右) 참의(參議): 성의 육조의 부수장. 조선의 참판과 비슷함.

종 6품: 경력(經歷): 등록을 담당한 경력소(經歷所)의 수장

종 6품: 이문(理問): 사법을 담당한 이문소(理問所)의 수장

종 7품: 도사(都事): 실무를 담당한 중급관리

종 8품: 조마(照磨): 기록을 담당한 조마소(照磨所)의 수장

정 9품: 검매(檢枚): 공문서의 검수를 담당

종 9품: 사옥(司獄): 승전포정사사 내의 감옥 소장.

종 9품: 대사(大使): 식량고, 창고, 관아유지 등을 담당한 하급관리.

제형안찰사사(提刑按察使司): 1개 성(省)의 형, 옥을 총괄하는 사법기관

정 3품: 안찰사(按察司): 제형안찰사사(提刑按察使司) 의 수장. 성의 사법, 감찰을 통괄함.

정 4품: 부사(副司): 분사 (分司, 제형안찰사사 내의 부서) 의 수장

정 5품: 첨사(僉司): 도(道, 분사의 하위부서)를 담당한 감찰관. 첨사는 성 내의 행정구역을 분담해 감찰을 진행했다.

도지휘사사: 오호도독부의 명령을 받는 한 개의 성을 총괄한 군정기관. 명나라에는 총 16개의 도지휘사사가 존재했다. (각 성에 하나, 변방에 3개) 오호도독부의 예속을 받고, 병부로부터 명령을 수행했다. 한 성(省)의 위소(衛所)를 통솔했다. 평상시에는 성 내의 군사를 총괄했고, 해당 지구의 방어 작전을 지휘했다.

도지휘사(都指揮使)(정 2품): 성(省)의 군정을 장악. 각기 위소(衛所)를 통솔했다.

도지휘동지(都指揮同知)(종 2품): 각 성에 2명. 일종의 부사령관

도지휘첨사(都指揮僉事)(정 3품): 각 성에 4명. 각기 관리(管理), 전비(戰備), 훈련(訓練), 둔종(屯種)의 부서를 관장했다.

부(府): 몇 개의 주가 모여 만든 행정단위. 대략 우리나라의 도/ 군과 비슷한 단위. 부는 그 크기에 따라서 상, 중, 하의 3등급으로 나눔. 평균적으로 약 60만 명 정도의 인구를 지배.

지부 (知府, 정 4품): 부(付)의 수장.

동지 (同知, 정 5품): 부(付)의 2인자. 부에는 여러 명의 동지가 지부를 보좌함.

통판 (通判, 정 6품): 실무 담당자. 조선시대의 이방, 호방 등과 비슷한 직위.

추관 (推官, 정 7품): 판관.

주(州): 부 아래의 행정단위. 주는 부에 속한 속주와 포정사사에 속한 직예주로 나눴다.

지주(知州, 종 5품): 주의 수장.

동지(同知, 종 6품): 지주의 바로 아래 직위. 주의 규모에 따라 다수의 동지가 존재함.

판관(判官, 종 7품): 실무 담당자.

이목(吏目, 종 9품): 판관

현(縣): 가장 하급의 행정단위. 평균적으로 약 9만 여명의 인구가 1개현에 편입돼 있었다. 그 규모에 따라 상, 중, 하의 세 등급으로 나눔.

지현(知縣, 정 7품): 조선시대 현감, 현령 과 비슷한 직위. 백성의 어버이와 같은 관리라 해서 부모관(父母官)이라 불리기도 했다.

현승(縣丞, 정 8품): 현의 2인자. 현에는 1명의 현승이 있었음.

주부(主簿, 정 9품): 현의 실무 담당자.

전사(典史, 무급): 판관

북경부, 남경부: 명나라 의 두 수도인 북경과 남경에 설치된 독립적인 행정기관.

정 3품: 부윤(府尹): 북경, 혹은 남경의 시장

정 4품: 부승(付承): 부시장

정 5품: 치중(治中): 수도의 실무를 담당한 감독관.

정 6품: 통판(通判): 치중 아래에서 각기 담당구역을 맡은 관리. 3~6명 정도의 통판이 한 부(付)에 있었다. 현대의 구청장과 비슷한 직위.

종 6품: 추관(推官): 수도의 사법을 담당한 판관.

명나라는 철저하게 군사, 행정, 사법이 나누어져 있었고 서로의 권한을 침범할 수 없었기 때문에 삼국시대처럼 군이나 현의 수장이 따로 군사를 데리고 있는 경우는 없었습니다. (즉, 지방관 직속의 군사는 없었단 이야기)

다만 필요하다면 각 지방관은 (지부, 지주, 지현 등) 근처에 치안목적으로 주둔하고 있는 위소에 병력을 요청할 수 있었습니다.

어쨌거나 각 요처에 설치된 위소의 설치방침은교통의 요충지에는 위(衛)가 설치되 5600명이 주둔하고 있었고, 작은 길이나, 험한 요충지에는 천호소 (약 1100여명이 주둔)이 설치되고, 별로 중요하지 않은 지역이나 다수의 병력이 주둔할 수 없는 곳에는 백호소 (약 110명 이 주둔)이 설치됐습니다.

참고로 명나라 지방의 군사제도는 대략 다음과 같습니다.

도지휘사사: 오호도독부의 명령을 받는 한 개의 성을 총괄한 군정기관. 명나라에는 총 16개의 도지휘사사가 존재했다. (각 성에 하나, 변방에 3개) 오호도독부의 예속을 받고, 병부로부터 명령을 수행했다. 한 성(省)의 위소(衛所)를 통솔했다. 평상시에는 성 내의 군사를 총괄했고, 해당 지구의 방어 작전을 지휘했다.

도지휘사(都指揮使) (정 2품): 성(省)의 군정을 장악. 각기 위소(衛所)를 통솔했다.

도지휘동지(都指揮同知)(종 2품): 각 성에 2명. 일종의 부사령관

도지휘첨사(都指揮僉事) (정 3품): 각 성에 4명. 각기 관리(管理), 전비(戰備), 훈련(訓練), 둔종(屯種)의 부서를 관장했다.

위지휘사사(衛指揮使司):지방 및 수도의 각 요충지에 설치된 군사를 통괄하는 기관. 약 5천 6백여 명의 병사가 배치돼 있었다. 명나라에는 180~200 여개 정도의 위지휘사사 (줄여서 위(衛) 라고도 부름) 가 설치되 있었다. 위지휘사사 아래에는 5개의 천호소 가 소속되어 있었다.

지휘사(指揮使) (정 3품): 위를 총괄하는 일종의 사단장 비슷한 직위.

지휘동지(指揮同知) (종 3품): 대략 부사단장 정도의 직위. 총 2명

지휘첨사(指揮僉事) (정 4품): 4명. 위(衛)의 참모 같은 존재.

진무(鎭撫) (종 5품): 총 2명. 각기 무학(武學, 군인학교)을 감독함.

천호소(千戶所):줄여서 소(所) 라고 부르기도 한다. 위지휘사사 밑에서 1112 명의 병사를 지휘했다. 천호소는 전(前),후(後),좌(左),우(右),중(中)의 천호소로 구분.

정천호(正千戶)(정 5품): 천호소의 지휘관. 대략 연대장 정도의 직위.

부천호(富千戶)(종 5품): 부연대장 정도의 직위 (중령)

진무(鎭撫)(종 6품): 판관

백호소(百戶所): 112명 (1 천호소= 10 백호소)

백호(百戶) (정 6품): 백호소의 지휘관

총기(總旗): 50명을 지휘함. 백호소에 총 2명. 소대장과 비슷한 직위.

소기(小旗): 10명을 지휘함. 백호소에 총 10명. 분대장과 비슷한 직위.